Y0-BCW-670

IN ORIENTE CRUX

IN ORIENTE CRUX

Versuch einer Geschichte
der reformatorischen Kirchen im Raum zwischen der Ostsee
und dem Schwarzen Meer

von BRUNO GEISSLER † und GÜNTHER STÖKL

herausgegeben von
HERBERT KRIMM

EVANGELISCHES VERLAGSWERK STUTTGART

Gesamtherstellung: Union Druckerei GmbH Stuttgart
Umschlag und Einband: Roland Hänßel
Printed in Germany

INHALT

ZUR SACHE

Ein Buch, dessen Inhalt sich in einem so weitgespannten Rahmen bewegen soll, bedarf eines Wortes über Anlaß und Absicht.

Der Anlaß lag, kurz gesagt, in einer längeren Reise des Herausgebers außerhalb Europas. Diese Reise wiederum stand im Zusammenhang mit der großen ökumenischen Hilfsarbeit der Kirchen, die in den Jahren nach 1945 zunächst den vom Krieg besonders hart betroffenen Ländern gegolten hatte. Unter ihnen war auch Deutschland, das auf seinem verkleinerten, durch eine Zonengrenze geteilten, durch Bomben zerstörten Territorium 15 Millionen heimatvertriebener Menschen aufzunehmen hatte. Von diesen Menschen zu sprechen, ihre Not, ihre Eigenart, ihr Schicksal, ihren Glauben zu schildern und hilfsbereite Herzen für sie zu erwecken, war die Aufgabe, die der Herausgeber auf seine Reise mitgenommen hatte. Dabei stieß er immer wieder an eine Grenze, die den Erfolg seiner guten Absicht empfindlich einengte: auf den Mangel jeder Kenntnis und Vorstellung von den Lebensverhältnissen, die diese Menschen seit vielen Geschlechtern geprägt hatten. Gewiß, zunächst blieb es das Wichtigste, daß den »Flüchtlingen«, wie man sie in Bausch und Bogen nannte, höchst greifbar geholfen wurde. Um Brot, Kleider, Arbeit und Wohnung zu vermitteln, bedarf es keiner besonderen Kenntnis über Herkunft und geistigen Hintergrund des Hungrigen. Aber nun waren die ökumenischen Hilfsaktionen im Namen des christlichen Glaubens proklamiert worden und waren, wenigstens nach einem bestimmten Teil der Programme, nicht den Notleidenden überhaupt, sondern den Glaubensgenossen unter ihnen zugedacht. Die Vertriebenen hatten in ihren Heimatländern Kirchenkörper gebildet, sie hatten christlichen Gemeinden angehört, so sollten sie das ihnen auferlegte ungeheure Schicksal nun auch als Christen tragen, keineswegs aber, was doch so nahe lag, bitter und entwurzelt in der namenlosen Masse des Elends versinken. In diese namenlose Masse aber wurden sie gerade durch die erstaunliche Unkenntnis über ihre Herkunft, die ihnen auch von ihren Wohltätern entgegenschlug, allzu leicht hinabgestoßen. Der Stempel »Flüchtling« löschte rasch die Individualität, die althergebrachte Prägung aus. Man verlangte Einordnung, Unterordnung, Umstellung. Das war ohne Zweifel notwendig. Man hätte es nicht immer gleich selbstverständlich und energisch verlangt, hätte man auch nur eine ungefähre Vorstellung gehabt von dem Leben, das nun unerreichbar verloren war. Bei den Menschen aus Pommern, Schlesien und Ostpreußen war das noch nicht durchweg so schlimm gewesen. Sie hatten seit Jahrhunderten zum Deutschen Reich gehört, waren in ihrer Kultur, Dichtung, Sprache eindeutig bestimmt, und abgesehen von dem tausendfachen Netzwerk wirtschaftlicher, kultureller und politischer Verflechtung gab es zahllose persönliche Verbindungen.

Aber es kamen außer der Bevölkerung der drei preußischen Provinzen auch noch einige Millionen aus den weiter ostwärts gelegenen Ländern, aus dem breiten, dem Kern Rußlands vorgelagerten Gürtel zwischen der Ostsee und dem Schwarzen Meer, dem seinerzeit Fachleute, um ihn einerseits von Mitteleuropa und andererseits von Osteuropa zu unterscheiden, den Namen Zwischeneuropa gegeben hatten. Und ihnen schlug vor allem die Welle der Fremdheit, des Mißtrauens, der Unkenntnis entgegen. Die Pauschalurteile machten sich geltend, die um so leichter aufrecht zu erhalten sind, je entfernter vom Gegenstand sie sich bewegen, und die sich zu einem schauerlichen Knäuel von Halbwahrheiten verwirren, sobald sie mit den Realitäten konfrontiert werden. Polen ist dann eben katholisch und Rußland orthodox – oder *war* es wenigstens –, in Jugoslavien leben Serben, allenfalls noch Kroaten, in Ungarn Magyaren und in Rumänien Rumänen, und wer aus Bessarabien stammte, lief Gefahr, zu den Arabern gerechnet zu werden. Wer aber als Deutscher von dort kam, weil er eben als Deutscher aus der angestammten Heimat vertrieben worden war, der hatte einiges zu tun, ehe er ganz voll genommen wurde. Daß er daheim einen großen Hof mit vielen Hektar besessen hatte, viel größer als der seiner neuen Nachbarn oder gar seines Gastgebers, das konnte man doch nicht mehr nachprüfen, hier war er zunächst der landfremde Insasse eines Sammellagers. Die Umstellung war auch gewiß nicht leicht. Wer mit einer donauschwäbischen Bäuerin aus der Batschka ins Reden kam, der mußte bald erkennen, daß die Vertreibung mindestens für die ältere Generation den Sprung unmittelbar vom 18. ins 20. Jahrhundert bedeutet hatte. Im Kirchenwesen hatten manche in ihrer alten Heimat einen starken Halt besessen; das zeigten auch die Bücher, die sie mitbrachten, die Sitten, die ihnen vertraut waren und von denen sie meinten, daß sie am neuen Wohnsitz ganz selbstverständlich auch gelten würden – man erlasse mir die Schilderung der Enttäuschung, die nicht auf sich warten ließ. Eben dieses Kirchenwesen war im deutschen Binnenraum, allen schönen Bestrebungen – etwa des Gustav-Adolf-Vereins – zum Trotz, im Ganzen doch recht unbekannt geblieben: konnte man sich da wundern, daß es außerhalb Deutschlands, im Bewußtsein der ökumenischen Christenheit noch weniger vorhanden war? Im Prozeß der Integration der Vertriebenen in Deutschland wurde ihm jedenfalls keine bestimmende Kraft zuerkannt. Mit einer Selbstverständlichkeit, die sich nur aus dem alten Territorialprinzip erklären läßt, wurden die Flüchtlinge als Zuwachsrate vereinnahmt und hatten sich einzuordnen, obwohl dort, wo durch sie die See-

lenzahl sich verzehnfachte, mit demselben Recht eine umgekehrte Einordnung hätte gefordert werden können. Hinter dem Menschen steht seine Vergangenheit, die Linien seines Antlitzes prägen sich aus seiner Umgebung und seinem Schicksal und so bestand das Gepäck der Vertriebenen nicht bloß aus dem kleinen Bündel, das am Ende aller Plünderungen noch übrig geblieben war, es bestand aus dem Erbe, das sie unsichtbar mitbrachten und das aufs tiefste durch ihre Zugehörigkeit zu einer Kirche bestimmt war. Dieses Erbe aber drohte vom flachen Sand der Unkenntnis überspült zu werden. Und dies in dem Augenblick, in dem die Christenheit über alle nationalen Grenzen hinweg zu dem Bewußtsein ihrer völkerverbindenden Weite erwacht war! Wie sollte es keine empfindliche Einbuße für sie sein, die Existenz großer christlicher Kirchenkörper in dem dem sogenannten »Mutterland der Reformation« vorgelagerten breiten Raum freiwillig zu ignorieren? Denn dieser breite Raum war in der Tat der Schauplatz gewaltiger Ereignisse in der Geschichte der reformatorischen Kirchen gewesen.
War also der erste Anstoß des Herausgebers das mehr menschliche Bestreben gewesen, den namenlosen Flüchtlingen den Hintergrund zu erhalten, von dem erst sich ihr Antlitz erkennbar abhob*, so war sein zweites Bestreben der drängende Wunsch, eine mächtige, farbenreiche und höchst eigenartige Kirchengeschichte der Vergessenheit zu entreißen, in die sie nach den gewaltigen Völkerverschiebungen zu versinken drohte.
Auch hier war der Mangel an Kenntnissen innerhalb Deutschlands weit weniger entschuldbar als außerhalb. Selbst die gängigen Lehrbücher der Kirchengeschichte waren stark von den Grenzen des Wilhelminischen Reiches bestimmt. Wie wenig aber hatten vormals und selbst nach der Zeit unserer Großeltern politische Grenzen für geistige Bewegungen zu sagen! Der Geist spottete ihrer und schritt unbehindert über sie hinweg. In dieser Tatsache liegt auch die erste Rechtfertigung für den Versuch, der hier gemacht wird, die Länder zwischen der Ostsee und dem Schwarzen Meer, so verschieden ihre Namen, Sitten, Sprachen und Herrschaftsverhältnisse auch gewesen sein mögen, als eine Einheit zu sehen und darzustellen. Gerade die Reformation ist in ihrer Ausweitung ein guter Beweis dafür, wie wenig zu gewissen Zeiten eine politische Grenze zu bedeuten hatte. Sie setzte sich über die deutschen Länder hinaus – unser Buch soll es im einzelnen darstellen – weit in den Osten hinein fort. Sie folgte dabei gelegentlich den Linien der deutschen Ansiedlung, wie dies bei einer Kirche, die der Muttersprache eine besondere Bedeutung auch für die liturgische Gestalt der Gottesverehrung zuweist, nicht verwunderlich ist. Aber nicht immer tat sie das. Entweder sprang der Funke von einer deutschen Gruppe auf die benachbarten anderen Gruppen über oder aber er entbrannte überhaupt bei einer anderen Gruppe, ohne daß die deutsche Nachbarschaft als Vermittler hätte dienen müssen. Ein Beispiel für das erstere ist die Reformation der Slovenen,

ein Beispiel für das letztere die der Magyaren, bei denen der Funke aus Genf – wenn nicht schon der aus Wittenberg – direkt und ohne Vermittlung deutscher Siedlergruppen zündete.
Hier nun setzt freilich ein weiteres Versäumnis auf der Seite der deutschsprachigen Welt ein, und diese Lücke zu schließen, dieses Versäumnis gut zu machen und damit auch wenn möglich wenigstens nachträglich eine Wunde zu heilen, sollte der weitere Zweck des Buches sein. Hatte man schon – was gar nicht häufig war – vom evangelischen Glauben in unserem Gürtelstreifen gesprochen, so hatte man doch hauptsächlich und zunächst an die hier ansässigen Deutschen gedacht. Das aber war, mag auch keine böse Absicht dahinter gewesen sein, im Ergebnis doch eine Spiegelfechterei und sie hatte ein einseitiges, verzerrtes Bild zur Folge. Man kann nicht, wenn man vom evangelischen Glauben im nördlichen Karpatenbogen sprechen will, dann nur von den evangelischen Deutschen in Preßburg und in den Zipser Bergstädten sprechen und darüber hinweggehen, daß die Zahl der evangelischen Slovaken mehr als zehnmal größer war. Man kann die kleinen evangelischen Gemeinden deutscher Zungen in Estland nicht eine Diaspora nennen, denn Estland war überhaupt ein in der großen Majorität evangelisches Land. Eine völkische Minderheit waren die Deutschen dort selbstverständlich, eine konfessionelle Diaspora gewiß nicht. Oder sollte es anders sein, wenn man die deutschen Kolonien um Łódź in Polen, die Trinitatiskirche in Warschau als eine Kirche mit deutscher Predigtsprache – solange sie es war – erwähnt, aber mit keinem Wort der blutigen und tapferen Geschichte gedenkt, die der Glaube der Reformation in Polen gehabt hatte? Das wäre doch einfach eine einseitige Verzerrung, mit der man die durchaus auch vorhandenen gegenteiligen Verzerrungen, nämlich das völlige Verschweigen des deutschen Einschlags, auch nicht wettmacht. Das Bewußtsein kultureller Überlegenheit – ganz dahingestellt, ob und in welchem Maße es berechtigt war – mag dabei mehr beteiligt gewesen sein als biblische Einsichten. Hier war eine Schuld einzulösen, ein Versäumnis nachzuholen. Zwar hatte es gewiß nicht an rühmenswerten Ausnahmen gefehlt. Von *Karl Völkers* »Kirchengeschichte Polens« hatte dem Herausgeber erst in den letzten Jahren wieder ein führender Vertreter des polnischen Protestantismus versichert, daß der Darstellung auch heute ein polnischer Historiker im großen ganzen nur zustimmen könne. Das war nach den dazwischenliegenden Ereignissen ein Erfolg der guten Sache, den zu erringen auch die Planung des Verfassers bestimmte. Es müßte doch möglich sein, bei einer ebenso ehrfürchtigen wie leidenschaftslosen Art der Betrachtung zu einer Darstellung zu kommen, der ein Historiker der anderen Völker zustimmen oder mindestens ihr nicht widersprechen würde, sofern er nur die Denkvoraussetzungen, nämlich das Streben nach der geschichtlichen Wahrheit, ungetrübt von aller politischen Zweckmäßigkeit

und aller tendenziösen Planerfüllung, zu teilen vermöchte. Eine solche Zustimmung von der anderen Seite müßte doch in diesen Zeiten der turbulenten Vorherrschaft stets wechselnder, aber darum nicht minder penetranter, zweckbestimmter, wissenschaftlich getarnter politisch-nationaler Propaganda hundertmal mehr wiegen als die aus den eigenen Reihen. Der Herausgeber möchte auf diese Zustimmung hoffen, mag sie heute aus den Ländern unseres Völkergürtels auch mehr still als laut gegeben werden können.

Das ist freilich ein sehr hoch gestecktes, ein in diesem Raum nahezu utopisches Ziel. Denn gerade hier, wo einst die Freiheit der Weite geherrscht, wo der Tüchtige seine uneingeschränkte Chance gefunden hatte, wo das Leben im mächtigen Strom und in bunten Farben verlief, war die Luft getränkt von Angst und Haß, türmten sich die Leichen der Opfer, entbrannten alte Nachbarn leidenschaftlich gegeneinander, und wer den Menschen anderer Art, der neben ihm hauste, meuchlings umbrachte oder wenigstens ausraubte und verstieß, konnte in seinem eigenen Kreis als Held gefeiert werden. Was auf der eigenen Seite tapfere nationale Tat war, war auf der anderen verbrecherische Bestialität. Ein fiebrig überhitzter Nationalismus erwies sich als Totengräber in einem Raum, der durch das Nebeneinander vieler kleinerer Völker geprägt und daher ganz besonders auf ein friedliches Miteinander angewiesen war. Die Christenheit wird, wo immer sie auftritt, ihrem Wesen und ihrer Überzeugung nach stets ein deutliches Ferment jedes friedlichen Miteinanders sein müssen. Selbst wenn man im voraus damit rechnet, daß sie während ihrer Wanderung durch diese wirre irdische Welt durchaus noch nicht aus Engeln besteht, wird man erkennen müssen, daß es hier solche Engel noch weniger gab, als man hätte erwarten können. Vom Strudel des Nationalismus war die Christenheit nicht fern genug, und ein Mann wie *Theodor Zöckler* in Stanislau, dem Polen, Ukrainer und Juden, Katholiken und Orthodoxe, ja zuletzt selbst die Rote Armee und die schwarze SS in gleicher Ehrfurcht begegnen mußten, war eine allzu seltene Erscheinung. Er beschloß sein Leben als armer Flüchtling in Stade an der Elbe; aber die Pfarrer seines einstigen Sprengels trugen ihn auf eigenen Schultern zu Grabe. Es war so mancher ein wahrhaftiger Bischof im Osten, der diesen Titel nicht hatte; es hieß auch so mancher ein Bischof, der es nicht war.

Der Knäuel der Halbwahrheiten verwirrte sich vollends, wenn vom Verhältnis von Glaube und Volkstum die Rede war. Daß zwischen beiden eine bestimmte, wenn auch schwer zu umschreibende Relation bestand, war in der Tat in unserem ganzen Länder- und Völkergürtel ein besonderes Kennzeichen der Verhältnisse. Daß auf einer gewissen Stufe der kulturellen Entwicklung der Begriff einer individuellen Gewissensfreiheit noch nicht möglich ist, bedarf keines Wortes. Schließlich entschied sich seit *Bonifazius* und *Karl d. Gr.* nicht der einzelne, sondern der Stamm für oder gegen die Taufe, wobei der Fürst und Häuptling des Stammes mit seiner Entscheidung eine überindividuelle Entscheidung fällte.

Wenn die Großfürstin *Olga* von Kiev, beeindruckt durch die Schilderung ihrer aus Konstantinopel zurückkehrenden Gesandtschaft sich taufen ließ und damit die Entscheidung *Vladimirs* vorbereitete, die die Ukraine der Orthodoxie zuführte, so tat sie mit dieser weltgeschichtlichen Entscheidung nichts, was aus dem Rahmen ihrer Zeit herausfiel oder von dieser als tyrannischer Übergriff in die innersten Bereiche des Menschen empfunden worden wäre. Zu sehr wußte sich der einzelne als Glied der Sippe, des Stammes, des Volkes. Insofern war die Konfession fürs erste keine Sache der persönlichen Überzeugung, sondern der Volkszugehörigkeit. Kam ein persönlicher Eifer dazu, so konnte er in der Wertskala der nationalen Tugenden positiv eingeordnet werden. Eine naive Vermischung beider Sphären war die Folge. Man konnte von evangelischen Zigaretten hören (wenn sie aus Deutschland stammten) oder vom polnischen Glauben. Maria, als schwarze Muttergottes von Czenstochau vom polnischen Volk als nationale Schutzpatronin verehrt, war gleichzeitig in Budapest die patrona Hungariae. Aber der Kalvinismus, statt eine strenge Gegenthese gegen den Rückfall in eine religiöse Gloriole des Nationalismus zu proklamieren, feierte selbst als religio hungarica. Die Drina, ein rechter Nebenfluß der Save, war seit einem Jahrtausend die Grenze zwischen Kroaten und Serben und damit zwischen Katholizismus und Orthodoxie. (Ebenso wie der galizische Fluß San zwischen katholischen Polen und orthodoxen Ukrainern.) Als aber an der Drina die Scharen der kroatischen Ustascha 1944 ein furchtbares Gemetzel unter den Serben anrichteten, dem sich diese nur entziehen konnten, wenn sie schleunigst zum Katholizismus konvertierten, da enthüllte die aus alten Zeiten überkommene Naivität ihre schaurige Kehrseite als Bestialität. Die Verwirrung wuchs vollends zum Unheil an, als ein fortgeschritten säkularisierter Nationalismus die Religion als ein volkserhaltendes Element, also unter dem Bilde von Mittel und Zweck zu tolerieren und sogar zu rechtfertigen begann. Selbst der Nationalsozialismus hielt mit einer offenen antichristlichen Propaganda unter diesem Gesichtspunkt bei den im östlichen Raum eingesprengten deutschen Volksteilen noch zurück. Im Gegenteil: die Kirche als Instrument der völkischen Selbsterhaltung, die evangelische Kirche besonders als Pflegestätte der Muttersprache, erhielt von den mit Reitpeitschen unter den Slaven auftretenden germanischen Herrenmenschen noch ein ebenso herablassendes wie beleidigendes Lob. War es dann aber ein Wunder, wenn der in der Besatzungszeit aufgespeicherte Haß sich eben gegen diese Kirchen, die vermeintlichen Bollwerke des deutschen Nationalismus, furchtbar entlud? So mancher Pfarrer starb mit seinen Gemeindegliedern im tschechischen, im jugoslavischen Konzentrationslager auch dann, wenn ihm selbst das Dritte Reich ein Greuel und sein eigenes Wirken ein Vorbild der Menschlichkeit und Hilfsbereitschaft gewesen war. Es gab manche unter ihnen, die sich für Tschechen, für Polen, für andere Verfolgte ebenso tapfer eingesetzt hatten wie in Deutschland Propst Grüber und Prälat Maas für die Juden; als die Stunde der Abrechnung kam, galt gegen sie alle bloß das Gesetz der Blutrache und der Kollektivschuld.

Der Protestantismus in Osteuropa hatte durch die Vertreibung seiner deutschsprachigen Gemeinden einen furchtbaren Aderlaß erhalten. Mit ihm selbst war es darum freilich noch lange nicht am Ende. Nun eben zeigt sich doch, daß die Sache Martin Luthers mehr ist als die religiöse Innenseite des Volkes im Mutterland der Reformation. Soweit die Sache Martin Luthers identisch ist mit der Sache Jesu Christi, ist auch gar nicht daran zu denken, daß ihr mit den üblichen Mitteln verbrecherischer Gewaltausübung der Garaus gemacht werden könnte. Spärliche Nachrichten vom Leben evangelischer Gemeinschaften in Polen, Ungarn, der Tschechoslowakei dringen durch den Eisernen Vorhang. Die offiziellen Nachrichten fließen reichlicher, sind aber kaum mehr als nichtssagend. Ihre Sprache ist zu stark dem unifizierten politischen Slogan angepaßt, als daß sich ein bündiger Schluß auf stille Glaubenstreue, Opferkraft, Hilfsbereitschaft und Brudersinn, auf Beurteilung der Weltläufte und Scharfsichtigkeit gegen Fassaden ziehen ließe. Ohne Zweifel ist auch das vorhanden, selbst wenn es kaum ein Lebenszeichen mit den Mitteln der Druckerschwärze oder des Postversandes von sich gibt. Die schweigende Verbundenheit mit dem ungenannten Bruder, die stille Teilnahme an dem tapferen Leben und geduldigen Leiden von Bekannten gaben einen weiteren Anstoß zum Plan des Werkes, das nun erscheint.

Was der Leser nun vor sich hat, ist freilich ein Torso. Der ursprüngliche Plan verhält sich zu seiner Durchführung etwa so wie der Plan eines Domes, der dann nur sparsam und verkleinert gebaut wurde. Eine Aufteilung des Gebietes unter regionalen Gesichtspunkten war zwar nie ins Auge gefaßt worden (dafür ist der Herausgeber zu fest überzeugt von der inneren Einheit des ganzen Gebietes; auch hätte man dann die Teilung nach Grenzlinien vornehmen müssen, die oft genug zufällig oder willkürlich und nur eine Zeit lang in Geltung gewesen waren), wohl aber sollten die großen Zeitabschnitte gegliedert und jeder Abschnitt einem berufenen Sachkenner übergeben werden. Es sollte umfassen

ein erster Abschnitt den Vorgang der Christianisierung,

ein zweiter, wesentlich längerer, die Reformation,

ein dritter die Zeit von der endgültigen Festlegung der konfessionellen Grenzlinien bis etwa zum zweiten Weltkrieg und

ein vierter die Gegenwart, also das Leben der verschiedenen protestantischen Kirchen unter dem roten Stern.

Um das betrübliche Ergebnis offen auszusprechen: nur der erste und dritte Teil sind im vollen Umfang und im Sinne des ursprünglichen Gedankens zustande gekommen: Den ersten schrieb *Günther Stökl*, Professor für osteuropäische Geschichte an der Kölner Universität, und der Leser wird ihm die Übersichtlichkeit der Darstellung, die abgewogene Art des Urteils, die Zurückhaltung in den Werturteilen zu danken wissen.

Den zweiten Teil wollte der verewigte Direktor des Osteuropa-Instituts in München, Professor *Hans Koch* beisteuern. Er hatte dem Herausgeber in unvergeßlichen Gesprächen seine Bereitschaft erklärt und den Gesamtplan gebilligt. Man konnte spüren – und er hatte es auch ausgesprochen, – wie ihn der Gedanke freute, damit noch einmal zu seinem Ausgangspunkt, der Kirchengeschichte, zurückzukehren und dem Wissensgebiet, dem ursprünglich seine Arbeitskraft gegolten hatte, nochmals seine besondere Verbundenheit zu bezeugen. Nicht der Tod war es, der dieser Absicht ein Ende gesetzt hat, sondern die ständige anderweitige Beanspruchung. In einem Schreiben, aus dem ehrliche Bekümmernis sprach, mußte *Hans Koch* lange vor seinem Tode seine Zusage zurücknehmen. Mit der Suche nach einem Mann, der diesen Beitrag übernehmen könnte, wurde viel Zeit verloren. Ein Fachkollege *Kochs*, der zunächst ebenfalls zugesagt, sah sich schließlich außerstande, überhaupt einen Zeitpunkt für seinen Beitrag zu nennen, worauf ihn der Herausgeber von seiner Zusage entband. Denn unterdessen war der Mann gestorben, der die letzten Jahre seines Lebens ganz, und zwar mit einer einmaligen Leidenschaft und Konzentration an den dritten Teil gesetzt hatte. Seine Lebenskräfte verblichen in dem Augenblick, da sein Beitrag fertig war. Dieses respektable Werk auf einen ungewissen Termin hin in der Schublade warten zu lassen, wäre ein Unrecht gegen einen Toten gewesen. Dieser Mann war D. *Bruno Geißler*, seinerzeit Generalsekretär des Centralvorstandes des Evangelischen Vereins der Gustav-Adolf-Stiftung. Es gibt wenige Menschen, bei denen Amt und Person sich so vollständig deckten wie bei ihm. D. *Geißler* hatte unzählige Reisen eben in unserem Gebiet unternommen, er war mit der Bahn, mit Pferd und Wagen, zu Fuß unterwegs gewesen, und es mußte schon sehr dick kommen, ehe ihm eine Mühe zu groß war. Wo er war, war er im Grunde immer der Jüngste, gerade in seinem hohen Alter. Die Liebe zur Diaspora, die sein Leben füllte und um derentwillen seine Familie so manches Opfer auf sich nehmen mußte, verband sich in ihm mit einem geradezu einmaligen Wissen von Hintergründen und Zusammenhängen. Als er altershalber sein Amt aufgab, war er mit keiner Faser arbeitsmüde und altersschwach. Als der Herausgeber, es mochte 1951 gewesen sein, mit dem Plan an ihn herantrat, da schien es, als kämen darüber alle Lebensgeister noch einmal erst recht in Fahrt. Er entwarf die Einteilung seines Beitrags nach den großen regionalen Gesichtspunkten, die ihm dem Geschichtsverlauf am wenigsten Gewalt anzutun schienen. Er vertiefte sich aufs neue in jedes einzelne Gebiet, und wenn er zwischendurch in Heidelberg erschien, um dem Herausgeber das neue, unterdessen entstandene Kapitel vorzulegen, dann spürte man, daß es mit Herzblut geschrieben war. Was aber dabei wahrhaft ergreifend wirkte, das war das demütige Bekenntnis, das *Bruno Geißler* dabei mehr als einmal ablegte. Er sagte, daß ihm die nichtdeutsche Welt nun erst in ihrer ganzen Größe und Bedeutung aufgegangen sei. Dies aus dem Munde eines Mannes, der zwischen Reval und Bukarest, zwischen Posen und Belgrad zu Hause war wie kaum ein zweiter! Die überall eingesprengten evangelischen Gemeinden deutscher Zunge, so sagte er, hätten seine Aufmerksamkeit so stark in Anspruch genommen, daß er die großen Kirchenkörper anderen Volkstums zu wenig beachtet habe, obwohl er, der Ehrenprofessor der Universität Debrecen, auch denen gewiß von Amts wegen wie von Herzen aufrichtig zugetan war. Nun sah er seine letzte große Arbeit als die abschließende Gelegenheit an, auch Versäumtes gut zu machen. Dieses Ziel erfüllte ihn ganz. Es hielt ihn jung und zeichnete den Ertrag seiner Mühen mit dem Stempel der Demut. Unablässig versuchte er zu feilen, zu bessern, zu ändern. Als in der letzten Zeit seine Schaffenskräfte nachließen, mußte sein Sohn, Dr. *Heinrich Geißler*, die Manuskripte mit freundlicher Gewalt vor dem Verfasser und seiner unruhigen Selbstkritik still in Schutz nehmen und in Sicherheit bringen.

Als *Bruno Geißler* Ende 1961 die Augen schloß, war dies für den Herausgeber zugleich der verpflichtende Befehl, mit dem Abschluß nun nicht mehr länger zu warten, mochte auch der ursprüngliche Plan nur fragmentarisch zu verwirklichen sein.

Denn unterdessen hatte sich gezeigt, daß auch der vierte und letzte Teil des Gesamtwerks nicht würde zustande kommen können. Das aber lag nicht an einer nicht eingehaltenen Zusage, sondern an den unerhörten Schwierigkeiten im Gegenstand selbst. Wer keine antikommunistische Propagandaschrift schreiben, sondern den geschichtlichen Hergang nach allen Regeln einer redlichen historischen Darstellung festhalten will, der ist auf Quellen angewiesen. Solche aber waren hier, soweit überhaupt verfügbar, nur von sehr begrenztem Wert. Dankenswerterweise hatte sich Herr Dr. *Hermann Maurer*, Referent für Flüchtlingshilfe in der Hauptgeschäftsstelle der Inneren Mission und des Hilfswerks in Stuttgart an die Sichtung und Verwertung des Materials im Archiv des ehemaligen Zentralbüro des Hilfswerks gemacht. So ergreifend nach der menschlichen Seite hin der Ertrag sich darstellte, so wenig reichte er aus, ein objektives, distanziertes und zusammenhängendes Bild zu gewinnen. Auf der andern Seite warfen auch die offiziellen und offiziösen Verlautbarungen der verschiedenen kommunistischen Regierungen über Kirche und Religion zur Beurteilung der tatsächlichen Lage wenig ab. So werden alle, die mit dem Gegenstand einigermaßen vertraut sind, diesen Mangel des Werkes zwar bedauerlich, aber doch entschuldbar, ja vielleicht unvermeidlich finden.

Eine sehr freundliche Fügung ließ den Herausgeber zuletzt in Verbindung mit

Herrn Studienreferendar *Gert Robel* in München treten. Mit ihm war der Mann gefunden, der in diesem Augenblick nötig war: er hat mit allem sachkundigen Feingefühl die verschiedenen Stücke aufeinander abgestimmt, hat sich vor allem ganz in den Geißlerschen Stil hineingefunden und die da und dort vorhandenen Wiederholungen beseitigt, Lücken gefüllt, Unebenheiten geglättet, das Kartenmaterial beschafft und die Angaben über das Schrifttum (unter absichtlicher Begrenzung auf das Notwendigste) zusammengestellt. Vor allem aber hat er sich bemüht, die verbliebenen Lücken wenigstens einigermaßen zu schließen. Die wissenschaftlichen Hilfsmittel des Osteuropa-Instituts in München, an dem er tätig war, standen ihm dabei zur Verfügung. Sein eigener Anteil läßt sich (mit Ausnahme der Seiten 75-81, 209-213, 286-290, 383-389, 418 ff.) kaum gesondert erkennen; an zu vielen Stellen ist die ordnende Hand tätig gewesen.

Der Abschnitt über Siebenbürgen stammt aus der Feder von Dr. *Paul Philippi*. So war es schon zu dessen Lebzeiten zwischen D. *Geißler* und Dr. *Philippi* abgesprochen gewesen.

Der Mut, den großen Raum mit der Buntheit seiner Völkerschaften in einem zu behandeln, stützt sich auf die Überzeugung, daß er trotz aller Verschiedenheiten im lokalen und regionalen Kolorit tiefe Gemeinsamkeiten umschließt. Der Leser wird meinen, daß hier zuerst an die eigentümliche und spannungsgeladene Wechselbeziehung der nationalen und der religiösen Momente gedacht ist. Allein bliebe der Blick nur daran haften, so wäre er zu sehr der Vergangenheit und ihren unseligen Irrungen zugewendet. Die Tatsache, daß in den Zeiten des Dritten Reiches diese Beziehungen überhitzt wiedergegeben, politisch mißbraucht und schließlich fratzenhaft verzerrt worden sind, bietet längst keinen Anlaß, sie überhaupt abzustreiten. Doch bezeichnen sie unter dem roten Stern nicht mehr das aktuelle Problem. Ein anderer gemeinsamer Wesenszug ist es, den die Ereignisse seit 1919 deutlicher ins Bewußtsein erhoben haben als vorher: daß der evangelische Glaube sich im ganzen großen Raum nahezu überall aus eigener Kraft, d. h. ohne die Krücken eines landesherrlichen Beistandes, ja immer wieder gegen den öffentlichen Strom hat erhalten müssen. Insofern hätte die Gegenwart, kämen nicht andere Dinge noch dazu, der Vergangenheit gegenüber nicht einmal Neues gebracht. Hier liegt das sehr beachtliche Erbgut, das die Kirchen unseres Ländergürtels in den Erfahrungsschatz der größeren Christenheit eingebracht haben. Seine Bedeutung wird von Jahr zu Jahr deutlicher werden.

Heidelberg, Januar 1963 *Herbert Krimm*

I. DIE CHRISTIANISIERUNG OSTEUROPAS

Die politische Ordnung des Römischen Reiches und die griechisch-römische Kultur der Antike waren in den Ländern um das Mittelmeer lebendig. Was östlich des Rheins und nördlich der Donau lag, blieb außerhalb dieser in sich geschlossenen Welt, die im 4. Jahrhundert eine christliche Welt geworden war. Deren nördliche Ausstrahlung reichte im Osten weniger weit als im Westen, wo immerhin die Küste der Nordsee und die britischen Inseln erreicht wurden. Im Osten mußten die griechischen Städte am Nordufer des Schwarzen Meeres als äußerste Vorposten gelten; von der Mitte und vom Osten des Kontinents wußte man kaum mehr, als daß in diesen unwirtlichen Landstrichen barbarische Völkerschaften wohnten.
Diese Barbaren haben den kunstvollen Bau des Imperiums der Römer zerstört: Die Germanen in heftigen Stößen, denen das Westreich mit Rom zum Opfer fiel – die nachdringenden Slaven in unaufhaltsamem Einsickern, dem der Osten mit Konstantinopel sich anpassen mußte. Was die politische Katastrophe im Westen und den politischen Niedergang im Osten überstand, war das Christentum, war die christliche Kirche, deren Weg sich nun in einen westlichen und in einen östlichen zu teilen begann.
Als die Völker wieder zu einiger Ruhe gekommen waren, hatte Europa sein Antlitz von Grund auf gewandelt. Unter den Germanen im Westen gewannen die Frankenkönige so sehr an Macht und Ansehen, daß sie nach der Kaiserkrone greifen und das Erbe des christlichen Rom im Westen antreten konnten. Im Osten war es dem anderen, »neuen« Rom – Konstantinopel – gelungen, seine Stellung gegen Awaren, Slaven und Araber mit letzter Kraft zu halten und allmählich wieder zu festigen. Nun aber drängte – anders als vorher – auch die östliche Mitte und der Osten des Kontinents nach politischer Gestaltung. Die slavischen Völker, in den weiten Raum zwischen Elbe und oberer Volga, zwischen Ilmensee und Peloponnes auseinandergezogen, schickten sich an, die Bühne der Geschichte zu betreten. Dem Missionsstreben der Franken und Byzantiner kam der Wunsch der Slaven nach Einbeziehung in die Familie der christlichen Völker und Staaten entgegen. Beides hatte politische Akzente: Hinter der Mission stand das Drängen nach nicht nur kirchlichem Machtgewinn, hinter dem Taufbegehren der Gedanke, eben dieser politischen Bedrohung auszuweichen – einem christlichen Nachbarn gegenüber konnte die Bekehrung nicht mehr zum Vorwand des Angriffs dienen; ein im Grunde politischer Gedanke war es

auch, wenn die Herrscher der jungen osteuropäischen Staaten von der christlichen Kirche Unterstützung im Regieren und Verwalten ihres Landes erwarteten: durch die Erfahrung bewährter Organisationen, durch die Schriftkundigkeit der Geistlichen, durch den gesunden Wirtschaftssinn der Klöster. Die Voraussetzung für all dies war aber in jedem Fall eine religiöse: Das Kennenlernen der benachbarten Christenheit und der christlichen Lehre. Das war in mannigfacher Form unschwer möglich an der langen Grenze, die fränkisch-weströmische und byzantinisch-oströmische Christen von den ungetauften Slavenstämmen trennte.

Aus all dem erklärt sich die großartige Gleichzeitigkeit, mit der die Christianisierung des slavischen Osteuropa im 9. und 10. Jahrhundert vor sich ging. Noch waren westliche und östliche Kirche nicht endgültig getrennt, noch waren die Grenzen der Einflußsphären nicht erstarrt, noch war an manchen Stellen die Wahl zwischen Rom und Byzanz, ein Gegeneinander-Ausspielen der kirchlichen Mittelpunkte möglich. Aber im Zuge der Christianisierung ist überall die Entscheidung gefallen, eine Entscheidung mit unabsehbaren Folgen, als sich im Jahre 1054 westliche und östliche Christenheit in einem bis heute ungeheilten Schisma trennten.

Wo die Germanen und Slaven auf ehemals römischem Reichsgebiet siedelten, war für sie der unmittelbare Kontakt mit dem Christentum, mit christlichen Menschen und mit Einrichtungen der christlichen Kirche gegeben. Allerdings in sehr verschiedenem Maße. Während im Westen, in Italien, in Spanien, aber auch im Frankenland und am Rhein, über alle Stürme hinweg christliches Leben in mehr oder minder ungebrochener Überlieferung erhalten blieb, gingen die Einbußen im Osten, in den Ostalpen, an der Donau und im Innern der Balkanhalbinsel teilweise bis zur völligen Vernichtung. So konnten die germanischen Stämme dem Christentum früher gewonnen werden als die slavischen, und so wurden die Germanen ihrerseits die ersten Vermittler christlicher Lehre an die ihnen benachbarten Teile des Slaventums.

Den Anfang machten die Baiern, die donauabwärts und in den Alpentälern als eine erste Welle der deutschen Ostkolonisation vordrangen. Sie stießen dabei nicht in einen leeren Raum vor, sondern in das slovenische Fürstentum Karantanien. Politische Einflußnahme und Christianisierung gingen Hand in Hand und der Siedlungsbewegung voraus. Um die Mitte des 8. Jahrhunderts ließ der Karantanerherzog *Borut* seinen Sohn taufen. Die Durchführung der Mission lag bei dem Bistum (ab 798 Erzbistum) Salzburg; feste Stützpunkte fand sie in den Klöstern Innichen und Kremsmünster, die der Baiernherzog *Tassilo III.* 769 bzw. 777 mit dem ausdrücklichen Auftrag der Slavenmission begründete[1].

Mit den Awarensiegen *Karls des Großen* (791, 795/96) eröffneten sich der Machtpolitik des Frankenreiches und der bairisch-fränkischen Mission im

Südosten neue Möglichkeiten[2]. Das karolingische Grenzmarkensystem erstreckte sich nun tief nach Pannonien (das heutige Ungarn) hinein und umschloß weitere slavische Fürstentümer in verschiedenen Graden der Abhängigkeit[3]. Wir erfahren, daß im Jahre 830 der Salzburger Erzbischof *Adalram* in Neutra (Slovakei) dem heiligen Emmeram, dem Patron von Regensburg, eine Kirche weihte; wir wissen, daß um die Mitte des 9. Jahrhunderts in Moosburg (Zalavár) am Plattensee, der Residenz des slavischen Vasallenfürsten *Privina*, ein Mittelpunkt blühenden kirchlichen Lebens bestand[4]; wir haben Grund anzunehmen, daß um diese Zeit auch schon das mährische Fürstentum des *Mojmir* in den Bereich intensiver Missionstätigkeit der bairischen Bistümer einbezogen war[5]. Sogar aus dem durch Gebirgszüge und undurchdringliche Wälder abgeschlossenen Böhmen kamen im Jahre 845 vierzehn Stammesfürsten nach Regensburg und empfingen dort die Taufe. Wir ahnen nur wenig davon, welche geistlichen Früchte das Wirken der fränkisch-bairischen Missionspriester getragen hat. Was wir den spärlichen Quellen entnehmen können, sind eher die polititischen Bezüge der Christianisierung, weltliche und kirchliche. Je mehr die Macht des Frankenkönigs an Raum gewann und je größer damit das Missionsfeld der fränkisch-bairischen Kirche wurde, desto näher rückten beide dem Einzugsgebiet anderer politischer und kirchlicher Mächte.

Da war einmal der Papst in Rom, zwar auf das neue Kaisertum des Frankenkönigs angewiesen und den Bischöfen im Reich der Franken übergeordnet, gleichwohl aber mißtrauisch und auf die Wahrung der eigenen Interessen bedacht. Da war Venedig, das sich der fränkischen Macht nur vorübergehend beugte und – in seiner Seemacht unangreifbar – Romanen und Slaven am Gegenufer der Adria an sich zu ziehen begann. Da war Bulgarien, ein aufstrebender Barbarenstaat, der in Pannonien den Franken einen unruhigen Nachbarn abgab und dem Unabhängigkeitsstreben der slavischen Vasallenfürsten Unterstützung bot[6]. Und da war vor allem im Hintergrund Byzanz, schwer bedrängt, aber immer noch die mittelalterliche Großmacht im Osten, mit seinem Kaiser in unangefochtener Tradition und mit seinem Patriarchen als anspruchsvollem geistlichem Oberhaupt[7]. All das ergab ein politisches Kräftespiel, dem sich die Christianisierung des südöstlichen und östlichen Europa in der Folge einzuordnen hatte.

Das zeigte sich schon, als sich in den Jahren 819–823 ein Teil der bereits christlichen Kroaten unter dem Fürsten *Ljudevit* gegen die fränkische Herrschaft erhob. Der Patriarch von Grado-Aquileja spielte hierbei eine sehr undurchsichtige Rolle, und eine Konspiration mit Byzanz ist mehr als wahrscheinlich[8]. Selbst in diesem romnahen Gebiet, in dem sich die Christianisierung so unauffällig und selbstverständlich vollzog, daß sie von den zeitgenössischen Chronisten gar nicht vermerkt wurde, bestand also von Anfang an ein antilateinisches Ressentiment. Hier in den unzugänglichen Tälern

Küstenkroatiens und auf den Inseln des Quarnero sollte später die Überlieferung der Slavenapostel eine letzte Heimstatt im Westen finden, jene Überlieferung, die im Gebrauch der slavischen Kultsprache und der ältesten slavischen, der sogenannten glagolitischen Schrift Ausdruck fand (Glagolitismus).

Eben in Leben und Werk der Brüder *Konstantin (Kyrillos)* und *Methodios* ist in der zweiten Hälfte des 9. Jahrhunderts der latente Gegensatz zwischen westlichem und östlichem Kaisertum, zwischen westlich-lateinischer und östlich-griechischer Kirche vollends deutlich geworden. Die Bitte um slavisch sprechende Priester, die der mährische Fürst *Rostislav* im Jahre 863 an den byzantinischen Kaiser *Michael III.* richtete, war ein Akt der Emanzipierung vom fränkischen Einfluß. Sie war ebenso politisch motiviert wie der fast gleichzeitig unternommene Versuch des Bulgarenchans *Boris-Michael*, der Taufe durch die Griechen (864/65) und dem byzantinischen Machtanspruch zum Trotz die bulgarische Kirche mit Hilfe des Papstes aufzubauen. In beiden Fällen war der Emanzipierung, dem Zusammenspiel mit dem entfernteren und daher politisch harmloseren Partner kein dauernder Erfolg beschieden: Bulgarien kehrte 870 unter die Jurisdiktion des ökumenischen Patriarchen von Konstantinopel zurück, und die Schüler des *Methodios*, der sich als Erzbischof von Pannonien nur mit Mühe gegen die erbitterte Feindschaft der bairischen Bischöfe hatte halten können, wurden nach dem Tode ihres Meisters 885 aus Mähren vertrieben[9].

Das mährische Fürstentum überlebte diese Entscheidung für den lateinischen Westen um kaum mehr als ein Jahrzehnt. Es wurde ein Opfer des Magyareneinfalls, der die Völkerkarte Südosteuropas erneut umgestaltete und die Südslaven von den Westslaven trennte[10]. Dagegen überlebte aber das Werk der Slavenapostel – die Übersetzung aller für den Gottesdienst und den ersten Aufbau eines Kirchenwesens erforderlichen Schriften aus dem Griechischen ins Slavische (Altkirchenslavische). Die aus Saloniki stammenden Brüder legten dabei den Dialekt ihrer mazedonischen Heimat (daher auch Altbulgarisch) zugrunde und bedienten sich der eigens erfundenen glagolitischen Schrift. Diese wurde zwar bald (im Bulgarien des 10. Jahrhunderts) durch die leichter zu gebrauchende kyrillische Schrift ersetzt, aber das Kirchenslavische sollte für viele Jahrhunderte die Koiné des griechisch-orthodoxen Slaventums bleiben[11].

Dies war das unmittelbare Weiterleben der Tradition von *Kyrill* und *Method*, deren aus Mähren vertriebene Schüler in Bulgarien Aufnahme fanden und dort unter dem Zaren *Simeon* im 10. Jahrhundert eine blühende kirchliche und literarische Kultur schufen, die ihrerseits wieder von Serben und Russen bei ihrem Eintritt in die christliche Völkerfamilie übernommen werden konnte.

Ein mittelbares Weiterleben von geringerer Kontinuität und einer gewissen

Künstlichkeit ist weniger dem Werk der Slavenapostel als der kyrillo-methodianischen Tradition auch im Westen beschieden gewesen. Zwar nicht in ihrem Ursprungsland Mähren, aber – wenn wir von dem nordwestkroatischen Reservat absehen – im benachbarten Böhmen. Die Pflege der slavischen Liturgie behielt im ostböhmischen Kloster Sázava, später unter der Regierung *Karls IV.* im Prager Emmauskloster eine bescheidene Heimstatt; die Fortdauer eines griechisch geprägten Kirchentums – sofern selbst im Großmährischen Reich von einem solchen gesprochen werden kann – war unmöglich, aber die Legenden der Slavenmissionare standen am Beginn der christlichen Landesgeschichte und konnten dem Husitismus wie der Reformation beim Durchsetzen der Volkssprache in Kirche und Gottesdienst einen ideellen Anknüpfungspunkt bieten[12]. Und auf dem Umweg über den tschechischen Nationalismus und das ebenso antideutsche wie antirömische Ressentiment der husitischen Bewegung sind die Slavenapostel *Kyrill* und *Method* im nationalen Wiedererwachen der kleineren slavischen Völker seit Beginn des 19. Jahrhunderts zu Patronen aller panslavischen Wunschträume geworden. Die Zeit ihres Wirkens ließ sich zum goldenen Zeitalter der ursprünglichen slavischen Einheit und Einmütigkeit idealisieren, dieses Wirken selbst wurde zum Symbol der ersehnten gesamtslavischen Kultur[13]. Mit der geschichtlichen Wirklichkeit hat solche Ideologie freilich nur wenig zu tun. Denn die Geschichte des Christentums und der christlichen Kirche in Böhmen und Mähren ist entscheidend durch den lateinischen Westen bestimmt worden: In den schwer faßbaren Anfängen bis in die Zeit des heiligen *Wenzel* (Martyrium 929) von Bayern her (Regensburg!)[14], danach unter den Sachsenkaisern vom Ostmissions-Erzbistum Magdeburg (gegründet 968) aus, schließlich auch durch das um 973 entstandene Prager Bistum, das dem Erzbistum Mainz unterstellt wurde[15].

Das mährische Fürstentum, die Keimzelle des Christentums im Sudeten- und Karpatenraum, brach unter den Angriffen der Magyaren zusammen; jahrzehntelang ein Zankapfel zwischen Böhmen und Polen, scheint Mähren auch in seiner kirchlichen Zuordnung wechselvolle Schicksale erfahren zu haben, ehe die Errichtung des Bistums Olmütz (1063) vom erfolgreichen Wiederaufbau Zeugnis gab[16].

Damit sind wir bereits in eine zweite Phase der Christianisierung Osteuropas eingetreten. Nicht mehr das fränkische, sondern das neue sächsisch-deutsche Königtum stand nun als Träger der Kaiserkrone hinter der Mission. Im Süden war durch die Landnahme der Magyaren eine neue Lage entstanden: Das Verlorene konnte nur zum Teil wiedergewonnen und neu aufgebaut werden. Aber überraschend schnell fanden die Magyaren trotz ihrer europafremden Herkunft, nachdem einmal die Niederlage auf dem Lechfeld (955) ihren Aggressionen ein Ende gesetzt hatte, den Weg in die Völkerfamilie der abendländischen Christenheit. Einwirkungen der Ostkirche von Byzanz und Bulgarien her blieben Episode[17], als sich Herzog *Géza* politisch für den Westen entschied und dann sein Sohn *Stephan*, der mit der bairischen Prinzessin verheiratet war, das christliche ungarische Königtum begründete. Wohl nirgends sonst im östlichen Europa war der Sprung vom Alten zum Neuen, von der urtümlichen Blutmystik des Sippenherrschers zur sittlichen Würdigkeit des christlichen Königs, so groß wie hier, und kaum in einem anderen Falle ist das Christentum so bewußt dem neuen Staat zugrunde gelegt worden[18].

Das geschah in demselben Jahr 1000, in dem *Otto III.*, der sich »servus apostolorum et imperator Romanorum« – Diener der Apostel und Kaiser der Römer – nannte, den Polenherzog *Bolesław Chrobry* (den Tapferen) in Gnesen zum Patricius des Reiches machte. Damit verlieh er ihm die Vollmacht, unabhängig von der deutschen Hierarchie die kirchliche Organisation seines Landes mit dem Erzbistum Gnesen an der Spitze aufzubauen[19]. Sehen wir von einer etwas dunklen Überlieferung ab, welche die Wirkung der Slavenapostel über Mähren hinaus auf die Polen an der oberen Weichsel erstreckt, so lag der Beginn der Christianisierung Polens mit der Taufe des Herzogs *Mieszko* damals schon ein Menschenalter zurück (966); sie wird von der Überlieferung mit der böhmischen Fürstentochter *Dobrava*, die *Mieszko* ein Jahr vorher heiratete, verbunden, war also schon eine Missionsleistung der jungen böhmischen Kirche. Aber während Böhmen selbst der Mainzer Erzdiözese zugeordnet blieb, gelang es *Bolesław* in Polen und *Stephan* in Ungarn, die Kirchen ihrer Länder in unmittelbarer Beziehung zum päpstlichen Stuhl unabhängig zu erhalten; das polnische Erzbistum mit dem Sitz in Gnesen und das ungarische mit der Residenz in Gran waren dafür sichtbarer und unmißverständlicher Ausdruck.

Die großartige Idee *Ottos III.* von einer Erneuerung (renovatio) des christlichen Weltreiches, in deren Zeichen diese Entwicklung begann, ist politisch nicht verwirklicht worden, aber die bescheidenere Wirklichkeit einer Gemeinschaft abendländisch-christlicher Völker hat seither die christlichen Königtümer in Polen, Böhmen und Ungarn eingeschlossen. Als geistlicher Schutzpatron dieses christlichen Ostmitteleuropa wäre keiner geeigneter als der heilige *Adalbert* aus tschechischem Fürstengeschlecht. Am erzbischöflichen Hof in Mainz erzogen und erfüllt von dem Geist kirchlicher Erneuerung, der von Cluny ausging, ist *Adalbert* als zweiter Bischof von Prag vor den politischen Händeln seiner Heimat in die Askese italienischer Klöster geflohen, hat auf den jungen *Stephan* von Ungarn Einfluß genommen und schließlich, vom Polen *Bolesławs* des Tapferen ausziehend, im Jahre 997 als Missionar bei den heidnischen Preußen den Märtyrertod erlitten[20].

Während so in wenigen Jahrzehnten das christliche Abendland an seiner Ostgrenze endgültige Gestalt annahm, geschah auch im christlichen Morgenland Entscheidendes. Die Christianisierung der Bulgaren war nach der lähmenden Periode des Bilderstreites ein erstes Zeichen für das Wiedererwachen missionarischer Aktivität in Byzanz. Diese griff in der Folge auch auf Serbien über, wo zwar durch die lateinischen Bistümer der Küstenstädte ein gewisser Grund gelegt war, nun aber ebenso wie in Bulgarien das Werk der Slavenapostel seine Früchte trug. Länger als Bulgarien hat Serbien kirchenpolitisch zwischen West und Ost geschwankt. Erst zu Beginn des 13. Jahrhunderts erhielt das junge serbische Königtum seinen ersten eigenen Erzbischof in der Person des heiligen *Sava* und damit den Ansatz zu einer nationalkirchlichen Entwicklung im Rahmen der Ostkirche (1219)[21]. Ungeachtet der stets latent vorhandenen und kulturell im kirchlichen Bereich ausgetragenen Spannung zwischen griechischem Hegemoniestreben und slavischen Autonomiewünschen war das griechisch-orthodoxe Kirchenwesen slavischer Zunge im Südosten kräftig genug, auch die Balkanromanen seinem sprachlichen und kulturellen Einfluß zu unterwerfen. Erst im Jahrhundert der Reformation und unter deren Einfluß haben sich die Rumänen in den Donaufürstentümern und in Siebenbürgen von der kirchenslavischen Kult- und Kultursprache befreit.

Welthistorisch noch viel bedeutsamer aber war es, welchen Weg das Ostslaventum in den weiten Räumen des eigentlichen Osteuropa gehen würde. In lockerem Gefüge entlang des Weges »von den Warägern zu den Griechen«, der Wasserstraße von der Ostsee ins Schwarze Meer, war um die Mitte des 9. Jahrhunderts der erste ostslavisch-reußische Staat entstanden, das Kiever Reich. Seine Begründer und seine herrschende Schicht waren Skandinavier, überwiegend wohl Schweden, jedenfalls aber noch Heiden so gut wie die von ihnen beherrschten Ostslaven. Berührungspunkte mit der christlichen Umwelt gab es mehrere: mit den griechischen Städten auf der Krim und mit Byzanz, dem die Kiever Fürsten bald ein etwas gewaltsamer Handelspartner wurden, mit christlichen Untertanen des Chazarenreiches am unteren Don und an der unteren Volga, schließlich im 10. Jahrhundert auch schon mit dem Westen[22]. Als sich die Fürstin *Olga* um die Mitte des 10. Jahrhunderts in Konstantinopel taufen ließ, schien die Zeit reif zu sein, aber es sollte noch einmal ein Menschenalter dauern, ehe aus der persönlichen Wahl des Fürsten eine für das ganze Land verbindliche Entscheidung wurde. Sie fiel nach einigem Schwanken, das wir auch hier feststellen können, zugunsten von Byzanz. *Vladimir* von Kiev, den die Russen später den heiligen und apostelgleichen, einen neuen Konstantin nannten, ließ im Jahre 988/89 sich und sein Land taufen; erst nach Erfüllung dieser Voraussetzung erhielt er die Hand der purpurgeborenen byzantinischen Kaiserschwester *Anna*, den Preis für militärische Hilfe, die er dem byzantinischen Kaiser *Basileios II.* geleistet hatte[23].

Weit weniger als von diesem politischen Handel wissen wir von dem Taufakt selbst und von den Anfängen kirchlicher Organisation im Kiever Rußland. Die Reihe der Metropoliten von Kiev setzt sicher nachweisbar erst knapp vor der Mitte des 11. Jahrhunderts ein; sie waren noch auf lange Zeit in der Mehrzahl griechischer Herkunft, und die altrussische orthodoxe Kirche, der sie vorstanden, war eine Tochterkirche der byzantinischen in fragloser Unterordnung.

So sah der Beginn des zweiten nachchristlichen Jahrtausends ein bis auf geringe Reste äußerlich christliches Osteuropa, durch das eine seit dem Jahre 1054 endgültige Grenze mitten hindurchging, die Grenze zwischen westlich-lateinischer und östlich-griechischer Kirche[24]. Die Westslaven insgesamt, die Ungarn und von den Südslaven die Slovenen und Kroaten hatten sich für den lateinischen Westen entschieden. Die Völker der Ostseeküste – Balten, Esten und Finnen – sollten sich ihnen später anschließen, mochte die Entscheidung hier auch nicht immer eine durchaus freiwillige sein. Als letzte sind die Litauer diesen Weg gegangen, als ihr Großfürst *Jagiełło* in folgenschwerem Entschluß 1385/86 mit der Hand der polnischen Königin *Hedwig (Jadwiga)* den polnischen Thron gewann[25]. Alle Ostslaven aber – auch jene, die im Großfürstentum Litauen die Mehrheit der Bevölkerung bildeten –, von den Südslaven die Serben und Bulgaren, und die Rumänen sahen das Vorbild des rechten Glaubens im griechischen Osten. Das war der Anfang eines viele Jahrhunderte währenden Auseinanderlebens. Der Riß innerhalb der europäischen Christenheit, der sich damals zuerst abzeichnete, sollte zur tiefen Kluft werden, die sich allen Überbrückungsversuchen auf die Dauer als unüberwindlich erwies.

Für das Zeitalter der Christianisierung selbst ist der Gegensatz zwischen westlicher und östlicher Kirche noch nicht zu überschätzen. Es war die Lehre des Christentums, die hier wie dort den Völkern Osteuropas nahegebracht wurde, dasselbe Wertsystem, dieselbe Unterscheidung zwischen Gut und Böse. Es floß in beiden Strömen religiös-kultureller Vermittlung, im Westen wie im Osten, das christliche Glaubensgut mit dem Erbe der Antike zusammen; weder im Westen noch im Osten war das Missionsbeginnen von der Politik, vom Spiel um die Macht, zu trennen.

Doch je länger die christliche Geschichte des östlichen Europa dauerte, desto mehr Schichten historischer Besonderheit legten sich über das gemeinsame Erbe. Schwerer als die dogmatischen Streitpunkte von 1054 wog die verschiedene Entwicklung des Verhältnisses von Kirche und Staat. Während sich im Westen Kaiser und Papst, die höchste weltliche und die höchste geistliche Gewalt, in einem kräfteverzehrenden Ringen erschöpften und keine den universalen Machtanspruch alleine durchzusetzen vermochte, übernahm der Osten von Byzanz die Lehre von der Symphonie, der innigen Durchdringung der beiden Gewalten. Und während im Westen aus dem Kampf eine allmähliche Trennung der Sphären erwuchs, die Freiheit der einzelstaatlichen Entfaltung an Boden gewann und ein staatsfreier Raum

durch die Kirche gesichert blieb, mußte der Osten in der Nachfolge byzantinischer Praxis die verhängnisvolle Herrschaft des Staates über die Kirche in allen ihren Formen erfahren[26]. Schwerer als die Behauptung oder Verdammung des *filioque*, der westlichen Lehre, daß der Heilige Geist nicht nur vom Vater, sondern »auch vom Sohne« ausgehe, wog die Verschiedenheit der christlichen Frömmigkeit, wie sie im Westen und im Osten an Gestalt gewann. Eine Verschiedenheit weniger im Sinne eines diametralen Gegensatzes als in dem eines schwer faßbaren und doch sehr realen Unterschiedes in dem, was man vor allem liebte und für besonders wichtig hielt. Im Westen war es mehr die rechte Ordnung, die Klarheit der Beziehungen von Über- und Unterordnung auch im geistlichen Bereich, die Aktion zur Durchsetzung von Zielen und Ansprüchen, im Osten mehr die schlichte Nachfolge, die liebevolle Versenkung in die göttlichen Geheimnisse, das duldende Hinnehmen des Unvermeidlichen[27].
Es mag sein, daß wir damit schon zu viel und zu deutlich gegenübergestellt haben. Gewiß war die Missionierung der westlichsten Slaven durch die sächsische Kirche, der Ostseevölker durch die deutschen Ritterorden zum guten Teil eine Mission des Schwertes und eine schwere Last für die Zukunft der Kirchen und Völker. Man mag die Gewalt als Mittel der Gewinnung für Christus aus dem Geist der Zeit erklären, man mag auch übertriebene Vorstellungen vom Ausmaß ihrer Anwendung zurückweisen, es bleibt genug des Dunkeln und schwerlich zu Rechtfertigenden[28]. Aber so wenig es im Westen allein der Mission des Schwertes gelingen konnte, die Völker dem Christentum zuzuführen, so wenig war der Osten frei von der zweifelhaften Unterstützung der Heidenpredigt durch die weltliche Macht. Gewiß war das geistliche Leben der lateinischen Kirche von intensiverer Lebendigkeit, von größerer Strahlungskraft in alle Lebensbereiche, wohl auch von größerer Klarheit und Tiefe, aber es hat auch im Osten nicht an zivilisatorischem Wirken der Kirche mit allen seinen Versuchungen, an Erkenntnis des Versagens und an immer neuen Ansätzen zur Reform gefehlt.
Die Christianisierung Osteuropas, gleichgültig von wo sie ausging, hat mit dem offiziellen Taufakt überall nur unwiderruflich begonnen. Sie hat Jahrhunderte gewährt, ehe sie zu einer wirklichen Verchristlichung des Lebens führte, und mancherlei Rückschläge erfahren. Sie war auch – und dem deutschen Betrachter stünde es zuletzt an, dies zu übersehen – weithin mit Kolonisierung und volklicher Assimilierung verbunden. Das gilt von den Alpenslaven ebenso wie von den Elbe- und Ostseeslaven, die im deutschen Volkstum aufgingen[29], das gilt aber auch von den finnischen Stämmen im nördlichen und nordöstlichen Rußland, die mit Teilen der Ostslaven zum großrussischen Volk verschmolzen. Und über diese geschichtliche Tatsache hinaus, die man vernünftigerweise jedem unhistorischen Werturteil entziehen muß, war die Teilnahme der osteuropäischen Länder und Völker am geistigen

und geistlichen Leben der europäischen Christenheit nicht möglich ohne die vermittelnde Tätigkeit von Menschen verschiedensten Berufes und verschiedenster Zunge. Sie mochten vielfach nur auf den eigenen Vorteil bedacht sein, aber haben im ganzen doch zum allgemeinen Vorteil gewirkt, so wenig ihnen das später gedankt wurde, Deutsche vor allem – aber auch andere – im Westen, Griechen im Osten.

So oft sich das Abendland anschickte, sein geistiges Antlitz zu wandeln, war es eine Frage der Verbindungen, der stets in Menschen verkörperten Verbindungen, wie weit auch die Völker des östlichen Europa den Wandel mitmachen würden. Selten ist das so deutlich geworden wie in dem großen Aufbruch, der mit Renaissance und Humanismus begann und in die Reformation mündete.

Das Bild der Christianisierung Osteuropas wäre jedoch unvollständig, wenn wir es versäumten, auch noch auf jene eben angedeuteten Kräfte einen Blick zu werfen, die sich ihr widersetzten oder die darauf abzielten, innerhalb wie außerhalb des christlichen Kirchentums neuen religiösen Gedanken und Vorstellungen zum Durchbruch zu verhelfen[30]. Rückschläge hat es allenthalben gegeben. Da und dort nahmen sie den Charakter heftiger, ja blutiger heidnischer Reaktionen an, so in Bulgarien noch im 9., in Böhmen im 10., in Ungarn und in Polen im 11. Jahrhundert. Wie weit sich dabei wirklich ererbtes religiöses Empfinden und Brauchtum gegen die neue, fremde Religion zur Wehr setzte, wie weit sich mehr die politische Opposition des Stammesadels gegen den neuen Fürstenstaat auf solche Weise Geltung zu verschaffen suchte, das ist schwer abzuwägen: Religiöses und politisches Denken waren in jenen frühen Zeiten nicht getrennt, sondern auf das engste miteinander verwoben. Überall aber gab es den Widerstand in Gestalt der nur oberflächlichen Anpassung, die in allem Äußerlichen dem Neuen Tribut zollte, in den tieferen Schichten aber bei der alten Bindung verharrte. Es war für die jungen Staatskirchen der mittelalterlichen osteuropäischen Länder leichter, den Wiederaufbau zerstörter Gotteshäuser zu erwirken, als die passive Resistenz des »Zwieglaubens« im geistig-geistlichen Kampf zu überwinden. Das aus den ersten Jahrhunderten erhaltene Schrifttum zeugt davon.

So gesehen erstreckte sich die Christianisierung – nun nicht im Sinne des Taufaktes und der Entstehung einer kirchlichen Organisation, sondern im Sinne einer Verchristlichung des gesamten Lebens – über bedeutende Zeiträume. Das war nicht nur in Osteuropa so, und auch in Osteuropa ist das Ziel der durchgreifenden, umfassenden Verchristlichung über kurz oder lang überall erreicht worden. Aber auch in Osteuropa ist das Christentum, sind die christlichen Kirchen nicht bewahrt geblieben vor der Versuchung des geistlichen Erschlaffens, der Verstrickung in die Geschäfte der Welt, und damit vor der Auseinandersetzung mit einer Kritik, die zu verschiedener

Zeit, in verschiedener Form und in verschiedener Intensität vom innerkirchlichen Reformstreben bis zur völligen Verneinung des kirchlichen Christentums im Irrglauben und Unglauben von häretischen Sekten reichte. Ja es ist wohl so, daß eine Hauptwurzel dieser Oppositionserscheinungen, die in ihrer ganzen Spannweite auch aus der vorreformatorischen Kirchengeschichte des Abendlandes wohlbekannt sind, im Süden des östlichen Europa, in Bulgarien, zu suchen ist.

Hier verdichtete sich im 10. Jahrhundert der breite Strom antichristlichen oder pseudochristlichen, teils asketischen, teils rationalistischen Sektierertums, der aus den frühchristlichen Jahrhunderten und von den religiösen Grenzräumen Vorderasiens herkam, zu einer neuen, lebendigen und missionskräftigen Bewegung, dem bulgarischen Bogomilismus[31]. Vieles floß hier zusammen: Das religiöse Erbgut paulikianischer Umsiedler aus Armenien, das nationale Ressentiment der Bulgaren gegen die Griechen, die soziale Auflehnung der Bauern gegen die feudale Gesellschaftsordnung, gegen den wirtschaftlich übermächtigen, weltlichen und kirchlichen Großgrundbesitz. Die von außen hinzutretenden Beweggründe haben sich in der Folge nach Ort und Zeit gewandelt, stets aber stellen wir denselben Kern der Häresie fest, die unchristliche Antwort auf die Frage nach dem Ursprung des Übels in der Welt: Angesichts der Größe und Realität des Übels weigert sich die menschliche Vernunft, der christlichen Lehre von der Allmacht des gütigen Gottes zuzustimmen, und wendet sich einem leichter zugänglichen, müheloser überzeugenden Weltverständnis zu: Gott und der Teufel, das Prinzip des Guten und das Prinzip des Bösen stehen einander unversöhnbar gegenüber, der Mensch hat sich in freier Wahl zu entscheiden.

Wo immer solches Denken der Kirche gegenübertrat, hat sie es als Manichäismus bekämpft, und so bezeichnet man die mittelalterliche Sektenbewegung, die von Bulgarien ihren Ausgang nahm, auch als »Neomanichäismus«. Es mag zu weit gehen, von einer letzten aus dem Osten kommenden Weltreligion zu sprechen; die Wege der Häresie sind verschlungen und für uns nicht immer zu verfolgen, doch ist eine bogomilische Nationalkirche in Bosnien Tatsache und sind Verbindungen von dort zu den oberitalienischen Patarenern und zu den Katharern in Südfrankreich kaum zu leugnen[32]. Waldenser vor allem brachten das häretische Gedankengut, nach der Weise des Westens vielfältig gewandelt, nach Mitteleuropa, und den Teilnehmern des Konzils von Konstanz war die Geistesverwandtschaft zwischen *Jan Hus* und den Bogomilen unzweifelhaft. Das war gewiß ein vorschnelles Urteil – unmittelbare Beziehungen hat man bis heute nicht nachweisen können, und die Apologeten der Kirche übersahen, daß *Hus* mit seiner Kritik wesentlich abendländischen, innerkirchlichen Reformbestrebungen folgte – aber Ähnlichkeiten und Berührungspunkte gab es wirklich. In dem Neuaufbruch der Opposition gegen die herrschende Kirche, den der Husitismus bezeichnet und der weite Gebiete Ostmitteleuropas von Polen über Ungarn und Siebenbürgen bis in die ferne Moldau beeinflussen sollte, trat der weltanschauliche Dualismus allerdings ganz in den Hintergrund zugunsten einer am Urchristentum orientierten moralischen Kritik, zugunsten der Berufung auf die Heilige Schrift; doch waren diese Züge in geringerem Maße auch schon den älteren Sekten eigen.

Es ist eine Legende, die ihren Ursprung dem törichten Glorifizieren der eigenen Vergangenheit verdankt, daß die orthodoxe Kirche Rußlands ihren Gläubigen kein Anstoß und kein Anlaß zu bitterer Kritik gewesen sei. Das Gegenteil ist richtig. Auch in Rußland hat es schon in den Zeiten des »Zwieglaubens« eine bogomilische Unterströmung gegeben[33], und in den radikalen Häresien Nordwestrußlands, den »Strigol'niki« des späten 14., den »Judaisierenden« des späten 15. und beginnenden 16. Jahrhunderts finden wir einen deutlichen Widerhall zeitlich vorangehender abendländischer Bewegungen. Auch in Rußland sind die Grenzen zum innerkirchlichen Reformbemühen fließend, auch hier tritt das dualistische Element zurück, verbindet sich die Kritik mit der selbstverständlichen Interpretation der Schrift und beginnt die selbstbewußte Ratio am Dogma und Lehre zu rütteln.

So ergibt sich auch von den Gegenkräften her ein Bild des christlich gewordenen Osteuropa, das in seiner Vielgestaltigkeit überrascht. Solcher Vielgestaltigkeit diesseits und jenseits der Grenze zwischen lateinisch geprägtem Westen und griechisch geprägtem Osten, aber nicht ohne jede Kommunikation auch über diese Grenze hinweg, mußten die Aussichten für eine Begegnung mit dem neuen Geist der Reformation entsprechen.

* Vgl. *H. Krimm*, Das Antlitz der Vertriebenen. Stuttgart 1949.

1 *M. Kos*, Geschichte der Slovenen von der Ansiedlung bis zum 15. Jahrhundert (slovenisch). Ljubljana (Laibach) 1955.

2 *A. Brackmann*, Die Anfänge der Slawenmission und die Renovatio Imperii des Jahres 800, in: Gesammelte Aufsätze. Weimar 1941, S. 56–75.

3 *E. Klebel*, Die Ostgrenze des karolingischen Reiches, in: Jahrb. f. Landeskunde von Niederösterreich 21 (1928); Neudruck in: Die Entstehung des Deutschen Reiches (= Wege der Forschung I). Darmstadt 1956, S. 1–41.

4 *Th. v. Bogyay*, Mosapurc und Zalavár. In: Südostforschungen 14 (1955), S. 349–405.

5 *M. Schwarz*, Untersuchungen über das mährisch-slowakische Staatswesen des 9. Jahrhunderts (= Südosteuropäische Arbeiten 28). München 1942. Neue archäologische Funde scheinen geeignet, unsere Kenntnisse von der Frühgeschichte des böhmisch-mährischen Raumes zu erweitern; darüber berichtet *H. Preidel*, Die tschechoslowakische Vor- und Frühgeschichtsforschung in den Jahren 1945–53, in: Zeitschrift f. Ostforschung 4 (1955), S. 96–101.

6 *G. Stadtmüller*, Geschichte Südosteuropas. München 1950 (mit ausführlichem Schrifttumsverzeichnis); *V. N. Zlatarski*, Geschichte des bulgarischen Staates im Mittelalter. I–III. Sofia 1918–40 (bulgarisch); *St. Runciman*, A History of the First Bulgarian Empire. London 1930.

7 *G. Ostrogorsky*, Geschichte des byzantinischen Staates. München ²1952.
8 *F. v. Šišić*, Geschichte der Kroaten. Zagreb 1917 (erweiterte kroatische Ausgabe 1925).
9 Trotz oder gerade wegen der Dürftigkeit der Quellen ist die Literatur zur Geschichte der Slavenapostel längst unübersehbar geworden. Neben den Bibliographien: *G. Il'Inskij*, Versuch einer systematischen Kyrill-Method-Bibliographie. Sofia 1934; *M. Popruženko–St. Romanski*, Kyrill-Method-Bibliographie für die Jahre 1934–40 (beide bulgarisch); *J. Hahn*, Kyrillomethodianische Bibliographie 1939–55. 's-Gravenhage 1957, sei vor allem auf die grundlegenden Arbeiten von *F. Dvorník*, verwiesen: Les Slaves, Byzance et Rome au IXe siècle. Paris 1926; Les légendes de Constantin et de Méthode vues de Byzance. Prag 1933. Eine deutsche Übersetzung der Viten von Konstantin-Kyrill und Method wird in Kürze in der Reihe »Slavische Geschichtsschreiber« des Verlages Styria, Graz-Köln, erscheinen.
10 *B. Hóman*, Geschichte des ungarischen Mittelalters. I. Berlin 1940.
11 *V. Jagić*, Entstehungsgeschichte der kirchenslavischen Sprache. Berlin ²1913.
12 *R. Říčan*, Das Reich Gottes in den böhmischen Ländern. Geschichte des tschechischen Protestantismus. Stuttgart 1957; *K. Onasch*, Der cyrillo-methodianische Gedanke in der Kirchengeschichte des Mittelalters, in: Wissenschaftliche Zeitschrift der Martin-Luther-Universität Halle-Wittenberg 6 (1956) S. 27–40.
13 *H. Kohn*, Pan-Slavism. Its History and Ideologie. Notre Dame, Indiana 1953.
14 In die schwer durchschaubaren Zusammenhänge der böhmischen Geschichte zur Zeit des heiligen Wenzel hat vor allem das umfangreiche Sammelwerk Licht zu bringen versucht, das 1934 zum Millenium des Märtyrer-Herzogs erschien (Svatováclavský Sborník); vgl. besonders die den ersten Band einleitende Darstellung von *J. Pekař*, Svatý Václav.
15 *A. Brackmann*, Die Ostpolitik Ottos des Großen. A. a. O., S. 140–153.
16 *O. Odložilík*, From Velehrad to Olomouc. A Study in Early Moravian History, in: Harvard Slavic Studies 2 (1954 = Dvornik-Festschrift) S. 75–90.
17 *E.* v. *Ivánka*, Ungarn zwischen Byzanz und Rom, in: Blick nach Osten 2 (1949–52), S. 22–36.
18 *J. Deér*, Heidnisches und Christliches in der altungarischen Monarchie. Szeged 1934. Über den hervorragenden, wenn auch nicht ausschließlichen deutschen (bayrischen) Anteil an der Christianisierung Ungarns orientiert *F. Valjavec*, Geschichte der deutschen Kulturbeziehungen zu Südosteuropa. I. Mittelalter (= Südosteuropäische Arbeiten 41). München 1953.
19 Seit den Arbeiten *A. Brackmanns* (besonders: Kaiser Otto III. und die staatliche Umgestaltung Polens und Ungarns. A. a. O., S. 242–258) und anderer ist der Ostpolitik Ottos III. im Sinne einer Ausweitung der Renovatio Imperii auf den Osten gerechtere Würdigung widerfahren. Auch slavische Forscher anerkennen hier den großzügigen Versuch, zu einer wirklich umfassenden, übernationalen Ordnung des christlichen Abendlandes durchzustoßen (*F. Dvornik*, The Making of Central and Eastern Europa. London 1949; neuerdings auch in dem für einen breiteten Leserkreis bestimmten Werk desselben Verfassers: The Slavs. Their Early History and Civilization. Boston 1956). Brackmanns Patriciustheorie ist neuerdings auf Zweifel gestoßen, hat aber auch Unterstützung gefunden. Vgl. den Forschungsbericht von *R. Wenskus*, Brun von Querfurt und die Stiftung des Erzbistums Gnesen, in: Zeitschrift f. Ostforschung 5 (1956) S. 524–537.
20 Vgl. *F. Dvornik*, a. a. O., S. 95ff. mit reichen Literaturangaben.
21 *C. Jireček*, Geschichte der Serben. Band 1/2, T. 1. Gotha 1911/18; *Ders.*, Staat und Gesellschaft im mittelalterlichen Serbien. Band 1–4. Wien 1912–19. Beide

Werke sind in einer neuen serbischen Ausgabe zusammengefaßt (*K. Jireček-J. Radonić*, Istorija Srba. Bd. 1/2. Belgrad 1952), in der die Literaturhinweise bis zum Erscheinungsjahr ergänzt wurden (bes. Band 1, S. 91 ff., Band 2, S. 62 ff.). – Daß Serbiens Stellung zwischen West und Ost nicht nur eine Frage der kirchlichen Zuordnung ist, sondern die gesamte Entwicklung der serbischen Kultur im Mittelalter charakterisiert, machte zuletzt *A. Schmaus* deutlich (Zur Frage der Kulturorientierung der Serben im Mittelalter, in: Südostforschungen 15 [1956] S. 179–201).

22 *G. v. Rauch*, Frühe christliche Spuren in Rußland, in: Saeculum 7 (1956), S. 40–67.

23 Manches an der Christianisierung Rußlands ist bis heute heftig umstritten, und das einschlägige Schrifttum hat beträchtlichen Umfang. Über die jüngsten Beiträge vgl. meinen Forschungsbericht über das russische Mittelalter in: Jahrbücher f. Geschichte Osteuropas 3 (1955), S. 19 u. 39f. (Anm. 173).

24 Die neunhundertste Wiederkehr des Trennungsdatums war Anlaß zu eingehender geschichtlicher Würdigung des Schismas und seiner Folgen, vor allem in dem zweibändigen Sammelwerk: L'Église et les églises 1054–1954. Neuf siècles de douloureuse séparation entre l'Orient et l'Occident. Chevetogne 1954. Zur Vorgeschichte der seit langem angebahnten Kirchenspaltung vgl. *F. Dvornik*, The Photian Schism. History and Legend. Cambridge 1948, dessen Thesen allerdings nicht unbestritten geblieben sind.

25 Der Entstehung der polnisch-litauischen Union hat vor allem *O. Halecki* einen beträchtlichen Teil seines wissenschaftlichen Werkes gewidmet. Vgl. seinen Beitrag in der Cambridge History of Poland (Band 1: From the Origins to Sobieski. Cambridge 1950, S. 188 ff.) und jetzt auch *O. Halecki*, Grenzraum des Abendlandes. Eine Geschichte Ostmitteleuropas. Salzburg 1956, S. 133 ff.

26 Über das byzantinische Staat-Kirche-Verhältnis jetzt erschöpfend *A. Michel*, Die Kaisermacht in der Ostkirche (843–1204), in: Ostkirchliche Studien 2 (1953) S. 1–35, 89–109; 3 (1954) S. 1–28, 133–163; 4 (1955) S. 1–42, 221–260; 5 (1956) S. 1–32. Die Rezeption der byzantinischen Vorstellungen im Kiever Rußland behandelt *F. Dvornik*, Byzantine Political Ideas in Kievan Russia, in: Dumbarton Oaks Papers 9/10 (1956) S. 73–121.

27 Die Eigenart ostkirchlicher Frömmigkeit ist ein unerschöpfliches Thema und hat ein entsprechend reichhaltiges Schrifttum hervorgerufen; nur auf einige wichtige Werke kann hier hingewiesen werden: *G. P. Fedotov*, The Russian Religous Mind: Kievan Christianity. Cambridge, Mass. 1946; *E. Behrsigel*, Prière et sainteté dans l'église russe. Paris 1950; *I. Kologrivof*, Essai sur la sainteté en Russie. Bruges 1953; *I. Smolitsch*, Russisches Mönchtum. Würzburg 1953; *A. M. Ammann*, Untersuchungen zur Geschichte der kirchlichen Kultur und des religiösen Lebens bei den Ostslawen. Würzburg 1955. Der Entfaltung einer eigenen politischen Gedankenwelt auf dem Hintergrund ostkirchlich-altrussischer Frömmigkeit ging *W. Philipp* nach: Ansätze zum geschichtlichen und politischen Denken im Kiewer Rußland. Breslau 1950.

28 Vgl. dazu *H.-D. Kahl*, Compelle intrare. Die Wendenpolitik Bruns von Querfurt im Lichte hochmittelalterlichen Missions- und Völkerrechts, in: Zeitschrift f. Ostforschung 4 (1955) S. 161–193, 360–401; *H. Dörries*, Fragen der Schwertmission, in: Baltische Kirchengeschichte, hsg. v. *R. Wittram*, Göttingen 1956, S. 17–25. Zum Grundsätzlichen ist vor allem heranzuziehen *C. Erdmann*, Die Entstehung des Kreuzzugsgedankens. 1935, Neudruck Darmstadt 1955, und jetzt auch *E. Fascher*, Lukas 14, 23. Ein Beitrag zur Frage der Toleranz, in: Um Diaspora-Dienst und Diaspora-Fragen. Bruno Geißler, dem Achtzigjährigen. Kassel 1957, S. 139–154.

29 Dazu jetzt zusammenfassend *W. Schlesinger*, Die geschichtliche Stellung der mittelalterlichen deutschen Ostbewegung, in: Historische Zeitschrift 183 (1957) S. 517–542.

30 Zum folgenden bietet den Versuch einer zusammenfassenden Betrachtung *G. Stökl*, Religiös-soziale Bewegungen in der Geschichte Ost- und Südosteuropas, in: Ostdeutsche Wissenschaft 2 (1955) S. 257–275; vgl. auch die dort angeführte Literatur.

31 Über den Bogomilismus orientiert am ausführlichsten *D. Obolensky*, The Bogomils. A Study in Balkan Neo-Manicheism. Cambridge 1948; zur seither erschienenen Literatur vgl. die vorhergehende Anmerkung.

32 Mit den westlichen Auswirkungen des Bogomilentums hat sich, in allerdings einseitig historisch-materialistischer Interpretation, neuerdings *E. Werner* beschäftigt: Das Bogomilentum und die frühmittelalterlichen Häresien im lateinischen Westen (bulgarisch), in: Istoričeski pregled 13 (1957) 6, S. 16–31.

33 Ebenfalls in der Interpretation einseitig, aber in der Sichtung der wenigen vorliegenden Quellen sehr ausführlich ist die entsprechende Darstellung von *D. A. Kazačkova*, Zur Frage der bogomilischen Häresie in Altrußland während des 11. Jahrhunderts (bulgarisch), in: Istoričeski pregled 13 (1957) 4, S. 45–78.

II. AM RANDE DES BALTISCHEN MEERES

1. Einleitung

Von den beiden beigegebenen Kartenskizzen zeigt die eine den politischen Zustand rund um die Ostsee um das Jahr 1400, zu der Zeit, mit der das erste Buch unseres Geschichtswerks abschließt. Die zweite Zeichnung bringt dasselbe Bild nach 200 Jahren. Wir unterschreiben es: *Der lutherische Ostseering*. In der Tat sind bereits um 1600 die Bewohner der Länder an den Küsten, von Mecklenburg und Pommern beginnend und über beide Preußen, Groß-livland, Finnland, Schweden nach Dänemark reichend, fast durchweg in evangelischen Gemeinden und Kirchen lutherischen Bekenntnisses geordnet und zusammengefaßt.
Nur eine größere Lücke im Zusammenschluß des Ringes ist zu bemerken. Von den beiden Preußen ist das westliche, das »königliche«, in der Mehrheit katholisch – mit Ausnahme des Weichseldeltas von Thorn ab bis Danzig. Andererseits weist das »herzogliche« Preußen – später Ostpreußen genannt – die katholische Enklave des Ermlands auf, das sein berühmter Bischof *Hosius* in den Schoß der Romkirche zurückgeholt hatte.
Dieser seltsame Tatbestand hatte eine Ursache, die nicht übergangen werden darf, will man das Geschehen in den Ländern am Ostrand der Ostsee voll verstehen. Sie sei daher hier kurz gezeichnet.
Im Jahre 1386 hatte die polnische Thronerbin *Hedwig (Jadwiga)* aus dem aussterbenden Hause Anjou den litauischen Großfürsten *Jagiełło (lit. Jagaila)* geheiratet, der zum Christentum übertrat und die heidnischen Bewohner seines weit ausgedehnten Reichs in anbefohlenen Massentaufen zu Christen machen ließ. Aus der anfänglich nur losen Personal-Union wurde allmählich eine Real-Union der beiden Staaten, die es unerträglich fand, als europäische Großmacht keinen breiten und sicheren Zugang zum offenen Meer zu haben.
Solchen Zugang sperrte der Riegel des Ordenslandes, von dessen Beginn und Wesen, Zweck und Erfolg oben kurz berichtet worden ist. (siehe S. 25).
Der »Deutsche Orden« mit seinem Anhängsel in Livland (Schwertritter) beherrschte um 1400 den ganzen Küstenstreifen von Pomerellen (»Klein-Pommern«) bis zum Finnischen Meerbusen. Ihm wiederum war der Landweg nach Westen unentbehrlich. Er war ja Glied des Heiligen Römischen Reichs. Daher führten ihn seine Anliegen regelmäßig zum Kaiser und dem Reichsfürsten, zu den Reichstagen und zum Reichskammergericht, vor allem aber zu den zahlreichen Ordenskomtureien in Südwestdeutschland, die dem

Hochmeister in Marienburg unterstanden, und auch zur römischen Kurie, trotz aller Spannungen mit dem dort herrschenden Zentralismus. Diesen durch Burgen zu sichernden Landweg stören zu lassen – durch einen »polnischen Korridor« – war für ihn ein unerträglicher Gedanke. – Die Waffen mußten entscheiden.

Zwei sehr ungleiche Gegner standen sich da gegenüber: hier ein Riese an Ausdehnung über unermeßliche Landflächen, dort ein Zwerg, auf rund 100000 Quadratkilometer beschränkt; hier ein unerschöpfliches Reservoir von noch halbwilden, den Tod nicht fürchtenden Keulenschwingern bis hin zu noch heidnischen rauflustigen Tataren, dort ein Ritterheer mit geringer Bauerngefolgschaft, hier ein junges angriffslustiges Staatswesen mit monarchischer Führung, dort ein alter, müder, locker geordneter Mönchsadelstaat, der am Zwiespalt seiner unwahrhaftigen Struktur krankte; denn sein Gründungszweck war überholt: in Preußen gab es keinen Ungetauften mehr.

Die Schlacht bei Tannenberg (oder Grunwald, 1410), so deutlich sie die Sage von der Unbesiegbarkeit der Ordenskämpfer durch deren katastrophale Niederlage zerstörte, brachte noch nicht die eigentliche Entscheidung. Es wurde ein fünfzigjähriger Krieg, zum Teil ein Bürgerkrieg mit schamlosem Einbruch moralischer Verworfenheit an Eidbruch und Landesverrat. Erst 1466 kam es in Thorn zum Friedensschluß. Weinend kniete der Hochmeister *Ludwig von Erlichshausen*, der Führer eines einzigartigen Männerbundes aus adlig bewährten Geschlechtern – voll Frömmigkeit, aber nicht ohne Weltverstrickung –, ein Gebieter über tausend feste Burgen und Schlösser vom Neckar bis zum Peipussee, in der Gildehalle zu Thorn, dieser ältesten aller nordischen Ordensgründungen (1230), vor dem Polenkönig *Kasimir IV. (Kasimierz)* und leistete ihm den Treueid, dankbar dafür, daß man ihm nicht mehr als eine Hälfte seines theokratischen Staates abnahm – Pomerellen samt Danzig und Elbing, dazu das Bischofsgebiet Ermland –, die andere aber beließ, wenn auch unter Oberhoheit des Königs.

Polen hatte sein Ziel erreicht. Die Hauptader des Landes, die Weichsel, war jetzt von der Quelle in den Beskiden bis zu ihrer breitgedehnten Mündung ein polnischer Fluß. Auch Danzig mußte der Krone huldigen, um wenigstens einen Teil der alten Freiheit zu behalten. Für das polnisch-litauische Großreich aber brach nun das »Goldene Zeitalter« an, von dem noch weiter zu reden sein wird.

Fünfzig Jahre später: Kein Geringerer als Kaiser *Maximilian I.* schloß 1515 mit Polen den Vertrag von Wien, in dem er jeden Rechtsanspruch auf die einstige Reichskolonie am Ostseerand preisgibt. Er erkauft sich damit die Zustimmung zur Erbfolge Habsburgs in Böhmen und Ungarn, schwerlich ahnend, was das für die Zukunft Europas bedeutete. Ein Weg wurde eröffnet, der in ein politisches Neuland führte. Die Geschichte des Protestantismus in Osteuropa hat davon vielerlei zu berichten, namentlich aus den 1525 unter Habsburgs Herrschaft gelangenden Ländern (siehe S. 291ff.). Für die Ordens- und Bischofsländer am Ostseerand ist die Verzichtleistung des Kaisers darum von Bedeutung, weil dadurch der kirchlichen Umwandlung kein Einspruch des »Heiligen Reichs« mehr in den Weg treten konnte, als 1526 in Ostpreußen die Reformation begann. Was der Papst mit dem Bannstrahl, der Kaiser mit der Acht über den »abtrünnigen« Hochmeister *Albrecht* verhängten, als er den Ordensmantel ablegte und den Herzoghut aufsetzte, die dänische Königstochter heiratete und von seinem Oheim, dem Polenkönig *Sigismund (Zygmunt I.)*, zu dem allen die Zustimmung erhielt, vermochte den Sieg der Reformation nicht aufzuhalten. Dem neuen Herzog waren seine einstigen Ordensbrüdern fast restlos in den weltlichen Stand gefolgt. Der »reichische« Teil des Ordens wählte einen neuen Hochmeister, der seinen Sitz in Mergentheim nahm.

2. *Livland*

Mit dieser Überschrift ist hier nicht die eine (mittelste) der drei »Ostseeprovinzen« gemeint, sondern – dem älteren Sprachgebrauch gemäß – die ganze Landschaft am Ostrand des *Mare Balticum* »von der Heiligen Aa bis zur Narve«. Sie grenzt im Süden an Preußens Memelland, nur durch einen 10 km breiten Küstenstrich, der zu Litauen gehört, von ihm getrennt, und liegt im Norden dem »Land der Tausend Seen«, Finnland (Suomi) auf Sichtweite gegenüber.

Die Kirchengeschichte Livlands ist mit der des Preußenlandes eng verbunden, weist aber neben mancher Ähnlichkeit auch beträchtliche Verschiedenheiten auf.

Schon die Christianisierung verlief hier anders als dort. Es sei kurz wiederholt, daß in Livland – im Unterschied zu Preußen – nicht eine ritterliche, sondern eine bischöfliche Mission den Anfang machte. Sie begann bereits 1199 durch Entsendung des Bremer Domherrn *Albert von Appeldern*, der 1201 die Stadt Riga gründete und zu seinem Bischofssitz machte, damit zugleich einen günstigen Handelsplatz am Unterlauf der Düna schaffend.

Wie überall in der Mission des Mittelalters wurde auch hier der Taufbelehrung soldatischer Beistand zugesellt. Man gründete dafür einen neuen Orden, den vierten neben den beiden internationalen der Templer und Johanniter und dem der »Deutschen Ritter«. Doch war diese Neugründung mit der geringen Zahl ihrer »Schwertbrüder« der robusten Gewalt der sich wehrenden Heiden nicht gewachsen. Man hielt Umschau nach stärkerer Hilfe, als das Ordensheer 1235 bei Bauske von den heidnischen Litauern fast völlig aufgerieben wurde.

Inzwischen war im südlichen Nachbarland auch eine Ordensmission begonnen worden. Der Fürst *Konrad* des polnischen Kleinstaats Masowien hatte den erwähnten »Deutschen Orden« gebeten, ihm im Kampf gegen die heidnischen »Pruzzen« (Preußen) beizustehen. Gern war der Hochmeister, damals *Hermann von Salza*, eine große staatsmännische Gestalt, diesem Rufe gefolgt (1226). Er hoffte, hier im Norden zu der seit langem erstrebten ritterlichen Staatsgründung zu kommen, nachdem der Versuch, dieses Ziel im Süden, im siebenbürgischen Burzenland zu erreichen, mißglückt war. Anstelle der dort verlassenen baute nun der Orden am Weichselarm Nogat eine stolzere Marienburg und errichtete, vom Papst wie vom Kaiser dafür autorisiert, den stattlichen und bald zu hoher Blüte gelangenden Ordensstaat.

Dem schloß sich 1237 der Rest der Schwertbrüder an, und bald unterstand dem Hochmeister außer den im Reich verstreuten Komtureien und dem Preußenland ein livländischer Ordenszweig, dessen Meister seinen Sitz in Riga, später in Wenden hatte. Hier allerdings standen der Staatsgründung Schwierigkeiten im Weg. Die Schwertbrüder waren Lehnsleute der vier Bischöfe (Riga, Pilten, Pernau, Dorpat) gewesen, und das Neuland, das der Orden zwischen den Territorien der Bischöfe durch Eroberung gewann, gab zu manchem Grenzstreit Anlaß, in dem nicht selten die großen Städte die gewinnenden Dritten waren. Mit ihrem Reichtum und Ansehen, mit ihren Patriziergeschlechtern von Rang und Mut verteidigten sie ihre verbriefte Unabhängigkeit ebenso, wie die bischöflichen Souveräne ihre territorialen Rechte eifersüchtig vor dem Orden schützten, der immerhin sein Gebiet mit der Zeit über etwa zwei Drittel ganz Livlands auszudehnen vermochte. Das Nebeneinander der fünf von Priestern und Mönchen geleiteten Staatsgebilde und der selbstherrlichen Stadtregimente war bei den unaufhörlichen Abwehrkämpfen gegen die beiden an die Küste drängenden Nachbarmächte eine stete Hemmung und bedrängende Gefahr.

Dreihundert Jahre später: Wenn die Reformation mit ihrem Grundsatz des Allgemeinen Priestertums die Kirche neugestaltete, war da noch Platz für derartige theokratische Gesellschaftsordnungen? War nicht das, was der Hochmeister in Preußen 1526 getan hatte, die Säkularisierung des Ordensstaats, die zwingende Konsequenz der Lehre Luthers von den »Zwei Reichen Gottes« in der Erdenwirrnis der Menschheit?

Die Frage, ob er sich dem Vorgehen seines Hochmeisters anschließen solle, legte sich der bis 1535 in Livland regierende Ordensmeister *Wolter von Plettenberg* ernstlich vor. Er verneinte sie. Er war einer der besten Meister, die der Orden in Livland die Jahrhunderte hindurch gehabt hat, an Charakter untadelig, an Leistung als Fürst und Feldherr von keinem seiner Vorgänger übertroffen. Er war es gewesen, der die Russen in der Schlacht am See Smolina (1502) so schlug, daß 50 Friedensjahre folgten. In ihnen konnte die innere Verwandlung sich ungestört vollziehen, die der Umbruch der Zeit erforderte. Aber *Plettenberg* war nun sehr alt (geb. 1450), obgleich an Lebenskraft ungebrochen. Er traute sich nicht mehr zu, eine so tiefgreifende Neuerung durchzusetzen, wie sie *Albrecht I. von Preußen* vollzogen hatte; der zu erwartende Widerstand der vielen, die dann eine Machtminderung hätten hinnehmen müssen, war zu groß. An Einsicht dessen, was die Stunde geschlagen hatte, fehlte es dem klugen Manne gewiß nicht: der vielgespaltene Priesterstaat war »eine öffentliche Lüge« geworden.

Der andere, der für den notwendig gewordenen Staatsstreich hätte in Betracht kommen können, war der Erzbischof von Riga. Er war der Ranghöchste, mächtigste und reichste der geistlichen Souveräne. Auf des Erztums Stuhl saß seit 1539 Markgraf *Wilhelm von Brandenburg*, schon seit 9 Jahren Gehilfe (Koadjutor) und Nebenbuhler seines seltsamen Vorgängers *Blankenfeld*, den eine bedenkliche Politik ins Gefängnis und dann ins Exil gebracht hatte. Wilhelm war offensichtlich Exponent der Hohenzollerschen Familienpolitik, wahrscheinlich von seinen Brüdern in Berlin und Königsberg, dem Kurfürst und dem Herzog, entsandt, um am weiteren Ostseerand, anschließend an das schon gewonnene Preußen, ein evangelisches Herzogtum Livland aufzurichten, frei von der polnischen Bindung, die den Bruder *Albrecht* belastete, diese in Zukunft lähmend und auch den Verlust ausgleichend, den Tannenberg und der Thorner Friede gebracht hatte. Dann würde, da der Gewinn von Pommern in sicherer Aussicht stand, das Kurfürstentum Brandenburg einmal eine Hausmacht haben, die von Rügen über beide Preußen und Livland hinweg bis zum Finnischen Meerbusen den Ostseestrand beherrschen und den Weg zu größter Zukunft finden könnte. Der markgräfliche Erzbischof erfüllte seinen Auftrag so ungeschickt wie nur möglich, versagte auch charakterlich und trug ganz wesentlich daran Schuld, daß die Liquidierung der livländischen Konkursmasse von ganz anderen Mächten vollzogen wurde.

Die Gefahr war groß, daß die Erbschaft schon jetzt dem übermächtig gewordenen Nachbar im Osten zufiel. *Ivan IV. Vasil'evič (Groznyj)* war 1558 eingebrochen, hatte die Niederlage seines Ahnen von 1502 durch vollständigen Sieg über das Ordensheer in dessen letzter Schlacht (bei Ermes) gerächt, verwüstete 20 Jahre lang in immer neuen Vorstößen alles Land westlich des Peipussees und hätte sicher vorweggenommen, was erst 150 Jahre später *Peter der Große* erreichte, wenn nicht von 1561 ab die Wirrnis des verheerenden Krieges eine entscheidende Wende in der Politik der drei Ostseemächte herbeigeführt hätte. Den alten Gegensatz im *Dominium maris Baltici* überbrückend, einigten sich Schweden und Dänemark mit Polen über eine Teilung Livlands, die den späteren Teilungen Polens ähnelte; denn schon hier war der Verlauf der Dinge so, daß er wie 1772, 1793, 1795 und 1815 nach mehrfachen Verschiebungen der Grenzen mit einem überragenden Sieg des russischen Ausdehnungsdranges endete.

Nun wurden die livländischen Priesterstaaten ohne weiteres säkularisiert. Das am meisten gefährdete und heimgesuchte Estland flüchtete sich unter den Schutz des Schwedenkönigs *Johann III.* Der dänische König *Friedrich II.* erhielt zugunsten seines Bruders *Magnus* Pilten, Ösel und andere Randstücke, die jedoch der königliche Abenteurer nicht halten konnte. Nur die große Insel blieb bis 1645 bei Dänemark und kam dann zu Schweden.
Den Löwenanteil gewann der kriegsmächtige Polenkönig *Stephan Báthory*, ein ursprünglich protestantischer Fürst von Siebenbürgen, dem Warschau »eine Messe wert« gewesen war. Er dachte nicht daran, dem letzten Ordensmeister *Ketteler* den Wunsch zu erfüllen, der den Plan des Erzbischofs *Wilhelm* wieder aufnahm. *Ketteler* mußte froh sein, wenigstens ein bescheidenes, aber besonders schönen Stück Livlands als Lehen zu erhalten. So wurde er Herzog von Kurland. Er konnte in seinem Bereich ungestört die Reformation durchführen. Kurland hatte das Glück, 250 Jahre lang am wenigsten von den Stürmen heimgesucht zu werden, die bis Ende des 18. Jahrhunderts das übrige Livland überwehten und in schlimmste Nöte brachten. Das Heilige Römische Reich deutscher Nation schaute dem Schicksal seiner einstigen stolzen Kolonie nicht nur tatenlos, sondern ohne Mitempfinden zu. Es hatte kaum Worte des Bedauerns gefunden, als Riga, die noch treu zum Reich haltende »Freie Stadt«, 1581 nach 20 Jahren tapferen Widerstands vor der sie ringsum bedrängenden politischen Übermacht kapitulieren mußte. Nur das »unheilige« Deutschland, seine protestantischen Fürsten und Feldherren, Gelehrten, Dichter und Seelsorger wußten noch etwas von den fernen Brüdern und Glaubensgenossen. Von damals an ist über allen bunten Wechsel des politischen Geschicks hinweg das Band evangelisch-kirchlicher Gemeinschaft nie zerrissen, in der sich das Mutterland der Reformation und seine ferne Tochter im lutherischen Livland allezeit verbunden wußten.
Wie überall in Osteuropa fand der Weckruf aus Wittenberg auch in Livland zuerst bei den Bürgern der deutschen Städte Widerhall in Wort und Tat. Die Großstadt Riga – sie wird etwa 10000 Seelen gezählt haben – ging den andern, namentlich Dorpat und Reval, voran. Diesem Beispiel soll jedoch ein besonderer Abschnitt gewidmet werden. Es hat im ganzen Baltenland Nachahmung gefunden, am meisten in dem Stück (Groß-)Livlands, das später diesen Namen neben Kurland und Estland allein in Anspruch nahm, selbst dann noch, als zwischen der Stadt und der zu ihr gehörenden Provinz die polnische Grenze lag (1561–81).
Die anderen Städte des Baltikums, voran Reval und Dorpat, aber auch etwa Narva und Pernau im Norden, Mitau und Goldingen im Süden – sämtlich mit nur wenigen tausend Einwohnern – hatten zwar keinen *Knopken* und *Briesmann* wie Riga (siehe S. 40 f.), aber doch oft treue und sattelfeste Prädikanten und fromme weitsichtige Bürgermeister. Die brachten in meist erfreulichem Zusammenwirken das Kirchenwesen selbständig in geregelte

reformatorische Formen. Für den Gottesdienst setzten sich überall die Liturgie *Briesmanns* und das Gesangbuch *Knopkens* durch. Dieser fand dann durch den Handelsverkehr der Hanse Eingang am ganzen südlichen Ostseerand, sogar bis an die Elbmündung und ins übrige plattdeutsch sprechende und singende Land.

Auf den Dörfern und in den weit zahlreicheren über große Flächen zerstreuten Einzelhöfen der Kirchspiele – nur in Estland gab es größere Dorfanlagen – änderte sich zunächst nicht viel. Die höchste kirchliche (katholische) Obrigkeit blieb ohnehin bis 1561 in alter Weise aufrechterhalten; sie lag ja von Rechts wegen bei den landesherrlichen Beauftragten geistlichen Charakters, teils des Ordens, teils der Bischöfe. Aber die lokalen kirchlichen Gerechtsame nahmen jetzt die Großgrundbesitzer in Anspruch, also die weltlichen Lehnsträger der geistlichen Herren des Landes. Sie neigten sämtlich der Reformation zu – nicht immer nur aus Glaubensüberzeugung – und nutzten den Verfall der Staatsordnung dazu aus, Gewohnheitsrechte zu schaffen, die weittragende Folgen hatten. Zum Teil besaßen sie schon früher aus der altgermanischen Rechtsform der »Eigenkirchen« nachdrücklichen Einfluß auf die Pfarreien ihrer Gutsbezirke, zum Teil wurde ihnen jetzt ausdrücklich ein Patronat über diese zugestanden (1524); zum Teil ergab es sich einfach aus der Verworrenheit der Zeit. Es lag eine gewisse Unwahrhaftigkeit darin, daß die Hierarchie weiterbestand, obwohl die Pfarrstellen jetzt meist mit Männern besetzt wurden, die sich von der Papstkirche gelöst hatten. Da weder die Ordensherren noch die Bischöfe sich um die Vorgänge in den großen, weit verstreuten, viel zu wenigen Pfarrsprengeln ernsthaft kümmerten, sondern zufrieden waren, daß ihnen ihre Würden und Einkünfte nicht gestört wurden, fühlte sich jeder Gutsherr als *summus episcopus* seines Bereichs und reformierte die Gemeinden nach seinem Gutdünken.

Es sei hier gleich vorweg bemerkt, daß während dieser ganzen Zeit das Verhältnis der Bebauer der Äcker zu den adligen »Herren« keineswegs schon das der Leibeigenschaft war, das später eine so traurige, zerstörende Rolle spielte. Deutsche Bauern gab es überhaupt nicht; aber sowohl unter den Letten wie unter den Esten fehlte es nicht an Freibauern; daneben fanden sich Pächter, Gesinde und nur vereinzelt Erbuntertänige. Erst als in der Folgezeit beim Übergang des politischen Regiments an ausländische Obrigkeiten und beim Vordringen des Merkantilismus die Rittergutsbesitzer aufhörten, den Ritterdienst als Hauptberuf zu treiben, und statt dessen anfingen, möglichst hohen Nutzen aus den Gütern herauszuwirtschaften, begann das Verhältnis sich zu ändern. Kam dann gar die bittere Not hinzu, die der 150 Jahre andauernde Kriegszustand über den größten Teil des Landes brachte und die den Bauern zum Schuldner, den Besitzer zum Gläubiger – für Getreidelieferungen zur Rettung vor dem Verhungern – machte, so waren bei dem alten brutalen Rechtsgrundsatz »Schuld oder Mann« die Voraussetzungen geschaffen für die tragischen Geschicke, die späterhin die Gesellschaftsordnung dieser Länder verwirrte. Welch verheerende Folgen dies in der Kirchengeschichte hatte, davon wird noch zu reden sein.

Die sprachliche Differenz zwischen den Bevölkerungsschichten spielte damals noch eine geringe Rolle. Von den Ursprachen des Landes waren nur zwei übriggeblieben. Die Kuren, Liven, Selen, Semgallen waren von den Letten aufgesaugt worden, ebenso haben die Esten die finnischen und schwedischen Zuwanderer assimiliert, soweit jene sich nicht über den Meerbusen zurückzogen. Sozialer Aufstieg aus dem lettischen oder estnischen Volk zog für Jahrhunderte hindurch die Einschmelzung ins Deutschtum nach sich, wie umgekehrt gesellschaftlicher Abstieg – durch Verarmung und Entwurzelung – entsprechende Umvolkung zur Folge hatte.

Jedenfalls kamen von der Mehrsprachigkeit keine Hindernisse für den Übergang in das neue Kirchentum. Ein echtes Verständnis für dessen tiefere, eigentliche Bedeutung wird man bei der großen Masse des Landvolks für das 16. und zum Teil noch für das 17. Jahrhundert dennoch nicht annehmen können. Fanden sich doch bis ins 19. Jahrhundert hinein bei ihr noch vielfach vorchristliche Gebräuche und heidnischer Aberglaube, die von der Kanzel herab bekämpft und von der Obrigkeit mit Strafen verfolgt wurden. Eine wirkliche, tiefgreifende Evangelisierung, vor allem unter dem estnischen Teil des Landvolks, erfolgt erst im Zusammenhang mit dem Missionsvorstoß der Herrenhuter (siehe S. 67ff.).

Wenn schon sehr früh Luthers Katechismus ins Lettische übersetzt und 1535 sogar gedruckt wurde – bei *Hans Lufft* in Wittenberg mit danebenstehendem plattdeutschem Text – wenn dann noch vor Ablauf des Jahrhunderts mit Übersetzungen und Druck von Bibelteilen und Kirchenliedern in beiden Sprachen begonnen wurde, wenn auch *Briesmanns* Gottesdienstordnung schon um 1540 wenigstens handschriftlich ins Lettische übertragen wurde – vom Estnischen darf das gleiche angenommen werden, obwohl Belege dafür fehlen –, so war das wesentlich für den Gebrauch der Pfarrer bestimmt; die ländlichen Gemeindeglieder waren fast durchweg Analphabeten.

Ein Versuch zur Zentralisierung des zersplitterten Kirchenwesens wurde lediglich von den Städten gemacht. Sie hielten miteinander Fühlung in kirchlichen Anliegen, ja kamen gelegentlich zu gemeinsamer Beratung zusammen. Riga machte 1597 den Vorschlag, ein Oberkonsistorium für ganz Livland zu gründen. Das kam ebensowenig zustande, wie die Kirchenverfassung durchgeführt wurde, die der letzte Erzbischof von Riga, *Wilhelm von Brandenburg*, der Bruder des preußischen Hochmeisters *Albrecht*, von seinem Kanzler *Christoph Sturz* 1546 für die geplante Säkularisierung des Erzstifts ausarbeiten ließ.

Erst als Livlands Freiheit ein Ende hatte und die polnische Herrschaft entgegen der einst gemachten Zusage den kirchlichen Bestand von früher wieder herzustellen versuchte, kam es zu Zusammenschlüssen zu gemeinsamer Abwehr der Gegenreformation. Von dieser wird unten das Wichtigste berichtet werden (siehe S. 47ff.). Es kam dabei der evangelischen Sache zugute, daß die Verwaltung der polnischen Provinz Livland, wenn auch nur vorübergehend, dem kurländischen Herzog übertragen worden war, so daß sich schon vieles gefestigt hatte, als die Bedrängung unerträglich wurde. Was dann später in der Schwedenzeit Livlands geschah, soll im Zusammenhang mit der Kirchengeschichte Estlands geschildert werden. Dieser Landesteil hatte ja das Glück, schon gleich nach der Auflösung des alten Regimes der Bischöfe und des Ordens unter einen lutherischen König zu gelangen, so daß er sein Kirchenleben ohne feindliche Hemmungen ordnen und entfalten konnte.

3. Riga

Wie überall in Osteuropa fand der Weckruf aus Wittenberg auch in Livland zuerst bei den Bürgern der deutschen Städte Widerhall in Wort und Tat. Die Großstadt Riga – sie wird etwa 10000 Seelen gezählt haben – ging den andern, namentlich Dorpat und Reval, voran.

1521 bereits wird in der großen Petrikirche, deren schlanker Turm weit über die Düna hinüberblickt, evangelisch gepredigt.

1522 schreibt ein Beamter des Rats von Riga, *Lohmeyer*, einen Brief an *Luther*, um seine Aufmerksamkeit an den Beginn neuen Glaubenslebens in seiner Stadt zu lenken.

1523 antwortet *Luther* mit einem »Sendschreiben«, das auch die beiden anderen Städte anredet. Er gibt ihnen darin Ratschläge für Erweckung des wahren Glaubens und Betätigung der Nächstenliebe.

1524 trifft in Dorpat der erste von Luther selbst ausgebildete Prediger ein, der dann in vier Revaler Gemeinden Fuß fassen kann. Im gleichen Jahre widmet *Luther* den »lieben Freunden in Christo zu Riga und in Livland« eine Psalmenauslegung. Er gewinnt da aus den Versen des 128. Psalms Mahnungen für einen göttlichen Haushalt nicht nur in Beruf und Familie, sondern auch in der Kirchengemeinde und erinnert die Ratsherren an ihre dreifache Fürsorgepflicht: für den Unterhalt der Seelsorger, für den Unterricht der Kinder und für die Unterstützung der Armen.

1525 schreibt *Luther* zum dritten Mal »an die in Livland«, diesmal »vom äußerlichen Gottesdienst und Eintracht«. Das war nötig geworden, da es hier wie auch anderwärts in den jungen Gemeinden noch an gründlich geschulten Theologen mangelte. Zwietracht war vornehmlich von Schwärmern und Bilderstürmern ausgegangen, denen jedoch die Obrigkeit bald das Handwerk legte, so daß hier die westdeutschen Unruhen (*Münzer*, Münster usw.) erspart blieben. Die Ordnung des Gottesdienstes kam erst in ruhige Bahnen, als man von draußen einen Kirchenmann ersten Ranges zur Mitwirkung heranholte.

1526 macht der oben erwähnte Beamte, der Stadtsyndikus *Lohmeyer*, ein auch theologisch beschlagener Jurist, den Vorschlag, den aus Kottbus stammenden theologischen Vertrauten des Herzogs *Albert*, Dr. *Joh. Briesmann*, den »Reformator Ostpreußens« einzuschalten.

1527 trifft *Briesmann* in Riga ein und gewinnt auch die anderen Städte für ein gemeinsames Vorgehen zur Überwindung der verwirrenden liturgischen Mannigfaltigkeit.

1528 versucht *Briesmann*, *Paul Speratus* zur Mitarbeit in Livland zu gewinnen, doch dieser lehnt ab, weil ihm, dem Schwaben, die »platte« Sprache der Wasserküste fremd sei.

1529 ist *Briesmanns* Kirchenordnung fertiggestellt, wird den anderen Städten übersandt und findet günstige Aufnahme.

1530 wird die Kirchenordnung zusammen mit einem »Sankböklin« (54 Lieder, darunter auch *Luthers* »Eyn vaste Borck ys unsre Godt«) in Rostock gedruckt und findet auch am Südrand der Ostsee bis zur Elbe im ganzen niederdeutschen Sprachbereich Verwertung.

Es ist nicht möglich, weiter so jahresweise die nun folgenden Ereignisse aufzuzählen. Dagegen seien jetzt die Männer genannt, die in den Städten Livlands als Träger der Erneuerung hervortraten.

Der »Stadtschreiber« *Lohmeyer* ist schon genannt. Der aus Danzig stammende Humanist war eine zwielichtige Persönlichkeit mit einer Mischung von politischem Ehrgeiz und theologischem Interesse. Aber der evangelischen Sache hat er nicht nur für Riga, sondern für ganz Livland große Dienste geleistet. Zeitweilig war er eine Art weltlicher Superintendent, der nicht nur die äußere Ordnung der Kirche in Riga in die Hand nahm, sondern sich auch um ihre inneren Angelegenheiten kümmerte.

Der erwähnte erste evangelische Prediger (schon 1521) war *Andreas Knopken*, aus der Gegend von Küstrin stammend, ein Schüler *Bugenhagens*, der Herausgeber des der Kirchenordnung beigefügten Gesangbuchs, wohl auch der Übersetzer der Lutherlieder ins Plattdeutsche. Wahrscheinlich hat er mit seiner poetischen Begabung dem Dichter des kirchlichen Fastnachtsspiels »Vom verlorenen Sohn« zur Seite gestanden. Dies Laienspielstück, zur Aufführung in einer Kirche gedacht, ist es wert, für eine Darbietung auch in unseren Tagen einmal bearbeitet zu werden.

Kurz erwähnt seien noch der aus Rostock stammende Fanatiker *Tegetmeyer*, der in der Jakobikirche diente, in der auch lettisch gepredigt wurde, ferner für Dorpat und Reval die Lutherschüler *Marson* und der Laienprediger *Hofmann*, Anstifter von Bilderstürmern, denen die Stadtbehörden schnell ein Ende machten.

Die staatspolitischen Umwälzungen in Livland, die 1561 zur Ruhe kamen,

haben Riga nur am Rande berührt. Die reiche und stolze Hauptstadt brauchte sich nicht zu säkularisieren wie die Ordensstädte und konnte ihren Stand im Heiligen Römischen Reich zunächst festhalten, immer noch erwartend, sein Kaiser werde einen Weg finden, den alten Rechtszustand wiederherzustellen, den die Polen offensichtlich verletzt hatten.
Aber *Ferdinand I.* hatte für das vom Glauben abgefallene Reichsglied nicht viel übrig und *Maximilian II.*, selbst ein halber Ketzer (siehe S. 237f.), kam zu spät und zu kurz zur Regierung, um mehr als eine große Geste übrig zu haben: er gestattete dem Rat von Riga, seine Urkunden mit rotem Siegel wie die Reichsstädte zu bekräftigen. So war es wohl unvermeidlich, daß die deutsche Insel im polnisch überfluteten Livland sich nach 20 Jahren tapferen Widerstands ergab. *Stephan Báthory* hielt triumphierenden Einzug, ohne daß man ihm eine Bestätigung des Privilegiums *Sigismund Augusts* hatte abnötigen können.
Nun folgte die Überfremdung des bisher schon reichlich polyglotten Stadtlebens durch den Zuzug polnisch-litauischer Beamter, Geschäftsleute, Hafenarbeiter und zugleich der Versuch, auch in der Hauptstadt Livlands die Staatsreligion – »Maria regina Poloniae« – an die erste Stelle zu rücken, wie das im Lande ringsum seit 20 Jahren betrieben wurde.
Dabei richteten sich die nun zahlreich ins Land kommenden Jesuiten besonders an die lettischen Kleinbürger und Hilfsarbeiter, die zum Teil erst Anfänger wirklichen Christusglaubens waren. Katholische Propagandaschulen wurden für sie gegründet. An einer lettischen Übersetzung des Katechismus von *Canisius* lernten die Schüler die Kunst des Lesens.
In der deutschen Bürgerschaft erwachte dagegen der protestantische Trotz unter Beimischung nationaler und sozialer Empfindlichkeiten. Der Trotz richtete sich auch gegen die Stadtbehörde, die den so lange gelähmten Seehandel des Dünahafens wieder zur Blüte zu bringen bemüht war und dafür Kompromisse mit den Polen zu schließen für richtig hielt.
1585 kam es zu einer regelrechten Stadtrevolution. Der Rat wollte, dem Befehl Warschaus folgend, den vom Papst eingeführten gregorianischen Kalender an die Stelle des fehlerhaften Julianischen setzen – der in der ostkirchlichen Welt noch heute großenteils festgehalten wird – und suchte das der Bürgerschaft aufzuzwingen.
Was nun folgte, geschah aus dem gleichen Anlaß auch anderwärts (siehe S. 297). Der schlichte Mann ließ sich einreden, es sei ein Anschlag auf seinen evangelischen Glauben, wenn er jetzt auf Befehl des Papstes sein Tagesdatum um zwei Wochen vorausrücken solle. So entstand in Riga ein schlimmer Aufruhr unter Anführung eines Advokaten, der sich des Rathauses bemächtigte und zwei Ratsmitglieder als Verräter hinrichten ließ. Die Jesuiten wurden vertrieben und die Jakobikirche zurückgewonnen. Schließlich rückten polnische Soldaten ein, und es wurde im Vortrieb der Gegenreformation schlimmer als zuvor.

4. Kurland

Am wenigsten von außen gestört verlief die kirchliche Entwicklung in Kurland. Beim Ordensmeister *Ketteler* paarte sich glücklich gerade so wie beim Hochmeister *Albrecht* mit dem Interesse an der Errichtung einer weltlichen Herrschaft und Schaffung einer Dynastie eine aufrichtige Zuwendung zum evangelischen Glauben.

Nach der Annahme des Herzogtitels ordnete er grundlegende Maßnahmen für die Kirche an. Dabei hatte er gegenüber dem Hochmeister einen Nachteil. Diesem erleichterte sein fürstliches Geblüt die unerläßliche Zentralisierung, während *Ketteler* von den Adligen allzusehr als ihresgleichen betrachtet wurde. Sie konnten ihm allerlei Sonderrechte abtrotzen, auch für ihre Kirchen und Parochien. Es kam ihm aber zugute, daß fast die Hälfte des Ordensgebiets keine Lehensträger hatte und nun als »Domanium« von seinen Beamten bewirtschaftet wurde. Dazu kam, daß er in dem aus Weimar stammenden Oberrat *Salomon Henning* und in dem zum Landessuperintendenten ernannten Theologen *Alexander Einhorn* (aus Lemgo an der Lippe) Gehilfen von besonderen Qualitäten zur Seite hatte. Mehrere Kirchenvisitationen fanden statt und zeigten die Ansatzpunkte für gründliche Reformen auf, die denn auch tatkräftig angepackt wurden. Über die Geschehnisse hierbei liegen ausführliche in Akten bewahrte Nachrichten vor, aus denen die eine hervorgehoben sei: es gelang in kurzer Zeit für die vierunddreißig Kirchspiele 70 neue Gotteshäuser anstelle von zerstörten oder verfallenen bauen zu lassen. Es sind gewiß keine großartigen Bauten gewesen, sie wurden durchwegs aus Holz errichtet, aber es waren immerhin »Gemeindezentren«, wie man heute treffend zu solchen Nothilfen sagt, die dazu dienten, das bisher arg vernachlässigte Landvolk sorgsam zu betreuen. Dabei haben der Blick auf das Aufblühen der Kirche im Nachbarland Preußen und nicht wenig auch direkte Anregungen von dort mitgeholfen.

Das gilt namentlich für die hier eher als anderwärts eintretende Rücksichtnahme auf die Sprache der Landgemeinden. Eine lettische Übersetzung der rigaschen Gottesdienstordnung ist hier schon sehr früh in Gebrauch gewesen. Hier geschah es auch zuerst, daß aus dem Bauernvolk aufsteigende Intelligenz für den Pfarrdienst ausgebildet wurde.

In Kurland wurde ferner das erste lettische »Handbuch« für die Kirche herausgebracht. 1587 begann in Königsberg der Druck eines »Enchiridions«, in dem der Katechismus und allerlei Texte für Kirchengesang und häusliche Andachten der lettischen Bevölkerung dargeboten wurden, wobei die natürliche Intelligenz des begabten Volkes den Bemühungen der deutschen Lehrmeister entgegenkam.

Das 1570 vom Herzog erlassene Kirchengesetz, das (wiederholt in Rostock gedruckt) fast unverändert bis 1832 in Geltung blieb, verdient es, etwas näher betrachtet zu werden; denn mit ihm war ein Musterbeispiel für die spätere Gestaltung der Dinge auch in Estland und Livland unter schwedischer Herrschaft gegeben. Das Gesetz hat 2 Teile: auf die »Kirchenreformation des Fürstentums Kurland und Semgallen in Livland 1570« folgt eine »Kirchenordnung, wie es mit der Lehre göttlichen Worts, Austeilung der heiligen, hochwürdigen Sakramente, christlichen Zeremonien, ordentlicher Übung des wahren Gottesdienstes in der Kirche des Herzogtums ... soll gehalten werden«. Beide Teile überschneiden sich mehrfach. Die Anordnungen des Gesetzes beruhen völlig auf der Idee der Staatskirche unter der Kirchengewalt des Landesherrn. Er ernennt den Superintendenten des Landes als Aufseher über das gesamte Kirchenwesen; ihm sind alle Geistlichen Gehorsam schuldig. Der Oberhirte soll seinen Sitz in Mitau oder Bauske nehmen, wo eine ansehnliche »Widme« ihm eine seiner Stellung entsprechende Lebenshaltung sichert. Die beträchtliche Last dieses Amtes hat bis 1630 der jeweilige Superintendent allein zu tragen. Dann erst wurden ihm 7 Pröpste für die Kirchenkreise unterstellt.

Die Verfassung sieht bereits die Errichtung eines Konsistoriums vor, in dem der Kanzler des Herzogtums den Vorsitz führt, während der Superintendent sein Stellvertreter ist. Das Kollegium soll aus vier herzoglichen und vier theologischen Räten bestehen. Es vergingen aber einige Jahre, bis diese Stelle geschaffen wurde. In der russischen Zeit bekam der Superintendent den Titel Generalsuperintendent, und seine Diözese wurde weit in den litauischen Raum ausgedehnt (siehe S. 62). Die Aufgaben der kirchlichen Körperschaften reichten tief in das Gebiet der säkularen Jurisdiktion hinein. Viel von dem, was anderwärts die staatlichen Gerichte entscheiden, fiel in den Bereich des Kirchengerichts, und zwar auch noch in der späteren, russischen Zeit. Raub und Wucher, Verbrechen mit falschem Maß und Gewicht, Verschiebung der Feldmarken, Urkundenfälschung und Ähnliches wurden vor den Konsistorien belangt, deren Strafurteile die weltlichen Behörden zu vollstrecken hatten. Daß Ehestreitigkeiten nicht von weltlichen Stellen, sondern von den religiösen Gemeinschaften zu entscheiden waren, galt damals überall als selbstverständlich und ist im ganzen Zarenreich einschließlich Kongreßpolens sogar noch bis 1917 geübt worden.

Für den Pfarrerstand wurden zahlreiche Vorschriften erlassen. Die Berufung in eine Pfarrstelle erfolgte zumeist durch den Herzog, aber auch durch Privatpatrone. Nur in den Städten kam als besonderes Privileg eine Wahl der Pastoren in Betracht. Sie geschah durch die ganze Gemeinde oder durch ihre Vertretung. Von der Prüfung und Ordination der Kandidaten wurde ausführlich gehandelt, aber es wurden keine Vorschriften über ihre Vorbildung erlassen. Sie erfolgte an der Universität, zumeist in Königsberg, sofern nicht eine Lehrzeit in einem Pfarrhause ausreichte, was bei den Pfarrerssöhnen die Regel war.

Die Gemeindegrenzen sollten genau festgelegt werden. Ein strenges Parochialrecht wurde aufgerichtet. Für sorgfältige Verwaltung des kirchlichen Vermögens, der Gebäude, der Friedhöfe, der Wohlfahrtsanstalten, der Schulen traf man genaue Bestimmungen; die von der Gemeinde dafür aufzubringenden Beträge sollten streng eingetrieben werden; säumige Zahler werden mit Exekution bedroht.

Für die Visitationen wurden feste Regeln aufgestellt. Die Pfarrer sollten möglichst zweimal im Jahr alle Gemeindeglieder in ihren Wohnungen besuchen und dabei den Stand ihres geistlichen Lebens feststellen. Davon waren auch die Beamten des Herzogs und die adligen Grundbesitzer nicht ausgenommen. Wenn gar die großen Visitationen des Superintendeten stattfanden, dann erschien dieser in Begleitung eines herzoglichen Rats und anderer Beamter, sowie eines Schreibers, der ein Protokoll aufzunehmen hatte, das dem Herzog vorgelegt werden mußte. Alle Glieder des Kirchspiels hatten sich einzufinden und bei der Beantwortung der zahlreichen, in Wortlaut vorgeschriebenen Fragen Rede zu stehen.

Auch die Möglichkeit einer Synode tauchte bereits im Gesetz auf. Und zwar dachte man hier, im Unterschied zu späteren Kirchenordnungen von 1832, die nur Pastorensynoden in Aussicht nahm, auch an die Teilnahme von Laien. Im allgemeinen aber wurden die Gemeindeglieder, die »Pfarrleute«, nicht als Subjekte, sondern nur als Objekte des Kirchenlebens angesehen. Doch ist es schön, daß das Gesetz ihnen eine ausgezeichnet formulierte Lebensordnung vor Augen stellte, die als »speculum vitae christianae« bezeichnet wurde. Das stetige Vorhalten dieses Spiegels mag wohl bei den noch auf recht tiefer Stufe stehenden bäuerlichen Gemeindegliedern manches zur Hebung christlicher Sitte und Sittlichkeit beigetragen haben. Die Vorschriften dieser Lebensordnung galten aber auch für den Adel als Maßstab für die sehr ernsthaft geübte innere Kirchenzucht. Für die Bedienung des Volkes in seiner Muttersprache wurde vorgeschrieben, daß jeder Landpfarrer beide Sprachen zu beherrschen habe; in den Städten sollte dem deutschen Parochus ein lettischer Kaplan zur Seite gestellt werden.

Die in der Kirchenordnung dargebotene Agende schloß sich auf dem Wege über *Briesmanns* Werk an *Luthers* Deutsche Messe an. Für die kirchliche Lehre galt Beschränkung auf die drei altkirchlichen Symbole, den Katechismus und die Augsburgische Konfession von 1530. In den Vorschriften über die Prüfung und amtliche Einführung der Pfarrer dagegen wurden weitere Teile des Konkordienbuches als Bekenntnis-Verpflichtung genannt: das ganze wittenbergische »corpus doctrinae« *Melanchthons* von 1560 und die Schmalkaldischen Artikel. Es verdient Beachtung, daß dieses »Philippicum« das Augsburgische Bekenntnis in der Form der Variata bot. Es scheint, daß eine gewisse Spannung in der Konfessionsfrage zwischen dem streng lutherisch gesinnten ersten Herzog und seinem Hofprediger bestand. Von den späteren Fürsten waren zwei *(Jakob* und *Casimir)* mit reformierten Prinzesinnen verheiratet, die es durchsetzten, daß im herzoglichen Schloß von Mitau an jedem Sonntag reformierter Gottesdienst stattfand, an dem jedermann teilnehmen konnte.

5. *Dänischer Anteil*

Einen Teil Kurlands konnte der Ordensmeister nicht mit in sein Herzogtum einbeziehen. Das bischöfliche Stift Pilten hatte sich nie dem Orden unterworfen. Als es zur Gründung des Herzogtums kam, verkaufte der letzte Bischof von Pilten sein Land – es war etwa halb so groß wie das Herzogtum – für 30000 Taler dem König *Friedrich II.* von Dänemark. Der übergab es seinem Bruder, dem Herzog *Magnus*, der aber keineswegs bischöflich zu walten vorhatte. Er war ein seltsamer Abenteurer, der schließlich zu dem Russen hinüberschwenkte. Das Land erlebte von 1570 ab einen mehrfachen Wechsel der Herrschaft zwischen Dänemark, dem Herzog, Rußland und Polen. Erst 1717 trat eine Beruhigung ein; 80 Jahre lang gehörte es nun unmittelbar zu Polen und hatte manches unter dem von Polen errichteten Bistum in Winden zu leiden, bis es bei der dritten Teilung Polens (1795) zusammen mit dem Herzogtum an das Zarenreich kam.

Die Entfaltung des lutherischen Kirchenwesens unter der glaubensverwandten Herrschaft Dänemarks darf man sich – es fehlt an Quellen für die Einzelheiten – ähnlich den Vorgängen denken, die sich in den von Schweden in Besitz genommenen beiden Ländern abspielten. Doch konnte sich hier ein Staatskirchentum nicht durchsetzen, da die 8 bis 10 Pfarrgemeinden weder von Dänemark noch von Polen wichtig genommen wurden, noch das Bedürfnis fühlten, zu einem geschlossenen Kirchenkörper zusammenzuwachsen. In altväterlicher Gewohnheit lebte man hier in guter Nachbarschaft mit der »ordenschen« Kirche Kurlands unbekümmert dahin; jeder Patron fühlte sich als *summus episcopus* seiner Gemeinde und jeder Pastor als Angestellter des Gutsherrn. Mehr als irgendwo sonst hat sich überhaupt in Kurland der Typ des patriarchalischen Edelmanns voll jovialer Behaglichkeit herausgebildet und erhalten, an dem auch die dem Adel gleichgeachtete Pastorenschaft Anteil hatte, die ja durchweg bei dem Besitz ansehnlicher Pfründen zum Gutsbesitzerstand gehörte.

Der 1795 erfolgte Übergang ganz Kurlands aus der polnischen Lehenshoheit an die russische Herrschaft brachte eine Unterstellung aller Gemeinden unter das Konsistorium von Mitau mit sich; Kurland war nun auch kirchlich eine Einheit geworden.

Nicht viel anders ging es in den übrigen von Dänemark teils eroberten, teils erkauften Ländern im Norden zu. Auf den Inseln Ösel und Dagö und in den ihnen auf dem Festland gegenüberliegenden Ländern Wiek, Harrien,

Jerwen, Wierland, Allentacken faßten vorübergehend auch die Russen Fuß. Hier trat erst Ruhe ein, als durch *Gustav Adolf* die Eingliederung in das bereits 1561 von Schweden errichtete Herzogtum Ehsten erfolgte.
Solange und soweit das dänische Staatskirchentum sich in den annektierten Gebieten Geltung schaffte, boten die beiden dänischen Kirchenordnungen, deren erste (1562) von *Bugenhagen* herrührte, die Richtlinien. Das in Arensburg auf Ösel eingerichtete Konsistorium hatte wenig selbständige Bedeutung, wurde vielmehr von Kopenhagen aus streng dirigiert.

6. Gegenreformation unter Polen

Zwei Teile des ehemals geistlichen bzw. Ordensgebietes am Ostseerand hatten sich, obwohl sie unter polnischer Lehenshoheit standen, eine beträchtliche Autonomie gewahrt, das »Herzogliche Preußen« (seit 1526), d. h. das spätere »Ostpreußen«, und das »Herzogtum Kurland mit Semgallen«, das 1561 unter polnische Lehenshoheit kam. Beide Gebiete blieben im wesentlichen von der Gegenreformation verschont, die der polnisch-litauische Katholizismus seit etwa 1570 so radikal durchzuführen suchte und die für die anderen früheren Ordensgebiete, das sogenannte »Königliche Preußen«, große Beschwerlichkeiten brachte.
Das unmittelbar dem König unterstellte, zwischen Kurland im Süden und Estland im Norden liegende große Mittelstück Livland war weniger glücklich. Zwar wurde es für die ersten fünf Jahre unter die Statthalterschaft des einstigen Ordensmeisters und jetzigen Herzogs von Kurland, *Gotthard von Kettler*, gestellt, und 1566 wurde ein Kalvinist, Graf *Chodkiewicz*, dessen Nachfolger in der Regierung des »Königlichen Livland« (wie man in Analogie zu Preußen sagen könnte), auch rechnete man auf das Verständnis *Stephan Báthorys*, der in seiner siebenbürgischen Heimat Protestanten zu Untertanen hatte, als er 1576 in Krakau gekrönt wurde, zumal der Kampf mit Moskau alle Kräfte des Staates zu fordern schien, doch kam es anders. Alsbald nach dem Frieden mit den Russen von Jam Zapol'skij 1582 errichtete der König im lutherischen Winden einen katholischen Bischofssitz, den ein baltischer Edelmann einnahm, und die Stadt Riga mußte für die kleine katholische Gemeinde ihre große Jakobikirche abtreten. Dazu trat noch, daß als Statthalter der (katholische) Bischof von Wilna eingesetzt wurde.
Gewiß reichten diese und zahlreiche Maßnahmen nicht an das heran, was unter dem Bündnis von Absolutismus und Gegenreformation später in den habsburgischen Landen geschah. *Sigismund August* hat 1561 in dem berühmt gewordenen Privileg, das seinen Namen trägt, alle bestehenden Rechte feierlich gewährleistet. Aber es war der polnischen, also katholischen Staatsregierung doch wohl kaum zumutbar, die Augsburgische Konfession auch weiterhin als alleinberechtigt gelten zu lassen. Jedoch auch Gleichberechti-

gung wurde ihr nicht zuteil. Sie erhielt nur den zweiten Rang nach der Römischen, das war Bruch des Privilegs.
Ebenso war es gewiß unaufhaltsam, daß der Zuzug aus Polen und Litauen, selbst der von bäuerlichen Siedlern, freigegeben wurde. Aber daß jetzt aus den Regierungs- und Verwaltungsstellen die »Indigenen« durch Fremde verdrängt wurden, widersprach den urkundlichen Vereinbarungen.
Es war vorauszusehen, daß der Nachfolger *Báthorys* die Katholisierung nachdrücklicher betreiben würde. Der Wasa *Johann III.* hatte *Katharina Jagiełlonska* geheiratet, deren katholisch erzogener Sohn 1587 als *Sigismund III.* König von Polen wurde. Er beanspruchte auch den 1599 freigewordenen schwedischen Thron und marschierte zunächst in Estland ein. Doch vermochte er den Widerstand des schwedischen Thronprätendenten *Karl*, Herzog von Södermanland (später *Karl IX.*) nicht zu brechen, dem Estland die Treue hielt. Auch der livländische Adel stellte sich auf Karls Seite. Er begründete den Bruch seines Lehnseides mit dem Recht auf Widerstand gegen einen Landesherren, der nicht nur die Rechte des Glaubens und der Nation verletze, sondern es auch an Schutz gegen den östlichen Feind (Rußland) fehlen lasse, mit der Formel: »Schutz und Eid sind Korrelativa«.
Der Kampf um Livland dauerte noch lange. Er brachte den Bewohnern unerhörte Verwüstungen. Erst *Karls* Sohn *Gustav II. Adolf* machte ihm ein Ende. Er hatte zuvor durch Eingreifen in die russischen Wirren Ingermanland und Ostkarelien im Frieden von Stolbova 1617 für Schweden gewonnen, und konnte so große Kräfte und das Genie eines Feldherren daransetzen, die Herrschaft seiner Krone über die Ostsee zu sichern und den lutherischen Ring um sie her wieder zu schließen, ein Ziel, dem sich allerdings unerwartete Hindernisse in den Weg stellten.
Eines davon war die Stadt Riga, deren Bürger sich unter den Polen manche wirtschaftliche Vorteile errungen hatten. Der Briefwechsel des Rats mit dem König während der Belagerung im Sommer 1621 ist bezeichnend für die labile Haltung lutherischer Politiker jener Zeit, ihren Zwiespalt zwischen territorial denkenden Fürst und Vertreter des Luthertums. Ähnlich wie 10 Jahre später Pommern, Brandenburg und Sachsen sich unter Berufung auf *Luther* von *Gustav Adolf* zurückzuziehen suchten, antwortete am 12. August 1621 der Rat Rigas namens der Gilden auf das schwedische Übergabeverlangen, er könne diesem nicht folgen, »so lieb ihnen bei Gott ihr Gewissen und bei aller Welt ihre Ehre zu bewahren sei«. Das seien sie als lutherische Stadt Polen schon um ihrer Religion willen schuldig, sie dürften daher nicht auf eigene Hand unterhandeln. Auf dem Reichstag zu Warschau aber wollten sie alles zugunsten der Schweden tun und den polnischen König zum Frieden zu bewegen suchen.
Auch *Gustav Adolfs* zweite Mahnung, die mit dem Versprechen verbunden war, er werde die mit ihm »in Glaubensverwandtschaft stehende Stadt«

schonend behandeln, lehnten sie ab. Sie dürften nicht einwilligen, »ihre der Königlichen Majestät und der Krone geschworene Treue zu brechen und der lutherischen Religion und deutschen werten Nation einen unauslöschlichen Makel anzuhängen«.

Erst als im September 1621 jede Hoffnung auf Hilfe aus Polen versiegt war, und das Ende des eigenen Pulvervorrats weiteren Widerstand sinnlos machte, übergab sich die Stadt. Bald fiel auch Dorpat. Das schwedische Heer zog, Kurland überrennend, bis nach Danzig, und 1626 waren die Polen nicht nur aus Livland, sondern auch aus Preußen verdrängt. Nur die Landschaft Lettgallen (Inflanty) blieb in ihren Händen und wurde ein ergiebiges Opfer der Gegenreformation. Sie kam bei der Teilung Polens 1772 an Rußland (siehe S. 101f.).

Der Waffenstillstand von Altmark (1629) war die Voraussetzung für das kühne Unternehmen, das *Gustav Adolf* ein Jahr darauf durch die Landung eines Heeres an der Peenemündung begann. Auf seinem Siegeszug ohnegleichen, der ihn bis über den Rhein und dann nach München führte, konnte er sich auf reiche Hilfeleistung aus den eroberten Ostseeländern verlassen. Nicht nur Geld und Getreide, sondern auch Mannschaften und ritterliche Anführer flossen ihm und – nach seinem tragischen Ende auf dem Felde bei Lützen 1632 – dem bedeutenden Kanzler *Axel Graf Oxenstjerna* laufend zu. Der Bürgerschaft Rigas aber hat man es in Schweden nicht vergessen, daß sie dem, der sie aus der volksfremden und glaubenswidrigen Herrschaft befreite, nicht volles Vertrauen geschenkt hat. Das zeigte sich in kirchlicher Hinsicht mehrfach durch Vorbehalte Stockholms gegenüber Sonderwünschen der Geistlichkeit.

Als zum Beispiel das evangelische Konsistorium der Stadt 1688 darauf bestand, daß nach altem Gebrauch seine Entscheidungen, etwa in Ehesachen, als in höchster Instanz erfolgt zu gelten hätten und nicht weiter angefochten werden dürften, wurde ihm bedeutet, daß »solches nicht mit Unserer Königlichen Majestät höchstem Episkopalrecht in einer Stadt, die mit dem Schwert genommen, übereinkommen kann«.

Insbesondere hatte es *Gustav Adolf* befremdet, daß der Stadtrat den Kapitulationsbedingungen die Klausel hinzufügen ließ, die Übergabe an Schweden verliere Gültigkeit, wenn nicht binnen 3 Jahren ein Frieden mit Polen zustande komme. Man wollte sich dadurch offensichtlich ein Alibi schaffen für den Fall, daß das Kriegsglück eine andere Wendung nähme. *Gustav Adolf* quittierte das mit der leicht ironischen Bemerkung, »er versehe sich von den Rigischen keine bessere Treue, Glauben und Mannheit, deren sie der Krone Polen wider ihn bewiesen«.

Die evangelische Glaubensgemeinde war nicht von dem Krämergeist der Stadtväter angekränkelt. Sie empfing den Befreier von der polnisch-katholischen Gefahr, der man 40 Jahre lang ausgesetzt gewesen war, mit großer

Freude. Jubelnd wurde der feierliche Einzug des Königs begrüßt. Im Dankgottesdienst mit großem Te deum hielt der Stadtsuperintendent *Samson* eine Huldigungspredigt. Von der Petrikirche zog man auf den Marktplatz zur Kundgebung des Volks. Dort »haben Ihre Königliche Majestät selbst also zu reden angefangen: Ihr wisset, lieben Bürger, daß Gott mir diese Stadt nunmehr, ihm sei Lob, so fern in meine Hände gegeben, daß Ihr mir auch geschworen; aber nicht alle, und sollen dieselbigen, die nicht geschworen haben, noch schwören wollen, sich alsobald von hinnen machen. Ich hoffe, der Kauf oder Verwechslung, so sie getan, soll ihnen und Euch allen nicht gereuen.«
Es hat sie nicht gereut. Die nun folgenden neunzig Jahre der schwedischen Herrschaft waren ein Schutz vor dem Schicksal, das den Teil Livlands traf, dem nicht die Befreiung von der Polenherrschaft beschieden wurde.

7. *Unter Schwedens Schutz*

Von den Bedrängnissen durch die polnische Gegenreformation war Estland völlig verschont geblieben, da es sich 1561 bei Auflösung des geistlichen Staates unter die Fittiche des Schwedenreichs geflüchtet hatte, um dem erdrückenden Ansturm *Ivans IV. Vasil'evič* zu entgehen.
In diesen Schutz trat von 1621 an auch Livland. Der Waffenstillstand von Altmark (1629) wurde 1635 in Stuhmsdorf verlängert. Zum Frieden mit Polen kam es aber erst 1660 in Oliva, in dem Polen auch seine Oberhoheit über das östliche – herzogliche Preußen preisgab (siehe S. 96). Die Zwischenzeit war für Livland voll Kampf und Not, da es wieder Schauplatz verheerender Einfälle Rußlands wurde, die der stillen Entfaltung des von der polnischen Bedrängung freigewordenen Kirchentums hinderlich waren. Estland war darin 60 Jahre voraus.
In Schweden hatte sich die Reformation der alten Kirche schon sehr früh vollzogen, fast gleichzeitig mit der Staatsumwälzung durch *Gustav I. Wasa* von 1523 ab. Sie geschah nicht so gewaltsam wie 1531 in England durch *Heinrich VIII.* Ein Versuch in dieser Richtung scheiterte am starken Selbstbewußtsein der Laien. Aber ähnlich ging es doch vor sich. Der ganze hierarchische Aufbau blieb erhalten: vom Pfarramt als Staatsstelle für die Standesregister und andern Verwaltungsdiensten über die Pröpste, Bischöfe, Kapitel bis zum »Erzbischof des Schwedischen Reichs« in Uppsala.
In gleicher Weise von 1561 ab in Estland, dann von 1621 ab in Livland die Kirche in den neuen Status überzuführen war nicht tunlich. Hier gab es keinen Erzbischof, keine Bischöfe und Stiftskapitel mehr, in denen sich die traditionelle Form, mit neuem Inhalt gefüllt, fortsetzen konnte.
Vor allem aber war das soziale Gefüge hier ganz anders als dort. Hier hatte sich im Zusammenhang mit dem großen wirtschaftlichen Umschwung, den

die Entfaltung des überseeischen Getreidehandels brachte, eine Schollenpflichtigkeit der Bauern ergeben. Dort hatte der Bauer, nicht durch anderes Volkstum vom Adel getrennt, seine Freiheit bewahren können: Schweden war und blieb Bauernland. Den freien, auch politisch mittätigen Bauern hatte der erste Wasa seinen schnellen Erfolg zu danken. Bauernheere waren es, mit denen *Gustav II. Adolf* die Siege über Dänen, Russen, Polen erfocht und später in Deutschland über *Tilly* und *Wallenstein*. Ferner: Dort war der überall wirksame Widerstand des Adels gegen eine starke Fürstengewalt schon von *Gustav I. Wasa* gebrochen worden. Hier war in der gleichen Zeit die Macht des Adels hoch aufgeblüht.

Jedoch fanden sich in beiden Ländern Theologen, deren organisatorisches Geschick die Schwierigkeiten meisterte. In »Herzogtum Ehsten« wurde 1565 der bisherige Stadtsuperintendent von Reval, *Johann von Geldern*, zum Bischof ernannt. Ihm gelang es, den König zum Erlaß einer Kirchenordnung nach dem Muster Kurlands zu bewegen. Für Livland hatte *Gustav Adolf* in der Person des seine Amtsgenossen weit überragenden *Hermann Samson*, des Oberpastors seiner Vaterstadt Riga, einen Mann entdeckt, der die während der polnischen Zeit höchst verwirrten Dinge der Kirche schlichten und richten konnte.

Bald nach *Gustav Adolfs* Tod wurde für beide Länder eine Konsistorialverfassung eingeführt, die der König schon 5 Jahre vorher durch den bedeutendsten der schwedischen Bischöfe, *Johannes Rudbeck* (Westerås), in einer umfassenden Visitation hatte vorbereiten lassen. Von nun an stand nicht mehr das Hofgericht von Stockholm an der Spitze der Kirchenverwaltung, sondern ein Oberkonsistorium mit dem Sitz in Reval. Es sollte allerdings nur einmal jährlich zusammentreten und dann gleich einen ganzen Monat lang tagen. Es zeigte sich bald, daß das noch nicht genügte; darum ließ die Königin *Christine* dieser obersten Instanz 6 Unterkonsistorien nachordnen, die jedoch nur 3 Jahrzehnte hindurch Bestand hatten. Unter *Karl XI.* mit seinem autokratischen Zentralismus wurden sie wieder abgeschafft. Nur auf Ösel erhielt sich das Arensburger Provinzialkonsistorium, das schon die Dänen eingerichtet hatten. Auf der Insel lagen ja die sozialen Verhältnisse ganz anders als auf dem Festland. Hier gab es Freibauern wie in Schweden, denen aktive Anteilnahme am Kirchenleben von alters her Recht und Pflicht war. In Estland dagegen und in Livland wurden als Gemeindeglieder nur die Adligen betrachtet. Die Masse des bäuerlichen Volkes erhielt erst sehr spät ein beschränktes Recht mitzureden. Und dieses bestand lediglich darin, daß der Gutsherr einen seiner Bauern zum »Kirchenvormund« ernannte, der dem Pastor als Mittelsmann zu dienen hatte, namentlich bei der sehr streng gehandhabten Kirchenzucht, so daß er eine Art von Kirchenpolizei darstellte. Um ein Beispiel seiner Amtspflicht zu nennen, seien seine Funktionen bei den Abendmahlsfeiern angeführt: Er hatte zu kontrollieren, ob alle kommunionsberechtigten Leute aus seinem Bezirk sich vollzählig vorher dazu anmeldeten und dann auch wirklich kamen; er mußte acht geben, daß sie ohne Ausnahme erst zur Beichte gingen, daß kein Betrunkener darunter war, mußte den Verlauf der Feier überwachen usw. Doch war er selbst nicht viel besser gestellt, denn auch er unterstand ganz seinem Gutsherrn, der ihn ebenso wie den anderen züchtigen ließ. Erst sehr spät wurde diese Stellung etwas gehoben. Gewiß muß man es der livländischen Ritterschaft hoch anrechnen, daß sie überhaupt schon so früh eine solche Gemeindevertretung einrichtete. Doch man blieb – in enger Bindung an das rein staatliche Recht – zu lange auf halbem Wege stehen. Man hätte ja etwa die persönlichen Rechte des Kirchenvormunds, vielleicht mit einer bevorzugten Einschränkung der Leibeigenschaft, wenigstens für die Amtsdauer, noch mehr erweitern können. So aber scheint die Figur juristisch verzeichnet. Doch hat die Praxis wohl auch hier manche Lücke mit gesundem Geist ausgefüllt.

Ein anderes Gemeindeamt, das in der Schwedenzeit ausgebaut wurde, ist das des »Kirchenvorstehers«. Es geht auf vorreformatorische Einrichtungen zurück. Schon 1449 gibt es hier »provisores laici, vulgariter dicti Kirchenfeter ecclesiarum parochalium«. Es handelt sich dabei um adlige Laien, die dem Pastor jeder Gemeinde in der Leitung und Verwaltung zur Seite stehen. Diese Einrichtung erweitert sich später zu einem mehrgliedrigen »Kirchenkonvent«, in dem aber nur »freie Deutsche« zu beschließen haben, während die nichtdeutschen »Kirchenvormünder« sich auf die Mitberatung beschränken müssen.

Schließlich wurde 1650 ein oberstes, aus Laien bestehendes kirchliches Verwaltungsamt geschaffen, das der »Oberkirchenvorsteher«. In dem Bestreben, die Betätigung der unteren Stellen immer mehr auf das rein innerkirchliche Gebiet zu beschränken, werden für die Verwaltung und Beaufsichtigung des äußeren Kirchenwesens in allen Landkreisen und Propsteibezirken diese neuen Ämter eingerichtet, womit die schwedische Regierung hier erreichte, was ihr daheim durch den hartnäckigen Widerstand der Bischöfe verwehrt wurde. Seltsam ist es, daß dieses Amt gegen Ende der Schwedenzeit »als gänzlich unnötig« aufgehoben wurde. Man richtete es in der russischen Zeit sehr bald wieder ein.

Das so gezeichnete Bild wäre unvollständig, wenn nicht auch weitere Züge hinzugefügt würden, die sich aus der Tatsache ergaben, daß es – unbeschadet der offensichtlichen Rettung des Landes vor der von Osten drohenden Gefahr – immerhin eine Fremdherrschaft war, die so lange Zeit hindurch auf ihm lastete.

Unter *Karl XI.* und *Karl XII.* aber wurden die Eingriffe in die Struktur des Landes schärfer. Die Maßnahmen, die von Stockholm ergriffen wurden, erregten den Unwillen der einheimischen Gutsbesitzer, vor allem die »Güterreduktion«, die keineswegs die Lage der einheimischen Bauern verbesserten.

Diese »Korrekturen« des adligen Grundbesitzes an Hand alter Eigentumsurkunden dienten dem Interesse eines staatlichen Zentralismus. Sie schufen riesige Domänen, die durch schwedische Beamte verwaltet wurden – im Sinne des Staatsideals dieser Zeit sicher eine vortreffliche Maßnahme, die aber böses Blut unter dem baltischen Adel schuf. Daß die Domänen zumeist durch Beamte aus Schweden verwaltet wurden und nicht durch Balten, verbesserte die Lage keineswegs. Auch die schroffe Zentralisierung der ganzen Landesverwaltung, einschließlich der kirchlichen, auf die Stockholmer Behörden erregte viel Verbitterung und bildete für das Kirchenleben einen Hemmschuh, der eine ruhige Entfaltung beeinträchtigte. Während später zur Zeit der Russenherrschaft die Letten und Esten von der »guten alten Schwedenzeit« sprachen, überwog bei den Deutschen die ablehnende Haltung. Zwar konnten sie sich nicht etwa über nationale Bedrängung beschweren – so wenig wie das 1648 schwedisch gewordene Pommern –, zumal bei der Allgemeingeltung des Lateinischen und des hansischen Platts damals und dort volkliche Gegensätze noch kaum eine Rolle spielten, aber die Überfremdung des Lebens durch Ansiedlung schwedischer und finnischer Adliger, die sich allerdings sehr schnell assimilierten, hinterließ Empfindlichkeiten, die durch den schönen Wirtschaftsaufschwung (vor allem Getreidehandel) nicht aufgewogen wurden.
Auf kirchlichem Gebiet befremdete namentlich die Methode, mit der im Verlauf der Jahre 1682 bis 1694 erst in Schweden, dann auch in den Ostseeprovinzen ein neues Kirchengesetz in Geltung gebracht wurde, das ganz aus dem Geist des Absolutismus heraus dem König und seiner Regierung die Kirche restlos unterstellte. Verbunden damit war die Festlegung des Bekenntnisses auf die Konkordienformel trotz der sich damals im ganzen Norden, einschließlich in Dänemark, dagegen erhebenden Abwehr. Nicht mindere Verbitterung hinterließ die radikale Abschaffung des gutsherrlichen Patronats in den meisten Landgemeinden, die mit der oben erwähnten Enteignung von Gütern (Reduktion) zugunsten der Krone in Zusammenhang stand. Jetzt lag die Besetzung der Pfarreien hauptsächlich in den Händen der Stockholmer Regierungsstellen und ihrer Berater aus dem Kreise der schwedischen Bischöfe. Die Pfarrer selbst wurden übrigens durch Zuteilung von ansehnlichen Gütern (Widmen) wirtschaftlich gesichert.
Es war gewiß ein großer Gedanke des schwedischen Kanzlers *Oxenstjerna*, daß er seinen König 1632 – noch im Feldlager vor Nürnberg, kurz vor der tragischen Schlacht bei Lützen – veranlaßte, in Dorpat eine Universität zu gründen und für sie zahlreiche, zumeist deutsche Professoren zu berufen. Aber es wurde dann doch keine deutsche, sondern eine schwedische Hochschule, die nicht zu der erwarteten Wirkung gelangte, weil ihr die deutschen Kreise mit Abneigung gegenüberstanden. Auch brachten die Kriegsereignisse Dorpat 1651 für mehrere Jahre in russische Hand und lähmten die

Universität. Als 1690 der Lehrbetrieb wiederaufgenommen und dann die Universität nach Pernau verlegt wurde, änderte sich an der Bedeutung dieser schwedischen Gründung wenig – die Deutschen hielten sich fern.

8. Von Peter I. bis Katharina II.

Den zweihundert Jahren evangelischer Kirchengeschichte im Baltikum, deren äußerer Verlauf bisher betrachtet wurde, folgte, bis 1918 reichend, ein Abschnitt von etwa gleicher Länge, dessen politische Atmosphäre ganz wesentlich anders geartet war: Das war verursacht durch den Ausgang des Nordischen Kriegs (1701–21). Mit dem Sieg *Peters I. (Alekseevič)* über *Karl XII.* bei Poltava 1709 begann eine neue Epoche in der Geschichte Osteuropas, auch in seiner Kirchengeschichte. Die hundertjährige Großmachtstellung des lutherischen Nordreichs war verloren, und zwar nicht erst mit dem tragischen Tode *Karls XII.* (1718). Weder er hätte das Schicksal wenden können, noch konnte das dem Versuch gelingen, den am Vorabend der Französischen Revolution *Gustav III.* noch einmal unternahm. Die Mächte und Kräfte, die sich gegenüberstanden, waren zu ungleich; die Halbinsel mußte dem sie bedrängenden Kontinent die Hegemonie abtreten.
Für den einzigartigen Aufstieg, den Rußland von *Peter I.* (1689–1725) an nahm und dessen Gipfel das 20. Jahrhundert vor Augen hat, lassen sich viele Gründe anführen. Keiner ist triftiger als der Hinweis auf den außerordentlichen Reichtum, den dieses Landes Grenzen bergen. Es ist ein Reichtum nicht minder groß an Raum – welch ein Erdteil! – als auch an Menschen. Diese Menschen, ein eigenartiges Rassengemisch auf ostslavischer Grundlage mit teilweise tatarisch-asiatischem Einschlag, waren der Zivilisation durch jenen Typus des Christusglaubens nahe gebracht worden, der das mystische und eschatologische Element in den Vordergrund stellt. Die glühende Glaubenskraft der ostslavischen Stämme ist das, was sie so erstaunlich jung, zum Teil kindlich naiv erhält, dabei phantasiereich und wagemutig, doch auch geduldig und gehorsam.
Der nationale Zusammenschluß dieser bunt zusammengewürfelten und doch allmählich ein Ganzes werdenden Menschenmasse vollzieht sich sehr langsam und ist noch heute nicht zum Ziel gelangt. Er konnte erst beginnen, als die 250 Jahre dauernde Oberherrschaft der Tataren-Khane 1480 ein Ende hatte. Die Einordnung des Bojarenadels in das Staatsgefüge gelang mit recht hartem Zwang, dann aber durchgreifend. Der »Phyletismus« der Ostkirche, ihr Dulden und Begünstigen der nationalen Sonderentfaltung ihrer Glieder, erleichterte es, auch die rußländische Kirchenführung in die Staatsraison einzufügen. Mit *Peter* begann der Cäsaropapismus des Zarenreichs. An die Stelle des Patriarchen von Moskau trat der »Heilige Synod« im neugegründeten Petersburg. Sein Prokurator war ein Staatsbeamter unter Befehl des

Zaren. Kein Wunder, daß die lutherischen Kirchen Estlands und Livlands in ähnlicher Form unter Staatshoheit gerieten, unter politische Überwachung durch den Regierungsapparat, der sich auch vor Eingriffen in die Verwaltung und Leitung der Kirche nicht scheute.

Wenn solcher vor 1709 von Stockholm geübt wurde, so war es erträglich; denn es geschah in glaubensbrüderlichem Wohlwollen und Sachverstand. Von Petersburg war das nicht zu erwarten. Doch zeigte sich das in drastischem Ausmaß erst nach Jahrzehnten. Solange *Peter* auf dem Thron saß, kam es den baltischen Lutheranern zugute, daß er in ihnen Bundesgenossen für sein Bemühen sah, das dem Anschluß seines Reichs an die Zivilisation Westeuropas galt.

Seit jenem Knabenerlebnis in der Verbannung durch seine eifersüchtige Stiefschwester *Sofija* – als er, mit seinen dörflichen Spielkameraden umherschweifend, die Sloboda, das Ghetto der »Westler« vor den Toren Moskaus, entdeckte –, brannte in ihm der Eifer, sein Rußland in die freie, saubere Ordnung hineinzuleiten, die er bei den in dieser Siedlung hausenden Ausländern (Deutschen, Holländern, Schotten und anderen) entdeckt und bewundert hatte. Darum hatte er jene abenteuerliche Lehrzeit in Holland angetreten, als Unteroffizier verkleidet, sich handwerkliche und militärische Fertigkeiten angeeignet und sich während dieser 18 Monate mit einem jugendlichen Drang zu umwälzenden Reformen in der Heimat gefüllt.

Zunächst aber hatte er Kriege führen müssen, mit den Türken im Süden, mit den Schweden im Norden. Der Friedensschluß von Nystadt 1721 hatte ihn zum Herrn über die beiden seinem Reich vorgelagerten Ostseeländer Estland und Livland gemacht, und damit besaß er eine weiträumige Sloboda unter seinem Szepter, Provinzen voll alter gediegener Westkultur, voll weltoffener Gesinnung und gepflegter Lebensart. Ein ganz breites »Fenster nach dem Westen« war damit aufgestoßen. Die führenden Kräfte, die er dort vorfand, sollten ihm als Beispiele und Vorbilder wohl nützlich sein können.

Die Adelsstände Est- und Livlands hatten sich schon 1710 durch freiwilligen Vertrag unterworfen, in dem der Zar ihre politischen und kirchlichen Privilegien bestätigte. Darüber hinaus machte er die Einschränkungen rückgängig, die der Absolutismus der späteren Schwedenkönige – besonders *Karls XI.* seit 1670 – erzwungen hatte, ebenso einen großen Teil der Güter-Reduktionen, die soviel Verbitterung hinterlassen hatten.

Bei den Balten war schon zu Beginn des Krieges der Gedanke nicht ausgeblieben, im Kampf die Front zu wechseln. Einer der klügsten baltischen Köpfe, *Johann Patkul*, führte ihn aus, nachdem ihm von schwedischer Seite schweres Unrecht getan worden war. Er schwankte zwischen Polen, das jetzt einen Deutschen – *August den Starken*, Kurfürst von Sachsen – als *August II.* zum König hatte, und Rußland, zu dem er dann überging, von

Peter hoch geschätzt und doch nicht vor dem Schicksal des Schafotts geschützt.
Die führenden Kreise der baltischen Länder folgten seinem Beispiel nicht. Die Gefallenenlisten mit den Hunderten von Namen edelster Geschlechter aus dem Adel und den Bürgerschaften beweisen die Gefolgstreue der lutherischen Soldaten und Offiziere gegenüber ihrem schwedischen König und seinem Staat.
Als aber offensichtlich wurde, daß es mit Schwedens Kraft und Geschick zu Ende war, nahm man die dargebotene Hand des Russen mit einem Gefühl der Erleichterung an. Dreihundert Jahre hindurch war die Heimat immer wieder das Schlachtfeld gewesen, auf dem die Rivalen um den Ostseestrand ihre verheerenden Kriege austrugen. In der einzig verbleibenden Alternative zwischen dem Polen der Gegenreformation und dem sich jugendlich zur Entfaltung in Freiheit öffnenden Rußland mußte wohl eine so protestantisch geformte Welt das geringere Risiko für die Selbsterhaltung beim östlichen Nachbar sehen; ihm konnte sie sich überlegen fühlen dank ihrer älteren, wohlgeformten Geschichte, und von der geduldig in sich ruhenden Ostkirche war eher Duldung der evangelischen Landeskirche zu erwarten als von dem unruhig-ungeduldigen Triebwerk, das die »Gesellschaft Jesu« in Polen steuerte.
Das Vertrauen wurde auch nicht enttäuscht. *Peter* war ein Freigeist, schlimmer: er war ein Heide. Sein Vorgehen gegen die Gattin, den Sohn stammte aus unsäglicher Gottlosigkeit.
Aber die alten Staatseinrichtungen und Glaubenskräfte in den beiden neu gewonnenen Ländern ließ er in Ruhe. Die Confessio Augustana blieb weiterhin die Grundsatzung für das geistliche Leben; die russische Ostkirche hatte nur zweitrangige Bedeutung. Wichtig war ihm allein der Zugang zum »warmen Meer«. Dem Handelshafen der Neugründung Petersburg sollte der Kriegshafen Baltischport an einem eisfreien Flüßchen an der Nordküste Estlands zur Seite treten.
Unter seinen Nachfolgern – mit Ausnahme *Elisabeths* – verstärkte sich die Zuneigung des Hofs zu den fähigen und gefälligen Köpfen des baltischen Adels. Die Kaiserin *Anna Ivanovna*, mehr noch der *Friedrich den Großen* verehrende Zar *Peter III. (Feodorovič)* aus dem Hause Holstein-Gottorp umgaben sich völlig mit baltischen Beamten und Günstlingen. Sogar Peters Witwe, *Katarina II. (Alekseevna)* »die Große«, die an der Ermordung ihres nur ein halbes Jahr lang die Krone tragenden Gatten nicht ganz unschuldig war, konnte solche Helfer nicht entbehren. Aber sie sprach bereits unverhohlen aus, alle neuen Provinzen des Reichs, auch die an der Ostsee, müßten so »verrussen«, wie sie selbst, die einstige Prinzessin *Sophie Auguste* von Anhalt-Zerbst, ganz und gar zur Russin geworden war.
Katharina erreichte am Ende ihres Lebens bei der Teilung Polens das, was

Peter dem Großen noch nicht gelungen war, seinen beiden baltischen Eroberungen (Estland und Livland) die dritte: Kurland hinzuzufügen. Das geschah in langsamer Durchdringung. Die *Ketteler*'sche Linie war 1737 nach allerhand Unruhe erloschen. Der Anspruch Polens, den *August III.* geltend machte, beruhte auf dem Lehensvertrag *Gotthard Kettelers* mit *Sigismund II. August* von 1561, doch auch Brandenburg-Preußen berief sich auf Erbfolgeansprüche. Beiden nahm Rußland das Spiel aus der Hand. Der letzte Kettelersprößling, der vermählt war, hatte die russische Großfürstin *Anna (Ivanovna)*, die Nichte *Peters des Großen*, zur Frau, starb aber bereits auf der Hochzeitsreise. Seine Witwe wurde russische Kaiserin. Nun kam es zu dem Zwischenspiel des abenteuerlichen Grafen *Biron (Bühren)* und zu Streit zwischen mehreren Prätendenten. Der kurländische Adel, von je her machtvoller Gegner der Herzöge, wurde jetzt erst eigentlich der Herr im Hause. Ein Jahr nach dem Bastille-Sturm in Paris erhob sich dagegen auch in Mitau der »dritte Stand« und es kam zu Blutvergießen. Schließlich glitt das Staatsruder aus den Händen der Birons in die des der Zarin hörigen Staatsbeamten *Howen*, der die Stände dazu brachte, sich 1795 durch einen Landtagsbeschluß bedingungslos ihr zu unterwerfen, als *Katharina* sich mit dem deutschen Kaiser *Franz II.* über die Liquidation des polnischen Reststaates geeinigt hatte.

Die freiwillige Unterwerfung honorierte die Zarin durch feierliche Bestätigung aller Privilegien, auch der kirchlichen, was sie jedoch nicht hinderte, vorzubereiten, was unter ihrem Nachfolger geschah. 1801 wurden die drei bis dahin eigenständigen Länder zu einem Generalgouvernement vereinigt und einem kaiserlichen Statthalter unterstellt.

Auf die kirchliche Autonomie jeder der drei Provinzen hatte das nur geringen Einfluß. Jede ging in Verfassung und Bereich ihren eigenen Weg, allenfalls theologisch geeinigt durch die Fakultät der 1802 wieder zu Leben erweckten Universität Dorpat (siehe S. 62).

Beim Rückblick auf das Jahrhundert zwischen *Peter* und *Katharina* ist hinsichtlich des Volksbestandes und der Wirtschaftslage in den baltischen Ländern zweierlei festzustellen.

Der Nordische Krieg hatte allenthalben eine verheerende Verwüstung hinterlassen. Die Schweden nicht minder als die Russen wandten das strategische System der »verbrannten Erde« an, bis »nichts mehr zum Verwüsten« vorhanden war. Dazu kam seit 1710 das Wüten einer schrecklichen »Beulenpest«. Die Volkszahl wurde halbiert, auch vom Ackerboden lag bei Kriegsende die Hälfte brach. »Die Dörfer waren menschenarm geworden; weithin lagen die Felder brach, die Städte in Trümmern. Große Scharen von Bettlern zogen durchs Land, selbst Kinder von Edelleuten in ihrer Mitte. Sehr langsam erholte man sich: zuerst die Städte, die am Aufschwung des Seehandels teil hatten, dann auch die Landwirtschaft, deren Produkte jetzt ganz anders als früher lohnenden Absatz fanden.«

Die Erholung der Wirtschaft, die der Anschluß an den Großraum des Zarenreiches mit sich brachte, hielt Jahrzehnte hindurch an und hinterließ der Nachwelt eine große Reihe denkmalswerter Bauten, darunter auch solche von Kirchen und Pastoraten.

Auch der Bevölkerungsbestand füllte sich wieder auf, namentlich durch Zuwanderung aus westlichen Ländern. Der »Literatenstand« fand Zuwachs so hervorragender Kräfte wie *Herder* und *Hamann*, deren Werke der aus Ostpreußen nach Riga übersiedelnde Verleger *Hartknoch* herausbrachte, ebenso wie die Schriften *Kants*.

Zu *Katharinas* Zeit begann auch schon die große Ansiedlungswelle in Rußland (siehe S. 399ff.), die aber erst nach den Franzosenkriegen den Höhepunkt erreichte. Die Kaiserin selbst hat in Livland zwei Bauernkolonien angelegt: Hirschenhof und Helfreichsdorf, zumeist aus Pfälzern bestehend und bis zur Umsiedlung von 1939 (Hitler-Stalin-Vertrag) sich deutsch und evangelisch erhaltend.

Die lutherische Gesamtbevölkerung der baltischen Länder dürfte um die Jahrhundertwende 1,5 Millionen betragen haben. Bei der Teilung Polens waren 1772 die etwa 150000 katholischen Lettgallen (siehe S. 97) hinzugekommen. Orthodoxe Russen und reformierte Ausländer zählten wohl nur nach Hunderten.

Die Zahl der Deutschen wird kaum mehr als 10 bis 15% betragen haben. Von den Nichtdeutschen übertraf die Zahl der Letten die der Esten um rund 100000.

Die soziale Lage der lettischen und estnischen Bauernschaft war unter der schwedischen Herrschaft besser gewesen als später. Von dem Vorbild der Agrarverhältnisse in Rußland – nicht weit von Sklaventum entfernte Leibeigenschaft – ging ein ungünstiger Einfluß auf ihre Lage aus. So ist es zu verstehen, daß in Livland und mehr noch in Estland die Erinnerung an die »gute alte Schwedenzeit« lange lebendig blieb. Hätte diese fortgedauert, so wäre die Aufhebung der Leibeigenschaft, die nun erst nach 1800 erfolgte – im Innern Rußlands geschah sie noch viel später – wohl schon 50 Jahre früher zustandegekommen. Jetzt widerstand das Petersburger Regiment sehr nachdrücklich den aus ernster Verantwortung entspringenden Reformbemühungen deutscher Gutsbesitzer. Da sich diesen auch aus den eigenen Reihen allerlei Hemmungen entgegensetzten – sie stammten weniger aus Hochmut und Selbstsucht als aus Mangel an Vertrauen – geschah allzu wenig, um die schlimmen Zustände zu bessern, wie sie etwa das 1797 erschienene aufreizende Pamphlet des romantischen Schriftstellers *Garlieb Merckel* »Die Letten vorzüglich in Liefland, am Ende des philosophischen Jahrhunderts, ein Beitrag zur Völker- und Menschenkunde« großes Aufsehen erregend gegeißelt hatte. Die vereinzelten, stark übertreibend ausgemalten Vorkommnisse in der Anwendung des gutsherrlichen Züchtigungsrechts, die jenes Buch geschildert hatte, waren aber nicht das Hauptübel, auch nicht die streng festgehaltene Schollengebundenheit der Hörigen, die zu so viel Streit mit den Städten führte, weil diese sich weigerten, die ihnen als Hilfsarbeiter zuströmenden »Läuflinge« den Gutsherren wieder auszuliefern.

Das Schlimmste war, daß dem Landhunger des bäuerlichen Nachwuchses nicht Rechnung getragen wurde und ebenso wenig dem allgemeinen Gesinnungsumschwung, für den die Ereignisse in Frankreich Symptom und Antrieb waren. Auch die Kirche, die dem Zug der Zeit nicht Rechnung trug, hatte bald das Vertrauen der Masse verloren, obwohl gerade jetzt, zum Teil unter dem Einfluß von *Herder*, unter den Pastoren eine vermehrte Zuneigung zum Volkstum ihrer Gemeinden erwacht war, und diesem eine Pflege mancherlei Art zuteil wurde, die das Erwachen der bisher geschichtslos dahinlebenden Volksmassen wesentlich förderte.

Daß der Aufruhr von 1784, veranlaßt durch die Anordnung *Katharinas* über Erhebung einer allgemeinen Kopfsteuer, den Bauern keine Besserung, eher eine Verschlimmerung ihrer Lage einbrachte, nimmt nicht wunder. Das von der Ritterschaft herbeigerufene russische Militär räumte gründlich auf und hinterließ einen tiefen Haß, dessen kirchliche Auswirkungen noch Jahrzehnte hindurch zu spüren waren.

Doch sei nicht übersehen, daß bereits im 18. Jahrhundert Ansätze zu gründlicher Änderung der nicht mehr zeitgemäßen Agrarordnung festzustellen sind. Das Vorbild des Barons *Schoulz* in Livland, der die Leibeigenschaft seiner Bauern in rechtlich geschätzte Schollenpflicht umwandelte, fand auch in Estland und in Kurland mehrfache Nachfolge aus ernst gefühlter christlicher Verantwortung heraus.

9. Als »Ostseeprovinzen« Rußlands

Von den drei »aufgeklärten Monarchen«, die man in einem Atem zu nennen pflegte, hat weder *Friedrich II.*, der Preußenkönig, noch *Joseph II.*, der deutsche Kaiser, sondern nur *Katharina II.* die französische Revolution sich entfalten und auswirken gesehen. Das damit Erlebte vollendete in der Kaiserin den Wandel vom Optimismus der Aufklärung zum menschenverachtenden Pessimismus und despotischen Absolutismus. Die Anfänge eines Versuchs zur Abschaffung der bäuerlichen Leibeigenschaft kamen in volles Stocken. Erst ihr vierter Nachfolger *Alexander II. (Nikolaevič)* führte 1861 die Bauernbefreiung durch. Ihr Enkel, *Alexander I. (Pavlovič)* half zwar dazu mit, daß von 1804 ab wenigstens in den Ostseeprovinzen die Schollenbindung der Bauern ein Ende fand, konnte das gleiche, von ihm aufrichtig angestrebte Ziel im inneren Rußland jedoch nicht erreichen. Auf seine Bedeutung für die Geschichte des Protestantismus unter den ostslavischen Völkern wird

noch zurückzukommen sein. Seine Erweckung durch den Einfluß deutscher Pietisten und angelsächsischer Evangelisten, seine Gewissenskonflikte bei Ermordung *Pauls I. (Petrovič)*, seines Vaters, seine Erschütterung durch die Ereignisse von 1812 (Besetzung Moskaus durch *Napoleon*, Brand der Stadt, Untergang der *Grande Armée*), seine großzügige Mithilfe zum Aufbau der russischen Bibelgesellschaft und seine Begünstigung der Unternehmungen von *Goßner* und *Lindl* usw. können mit Recht als Grundlegung für die später so weitreichende Bewegung der Stundisten bezeichnet werden.
Dieser Name erinnert an den anderen Ursprung der Stundistenbewegung, an die »Stunden« – Bibelstunden, Gemeinschaftsstunden – die von den aus dem Schwabenland kommenden Ansiedlern in Südrußland – am Rande des Schwarzen Meers von der Dobrudscha, rechts der Donaumündung, über Bessarabien, die Ukraine bis an und über den Kaukasus – der Heimatsitte entsprechend zur Pflege frommer Erbauung außerhalb der kirchlichen Gottesdienste gehalten wurden. Von ihnen ging eine einzigartige Diasporamission in die ostslavische Nachbarschaft aus, deren Bedeutung bis in unsere Tage reicht.
Von der großen, unter Einsatz beträchtlicher Staatsmittel begonnenen Ansiedlung, die schon *Katharina* einleitete und *Alexander I.* dann nachdrücklich fortsetzte, mündete nur ein kleiner Ausläufer in den Ostseeländern, wie oben berichtet wurde. Für die Pastorenschaft entstand mit dem Auftauchen deutschsprachiger bäuerlicher Landgemeinden eine ganz neue Aufgabe. Bisher waren deutschsprachige geschlossene Gemeinden nur in den Städten vorhanden. Auf dem Lande waren die Grundgemeinden lettisch oder estnisch mit Anhängseln deutscher Diasporagruppen im Zusammenhang mit den Gutshöfen.
Einen größeren Umfang und damit eine größere kirchliche Bedeutung gewann eine zweite Bauernansiedlung im Baltikum hundert Jahre später. Sie geschah auf privater Grundlage. Einige weitsichtige Gutsherren – die Namen *Katzdangen* und *Broederich* verdienen erwähnt zu werden – teilten große Besitzungen auf und siedelten Bauern an, die bisher in Polen und Wolhynien nicht recht vorwärts kamen. Jetzt waren ja die Bedenken entfallen, die früher aus dem patriachalischen Empfinden der Gutsherren gegenüber ihren »Hörigen« der Hereinholung fremder Nachbarn im Wege standen. Aber es waren doch nur 44 Güter, die in Kurland und noch weniger, die in den beiden anderen Ländern aufgeteilt wurden. (Als die baltischen Großgrundbesitzer, zunächst in Kurland, dann auch in den anderen Ländern unter dem Einfluß der deutschen Okkupation von 1915 an den Beschluß faßten, überall ein Drittel der Latifundien für eine groß geplante Besiedlung mit deutschen Bauern abzutreten, war es für diese längst fällige und noch immer unzureichende freiwillige Bodenreform zu spät. Wenige Jahre darauf wurde sie zwangsweise ganz radikal durchgeführt).

Es ist an dieser Stelle angebracht, daran zu erinnern, daß die Geschichte Rußlands bereits aus dem Reformationsjahrhundert von gastfreundlicher Aufnahme ausländischer Zuwanderer zu berichten weiß, und das unter Duldung ihrer so ganz anderen Sprache und Lebensart, auch ihrer vom orthodoxen Glauben so stark abweichenden Glaubensart und Kirchengestalt.
Schon die Zaren *Vasilij III. (Ivanovič)* und *Ivan IV. Groznyj (Vasil'evič)* haben deutschen Lutheranern und holländischen Reformierten in Moskau, Archangelsk, Vologda, Nižnij Novgorod Zuzug gewährt. *Peter der Große* hat 1702 seine durch *Patkul* in Deutschland veranstaltete Einwanderungswerbung dadurch verlockend gemacht, daß er den zu ihm Kommenden »freies Exercitium Religionis, kein Zwang über die Gewissen, Schutz jedem Exercitio vor aller Turbation, Immunität in allen Actibus parochialibus«, auch Erbauung von Kirchen usw. versprach. Doch galt das alles nur für zugewanderte Ausländer und darf keinesfalls den allgemeinen Toleranzproklamationen der »aufgeklärten Monarchen« des nächsten Menschenalters – *Friedrichs II.* und *Josephs II.* – gleichgestellt werden. Es gibt ja selbst heute noch Länder (etwa Spanien, Kolumbien), die Fremden für ihre Religionsübung Freiheit gewähren, Inländern gegenüber jedoch engherzigste Intoleranz üben.
Diese weitherzige Duldung aller Religionen brachte für die Ostseeprovinzen schon unter *Peter I.*, erst recht dann unter *Katharina II.* eine Aufweichung des landeskirchlichen Privilegiums mit sich. Die Alleingeltung der Confessio Augustana ließ sich nicht mehr aufrechterhalten. Bisher hatte in Riga die kleine Schar von Reformierten sich (seit 1688) nur als heimliche Gruppe zusammenfinden können. Seit 1712 aber durften sie auch öffentlich auftreten und eine rechtsfähige Gemeinde gründen. Diese baute sich dann von 1727 bis 1733 mit Hilfe von ausländischen und inländischen Spenden – auch von den lutherischen Gemeinden Rigas – ihre stattliche Kirche.
Daß in Mitau die helvetische Konfession schon lange dadurch fußgefaßt hatte, daß zwei der kurländischen Herzöge mit brandenburgischen Prinzessinnen verheiratet waren und ihnen in ihrem Schloß einen Betsaal hergerichtet hatten, wurde schon erwähnt. 1701 konstituierte sich dann eine reformierte Gemeinde unter herzoglichem Schutz. Die »Konfirmation« vom polnisch-sächsischen König hierfür mußte sie allerdings nach langen Verhandlungen mit Zahlung von 1200 Talern erkaufen. 1740 erst war es dann so weit, daß nach Überwindung vieler Schwierigkeiten eine Kirche in Gebrauch genommen werden konnte. Von Mitau aus wurde von 1750 an auch die kleine Schar Reformierter in Libau seelsorgerisch betreut.
Eine besondere Art von Zuwanderungen verdient Beachtung, obwohl sie ziffernmäßig nicht ins Gewicht fiel.
Schon lange gab es Fälle, daß junge Akademiker aus den evangelischen Ländern des »Reichs« auf den adeligen Gütern Stellungen als »Hofmeister«

(Hauslehrer) annahmen und dann gern im Lande blieben, namentlich zum Dienst in Schulen und Kirchen. Dies vervielfältigte sich jetzt so sehr, daß es um 1900 nicht viel Pastoren in ganz Rußland gab, die nicht von einem früher oder später zugewanderten Theologen abstammten. Die gute wirtschaftliche Situation der Pfarrer auf rittergutartigen »Pfarrwidmen« war verlockend. Überdies rangierte der geistliche Stand hier noch immer neben dem Adel und hatte mit ihm ein gern gepflegtes Connubium.

Noch bedeutsamer war es, daß die nun endlich 1802 wieder errichtete Universität zu Dorpat in hohem Grade ihren Lehrkörper durch Zuwanderung auf eine Höhe brachte, die das kirchliche Leben nicht minder als das kulturelle und wirtschaftliche wesentlich mitbestimmte.

Die ersten Professoren stammten fast sämtlich aus Deutschland, auch der Franzose *Parrot*, im württembergischen Mömpelgard (Monbéliard) geboren, der, auf der Hohen Karlsschule in Stuttgart erzogen, als Hauslehrer nach Livland gekommen war und das erste Rektorat übernahm. Ihm, dem Naturwissenschaftler, war der auf gründliche Reform der Sozialverhältnisse im Lande, insbesondere der bäuerlichen, drängende Impuls zu danken, der das erste Jahrzehnt kennzeichnete und manchen Erfolg hatte. Sein Nachfolger, der Historiker *Gustav Ewers*, ein Bauernsohn aus Westfalen, war der bedeutendste aller je dieses Amt hier bekleidenden Gelehrten. Von dem Einfluß, den Dorpats theologische Fakultät auf den Protestantismus des gesamten Rußland dann nehmen konnte, selbst als 1893 aus Dorpat Juŕev wurde und alle anderen Fakultäten russifiziert wurden, wird noch zu berichten sein.

Obwohl die drei Provinzen im 19. Jahrhundert staatsrechtlich zusammengefaßt worden waren, behielten sie ihre Eigenarten in vielen Stücken unangefochten bei, namentlich in ihrer Kirchenverfassung. Es gab sechs Konsistorien. Das bedeutendste war das livländische (mit 113 Kirchspielen), in dessen Raum das von Riga (mit 11 Kirchspielen) seine Selbständigkeit lange Zeit bewahren konnte. Auch Reval (5 Kirchspiele) und die Insel Ösel (mit 14 Kirchspielen, einschließlich der auf Moon und Runö) hatten eigene Kirchenbehörden neben und innerhalb der estländischen (mit 45 Kirchspielen). Den größten Bereich bekam jetzt das Konsistorium von Mitau, da ihm die lutherischen Gemeinden im einstigen Litauen mit Wilna, Białystock, Minsk und Mohilev unterstellt wurden. Es umfaßte 120 Kirchspiele auf 350 000 Quadratkilometern. Untergeordnete Kirchenbehörden gab es noch in Dorpat, Pernau, Pilten und Narva. Alle Konsistorien hatten weltliche Präsidenten und geistliche Vizepräsidenten, von denen nur der livländische und der kurländische den Titel Generalsuperintendent führten.

Dem naheliegenden Gedanken einer Zusammenfassung der Konsistorialbezirke zu einer gesamtbaltischen Landeskirche stand ein stark ausgeprägter provinzieller Individualismus im Wege, der sich auf die geschichtliche Eigenart berief.

Das ist durchaus begreiflich. Standen nicht Kurland mehr als 200, Livland immerhin 60 Jahre lang in teils losem, teils recht engem Verhältnis zu Polen? War nicht Estland von Anfang seiner Neuordnung an, Livland seit 1621 bis zu *Peters I.* Sieg schwedisch beherrscht und beeinflußt? Hatte nicht Kurland in den letzten 80 Jahren ein eigenartiges Sonderleben als Spielball der Großmächte geführt, ehe es wieder mit den Bruderländern vereinigt wurde und mit ihnen im russischen Hafen ankerte? Mußten sich unter solchen Schicksalen nicht Zentrifugalkräfte entfalten trotz allem Willen zum Zusammenbleiben?

Bei der Pfarrerschaft kam ein besonderer Umstand hinzu, der ihr Zusammenwachsen erschwerte. Die sprachlichen Anforderungen gingen in verschiedene Richtung. Kurland hatte nur das Lettische, Estland nur das Estnische als Zweitsprache für Predigt, Unterricht, Seelsorge; Livland hatte zweierlei Gemeinden, im Norden estnische, im Süden lettische. Dazu dauerte es bei den Esten lange, ehe sich eine ihrer Mundarten als Hochsprache durchsetzte. Später mußten die Pastoren – wie die gesamte Bildungsschicht – sich sogar noch die russische Staatssprache voll aneignen, z. B. für die Standesamtsfunktionen und sogar für die innerkirchliche Korrespondenz. Welche einen Kraftverbrauch bedeutete das und wie hemmte das eine gesamtbaltische Bruderschaft!

Hohe Anforderungen stellte überhaupt der pastorale Dienst in den meist übergroßen und über weite Flächen verstreuten Gemeinden. Nur in Estland und auf Ösel gab es Dörfer, in den anderen Ländern nur Gutsbezirke. Tagaus, tagein war der »Kirchenherr«, so wurde er nach schwedischem Vorbild genannt, mit seinem Pferdegespann unterwegs zu den Hausbesuchen mit Katechesen (»Gebetsfahrten«), zu Privatkommunionen und Amtshandlungen, auch solchen recht säkularer Art. Der Pfarrer war doch zugleich Gutsherr und besaß über die Hörigen der Pfarrei die niedere Gerichtsbarkeit. Auch bildete er, zusammen mit den Kirchenvorstehern, für die Gesamtgemeinde die erste Instanz in Ehesachen und im bürgerlichen Familienstreit. Dazu kam die Bewirtschaftung des Hofguts, auf dessen Ertrag der Lebensunterhalt beruhte. Denn nur in den Stadtgemeinden gab es ausreichende Besoldung in bar.

Um nicht zu früh die Kinder aus dem Hause geben zu müssen und Kosten dafür zu sparen, hatten manche Pfarrer kleine familiäre Privatschulen in ihren meist sehr stattlichen und geräumigen Pfarrhäusern (Widmen) eingerichtet, in denen sie neben ihren eigenen auch fremde Kinder in einer Art Progymnasium auf den Besuch einer der Oberschulen vorbereiteten, von denen die Domschule in Riga die angesehenste war. (*Herder*, der von 1764 ab fünf Jahre lang in Riga weilte, gehörte ihrem Lehrkörper an).

Mehr und mehr wurden jetzt auch aus der nichtdeutschen Bauernbevölkerung begabte Schüler weiter gebildet und gelangten zum Universitätsstudium. So vergrößerte sich bald die Zahl der gebürtigen Letten und Esten unter den Pastoren.

Daß diese sich sprachlich und kulturell der deutschen Oberschicht assimilierten, war zunächst unvermeidlich. Als in der zweiten Hälfte des 19. Jahrhunderts das Nationalgefühl der beiden Völker erwachte und zum Teil jäh aufflammte, gab es Beispiele genug dafür, daß bildungsmäßig voll eingedeutschte Pastoren mit in die politische Führung der Letten und Esten und in den Kampf gegen die deutsche Herrenschicht eintraten. Daß aber gerade deutsche Geistliche ganz hervorragend an der Entfaltung der indigenen Sprachen und der Schaffung einer Literatur in ihnen mitgeholfen haben, ist ein schönes Zeugnis ihrer ökumenischen Haltung, ja der Hingegebenheit der Hirten an die ihnen anvertrauten Herden. Davon wurde schon aus dem Reformationszeitalter berichtet. Aus dem 19. Jahrhundert ist noch manch weiteres Beispiel dafür vorzulegen.

Es liegt im Wesen absolutistischen Staatsdenkens, die Kirchen als politische Machtfaktoren zu würdigen und die Grundsätze der Staatsraison auf sie anzuwenden. In Osteuropa war der Versuch der Regierungen, die Kirchen auch der nationalen Minderheiten fest in die Hand zu bekommen, meist mit der Absicht verbunden, sie der Mehrheit einzuschmelzen. Solch nationalistische Absicht lag beim Zaren *Peter I.* noch nicht so vor wie bei einigen seiner Nachfolger. Er hielt es für sein gutes Recht, die lutherischen Kirchen, die seinem Reich zufielen, ebenso zu behandeln, wie die pravoslavische Staatskirche. Er begnügte sich nicht mit der Kirchenhoheit, dem *ius circa sacra*, die jeder Staatsmacht als Aufsichtsrecht zusteht, sondern griff unbedenklich in die inneren Anliegen dieser Kirchen ein.

Kaum hatte er 1710 die Kapitulations-Vereinbarungen mit den Ständen Estlands und Livlands auf der Basis der bisherigen Rechtsprivilegien getroffen, da ernannte er 1711 den Pastor in Moskau *Berthold Vagetius* zum »Superintendenten aller lutherischen Kirchen in Rußland« und gab ihm den Auftrag, ein Gesetz für alle diese Kirchen und Schulen auszuarbeiten. Es kam allerdings nichts dabei heraus; erst nach hundert Jahren war die Zeit für ein so weit greifendes Unternehmen reif (siehe S. 414).

1734 folgte der nächste Schritt. Dem kurz vorher gegründeten »Reichsjustiz-Kollegium der Liv-, Est- und Finnländischen Sachen« befahl Kaiserin *Anna*, die »vorfallenden Konsistorialsachen« der »fremden Religionsverwandten zu dezidieren«. Wie dann *Katharina*, uneingedenk ihrer Herkunft aus dem evangelischen Kirchentum Anhalts über das Sonderdasein ihrer – nun um Kurland vermehrten – Ostseeprovinzen dachte, wurde bereits erwähnt.

Von *Alexander I.* hätte man ein besseres Verständnis für das Eigenrecht evangelischer Glaubensgemeinschaft erwarten können. Er war dieser doch in persönlicher Frömmigkeit innig zugetan. Vielleicht fühlte er sich gerade darum als *summus episcopus* der Protestanten in seinem Reich. So ließ er es geschehen, daß der Justizminister 1804 dem genannten Kollegium den Auftrag erteilte, eine »liturgische Verordnung« für die lutherische Kirche ausarbeiten zu lassen. Ein paar Jahre darauf (1810) gründete er eine »Oberverwaltung der geistlichen Angelegenheiten fremder Konfessionen« unter der Leitung des Fürsten *Aleksandr Golicyn.*

Als im Zuge der Ansiedlungen am Schwarzen Meer und an der Wolga in Petersburg und Moskau Konsistorien für den Protestantismus im inneren Rußland gegründet wurden, schuf der Zar 1819 in seiner Hauptstadt ein Reichskonsistorium und ernannte einen evangelischen Bischof, *Zachris Cygnäus.* Gegen diese Bevormundung allerdings protestierten die baltischen Kirchen sehr energisch; sie hatten den Erfolg, daß sie von den Befugnissen des Bischofs ausgenommen wurden. Dagegen gelang es ihnen nicht, sich dem zu entziehen, was nun in einer 13 Jahre dauernden Bemühung staatlicher und kirchlicher Kommissionen zustande gebracht wurde, dem für die Gesamtheit der lutherischen Kirchen in Rußland geltendem Gesetz von 1832.

Die Bedeutung dieses so mühsam zustande gebrachten Kirchengesetzes wird später eingehend erörtert werden, wenn die Geschichte des Protestantismus im Bereich der Ostslaven zur Darstellung gelangt. Hier ist nur noch Folgendes zu sagen:

1. Zunächst ist festzustellen, daß eine lutherische Gesamtkirche im Zarenreich nicht zustande kam. Von vornherein machte man zwei Ausnahmen, und zwar aus politischen Gründen. Das Großfürstentum Finnland war nur durch Personalunion mit dem »allrussischen Selbstherrscher« verbunden, besaß eine konstitutionelle Verfassung und volle kulturelle Autonomie. Auf Grund dieser Ausnahmestellung bewahrte sich die lutherische Kirche hier die Sonderstellung, die sie auch vor 1809 unter der schwedischen Suprematie gehabt hatte.

Ähnlich lag es mit der Kirche Augsburgischen Bekenntnisses in dem 1815 durch den Wiener Kongreß dem russischen Kaiser anvertrauten Teile Polens. Was von dem Herzogtum »Warschau«, das *Napoleon* 1807 geschaffen hatte, nach Abtrennung der preußischen Provinzen Posen und Westpreußen sowie des österreichischen Galiziens übrig war, das heißt 82% des polnischen Staates von 1770, war als »Königreich Polen« mit dem russischen Kaiserreich in Personalunion verbunden worden, hatte aber nach dem »Novemberaufstand« von 1830 seine – relative – Autonomie verloren und duldete 20 Jahre hindurch die Last autokratischer Russenherrschaft. (Nach dem zweiten Aufstand im Januar 1863 verlor Polen den Rest seiner Freiheit und wurde unter der Bezeichnung »Weichselgouvernement« eine der russischen Provinzen).

Im Zuge dieser Einschmelzung geschah es, daß die lutherische Kirche Polens durch Erlaß des Zaren 1849 ein Kirchengesetz erhielt, das sich eng an das rußländische von 1832 anlehnte. Es unterstellte aber die Warschauer

Kirchenbehörde nicht dem Petersburger Generalkonsistorium, sondern direkt der russischen Regierung. Sehr zum Verdruß des Warschauer Konsistoriums wurden die lutherischen Gemeinden Litauens, Weißrußlands und Wolhyniens aus dem polnischen Einflußbereich herausgenommen und an den Sprengel des Generalsuperintendenten von Kurland (Sitz Mitau) angegliedert.
2. Das Gesetz von 1832 hatte – den Urhebern kaum bewußt – ein hohes Ziel vor Augen: es wollte das lutherische Kirchentum in einem übergroßen Reich zu einer Einheitskirche zusammenfassen. Diese sollte über viele Grenzen hinweggreifen, Grenzen der Sprachen und volklichen Sonderungen, des Sozialgefüges, der Geschichte, sehr alter und sehr junger Geschichte. Wie not tat der zu stolzem Selbstbewußtsein erwachten und doch von der Blässe der westlichen Gedanken angekränkelten Geisteswelt des Ostens das Zeugnis der evangelischen Diaspora von dem Einen, das not tut: Jesus Christus, nur er allein!
Zur Führung einer eng verbundenen Gemeinschaft der protestantischen Konfessionsverwandten wäre der baltische Teil der Gesamtkirche berufen gewesen. Es hat sich dieser Aufgabe im wesentlichen versagt. Es sei nicht verkannt, was Glieder des deutschen Adels in den Jahrzehnten *Alexanders I.* und *Alexanders II.* dafür getan haben, daß die reformatorisch verstandene Botschaft des Evangeliums von höchster Stelle aufgenommen und in das Geistesleben der ostslavischen Völker weitergereicht wurde. Aber um die Glaubensgenossen in den weiten Kolonisationsgebieten – der Ukraine, des Volgabereichs, des Kaukasus, der sibirischen Steppe usw. – haben sich die Leiter des Kirchentums in Estland, Livland und Kurland wenig gekümmert. Trotz der Studiengemeinschaft an der Theologenfakultät in Dorpat blieb eine Kluft zwischen den Baltenpastoren und den Kolonistenpfarrern, die von diesen nicht minder gebildeten, aber minder gesicherten, mehr gefährdeten und angefochtenen Amtsbrüdern bedauert wurde. Selten verließ ein Balte seine vertraute und gesicherte Ursprungskirche, um in die weite fremde Welt des Moskauer Konsistorialbezirks hinauszugehen, die das ganze Sibirien mit umfaßte. Und gar nicht kam es vor, daß ein Kolonistensohn etwa in ein baltisches Pfarramt berufen wurde, zumal dafür nur die deutschsprachigen Stadtstellen in Betracht kamen.
Es soll damit kein Vorwurf ausgesprochen werden. Heimat bindet oft härter als Missionsauftrag. Und die Stadt, die auf dem Berge liegt, wandert zwar nicht ins Tal, bleibt aber doch nicht verborgen.

10. Glaubenskämpfe

Die Erörterung der Kämpfe um echten und rechten Glauben ist jenem Teil dieses Buches vorbehalten, der die innere Geschichte des Protestantismus in Osteuropa darstellen soll. In den russischen Ostseeprovinzen des

20. Jahrhunderts aber waren solche innerkirchlichen Kämpfe zweimal so eng mit politischen Hintergründigkeiten verquickt, staatspolitischen, gesellschaftspolitischen, kirchenpolitischen, daß ihnen hier einige Aufmerksamkeit gewidmet werden muß. Die beiden eigenartigen Vorgänge stellen wir unter die herkömmlichen, wenn auch nicht eindeutigen Überschriften »Die Herrnhuter« und »Res graeca«.

a) Die Herrnhuter: Die mit dieser Bezeichnung gemeinte Gesamterscheinung bestand bereits lange, ehe der Graf *Zinzendorf* 1722 Herrnhut gründete. Der »Vater des Pietismus«, *Philipp Jakob Spener*, spann die Fäden seines Rufs zu einer »Reformation des Lebens« – in Ergänzung von *Luthers* »unzureichender« »Reformation der Lehre« – auch nach Schweden und dem damals zu Schweden gehörigen Livland. Das geschah nicht ohne Erfolg, aber doch unter starker Hemmung durch die von starrer Orthodoxie beherrschte Staatskirche. Zar *Peter I.* sah es dann gern, daß der »Hallesche Pietismus« durch das nach Westen geöffnete Fenster hereinwehte. Nun konnte es sich auswirken, daß zahlreiche junge Theologen in Halle studiert und in *Frankkes* »Stiftungen« mitgearbeitet hatten. 1736 gelangte in Mitau ein begeisterter Franckeschüler als Generalsuperintendent von Livland zu großem Einfluß auf das ganze Innenleben der beiden russischen Provinzen. *Franckes* Rat und Hilfe stand der Drucklegung der ersten Bibelübersetzungen ins Lettische (Pastor *Glück*) und ins Estnische (Pastor *Gutsleff)* zur Seite, sowie den Schulgründungen in den Städten und Dörfern. Auch wurde viel guter Wille auf die Gründung einer Stiftung nach Halleschem Muster (mit Waisenhaus und Pädagogium) gewandt, der allerdings ein voller Erfolg versagt blieb.

Zu Schwierigkeiten kam es jedoch, als *Franckes* bedeutendster Jünger, *Nikolaus Graf Zinzendorf* von seinem Herrnhut aus Einfluß auf den Pietismus im Baltenland gewann. Der Mitbegründer der Mährischen Brüdergemeine, *Christian David*, hielt sich selbst ein Jahr lang in Lettland und Estland auf (1730), ihm folgte bald darauf ein großer Zustrom von »Brüdern« aus dem Laienstand teils zur meist handwerklichen Berufsbetätigung, teils zur Evangelisation und Seelsorge. Mit missionarischem Geschick eigneten sie sich die Volkssprache an, verstanden es aber auch, sich aus frommen Letten und Esten einen einheimischen Stamm von Helfern heranzubilden. Bald überzog ein wohlorganisiertes Netz von »Gemeinen« Estland und die Inseln, dazu einen Teil von Livland. Man zählte um 1740 gegen 15000 eingeschriebene Anhänger der Bewegung, etwa zu 3/4 Esten, der Rest Letten und in kleinem Umfang Deutsche, meist Glieder des Adels, weniger der Stadtbürgerschaft.

Nun aber begann eine Gegenbewegung. Schon 1742 befaßte sich in Estland wie in Livland der Landtag mit der kirchlichen Lage; er fürchtete Gefahr des Separatismus. Es lag den adligen Ständen daran, die Autorität der Pastoren zu erhalten, obwohl sie anerkennen mußten, daß die Moral des Volkes

sich durch die »Erweckung« und durch streng durchgeführte Kirchenzucht in den »Gemeindlein« *(ecclesiolae)* gehoben hatte. Der Kampf der »Brüder« gegen den weit verbreiteten Aberglauben, in dem sich manche Reste des einstigen Heidentums erhalten hatten, war so erfolgreich, daß man sogar behauptet hat, jetzt erst sei die Masse des Volkes ernsthaft christianisiert worden. Die Pastorisierung der »Undeutschen« hatte unter dem Abstand zwischen den »Kirchenherren« und den im Frondienst stehenden Bauern vielfach gelitten, weniger wohl wegen des sprachlichen Unterschieds, sondern weil die amtlich organisierte Kirche als ein Stück des Staatsapparats erschien, in dem die indigenen Massen nur Objekte waren. Dem Pastor küßte man wie dem Baron den Rockzipfel in Respekt vor seinem Priestertum und in Angst vor seiner Strafpredigt. »Die Kinder rückten aus, wenn ein Pastor von ferne angefahren kam; sie fürchteten sich vor Schlägen beim Abfragen des Katechismus.«
Das war gewiß nicht überall so. Aber jedenfalls haben soziale Gegebenheiten eine große Rolle gespielt, wie das auch heute noch bei Gemeinschaften, Freikirchen und Sekten der Fall ist. Die brüderischen Boten stiegen zum Volk hinab. Sie dozierten nicht nur auf der Kanzel, von oben herab, sondern kamen mit der Bibel in die Hütten, predigten dann in den überall aus dem Boden schießenden Versammlungshäusern und organisierten ihre Anhänger zu kleinen, sich selbst verwaltenden Glaubensgenossenschaften, bildeten sogar bald aus deren Reihen Mitarbeiter aus: Ordner, Sänger, Betreuer, Vorbeter, Vorleser und schließlich predigende Brüder.
Nur ein Teil der Pastoren sah die sich hier bietende Möglichkeit, aus der Struktur einer »kirchlichen Sittenpolizei« herauszukommen und die Gemeinden zu lebendigen Gliedern des Corpus Christi zu erziehen. Der größere Teil sah in dem Aufblühen jener Ecclesiolae nur die darin liegende Kritik an ihrer eigenen bisherigen Tätigkeit in der Ecclesia.
In den sich Jahre hindurch fortsetzenden Streit griff *Zinzendorf* selbst mit beträchtlichem Erfolg mehrfach persönlich ein. Seine lautere Persönlichkeit überzeugte von seinem gut lutherischen, jeder Sektiererei feindlichen Willen. Er veranlaßte auch, daß nunmehr aus Herrnhut Handwerker, Lehrer und Ärzte geschickt wurden. Der Generalsuperintendent *J. B. Fischer* tat dabei guten Vermittlungsdienst.
Als aber in einigen der estnischen Gruppen ekstatischer Chiliasmus die Oberhand gewann, der sich mit sozialistischen Weltordnungsträumen verband, griff die Petersburger Regierung erneut mit Nachdruck ein, und die Reise der Gattin *Zinzendorfs* nach Petersburg 1742 – zu einer erbetenen Audienz bei der Zarin *Elisabeth* – hatte den gegenteiligen Erfolg. *Elisabeth* empfing die Gräfin nicht, sondern verfügte strenge Maßnahmen gegen die »ausländischen Apostel«, die sich der Ausweisung nur dadurch entziehen konnten, daß sie im Volk unerkannt untertauchten. Erst *Alexander I.*, der selbst dem

Pietismus zuneigte, milderte den Streit, und es kam zu einem gewissen Ausgleich, der lange vorhielt.
Dem war unter *Katharina II.* ein eigenartig glückliches Geschehen vorangegangen. Die Kaiserin wußte, daß unter den von ihr herbeigeholten Schwaben der Pietismus – in seiner württembergischen Sonderart – festen Fuß gefaßt hatte. Sie hielt diese »Stundenhalter« für gleichbedeutend mit den Herrnhutern und gewährte diesen 1764 ungewöhnlich weitgehende Freiheiten, wie das dann später auch den Mennoniten gegenüber geschah.
Mit dem Kirchengesetz von 1832 (siehe S. 66) begann eine neue Periode. Zwar enthielt es keine Bestimmungen über die Herrnhuter. Aber sie straffte die Zügel der Staatsaufsicht über die lutherischen Kirchen im Zarenreich und damit auch über die baltischen Landeskirchen. Darauf fußend zog die Petersburger Regierung 1834 mit großer Schärfe einen Strich zwischen den aus dem Ausland zugewanderten Gliedern der »Brüdergemeine« und denjenigen Gliedern der lutherischen Landeskirchen, die sich mit jenen zusammengeschlossen hatten. Die von diesen eingerichteten Bethäuser – ihre Zahl ging in die Hunderte – wurden als Eigentum der Kirche erklärt. Den »Vorbetern« – durch Los ausgewählten Laien – wurde verboten, in den Versammlungen (Gemeinschaftsstunden) frei zu predigen. Das Predigen sollte ausschließlich den ordinierten Geistlichen vorbehalten bleiben. Übertritte aus der Landeskirche in Herrnhuter »Gemeine« seien nicht erlaubt; die Gründung einer Freikirche verboten.
Die Zeit jedoch, mit solchen rigorosen Anordnungen das Volk einzuschüchtern, war vorbei. Die Bauern waren frei geworden und hatten vom Aufstand der Polen gehört. Es blieb bei den Zusammenkünften unter Leitung der »Diakone«, ja die Herrnhuter-Bewegung erreichte nach 1840 ihre Blüte; ein Teil der Pastoren freute sich darüber und arbeitete mit.
Das erweckte den anderen Teil zu Gegenmaßnahmen. Eine neu-orthodoxe Betonung des lutherischen Konfessionalismus wurde herrschende theologische Richtung in Dorpat und in den Kirchenbehörden. Nach 1860 fühlte sich kein Geringerer als der Dorpater Professor *Theodosius Harnack*, der Vater des berühmten Kirchenhistorikers *Adolf Harnack*, berufen, in einer umfangreichen Streitschrift zum Wirken der Herrnhuter in seinem Vaterlande kritisch Stellung zu nehmen. Auch *A. von Harless* nahm ausführlich in dieser Sache das Wort und sehr viele andere in vielen Sprachen. Der Standpunkt der Unitätsdirektion im sächsischen Herrnhut vertrat mit Geschick und Sachkenntnis *Hermann Plitt*. Zu gerechter Urteilsbildung in dem recht harten Streit müßte das umfangreiche Archiv der Unität – jetzt zum Teil in Bad Boll – zu Rate gezogen werden und auch die von Letten und Esten in ihren Sprachen verfaßten Schriften. Schon jetzt aber dürfte es erlaubt sein, über das Thema: Pietismus, Brüdermission und Landeskirchentum folgende Sätze abschließend auszusprechen:

Der Pietismus, wie ihn *Spener* und *Francke* in die baltischen Länder lenkten, hat dort trotz der Abwehr durch die absolutistische Staatstheologie der Schwedenzeit reiche und reine Frucht getragen. Als aber *Zinzendorfs* Missionare kamen, entstand schon im 18. Jahrhundert ein Zwiespalt, der sich 100 Jahre darauf heftig wiederholte, zum Teil auf eigensinnige Rechthaberei beruhte und nicht wenig Schaden anrichtete.

b) Res graecae lautete die Aufschrift der Aktendeckel für die 199 Prozesse, die in den Jahren 1884 bis 1894 bei den baltischen Konsistorien registriert wurden auf Grund von Verhandlungen russischer Kriminalgerichte gegen ein gutes Drittel der Seelsorger (118 von 315), die mit zahlreichen Bestrafungen zu Gefängnis, Verbannung, Absetzung, Geldbußen endeten. Was hatten die Pastoren verbrochen?

Sie hatten sich gegen die Paragraphen des Strafgesetzbuches vergangen, die ihnen verboten, Amtshandlungen an Gliedern der russisch-orthodoxen Kirche vorzunehmen. Sie hatten es in gutem Glauben und mit reinem Gewissen getan; denn pravoslavische Esten oder Letten waren zu den Pastoren gekommen, um Hilfe aus großer Bedrängnis zu erbitten. Es war ein krasser Betrug, dem sie selbst oder schon ihre Eltern zum Opfer gefallen waren, als sie aus der Gliedschaft in ihrer angestammten Kirche herausgelockt wurden, in die – nach gewonnener Einsicht – zurückzukehren das Staatsgesetz verbot.

Aber woher kamen überhaupt in dem seit 300 Jahren geschlossenen evangelischen Land Letten und Esten pravoslavischen Bekenntnisses?

Wir müssen zurückdenken an den Frieden zu Nystadt 1721, in dem der Übergang Estlands und Livlands von der schwedischen in die russische Herrschaft ausgehandelt wurde. Bereitwillig hat *Peter der Große*, selbst ein großer Freund westeuropäischer Zivilisation, den beiden Ländern eine Vertragsgarantie ihrer politischen und kulturellen Autonomie gewährt; 100 Jahre darauf hat Zar *Nikolaus I.* dies bald nach der Thronbesteigung erneuert (1827), allerdings nur unter Hervorhebung des inzwischen erreichten Tatbestandes: des Vorranges der orthodoxen Staatskirche im ganzen Zarenreich. Um diesen Vorrang auch in den »Ostseeprovinzen« sichtbar zu machen, wurden diese nun in das hierarchische Netz einbezogen. 1836 war es so weit, daß der erste ostkirchliche Bischof, *Irinarch*, in Riga einzog. Für seine winzige Stadtgemeinde mußte ihm die Jacobikirche eingeräumt werden. Eine seiner ersten Maßnahmen war die Errichtung von Seminarkursen, in denen junge Priester in den baltischen Volkssprachen (lettisch und estnisch) ausgebildet wurden. 1841 wurden die ersten ostkirchlichen Andachtsbücher in diesen Sprachen gedruckt und unter den Bauern verbreitet.

Damit allein war allerdings kein Erfolg zu erzielen. Als aber die Unzufriedenheit der Bauern nach einer völlig unzureichenden Agrarreform durch Mißernten und Hungersnot gesteigert wurde, fiel das Gerücht auf fruchtbaren Boden, der Kaiser werde allen Hörigen, die sich in Riga »einschreiben« ließen, im Süden seines weiten Reiches »warmes Land« schenken. Noch war dabei nicht von Konversionen die Rede, obwohl es auffiel, daß die Listen für die Einschreibung bei dem neuen orthodoxen Bischof auslagen. Arglose Auswanderungslustige bedrängten damals ihre Pastoren, sich mit ihnen »einschreiben« zu lassen; sie hofften auf Verpflanzung des ganzen Dorfes in unverändertem Bestand in eine paradiesische Welt. Als sich das als Irrtum herausstellte und auch die Petersburger Regierung dem Unfug halt gebot – der Bischof *Irinarch* wurde strafversetzt – ließ sich sein Nachfolger nicht abhalten, die Verführung mit anderen Mitteln fortzusetzen. »Fliegende Kirchen« zogen auf Wagen durch die Dörfer; die Popen predigten, hetzten, hatten Listen bereit und »firmelten« die Eingetragenen auf der Stelle mit dem geweihten Öl.

Der Regierungswechsel 1855 machte dieser Seelenjagd ein Ende: *Alexander II.* hatte nichts dagegen, daß von den auf 100 000 geschätzten neuen Orthodoxen jetzt ein großer Teil in die angestammte Kirche zurückkehrte. Alle bis dahin noch laufenden Strafverfahren gegen Pastoren, die Gott mehr gehorcht hatten als den Menschen, dem Kaiser, und die reuigen Abgefallenen in alter Weise bedient hatten, wurden still gelegt. Immerhin blieben die 34 neuen pravoslavischen Kirchspiele, in denen die Staatskirche die Übergetretenen sammelte, bestehen und waren Ansatzpunkte für weitere Werbung. Aber die Landeskirche hatte auch aus dem Geschehen eine Lehre gezogen. Es mehrte sich die Zahl der Seelsorger, die dem Hochmut des herrschenden (deutschen) Teils der Gemeinden absagten und ihre Verantwortung für den Hauptbestandteil der Kirche, die Letten und Esten, in ernster Zuwendung zu deren sozialen und kulturellen Anliegen betätigten. Es fanden zwar auch jetzt noch Austritte, oder vielmehr Übertritte statt (denn Austritte mußten nicht gemeldet werden). Aber deren Zahl war gering. Wenn die Ziffer jener 34 orthodoxen Gruppen jetzt auf 180 000 Seelen anwuchs, so war das fast gänzlich der jetzt einsetzenden Überfremdung der baltischen Länder durch Zuzug aus dem Inneren Rußlands zu danken.

Die Jahre bis zum Regierungsantritt *Alexanders III.* (1881) waren nur ein Waffenstillstand. Alsbald brach der Kirchenkrieg wieder auf.

Der neue Zar war mangelhaft auf sein hohes und sehr schwierig gewordenes Amt vorbereitet; der Vater hatte alle Sorgfalt dem älteren Bruder zugewandt, der unerwartet früh starb. Die derbbrutale Willenskraft *Alexanders III.* war durch das Erlebnis des nihilistischen Bombenattentats, dem der »liberale« Vater zum Opfer fiel, zu einem entschiedenen Gegenkurs verhärtet worden. Volle Einschmelzung aller Nichtrussen in das Staatsvolk und damit zugleich Bekehrung aller Nichtrechtgläubigen zur Ostkirche wurde das Ziel. Für die protestantischen Kirchen im Baltenland gab es jetzt eine einzigartige Gegenreformation; selbst Finnland wurde seit 1890 davon heimgesucht.

In diesem Zusammenhang standen die oben erwähnten als *res graecae* bezeichneten Gerichtsverhandlungen gegen 118 Pastoren und die überaus schmachvollen Anklagen und Verurteilungen.
Noch einmal gab es unter *Nikolaus II.* (*Alekseevič*, 1896–1917) eine Ruhepause. Aber 1899 begannen aufs neue Untersuchungen, Anklagen und Bestrafungen. Erst die Volkserhebung von 1905 brachte einen Umschwung und im »Ostermanifest« des Zaren die volle Glaubensfreiheit. Jetzt wurden alle Konvertierten in den russischen Kirchenbüchern auf ihren Antrag ohne weiteres gestrichen. Nur eine kleine Anzahl, meist Esten, weniger Letten, blieben in der Gemeinschaft der Ostkirche. So lebten auch noch nach der Abtrennung beider Länder vom russischen Staat 1919 in den Republiken Estland und Lettland nichtrussische Orthodoxe, zumeist am Westufer des Peipus-Sees. Ob sie auch jetzt noch als Bürger der beiden Sowjet-Republiken dort verblieben sind oder inzwischen ihren Volkszusammenhang verloren haben, ist ungewiß.

11. Die Umwälzung

Anfang 1905 brach, entzündet durch das unverantwortliche Blutbad, das von wildem Schießen gegen eine harmlose Demonstration in Petersburg angerichtet wurde, die russische »Januarrevolution« aus, die sich bald weit hinein ins Reich verbreitete und dann schnell einige längst fällige demokratische Zugeständnisse zur Folge hatte, auch eine Garantie des Zaren für völlige Glaubens- und Meinungsfreiheit.
In den Ländern am Ostseerand gab es zunächst nur Aufläufe, Umzüge, Streiks und Haßausbrüche des Klassenkampfes. Im Sommer aber griff die Erregung auch aufs Land über. Im Herbst kam es auf den Gütern der drei Provinzen zu vollem Aufruhr mit Plünderung, Brandstiftung, Raub und Mord. Die Landpolizei versagte; ein schnell organisierter Selbstschutz war zu schwach. Die Zentralregierung sah lange untätig zu, vielleicht nicht ohne Schadenfreude. Endlich im Dezember (1905) sandte sie Gardetruppen; die gingen mit großer Härte vor. Zur Vergeltung für Hunderte von Brandstiftungen an Schlössern und Gutsgebäuden wurden Tausende von Bauernhöfen niedergebrannt. Mit Dutzenden von Hinrichtungen wurden die Morde gesühnt.
Nun war die äußere Ruhe wiederhergestellt; geblieben waren Unzufriedenheit, Verfeindung und Haß. Der richtete sich beim Landvolk nun auch gegen seine Kirche. Sie war ja ein Teil des ständischen Obrigkeitsapparats; die Pastorate glichen großen Gutshöfen. Mit den sozialen mischten sich nationale Empfindungen. Kein Wunder, daß unter den 82 von den Banden erschlagenen Deutschen auch acht Geistliche waren. Daß aber auch viele Kirchen geschändet und geschlossen wurden, hatte man nicht erwartet. Welch

schmerzliches Ergebnis der seit Jahrhunderten so ernst und streng geübten »Kirchenzucht«! In dem sich trotz allem Erlebten wieder sammelnden Kreisen bewußter Christus-Gläubigen dämmerte eine Ahnung kommender apokalyptischer Fortsetzung solchen Ansturms des Antichrists auf die christliche Gemeinde.

Aber man legte die Hände nicht in den Schoß, auch wenn der Jüngste Tag vor der Tür zu stehen schien, man pflanzte die Apfelbäumchen im Garten des Gottesreichs.

Die Bahn war jetzt frei für Wiederkehr und Entfaltung der muttersprachlichen Schule, der nationalen Presse, der volkhaften Vereine, der eigenständigen Literatur und Kunst. Das nutzten die Deutschen so gut wie die Letten und Esten, diese vielfach unter deutscher Führung und Hilfeleistung zu weitwirkenden literarischen Erfolgen.

Die Kirche besann sich auf ihren diakonischen Beruf; von *Fliedner* (Kaiserwerth), von *Löhe* (Neuendettelsau), von *Stöcker* (Berlin) stammende Anregungen, denen man bisher nur zaghaft gefolgt war, brachten jetzt schöne Frucht. Die Dorpater Fakultät erweiterte ihren Wirkungskreis und vertiefte ihre Bildungsarbeit.

In der kirchlichen Verwaltung traten kaum Veränderungen ein; denn das Generalkonsistorium erstreckte seine Leitung nur auf die beiden Konsistorien in Petersburg und Moskau, nicht auf die sechs im Baltenland.

Die aufgewühlte nationale Erregung ging an der Kirche nicht vorüber. Sie führte zu Erörterungen über eine grundlegende Änderung im kirchenrechtlichen Bestand. Zum ersten Male wurde die Frage aufgeworfen, ob es nicht richtiger sei und der Verkündigungsaufgabe der Kirche besser dienen würde, wenn man ihr eine ganz andere äußere Ordnung gäbe: dem fortschreitenden Auseinanderleben der drei Bevölkerungsteile müsse jetzt Rechnung getragen werden; jeder Teil solle sich als national-einheitliche Kirche konstituieren. Dadurch würde dann auch – wenigstens auf dem Gebiet der Kirche – einem berechtigten Wunsch der Esten wie der Letten Rechnung getragen. Die ersteren bewohnten ja nicht nur Estland, sondern füllten auch die Nordhälfte Livlands, und die Letten waren durch die Grenze zwischen Kurland und Livland voneinander getrennt.

Eine solche reinliche Neuordnung auf ethnographischer Basis geschah dann später (1919) wirklich. In den beiden Jahrzehnten vorher glaubten die drei Kirchenbehörden Estlands, Livlands und Kurlands nicht dulden zu dürfen, daß man die historischen Kirchengrenzen antastete.

Man hielt ganz starr an der Tradition der drei eigenständigen Landeskirchen fest mit rein territorialer Abgrenzung der Parochien. Nur in den größeren Städten durften sich Personalgemeinden bilden, auch mit sprachlicher Grenzziehung gegeneinander. In den Landgemeinden lehnte man die Trennung der Nationen grundsätzlich ab. Die – meist deutschen – Pastoren mußten hier

durchweg ihrer Gemeinde in zwei Sprachen dienen. Dazu kam seit 1885–93 das Russische als Amtssprache der Behörden, auch der kirchlichen.
Ein anderer Punkt erregter Erörterungen war das gutsherrliche Patronatsrecht. In zahlreichen Einzelfällen setzten sich Letten wie Esten gegen die Berufung ihnen nicht gefallender Pfarrer zur Wehr, und allgemein traten sie grundsätzlich für die völlige Aufhebung des Patronats ein: es müsse dem freien Berufungsrecht der Gemeinden Platz machen. Sie konnten dies Ziel damals nur zum Teil erreichen. Es standen ihm nicht nur rechtliche, auch echt kirchliche Gegengründe im Wege. Völliger Independentismus der Einzelgemeinde ist nur in Freikirchen, nicht in Volkskirchen angebracht. Aber es gab doch Fälle genug, in denen der Willkür mancher Patrone durch Eingriff der kirchlichen Aufsichtsstellen mehr hätte entgegengetreten werden sollen. Es war nicht gut, daß viele der zahlreich theologische Ausbildung erfahrenden Letten und Esten nicht in ihrer Heimat Anstellung finden konnten, weil die Patrone deutsche Kandidaten bevorzugten. So gingen jene, manchmal recht verbittert, in den Schuldienst oder ins Innere Rußlands, wo sich in jenen Jahren manchen Orts durch Auswanderung aus der Heimat lettisch und estnisch sprechende Gemeinden bildeten, neben den zahlreichen durch Ansiedlung entstehenden deutschen. Übrigens waren nach 1905 Tausende der Letten und Esten in die Emigration nach Amerika abgewandert, wo sie in manchen Gegenden sich zu eigenen national bestimmten Gemeinden zusammenschlossen.
Unter den evangelischen Deutschen begannen jetzt Ermüdungserscheinungen aufzutreten: Mischehen, die einen Übergang ins andere Volkstum mit sich brachten, mehrten sich; die Geburtenziffer sank auch bei ihnen; Geschäftsleute etablierten sich lieber im aussichtsreichen Erwerbsleben Rußlands und Polens; die Bildungswelt gab erste Kräfte – auch theologische, z. B. *Harnack* – nach Deutschland ab.
Die größte Umwälzung aber brachte zehn Jahre nach der Januarrevolution der erste Weltkrieg mit sich. Wie tief er gleich zu Anfang auch in das kirchliche Leben einschnitt, geht schon daraus hervor, daß unter den Hunderten von baltischen Deutschen, die alsbald nach Sibirien verschleppt wurden, sich auch mehrere Dutzend Geistliche befanden. Dazu kam die Flucht der Bauernfamilien aus Angst vor den deutschen Soldaten, die von der russischen Greuelpropaganda als wilde Horde geschildert wurden. Als das deutsche Heer 1915 Kurland besetzte, fand es nur noch zwei Fünftel der Bevölkerung vor. Von den Letten war rund eine halbe Million nach Norden geflohen.
Das Kapitel der reichsdeutschen Okkupationsverwaltung, zunächst in Kurland, sodann in dem bis zum Frühjahr 1918 nach und nach bis Reval und Narva besetzten Provinzen, ist nicht rühmlich. Es ist von der hochmütigen Einbildung beschattet, es werde möglich sein, trotz der offensicht-

lichen Niederlage im Westen wenigstens im Osten eine Beute davonzutragen, ein Siedlungsgebiet im alten Ordensland, in dem für die Rückführung einer ganzen Million deutscher Kolonisten vom Schwarzen Meer und von den Ufern der Wolga Platz zu finden wäre.
Das war eine merkwürdige Vorwegnahme von eigenwilligem Geschehen, das zwanzig Jahre später der Geschichte einer siebenhundertjährigen Kolonialbetätigung deutscher Menschen an der Grenze des Abendlandes ein Ende machte. Aber diese Träume von 1918 waren ebenso töricht wie die unbedachten Versuche von 1939 und erst recht wie die frevelhaften Pläne in den vierziger Jahren (z. B. Umbesiedelung Böhmens). Sie waren ein trauriger Rückfall in mittelalterlich-asiatische Methoden des Umgangs mit Menschenhaufen, die man wie Schachfiguren zu verschieben sich berechtigt glaubte. »Landnahme« durch Kultivieren der Wildnis ist Gottes Gebot: macht euch die Erde die Erde untertan. Aber Sippen, Stämme, Völker, Rassen fortzuschieben und umzupflanzen nach der Losung: ôte toi, que je m'y mette – das ist Frevel, der nicht ungestraft bleibt. –
Zweierlei soll aber doch gesagt werden, jene Kritik an der Verwaltung »Oberost« einschränkend, an deren Spitze *Hindenburg* stand. Sie verwandte beträchtliche Mittel für die Pflege sowohl des wirtschaftlichen wie des kulturellen Lebens gerade auch der Landbevölkerung. Zahlreiche Volksschulen wurden neu oder wieder eingerichtet und mit Lehrern in allen vier in Betracht kommenden Sprachen besetzt: lettisch, litauisch, polnisch, deutsch. Und erst recht wandte ihre Kirchenabteilung den protestantischen Kirchengemeinden in ihrem Bereich sorgfältige Pflege zu, sowohl denen in der geschlossenen Landeskirche Kurlands wie auch denen in der weit verstreuten Diaspora im einstigen Litauen.

12. Nach dem Zerfall des Zarenreiches

Der Untergang des kaiserlichen Rußland zog auch die Ostseeprovinzen des Reiches in den Strudel der Revolution. Vom damaligen Petrograd aus griff die bolschwistische Bewegung zeitweise auf die baltischen Länder über und brachte eine Flut von Not und Leid über seine Bewohner. Als es schließlich mit Hilfe deutscher Freikorps und, nach deren erzwungenem Abzug, mit Unterstützung der Westmächte gelungen war, eigene, souveräne Staaten zu errichten, fand sich die Kirche völlig veränderten Verhältnissen gegenüber. Bis 1918 war die Kirche als Landeskirche von Deutschen geführt worden, eng verbunden mit der ständischen Organisation der Provinzen. Nun waren auf der Grundlage der nationalstaatlichen Idee neue Staaten entstanden, in denen die Deutschen als eine völkische Minderheit lebten. Die Staatsform hatte sich gewandelt, an Stelle der ständischen Gliederung war die Demokratie getreten, die Ritterschaft hatte ihre bevorzugte Stellung verloren. Zwar war ihre Stellung in der Russifizierungszeit erschüttert worden, doch hatte sie noch immer ihren Einfluß bewahren können.

Die Ereignisse während der Revolution des Jahres 1905 aber hatten bereits gezeigt, daß sich im Lande neue Kräfte regten. So stand die Kirche vor einer doppelten Aufgabe: sie hatte die Spuren der Zerstörung, die Krieg und Revolution hinterlassen hatten, zu beseitigen, und sie hatte den veränderten Verhältnissen Rechnung zu tragen.

Die Kriegsschäden waren beträchtlich. Neben den Sachschäden, die für Liv- und Kurland auf 22 Millionen Goldmark geschätzt wurden, standen die personellen Verluste durch Krieg und Abwanderung. Von 196 Pfarreien waren 1919 nur noch 110 besetzt. Das Fehlen einer Kirchenleitung in den ersten Jahren des Neuaufbaus erschwerte diesen beträchtlich. Hier haben die Kirchenkreise (in Lettland »Sprengel«) eingegriffen und für die Besetzung der vakanten Stellen nach den gegebenen Möglichkeiten gesorgt.

Weitaus schwieriger war der Wiederaufbau der Kirchenleitung, denn hier galt es, den nationalen Wünschen der Letten und Esten Rechnung zu tragen. Manches, was in der Vergangenheit versäumt worden war, rächte sich nun. Die mangelnde Bereitschaft der Ritterschaft, die lettische und estnische Bevölkerung in den kirchlichen Fragen mitbestimmen zu lassen, das starre Festhalten an einem überlebten patriarchalischen System, hatte unter den neuen Staatsvölkern manches bittere Gefühl hinterlassen.

Dies erwies sich bald, als durch eine Verordnung der zeitweiligen Regierung in Lettland neue Konsistorien gebildet wurden. Sie setzten sich aus zwei weltlichen und zwei geistlichen Vertretern der Letten und je einem weltlichen und geistlichen der Deutschen zusammen. Dabei sollten der weltliche Präsident und der erste geistliche Vizepräsident ein Lette sein. In Anknüpfung an die Vorkriegseinteilung bestanden zwei Konsistorien, das kur- und das livländische, doch zeigte sich bald, daß diese Teilung die Arbeit nur unnötig erschwerte. So übernahm das livländische Konsistorium in Riga auch die Aufgaben des kurländischen.

Doch gelangte man auch in diesem Konsistorium nicht zu einer gedeihlichen Zusammenarbeit. Das Stimmenverhältnis gab den lettischen Vertretern die Überzahl, es kam zur Majorisierung der Deutschen. Die Forderung nach Autonomie für die deutschen Gemeinden wurde abgelehnt, die die deutschen Vertreter als Ausweg angestrebt hatten. Als sie schließlich keine Möglichkeit mehr sahen, gegen die nationalistischen Tendenzen der lettischen Vertreter die Belange der deutschen Gemeinden zu wahren, griffen sie zu einem letzten, verzweifelten Mittel: sie traten von ihren Ämtern zurück, ein stiller, aber deutlicher Protest. Doch auch das lettische Rumpfkonsistorium bestand nicht mehr lange. Als die Regierung im Herbst 1921 den katholischen Forderungen, die alte Jakobikirche in Riga »zurückzugeben«, nachzukommen beabsichtigte, legten seine Mitglieder ihre Ämter nieder.

Um der Kirche wieder eine verantwortliche Führung zu geben, erließ die lettische Regierung ein Gesetz, mit dessen Hilfe der Innenminister eine Synode einberufen konnte, die den Oberkirchenrat als Leitung der Kirche bestallen sollte. Auch er sollte doppelt so viele lettische Vertreter umfassen wie deutsche, eine Regelung, die für seine Arbeit nichts Gutes verhieß, denn auch auf der 1920 stattgefundenen Synode waren die Differenzen zwischen lettischen und deutschen Delegierten nicht zu überbrücken gewesen.
Es ist vor allem das Verdienst des lettischen Propstes *Karlis Irbe*, der, aus Rußland zurückgekehrt, die Führung der lettischen Kirche übernahm und durch seine maßvolle und ausgleichende Amtsführung die Zusammenarbeit herstellen konnte. Die Synode dankte es ihm, indem sie ihn zum Vorsitzenden des Oberkirchenrates, den deutschen Oberpastor *Peter Harald Poelchau* aus Riga zum Vizepräsidenten wählte. *Irbe* wurde im Verlauf der Synode zum Bischof der Evangelisch-lutherischen Kirche Lettlands, und, nach *Irbes* Vorschlag, *Poelchau* zum Bischof der deutschen Gemeinde von der Synode gewählt.
Die Arbeit an der Kirchenverfassung konnte erst 1928 abgeschlossen und von der Synode gebilligt werden; nachdem ein staatliches Gesetz die entsprechenden Voraussetzungen geschaffen, trat die Verfassung in Kraft. Danach gliederte sich die Kirche in Gemeinden unter einem Kirchenrat, die sich selbst verwalten, darüber stand die Organisation der Kirchenkreise unter Leitung des von der Kreissynode gewählten Propstes, und die höchste Stufe der kirchlichen Organisation bildete die Synode, die den Bischof und Oberkirchenrat wählte, Gesetze und Verordnungen gab. Träger des höchsten geistlichen Amtes war der Bischof. Es ist besonders der Arbeit von Bischof *Irbe* zu verdanken, daß in die Verfassung eine Regelung der Minderheitenkirche aufgenommen wurde, die den deutschen Gemeinden ein gewisses Maß an Autonomie im Rahmen der Landeskirche gestattete. Sie erhielten eigene Kirchenkreise und eine eigene Abteilung beim Oberkirchenrat, besaßen auch das Recht, die Ausbildung und Einsetzung der Geistlichen selbst zu bestimmen.
Diese Sonderregelung für die Deutschen hat immer wieder zu heftigen Angriffen seitens der lettischen Nationalisten Anlaß gegeben, besonders die Tatsache, daß den Deutschen ein eigener Bischof gewährt worden war. Auch die Synode selbst blieb von dem Nationalitätenstreit nicht verschont, da in ihr jede Gemeinde durch ihren Pastor und einen Laien vertreten werden konnte, was das zahlenmäßige Übergewicht der Letten bei den demokratischen Abstimmungen erhöhte. Als gar in den dreißiger Jahren die autoritäre Regierung ohne Befragung der Kirche und im Widerspruch zur Kirchenverfassung von 1928 einen Erzbischof einsetzte (1934), dem besondere Vollmachten eingeräumt waren, nahm der Nationalitätenkampf immer schärfere Formen an. Vorangetrieben wurde diese Entwicklung allerdings auch

durch deutsche nationalistische Kreise, die mehr und mehr von nationalsozialistischem Gedankengut beeinflußt wurden. Die Warnung, die die deutsche Pastorenschaft im Dezember 1938 an sie richtete, wurde überhört, und in der Folge kam es zu einer wachsenden Radikalisierung auf beiden Seiten, von der auch die Pastoren nicht immer frei blieben. Besonders im Streit um die Rigaer Domkirche wurde diese Spaltung der Kirche sichtbar und bewußt – und vertiefte sich damit noch mehr. Die Aussiedlung der baltischen Deutschen durch den Molotov-Ribbentrop-Vertrag löste diese Frage zwar, überantwortete Lettland und seine Kirche aber dem Bolschewismus.

Auch in dem zweiten baltischen Staat, Estland, erwuchs aus der Abtrennung vom russischen Reich und der Gründung eines souveränen Staates für die Kirche die vordringliche Aufgabe, eine neue Verfassung zu erlassen und das Verhältnis zum Staat neu zu bestimmen, denn die Lösung von Rußland bedeutete gleichzeitig das Ende der Gültigkeit der russischen Kirchengesetze. Nach der Befreiung des Landes von der Roten Armee wurde ein Kirchenkongreß einberufen, der sich mit der Neuordnung der Kirche befaßte, wozu auch die Eingliederung des nördlichen Livlands gehörte (das südliche fiel an Lettland). Der bedeutsamste Beschluß dieser konstituierenden Versammlung war die Abkehr vom Prinzip der Staatsreligion. Die Estnische Evangelisch-Lutherische Kirche sollte eine freie Volkskirche werden, deren Glieder aus freiem Entschluß ihr angehörten und nicht, weil die Rücksicht auf staatliche Verhältnisse es forderte oder als vorteilhaft erscheinen ließ. Die bislang bestehende Verknüpfung mit den staatlichen Interessen, die sich nicht immer als förderlich für die Aufgabe der Kirche und ihr geistliches Amt erwiesen hatte, sollte damit vermieden werden. Andererseits erhoffte man sich ein reges kirchliches Leben unter starker Anteilnahme der Gemeindeglieder, denen in der neuen Kirchensatzung manche Möglichkeit zur Beteiligung an den kirchlichen Aufgaben gegeben wurde, unter anderem wurde auch die freie Wahl des Pastors durch die Kirchengemeinde festgelegt.

Diese Regelung erfüllte jene Männer, die früher die Kirchenleitung ausgeübt hatten, mit Besorgnis, zumal sich das Konsistorium nur aus Esten zusammensetzte, die allerdings mit überwältigender Mehrheit gewählt worden waren. Die Bedenken richteten sich auch gegen die demokratische Wahl des Pastors durch seine zukünftige Gemeinde. Bestand nicht die Gefahr, daß die Interessen der deutschen Minderheit nicht gewahrt werden konnten? Daß ihre Wünsche einfach überstimmt würden? Die deutschen Vertreter äußerten ihre Sorgen, und durch schwedische Vermittlung wurde schließlich, ähnlich wie in Lettland, den Deutschen innerhalb der Kirche eine gewisse Autonomie zugestanden, ebenso auch den Schweden. Beide erhielten je eine der insgesamt 16 Propsteien.

Die Jahre bis 1925 waren von intensiver Arbeit an dem Auf- und Ausbau der Kirche gefüllt. Die Trennung vom Staat stellte die Gemeinden vor die Aufgabe, sich selbst zu erhalten, freiwillige Mitgliedsbeiträge und Spenden bildeten nun die finanzielle Grundlage. Die Frage der Gemeindevisitation wurde geregelt, die Auseinandersetzung um die Bekenntnisgrundlage abgeschlossen. Bei allen Beschlüssen galt der Grundsatz, daß die Leitung der Kirche in allen ihren Stufen von den Gemeindegliedern mitbestimmt werden solle, um in jedem Gläubigen das Bewußtsein zu erwecken, daß bei allen kirchlichen Dingen auch »seine Sache verhandelt werde«. Eine heftige Diskussion wurde noch um die Frage geführt, ob das Schwergewicht bei den Gemeinden oder der Kirchenleitung liegen solle, ob es also eine föderalistische Kirche, die aus dem Zusammenschluß der Gemeinden bestand, oder eine zentralistische mit größerem Einfluß der Kirchenleitung sein sollte. Diese Debatte, an deren Ergebnis besonders jene Kreise interessiert waren, die nicht in allen Dingen mit der Auffassung der Kirchenleitung übereinstimmten und sich von der föderalistischen Lösung eine größere Freiheit versprachen, wurde schließlich durch das »Gesetz über Glaubensgemeinschaften und deren Verbände« entschieden, das das estnische Parlament gegen Ende des Jahres 1925 verabschiedete. Die Entscheidung fiel zugunsten einer größeren Freiheit der Gemeinden. (In diesem Gesetz wurde auch die Trennung der Kirche vom Staat festgelegt. Damit fielen die bisherigen staatlichen Pflichten des Pastors weg, sie wurden von nun an durch Standesbeamte wahrgenommen.)

Die neue Ordnung aber zeigte bald Schwächen. Vor allem auf wirtschaftlichem Gebiet erwies sich die neue Freiheit der Gemeinden als zweischneidig. Für die Regelung dieser Fragen war die Vollversammlung der Gemeinde zuständig, die jedoch durch den oft schwachen Besuch die Möglichkeit boten, die Geschicke in eine Bahn zu lenken, die der Allgemeinheit wenig dienlich war. Auch die Freiwilligkeit der Entrichtung der Mitgliedsbeiträge, eine Bestimmung, die von idealistischen Männern im Vertrauen auf den guten Willen aller Mitglieder getroffen worden war, erwies sich als hinderlich und führte zu finanziellen Schwierigkeiten der Gemeinden. Dazu kam, daß die Kirchenleitung den Gemeinden für ihre Fragen nur Vorschläge unterbreiten konnte, eine Möglichkeit, aus tieferer Einsicht etwas anzuordnen, wenn die Gemeinde durch Parteibildung gehindert war, bestand nicht. So wurde, bald nachdem die neue Ordnung in Kraft getreten, der Ruf nach Abstellung der Mängel laut.

Im November 1933 erhielt Estland durch eine Volksabstimmung ein neues Grundgesetz, das dem Lande einen Präsidenten (»Staatsältesten«) gab, dessen Amt die Summe der Staatsgewalt besaß. Nachdem er eine neue Regierungsordnung verfügt hatte, machte sich unter der neuen, mit autoritären Zügen ausgestatteten Regierung auch ein Wandel in der staatlichen Einstellung zur Kirche bemerkbar. Eine mehr konservative Haltung, die der Wirklichkeit des jungen Staates mit seinem Mangel an Tradition Rechnung trug, brachte der Bedeutung der Kirche für diesen Staat mehr Verständnis entgegen als vorher. Dies fand seinen Niederschlag in dem neuen Gesetz, das nach intensiven Verhandlungen zwischen Regierung und Kirchen im Dezember 1934 erlassen wurde.

Dieses Gesetz stellte die Kirche in erheblichem Maße unter den Einfluß des Staates. Die Kirchenordnung bedurfte der Genehmigung durch die Regierung, höhere geistliche Amtsträger konnten nur mit Einwilligung der Regierung ihr Amt antreten, Geistliche auf Anordnung der Regierung von ihrem Amt entfernt oder an ihrer Amtsausübung gehindert werden, und die Regierung erhielt das Recht, die Tätigkeit von Kirchen und Religionsgemeinschaften zu überwachen, wenn diese gegen die staatliche Ordnung zu verstoßen schien, ja sie durch einen Kurator leiten zu lassen. Es bedeutete also die Gleichschaltung der Kirchen, wenn diese auch nicht so ausgeübt wurde wie 8 Jahre später, als die Sowjetunion den Staat annektierte.

Doch auch der Kirche erwuchsen aus dem Gesetz Vorteile. An Stelle des Föderalismus traten größere Rechte der Kirchenleitung; die Kirche erhielt auch das Recht, ausstehende Mitgliedsbeiträge notfalls durch staatliche Zwangsvollstreckung einzutreiben. Der Kirche als Einheit, verkörpert durch den Bischof, erwuchs ein weitaus größerer Einfluß auf die Gemeinden als bisher, so konnte sie Geistliche absetzen oder in andere Gemeinden senden. Die Beschlüsse der Kirchenversammlung waren für alle Gemeinden bindend, auch konnte sie in Angelegenheiten der Gemeinden eingreifen. Ähnlich wie im Bereich der Staatsneuordnung prägte sich auch hier ein stark zentralistischer Zug aus. Für den Staat selbst bot das neue Gesetz den Vorteil, daß er sich nicht mehr mit den selbständigen Gemeinden und ihren vielfachen, von einander abweichenden Wünschen und Absichten auseinanderzusetzen hatte, sondern sich an die Person des Bischofs halten konnte, der zur Ausübung seiner Aufgabe mit größerer Macht ausgestattet worden war.

Die Lage der Deutschen gestaltete sich in Estland ähnlich wie in Lettland. Besondere Schwierigkeiten erwuchsen den deutschen Theologiestudenten, denn durch die freie Wahl des Pastors durch die Gemeinde wurden die estnischen Pfarreien mit estnischen Geistlichen besetzt. Als Folge davon ging die Zahl der in Dorpat (Tartu) immatrikulierten deutschen Theologiestudenten immer mehr zurück. Dieses Absinken ist symptomatisch für die Stellung, die das Deutschtum innehatte. Von der ehemals allein politisch und kulturell tragenden Schicht war es zu einer Minderheit herabgedrückt worden, die in der Zeit des hypertrophen Nationalismus – ähnlich wie in Lettland – schwer um ihre Behauptung zu ringen hatte. Die Rücksiedelung nach Deutschland 1939/40 nahm zwar diese Belastung von ihnen, stellte sie aber vor die Aufgabe, sich in eine bereits bestehende kirchliche Ordnung einzufügen, eine Aufgabe, die mit dem guten Willen beider Seiten, der Heim-

kehrer und der Ansässigen, in Angriff genommen wurde und heute als gelöst betrachtet werden darf.
Zurück blieb in den baltischen Landen die estnische und lettische evangelische Bevölkerung, die nun, nach der Annexion ihres Staates durch die UdSSR, einer brutalen antikirchlichen Politik ausgesetzt war, über die die Greuel des Zweiten Weltkriegs hinwegging, und die, trotz Not und Verfolgung, dennoch ausgeharrt hat und auch heute im Rahmen des in einem kommunistischen Staate Möglichen bei ihrer Kirche und dem Wort Gottes weiterhin ausharrt und die ihr auferlegte Prüfung mit Geduld und Standhaftigkeit trägt.

III. POLEN

1. Aufstieg der Reformation

Für einen Siegeszug der Reformation im Raum des polnisch-litauischen Reiches war der Boden gut vorbereitet. Nirgends außerhalb der böhmischen Länder hatte der Husitismus so zahlreiche, weithin ausgestreute Stützpunkte gewonnen wie hier. Sie häuften sich in Großpolen und Kujawien; in Kleinpolen und im nördlichen Litauen sah es gewiß nicht viel anders aus. Fragt man, wie es dazu kommen konnte, so wird darauf hinzuweisen sein, daß in Polen das Kelchsymbol der husitischen Fahnen voll verständlich war. Die Verbindung mit Litauen hatte den Polen drastisch vor Augen gestellt, daß man auch ein Christ sein könne, ohne dem Papst und seiner Hierarchie zu unterstehen, ohne vom Kelch beim Abendmahl abgesperrt zu sein, ohne das fremde Latein in der Messe, ohne den Zölibat der Priester. Denn das alles fand sich bei dem größten Teil der Bevölkerung des litauischen Großfürstentums vor, bei den ostslavischen Weißruthenen (um Minsk) und Ukrainern (um Kiev).

Allerdings wird die dumpfe dörfliche Masse der Polen davon und auch von dem, was sich seit 1517 in Westeuropa an Umwälzungen zutrug, kaum etwas erfahren haben. Nur die geistig wachen Stadtbürger und die Adelsschicht waren gegenüber dem Weltgeschehen aufgeschlossen und spürten, das alles gehe auch sie an.

Aber da geschah etwas Erregendes. Auch die Unterschicht bis zum Lastträger in der Stadt und zum Frohnknecht auf dem Gut bekam ein Stück Weltgeschichte auf der Straße vor Augen gestellt. Was war geschehen?

Nach dem Schmalkadischen Krieg (1546/47) und dem Passauer Vertrag (1552) zogen dreimal lange Wagenreihen, geführt und beladen von mehreren Tausend evangelischer Flüchtlinge aus Böhmen und Mähren durch Polens Landschaften und ließen sich, von gleichgesinnten Gutsherren willkommen geheißen, in Dörfern und Städten nieder. Es gab viel Fragen und manches Erzählen; die beiden Sprachen standen damals einander noch so nahe, als seien sie nur Dialekte. So also sahen die vielgeschmähten Ketzer, die von bösen Gerüchten umsponnenen „Husiten" aus. Was sangen sie doch für fromme Lieder! Man bestaunte ihre brüderliche Gemeinschaft in Fleiß und Genügsamkeit, in helfendem Dienst und strenger Sittenzucht.

Einer der Anführer der tschechischen Exulanten, *Georg Israel*, war der theologische Vermittler des Unitätsprotestantismus für die polnische Adelswelt. Bald bildeten sich in dieser eigene Brüdergemeinden mit jener eigenartigen

Verbindung lutherischer und kalvinischer Gedanken und Lebensformen auf der Basis einer hundertjährigen Geschichte voll Not und Geduld, voll Tapferkeit im Diesseits und voll Sehnsucht nach dem Jenseits.
Ein unmittelbarer Strom evangelischer Erweckung war schon vorangegangen. In den Großstädten des ganzen Staates hatten die deutschen Bürger aufgehorcht, als der Aufruf aus Wittenberg an ihr Ohr drang: verändert euch (reformamini) durch Erneuerung des Sinns (Röm. 12, 2). Überall, von Danzig bis Wilna, von Krakau bis Lemberg zündete das Beispiel der Nachbarn im Westen. Noch dringlicher lockte das Große, das im Norden geschah, ganz dicht vor Polens Tür: Ostpreußen, Kurland, Livland verwandeln ohne Umstände ihr eigenartiges Ordens- und Bischofssystem in lutherische Landeskirchen mit weltlichen Oberherren unter Ausschließung auch nur der geringsten Reste der katholischen Vergangenheit. Warum konnte das nicht auch in Polen geschehen?
Dazu hätte ein führungsstarker König da sein müssen, nach dem Beispiel des großen *Kasimir III.*, und weiter ein einiges Adelsparlament ohne Zwiespalt der überreichen Magnaten neben den Bauernbaronen auf ihren Klitschen und ohne den rechthaberischen Eigensinn trotzigen Adelstolzes. Dagegen stand auch die wohlgeordnete Hierarchie, die vielen Bischöfe und Pröpste mit ihrem Reichtum an Gütern und hörigen Bauern, an Palästen und Instituten, die ganze Priesterschaft mit dem großen wie dem kleinen Adel versippt, dazu seit dem Tridentinum geistig und geistlich aufgefrischt und dem Papst umso williger gehorsam, je drastischere Beispiele radikalen Umsturzes aus großen Teilen Europas gemeldet wurden.
Aber es gab doch auch das Beispiel friedlichen Nebeneinanders der alten und der neuen Form christlichen Kirchenlebens. Auf Schmalkalden zum Beispiel war im Heiligen Römischen Reich über Interimsversuche der Augsburger Religionsfriede (1555) gefolgt.
In Polen hatte den engherzigen *Sigismund I.* 1548 sein junger Sohn *Sigismund II. August* abgelöst. Zweierlei wußte alle Welt von ihm: er war ein kenntnisreicher Humanist; welch eine großartige Bibliothek hatte er sich zusammengekauft! Auch hatte er, als Statthalter des Großfürstentums in Wilna residierend, die Torheit derer erkannt, die meinten, ein Staat müsse zugrunde gehen, wenn seine Untertanen nicht auch in Glaubensdingen ganz gleich stünden; denn die Mehrheit der Völker Litauens gehörte der Ostkirche an. Die polnischen Adelsherren wußten noch mehr von ihm: in Wilna hatte der Kronprinz recht freimütigen Umgang mit den litauischen Magnaten geführt, unter denen es nicht an Fürsten fehlte, deren Latifundien so ausgedehnt und auch so ertragreich waren, daß sie sich den König zum Schuldner machen konnten. Es war ihm gleich, ob sie polnischer oder – gleich ihm – litauischer Abkunft waren oder ob sie gar wie Fürst *Ostrożkyj*, einem der beiden reußischen Völker im Süden des Großfürstentums entstammten und darum

in der Ostkirche beteten. Auch Lutheraner, Kalviner, Brüderische waren seine Partner in freundschaftlichen Gesprächen über Religionsfragen gewesen. Von ihm brauchten die Anhänger der Kirchenreform keine Härte im Widerspruch zu fürchten.

So waren es nicht nur die Magistrate der deutschen Städte in ihrer schwer antastbaren Autonomie, die kurzerhand die Pfarrherren entließen, die sich nicht reformieren wollten, und solche an deren Stelle setzten, die lutherisch zu predigen bereit waren. Auch die polnischen Edelleute nahmen nach vielfachem Vorbild als Patrone ihrer »Eigenkirchen« das *ius reformandi* in Anspruch.

In kurzer Zeit verwandeln ganze Landstriche ihr Gesicht, in Westpreußen und Großpolen fast ausschließlich nach lutherischem Muster, in Litauen und Kleinpolen ziemlich restlos nach reformierter Art. Nur Masowien versagte sich ganz; es wurde bis 1550 noch von Piasten regiert und führte ein abgesondertes, autonomes Leben.

Will man, späteren Darlegungen vorgreifend, hier schon Namen nennen, die in keinem Buch der polnischen Kirchengeschichte fehlen dürfen, so sind es – mit einer Ausnahme – nur Nicht-Theologen und nur Glieder des hohen Adels, denen dies gebührt.

Die Ausnahme gilt dem Namen *Jan Laskis (Johannes a Lasko)*; sein Träger, dem Städtchen Lask (zwischen Kalisch und Warschau) entsprossen wie seines Vaters Bruder, der seit 1517 als Primas Poloniae auf dem erzbischöflichen Stuhl in Gnesen saß, war aus Studien in Italien nach Basel zu *Erasmus* gekommen und 1539 im holländischen Löwen Kalvinist geworden. Seiner Heimat hatte er sich ganz entfremdet. Das den Niederlanden geistig nahestehende Ostfriesland zog ihn an; er führte dort die Reformation der Gemeinden durch und ging dann nach London, zur Gründung einer niederdeutschen Flüchtlingsgemeinde. Schließlich wurde er der Vater einer polyglotten reformierten Gemeinde in Frankfurt am Main. Erst seine letzten drei Lebensjahre verbrachte er wieder in Polen, von seinen dortigen Glaubens- und Standesgenossen gerufen, um in häßlichen und schädlichen Streitigkeiten schlichtend und versöhnend zu wirken. Damit hatt er im Bereich des Kalvinismus guten Erfolg; er organisierte die reformierten Gemeinden in einer Synodalverfassung. Die Lutheraner und die Brüder standen ihm kühl gegenüber. In der Theologiegeschichte des polnischen Volkes hat er keinen Platz; aber sein Geschick im Ordnen von Gemeinden, im Zähmen des theologischen Zentrifugalstrebens ist hoch zu würdigen.

Unter den hochadligen Anführern des polnischen Kalvinismus überragt das Fürstengeschlecht der *Radziwill* alle andern. Fürst *Nikolaus*, »der Schwarze«, war unermeßlich reich; er konnte sich eine eigene Truppe halten und mit ihr gegen die Tataren Krieg führen. Er genoß hohes Ansehen am Königshof; *Sigismund II. August* heiratete eine *Radziwill*. Ihm widmete der Fürst eine polnische Bibel, die er von mehreren Gelehrten in vieljähriger Arbeit unter großen Geldopfern hatte anfertigen und drucken lassen (1563). Mit dem lutherischen Herzog *Albrecht* von Ostpreußen stand er unbeschadet seines Kalvinismus in engem freundschaftlichem Austausch über kirchliche Anliegen.

In Gefolgschaft der Großfamilie *Radziwill* nahm fast der ganze bisher katholische Adel Litauens die Reformierung ihrer Dörfer und abhängigen Städte vor; er stieß dabei auf keine großen Schwierigkeiten. Meist waren die Priester bereit, die Neuerung mitzumachen. Vor Maßregeln der Bischöfe schützte sie die Autorität ihrer Grundherren. Die ländliche Masse war an Gehorsam gewöhnt und folgte jetzt dem Ruf zur Predigt, wie sie sich später wieder zum Beichtstuhl rufen ließ. Von *Radziwills* Hilfsbereitschaft auch für Lutheraner und Brüder sowie von seiner Opferwilligkeit für die Erbauung des ersten aus reformatorischer Raumplanung gestalteten Gotteshauses, der steinernen Kirche in Wilna, werden wir hören (siehe S. 206ff.). Hier aber muß noch etwas Besonderes gemeldet werden. Der Fürst wußte, wie nötig es sei, für den Aufbau der Glaubensgemeinschaft theologische Denker und Lehrer heranzuziehen. Wo er solche fand, förderte und schützte er sie, holte sie auch aus der Ferne heran. Zeugnis dessen wurde die erste kirchliche Bildungsstätte des polnischen Kalvinismus, die er 1570 in Radziejów gründete. An ihr wirkte 40 Jahre hindurch der aus Halle berufene *Valentin Cario* erfolgreich.

Auch den Lutheranern und den Gliedern der Unität fehlte es nicht an Führung und Förderung aus dem Hochadel. In Großpolen war eine reiche Grafenfamilie das lutherische Gegenstück der *Radziwills*. Der auch bei Hof sehr angesehene Graf *Andreas Gorka* hegte die Hoffnung, die ganze Kirche Polens werde sich nach Luthers Grundgedanken reformieren. Darum berief er zwei namhafte deutsche Theologen nach Posen: *Andreas Samuel* und *Johannes Seclutian*. Doch vermochte er nicht, die Ausländer vor dem Schicksal der Ausweisung zu retten, obwohl doch ihr Verbleiben dringend nötig gewesen wäre. Er konnte ihnen wenigstens zur Übersiedelung nach Ostpreußen verhelfen. Dort leisteten sie dem Herzog *Albrecht* bei der Durchführung der Reformation wertvolle Dienste. Graf *Andreas* schickte seine drei Söhne zum Studium nach Wittenberg, obwohl das streng verboten war. Er starb leider schon 1551 und seine Söhne blieben kinderlos, so daß die großen Güter an eine katholische Nebenlinie kamen. Doch fehlte es nicht an Ersatz für den Schutz und die Ordnung der Gemeinden; die polnischen Adelsfamilien der *Leszczyński*, *Krolański* und *Opoleński* seien genannt und die deutsche der Herren *von Unruh*. Die von den böhmischen Exulanten zunächst nur für sich selbst gegründeten Unitätsgemeinden blieben nicht allein. Sie hatten unter den Einheimischen nicht wenig Missionserfolg, unter den Deutschen bei Bauern und Kleinbürgern, bei den Polen im Adel und unter den Intellektuellen.

Die Grafen *von der Lissa* wurden die Stammherren alles dessen, was sich in der von ihnen gegründeten Stadt Lissa an evangelischem Gemeindeleben entwickeln konnte in vorbildlicher Eintracht der drei Kirchenformen in drei Sprachen. Man nahm es dabei nicht übel, wenn von einer Gruppe zur anderen ein Wechsel stattfand, wie etwa die Fürsten *Ostrożkyj* zum Luthertum übergingen und ganze brüderische Gemeinden im Kalvinismus aufgingen. Um 1570 zählte die Unität 64 Gemeinden mit einigen Predigern, meist aus dem Laienstand und größtenteils in Großpolen.
Die Verbindung der Gemeinden war zunächst recht lose; man trat zu Synoden zusammen, besprach sich und half sich, hielt aber am Independentismus fest; die Unterschiede – auch innerhalb der drei Gruppen – waren nach Ursprung, Wirtschaftslage und geistlichem Gehalt recht groß.
Als im benachbarten Reich der Deutschen durch den Religionsfrieden von Augsburg 1555 eine, wenn auch nicht gerade glückliche Ordnung aufgerichtet wurde, empfand man im Protestantismus Polens mit seinen vielen Hunderten von Gemeinden, daß es nötig sei, die Rechtslage zu klären und zu fixieren. Mehrfach schon hatten sich Synoden damit beschäftigt, und auf Reichstagen waren von den evangelischen Ständeherren Wünsche formuliert worden, denen die katholische Minderheit nicht widersprach.
Als 1569 durch die Lubliner Union die bisherige Personalunion der beiden Reichshälften in eine Realunion verwandelt wurde, waren die Protestanten besorgt, daß der politischen Einheit der Versuch folgen werde, auch die konfessionelle Einheit herzustellen. Schon wurden die Sonderrechte im »Königlichen Preußen«, insbesondere in Danzig, eingeschränkt; der alternde König ließ den Hierarchen freie Hand beim Vordringen in das 1561 seinem Reich eingegliederte Livland mit seiner lutherischen Landeskirche (siehe S. 34ff., 47ff.); außerdem war er kinderlos und eine Königswahl konnte Überraschung bringen. Es war Zeit, die Rechtslage des gesamten Protestantismus in Ordnung zu bringen. Aber wer sollte als dessen Vertreter dem König und dem Senat zur Verhandlungspartnerschaft gegenübertreten? (Im Senat hatten dank den Virilstimmen der Bischöfe die Katholiken immer noch die Mehrheit).
1569 traten die protestantischen Synoden zusammen zur Herstellung einer kirchenpolitischen Einheitsfront. Im Januar 1570 kam diese in Sandomir zustande. Der Consensus Sandomiriensis wurde den Universitäten Heidelberg, Leipzig und Wittenberg zur Begutachtung vorgelegt; die Reformierten der Pfalz, die Lutheraner Sachsens und die Philippisten (Melanchthonianer) der Lutherstadt fanden ihn unbedenklich.
Der Consensus basierte auf dem Trinitätsdogma, schloß daher die »kleine Kirche« der »Polnischen Brüder« (unitarische Sozinianer) aus. Er umfaßte zwei Drittel Kalviner (je zur Hälfte in Kleinpolen und Litauen) und fast ein Drittel Lutheraner (meist in Großpolen, zur Mehrheit deutscher, dann polnischer,

auch manche litauischer Sprache); den Rest füllten die »Böhmischen Brüder«. Unter einer etwas undeutlichen, von allen gebilligten Abendmahlsformel anerkannte man sich gegenseitig die Rechtgläubigkeit, auch versprach man einander Hilfe in weltlichen und Förderung in geistlichen Anliegen.
Als nach dem Aussterben der Jagiełłonendynastie 1573 der Wahlreichstag zusammentrat, schlossen die im Consensus vereinigten Adligen eine Konföderation und legten dem Sejm einen Friedensvertrag *(Pax dissidentium)* vor. Der fand allgemeine Zustimmung; der Widerstand der bischöflichen Stimmen blieb unbeachtet. Das war der historisch so bedeutsame Erste Warschauer Traktat, dem nach fast 200 Jahren ein zweiter, geschichtlich noch viel bedeutsamerer nachfolgte.

2. Der Rückschlag

Wenn in der Reformationsgeschichte Polens von Gegenreformation gesprochen wird, so ist damit etwas anderes bezeichnet als das, was in den auf die Reformation folgenden Zeiten anderwärts geschah, etwa in Frankreich (Bartholomäusnacht) oder in Böhmen nach 1620 (siehe S. 240ff.). Eine von der Kirche gesteuerte, von der Staatsgewalt durchgeführte Ausrottung des Protestantismus fand in Polen nicht statt. Gewiß war *Sigismund I.* sein Feind; schon 1523 bedrohte er die Einfuhr protestantischer Schriften mit der Todesstrafe, 1526 hielt er grausames Gericht über die Danziger Bürgerschaft, die den Bischof von Kujawien aus der Stadt gejagt hatte, und nicht einmal der Kniefall des aus Königsberg herbeigeeilten Herzogs *Albrecht* konnte ihn davon abbringen, ein Vorspiel des späteren Blutgerichts von Thorn (siehe S. 132) auf dem Platz vor dem Artushof zu vollführen. Oft haben katholische Priestersynoden und bischöfliche Gerichte Beschlüsse gefaßt und Urteile gefällt, durch die das jung aufflackernde Feuer der Kirchenerneuerung erstickt werden sollte. Sie blieben ohne ernsthafte Folgen. Papst *Paul IV.* hielt es für nötig, dem König einen Brief durch einen angesehenen Boten zu schicken, in dem er ihn aufforderte, gegen die »Ketzer« vorzugehen. Es kam auch gar nicht selten vor, daß die Staatsorgane voll Genugtuung zusahen, wenn der Pöbel evangelische Gottesdienststätten und gar Kirchen zerstörte; aber das alles war noch keine eigentliche Gegenreformation; denn die »Gedankenfreiheit« des Einzelnen war unangetastet und evangelischer Gottesdienst war überall grundsätzlich unverboten. Nun stellte gar der Thronwechsel von 1548 einen König an die Spitze des Reiches, der als gebildeter Humanist der Austragung konfessioneller Streitigkeiten durch Gewalt nicht geneigt war. Er überließ es dem Gewissen des Einzelnen, wozu er sich bekennen wollte. Ja, schon unter seinem Vater konnte ein ganzes der Krone Polen lehenspflichtiges Land abtrünnig werden, sich von Rom lösen, ohne daß der König Einspruch erhoben hatte. Es war das Land des

Deutschen Ritterordens, das sein Hochmeister *Albrecht*, ein Kirchenfürst von hohem Rang, unmittelbar der Kurie unterstehend, 1525 evangelisch machte. Er säkularisierte seinen geistlichen Staat und ordnete sämtliche Gemeinden einer lutherischen Landeskirche unter, wobei er selbst Herzog von »Preußen« wurde.

Sigismund II., dessen toleranter Humanismus uns bekannt ist, zögerte nicht, sich an der Aufteilung des Schwertritterlandes zu beteiligen. Er fügte seiner Lehenshoheit über Ostpreußen eine gleiche über Kurland hinzu, als der Ordensmeister *Gotthard Ketteler* dem Vorbild seines Hochmeisters 35 Jahre später nachfolgte. Und noch ein drittes rein evangelisches Land gewann er bei der Aufteilung der baltischen Territorien. Livland konnte er sogar unmittelbar seinem Königreich einverleiben, ein Gebiet von großer wirtschaftlicher Kraft und voll blühenden Geisteslebens.

Bei solcher Ausbreitung des politischen Interessenkreises über große Länder mit festeingewurzeltem Protestantismus schien der Gedanke undenkbar, es sei zu erstreben, wenigstens in dem nichtorthodoxen (pravoslavischen) Teil der Christenheit des Gesamtstaates die einstige katholische Einheitskirche zu restituieren.

Wie kam es aber trotzdem zu Vorgängen gegenreformatorischer Art und papstkirchlichen Erfolges?

Als mit *Sigismund II.* die jagiellonische Dynastie ausstarb, wurde Polen eine Adelsrepublik mit Wahlkönigtum. Nach der Episode des Anjous *Heinrich v. Valois*, der nach 4 Monaten Regierens heimlich nach Frankreich zurückkehrte, kam der magyarische Siebenbürger *Stephan Báthory* auf den polnischen Thron, der aus seiner Heimat davon wußte, daß ein Staat nicht daran zugrunde gehe, wenn er mehrere Religionen gleichberechtigt in seiner Mitte dulde. Aber nach ihm erwuchs für Polens inneren Frieden eine unheimliche Gefahr.

Sie lag in dem Ausgang der Königswahl von 1586, die auf den ältesten Sohn des schwedischen Königs fiel. Der hatte die Jagiełłonin *Katharina* zur Mutter, war polonisiert und katholisiert worden und fand trotzdem die Zustimmung auch der Protestanten im Wahlkörper, die allzu fest auf die Magna Charta der *Pax Dissidentium* vertrauten. Mit ihm begann die unglückselige Wasa-Zeit, die den polnischen Staat an den Rand des Abgrunds führte. Die noch viel unglückseligere Sachsenzeit – hundert Jahre später – stieß den Staat dann in den Untergang hinab, in das Schicksal der Teilungen und völligen Auflösung. Beide Dynastien, die drei Wasas und die beiden Sachsen, hatten dem evangelischen Glauben ihrer Stammväter den Rücken gekehrt und wurden Träger aller der gegenreformatorischen Geschehnisse, von denen nun zu berichten ist.

Mit einem starken Heer zog der König über Livland und Estland gegen Schweden, um seinen 1594 gestorbenen Vater zu beerben und die Thronfolge anzutreten. Die Gefahr der Rekatholisierung aber ließ die Schweden sich zusammenfinden. Sein jüngerer Bruder führte das schwedische Heer, der spätere Schwedenkönig *Karl IX.*, doch erst sein Sohn *Gustav II. Adolf* konnte den langwierigen Krieg – für Schweden siegreich – zu Ende führen. Riga ergab sich 1621, bald hielt Schweden den ganzen Ostseerand von Danzig an in der Hand.

Ebenso erfolglos war *Sigismunds* Krieg im Osten; er kostete des Landes Blut und ruinierte seine Wirtschaft. Die *Demetrius*-Wirren im Moskauer Staat hatten wohl auch polnisch-katholische Missionsgedanken zum Hintergrund. War es 1596 auch gelungen, in Brest fünf weißruthenische Bistümer und dazu die Metropolie Kiev durch Kirchenunion der Oberhoheit Roms zu unterstellen, Moskau wollte sich nicht latinisieren lassen, und in Litauen verbündeten sich orthodoxe Magnaten 1599 im Vertrag von Wilna mit dem protestantischen Adel zur gemeinsamen Abwehr der ihrem Glauben drohenden Gefahr (siehe S. 114f.).

Diese Gefahr stammte aus der Lücke, die der Warschauer Vertrag gelassen hatte. Er garantierte nur dem Individuum die Freiheit und schloß in sich nur den Bestand der im Jahre 1573 bestehenden Gemeinden, bedrohte aber auch für diese den Besitz der Gotteshäuser und kirchlichen Liegenschaften, die einst ohne weiteres übernommen worden waren, als die Gemeinden sich (oft mitsamt ihren Priestern) reformierten. Unzählige Prozesse wurden nun um das Eigentum geführt; unzählige Kirchengebäude wurden wieder katholisiert, oft ohne daß eine Gemeinde für sie da war.

Einen anderen Weg, auf dem die polnischen Adelsherren zur Rückkehr in die Kirche gelockt werden konnten, bot das Recht des Königs, in die Verwaltungsämter Leute seines Vertrauens zu rufen. Bald begann der Bestand der treu bleibenden Schlachtizen abzubröckeln; bei den einen handelte es sich ums Vorwärtskommen in der Laufbahn, bei anderen stand die Existenz in Frage. Immerhin hat *Sigismund* noch kein drastisches Mittel angewandt, war er doch durch seine Kriege mit ihren weitgesteckten Zielen an den Grenzen so beschäftigt, daß er sich um die kleinen Dinge in der Heimat nicht viel kümmern konnte.

Daraus zog sein Sohn und Nachfolger *Władisław IV.* die Lehre, daheim Frieden zu halten, um draußen kämpfen zu können. Sein mildes und gerechtes Regieren sicherte ihm den Rückhalt an der gesammelten Kraft der Edelleute aller Konfessionen im Reich bei der Abwehr der Gegenstöße des östlichen Feindes in den schlimmen, die Mitte Europas verwüstenden Jahren seiner Regierung von 1632 bis 1648.

Erst als er kinderlos starb, begann ein neuer Abschnitt gegenreformatorischen Drängens und Stürmens, verbunden mit katastrophalem Niedergang des kulturellen Lebens, in dem das »Goldene Zeitalter Polens« sein betrübliches Ende fand.

Die beiden noch lebenden Männer aus der polnischen Wasalinie, Brüder des Königs, waren vom Glaubenseifer des Vaters angefacht, Priester geworden; der eine hatte ein Bistum gewonnen, der andere hatte es zur Kardinalswürde gebracht. Der Kardinal kandidierte bei der Königswahl; der Papst war bereit, ihn von den Weihen und vom Zölibat zu dispensieren. Noch immer war trotz manchem Abfall der Anteil der Protestanten im für die Königswahl zuständigen Reichstag sehr beträchtlich; sie hätten verhindern können, daß einem Manne des Papstes das Geschick des Landes anvertraut wurde, aber sie ließen sich von den Katholiken ins Schlepptau nehmen. Der Priester wurde 1648 als *Johann Kasimir* gekrönt und steuerte das Staatsschiff ins Verderben. Polnische Historiker kennzeichneten seine Regierung mit den Initialen seines Titels »Johannes Casimirus Rex« als »initiator calamitatum regni«, Urheber der Kalamitäten des Reichs. Sie denken dabei an die beiden großen Land- und Menschenverluste, die seine katholische Expansionspolitik mit sich brachte. Ein groß angelegter Feldzug nach Osten mit den gleichen Zielen, wie *Sigismund III.* sie sich gesteckt hatte, endete kläglich. Nur durch ein großes Landopfer, das auch den Verlust von Kiev, der »Mutter der ostslavischen Staatswerdung«, in sich schloß, konnte er sich einen Waffenstillstand – auf dreizehn Jahre beschränkt – erkaufen (Andrusovo 1667). Verdrossen über sein Unglück legte er bald darauf seine Krone nieder. Aber auch das andere rechnet man zu Kasimirs folgenschweren »Kalamitäten«: als 1618 die herzogliche Hohenzollernlinie ausstarb, meint man heute in Polen, hätte er alles dransetzen müssen, um seinem »Königlichen Preußen« das »Herzogliche« hinzufügen. Im Besitz von Ost- und Westpreußen, dazu der Herrschaft über Kurland und Livland wäre Polen die stärkste Ostseemacht geworden, die auch *Peter der Große* nicht hätte abdrängen können. Seine sture auf Katholisierung zielende Innenpolitik war ein gutes Teil mit daran schuld, daß er 1660 im Frieden zu Oliva Ostpreußen an Brandenburg abgeben mußte. Die weitherzige Konfessionspolitik des Großen Kurfürsten siegte über die Engstirnigkeit der gegenreformatorischen Kurialpolitik, deren Diener die Polenkrone trug.

3. Der Rest

Wiederholt ist auf die Frage, warum im 16. Jahrhundert der evangelische Pole sich vom Luthertum abgewendet und dem Kalvinismus zugekehrt habe, die Antwort gegeben worden, dieser sei die der polnischen Seele allein kongeniale Gestalt evangelischen Glaubenslebens gewesen. Diese Antwort ist nicht richtig; sie wird durch den Blick auf den Bestand widerlegt, den sich ein polnisch-sprachiges Luthertum in fester Kirchenform vier Jahrhunderte hindurch hat bewahren können, indes der Kalvinismus in Polen zu einer schwer am Leben zu erhaltenden Diaspora zusammenschrumpfte.

Daß sich ein polnisch-sprachiges Luthertum mit stattlicher Seelenzahl aus dem Reformationsjahrhundert bis in das unsere geschlossen erhielt, das geschah allerdings nur außerhalb der Grenzen des polnisch-litauischen Staats. Polnische Lutheraner gibt es bis heute in dem Teil Schlesiens, der bis 1918 zur Habsburgischen Donaumonarchie gehörte, gibt es – neuerdings durch Abwanderung dezimiert – noch immer in Masuren, dem Südteil des einstigen Ostpreußen.

Dazu möge der parallele Fall des litauischen Luthertums hier noch herangezogen werden, dessen Bestand im 19. Jahrhundert – teils in Kongreßpolen, teils in der Diözese des Generalsuperintendenten von Kurland – lediglich der dauernden Existenz eines stammessprachigen Luthertums im Herzoglichen Preußen zu verdanken ist.

Der Südosten Schlesiens mit seiner aus Polen und Deutschen gemischten Bevölkerung hatte sich unter der Herrschaft der letzten Piasten weithin der Reformation erschlossen. Als 1617 die Habsburger auch noch die Herzogtümer Troppau und Teschen erbten und nach 1620 ganz Schlesien in die österreichische Gegenreformation hineinzogen, stießen sie hier auf zähen Widerstand. Von radikaler Ausrottung der »Ketzerei« wie in Böhmen konnte in Schlesien nicht die Rede sein. Im Westfälischen Frieden 1648 wurde die Rückgabe vieler älterer und die Erbauung einiger neuer »Friedenskirchen« in Schlesien zugestanden. Dann sicherte 1706 der vom Schwedenkönig *Karl XII.* erzwungene Vertrag von Altranstädt (bei Leipzig) die Errichtung mehrerer »Gnadenkirchen«, deren größte die berühmte »Jesuskirche« in Teschen war. Sie mußte einer Gemeinde von 40000 Seelen dienen, die mit ihren drei Emporen über dem gestreckten Langschiff für 8000 Teilnehmer Platz bot. Zwei Drittel der Gemeinde wurden in Liturgie und Predigt, in Seelsorge und Unterricht auf polnisch betreut, das restliche Drittel stellten die Deutschen.

Der polnische Volksteil Oberschlesiens hatte sich in den Jahrhunderten seiner Zugehörigkeit zu Österreich dem Staat seiner Abstammung politisch entfremdet, wenn auch nicht kulturell und besonders nicht sprachlich. Man wollte nicht mehr Pole heißen, sondern nannte sich Schlonsak, d. h. Schlesier. Als in der zweiten Hälfte des 19. Jahrhunderts eine Irredenta-Bewegung die katholischen Slovaken aufsässig machte, hielten sich die Schlonsaken davon fern.

Nach der Teilung Schlesiens zwischen Preußen und Österreich (1763) gab es auf beiden Seiten evangelische Gemeinden polnischer Gottesdienstsprache (schlonsakisch). Die Gemeinden im Gebiet von Troppau und Teschen wurden nach 1781 in die »Mährisch-Schlesische Superintendentur« eingegliedert, in der die Pfarrer dreisprachig (polnisch, deutsch, tschechisch) zu amtieren hatten. (Im heutigen Polen hat die lutherische Kirche an den Schlonsaken ihren stärksten Rückhalt).

Etwas anders lagen die Umstände, denen die Erhaltung der zweiten genuin polnischen Gruppe des Protestantismus zu danken ist. Bei den Masuren im »Herzoglichen Preußen« bedurfte es keines fremden Eingreifens wie in Schlesien, um die Gegenreformation abzuwehren, und die katholische Enklave des Ermlandes bedeutete keine Gefährdung.

Die schon im 14. Jahrhundert von den Rittern des Deutschen Ordens aus dem benachbarten Masowien herübergeholten und in der schönen Landschaft an der waldreichen Seenkette angesiedelten Bauern waren nach 1526 genau so automatisch Lutheraner geworden wie die Ordensherren selbst nach der vom Hochmeister vollzogenen Säkularisation seines Kirchenstaats und wie die deutschen Kolonisten, die im Gefolge der Ritter an der Landnahme, Befriedung und Missionierung des Pruzzenlandes teilgenommen hatten.

Weder den Ordensrittern noch den Herzögen, noch den an deren Stelle tretenden brandenburgischen Kurfürsten (später preußischen Königen) war es eingefallen, die Masuren zu germanisieren, am allerwenigsten etwa die reformatorisch erneuerte Kirche als Mittel zur Germanisierung ihrer nichtdeutschen Glieder einzusetzen. Daß sich im Lauf von fünf Jahrhunderten eine gewisse Angleichung der Volksarten vollzog, daß es im Zuge des wirtschaftlichen Aufschwungs nicht ohne Zweisprachigkeit abging, und daß in der Gemeinschaft des Erlebens einer großen Staatsgeschichte eine nationale Gesinnungsgemeinschaft alle Staatsbürger einte, tat dem Festhalten an der Muttersprache und an den folkloristischen Eigenheiten der Masuren keinen Abbruch. Die preußische Kirche aber hat bis in die Katastrophe unserer Tage hinein nicht aufgehört, von den Pfarrern der masurischen Gemeinden – man zählte deren im Jahre 1912 einhundertsieben – zu verlangen, daß sie überall, wo es nötig sei oder auch nur gewünscht werde, sich bei ihrem Dienst der polnischen Sprache – in der bei den Masuren gebräuchlichen mundartlichen Färbung – bedienten.

Von den Kämpfen um das Verbleiben des Masurenlandes bei Preußen, von ihrer Entscheidung durch die Volksabstimmung von 1920 und von der Gegenwartslage der evangelischen Masuren nach der Vertreibung der Deutschen aus beiden Teilen Ostpreußens – dem sowjetisch und dem polnisch besetzten – haben die Zeitungen unserer Tage manchen dramatischen Bericht gebracht.

Die dritte Protestantengruppe, die ihren Glaubensstand unversehrt bewahrte, weil sie nicht in den Sog der polnischen Gegenreformation hineingeriet, stellen die Memelländer dar. Die dem Osten des Pruzzenlandes vorgelagerte Landzunge, die »kurische Nehrung«, war schon sehr früh von den Ordensrittern mit litauischen Bauern besiedelt worden, die sie dem Christentum gewonnen hatten. Deren Kirchengemeinden wurden 1526 geradeso Glieder der neugestalteten lutherischen Landeskirche wie die Masuren. Späterer Zuzug aus dem ethnographischen Litauen, das nur einen kleinen Teil des Großfürstentums ausmachte, dehnte das litauische Sprachgebiet auf den Ostrand des »Kurischen Haffs« aus und auf die Landschaft bei Tilsit am Unterlauf des Flusses Memel (Njemen). Von dort her fand im 19. Jahrhundert eine Rückwanderung in das litauische Stammland statt, in dem von einem einst reichen evangelischen Kirchentum beider Konfessionen nur noch ganz spärliche Reste übriggeblieben waren, die sich um Wilna und Kaunas (Kowno), um Birse und Keidany gruppierten. Diese wuchsen allmählich so an, daß nach der Gründung der litauischen Republik (1919, jetzt Teil der Sowjet-Union) ein dreigegliedertes Kirchenwesen sich ordnen konnte. Damals haben die preußischen Litauer den Volksgenossen im Mutterland wichtigen Dienst geleistet, als diese unter die Zarenherrschaft geraten waren, die auf Vernichtung der litauischen Sprache und Kultur ausging. Da waren die glücklichen Stammesgenossen in Ostpreußen ihre Helfer und Retter. Ungehindert konnten sie fortfahren, litauische Literatur zu pflegen und zu drucken. Der Schmuggelorganisation der »Bücherbringer«, die unter viel Gefahren die streng gesperrten Grenzen überschritten, ist es zu einem guten Teil zu danken, daß litauische Kultur, Sprache und Schrifttum damals nicht zugrunde gingen.

In den Bericht über das, was die Gegenreformation im weitgespannten Rahmen des Großreichs nicht hat vernichten können, gehört der Blick auf Livland, das in den Jahren der polnischen Besitznahme (1561–1621) manche Störungen der Alleinherrschaft lutherischen Kirchenlebens erfuhr. Aber nur in dem landeinwärts gelegenen, vom lettgallischen Zweig des Lettenvolkes bewohnten Bezirk um Dünaburg (Inflanty) gab es einen lettischen Katholizismus als herrschende Kirchenform, bis 1772 das polnische Regiment vom russischen abgelöst wurde und der Katholizismus von der Orthodoxie überlagert wurde.

Die beiden Reste des Ordenslandes, die in autonome Herzogtümer verwandelt wurden, Ostpreußen und Kurland, mußten sich zwar der polnischen Oberhoheit unterstellen, blieben aber vom gegenreformatorischen Bemühen verschont und bewahrten ihr evangelisches Gepräge.

Anders war das Schicksal, von dem die westliche Hälfte des preußischen Ordenslandes betroffen wurde. Zunächst blieb das »Königliche Preußen« nach der polnischen Besitznahme (1466) noch ein Jahrhundert ziemlich selbständig und wurde nur wenig durch Zuwanderung aus Polen in seinem Volksbestand verändert; auch der strafferen Eingliederung in das Warschauer Regiment (1569) blieben ihm immer noch Sonderrechte, die es ermöglichten, der Gegenreformation zu widerstehen. Vor allem hat Danzig es verstanden, sich und damit einem großen Teil des Weichseldeltas eine gewisse Freiheit von Warschau zu bewahren. Dabei spielte Geld eine große Rolle; für die Bestätigung voller Religionsfreiheit zum Beispiel ließ sich der König 100000 Gulden zahlen. Auch die anderen Städte des einstigen Ordensstaates, voran Thorn – am Ende der Weichselschiffahrt – und Elbing –

als Hafen am »Frischen Haff« – wiesen wohlgeordnete evangelische Gemeinden auf. Im ganzen Land aber hatte sich neben die Reste der mittelalterlichen Kolonisation eine wachsende Bauernsiedlung aus westlichen Ländern gesetzt, weil sie aus ihrer Heimat die Kunst des Landgewinns durch Deichbauten in das weite Inundationsgebiet des großen Flusses mitbrachten. Unter ihnen gab es auch zahlreiche Mennoniten, die hier Zuflucht vor der Bedrängung in den Niederlanden fanden (siehe S. 198).

Großpolen hatte ein anderes Gesicht als die innerpolnischen Provinzen. Schon im 13. Jahrhundert hatte hier die Mischung der Bewohner über die Grenze hinweg begonnen. Dutzende von Städten waren durch Ansiedlung von Einwanderern aus der Nachbarschaft entstanden, so Gnesen um 1240, Posen zehn Jahre später. Aber erst die Reformationszeit brachte es mit sich, daß die Einwandernden sich nicht mehr alsbald sprachlich den Polen assimilierten. Sie waren zumeist Lutheraner und gründeten entweder eigene deutschsprachige Gemeinden oder verbanden sich mit Polen in vorbildlicher Parität. Von Schlesien her gab es einen Zustrom von Verdrängten, von Brandenburg einen solchen von Landhungrigen. Auch deutsche Grundherren kauften sich an und bildeten Mittelpunkte und Stützpunkte für ein sich entfaltendes reformatorisches Leben, das hier fast ausnahmslos lutherisch geprägt war. Reformierte gab es kaum; deutsche Adelsherren ließen sich nicht in den polnischen Sog zum Kalvinismus hineinziehen.

Das Nebeneinander der brüderischen Gemeinden und der Lutheraner war keine Störung der Eintracht, wie auch die Sprachdifferenzen ohne Bitterkeit ertragen wurden. Und die Verlockung der Bildungs- und Bekehrungshäuser der Jesuiten stieß hier ins Leere, da seit etwa 1550 tschechische Emigranten ein evangelisches Schulwesen aufbauten und pflegten, das nach 1620 neue starke Anregungen empfing. Die hochstehende brüderische Pädagogik gewann von dem dreisprachigen Lissa aus, namentlich durch den dort von 1625 bis 1656 wirkenden Brüderbischof *Amos Comenius (Komenský)*, eine europäische Bedeutung.

Von den übrigen Landschaften Polens ist wenig zu berichten. Masowien hat überhaupt keine Reformationsgeschichte erlebt, da es lange Zeit der Krone Polens nur lose angegliedert war und sich gegen alle geistigen Anregungen absperrte. Kleinpolen aber, das vor 1600 nicht weniger als 122 stattliche reformierte Gemeinden besaß, hatte diese um 1815 restlos verloren, und die Lutheraner konnten hier nur die deutsche Grenzgemeinde Biala (Schwesterstadt des schlesischen Bielitz) und die gemischtsprachige der Landeshauptstadt Krakau in das 19. Jahrhundert hinüberretten.

Recht gut hat sich im Nordteil des Großfürstentums Litauen sowohl das deutschsprachige Luthertum wie der litauische Kalvinismus halten können. Den dortigen Vorgängen ist ein eigener Abschnitt in diesem Kapitel gewidmet.

Von der einst blühenden »Kleinen Kirche« der unitarischen Anhänger des Italieners *Fausto Socini*, deren Rechtsbestand in Polen der Sejm durch ein Gesetz (1658) aufhob, so daß ihren Anhängern nur die Emigration nach Westeuropa und Siebenbürgen übrigblieb, wird an anderer Stelle berichtet (siehe S. 366f.).

4. Staat und Kirche in Zwischenpolen

Vorbemerkung: Mit Zwischenpolen ist nicht ein Raum gemeint, sondern eine Zeit: die Jahre zwischen 1764 und 1815. Mit dem Tode des letzten Sachsenkönigs endete die Gegenreformation. Der Wiener Kongreß beschloß die Zwischenjahre zwischen dem Ringen um die endgültige Toleranz im Kirchenleben (Warschauer Traktat von 1768) und der — vermeintlich — endgültigen Ordnung des polnischen Staatslebens (Errichtung des kongreßpolnischen Königreichs in Union mit Rußland).

Diese Zwischenzeit war erfüllt von Zwischenlösungen der »polnischen Frage«. Länder und Leute wurden hin und her geschoben wie Schachfiguren; auf Trennungen folgten Zusammenfügungen und wieder Trennungen, wie ähnliches sich kaum sonst im Geschichtsbild unseres Erdteils finden läßt. An diesen politischen Zwischenspielen kann die Kirchengeschichtsschreibung nicht vorübergehen. Die schon sehr früh beginnende Schmälerung von Gebiet und Herrschaft des Staats bis zu seiner völligen Auflösung (1795) und die dann folgenden Versuche zu seiner Wiederherstellung begleiten und bedrücken die Geschichte der Christenheit Polens in allen ihren kirchlichen Gestalten, nicht zum wenigsten das Erleben der protestantischen Gemeinschaften.

Die historischen »Teilungen Polens« (1772 beginnend) haben eine lange Vorgeschichte. Die 400 Jahre des piastisch-jagiełłonischen Doppelreichs waren von einer Kette schwerer Rückschläge in der Politik der Gebietsausdehnung und der Einflußsphäre begleitet.

Wenige Jahrzehnte nach der berühmten mit der Taufe des Bräutigams verbundenen Hochzeit von 1386 mußte das Herrscherpaar die erste Einbuße seiner Macht hinnehmen. Während Polen 1410 alle Kraft daranwandte, den Ordensstaat niederzukämpfen, der ihm den Weg zur Ostsee sperrte, kündigten die drei rumänischen Länder Moldau, Walachei, Bessarabien den litauischen Großfürsten das bisherige Lehensverhältnis. (Als nach 200 Jahren *Johann Kasimir* den alten Anspruch wieder geltend machte, war es zu spät; die einzige romanische Gruppe der Ostkirche hatte den westslavischen Weg verlassen und sich auf die griechische Seite geschlagen).

Als 1454 der Jagiełłone *Kasimir IV.* den Kampf um den Küstenrand wieder aufnahm und mit vollem Sieg über den Hochmeister beendete, diesem die größere – westliche – Hälfte des Ordensstaates wegnahm und die kleinere nur als Lehen beließ, mußte er den großen Erfolg im Norden mit größerem

Verlust im Süden bezahlen. Das zur Großmacht heranwachsende Moskau eroberte zwei Drittel Litauens und sogar – zeitweilig – das Land um Smolensk.

Im Reformationsjahrhundert beteiligte sich das inzwischen zum Einheitsstaat zusammenwachsende Reich an der Aufteilung des Baltenlandes und gewann den besten Bissen: Livland mit Riga an der unteren, Lettgallen (Inflanti) mit Dünaburg an der oberen Düna, dazu die Lehenshoheit über Kurland (siehe S. 36f., 47). Damit war man zu weit vorgeprescht. 1621 besetzte *Gustav Adolf* Riga und die preußischen Häfen. 1629 mußte *Sigismund III.* Livland an Schweden abtreten.

Sehr schnell folgte ein besonders weittragender Verlust. Im Frieden von Oliva (1660) mußte die Krone Polens auf die seit 200 Jahren behauptete Lehenshoheit über den Ostteil des preußischen Ordensstaates (Ostpreußen) verzichten, so daß die Hohenzollern, denen die Provinz im Erbgang zugefallen war, aus dem brandenburgischen Kurfürstentum den preußischen Königsstaat machen konnten. Seitdem hat diese geopolitisch einzigartige deutsche Exklave in der Geschichte der Grenze zwischen Mittel- und Osteuropa bis in unsere Tage die Rolle eines Spielballes im Kampf der Mächte und Geister eingenommen.

In diesen Jahrzehnten häuften sich die oben erwähnten »Kalamitäten«, die *Johann Kasimir*, der Kardinal auf dem Königsthron, über Polen brachte. Zeitweise war sein ganzes Reich von Feinden besetzt, so daß er nach Schlesien fliehen mußte (1655). Es half ihm nichts, daß er die »Schwarze Mutter Gottes« von Tschenstochau zur *Regina Poloniae* krönte (Schwur in Lemberg 1658). 1667 mußte er zu Andrusovo die Westukraine mit Kiev an den Zaren abtreten.

Mit *Kasimirs* Tod erlosch die Wasa-Dynastie. Nun war Polen wieder ein Wahlreich geworden. Würde mit neuer Ordnung ein neuer Anfang beginnen und aufwärts führen?

In dieser Zeit bekam Rußland eine neue Herrscherlinie: die Romanovs führten das Zarentum ins neue Jahrhundert, das mit dem Namen zweier »Großen« begann *(Peter I.)* und schloß *(Katharina II.)*. Was aber geschah in Polen?

Zweimal waren die Magnaten mit den Schlachtizen darin einig, den König aus den eigenen Reihen zu wählen. Der erste war *Michael* (1669–73). Er hatte den Habsburgischen Kaiser-König *Leopold* zum Schwager und hoffte, der werde ihm beim Kampf im Osten helfen. Er wurde im Stich gelassen und verlor Podolien (1672).

Ihm folgte *Johann III. Sobieski*, ein Feldherr von Rom. Sein entscheidender Anteil an der Türkenschlacht vor Wien 1683 und an der damit beginnenden Vertreibung der Osmanen aus Ungarn ist welthistorisch. Er hatte noch einmal das Ansehen Polens in Europa wiederhergestellt; er hätte – jetzt end-

lich nach 100 Jahren – in einer heimischen, nationalen Erbfolge den Staat stabilisieren können.
Aber die Söhne ihres Königs gefielen den hochmütigen Magnatengeschlechtern nicht, und den alternden Vater verließ sein Feldherrnglück. Als er die Scharte von Andrusovo auswetzen wollte, unterlag er den Großrussen. Er mußte die Teilung der Ukraine hinnehmen, die *Kasimir* verschuldet hatte und 1686 im »Ewigen Frieden« von Moskau bestätigen.
In den nun folgenden Jahrzehnten gab es zwar an den Außengrenzen Polens nur Geplänkel – etwa mit den Kosaken – und Gezänk – besonders in Kurland –, aber im Innern große Unruhen und dadurch im Ansehen und in politischer Geltung einen jähen Sturz. Was bei der Königswahl nach *Sobieskis* Tod (1696) geschah, mutet wie eine Komödie an. Die Mehrheit des Wahlkollegiums war für einen französischen Bewerber, den Prinzen *Conti*, zögerte aber mit der Beschlußfassung. Da nahm die Minderheit die Sache in die Hand und proklamierte keck ihren Kandidaten, den sächsischen Kurfürsten *August den Starken*, zum Herrscher Polens. Der abenteuerliche Sachse hatte es von Dresden näher nach Warschau als der gewählte Prinz aus Paris. Er okkupierte den Thronsessel, wechselte leichthin sein konfessionelles Gewand und machte sich in seiner barocken Kraftnatur beliebt; der Franzose aber kehrte nach Hause zurück, und ganz Europa lachte über den Streich. Nicht minder abträglich wirkte sich für das Ansehen der Königsrepublik das Zwischenspiel aus, das der stürmische Schwedenkönig *Karl XII.* mit der Vertreibung des Sachsen 1704 begann. Sein Polenkönig *Stanislaus Leszczyński* regierte 5 Jahre, nach Poltava 1709 kam *August* wieder und konnte sich schließlich gegen *Stanislaus* durchsetzen. Endlich brachte der »Polnische Erbfolgekrieg« den schwächlichen Sohn des starken August auf volle 30 Jahre nach Warschau. Diese schlimmen Jahre waren das Vorspiel zu dem tragischen Drama, dessen erster Akt 1772 ablief und das mit der Katastrophe von 1795 schloß: Die polnische Nation war an Territorium wie an Volksbestand auf die drei Nachbarn aufgeteilt. Polen schien nun doch »verloren« zu sein.
Von den »ältesten Verlusten« unterscheiden sich die späteren dadurch, daß sie durch geplantes Zusammenwirken der Nachbarn Polens an mehreren Stellen gleichzeitig stattfanden, und daher mit Recht als Teilungen bezeichnet werden. Die beiden ersten, 1772 und 1793 stattfindenden verschoben die Grenzen so, daß ein Reststaat übrigblieb. 1795 wurde auch dieser aufgeteilt. Die Vorgeschichte der polnischen Teilungen setzte alsbald nach dem Tode des letzten Wettiners (1763) ein. Überall meinten die Evangelischen, es könne so nicht weitergehen wie unter den Sachsenkönigen. Viele Beschwerden Einzelner und ganzer Gruppen wurden aufgesetzt und verbreitet. Eine besonders ausführliche Denkschrift mit Aufzählung von Hunderten der seit langem vorgekommenen groben Rechtsverletzungen wurde von mehr als 300 Adelsherren unterschrieben und an alle Regenten protestantischer Län-

der übersandt, aber auch an die seit einem Jahr die Zarenkrone tragende *Katharina II.*, von der man als früherem Glied einer lutherischen Kirche Verständnis erwarten durfte. Sie setzte sich dann auch für das Recht aller nicht-katholischen Christen in Polen dadurch ein, daß sie den polnischen Gesandten am Zarenhof *Stanislaus Poniatowski*, der ihr – neben anderem – auch gesinnungsmäßig nahestand, zur Bewerbung um die polnische Krone bestimmte, so daß dem sich in den Vordergrund drängenden Sohn des letzten Sachsen ein einheimischer Bewerber gegenüberstand.
Das entschied zwar die Wahl, brachte aber keine Befriedung. Die katholische Mehrheit warf den Protestanten vor, sie hätten durch ihre Beschwerden im Ausland den Frevel des Landesverrats begangen. Ausdrücklich wurde aus Anlaß der Wahl bestätigt, daß die Rechtseinschränkungen der erwähnten beiden Sachsengesetze volle Gültigkeit hätten. Nun versammelten sich die Protestanten noch einmal und schlossen 1767 zu Thorn eine der üblichen Konföderationen, die entschiedensten Widerstand proklamierte. Sofort sammelten sich in Radom die Katholiken zu einer Gegen-Konföderation, die mit Gewalt drohte. Der König saß zwischen zwei Stühlen. »Zu seinem Schutz« ließ der russische Gesandte Fürst *Repnin* vor dem Radomer Rathaus die Kanonen der Gesandtschaftswache auffahren. Zugleich ersuchte er den König, die entschiedensten Wortführer verhaften zu lassen und ihm zum Abtransport nach Rußland zu übergeben. Das geschah; es waren auch zwei Bischöfe unter den so Behandelten. Jetzt gab die Versammlung nach. Man willigte ein, mit den Thornern zu einer Generalföderation zusammenzutreten. Auf deren Konvent beschloß man einstimmig alles, was *Repnin* wünschte. Im März 1768 trat alsdann ein Reichstag zusammen, der die Konventionsbeschlüsse ohne Erörterung billigte und dem »Warschauer Traktat« Gesetzeskraft verlieh. Damit war der Zustand des gleichnamigen Gesetzes von 1573 *(Pax dissidentium)*, die Gleichberechtigung des evangelischen Kirchenwesens, wiederhergestellt – aber nur auf dem Papier, denn es folgte ein Bürgerkrieg.
Diese schweigende Einstimmigkeit im »stummen Sejm« war unheimlich wie das Schweigen der Natur vor dem Ausbruch des Gewitters. Als im Lande bekannt wurde, welch ein »Hausfriedensbruch« den Toleranzbeschluß erzwungen hatte, und daß er sogar eine Garantieklausel zugunsten Rußlands enthielt, gab es einen Sturm der Entrüstung. War das Königreich noch souverän, wenn eine ausländische Macht Gesetze diktierte und deren Erfüllung durch Drohung überwachte?
Wem käme heutigentags bei diesem Bericht nicht das in Erinnerung, was 180 Jahre später in einem neuen Polen geschah (1948), als gleichfalls dem Staat von einem übermächtigen Nachbarn eine neue Ordnung, eine viel tiefer greifende Umgestaltung aufgezwungen wurde? Keine Stimme erhob sich, keine Hand konnte sich dagegen regen.

Damals kam es zu tatkräftigem Widerstand. Er bekam seine Stärke durch die Beimischung klassenkämpferischer Motive. Es war zunächst der niedere und mittlere Adel, der sich unter dem Schlagwort »die Patrioten« der Clique der Magnaten gegenüberstellte, die sich – sehr bezeichnend – »die Familien« nannten. Waren diese daran interessiert, daß die innere Staatsmacht in ihren Händen blieb unter Fortbestehen der Lahmlegung des Sejm durch das unsinnige Liberum Veto und daß die Außenpolitik von einem Scheinkönig geleitet werde unter engster Anlehnung an den großen östlichen Nachbarn, gegen den man doch nicht aufkomme –, so waren jene der Meinung, die Freiheit der Nation könne doch noch gerettet werden. Nur müßten die demokratischen Ansätze in der Verfassung der Republik *(Rzeczypospolita Polska)* ausgebaut werden. Echte Parlamentsformen mit Mehrheitsentscheidung müßten eingeführt werden, allerdings gegen Mißbrauch geschützt durch maßgeblichen Einfluß der Kirche. Völlige Glaubenseinheit werde die Leidenschaften zügeln. Kein Nichtkatholik dürfe eine Stimme haben, ein Amt bekommen, Kinder unterweisen, das Volk belehren wollen. Wohl aber soll jeder von ihnen sich für die unverdient gnädige Duldung dankbar erweisen durch Ehrerbietung gegenüber der Priesterschaft, Zahlung von Gebühren an sie, Opfer für die Klöster usw.
So ungefähr kann man die nicht eindeutige und einhellige Meinung der Schlachtizen-Partei zusammenfassen. Was sollten die Protestanten dazu sagen? Sie waren doch alle »Patrioten«, ganz gleich, ob Polen, Litauer, Ruthenen oder Deutsche. Sie hatten gewiß die »polnische Wirtschaft«, die ihr Vaterland zugrunde richten mußte, herzlich satt; aber zu der »russischen Wirtschaft«, die sie soeben erlebt hatten, schüttelten sie den Kopf. Sie waren glücklich, im Traktat von Warschau endlich die Plage der Gegenreformation los zu sein; aber konnte man auf ihn bauen? Seine Rechtsgültigkeit war anfechtbar, sein Zustandekommen ruhte auf feindlicher Gewalt. Sollten sie etwa eine dritte Partei bilden, gleich fern vom Zelotentum der einen, dem liberalistischen Zynismus der anderen Seite?
Die Glieder und Führer wurden jeder Entscheidung enthoben durch das, was nun geschah: ein Bürgerkrieg brach aus. Die berühmte Konföderation zu Bar, von Karmelitermönchen zum Feuer der Kreuzzüge angefacht, bewaffnete sich und marschierte im Osten auf. Ruthenische Bauern und ukrainische Kosaken fühlten sich nun in den heiligsten Gütern angegriffen und gingen grausam gegen die katholischen Gutsherren vor. Das fürchterliche Blutbad in dem Dorfe Human setzte die Welt in Schrecken. Überall empörten sich jetzt sowohl die Bauern wie die Proletarier in den Städten. Im Westen plünderten fanatisierte Scharen – nicht selten unter kirchlicher Anstiftung – die Kassen und Warenlager der evangelischen Bürger, die Scheunen und Ställe der deutschen Siedlungen. Ein schreckliches Chaos entstand. Epidemien verbreiteten sich. Der überhandnehmenden Anarchie aus eigener

Kraft Herr zu werden, war Polen außerstande. Der König rief die Russen zu Hilfe, sie ließen sich nicht lange bitten.
Solche, in der Geschichte nicht seltenen Eingriffe des Auslands in das Leben eines Staates, um ein in Unordnung geratenes Gefüge der Gesellschaft wieder einzurenken, pflegen schlimmere Schäden mit sich zu bringen als kriegerische Zusammenstöße von miteinander ringenden Armeen unter disziplinierten Führern bei Innehaltung des Völkerrechts – wie es damals noch als anständig galt. Die Chroniken der 4 Jahre nach 1768 sind bis zum Rande gefüllt mit Schilderungen der unsäglichen Leiden, die über das unglückliche Land kamen. Noch nach vielen Jahrzehnten erzählten die Großmütter in Polen den Enkeln von den Räubereien und Mordgreueln der Russen, die aus ihrer Armut auf das vermöglichere Westland losgelassen wurden. Die Beteiligung der Preußen an den Ereignissen beschränkte sich auf Errichtung eines sanitären Kordons an der brandenburgischen Grenze und dessen Verteidigung gegen Durchbruchsversuche. Manchmal rückten auch Truppen herüber, um Flüchtlinge hinauszugeleiten oder deren hinterlassenes Vermögen herauszuholen. Endlich brachte die allgemeine Erschöpfung den Frieden, und nun meldeten die Friedenstifter ihre Unkosten an. Geld oder Waren zur Begleichung gab es nicht; so verlangten sie Land und Menschen. Dabei trat ein Unterschied zwischen den beiden Beteiligten deutlich in Erscheinung. *Friedrich II.* hatte an den Manipulationen *Repnins* keinen Anteil genommen. Wohl aber hatte er mit Genugtuung vermerkt, daß nun auch in Polen »jeder nach seiner Fasson selig werden« könne.
Er hatte sich an der Befriedung des Landes im wesentlichen nur indirekt beteiligt, war aber mit der Zarin in laufender Verbindung, als diese von Kriegsentschädigung sprach und ihre Länderwünsche nannte. Er horchte auf, als sein nach Petersburg gesandter Bruder *Heinrich* ihm meldete, *Katharina* habe ihm gegenüber geäußert: »Pourquoi tout le monde ne prendrait-il pas aussi?« (Warum in aller Welt nimmt er nicht auch was?). – Jetzt spielte er seine Karte aus. Seit langem war es sein sehnliches Verlangen, eine Landbrücke nach Ostpreußen zu gewinnen. In dem Testament, das er, während des Krieges um Schlesien von Todesahnung erfüllt, aufsetzte, hatte er seinen Nachfolgern auf Preußens Thron die Gewinnung Westpreußens als dringlichstes Nahziel ans Herz gelegt. Jetzt sollte ihm noch zu Lebzeiten sein Wunsch erfüllt werden.
Dieser Wunsch war geopolitisch wohlbegründet. Von jeher haben Staaten, die eine wichtige Provinz außerhalb der Grenzen und doch nicht zu weit von diesen besaßen, danach getrachtet, die Insel mit dem Festland dauerhaft und sicher zu verbinden. Ein »Korridor« genügt dafür nicht; es muß schon ein solider breiter Damm sein. Wenn dann solches Trachten sogar historisch begründet werden kann, und der Schaden des Nachbarn in erträglichem Maße bleibt, dann hat noch stets die Weltmeinung solche Forderung gebilligt und unterstützt.

In beiden Richtungen war die Annexion Westpreußens wohl zu rechtfertigen. Zwar lag die Eroberung Pommerellens durch die Bezwingung des Deutschen Ordens 1410 und die Aufteilung des Ritterstaates 1466 sehr lange zurück und hatte den Bevölkerungszustand zugunsten Polens beträchtlich verschoben. Aber die Einwanderungen hatten doch nicht vermocht, den deutschen – und nun zugleich überwiegend evangelischen – Charakter des Landes wesentlich zu verändern. Wenn die Polen heute ihren Anspruch auf die Odergrenze mit dem Besitzstand des einstigen Piastenreichs im frühen Mittelalter begründen, so hatten die Deutschen nicht weniger Recht, daran zu erinnern, auf welchem Wege die Wildnisse an der Ostsee dem Christenglauben und der abendländischen Zivilisation gewonnen wurden. – Der wirtschaftliche Schaden, den Polen allerdings durch den Verlust des »Königlichen Preußens« erlitt, wurde etwas gemildert, da die beiden wichtigen Häfen von Thorn und Danzig in polnischer Hand blieben. Die freie Schifffahrt auf dem Strom und der freie Zugang zur offenen See war von großer wirtschaftlicher Bedeutung.
Auch *Katharina II.* hatte an erster Stelle ein geopolitisch begründetes Anliegen. Es betraf ein Stück des Ordensstaates der Schwertbrüder, dessen drei Länder seit 1561 unentwegt der Zankapfel zwischen Polen, Schweden und Rußland gewesen waren. *Gustav Adolf* hatte den Polen die Osthälfte gelassen, als er ihnen den Westteil wegnahm (mit Riga, 1621). Diese Landschaft, Inflanti oder Lettgallen, hatte als polnische Provinz eine durchgreifende Rekatholisierung erfahren, da an die Stelle der deutschen eine polnisch-litauische Oberschicht getreten war.
In Rußland hatte man es schon lange als störend empfunden, daß die Schifffahrt auf der Düna durch fremdes Land führte, zumal der Getreideexport dadurch behindert wurde. Jetzt sicherte sich *Katharina* diese Provinz.
Unvergleichlich wertvoller und dabei größer an Fläche und Menschenzahl war das andere Stück Ostpolens, das *Katharina* annektierte und sich von König und Sejm als völkerrechtliches Eigentum bestätigen ließ. Es umfaßte den Teil Weißrußlands, der etwa durch die Flüsse Düna, Dnepr und Druž begrenzt wird. Die 1667 vom Zaren vorgebrachte Argumentation mußte auch diesmal herhalten: es handle sich nur um die Wiedergutmachung alten Unrechts. Das Land und seine Menschen gehörten zu den »russischen Landen«. Jetzt aber, nach der Sachsenzeit, war es den Russen möglich, noch eine weitere Begründung hinzuzufügen: die durch die Kirchenunion mit Rom verführten Rechtgläubigen sollten zur angestammten Kirche zurückgeführt werden. Dazu gelte es, den Rest der Treugebliebenen vor der ihnen drohenden Gefahr zu bewahren, daß sie gleichfalls zum Abfall gezwungen werden könnten.
Auch der Preußenkönig hätte eine kirchliche Irredentaparole zur Begründung seiner Landforderung entfalten können; denn zweifellos griff es tiefer an die

Substanz, wenn die Protestanten im »Königlichen Preußen« katholisch gemacht werden sollten, als wenn die Pravoslaven in die Union gezwungen wurden. *Friedrich der Große* argumentierte nicht damit. Aber die Protestanten in seiner neuen Provinz jubelten ihm als dem Befreier von Glaubensbedrückung zu. Nicht nur die deutschen, auch die polnischen Protestanten taten das; ja, es gab Deputationen, die nach Berlin kamen und baten, die neuen Grenzen sollten doch hier und da so berichtigt werden, daß auch ihr Gut oder Dorf mit auf die befreite Seite komme. Wir werden davon hören, zu welch einer hohen Blüte sich in Westpreußen das evangelische Kirchenleben später entfalten konnte.

Der dritte Partner der »ersten Teilung« hatte weder geopolitische noch kirchliche Argumente vorzuweisen, als er sich ebenfalls ein – und zwar recht wertvolles – Stück Polens angliederte. Alle offiziellen Begründungen der Annexion aber können nicht darüber hinwegtäuschen, daß es sich dabei lediglich um Bemäntelungen handelt. Die Lage Polens war schwierig, den drei Großmächten konnte es nicht Widerstand leisten – also blieb nur, in die Abtretung einzuwilligen. Zwar verblieb Polen noch ein Gebiet von rund 600000 km^2 (bis 1793), doch verlor es rund ein Viertel seiner früheren Fläche: 110000 km^2 erhielt Rußland, Preußen bekam 35000 km^2 und Österreich fielen 68000 km^2 zu.

Die Grenzverschiebungen von 1772 waren zwar recht beträchtliche Amputationen an den Gliedern, ließen aber doch den Leib bestehen. Das verbliebene Polen schien durchaus lebensfähig mit $3/4$ seiner früheren Fläche und $4/5$ seines bisherigen Volksbestandes. Der Reststaat war noch beträchtlich größer als das ganze damalige Preußen, wenn auch wesentlich dünner besiedelt, und dabei von recht wenig einheitlicher Bevölkerung, die im Glauben wie in der Sprache, im Bildungsgrad wie im Lebensstandard größte Unterschiede aufwies. Die Schwierigkeiten für den Neuaufbau waren groß. Aber der Schock der schlimmen, nur von Anarchie und Chaos gefüllten letzten Jahre und die Erfahrung der Wehrlosigkeit gegenüber dem landhungrigen Nachbarn hatten allgemein die Geister aufgeweckt und zur Besinnung gerufen.

Nach dem Scheitern der Außenpolitik mußte endlich das innere Leben der Staatsgemeinschaft in Ordnung gebracht werden. Jetzt galt es für das polnische Volk, nicht mehr im Großen zu träumen, sondern im Kleinen zu rechnen, nicht mehr mit Politik zu spielen – etwa mit dem Liberum veto den Reichstag zu »zerreißen« – sondern zu Schutz und Trutz Opfer zu bringen. Erforderlich war vor allem, die Stimmen der Zeit zu erkennen, die sehr bald in den Aufschrei der Französischen Revolution münden sollten und ein unduldsames »Regnum Marianum« unerträglich machten.

Bezeichnend für den Ernst der Besinnung über die gemachten Fehler und zugleich für den Anteil an der jene Zeit erfüllenden Geisteshaltung, die mit

dem Stichwort »Aufklärung« recht unzulänglich bezeichnet wird, ist die Art, wie man im polnischen Reststaat mit dem reichen Grundbesitz umging, der dem Staat zufiel, als Papst *Clemens XIV.* 1773 den Jesuitenorden aufhob. Der Sejm setzte eine »Edukationskommission« ein, überwies ihr die Ordensschulen und stattete sie für die Zwecke der Volkserziehung mit den beschlagnahmten Gütern der Jesuiten aus. Damit wurde die erste großzügige staatliche Unterrichtsbehörde in Europa geschaffen. Eine Blüte der Bildung von den Grundschulen bis zu den Universitäten (Krakau und Wilna) bahnte sich an. Man nahm es dabei in Kauf, daß in der Religionspolitik ein Rückschlag erfolgte. 1775 wurde ein Teil der Zugeständnisse gelöscht, die der Vertrag von 1768 den Dissidenten gebracht hatte. Er war, weil von außen aufgezwungen, der Sejm-Mehrheit verhaßt. Aber es blieb wenigstens der Grundsatz der Religionsfreiheit erhalten; die berühmte Konstitution vom 3. Mai 1791, die dem polnischen Volk des 19. Jahrhunderts während seiner Unfreiheit als Panier vor Augen stand – man hält an diesem Datum noch heute den großen Nationalfeiertag –, enthält die großartigen Worte: »Da unser heiliger Glaube uns befiehlt, unseren Nächsten zu lieben, sind wir allen Menschen, welchem Bekenntnis sie immer angehören mögen, Frieden in Glaubenssachen und staatlichen Schutz schuldig, und deshalb verbürgen wir ihnen volle Kultus- und Religionsfreiheit gemäß den Landesgesetzen«.
Der die neue Staatsverfassung festlegende Beschluß des 4 Jahre hindurch tagenden Reichstags hatte zwei schwerwiegende Fehler: er kam viel zu spät und er kam – wie jener von 1768 – nicht korrekt zustande. Wäre die Neuordnung bald nach der Katastrophe von 1772 eingeführt worden, als noch auf allen Seiten guter Wille waltete, und eine Mehrheit für sie zu finden war, dann wäre das für die Zeitgenossen in Europa ein Beweis gewesen, daß die jetzt aufkommende Marseillaise der Polen nicht nur mit feuriger Begeisterung gesungen wurde: »Noch ist Polen nicht verloren« (Jeszcze Polska nie sginęla), daß hinter ihr ernster Wille und angespannte Kraft steckte. Polen wäre vielleicht nicht auf 120 Jahre verlorengegangen, wenn es sich alsbald in freiheitlicher Ordnung geeinigt hätte.
Aber es blieb alles beim alten: bei der volksfremden Internationalität der hundert Magnatensippen mit ihrer zwischen gallischer Politur und orientalischer Derbheit wechselnden Fasson auf der einen Seite, bei der legeren Familiensimpelei der achthunderttausend Schlachtizen auf der andern. Wie viele von diesen besaßen nicht mehr als einen Bauernhof und gingen auf dem Acker barfuß hinter dem Pflug, aber mit Sporen an den Fersen und dem Degen zur Seite. Die gesamte bürgerliche Welt, selbst die reichen Handwerker und Kaufleute waren staatspolitisch so gut wie rechtlos und das hörige Volk auf dem Lande wurde dauernd stärker belastet und hatte sich mit tiefem Groll über sein Sklavendasein vollgesogen.
Nun sollte das anders werden. Die Besten, Einsichtigsten, Opferwilligsten

des Landes hatten im Sejm die Führung, bei seiner 1788 beginnenden, ganze vier Jahre durchhaltenden Tagung. Aber was war über sie gekommen, daß sie am 3. Mai 1791 den folgenschweren Fehler begingen, der alles in Frage stellte?
Die sehr beträchtliche Opposition hatte den Reichstag verlassen; die verbliebene Minderheit nahm den Verfassungsentwurf mit Akklamation an und erklärte ihn, als einstimmig beschlossen, für geltendes Recht. Das war Revolution von unten und hatte dieselben Folgen wie die 1768 von oben geschehene: ein langwieriger Bürgerkrieg brach aus. Er wütete diesmal sogar fünf Jahre und endete mit der Vollaufteilung des einstigen Großstaats. *Katharina* nahm sich alles, was sie bisher von dem jagettonischen Litauen noch nicht hatte und das einstige Ordensland Kurland dazu. Was dann noch übrigblieb, teilten sich die beiden andern Nachbarn Preußen und Österreich.
Die Vorgänge von 1791 bis 1795 im einzelnen zu beschreiben, ist Sache der Weltgeschichtsschreibung, die an ihnen mehr Anteil nehmen sollte, als sie es bisher tat. Unser Jahrhundert büßt doch die Fehler, die damals begangen wurden. Das Antemurale Christianitatis (die Vormauer der Christenheit) hätte gehalten werden müssen, die sich zwischen Weichsel und Dnepr gelagert hatte, um Asien den Weg nach Europa zu sperren.
Es fehlte nicht an einem Ansatz dazu in der geschilderten Besinnungszeit. Polen machte den Versuch, in eine engere Verbindung mit Preußen zu kommen. *Friedrich II.* hatte über den Erwerb Westpreußens und des benachbarten auf Trockenlegung und Besiedlung wartenden Netzebruchs hinaus keine territorialen Wünsche. Danzig und Thorn, meinte er, würden als reife Früchte ohne Zutun vom Baume fallen. *Friedrich Wilhem II.* blieb zunächst in der Linie polenfreundlicher Politik. Gegen Abtretung jener beiden deutschen Städte war er sogar bereit, ein festes Bündnis zu schließen, das den Weg in eine sehr viel andere Zukunft hätte bahnen können. Allerdings, als ihm die Nachfolge auf dem Thron des alternden *Stanislaus Poniatowski* angeboten wurde, lehnte er ab. Warschau war ihm doch nicht »eine Messe wert«. Daß er aber nach dem Schreck, der 1789 allen Monarchen in die Glieder schlug, völlig umschwenkte und sich von Österreich und Rußland ins Schlepptau einer kurzsichtigen Annektionspolitik nehmen ließ, war der Anfang jener Verworrenheit des Denkens und Wollens, das seinen Nachfolger *Friedrich Wilhelm III.* die »Heilige Allianz« von 1815 eingehen ließ und dem folgenden Jahrhundert die Last aufbürdete, sich mit der jungen Macht aus dem Osten auseinanderzusetzen.
Vielleicht war es ein Unglück für Europa, daß *Friedrich der Große* schon 1786 starb. Er hätte – vielleicht – mit seinem Weitblick und seiner Konsequenz die unseligen Koalitionskriege gegen Frankreich zu verhindern gewußt, die so viel Unheil zur Folge hatten. Welch harte Urteile hat doch

später *Bismarck* über die Verhandlungen in Pillnitz und die Abmachungen von Reichenberg gefällt!
Für unsere auf die Kirchengeschichte gerichtete Schau ist folgendes zu bemerken. Am stärksten spielten konfessionelle Fragen bei der ostslavischen Landarbeiterwelt. Die Losungen der Revolution von 1789 waren inzwischen bis in die letzten Dörfer gedrungen und hatten auch die Abneigung gegen die Unionspriester verstärkt, denen man ihre Zusammenarbeit mit der – meist katholisierten und polonisierten – Herrenschicht vorwarf. Ähnlich war die Stimmung der Kosaken in der Ukraine; ihr territorialer Separatismus sah im katholischen Zentralismus den gefährlichen Gegner, solange Moskau ihnen Geld und gute Worte schenkte.
Die Protestanten Polens gehörten ganz überwiegend dem Bürgerstand an, ganz gleich, ob Deutsche oder Polen, ob Stadtbewohner oder Freibauern, ob Lutheraner oder Kalviner. So wurden auch sie von der Frage Frankreichs gepackt: Was bedeutet der »dritte Stand«? – Daß der Preußenkönig, der von allen geschätzte Schutzherr und Helfer seiner Glaubensgenossen, die Reformen des vierjährigen Sejm billigte und begünstigte, bestärkte sie in der Hoffnung, es werde gelingen, die Gleichheit auch ihres Glaubens auf friedlichem Wege durchzusetzen und für alle Zukunft zu sichern. Als aber *Friedrich Wilhelm III.* es mit der Angst zu tun bekam, den – immerhin anfechtbaren – Verfassungsbeschluß als »Jakobinertum« ansah und die Kräfte seines Staates in den Kämpfen gegen die Revolution im Westen verzettelte, wurden sie großenteils an ihm irre. Zahlreich traten auch sie unter die Fahne *Kościuszkos*, der aus dem Kreis um *George Washington* in seine Heimat zurückeilte. Nach der Niederlage und Gefangennahme des Führers trat *Dombrowski (Dąbrowski)* an seine Stelle, ein in Dresden aufgewachsener sächsischer Offizier, Sohn einer deutschen Mutter, selbst Lutheraner, und fand erst recht bei den Protestanten Polens Vertrauen und bereitwillige Mitstreiter.
Fragen wir zum dritten nach dem Verhalten der Katholiken in den trostlosen Wirren jener schlimmen Jahre. Fast restlos waren die Magnaten Polens jetzt römisch-katholisch. Ob polnischen oder litauischen Stammes, hatten die Nachfahren protestantischer Vorfahren deren Glaubenslinie verlassen. Ostslavische Großherren waren über die Union zum Lateinertum gekommen. Sie alle schlossen sich 1792 zur Konföderation von Targowice zusammen, stellten dem Aufstand ein stattliches Heer entgegen und baten *Katharina II.*, auch ihrerseits einmarschieren zu lassen. Nicht wenige von ihnen waren – wie auch *Stanislaus Poniatowski* selbst – vom Geist der Aufklärung bestimmt und unsicher in der Stellungnahme. Aber ihr Standesinteresse besiegte jedes Bedenken. Auch die Zarin besiegte ihren Liberalismus, als in Paris die Zügellosigkeit *Robespierres* überhandnahm. Der den Magnaten zugerechnete Episkopat lebte in ähnlichem Dilemma. Nur ein Sieg mit russischer Hilfe konnte den Sturz der Staatskirche von ihrer Vormacht – in

Politik und Kultur – verhindern. Und doch war es unzweifelhaft, daß die Garantin des Traktats von 1768 dessen Freiheiten für alle Dissidenten zur Friedensbedingung machen werde.
Anders stand es im katholischen Volk. Der Kleinadel so gut wie die Masse unter ihm wurden nicht vom Zweifel über die Parteinahme angefochten. Der aus dem Volk stammende niedere Klerus war von heftigem Haß gegen den russischen Erzfeind erfüllt und gegen die »Volksverräter« unter den Magnaten und Hierarchen. Unter Führung der Priester traten die katholischen Männer zum Kreuzzug an, vertrugen sich – wie Kriegsgenossen zu tun pflegen – über den Glaubenszwist hinweg mit den Dissidenten in der gleichen Front, ob Protestanten oder Pravoslaven, und als General *Suvorov* Praga zerstört und Warschau genommen hatte und Polen doch verloren schien, verließen viele, vom schweren Schicksal zu festerer Brüderlichkeit verbunden, die Heimat. *Dombrowski* bildete aus den Emigrantenhaufen die vorzügliche Truppe der polnischen Legion, die dann *Napoleon* halfen, seine großen Siege zu erfechten.
Wenn nun das, was *Katharina* vom polnisch-litauischen Großstaat übriggelassen hatte, von den beiden andern Nachbarn annektiert wurde, so setzte das den Schlußpunkt unter einen betrüblichen Abschnitt der Kirchengeschichte Osteuropas. Von 1795 ab war auf dem Gebiet der Länder jenes Staats eine Alleinherrschaft des römischen Katholizismus, gesäubert von protestantischen oder schismatischen Nachbarn, nicht mehr möglich. Auch die beiden Versuche, einen polnischen Staat wieder herzustellen, von denen nun berichtet werden soll, konnten daran nichts mehr ändern.

5. *Wiederherstellung eines polnischen Staates*

Nur ein Jahrzehnt lang hatte das gewagte Experiment Bestand, für das *Katharina* in ihren letzten Lebensjahren ihre beiden Partner gewonnen hatte. Der Anfang des neuen Jahrhunderts sieht das Aufsteigen *Napoleons*. Als dieser sich auf der Höhe seiner Siege berufen fühlte, dem alten Europa eine neue Ordnung zu geben, eine der »aufgeklärten« Zeit entsprechende »vernünftige« Gruppierung der verworrenen Staatenwelt, griff er auch die polnische Frage auf. Man kann schwerlich sagen, er habe sie an der Wurzel angepackt. Zu spät sah er, wo der gefährlichste Gegenspieler der wesentlichen Anliegen des Kontinents zu suchen war.
Für die Unsicherheit seiner Haltung ist die Erzählung von seiner Begegnung mit dem Zaren *Alexander I.* 1807 bezeichnend. Sie standen beide vor einer Karte Europas; *Napoleon* zeigte auf die Weichsel und zeigte von ihr nach Westen: dies Frankreich; dann nach Osten: das Rußland. Der Zar schwieg und wandte sich ab. Nun entschloß sich *Napoleon* das »Herzogtum« Polen zu schaffen, das dem Zaren alles beließ, was *Katharina* in drei Zugriffen ge-

wonnen hatte, den beiden andern Gewinnern aber ihre Beute stark kürzte. Damit wurde zwar nicht der polnische Staat wiederhergestellt, aber doch ein solcher. Preußen mußte in Tilsit (1807), Österreich in Schönbrunn (1809) dazu die Unterschrift geben. Der Zar wurde obendrein mit Finnland beschenkt; der Kaiser zwang Schweden, dieses strategisch wichtige und kulturell eigenständige, rein lutherische »Großfürstentum« abzutreten. Zum Titelführer des »Herzogtums Warschau« – der Name Polen wurde bewußt vermieden – gab sich *Friedrich August I.* her, ohne sich im geringsten um das Land zu kümmern. Er sonnte sich zu Dresden in seiner neuen Würde als Sachsens König von *Napoleons* Gnaden.

Die dem neuen Staat aufdiktierte konstitutionelle Verfassung, die an die Maikonstitution von 1791 anknüpfte, war jetzt völlig bedeutungslos; denn in Warschau kommandierte ein aus Paris entsandter General. Der hatte den Befehl, alles nur Mögliche aus dem Land herauszuholen; und das tat er nach Kräften. Die Wirtschaft hatte sich seit 1795 durch die Investierungen der neuen Regierungen überall staunenswert erholt. Was der Franzosenkaiser für seine Feldzüge brauchte an Geld und Nahrung, an Bergwerken und Waffenschmieden, an Ställen voll Pferden und Schlachtvieh, das alles gab es jetzt reichlich; auch fand sich viel geschickte und mutige Jungmannschaft bereit, unter der Trikolore für die Liberté der Welt und die Gloire der La France zu kämpfen. Auf vielen Feldzügen litten und starben die Soldaten der polnischen Legion bis nach Portugal und San Domingo, bis an die Beresina und nach Moskau, dann auf dem mörderischen Rückzug bis nach Leipzig (1813), wo ihr Kommandant *Poniatowski*, ein Neffe des letzten Königs, in der Elster ertrank, und bis Paris (1814), wo die Katastrophe sie mit in den Strudel zog.

Seine Niederlage im russischen Feldzug 1812 hat *Napoleon* zum guten Teil durch seine Polenpolitik verschuldet. Hätte er ein Freundesland voll hilfsbereiter, gesättigter Menschen und voll von Vorräten und Werkstätten hinter sich gehabt, statt enttäuschter Hungerleider und einer ausgeplünderten Wirtschaft – wie unsäglich hat besonders Danzig zu leiden gehabt –, dann hätte er, so hat man ihn auf polnischer Seite kritisiert, Europas Grenze ein gutes Stück nach Osten vorschieben können.

Die von *Napoleon* nicht gelöste Aufgabe einer Neuordnung der Staatenwelt Europas fiel dem Friedenskongreß von 1814/15 zu. Ob es ihm wirklich gelungen ist, wie man lesen kann, für ein volles Jahrhundert einen gesegneten Frieden über Europa herbeizuführen, ist nicht ganz zweifelsfrei.

In Wien führte der Vertreter des Zaren, Fürst *Nesselrode*, das große Wort. Die Lenkung der Verhandlungen aber besorgte der Vertreter des besiegten Frankreichs. Auf *Talleyrand* gehen die Folgen zurück, die durch die völlig unzureichende Art der Wiederherstellung eines polnischen Staates in den Spuren *Napoleons* entstanden. Man könnte sie eher »die vierte Teilung«

nennen; daß dieser Gewalttat aber diesmal eine Sanktion durch das Konzert der Großmächte zuteil wurde, war ein schlimmes Verhängnis, denn es wurde Wichtiges versäumt.
Damit ist folgendes gemeint: Die Beteiligung Preußens an dieser neuen Aufteilung geschah gegen des Königs Wunsch. Als Äquivalent für den entscheidenden Beitrag seines Staates an dem Sieg über Frankreich wünschte er das ganze Sachsen zu erhalten. Die Wettiner hätten, so meinte er, durch ihren Kampf auf *Napoleons* Seite ihre Krone verwirkt. Da gelang es *Talleyrand*, diesem Zyniker, der fünfmal einen Treueid geschworen und gebrochen hatte, den beiden Kaisern das – wahrlich recht fragwürdige – Legitimitätsprinzip so eindringlich vorzustellen, daß der wackelnde Dresdener Thron wieder gefestigt wurde. *Friedrich Wilhelm III.* wurde dafür unter anderem mit der Provinz Großpolen abgefunden. Damit verließ er die Bahn seines großen und klugen Vorfahren, der 1772 bei seiner Beteiligung an den Landverschiebungen in wohlüberlegten Grenzen geblieben war. Wie oft in der Geschichte haben solche Abtretungen und Aneignungen stattgefunden und Tatbestände von Dauer geschaffen, die allgemeine Anerkennung fanden! Das war namentlich dann der Fall, wenn volkspolitische Begründung gegeben werden konnte, wie das bei Pommerellen (Westpreußen) der Fall war, während Rückgriffe auf historische Vergangenheiten keine durchschlagende Kraft besitzen. Schon nach Jahrzehnten, erst recht nach Jahrhunderten, tritt hier Verjährung ein.
Wenn aber schon die Posener Provinz dem preußischen Staat zugeschanzt wurde, dann hätte etwas anderes nicht fehlen dürfen: Es hätte für den verkleinerten polnischen Reststaat eine völkerrechtliche Garantie aufgestellt werden müssen, die seinen dauernden Bestand in Freiheit sicherte. War doch der Wiener Kongreß ein einzigartiges Gremium der Großmächte Europas, das mit seiner Autorität Recht setzen konnte, die der unserer heutigen United Nations überlegen war. Die Übergabe des Königreichs Polen an den Zaren zur Regierung in Personal-Union mit seinem Reich hätte von einer Sicherung der Autonomie in konstitutioneller Verfassung begleitet sein müssen, wie Finnland sie beim Übergang an Rußland 1809 erhielt und lange bewahren konnte.
Statt dessen überließ die hierfür festgelegte Formel den Zaren alle die Möglichkeiten zur Unterjochung des »eroberten« Landes, die sie dann später ausnützten (siehe S. 172). Die betreffende Klausel des Friedensvertrags lautete:
»Sa Majesté Impériale se réserve de donner cet État, jouissant d'une administration distincte, l'extension intérieure, qu'elle jugera convenable.«
In dieser dehnbaren Klausel liegt die Wurzel der unheilvollen Erschütterungen, die von dem Unruheherd Polen nun 100 Jahre hindurch ausgingen. Es wäre wohl möglich gewesen, daß sich die polnische Nation damit abfunden hätte, einen nicht gar großen Teil ihres Bestandes in eine Symbiose

mit dem Nachbarn abzugeben, wenn ihr dafür Raum und Recht für freie Entfaltung des Mutterlandes gesichert wurde. Das Zusammentreffen des männlich-herben, gestrafften Staatssinnes der preußischen Deutschen mit der weiblich-familienhaften Gesellschaftsform der Posener Polen hätte zu einer guten Ehe führen können. Das bahnte sich auch in den ersten Jahrzehnten wirklich an. Es wäre nicht der erste und nicht der letzte Fall solcher erst schmerzhaften und dann doch zur Heilung kommenden Verwundung gewesen. Dafür liegen die Beispiele – auch aus der Gegenwart – zutage. Aber die »aufgeklärte« Welt jener Tage – in ihren Fürsten wie in ihren Völkern – war nach der großen Wende der vor kurzem noch verzweifelten Lage voll von Vertrauensseligkeit. Der fromm gewordene Zar meinte es sicher ehrlich, als er seiner neugewonnenen Erwerbung mit ihrer West-Tradition eine liberale Verfassung gab, wie sie 1825 die »Dekabristen« auch für Rußland zu erkämpfen versuchten. Und es gab in Rußland auch weitsichtige Stimmen wie die jenes russischen Ministers, der die Angliederung, ja Eingliederung Polens unter europäischer Perspektive sah, indem er erklärte: »On a voulu de nous faire une puissance asiatique; la Pologne nous fera européenne.« Aber die Mitverschworenen seiner »Heiligen Allianz« und die anderen Beteiligten – England voran – hätten doch wohl wissen können, was die Zukunft unvermeidlich bringen mußte. Der Riese des Ostens mit seinen unter fiebrigem Brodeln wachsenden Kräften wurde zur tödlichen Gefahr für das mit sich selbst uneinige Europa, als er mit seinem polnischen Vorland eine Faust in die weiche Flanke des Okzidents stieß.
Das frühere polnisch-litauische Großreich war jetzt in fünf Stücke zerrissen: das »Königreich Polen«, in Personalunion mit Rußland, dem Zaren zu »treuen Händen« anvertraut; das riesige Gebiet des früheren Großfürstentums Litauen, als neue Gouvernements dem russischen Reiche einverleibt; Westpreußen mit Danzig und Thorn sowie dem »Großherzogtum Posen« um Gnesen, das an Preußen gefallen war; Galizien und Lodomerien als habsburgisches Kronland; die Freie Stadt Krakau, die später allerdings (1846) an Österreich fiel und Hauptstadt Galiziens wurde.

6. Katholizismus und Orthodoxie in Zwischenpolen

Nirgends in Osteuropa ist die Geschichte des Protestantismus so stark und so vielfältig mit der Geschichte anderer Gruppen der Christenheit verflochten wie im polnisch-litauischen Staatsraum. Darum muß dem Bericht über die Erlebnisse der Evangelischen in dem Zeitraum, der mit »Zwischenpolen« gemeint ist, ein Blick auf »die andern« vorangehen. Dabei wird es nützlich sein, die weithin unbekannten Vorgänge aufzuhellen, die fast 200 Jahre vor den tragischen Kirchenkämpfen von 1768 an soviel Schaden anrichteten.

a) Die römisch-katholische Kirche: Die Kirche Roms in Polen hatte die Wendung von der Sachsenzeit, der Zeit ihres größten Einflusses, zu dem harten Auftrumpfen *Katharinas II.* nicht verhindern können. Weder die katholischen Großmächte noch die Kurie selbst fanden sich bereit, sich in die politische Auseinandersetzung einzumischen, von der der polnische Katholizismus erfüllt war. Sie mußten es ertragen, daß 1764 in Gestalt *Stanislaus II. August Poniatowski* ein freisinniger Scheinkönig von der Zarin auf den polnischen Thron geschoben wurde, und daß der kecke Handlanger *Katharinas*, Fürst *Repnin*, mit Bischöfen wie mit Dienstboten umsprang. Aber das, was der Toleranztraktat von 1768 der Kirche zumutete, lehnte diese als unerträgliche Beeinträchtigung ihrer Herrschaftsstellung im Staate ab. Volle Gewissens- und Glaubensfreiheit im ganzen Volk, freie Kultusübung der Nichtkatholiken mit unbeschränkter Selbstverwaltung der Gemeinden, alsbaldige Rückgabe der den andern abgenommenen Gebäude, Erlaubnis zu Neubauten, Zulassung aller Bürger zu den Staatsämtern, Einrichtung eines paritätisch zusammengesetzten Schiedsgerichts für konfessionelle Streitfälle, das meinte sie nicht hinnehmen zu können. Sie hätte es auch dann nicht hingenommen, wenn es ohne Druck von außen und in juridisch einwandfreiem Gesetz beschlossen worden wäre.

Die Lage war hier ganz anders als ein Jahrzehnt später in Österreich. Kaiser *Josephs II.* Toleranzedikt (1781) erfuhr kaum Widerspruch, fand sogar Zustimmung im hohen wie im niederen Klerus (siehe S. 247ff.). Hier in Polen war die – längst unzeitgemäße – Adelsrepublik so eng mit dem aristokratischen Episkopat verquickt, und beide hielten die Masse ihres Volkes in so drückender Abhängigkeit, daß es leicht war, eine Revolution von oben zu entfachen. Wir wissen, wie sie endete; die Niederlage war verdient.

Der katholische Vorstoß erfolgte sehr bald. Der Schock von 1772 wirkte zwar dämpfend und hemmend. Aber schon nach zwei Jahren gab der Sejm nach; er beschloß die Einschränkung einiger Staatsbürgerrechte für alle Nicht-Katholiken und die Aufhebung jenes paritätischen Schiedsgerichts. Weiterzugehen, die Gegenreformation wieder aufleben zu lassen, war nicht möglich. Unerwartetes trat ein und veränderte die Welt. 1776 hatte mit dem Abfall der 13 »Vereinigten Staaten« vom englischen Mutterland eine neue Epoche in der Geschichte der abendländischen Christenheit begonnen. »Der Freiheit Hauch« wehte »mächtig durch die Welt«; er wehte auch über die polnische Ebene. Gespannt verfolgte ganz Europa den siebenjährigen Freiheitskampf jenseits des Ozeans. 1783 wurde der Friede geschlossen. Das geschah in Paris! Wie das dort nachwirkte, braucht nicht berichtet zu werden; jedermann weiß es. In Polen aber packte den seit 1788 tagenden Reichstag das Verlangen, dem schwer heimgesuchten Vaterland die Zukunft durch eine »bürgerliche« Reichsverfassung zu sichern. Wir hörten oben (siehe S. 103f.) von dem berühmten Reichstagsbeschluß am 3. Mai 1791, dessen auch heute noch in Polen bei jeder Wiederkehr dieses Datums feierlich gedacht wird. Wir lasen das schöne Wort, das im Artikel I der Verfassung die Religionsfreiheit mit dem Liebesgebot begründet. Aber wir erfuhren auch, daß wieder wie 1768 bei der Beschlußfassung der Rechtsboden verlassen wurde, daß erbitterter Streit entstand, der in Aufruhr und Umsturz mündete und schließlich nach einem furchtbaren Bruderkrieg ein neues Eingreifen der Nachbarstaaten zur Folge hatte und in den beiden Teilungen von 1793 und 1795 die restlose Liquidation des Staates herbeiführte. Man kann nicht bestreiten, daß an diesem unseligen Ablauf der Geschichte Polens zu einem guten Teil der Konfessionsfanatismus der Katholiken schuldhaften Anteil hatte. Ein protestantischer Pole, der 1927 in Montpellier mit einem »Essai historique sur le Déclin de la Réforme en Pologne« promovierte, möge hier mit seinen über diese Frage gesprochenen Sätzen zu Worte kommen. Das, was Polen Anfang der neunziger Jahre erlebte, bezeichnete er als »un des plus magnifiques exemples de régéneration nationale, qu'aucun peuple ait jamais réalisé«. Aber dann fährt er doch fort, Polen sei darum eine leichte Beute seiner Nachbarn geworden, »parce que sa culture était dégénerée, parce que le déssarroi en était maître, et que l'obscurité régnait dans l'esprit de la Szlachta. Toute la responsabilité pèse sur ceux, qui assurèrent pendant deux siècles, l'éducation exclusive à des générations polonaises, c'est-à-dire sur les jésuites«.

Das stimmt völlig zusammen mit dem, was der polnische Bischof *Bursche* 1938 in dem Aufsatz ausgesprochen hat, den er der Sammlung »Ekklesia« über seine Warschauer Kirchenprovinz eingefügt hat. Polens Protestantismus, so heißt es da, »wurde eine leichte Beute des Jesuitismus, der bald in Polen zur Alleinherrschaft gelangte, aber auch Polens Verfall und Untergang verschuldet hat«.

Aber nun war doch im neuen Jahrhundert ein neues Polen entstanden, mit echter Chance für ein neues Werden. Konnte nicht jetzt beides noch nachgeholt werden: Ein durch Schaden klug gewordenes Volk baut sich seinen Staat wieder auf, und ein aufgewachter und durch großen Zuwachs verjüngter Protestantismus sammelt sich zu frohem Dienst und wirksamem Zeugnis?

Daß beides nicht glückte, steht in innerem Zusammenhang. Die Volksgeschichte lief fehl infolge der wiederholten Rebellionen und der Gegenwirkungen, die sie auslösten. Der Protestantismus aber erlahmte und zersplitterte sich im nationalen Kampf (siehe S. 131ff.).

Die beiden Zwischenperioden von 1795 bis 1807/09 für das Gesamtgebiet, dann von 1809 bis 1815 für das Herzogtum waren in so hohem Grade von Wirren und Nöten heißer und kalter Kriege erfüllt, daß die kirchlichen Streitfragen darüber zurücktraten. Dem katholischen Klerus von »Südpreußen und Neuostpreußen« wurde es nicht leicht, im Hohenzollernstaat neben der evangelischen Staatskirche an zweiter Stelle zu stehen; die Kirche in Galizien mußte erleben, von der Welle des »aufgeklärten Absolutismus«

umspült zu werden; im Osten aber gelang es dem vereinten Bemühen des russischen Staates und seiner pravoslavischen Kirche sehr schnell, die Ergebnisse der Union von Brest (1596) verschwinden zu lassen. *Napoleons* kurzlebiges Findelkind, das Herzogtum Warschau, war dann auch nicht nach dem Geschmack der Hierarchie; denn es war nach französischem Muster mit Liberalismus getauft, und die Reprise einer Union mit Sachsen erweckte peinliche Erinnerungen. Die Konversion der Wettiner hatte am betont lutherischen Bestand des sächsischen Volkes nichts geändert, wie viele gehofft hatten. Überdies machte die Aussaugung Polens für die angespannte Rüstung im Blick auf den russischen Feldzug keineswegs vor den Gütern und Kassen der Kirchen halt. Aus den wortreichen und doch vorsichtig formulierten Versprechungen des Franzosenkaisers hörte man seine Vorbehalte deutlich heraus; rechte Teilnahme für die Nation und ihre Kirche traute man ihm nicht zu. Für ihn und seinen Sieg zu beten, wurde nicht leicht.

b) Die Kirchen des griechischen Ritus: Von der Christenheit des Ostens sollte man immer im Plural reden. Es gab nie eine einheitlich geformte und zentralistisch gelenkte »anatolische Kirche«. Ihr Phyletismus ließ der Individualität geschichtlicher Gruppen die Freiheit zur Eigengestaltung.

Mit dem Plural der Überschrift ist aber etwas anderes gemeint. In der Südhälfte des ehemaligen Fürstentums hat sich gegen Ende des Reformationsjahrhunderts die hier herrschende, die Weißrussen mit den Ukrainern verbindende pravoslavische (orthodoxe) Kirche gespalten. Eine »griechisch-katholische«, dem Papst unterstellte Kirche löste sich von ihrer Mutterkirche. Sie behielt in vollem Umfang den orthodoxen Ritus, insbesondere das Hochamt vor der den Altar verdeckenden Bilderwand *(ikonostas)* mit drei Türen, deren Öffnen, Durchschreiten, Schließen die Liturgie mit weihevoller Symbolkraft begleitete. Sie behielt auch viele Äußerlichkeiten des Kirchenlebens bei, zum Beispiel die Tracht und die Lebensweise der Priester; der kleine Unterschied im Dogma vom Heiligen Geist *(excedit . . . filioque)* war dem Kirchenvolk kaum verständlich.

Das Entstehen dieser Sonderkirche hängt mit dem politischen Ereignis von 1569 zusammen, mit der Verwandlung der bisherigen Personalunion zwischen Polen und Litauen in eine Realunion (»Lubliner Union«). Durch sie verschob sich das Ziffernverhältnis der Konfessionen. In der »Gemeinsamen Republik« stellten die Römisch-Katholischen ganz deutlich die Mehrheit dar, bestehend aus Polen und Litauern (zum Teil auch Deutsche). Die beiden konfessionellen Minderheiten, die Protestanten (Deutsche, Polen, Litauer) und Orthodoxe (Weißrussen und Ukrainer) standen gemeinsam dem Katholizismus gegenüber. Das gab eine Frontstellung mit mancherlei Folgen.

Zu allen Zeiten und allenthalben ist die »Staatsraison« darauf aus, die Staatsbevölkerung zu »integrieren«, das heißt: unter ein Dach bringen. Aber zumeist ist sie nicht damit zufrieden, daß alle Bürger, welchen Standes und Gewerbes, welcher Sprache und welchen Glaubens, in dem wohlbedachten, schützenden, sammelnden Haus nebeneinander wie »Brüder einträchtig beieinander« leben, arbeiten und sich gegenseitig dienen; um volle Einheit zu schaffen, erstrebt sie volle Gleichheit – auf Kosten der Freiheit.

So hatte *Sigismund II. August*, der letzte in der seit 200 Jahren regierenden Jagiełłonenreihe, seine Union nicht gemeint. In seinem Testament noch hatte er den fünf Nationen dreierlei Glaubens in dem Großreich ans Herz gelegt, das Wort Union im Sinne der Ahnen als Einheit in Liebe und Eintracht zu verstehen. In dem Sinne hatte er, ehe ihm sein Vater den Thron hinterließ, das Großfürstentum selbständig verwaltet; er hatte, in Wilna residierend, obwohl aus freier Entscheidung frommer Katholik, mit den dort zahlreichen Protestanten und der großen Völkermasse der ostslavischen Orthodoxen bestes Einvernehmen gehalten. Er hätte das nie gebilligt, was 20 Jahre nach seinem Tode in Polen geschah. Auch *Stephan Báthory* (1576–1587) dachte nicht anders; er wußte aus seiner siebenbürgischen Heimat, daß ein Staatshaus, ohne Schaden zu nehmen, mehrere Gläubigkeiten beherbergen könne. Es war der neuen Dynastie, den schwedischen Wasas, vorbehalten, die Wendung herbeizuführen, die, als das 16. Jahrhundert zu Ende ging, in der Geschichte Polens ein neues, ein trauriges Kapitel begann.

Schon lange hatte die Kurie auf die Gelegenheit gewartet, die mißglückten Versuche fortzusetzen, die in Basel, Ferrara, Florenz gemacht worden waren, um das Schisma aus der Welt zu schaffen und dabei doch den leitenden Primat des Papstes festzuhalten. Jetzt bot sich die Gelegenheit, das damals auf das Ganze der Ostchristenheit gerichtete Bemühen auf einen ihrer Teile einzusetzen; vielleicht werde es möglich sein, schrittweise das Ziel zu erreichen. Den ersten Schritt tat Papst *Clemens VIII.*, indem er zu Weihnachten 1595 im konstantinischen Saal des Vatikans, der von 33 Kardinälen gefüllt war, die Bulle »Magnus Dominus« verlas, die den sich ihm unterstellenden slavischen Ostkirchen die bekannten Privilegien für den Kultus und interne Ordnungen zusicherte. Er sandte die Bulle alsbald dem polnischen König mit der Empfehlung, er möge in den Senat des Reiches neben den 16 römisch-katholischen auch alle sich nunmehr der Union anschließenden Bischöfe als gleichberechtigte Glieder aufnehmen. Dieser Ruf traf ein offenes Ohr.

Seit acht Jahren trug der Erbprinz Schwedens die polnische Krone. Er hatte sie bei der Königswahl darum erlangen können, weil seine Mutter, die Schwester des letzten der Jagiełłonen, den schwedischen König *Johann* im lutherischen Wasa-Erbe wankend zu machen verstand und den ältesten Sohn katholisch erziehen ließ. *Johann* starb 1592. Sein Erbe, *Sigismund III. (Zygmunt)*, schwankte zunächst, ob er nicht auf Warschau verzichten solle, um nach Stockholm zu ziehen. Seine römischen Berater rieten ihm, beide

Kronen zu vereinen, und er machte sich mit großem Heeresgefolge aus seiner polnischen (seit 1561) Provinz Livland auf den Marsch in das schwedische Estland. Dort aber traten ihm die Schweden in den Weg. Sie wollten nicht katholisch werden, setzten seinen jüngeren Bruder *Karl IX.*, den Vater *Gustav Adolfs*, auf den Thron. *Sigismund* und Rom mußten auf Skandinavien verzichten.

Schwer enttäuscht heimkehrend, meinte *Sigismund*, nun wenigstens sein polnisches Reich von allem säubern zu sollen, was der Einheit des Staates in Glaubenssachen im Wege stand. Wie schwer das die Protestanten traf, wurde oben berichtet. Aber da waren auch noch die Ostkirchler; sollte es nicht möglich sein, der Staatsunion eine Kirchenunion folgen zu lassen? Das erst würde die »Gemeinsame Republik« fest zusammen kitten.

So begegneten sich das staatspolitische Anliegen des Königs und das kirchenpolitische des Papstes. Auf den Weihnachtsaufruf aus Rom gab im nächsten Jahr die Synode im litauischen Brest die erste Antwort. Sechs der acht weißrussischen Bischöfe nahmen das Angebot der Kurie an; die beiden andern sammelten ihre Anhänger zu einer Gegensynode. Beide verdammten einander zur Exkommunikation.

Ein großer Teil der Laienwelt stellte sich hinter die Opponenten; eine lebhafte literarische Fehde behandelte das Für und Wider. Große Erregung entstand im ukrainischen Süden des litauischen Großfürstentums, als der Metropolit von Kiev auf die römische Seite überging. Er stand mit dem Moskauer Patriarchen in Fehde, der bis 1589 selbst nur Metropolit gewesen war und sich zwischen Kiev und Konstantinopel einschalten wollte.

Jetzt bekam die geistliche Opposition Hilfe von weltlicher Weite. Den schon erwähnten (siehe S. 83) Fürst *Kostjantyn Ostrożkyj*, einer der reichsten Magnaten pravoslavischen Bekenntnisses in Polen, ein Herr über drei Dutzend Städte und mehr als 1000 Dörfer, hatte in dem Städtchen Ostrog, seinem Stammsitz, eine pravoslavische Akademie gegründet, an der ein kluger Theologe, *Kyrill Lukaris*, der spätere Patriarch von Byzanz, den Versuch machte, dem reformatorischen Verständnis des Evangeliums den Eingang in die Theologie der Ostkirche zu öffnen. (Bekanntlich bezahlte *Kyrill* diesen tragisch verlaufenden Versuch mit dem Erleiden einer schmählichen Todesstrafe). *Ostrożkyj*, einer der seltenen Abkommen des sagenhaften *Rurik*, gehörte zu den bis in unsere Tage nicht seltenen Ostslaven, die bei aller Festigkeit ihrer Orthodoxie für die Fragestellungen des Protestantismus aufgeschlossen sind. Einst hatte er mit der bedeutsamen Synode von Thorn brieflich Fühlung genommen. Einem Prinzen *Radziwiłł*, der in Glaubensdingen angefochten wurde, riet er, ja lieber zu den Kalvinern zu gehen als zu den Römern.

Wie ernst man auf katholischer Seite die Gegnerschaft des orthodoxen

Magnaten nahm, sieht man daraus, daß der oben erwähnte Jesuit Pater *Skarga*, der Beichtvater des Königs, eine in Mengen verbreitete polnische Kampfschrift dem Fürsten widmete. *Ostrożkyjs* Reichtum und Ansehen, dazu seine Unentbehrlichkeit als Wojwode von Kiev erlaubte es ihm, zusammen mit einer Schar von Gesinnungsgenossen an den König zu schreiben, er möge jener Zumutung des Papstes widerstehen und vielmehr die romhörig gewordenen ungetreuen Bischöfe absetzen und durch rechtgläubige ersetzen. War das offensichtlich nichts weiter als eine höhnische Demonstration, so folgte nach einiger Zeit eine mutige Tat.

Um die Majorisierung der Nichtkatholiken, für die jetzt die Bezeichnung Dissidenten aufkam, zu verhindern, nahm *Ostrożkyj* wieder einmal Fühlung mit den protestantischen Mitgliedern des Sejm und richtete an sie die Frage nach den Bedingungen, unter denen eine der griechisch-katholischen gegenüberzustellende griechisch-protestantische Union möglich sei. Die Antwort enthielt eine so schroffe Verwerfung des Heiligenkultus und allen Bilderdienstes durch die Genfer, daß dieser Plan aufgegeben wurde. *Ostrożkyj* fand einen Ausweg. Er lud etwa 100 der angesehensten Mitglieder des Sejm in sein Palais zu Wilna (65 Protestanten, der Rest Pravoslaven) und verband sich mit ihnen in einer der in Polen üblichen »Konföderationen« zu gemeinsamer Abwehr der vom König und der Sejm-Mehrheit – sämtliche katholischen Bischöfe hatten hier Sitz und Stimme – drohenden Gefahr. Man ging darin so weit, einen geordneten Apparat einzurichten für eine gegenseitige brüderliche Hilfeleistung. Eine Reihe von über das ganze Land verteilten »Provisoren« wurde eingesetzt, die im Notfall den Bedrängten beispringen sollten, so wie es bei den Utraquisten (siehe S. 215ff.) der Dienst der »Defensoren« war. Es heißt in der Urkunde, die darüber verfaßt wurde – man hat sie erst 1936 aufgefunden und in der ökumenischen Zeitschrift »Kyrios« publiziert –, die Hilfe solle so rasch und gründlich geschehen »als handle es sich um ein alles bedrohendes Feuer«.

In welchem Umfang dieses Vorspiel der Ökumenischen Konferenz von 1925 in Stockholm (Erzbischof *Söderblom:* »for life and work«) und des heutigen »Ökumenischen Weltdienstes« dann wirksam wurde oder in der traurigen Wasa-Zeit nicht wirksam werden konnte, wurde oben dargelegt. Schon allein durch die Grenzverluste des 17. Jahrhunderts verloren beide Konfessionen den starken Rückhalt an geschlossenen Landeskirchen. Die Evangelischen verloren Livland 1621 und Ostpreußen 1657. Bei den Orthodoxen ging der Seelenstand 1668 durch den Vertrag von Andrusovo auf die Hälfte zurück.

Dann kam die Sachsenzeit. Der »stumme Reichstag« von 1717 beschloß eine einschneidende Rechtsbeschränkung der Dissidenten beider Gestalt. 1733 entzog der Sejm ihnen das Mitspracherecht im Adelsparlament. Beide Kirchen mußten immer wieder über fortgesetzten Kirchenraub klagen, der teils mit List, teils mit Gewalt verübt wurde; von vorher 168 orthodoxen Gotteshäusern in einem Bischofssprengel waren 1739 nur noch 54 übriggeblieben. Laufend ließen sich römische Priester und Mönche Verspottung, Beschimpfung, Verdächtigung wie der protestantischen Ketzer, so der ostkirchlichen »Schismatiker« zuschulden kommen.

Das hatte unerwartete Folgen. Die »Unierten« z. B. fühlten sich mitgetroffen, wenn die Popadijas, die Ehefrauen der Popen, verhöhnt wurden oder wenn andere Dinge, die sie noch mit den »Schismatikern« gemein hatten, das Konnubium wie das Kommerzium störten. Das stachelte wieder die Katholiken an, die Unierten aufzufordern, aus der Halbheit herauszutreten und sich ganz zu latinisieren. Die Soutane sollten die Priester jetzt tragen statt der Popentracht, ihre Frauen sollten sie in die Klöster stecken, ihre Kinder ins Waisenhaus. Vor allem wurde allmählich deutlich, daß sich mit der erstrebten Intensivierung der kirchlichen Union das Streben des Mehrheitsvolkes auf nationale Assimilierung verstärkte. Jetzt war der rechte Augenblick gekommen, mit den Protestanten wieder einmal zusammenzutreten zu gemeinsamer Abwehr und gegenseitiger Hilfe wie vor fast 200 Jahren (siehe S. 89), nur daß kein Fürst *Ostrożkyj* mehr die Fäden in die Hand nahm; seine Nachkommen hatten sich von Rom einfangen lassen. Wir erinnern uns der Konföderationskämpfe: Thorn gegen Radom, ihrer Erfolge im Traktat von Warschau, aber auch des Unheils der nun ausbrechenden Bürgerkriege, die zu den Katastrophen von 1772 und dann 1793/95 führten. Der Gordische Knoten wurde zerhauen; die Dissidentenfrage hatte ihre Antwort gefunden, am drastischsten in ihrem pravoslavischen Teil. Kaum gab es noch slavische Ostkirchen unter römischer Vormundschaft; am ehesten in Ostgalizien, wo ein Stück der Ukraine dem zaristischen »Sammeln der russischen Erde« entgangen war und 160 Jahre hindurch eine griechisch-katholische Landeskirche den Ukrainern den Rücken stärkte in der Abwehr von Polonisierung und Latinisierung.

In unserem Jahrhundert hat sich dann hier in Ostgalizien etwas Erstaunliches ereignet. Zwanzig Jahre bevor das Land um Lemberg und Stanislau durch den Vertrag zwischen *Stalin* und *Hitler* (1939) von Polen getrennt wurde, machten ukrainische Emigranten, von amerikanischen Denominationen entsandt, hier den Versuch, in einer protestantisch-orthodoxen Unionskirche frei von aller Nationalitätenpolitik das reformatorische Glaubensgut mit dem Beten des *Gospodin pomilui* (Kyrie elieson) vor dem *Ikonastas* (Bilderwand) zu verbinden. (Davon wird in dem Abschnitt Galizien noch berichtet werden.)

In der 1919 gegründeten kurzlebigen Republik Polen gab es wieder wie in der zwischenpolnischen Zeit die beiden Kirchen des griechischen Ritus nebeneinander. Die Volkszählung von 1931 errechnete dafür folgende Ziffern:

Orthodoxe		*Unierte Griechen*	
Polen	487000	Polen	497000
Ukrainer	1676000	Ukrainer	1540000
Weißrussen	1163000	Andere	1600000
	3326000		3637000

7. Die Protestanten

Der Warschauer Traktat vom 4. März 1768 unterscheidet sich wesentlich vom Toleranzedikt, das Kaiser *Joseph II.* 1781 erließ. Nicht nur in der Form seiner Entstehung und in der Aufnahme bei den Betroffenen: hier freier Erlaß einer absolut selbstherrlichen Majestät, dort mühsame Vereinbarung der Parteien unter Einfluß des Auslands; hier allgemeine Zustimmung, fast ohne Widerspruch oder auch nur Murren; dort heftigste Reaktion der Staatskirche und Ablehnung der Gesetzeskraft unter Berufung auf Formfehler bei der Rechtsetzung.

Ein weiterer Unterschied lag im Inhalt: hier genaue Einzelheiten über die Voraussetzungen, unter denen die bisher unterirdisch und doch nicht verborgen Existierenden sich zu gesetzlich geschützten Gemeinden ordnen konnten; dort unbestimmte Zusagen an die seit langem bestehenden Gemeinden und Kirchenkörper. Die oft erlassenen Duldungsgesetze, die seit dem ersten Warschauer Vertrag (1573) von jedem König beschworen werden mußten (Pacta conventa), sollten nun wirklich ohne Auslegungskniffe in Geltung treten. Freiheit des Glaubens und seine Übung im Kultus, Selbstverwaltung und ungehindertes Recht zu Bauten, ja Wiedergutmachung geschehenen Unrechts auch im bürgerlichen Leben (aktives und passives Wahlrecht, Beamtenlaufbahn) sollten nunmehr gewährleistet sein. Gemeinsam war in beiden Fällen die ausdrückliche Feststellung des Vorrechts der katholischen Staatskirche; nur Duldung, keineswegs Gleichberechtigung war das Zugeständnis dort wie hier. Austritt aus der Staatskirche und Übertritt zu einem andern Glauben zog Verweisung aus dem Vaterland nach sich. Die Pravoslaven nahmen die Errungenschaften mit Zurückhaltung auf; sie sahen die Gefahren und festigten die Bande, die Petersburg angeknüpft hatte. Die Protestanten waren vertrauensselig. Sie jubelten auf in der Hoffnung, daß nun wenigstens die Glaubensfreiheit des einzelnen und die Rechtssicherheit der kirchlichen Gemeinschaften nicht mehr werde verlorengehen. Man nahm sich vor, den 3. März in künftigen Jahren jedesmal mit Dankgebeten in den Kirchen zu feiern.

Der Jubel währte nicht lange; er wurde vom chaotischen Wirbel eines Bürgerkrieges erstickt. Mit einem militanten Stück Gegenreformation fing das Unheil an. Bald entstand ein wirres Durcheinander aufgewühlter Leidenschaften auf religiösen, sozialen, nationalen Hintergründen. Unter den

Bandenkämpfen zügelloser Horden litten alle, ob Protestanten oder Katholiken, Orthodoxe oder Unierte.

Am schlimmsten erging es den reichen Provinzen im Westen und in ihnen den hier die Oberschicht bildenden Protestanten. Unerhörte Werte schleppten die Räuberbanden und die güterhungrige Soldateska aus Pommerellen (Westpreußen) und Großpolen (Posen) fort. Damals kam das Spottwort auf: *Vexa Lutherum dabit thalerum, vexa Calvinum dabit vinum.* Aus den evangelischen Dörfern flüchteten die Bauern in Massen über die Grenzen. Nicht wenige, deren Vorfahren einst unter habsburgischem Druck ihre schlesische Heimat verlassen hatten und im damals toleranten Polen Zuflucht fanden, kehrten jetzt, dem Preußenkönig im neu gewonnenen Lande sehr willkommen, nach Schlesien zurück.

Im »Königlichen Preußen« erwachte jetzt die Hoffnung, es werde – endlich – nach 300 Jahren das Verhängnis der Teilung Preußens von 1466 wieder gutgemacht. Die Nachbarschaft der anderen Hälfte des einstigen Ordenslandes, das »Herzogliche Preußen«, das schon vor 100 Jahren zu Brandenburg gekommen war und dem Hohenzollernstaat den Namen, dann auch die Königswürde verschafft hatte, lockte mit seiner wirtschaftlichen und kulturellen Überlegenheit gar sehr zum Vergleich mit der sprichwörtlichen »polnischen Wirtschaft«, der man den Mangel an Ordnung und Gerechtigkeit zuschrieb. Die Erlösung ließ nicht lange auf sich warten. Man kann das Vorgehen gegen den Unruheherd Polen, das die drei Nachbarn jetzt beschlossen, nicht mit dem gleichen Maßstab messen. Mag Rußland mit seiner unechten Losung vom »Sammeln der russischen Erde« unter das Verdikt fallen, damit nur seine unersättliche Ausdehnungspolitik verschleiert zu haben, mag auch Österreich, das schon 1765 mit der Besetzung der Zips den Anfang der Grenzverschiebung machte, von der Frage belastet werden, ob wirklich die Gleichgewichtsparole eine zureichende Begründung dafür ist, daß ein keineswegs beengtes Staatsgebilde mit zugreift, wo eine Beute verteilt wird. Das, was mit Westpreußen 1772 geschah, muß anders gesehen werden: es war Heimkehr ins Vaterhaus. So empfanden es wenigstens die Evangelischen, und es ist durchaus glaubwürdig, wenn berichtet wird, daß auch die Katholiken aufatmeten, als endlich Ruhe und Ordnung ins Land kam. Daß die einen Deutsche, die andern Polen waren, spielte bei der Lage der Dinge und überhaupt in jener Zeit keine Rolle. Noch war der unheilbergende Riese des mißgünstigen und überreizten Nationalismus nicht erwacht.

Die an Rußland und Österreich gefallenen Gebiete hatten wohl früher einmal auch eine Blüte evangelischen Kirchenlebens beherbergt. Bis 1772 aber war davon kaum noch etwas übriggeblieben (siehe S. 89f.), so daß diese Abtretungen dem Protestantismus des Reststaates keinen Abbruch taten.

Anders war es mit dem zum großen Teil evangelischen Westpreußen und seinem Anhängsel an der Netze; deren Verlust tat nicht nur dem Staat, sondern auch der Kirche Abbruch. Immerhin waren die beiden Großstädte Danzig und Thorn vorerst bei Polen geblieben, in denen die ältesten, stattlichsten und am besten fundierten evangelischen Gemeinden zusammen mehr als 20000 Seelen zählten. Da die Gesamtzahl der evangelischen Pfarreien in den übrigen Teilen des Reststaates 131 betrug, und diese in der Regel mehr als 1000 Mitglieder hatten, mögen es gut 150000 Protestanten gewesen sein, die nun unsern Blick auf sich ziehen.

Sie waren sehr ungleichmäßig über das Land verteilt. In Ostpolen gab es noch etwa 40 reformierte Kirchspiele. Die Lutheraner hatten hier nur fünf Pfarreien, deren älteste und größte die Städte Wilna (siehe S. 206ff.), Kaunas (Kowno) und Grodno zum Sitz hatten. Sie waren sämtlich damals noch deutschsprachig, gewannen aber bald durch Zuwanderung, Ansiedlung und Assimilierung auch polnische und litauische, z. T. auch lettische Glieder.

Die 40 reformierten Gemeinden Ostpolens waren über ein weites Landgebiet verstreut mit dem Mittelpunkt in Wilna. Hier hatte die Synodalverwaltung der Jednota Litewska (Unitas Lithuania) ihren Sitz. Die Ortsgemeinde der litauischen Hauptstadt war – im Verhältnis zur lutherischen Brudergemeinde – nur klein, aber historisch bedeutend.

Die größten reformierten Gemeinden gab es im Bezirk von Kaunas; die von Birsen zählte allein 4000 Seelen, die von Radziwilischki 1200, alles Litauer, während die anderen Gemeinden meist aus Polen bestanden. Der Kalvinismus Litauens stand dank seiner Beachtung verdienenden Geschichte und seiner Stützung durch die vornehmen und reichen Adelsgeschlechter in hohem Ansehen.

Die beiden anderen kalvinischen Gruppen waren sehr zusammengeschrumpft; die großpolnische zählte nur noch sieben Gemeinden, die von Zentralpolen acht. Jetzt wurden zwei neue gegründet: eine kleine in Posen und eine größere in Warschau. Hierhin, in die Landeshauptstadt (seit 1596), verlegte man nun auch die Verwaltung. Die beiden stattlichsten Gemeinden waren die von Zelow mit 2000 und die des alten Mittelpunktes Sielce mit 1000 Seelen. Im Posener Land waren nicht wenige der großen Schlachtizengüter durch Kauf in deutsche Hände übergegangen, die aus der brandenburgischen Nachbarschaft über die Grenzen hinüberzulangen nicht säumten, als Landgüter billig angeboten wurden. Das brachte fast immer den Übergang der bis dahin reformierten Bauern ins Luthertum mit sich. Dadurch erklärt sich zum Teil ihr Rückgang in der Zahl der reformierten Gemeinden.

Die Lutheraner hatten in Großpolen noch 48 Parochien. Sie waren in sieben Kirchenkreise gegliedert, die von je einem Superintendenten geleitet wurden. Das waren – nach der Höhe der Seelenzahl geordnet: Lissa, Posen, Fraustadt, Birnbaum, Meseritz, Schrimm und Kargow (Unruhstadt). Die sieben »brüderischen« Gemeinden hatten ihren alten Stammsitz in Lissa und dienten ihren Gliedern in drei Sprachen, da sich die tschechischen Brüder

durch den andauernden Zuzug aus den Katakombengemeinden Böhmens sprachlich konservierten. Fortschritte durch Neubauten und Neugründungen konnte es in Großpolen allerdings erst nach 1776 geben. Bis dahin mußte noch über andauernde Bedrückung und Benachteiligung geklagt werden. Die Akten der 1775 in Lissa abgehaltenen Synode reden darüber eine schmerzlich erregende Sprache. Dann aber fing – nach dem Beispiel von Warschau und unter ähnlicher Betätigung vom Opferwillen der Gemeindeglieder und ihrer Helfer – ein mannigfaltiges Bauen an. Es seien nur die beiden »Kreuzkirchen« von Posen und Lissa erwähnt, beides Baudenkmäler von Rang und Würde. Die von Lissa wurde 1790 zugleich mit einem großen Teil der Stadt eingeäschert. Es dauerte fünfzehn Jahre, bis sie in neuerer, größerer und schönerer Gestalt wiederaufgebaut werden konnte. Der dänische und der englische König stifteten bedeutende Summen dazu; in Preußen brachte eine Kirchen- und Hauskollekte fast die Hälfte der Baukosten ein.
Im mittelpolnischen Masowien konnte die lutherische Gemeinde der Hauptstadt Polens sich endlich aus dem Filialverhältnis zu Wengrow lösen und eine ihrer Bedeutung (5000 Seelen) entsprechende monumentale Kirche erbauen (siehe S. 203f.). In ganz Mittelpolen entstanden jetzt aus zerstreuten Resten alter, längst zerstörter Gemeinden und durch allerlei Zuzug elf neue Pfarrsprengel, darunter als ältester der in Ilow (1775), die Mutter der später so zahlreichen Kolonien im Weichseltal. Die Kirchengemeinde wurden von dem adligen Gründer mit Land und Kapital zur Besoldung des Pastors ausgestattet. In Michalki baute man 1778 eine hölzerne Kirche. Zur Einweihung rief man den Pfarrer von Thorn herbei. Von den übrigen Neugründungen sei vor allem Nowy-Dwor (Neuhof) erwähnt, weil es der Neffe des Königs war, der 1782 auf einer Sandfläche – an der Mündung des Narew in die Weichsel – eine deutsche Textilstadt gründete, was dann bald zu Dorfsiedlungen in der Umgebung führte. In Neuhof fanden diese ihren kirchlichen Mittelpunkt. Der Fürst erbaute ein steinernes Pfarrhaus und ließ aus einem Magazin einen Betsaal herrichten.
Im Kalischer Land war schon 1740 eine evangelische Schule entstanden, und zwar in Władyslawow – der Name findet sich des öfteren in anderen Teilen Polens, die Deutschen nannten ihr Städtchen Rosterschütz –, wo dann bald darauf ein Bethaus eingerichtet wurde. Aber erst 1776 konnte ein eigener Pfarrer berufen werden, der nun eine große Kolonistendiaspora in fleißigen Reisen versorgte, aus der später sechs weitere Parochien gebildet werden konnten.
Auch der Gründung einer eigenen Gemeinde in Warschaus Brückenkopf Praga sei noch gedacht. Sie fand 1794 ihr Ende, als ihre Gebäude bei der Erstürmung durch die Russen (General *Suvorov*) vernichtet wurden. Man vereinigte sich darauf mit Warschau.
In Podlachien ging es langsamer voran. Doch konstituierte sich jetzt aus den

Resten der alten eine neue Gemeinde in Lublin, die später zu einer der größten Kolonistenparochien heranwuchs. 1784 erbaute man ein Pfarrhaus, 1785 bis 1788 eine stattliche Kirche. Bis dahin hatte man zur Teilnahme an Andachten einen weiten Weg bis in das Dorf Piaski machen müssen. Hier hatte bis 1645 eine sozianische (unitarische) Gruppe ihr Bethaus gehabt. Deren Nachfolgerin war eine reformierte Adelsgemeinde, die sich aber auch auflöste. Darauf wurde das einst »arianische« Bethaus ausschließlich von den aus Lublin herauswandernden Lutheranern benutzt, bis dort 1785 das Pastorat bezogen und dann die Kirche gebaut wurde.

Östlich von Warschau und Wengrow gab es auf polnischem Boden nur noch eine Gemeinde, die von Neudorf am Bug. Sie verdient aus zwei Gründen einen eigenen Bericht.

1616 hatte der Graf *Leszno-Leszscyński* im Bruch des Flusses vierzehn lutherische Familien aus dem Danziger Werder angesiedelt, die sich alsbald eine Kapelle bauten. Nach schlimmsten Erlebnissen beim Kosaken-Einfall 1648 und anderen Schicksalsschlägen konnte 1778 mit Hilfe des Fürsten *Radziwill* eine Kirche errichtet werden. Die Abgelegenheit der Kirche brachte es mit sich, daß – anders als in den westlichen Siedlungen – schon bald nach 1700 eine volle sprachliche Assimilierung der Kolonisten an die Umwelt stattfand. Aber das hatte keineswegs auch eine Anpassung an Sitte und Brauchtum zur Folge. Der Fremde hatte noch um 1900 den Eindruck, in ein völlig deutsches Dorf zu kommen; aber auch die ältesten Leute verstanden kein Wort Deutsch mehr. Im Gespräch erfuhr man aber, daß sogar die Jüngsten von dem deutschen Ursprung des Dorfes wußten und daß alle den deutschen Ahnen dankbare Erinnerung bewahrten. Das ging so weit, daß in jener Zeit folgendes Kuriosum eintrat: Das Warschauer Konsistorium wollte für die polnisch sprechenden Gemeinden ein neues Gesangbuch einführen. Die Neudorfer lehnten es ab und waren nur schwer zum Aufgeben des Widerstandes zu bewegen. Was war der Grund? Das neue Gesangbuch war in Antiqua gedruckt. Das empfanden die Bauern als katholisch; denn bisher hatten sie die in Fraktur gedruckten Bücher der ostpreußischen Masuren benutzt und sehr geliebt. Ein lehrreiches Beispiel dafür, daß man zwischen sprachlicher Assimilation und solcher des Bewußtseins und der Lebenshaltung zu unterscheiden hat, in der Regel allerdings nur als eine langsam wirkende Übergangserscheinung, wie aus dem Bereich der protestantischen Wanderungen die Beispiele der Hugenotten in vielen Aufnahmeländern, der Waldenser in Württemberg, der Tschechen in Schlesien, besonders aber der Deutschen in Nord- und Südamerika lehren.

Das andere Bemerkenswerte an der Neudorfer Kirche ist, daß sie der Ausgangspunkt einer ungemein weit ausgedehnten Diasporafürsorge war. Sie hat mit dazu beigetragen, daß sowohl in Lublin wie in Krakau und in der weitesten Umgebung der beiden Städte protestantisches Leben nicht ganz erloschen war, als 1768 ein neuer, glücklicher Abschnitt dafür begann. Bis dahin war seit langem weder in der podlachischen noch in der galizischen Hauptstadt ein Gemeindeleben möglich; man war genötigt, zur Teilnahme an Gottesdiensten in oft recht entfernte Dörfer zu wandern. Dort erschien der Neudorfer Seelsorger und sorgte dafür, daß ein Rest übrig blieb, ein Grundstein für freudigen Neubau.

Es war ein Zeichen des Vertrauens zum Bestand des konsolidierten Reststaats, daß die vielen kleinen und größeren, alten und neuen Gemeinden, die independentistisch nebeneinander standen, nach Halt an gesamtkirchlicher Gemeinschaft strebten. Die noch von früher vorhandenen losen Organisationen suchte man mit neuem Leben zu füllen und darüber hinaus eine integrierende Ordnung zu schaffen. So kam man bereits 1775 zu einer lutherischen, 1776 zu einer beide Konfessionen umfassenden Synode zusammen, beide Male in Lissa. Ein Jahr später tagte man in Sielce, dem einstigen Hauptsitz der Reformierten von Kleinpolen. Schließlich gipfelte das mannigfache Streben vielfältiger spannungsreicher Synoden in der Generalsynode zu Wengrow, bei der sich ernste Gegensätze in einem heftigen Streit entluden, der zur Sprengung der Versammlung und zum Bruch der Einheit führte. Dabei war es beschämend, wie man es zuließ oder gar herbeiführte, daß sowohl der katholische König als auch der russische Gesandte sich in den Streit einmischten. Fürst *Repnin* glaubte, als »Repräsentant der allerdurchlauchtigsten Garantin des Traktats« dazu berechtigt zu sein, obwohl die Vereinbarung von 1768 sich allein auf das Verhältnis der Protestanten zu den Katholiken bezog und mit den inneren Auseinandersetzungen des Protestantismus nichts zu tun hatte. Der Gesandte war übrigens evangelisch, ein Livländer, wie denn der Zar auch später (bis 1915) seine Aufsichts- und Einspruchsrechte bei den evangelischen Kirchen Polens meist durch baltische Adlige hat ausüben lassen.

Bei den Streitigkeiten kreuzten sich zwei Strömungen. Die massierten lutherischen Gemeinden des Westens warfen das Gewicht ihrer Zahl und Geschichte in die Waagschale, wobei auch die volklichen Verschiedenheiten – hier Deutsche, dort Polen und Litauer in der Mehrheit – nicht ohne Bedeutung waren. Es nahte die Zeit des nationalen Erwachens bei den Völkern Europas. Dabei gab es ebensogut lutherische Polen und Litauer wie deutsche Kalvinisten. Die andere Linie weist auf den Gegensatz zwischen dem adligen Grundbesitz und dem Stadtbürgertum, wobei letzteres oft eine viel größere wirtschaftliche Kraft darstellte und mehr Intelligenz aufwies als die oft dem Bauern ähnlich lebende polnische Schlachta. Darin traten vor allem die reichen Warschauer hervor, denen die kategorische Art des Posener Synodalpräses Graf *von der Golz* (Generalleutnant im polnischen Heer) auf die Nerven ging. Bis in die neueste Zeit hinein waltete über den Synoden der Lutheraner in Polen kein glücklicher Stern (siehe S. 202).

Der Streit spitzte sich besonders zu, als man die Frage der Errichtung einer Kirchenbehörde behandelte. Man strebte eine solche zunächst für die Gesamtheit an. Als das mißlang, suchte man doch wenigstens für jedes der beiden Bekenntnisse eine Gesamtleitung zu erreichen. Auch das kam nicht zustande. So endete der Streit mit der Errichtung von nicht weniger als fünf Konsistorien: eins in Lissa, zwei in Warschau, zwei in Wilna. Nur das von Lissa hatte einen über den Rahmen einer Superintendentur hinausreichenden Amtsbereich.
Ebenso erhitzte man sich über die Schaffung einer Verfassung. Ein Rechtsgelehrter in Jena, der Bruder des Pfarrers *Scheidemantel* in Warschau, wurde beauftragt, einen Entwurf zu liefern. Graf *von der Golz* ließ diesen 1780 zweisprachig in Druck legen; er kam nie zur Annahme. Vor allem wollte Warschau sich einer Gesamtordnung nicht fügen, es hatte sich selbst schon lange eine eigene Ordnung aufgestellt und erwartete, daß dieser sich alle Gemeinden unterordneten.
Zu dem allen kam 1778 ein heftiger Agendenstreit. Er begann in Warschau, als man dort die bisher übliche, von den sächsischen Truppen eingeführte Dresdener Form des Gottesdienstes durch eine moderne zu ersetzen anfing. Der hartnäckigste Vertreter der Neuerung war der Pastor *Cerulli*. In seiner schroffen Abneigung gegen alles Liturgische ging er bei der Einweihung der Warschauer Kirche (siehe S. 204) demonstrativ im Festzug ohne Talar und stieg auch so auf die Kanzel. Wieder mischte sich der russische Botschafter in die wahrlich ganz innerkirchliche Angelegenheit ein. Er tat es zugunsten der konservativen Mehrheit, und *Cerulli* mußte 1787 Warschau verlassen.
Wenn aus den vorsichtigen Grenzverschiebungen von 1772 die brutale Okkupation des gesamten polnischen Territoriums wurde, die 1795 eintrat, so ist die treibende Kraft für dieses »klassische Beispiel von Eroberungspolitik« die russische Zarin gewesen. Gern hätte sie für ihr Land mehr erreicht, als ihr bei der »dritten Teilung« zufiel. Nicht nur der jagiellonische Ostteil, sondern auch der piastische Westen war das Fernziel des sarmatischen Ausdehnungsdranges. Aber *Katharina* mußte um der Gleichgewichtstheorie willen, die für die ganze Staatengeschichte Europas so große Bedeutung gehabt hat, die Westgebiete des Königsreichs von vor 1466, das ganze eigentliche Polen – ethnographisch gesehen – ihren Nachbarn überlassen. Der Knabe, dem sie bei der Taufe den vielsagenden Namen *Alexander* geben ließ, hat 1815 diese Länder, wenn auch beträchtlich beschnitten, als Kongreßpolen dem Zarenreich eingefügt. Nach 130 Jahren konnte der Erbe dieses Reiches, die Sowjet-Union, den Traum von der Elbegrenze der russischen Macht zur Erfüllung bringen.
Die Herrschaft der beiden Nebenbuhler Preußen und Österreich über Polen hat nicht lange gedauert, aber das Herzogtum Warschau, das *Napoleon* 1809 aus dem größten Teil der in seine Hände gefallenen Beute errichtete,

wurde nur sechs Jahre alt. Diese beiden Episoden der politischen Geschichte Polens hatten trotz ihrer Kürze für die Kirchengeschichte eine so große Bedeutung, daß ihnen unsere Aufmerksamkeit gebührt.

Das gilt ausschließlich für die beiden Okkupationsstücke Preußens, die den Namen Südpreußen und Neuostpreußen bekamen. Das österreichische Gebiet – im südlichen Weichselbogen mit Krakau und Radom, das zu »Kleinpolen« gehört hatte und sich östlich des Flusses bis zum Bug mit der Hauptstadt Lublin fortsetzte – kommt weniger in Betracht. Beide Okkupanten gaben sich der Illusion hin, es sei ihnen so wie der Gewinn von 1772 auch dieses Geschenk neuer Provinzen als dauerndes Eigentum zugefallen; jedenfalls handelten sie so, als ob keine Gefahr bestünde, daß ihre hier reichlich eingesetzten Investitionen eines Tages nicht mehr ihren eigenen Staaten, sondern ganz andern Nachfolgern im Besitz nützen würden. Sie setzten insbesondere die Ansiedlungspolitik hier fort, die sie vor 20 Jahren in den damals gewonnenen Ländern Polens begonnen hatten.

In großem Maßstab tat das namentlich die preußische Regierung, und das kam dem Ausbau des evangelischen Kirchenlebens zugute. Schon der unerläßliche Einsatz von Beamten und Militärs und der in ihrem Gefolge stehende Zuzug von Trägern freier Berufe hatte solche Wirkung. Er verstärkte die Seelenzahl der in den Städten bestehenden Kirchengemeinden und gab ihnen Auftrieb und Anstoß zu reicherer Gestaltung der Glaubensgemeinschaft und Betätigung im Bruderdienst. Denn dieser Zuwachs der Bürgerschaften kam durchweg aus den alten brandenburgischen Ländern. Nur in »Neuschlesien« überwogen die aus der nächsten Nachbarschaft kommenden Katholiken.

Die neuen Stadtbürger hatten es schwerer als ihre Vorgänger nach 1772, die in Westpreußen sehr willkommen gewesen waren und bald hatten Fuß fassen können. Diese waren damals zu Landsleuten gekommen, in Ortschaften, die nicht nur außen, an den Fronten der Häuser, sondern vor allem in der geistigen Gestalt und Haltung immer noch das Gepräge ihres Ursprungs trugen. In Elbing, Dirschau, Bromberg wurden sie als Garanten der wiedergewonnenen Freiheit begrüßt. Das war 1795 nicht zu erwarten. Posen, Gnesen, Kalisch und andere Städte in Südpreußen, ebenso Warschau, Pultusk, Petrikau usw. in Neu-Ostpreußen hatten ihr einstiges Gesicht eingebüßt und waren teils durch polnische Zuwanderung, teils durch Assimilation polnisch-katholische Städte geworden, in denen sich die evangelischen Minderheiten mit viel Mühe und unter großen Verlusten durch die Gegenreformation hindurchgekämpft hatten, bis sie nun durch die Zuwanderer an Zahl und Kraft gestärkt wurden und auch Förderung durch die Obrigkeit erfuhren.

Viel gründlicher und nachhaltiger als in den Städten wirkte sich die politische Veränderung auf dem Lande aus. Was zwanzig Jahre hindurch in

Westpreußen langsamen Schritts geschehen war, wiederholte sich nach 1795 in stürmischem Tempo. Die umfangreiche Ansiedlung von damals wurde jetzt, im Neuland, tatkräftig fortgesetzt. Da kaufte der Fiskus die Latifundien der verdrossen in die Emigration gehenden Magnaten, machte sie zu Staatsdomänen und gab sie geschulten Landwirten in Pacht. Andere Rittergüter parzellierten die »Kammerdepartements« oder die Eigentümer selbst, um bei dem jetzt in Schwung geratenen Getreide-Export reiche Erträge einsetzen zu können. Man begann, die bisherige extensive Wirtschaftsform preiszugeben; für intensiven Betrieb entstand ein Massenbedarf von Arbeitskräften. Man suchte nach harten Händen, die zum Einsatz beim Roden von Wäldern, beim Trocknen von Sümpfen, beim Regeln von Mooren willig und geschickt waren, nach Vorbildern für den landesüblichen Schlendrian der polnischen Bauern, nach Lehrmeistern für die rückständigen Landproletarier. Es entspricht nicht der Wahrheit, wenn dabei von habgieriger Landnahme gesprochen wird; es war eine ausgiebige Landgabe, freiwillig von den Gutsbesitzern zum eigenen Vorteil durchgeführt oder angeboten.
Natürlich war das, was die Regierung in dieser Hinsicht einsetzte, nicht davon frei, daß politische Erwägungen sich mit merkantilistischen Grundsätzen mischten. Man dachte doch an die Zukunft; nicht als ob auf eine Germanisierung der Millionen Polen durch Ansetzung einiger Zehntausender Deutscher zu rechnen wäre; aber gewisse Stützpunkte überall im Lande zu haben, auf die man sich verlassen könne beim Bemühen um Ordnung und Fortschritt, das war der Gedanke. Weder *Friedrich Wilhelm II.* noch *Friedrich Wilhelm III.* würden wie ihr großer Vorfahr gesagt haben: »und wenn sich Türken und Tataren meldeten, würde ich sie annehmen; nur müßten sie für die Arbeit taugen«. Es wurden aber keineswegs nur Deutsche, sondern auch Polen angesiedelt, darunter Masuren aus Ostpreußen (Lomża) und Schlonsaken aus Schlesien (Adelnau), ebenso Litauer aus dem Memelland; und nach der Konfession wurde nur soweit gefragt, als es für die Schaffung geschlossener, gleichgläubiger Dorfgemeinden nötig schien. Da jetzt auch Danzig und der Danziger Werder gewonnen war, konnten die oben erwähnten holländischen Mennoniten im Weichseldelta nun auch anderwärts Tochtersiedlungen anlegen und ihre Kunst der Feldgewinnung im Inundationsbereich betätigen.
Bei den Dorfgründungen gab man sich Mühe, die Mundartengemeinschaften zusammenzuhalten. Die in die Gegenden mit ländlichem Volksüberschuß in Deutschland entsandten Werber hatten gemeldet, daß die Auswanderungswilligen auf solches Festhalten an der heimischen Art bis in die Hofanlage, den Wohnungsbau und Dorfgestaltung größten Wert legten. Als Beispiel für die landsmannschaftlichen Sondersiedlungen seien aus der großen Fülle der Namen, die man in der Spezialliteratur findet, die fol-

genden herausgehoben: Schwaben – Königsbach, Neusulzfeld, Leonberg; Märker – Strelice; Mecklenburger – Königshuld (Groß-Paproć); Franken – Ilvistheim; Holländer – Radegast, Danielow (Glashütte).
Zum Teil entstanden durch Aufteilung eines Gutes ganze Sprachinseln, wie in den plattdeutschen Dörfern um Paproć. An anderer Stelle ließ ein polnischer Graf seinen großen Wald niederschlagen, dessen Raum Platz für eine Sammelsiedlung von elf Kolonien mit je dreißig bis vierzig Höfen bot. Die Gutsbesitzer pflegten die Siedlungslose entweder in Erbpacht zu geben oder gegen Amortisation des Kaufpreises durch Lieferung von Getreide, Öl, Honig (Waldbienenzucht), Wolle, Fellen und anderen Erträgnissen des Ackers und Stalles. Der Preis des Bodens war billig, der Ertrag der ausgeruhten Erde lohnte Mühe und Geschick. Die staatlichen Siedlungen waren noch günstiger dran, weil sie sorgfältiger vorbereitet wurden. Preußen ließ es sich – nach schätzender Berechnung – in den zehn Jahren von 1796 bis 1805 jährlich eine Million Silbertaler kosten, um Musterkolonien anzulegen, wozu natürlich auch die Fürsorge für Kirche und Schule gehörte. Der Staat förderte gern die Pläne der Gutsherren durch Stellung von Kräften für die Landvermessung, durch Anlegung von Wegen und Straßen, durch Steuerbegünstigung und anderes. Auf allerlei Weise wurde versucht, die landwirtschaftliche Produktion zu heben, während Verwertungs- und Handwerksbetriebe noch recht rückständig blieben.
An manchen Stellen wurde das bisherige Landschaftsbild durch die Kolonisten völlig umgestaltet, so viel Wald wurde gerodet, so viel Naßland trockengelegt. Am eindrucksvollsten war die Urbarmachung des Weichseltales von Thorn ab aufwärts bis Pilica hinter Warschau. Die Polen spotteten über die Kempenkolonisten, die es wagten, mitten in der sehr breiten Weichselrinne ihre Häuser zu erbauen. Sie taten es auf angeschütteten Inseln, von denen sie in der Überschwemmungszeit auf Kähnen zur Kirche, zur Schule, zum Markt fuhren. Von üppigen Heuernten, kluger Viehwirtschaft und geschickter Obstpflege wurden sie bald wohlhabend, da die Großstädte an der Weichsel gute Abnehmer waren. Ein Gesandter des Zaren berichtete diesem von einer Fahrt auf dem Fluß, das ganze Land, das er sah, sei »ein einziger ununterbrochener Garten«. Mit großen Opfern – durch manche Hilfe dazu angeregt – richteten sich die evangelischen Siedler ihr Kirchen- und Schulwesen ein. Meist geschah das in der Form, daß in der Kreisstadt ein Pfarramt gegründet wurde, in den Dörfern aber Filialen, in denen unter Aufsicht des Pfarrers »Kantoren«, die meist zugleich Inhaber der Lehrstellen waren, Lesegottesdienste hielten, auch die Taufen und Begräbnisse vornahmen, zu denen der weitentfernte Pastor nicht kommen konnte, während ihm die Trauungen und die Abendmahlsfeiern vorbehalten blieben. Man durfte von den sehr dürftig besoldeten Kantoren natürlich nicht viel erwarten; es fehlte ihnen sowohl an Allgemeinbildung als an methodischer Schulung. Sie ver-

richteten aber ihren Dienst oft erfolgreich aus frommer Herzensbildung und mit dem aus ihr folgenden pädagogischen Takt.
Zwei Beispiele mögen den Vorgang bei der Gründung von evangelischen Landgemeinden durch adlige Grundherren anschaulich machen.
In Grodiez schlossen 1796 sieben »Holländerdörfer« mit dem Grafen *Anton von Sladnicki* einen Patronatsvertrag. Er verpflichtete sich, alle für die Bildung der Gemeinde nötigen Bauplätze zu schenken und alles Baumaterial zu stellen. Dazu errichtete er eine »Fundation« an Gärten und Wiesen für den Pastor und den Kantor und ein jährliches »Deputat« in Getreide, Brennholz und Bier für beide. Dafür gestand man ihm und seinen Nachkommen das Recht der Berufung des Pastors zu. 1797 begann man mit der Errichtung von Kirche, Schule, Pfarrhaus und Scheune. 1803 standen alle Gebäude in »preußischer Mauer« (Riegelwand, Fachwerk) fertig da.
In Babiak gründete Baron *Bonaventura von Raczyński* 1796 zusammen mit den Kolonisten von fünfzehn benachbarten Dörfern eine Parochie, die 2500 Seelen zählte. Auch hier wurden Äcker und Wiesen für die Pfarrei gestiftet. Der Pfarrer bezog 500 Rubel Jahreseinkommen, dazu 1 Četvert Roggen, 6 Tonnen Bier und 6 Klafter Holz. In allen fünfzehn Dörfern wurden Schulen errichtet, die eigene Kantoren hatten und zusammen 450 Kinder beherbergten. Die vom Grundherrn sogleich erbaute Holzkirche brannte im Franzosenkrieg ab. Man mußte sich mit dem Schulzimmer behelfen, bis es 1823 möglich wurde, einen steinernen Bau aufzurichten. Das Recht der Pfarrerberufung behielt hier die Gemeinde für sich.
Solche Gründungen und Stiftungen kamen häufig vor; sie legten den Grund für das schöne Aufblühen der später zu einer Seelenzahl von fast einer halben Million anwachsenden Kirche Augsburgischen Bekenntnisses im Konsistorialbezirk Warschau, von der später ausführlich berichtet wird.
Bei der Berufung von Pastoren half die Regierung durch Vermittlung über die königlichen Konsistorien der preußischen Landeskirche. Bei den Universitäten Königsberg und Breslau fragte man an, wenn Theologen angefordert wurden, die auch des Polnischen, Litauischen oder Tschechischen mächtig sein sollten. Es wurde in dieser Zeit eine beträchtliche Anzahl Parochien im Gebiet von Posen und Warschau neu gegründet; die Zahl der dörflichen Kantoratsgemeinden ging in die Hunderte.
Zur Erbauung größerer Kirchen kam es jetzt noch nicht; man behalf sich mit Baracken als Bethäusern und Schulen. Die Monumentalkirchen in Posen, Lissa und Warschau (siehe S. 204) waren schon in der Reststaatzeit fertig geworden. Die auf dem Warschauer Bau noch lastenden Schulden deckte jetzt der preußische König aus seiner Privat-Schatulle.
Für die Duldsamkeit und Schmiegsamkeit, zu der man auf katholischer Seite in jenen Jahren bereit war, ist bezeichnend, daß sogar Klöster und Bischöfe freiwillig aus ihrem Landbesitz große Flächen abtraten, um auf

ihnen evangelische Dörfer anlegen zu lassen. Sie gaben dann Parzellen als Geschenk dazu, damit für den Unterhalt des Pastors und des Lehrers ein Fundus vorhanden sei. Noch weiter ging das Entgegenkommen in Fällen, wo Evangelische darum baten, daß ihnen eine unbenutzte katholische Kirche zum Gebrauch überlassen werde. In Kalisch wurde hierfür sogar der Papst bemüht. Auf Bitten des preußischen Königs bewilligte er 1797, daß die Jesuitenkirche, die seit Aufhebung des Ordens leer stand, ein schöner Bau aus dem 16.Jahrhundert, der Regierung übergeben wurde, die sie der lutherischen Gemeinde schenkte. Ähnlichen Bemühungen gelang es, der 1804 gegründeten Gemeinde in Płock den leerstehenden Barockbau der Dominikaner zur Nutzung zu erhalten. Die dortige vornehme Beamtengemeinde, zu der auch der berühmte Kolonisator *v. Schrötter* gehörte, ebenso wie der Schriftsteller *E. Th. Hoffmann*, hatte sich anfänglich mit einem Klassenzimmer in der Klosterschule und mit Versorgung aus Johannisburg und Lyck begnügen müssen. Nun wurde sie Mittelpunkt einer großen Zahl von evangelischen Bauernsiedlungen, die sich in der Nachbarschaft auf den »Kampen« des Weichsellaufs niederließen und es zu wirtschaftlichem Wohlstand wie auch zu schönem Gemeinleben in Schule und Kirche brachten. Dabei möge hier bereits zweier eigenartiger Fälle gedacht werden, die sich etwas später ereigneten. In Lomża wurde 1836 der neuen von masurischen Siedlern gebildeten Gemeinde die einstige Jesuitenkirche übergeben, ein mächtiger, zweitürmiger Bau, der 3000 Personen Platz bot, indes die ganze Gemeinde, einschließlich ihrer Dorffilialen nur 2000 Seelen zählte. In Prczedecz weilte einmal der Zar *Alexander I.*, um eine aus der Ordenszeit stammende Burgruine zu besichtigen. Als ihm sein baltischer Adjutant erzählte, daß die in der Umgebung siedelnden Lutheraner ohne Gotteshaus seien, schenkte er ihnen die Ruine und stiftete eine Summe für ihren Ausbau zu einer Kirche.

Ebenso wie das Kirchenwesen der Kolonien unterstützte die Regierung ihre Schulen. Einige der oben geschilderten Kantorate konnten dadurch auf einen ansehnlichen Bildungsstand gebracht werden, der sich wohl mit den Volksschulen in Preußen vergleichen durfte. Schon in der zweiten Generation nach der Einwanderung gingen aus solchen Schulen Anwärter für den Lehrer- und Pfarrerberuf hervor. Jetzt entstanden auch die ersten Anfänge für ein höheres Schulwesen auf evangelischer Basis. Sie entwickelten sich durchaus in einer friedlichen Symbiose polnischen und deutschen Bestrebens. Mit Unterstützung der Regierung wurden Lateinschulen in Kalisch, Petrikau und vor allem in Warschau errichtet. Hier in der Hauptstadt entstand ein Zentrum evangelischer Jugendbildung in vier dabei gleichberechtigten Sprachen (lateinisch, polnisch, französisch, deutsch). Die vielbesuchte, auch Katholiken offenstehende Anstalt führte 1860 das Polnische als Unterrichtssprache und betontes Gesinnungsfach ein. Etwas später nahm sie den für eine lutherische Schule nicht unbedenklichen Namen »Rey-Gymnasium« an. *Nikolaus Rey von Naglowice* war ein kalvinischer Humanist († 1569), den man mit Hutten als »geistreichem Federhelden« verglichen hat.

Für den Bildungsgrad und die nationale Unbefangenheit des damaligen »Königlich Preußischen Stadtmagistrats Warschau« ist die Persönlichkeit des Mannes bezeichnend, der an die Spitze des 1803 gegründeten und im einstigen Palais der Sachsenkönige untergebrachten städtischen Lyceums gestellt wurde. Der aus Thorn gebürtige lutherische Professor *Gottlieb Linde* († 1847) hat sich nicht nur als Pädagoge von Rang im Erziehungsstil *Pestalozzis* hoch verdient gemacht, sondern auch als Erforscher des polnischen Wortschatzes. Sein 1814 gedrucktes sechsbändiges Wörterbuch der polnischen Sprache genießt noch heute in der Slavistik hohes Ansehen.

Ein ähnliches Beispiel frischer Lebensentfaltung polnisch-deutscher Zusammenarbeit in den Okkupationsjahren läßt sich aus dem Bereich der reformierten Kirche anführen. In Warschau wirkte seit 1791 der in Lissa als Glied der Unität aufgewachsene, später zu ihrem Senior erwählte *Karl Gottlieb Diehl*, ein ungewöhnlich begabter und echt kalvinisch rühriger Theologe und Kirchenpolitiker. Er war Pfarrer der Warschauer Gemeinde und Superintendent der reformierten Diözese. Der preußische König – die Hohenzollern waren seit 1613 Anhänger der helvetischen Konfession – wollte gern in seiner Warschauer Residenz (obwohl er sie nicht oft aufsuchte), einen Hofprediger haben. *Diehl* wurde dazu ernannt und konnte der Kirche als Vermittler zu den Behörden wertvolle Dienste leisten.

Seine Fähigkeiten entfaltete *Diehl*, nun nicht mehr Hofprediger, ganz hervorragend nach 1806 in der Napoleonischen Okkupation. Man darf diese Bezeichnung für das »Herzogtum« verwenden trotz seiner freiheitlichen Fassade mit einer oktroyierten Konstitution nach Pariser Muster. Was nutzte alle Liberté auf dem Papier, wenn dauernder Kriegszustand alles freie Leben lähmte?! Rücksichtslos saugte der Kaiser die Wirtschaftskraft Polens aus; die Städte besonders, allen voran das reiche Danzig, wurden restlos ausgepreßt. Die Jungmannschaften des Landes, gleich ob Polen oder Litauer, Ruthenen, Deutsche, Juden, wurden für die Armeen ausgehoben. Auf vielen Schlachtfeldern bis nach Portugal und bis nach Moskau, dann auf dem schaurigen Rückzug über Leipzig an den Rhein litten und starben sie für Frankreichs Ruhm.

Es war geboten, daß die nun wieder des Staatsschutzes beraubten Protestanten, gleich ob Kalviner oder Lutheraner, Stadtbürger oder Neusiedler, Posener oder Masowier, Polen oder Litauer oder Deutsche, jetzt eng zusammenrückten, um geschlossen durchzuhalten. Dieser Bestrebung nahm sich *Diehl* mit Eifer an. Er hätte gern die alten Unionen (siehe S. 114, 135) wieder aufleben lassen. Vielleicht entsprach er damit einem Wink aus Paris. So verfaßte er gleich in den ersten Jahren des Herzogtums den Entwurf für eine Gesamtkirche der drei Konfessionen mit synodalem Aufbau und machte sich persönlich auf die beschwerliche Reise in die vom Soldatengetümmel erfüllte Westprovinz, um die Zustimmung der Lutheraner und der Unität zu erlangen. Der Erfolg blieb nicht aus; die große Mehrheit der Pfarrer und der maßgebenden Laien war zum Zusammengehen, wenn auch nicht im Bekenntnis, so doch in der Verwaltung, bereit.

Wenn der Plan dennoch zunächst scheiterte, so dürfte der Grund darin gelegen haben, daß die Regierung sich nicht entschließen konnte, die in dem Entwurf vorgesehene und von *Diehl* entschieden vertretene volle Gleichberechtigung der beiden christlichen Kirchen anzuerkennen. Aber 1828, also unter russischer Herrschaft, kam es im Königreich Polen zum Zusammenschluß in einer Verwaltungsunion mit einem Generalkonsistorium unter zwischen den Beteiligten abwechselnder Führung. Hiervon soll später noch die Rede sein.

Sein Mißerfolg in der Verfassungsfrage entmutigte den tapferen Superintendenten ebensowenig wie die Kriegswirren jener Jahre. Er war es, der in dieser schlimmen Zeit die Gemeinden fest zusammenhielt, als die politische Differenz in der Parteinahme für oder gegen die Franzosen die Glaubensgenossenschaft zu sprengen drohte. Seiner Mittlerstellung war es zu verdanken, daß er, der einzige evangelische Geistliche seither, zum Mitglied des Sejm gewählt wurde. Er konnte dadurch manchen Schaden verhüten, als 1806 die preußischen, 1809 die österreichischen Soldaten und ihre Gefolgschaft an Beamten, Beratern, auch Nutznießern und Glücksrittern in hastiger Flucht nach Berlin oder Wien zurückkehrten. Die Gemeinden brauchten ja nicht zu fliehen; sie blieben samt ihren Pastoren und Lehrern in ihrer neu gewonnenen Heimat. Das Schachspielen mit Menschenmassen, das unsere Jahrzehnte erleben mußten, kannten jene Tage des aufgeklärten Humanismus in dieser Form nicht. Niemand schmähte die neu ins Land gekommenen Bauern und Handwerker, niemand schmälerte sie an Eigentum und Recht. Man gönnte einander das Land, den Arbeitsplatz, das Glück festen Bodens unter den Füßen. Als die Sturmgewitter sich verzogen hatten, zeigte sich, daß die zwischenpolnischen gemeinsamen Erlebnisse die Protestanten Polens zusammengebunden hatten. Die Bruderschaft wurde nicht davon getrübt, daß die Kalvinisten mit dem zahlenmäßigen Wachstum der Lutheraner nicht Schritt halten konnten, und bei den Lutheranern entstand kein Riß dadurch, daß die deutsche Sprache im Gottesdienst, in den Schulen, in den Beratungen ihr Übergewicht in den Städten verstärkte und zum Alleingebrauch auf dem Lande gelangte. In »natürlicher« Zweisprachigkeit erlebten die Gemeinden des »Augsburgischen Konsistorialbezirks« den äußeren und inneren Aufschwung, der uns noch beschäftigen wird.

Ihren Ursprung aus der 1795 beginnenden, sich bis etwa 1840 fortsetzenden Wanderungsbewegung hat die lutherische Kirche Kongreßpolens dauernd an sich getragen. Die seit der letzten Jahrhundertwende in ihr ausbrechenden inneren Kämpfe, die soviel Aufsehen in der ökumenischen Christenheit erregten, hängen mit diesem Ursprung zusammen. Der Widerstreit zwischen den konservativen Kolonistengemeinden und den sich aus ihrer Mitte anfüllenden Stadtgemeinden entzündete sich in der Sprachenfrage. Die Bürger assimilierten sich dem Polentum schneller, als man das von den Bauern verlangen konnte. Auch der österreichische Teilungsanteil weist in seinen evangelischen Gemeinden diese ins politische übergreifende Spannungen auf. Davon wird in einem späteren Abschnitt einiges zu erfahren sein, der den Blick auf einige der Großstädte Russisch-Polens richten soll, deren evangelische Kirchengeschichte das Paradigma für viele andere abgibt.

8. Der preußische Teil nach 1815

a) Westpreußen: Als *Napoleon* 1807 die bisherigen Teilungen Polens revidierte, machte er sich, ohne es zu wollen, um das ihm verhaßte Preußen verdient: er befreite es von dem Ballast, den der kleine Nachfolger *Friedrichs des Großen* sich von der Zarin *Katharina II.* hatte zuschanzen lassen. Wäre das Kernland Polens, sein Mittelstück mit Warschau, dazu das Mischgebiet am Ostrand zusammen mit dem Westgebiet (Großpolen mit Gnesen und Posen) länger bei Preußen geblieben, so würde das politische und kulturelle Wesen des aus dem Brandenburgischen Kurfürstentum aufgewachsenen Königreichs völlig verändert worden sein; es hätte in dem Rahmen des Bundes der deutschen Staaten einen Fremdkörper gebildet und hätte sich von diesem trennen müssen, so wie das Österreich-Ungarn später tat.
Wenn der Franzosenkaiser es dabei unterließ, auch den preußischen Erwerb von 1772 rückgängig zu machen, so respektierte er damit die alte Geschichte des einstigen Pruzzenlandes, dessen westliche Hälfte (Westpreußen) – im Unterschied von der östlichen (Ostpreußen) – seine Autonomie großen Teils verlor, als der polnische Binnenstaat so ungestüm an die Meeresküste drängte. Aber gewisse Reste der Freiheit hatte dieses »Königliche Preußen« (Westpreußen) behalten und immer wieder vor dem Zugriff des Warschauer Zentralismus verteidigen können. Westpreußen war keineswegs ein polnisches Land geworden. Nur der slavische Volkssplitter der Kaschuben hatte sich polonisiert und eine langsame Einwanderung von polnischen Bauern hatte hier und dort das deutsche Bild der Landschaft verwischt. Die Städte, voran der große Seehafen Danzig und das ganze dazu gehörige Weichseldelta, dann Dirschau und Thorn an der Weichsel, Elbing an der Nehrung Bromberg und die recht zahlreichen Marktflecken waren völlig deutsch geblieben. Sie blühten durch Gewerbefleiß und Handelsglück und hatten zur Abwehr polnischer Machtausdehnung kaum jemals andere Waffen gebraucht als Silbertaler und Golddukaten, die den meist nicht reichen Köni-

gen Polens hoch willkommen waren. Von der Geschicklichkeit, mit der sich namentlich Danzig wiederholt der polnischen Überfremdung hatte erwehren können, wurde oben berichtet. Das evangelische Thorn hatte es schwerer; das historische Blutgericht von 1724, dessen konfessionelle Hintergründe unbestreitbar sind, tat in der öffentlichen Meinung Europas dem früheren Ansehen Polens als eines toleranten Staates entscheidenden Abbruch. Aber der lutherischen Gemeinde dort diente das Martyrium ihrer Stadtväter zur Besinnung und Bekenntnistreue. Von großer Bedeutung für die Kirche Westpreußens war es gewesen, daß die Stadt Elbing von 1648 ab unter schwedischer Herrschaft stand und von dieser manche Förderung ihres Aufbaues erfuhr. Nimmt man hinzu, was es bedeutete, daß Ostpreußen, diese 1466 dem Orden belassene Hälfte seines Staates (siehe S. 33), seit 1526 einen lutherischen Herzog aus dem Hohenzollernhaus besaß und 1618 mit Brandenburg im Erbgang vereint wurde, erfährt man, daß der Durchgangsverkehr von Brandenburg und Pommern nach Königsberg, Tilsit und Memel mit seinen hochbeladenen Frachtwagen den polnischen Handel auf und an der Weichsel weit in den Schatten stellte, so hat man das Bild von Westpreußen vor Augen, das 1807 *Napoleon* bewog, an diese Grenze nicht zu rühren und sein »Herzogtum Warschau« als Binnenstaat ohne Meeresküste aufzurichten.

Überdies war in Westpreußen seit 1772 durch *Friedrich II.* in ganz großem Umfang Kultivierung von Ödland erfolgt, und die Besiedlung des Neulands hatte große Scharen von Kolonisten aus allerlei Ländern – auch aus Polen – hereingebracht, die fast durchweg evangelisch waren. Um 1800 ergab eine Zählung, daß in Westpreußen nebst Danzig 48000 Haushaltungen sich zu den lutherischen Gemeinden hielten und 3200 zu den reformierten (einschließlich der aus Holland in das Danziger Werder eingewanderten Mennoniten). Die Zahl der katholischen Deutschen war gering und die der polnischen Katholiken betrug kaum 20 Prozent. Erst nach 1815, als zwischen Westpreußen und Posen keine Grenze mehr bestand, verschoben sich diese Ziffern durch eine starke Zuwanderung polnisch-katholischer Arbeitermassen, die der höhere Lohn anlockte.

Ein Vergleich der Lage in Westpreußen mit der im Gebiet von Posen ergibt, daß jenes um 1815 dem Zustand Ostpreußens ähnelte, während das frühere Großpolen weithin den mittleren Provinzen Polens, insbesonderes dem Zentralland Masowien, glich. Der Tatbestand einer 350 Jahre zurückreichenden Geschichtstradition, der kulturelle Vorsprung, den die 40 Jahre seit 1772 gebracht hatten, das nie abgebrochene und jetzt vermehrte Übergewicht westlicher Lebensweise in Sprache und Geisteshaltung – ganz abgesehen von der zäh festgehaltenen Sonderstellung Danzigs – das alles erklärt den tiefgreifenden Unterschied der beiden nun im gleichen Staatsverband stehenden Provinzen. Das wirkte sich kirchengeschichtlich so aus, daß man – leicht über-

treibend – sagen kann: im 19. Jahrhundert stand dem katholischen Posen ein evangelisches Westpreußen gegenüber. Es hat mit der Kirchengeschichte Osteuropas ebenso wie Ostpreußen nur am Rande zu tun.
Immerhin werden manche Striche des nun von Posen zu zeichnenden Bildes auch für Westpreußen Geltung haben, ohne daß dies jedesmal ausdrücklich hervorgehoben wird.
b) Posen: Im Unterschied zu dem städtereichen, zum Weltmeer hin geöffneten Westpreußen war Posen ein menschenarmes, kaum mehr als 200000 Einwohner beherbergendes Binnenland. Außer dem historischen Kirchenzentrum des Gnesener Erzbischofs, des Primas Polonia, besaß es nur eine einzige Stadt, die Hauptstadt Posen.
Aber wie sah es mit dieser mit ihren etwa 10000 Einwohnern aus? Je ein Drittel von ihnen waren – nach der Größe geordnet – katholische Polen, orthodoxe Juden und evangelische Deutsche. Allenfalls konnten sich auch Rawitsch, Lissa und Fraustadt als Städte sehen lassen, alle drei fast ohne Polen. Was sich sonst Stadt nannte, waren Marktflecken, zum Teil sogar nur etwas gehobene Dörfer mit weniger als 100 Häusern, von ihren adligen Eigentümern stolz Stadt genannt. Die an der schlesischen Grenze gelegenen hatten seit langem ständigen Zuzug von Weberfamilien erhalten; die Grenze war hier nie streng abgesperrt. So konnte sich in Anlehnung an die westliche Nachbarschaft ein lutherisches Kirchenleben entfalten und erhalten. Aber es war doch, auf das ganze Land gesehen, eine sehr bescheidene Minderheit gegenüber den polnischen Katholiken.
Es gab in Posen auch evangelische Polen; aber sie bildeten nur eine verschwindende Minderheit in der katholischen Umwelt. Der einst gerade in Großpolen starke, selbstbewußte und mutige Adelsprotestantismus war bis auf ein paar halb polnische, halb deutsche Adelsfamilien verschwunden.
Der fromme König *Friedrich Wilhelm III.* wandte dem Posener Lande und in ihm besonders seinen evangelischen Gemeinden nicht weniger Aufmerksamkeit zu, als es sein Vorfahr in der Zeit zwischen 1793 und 1807 getan hatte. Aber zu einer von Staats wegen betriebenen Ansiedlungen wie damals kam es jetzt nicht.
Wenn alsbald die deutschen Gemeinden durch Zuzug verstärkt wurden und zwei Dutzend neuer Kirchen gebaut und Pfarrstellen gegründet wurden, so hatte das zum Teil seinen Grund in dem Zuzug deutscher Beamten für den Verwaltungsapparat und auch von Geschäftsleuten in den Städten – selbst Gnesen bekam jetzt eine evangelische Kirche, an deren Grundsteinlegung sogar das Domkapitel Anteil nahm –, mehr aber in der Bereitwilligkeit der polnischen Grundherren, dem Ertrag ihrer Rittergüter durch Ansiedlung von Landarbeitern, Handwerkern und Bauern zu erhöhen. Soweit nicht die Grundherren selbst dazu halfen, daß jedes neue Dorf auch seine Kirche bekam, sorgte die Regierung dafür, bemühte sich auch um An-

stellung von Pfarrern und Lehrern – alle Schulen waren eng mit den Pfarrgemeinden verbunden und organisierten Aufsichtsbezirke, an deren Spitze in der Hauptstadt ein »Königliches Konsistorium« errichtet wurde.
Bei dem allem gab es keine konfessionellen oder nationalen Hintergedanken. Alle Beteiligten hatten dabei ihren Vorteil. Selbst katholische Klöster beteiligten sich an dem guten Geschäft, Brachland zu parzellieren und auf ihnen ein deutsches Dorf anzulegen; konnte es kein katholisches sein, so war auch ein evangelisches willkommen; dies bekam seine Grundstücke für Bet- und Schulhaus, Acker und Gartenland für Pastor und Lehrer. Soweit sich deutsche Katholiken an der wirtschaftlichen Erschließung des neuen Landes beteiligten, kam das mehr den Städten zugute als dem Lande. In der Hauptstadt Posen war ihre Zahl und ihr Gewicht so groß, daß die Kurie ihnen die Ausnahme von sonst geltendem Recht genehmigte, eine die Parochialgrenzen überbrückende, nicht regional, sondern national abgegrenzte Gemeinde zu bilden. Wenn katholische Bauern einwanderten und geschlossene Dörfer bildeten, so wurden sie von polnischen Priestern versorgt und mußten sich notwendig der Umwelt anpassen. Wer um 1900 in Posen den Wochenmarkt besuchte, fand dort Bäuerinnen vor, die an ihrer Gestalt wie an ihrer Tracht als Deutsche erkenntlich waren, aber nur gerade soviel deutsch noch verstanden, daß sie ihre Waren verkaufen konnten. Sie wurden »Bamberki« genannt, denn sie waren Nachkommen der vor 80 Jahren in der Nähe angesiedelten Katholiken aus dem Bamberger Land. Ähnliches war auch an anderen Stellen zu erleben. Es wurde überhaupt überall im polnischen Raum jetzt hier Sitte, die Bezeichnungen polnisch = katholisch und evangelisch = deutsch zu gebrauchen. Es kam vor, daß Pastoren gebeten wurden, bei einem Begräbnis »auch etwas katholisch« zu sprechen, damit die polnischen Nachbarn, die sich beteiligten, dann etwas abbekämen.
Zwischen den aus der alten Zeit stammenden evangelischen Gemeinden und den Zuzüglern gab es, wie das überall zu geschehen pflegt, manche Spannung und Reibung. Die alten Gemeinden waren nur lose einem von ihnen selbst geschaffenen gesamtkirchlichen Organismus eingefügt gewesen; jetzt sollten sie nach den in Preußen geltenden Normen zusammen mit den neu entstandenen Gemeinden in eine Konsistorialverfassung eingereiht werden, deren Errichtung und Funktion die Staatsstellen als Beauftragte des »Summus Episkopus«, des Königs, übernahmen. Es war unvermeidlich, daß die damit gegebene Beschränkung der früheren Eigenständigkeit das Glück trübte, das aus dem Wechsel der Obrigkeit folgte, aus dem Aufhören von Druck und Spott der Sachsenzeit und aus dem Ende der umstürzenden Wirren in dem »Zwischenpolen«, von dem oben (siehe S. 95ff.) berichtet wurde.
c) Einführung der Union: Es war nicht glücklich, daß bald nach der Besitzergreifung Posens auch hier ein kirchenpolitischer Schritt getan wurde, der Verwirrung stiftete: Die Einführung der Union, die der preußische König

als Oberherr seiner Landeskirche für diese anordnete. *Friedrich Wilhelm III.* gehörte selbst wie seine Vorfahren dem reformierten Bekenntnis an, hatte aber gefühlsmäßig manche Neigungen zu lutherischen Formen und Gestaltungen. Zu dieser persönlichen Begründung seines Schritts kam eine politische. Von den bisher 7 Provinzen seines Staats wiesen zwei eine starke Mischung von entschieden kalvinisch eingestellten Gemeinden mit lutherischen auf (Westfalen und Rheinland) und die anderen 5 (Brandenburg, Pommern, Sachsen, Schlesien, Ostpreußen) hatten immerhin, bei aller Verwurzelung in der Confessio Augustana, auch eine Minderheit Reformierter in ihrem Bereich.

Nun sollte das Säkular-Jubiläum des 31. Oktober 1517 mit seinem Aufflammen protestantischen Stolzes dazu dienen, alle Evangelischen des Staates in einer Einheitskirche zusammenzufassen. Auch in Posen war der Boden dafür aufs beste vorbereitet. Wiederholt hatten die Protestanten im alten Polen, angefangen von Sandomir (1570) bis Lissa und Sielce (1775/76) und dann noch 1806 in Warschau Unionen beschlossen, aber nur eine Zeitlang durchgeführt. Geblieben war jedoch ein durchweg friedliches, sich gegenseitig achtendes Nebeneinander. Immer waren dabei die Reformierten die Antreibenden gewesen, die Lutheraner die Zögernden oder auch Hemmenden. Dabei standen hier ebenso wie im böhmischen und im ungarischen Raum die volklichen Spannungen im Hintergrund. Das Luthertum hatte deutschen Ursprung und wurde von den anderen als der deutschen Volksart angemessen empfunden; der Seelenstruktur der evangelischen Slaven sei der Kalvinismus eher kongenial.

Daß eine solche Behauptung höchst fragwürdig, ja unzutreffend ist, hat die Geschichte erwiesen, und auch in diesem Buche wird es aufgezeigt.

Solche Verschiebung der Grundlage des Konfessionsbewußtseins in die Völkerpsychologie bringt notwendig eine Neigung zum Kompromiß mit sich. Um dem gemeinsamen, so geschlossen einigem Gegner erfolgreicher entgegenzutreten, soll man sich zusammenschließen. Aber auch ganz rationale Überlegungen, wie Einsparung von Verwaltungskosten der kirchlichen Bürokratie, leiten dabei die Überlegung. Der Streit wacht jedoch dann wieder auf, wenn aus der föderalistischen Verwaltungsunion eine des Konsensus gemacht werden soll.

In den alten Gemeinden der Provinz Posen kam es zu Mißmut und Widerstand namentlich darum, weil nicht wie früher nach gründlichen Verhandlungen und mit freier Beschlußfassung über das Ob und das Wie vorgegangen wurde, sondern durch obrigkeitliche Anordnung.

Wenn es demnach nur in etwa zehn Gemeinden zu einer Separation unter Anschluß an die aus gleichem Anlaß in Breslau errichtete lutherische Freikirche kam, so mochte dies wohl daher stammen, daß man die alten Zeiten der Unterdrückung oder Zurücksetzung ebenso wie die kürzlich erlebten der politischen Unruhen in Erinnerung hatte und für die Ordnung und Freiheit unter dem glaubensgenössischen König dankbar war.

Die Zahl der ausgesprochen reformierten Gemeinden in Posen war übrigens sehr gering und auch die Unität zählte kein ganzes Dutzend Gemeinden. Beiden Gruppen wurde Autonomie mit den alten Vorrechten zugestanden, unbeschadet der Eingliederung in die Landeskirche. Als dann später die Anordnung der Union durch autokratische Einführung einer gemeinsamen Agende ergänzt wurde, erneuerte sich der Widerstand, obwohl die neue Gottesdienstordnung dem lutherischen Liturgiegefühl in hohem Grade Rechnung trug.

Wenn sich die Empfindlichkeit der Posener Gemeinden gegenüber der ihnen aufgedrängten Union sehr bald legte, so wirkte dabei der Blick in die katholische Umwelt wesentlich mit. Als diese den Schock überwunden hatte, der mit dem Herrschaftswechsel verbunden war, und als die Teilnahme Posens an dem Aufschwung des bürgerlichen Wohlstands in der zweiten Jahrhunderthälfte auch dem katholischen Kirchenleben zugute kam, als man in den Parlamenten erlebte, welch starke politische Position sich der deutsche Katholizismus in der Zentrumspartei zu verschaffen vermochte, da wachte manche Erinnerung auf. Zwar die Generation war längst ausgestorben, die das militante Christentum der Bürgerkriege im Zeitalter der Konföderationen mitgemacht hatten, aber in den Kinderstuben und auch in den Schulklassen wurde »die Zeit vor 100 Jahren« mit einer Gloriole umgeben. Alte Silbermünzen mit dem Bild der Regina Poloniae trugen die Frauen an einer Kette am Hals und die »Schwarze Mutter Gottes« in Tschenstochau erlebte Wallfahrten über die russische Grenze hinweg wie kaum je zuvor. Auch äußerlich ging es der Kirche gut; sie brauchte den Zeiten nicht nachzutrauern, da sie den Rang einer Staatskirche einnahm. Die Gemeindepfarrer, die nach wie vor den Titel Propst *(Probosz)* führten, saßen auf festen Pfründen, die Bischöfe auf Gütern in Schlössern. Die Klöster hatten reiche Stiftungen für diakonischen und pädagogischen Dienst. Je mehr sich in den siebziger Jahren die deutsche Politik beim »Kulturkampf« in den Gegensatz zum Vatikan verrannte, desto liebevoller segnete der Papst seine getreuesten Anhänger unter den Völkern slavischen Stammes mit Ansprachen, Botschaften, Auszeichnungen.

Da mußte doch wohl die evangelische Minderheit sich auf ihr Gemeinsames besinnen, für den Rückhalt, den sie an der preußischen Landeskirche hatte, dankbar sein und den Aufbau ihrer Gemeinschaft mit Eifer betreiben.

d) Aufbau: Allmählich wurden die Schwierigkeiten überwunden, die dem Zusammenwachsen der zugewanderten Evangelischen mit den Alteingesessenen im Wege standen, und die neugegründeten Gemeinden wurden, mit den alten vereint, Glieder der Posener Provinzialkirche; diese wiederum wurde Glied der preußischen Landeskirche. Diese große Mutterkirche ließ sich die Handreichung für ihre kleine und arme Tochter recht angelegen sein. Der äußere Aufbau war nicht das Schwerste; es mußte sehr viel an innerer Pflege nachgeholt werden. Nicht leicht war das Bedürfnis nach Pfarrern zu befriedigen. Einheimische Kandidaten gab es noch kaum; die von »drüben« entsandten fanden sich oft schwer in der Mühsal der »Doppeldiaspora« zurecht, in der zu den konfessionellen die nationalen Trennungen hinzukamen.

Da war es ein Segen, daß sich – so wie das früher hier oft geschah – unter den Gutsherren fromme Gestalten fanden, denen es gelang, die Gemeinden zur Selbstverantwortung aufzurufen, so daß nun weithin in den zerstreuten kleinen Gruppen in von Laien gehaltenen Lesegottesdiensten gebetet, gesungen und das Evangelium gehört wurde. Dabei muß namentlich der weite Kreise mitreißenden Erweckungsbewegung gedacht werden, die von der Familie des Barons *von Rappard* auf dem Schloß in Pinne ausging.

Die preußische Landeskirche war von Anfang an auf eine sorgsame geistliche Führung ihrer Provinzialkirche von Posen bedacht; die vom Staat gleich nach 1815 eingesetzte kirchliche Verwaltungsbehörde bekam von 1829 an eine theologische, seelsorgerische Kraft neben dem juristischen Fachmann mit an die Spitze gestellt.

Die fünf aufeinanderfolgenden Generalsuperintendenten haben das Glaubensleben wie den Liebeserweis der Posener Gemeinden entscheidend bestimmt.

Der erste unter ihnen war Generalsuperintendent *Freymark*. In seine Zeit fiel die viel angefochtene, auch die Kirche bemühende Ära des Oberpräsidenten *Flottwell*, der jedenfalls das Verdienst nicht abgesprochen werden kann, das im ganzen Land noch stark zurückgebliebene Schulwesen beider Konfessionen durchgreifend verbessert zu haben.

Wie *Freymark* hat sein Nachfolger *Kranz* 25 Jahre lang die geistliche Leitung der Kirche in Händen gehabt. Er war der Organisator der durch die Zuwanderung entstehenden neuen Gemeinden, von denen er 91 vorfand und fast 200 hinterließ. Allerdings konnte nur die Hälfte der neuen Pfarreien auch eigene würdige Gotteshäuser erhalten.

Auf eine kurze Wirksamkeit des gelehrten Dogmatikers *Wolfgang Gess* folgte die Amtsperiode des seine Vorgänge an Erfolgen im Aufbau weit überragenden, aus der Schule *J. H. Wicherns* stammenden Thüringers *Johannes Hesekiel*, der von 1885 bis 1910, von seinem fünfzigsten bis zu seinem fünfundsiebzigsten Lebensjahr, die größte Aufbauperiode der Kirche erlebte und mitbestimmte. Es wird nicht viel Kirchenführer im evangelischen Weltbereich geben, denen es wie ihm vergönnt war, 160 neuerbaute Gotteshäuser einzuweihen. – Doch ist damit seine Bedeutung entfernt nicht beschrieben. Sein eigentliches Arbeitsfeld war der innere Aufbau des Gemeindelebens.

Dem diente auch alles, was er im reichen Maße – seinem Kommen von *Wichern* entsprechend – an Werken der Inneren Mission errichtete. Von diesen möge ein originelles hier angeführt werden.
Er ließ nämlich, auf seinen zahlreichen Kirchenvisitationen mit den Nöten des Konfirmandenunterrichts in den Außenorten der Pfarreien bekanntgeworden, einen Möbelwagen zum Transport seiner »Fliegenden Konfirmandenanstalt« herrichten. Die Schulbänke, die des Abends in Bettstellen umgewandelt wurden, zeichnete er selbst und besorgte alles Gerät und Geschirr, das nötig war, um in dem einen oder anderen geeigneten Pfarrhaus ein paar Räume für ein Dutzend Kinder herzurichten, die dort 6 Wochen wohnten und nachholten, was sie im Heimatdorf nicht hatten lernen können, um für die Einsegnung recht vorbereitet zu sein. Man hat nachgerechnet, daß es 2293 Kinder waren, die dieses eindrucksvolle Erlebnis mit in ihr Berufsleben nahmen. Dazu kam eine Einrichtung für Fälle, in denen diese Art einer kurzen Nachhilfe nicht ausreichte. Für Kinder, deren Glaubensstand in der Diaspora mancher Landstriche der Provinz besonders gefährdet war, wurde eine Konfirmandenanstalt mit Jahreskurs in Wolfskirch eingerichtet und zwar im Pavillonsystem mit familienhaften Gemeinschaften.
Um die Mittel für die vielen, oft recht großzügigen Gründungen aufzubringen, war ein mit Lauterkeit verbundenes Geschick nötig, wie es selten ist. Die eigenartigste der ihm zufließenden Hilfen verdient Erwähnung. Der aus polnischer Familie stammende Fürstbischof von Breslau, Graf *von Sedlnitzky*, legte sein hohes Amt nieder, als er in Konflikt mit der Kurie kam und machte eine Stiftung für das evangelische Schülerheim Paulinum, in dem Kinder aus der Diaspora, die in der Stadt Posen die Schule besuchten, unbezahlte Aufnahme fanden. Um die in das Predigtamt eintretenden Kandidaten auf ihre Ordination recht vorzubereiten, lud der Generalsuperintendent sie in kleinen Gruppen auf mehrere Tage in sein Haus und an seinen Tisch. Er legte dabei seine seelsorgerischen Gespräche mit jedem einzelnen auf Spaziergänge in den das Posener Kernwerk umgebenden Anlagen.
Ebenso nahm er zusammen mit seiner Frau sich der Bräute der jungen Pfarrer an, die er zu Pfarrbräutekursen zusammenrief. Nicht weniger als 174 spätere Pfarrfrauen wurden dadurch für den Dienst geschult, den sie, oft in schwierigen Diasporalagen, neben ihrem Mann zu leisten hatten.
Ebenso originell war es, daß der Generalsuperintendent in allen Diözesen (Superintendentur-Sprengel) die »Gemeinde-Ältesten« (Presbyter) der Dorfgemeinden zu Tagungen einlud, in denen er ihnen ihre Verpflichtung zur Hilfeleistung für die Pastoren und zum Vorbild für die Gemeindeglieder in aufgelockertem Gespräch nahelegte.
Das größte und schönste Denkmal setzte sich *Hesekiel* durch Errichtung des wunderbaren Heimes für das schon 1865 in Posen gegründete Diakonissen-Mutterhaus. Das diesem gehörige Krankenhaus hatte bis zur Schicksals-

wende von 1944/45 den Ruf, das von den trefflichsten Ärzten und Schwestern in modernsten Formen befürsorgte Hospital des ganzen Posener Landes zu sein.
Die verständnisvolle Haltung, die der von der Inneren Mission herkommende Generalsuperintendent der Gemeinschaftsbewegung entgegenbrachte, die jetzt in dem Städtchen Nakel ihr Zentrum hatte, bewahrte die Posener Kirche vor dem heftigen und schädlichen Streit, in den das westpreußische Kirchenregiment verwickelt wurde, als vom Diakonissenmutterhaus in Vandsburg durch den Pastor *Krawielicki* die Gemeinschaftsbewegung in das Kirchenvolk hineingepflanzt wurde. In Posen gab es keinen Streit unter denen, die »mit Ernst Christen sein« wollten, ob sie das in den Gottesdiensten (Bibelstunden usw.) oder ob sie das in abgesonderten Gemeinschaftsstunden, zum Teil in fremdländischen Formen betätigten.
Ein durch die Schule *Hesekiels* gegangener Kandidat, der spätere Leiter der Inneren Mission in Posen und nach 1945 des Segenswerkes »Kirchendienst Ost«, D. *Richard Kammel*, nimmt seinen Lehrmeister gegen den Vorwurf der Betriebsamkeit in Schutz, die nur in die Breite, nicht in die Tiefe gegangen sei. Er sagt: »Nichts wäre falscher als das, gerade in der Tiefe und Innerlichkeit lag seine Stärke.« Er verweist auf das Buch, das der Emeritus *Hesekiel* seinen »Amtsbrüdern« in Posen gewidmet hat mit dem Titel: »Biblische Fingerzeige für die Sorge um die eigene Seele« und setzt hinzu: »Da haben wir ihn ganz wie er war.« Ein Beispiel für seine taktvolle Güte ist sein Benehmen beim Amtsantritt des neuen Erzbischofs *Stablewski*. Die Spitzen der Posener Behörden waren angewiesen worden, dem hohen Würdenträger den ersten Besuch abzustatten. *Hesekiel* antwortete: ich erwarte seinen Antrittsbesuch. Als aber der Bischof dann erkrankte, ging der Generalsuperintendent sofort in das Sanatorium, wurde auch entgegen der ärztlichen Vorschrift an das Krankenbett geführt und mit dankbarem Händedruck begrüßt.
e) Irredenta: In die Amtszeit des Generalsuperintendenten *Hesekiel* fällt der Beginn der folgenschweren Auseinandersetzung zwischen Polen und Deutschen, die aus der Belastung des fast rein deutschen Staates mit einem so großen Stück polnischen Landes und einer so hohen Ziffer polnischen Volkes entstanden. Der Wiener Kongreß, auf dem die Großmächte Europas die von *Napoleon* angerichtete Verwirrung ausgleichen wollten, trägt für die »fünfte Teilung« Polens die Verantwortung, vor allem *Talleyrand*, der das besiegte und auf Bestrafung gefaßte Frankreich unversehrt aus dem Gericht herausholte.
Aber liegt die Schuld für das dann kommende Unheil nicht vor allem bei dem russischen Partner der Teilung? Ihm wurden vier Fünftel des polnischen Kernlandes und das ganze volklich so gemischte »Ostpolen« anvertraut, immer noch ein ganzes Königreich, in der Erwartung, er werde wenigstens

jenes Kernland als slavischen Bruderstaat behandeln, wenn er es mit seinem Riesenreich in Personal-Union verband. So war es doch den baltischen Provinzen nach 1710 gegangen, und auch das 1809 an Rußland angeschlossene Finnland hatte seinen Sonderstatus behalten (siehe S. 171f.).

Es war wohl anzunehmen, daß Preußisch-Polen, ein Grenzland mit sehr alten nützlichen Verbindungen zum deutschen Nachbarn, sich mit seinem Schicksal abgefunden hätte, wenn Russisch-Polen die Heimstatt der schwer geschlagenen Nation geworden wäre und nicht die Brutstätte einer verbissenen Irredenta.

Der Bruch des von *Alexander I.* gegebenen Versprechens, die dann immer deutlicher werdende Absicht, das Königreich zu einer russischen Provinz herabzudrücken und die schnell geglückte Niederschlagung der Aufstände von 1830/31 und 1863 führten in Mittelpolen zu einer Verbitterung und Resignation, die alle Kräfte lähmten. Jetzt begann jener romantische »Messianismus« die Seelen der führenden Kreise zu füllen, den jener seltsame Mönch *Towiański* gepredigt hatte, der aus Staat und Kirche emigrierte, jenes glühende Heilserwarten, von dem der geistvolle Lyriker *Słowacki* gesungen hatte, »auf dessen Verse Tränen getropft waren«. Den politischen Leidensweg Polens sahen nun viele als Nachfolge des stellvertretenden Leidens, durch das der »Knecht Gottes« der argen Welt Erlösung bringen konnte. War man von den viel gelesenen Warschauer Dichtern – etwa *Mickiewicz* und *Sienkiewicz* – dazu verführt worden, auf die Barrikaden zu steigen, so hatte man immer wieder erleben müssen, daß dies der falsche Weg war.

In Posen verfolgte man das politische Schicksal und die seelische Wandlung der Volksgenossen mit tiefem Mitleiden. Was sollen alle die zivilisatorischen Vorteile, die uns der Anschluß an die westliche Welt gebracht hat, gegen diesen Jammer? Wie ein Kind sein Spielzeug liegen läßt und sich von den Kameraden abwendet, wenn es die Mutter weinen sieht, so wurden die Posener jetzt irre an dem Weg der Anpassung an die Umwelt. Heftige Kritik erfuhren jetzt die »Assimilanten«, die sich mit dem Anschluß an den lockenden, reichen und wohlgefügten Westen abgefunden hatten.

So begann auch in der bis dahin recht gefügigen Welt des Posener Polentums eine Irredentagesinnung Platz zu greifen. Sie konnte sich hier im konstitutionellen Staatswesen freier entfalten als in dem autokratisch regierten Russisch-Polen, enthielt sich aber, durch die Erfahrung der Warschauer belehrt, aller Provokation und ging auf Rat der in Frankreich organisierten Emigration den Weg eines gewaltlosen Widerstandes im Vertrauen auf die immer deutlicher werdende Tatsache, daß die unteren Volksschichten der Assimilation nur in geringem Maße ausgesetzt waren, obwohl auch sie durch die Verflechtung ins Wirtschaftsleben, die Männer auch durch den Militärdienst, zu einer Zweisprachigkeit – mit geringem Wortschatz – gekommen waren. Die biologische Substanz der Volksmasse blieb unversehrt, ja ließ ihre Zahlen-Überlegenheit gegenüber den Deutschen von Jahr zu Jahr anwachsen teils durch den Geburtenüberschuß, teils infolge der oben geschilderten Abwanderung der deutschen Arbeiter in die Industrien des Westens.

Auf deutscher Seite spürte man deutlich, daß hinter der zähen Abwehr der bislang ruhig hingenommenen Anpassung der Traum des Freiwerdens stand, die Erwartung der Erlösung durch Geduld, Treue und Hoffnung.

In der Zeit des Generals *Caprivi* auf dem Posten des Reichskanzlers tastete die Regierung nach Wegen der Versöhnung. Heftige Einsprüche der deutschen Siedler machten dem Plan ein Ende. Neue Wege mußten gegangen werden.

f) Das Ansiedlungswerk: Bei allem, was früher an deutschen Bauernsiedlungen auf polnischem Boden geschehen war, spielten nationalpolitische Zielsetzungen kaum eine Rolle. Das wurde jetzt anders.

Wenn ein Volk neues Land gewonnen hat, muß es sich in dieses hineinkrallen, um den Besitz zu sichern. Was die Polen seit 1945 in den von ihnen besetzten preußischen Landschaften taten, das haben ihnen die Deutschen vor 50 Jahren vorgemacht. Allerdings eine Vertreibung der Vorbesitzer, um leeren Boden großzügig verschenken zu können, wie es seit der »Kulaken«-Verschickung im Sowjetstaat von 1919 ab östliche Methode wurde, das kam damals in Posen nicht in Frage. Alles sollte in wohlgeordneter Rechtsform vor sich gehen. Darum wurde 1886 in Posen die »Königliche Ansiedlungskommission« gebildet.

Zur Motivierung dieser Gründung wurde auf folgenden Tatbestand hingewiesen. Seit einigen Jahrzehnten pflegten polnische Landarbeiter auf kürzere oder längere Zeit in den oberschlesischen Gruben und Hütten, auch im Ruhrgebiet und in anderen deutschen Industrieländern Arbeit schwerster Art anzunehmen und mit den dabei erworbenen Mitteln in der Heimat Land zu kaufen, Haus und Stall zu bauen, ein neues Dorf zu gründen. Patriotische Großgrundbesitzer förderten diese Seßhaftmachung bewährter Arbeitskräfte durch Abgabe von Teilen ihrer Güter an genossenschaftliche Siedlungsbauten.

Auf deutscher Seite sah man dem mit Besorgnis zu, weil aus diesen Siedlergruppen, durch fortschrittliches Schulwesen gefördert, ein zweisprachiger Mittelstand hervorging, der zäh zusammenhielt, sich politisch organisierte und den Behörden durch seine in die Parlamente entsandte Vertreter zu schaffen machte. Dazu kam ein anderes. Die polnischen Kleinsiedler hatten meist viele Kinder. Sie bearbeiteten ja ihr Land im Familienbetrieb. Von Volkszählung zu Volkszählung verschob sich das Bild der Dorfbewohner zugunsten der Polen, und in den Städten war es nicht anders.

Dem Einhalt zu tun, war der Zweck der erwähnten Kommission. Sie hatte das Vorbild vor Augen, das von 1772 an in den preußisch gewordenen Landstrichen Dörfer hervorgezaubert hatte. Aber damals gab es noch wildes Land in Fülle, das urbar zu machen sich lohnte. Das war längst vorbei; man mußte jetzt, um Bauerndörfer zu schaffen, Latifundien kaufen, aufteilen und mit tüchtigen Landwirten besetzen. Zu diesem Zweck wurde die erwähnte Kommission gegründet, mit bewährten Fachleuten besetzt und mit einem Millionen-Etat ausgestattet.

Die Kommission kaufte in den 30 Jahren ihres Bestehens 356000 Hektar Land und setzte auf ihnen 21724 Familien in größeren und kleineren Höfen an, anfänglich auch Katholiken, später nur noch Protestanten. Da die polnischen Gutsherren nur dann ihre Besitzungen herzugeben pflegten, wenn sie stark verschuldet waren, mußten zumeist deutsche Großgüter angekauft werden, die Raum für mehrere Dorfanlagen boten.

Die auf diese Weise gewonnene Erhöhung der deutschen Seelenzahl hat man auf etwa 130000 berechnet. Das war eine nicht ins Gewicht fallende Ziffer gegenüber dem stetig weiterschreitenden Wachstum der polnischen Zahlen.

Denn auch die Stadtbevölkerung vermehrte sich auf Seiten der Polen, während die Zahl der Deutschen nicht wesentlich anwuchs. Eine von der polnischen Intelligenz gesteuerte Genossenschaftsbewegung schuf eine Fülle von kleinbürgerlichen Familienbetrieben des Handwerks, die den älteren deutschen Firmen wirksame Konkurrenz machten; auch ohne Boykott-Propaganda setzte sich eine Zweiteilung der Geschäftswelt durch, in gereizter Stimmung und voll gegenseitiger Vorwürfe. Im Politischen wirkte sich die Spannung dadurch aus, daß im Reichstag, aber auch im Landtag (trotz seines Drei-Klassen-Wahlrechts) eine polnische Fraktion die Kraft der Oppositionsparteien stärkte und dem Regierungskurs manche Schwierigkeit bereitete.

Um die Jahrhundertwende waren die Grundstückspreise so in die Höhe getrieben, daß die Kommission sich mit halben Gütern begnügen mußte, die von den Besitzern hergegeben wurden, damit sie die andere Hälfte jetzt intensiv bearbeiten konnten. Aber bald war auch diese Möglichkeit erschöpft. Auf dem freien Markt waren keine größeren Flächen mehr feil.

Da beschritt man einen Weg, der sich als verhängnisvoll erwies. Der preußische Landtag beschloß 1908 ein Gesetz, das der Kommission das Recht gab, geeignete Grundstücke auf dem Weg der Enteignungsverhandlung zu erwerben. Damit waren die Grenzen überschritten, die allenthalben den Trägern der Staatsmacht gesetzt sind, wenn sie sich Eingriffe in das Privateigentum der Bürger erlauben. Diese Grenzen stehen da, wo es um das Gemeinwohl des Volkes in seinem Staat geht. Das aber war in diesem Fall nicht gegeben. Sehr bald zeigte sich, daß dem Gemeinwohl Deutschlands durch das nationalpolitische Sondergesetz nur schwerster Schaden zugefügt wurde.

Die europäische Weltmeinung war im Jahre 1908 noch aus einem anderen Grund gegen Deutschland aufgebracht. Die Donaumonarchie verwandelte die ihr vom Berliner Kongreß 1878 aufgetragene Okkupation Bosniens und der Herzegovina in eine Annektion, ohne dafür eine andere politische Rückendeckung zu haben, als das militärische Bündnis mit dem Deutschen Reich.

Die slavische Welt Europas, besonders die sogenannten »Panslavisten«, sahen in der Gleichzeitigkeit der beiden Vorgänge eine Herausforderung. Zwar ernsthaft bedroht war die nationale Substanz weder im Norden – bei den Polen durch die Deutschen – noch im Süden – bei Kroaten und Serben durch die Österreicher. An beiden Stellen war das eigentlich begehrende Element nicht die öffentlich Handelnden, hier das Deutsche Reich, dort die viele Völker zusammenbindende Donaumonarchie, sondern eine große Bewegung, die dem 20. Jahrhundert neue Gestalt geben sollte: der Panslavismus. Das zahlreichste und biologisch kräftigste der slavischen Völker, das der Großrussen, übernahm die dynamische Anführung aller Völker, die von der slavischen Urmutter herstammen, als die Petersburger Slavophilen den seit 500 Jahren erfolgreich nach Westen ausgreifenden Imperialismus der Zaren zur Devise erhoben.

Der Erfolg des Enteignungsgesetzes entsprach nicht den Erwartungen. Hatten seine Urheber gehofft, es werde sich eine Fülle von Angeboten ergeben aus Besorgnis, in das Enteignungsverfahren zu kommen, so mußten sie erleben, daß deutsche Grundherren, die in Frage gekommen wären, es für sicher hielten, nur polnische, nicht auch deutsche Güter heranzuziehen. Die polnischen Barone aber, die nach der Vorfahren Sitte in Paris gut zu Hause waren, wußten, daß mit einem Weltskandal zu rechnen war, wenn die preußische Regierung der Kommission die Anwendung des Enteignungsrechts von Fall zu Fall gestatten würde. Sie wußten ferner, daß auch Berlin über diese Lage unterrichtet war. Wer von den polnischen Großgrundbesitzern irgendwie in der Lage war, Teile seines Eigentums zur Ansetzung polnischer Bauern an die Siedlungsbank abzugeben, tat das jetzt; die Kommission war so gut wie völlig lahmgelegt.

Vier Jahre gingen dahin; man glaubte, es sei so, wie es oft im politischen Leben geschieht: das Gras des Vergessens wüchse über dem Scherbenhaufen, den unbedachte Machthaber angerichtet hatten. Im Jahre 1912 entschloß sich die Behörde aber, nun doch einmal von der Befugnis Gebrauch zu machen, und wandte sie auf vier – gar nicht so große – Güter polnischen Eigentums an, selbstverständlich unter Bezahlung nach dem Gebrauchswert, den Sachverständige festgesetzt hatten.

Der Anstoß war klein, aber er genügte, um in der ohnehin erhitzten Atmosphäre jener Tage die ganze slavische Welt zur Empörung über die »deutschen Barbaren« zu bringen. In Frankreich ereiferte sich der Revanchismus

darüber, den der Verlust Elsaß-Lothringens zum Feinde Deutschlands gemacht hatte, doch auch der besonnenere Teil Europas schüttelte den Kopf über diese politische Torheit der deutschen Stellen.
In Berlin erschrak man ob dieses Echos, in Presse und Parlament wurde heftige Kritik laut. In der Folgezeit kamen keine Enteignungen mehr vor – die ganze Ansiedlung im Posener Gebiet versandete.
g) Die Schulsprache: Eine zweite Niederlage erlitt die deutsche Politik im Gebiet von Posen durch Maßnahmen in der Sprachenfrage. In den ländlichen Volksschulen wurde bis 1873 nur in der Muttersprache unterrichtet, also vorwiegend polnisch. Erst dann, also fast 60 Jahre nach dem Regierungswechsel wurde die Unterrichtssprache deutsch, das Polnische wurde Lehrgegenstand. Inzwischen hatte sich, wie das in solchen Fällen überall zu geschehen pflegt, durch Steigerung des Wirtschaftslebens, in den Städten auch durch Gemeinschaft im Kulturbereich, bei den Polen eine Zweisprachigkeit ergeben, bei den Bauern mit geringem Wortschatz und wenig Grammatik, bei den Städtern in Gewandtheit und Geschick; seit 500 Jahren war Polen polyglott in Wirtschaft und Kultur. Im Geschäftsleben war daher der zweisprachige Pole den Deutschen überlegen, die sich das Polnische nur schwer aneigneten. Eine solche Anpassung der Minderheit an die Staatssprache pflegt überall vor sich zu gehen, wo stabile Verhältnisse Vertrauen erwecken. Im höheren Schulwesen der Stadtbevölkerung ergab es sich von selbst, daß um des späteren Fortkommens der Schüler willen die allgemeine Verkehrssprache mit ihrer europäischen Geltung in den Vordergrund rückte und die Übung der Muttersprache zurücktrat. Immer aber wurde bis ins 20.Jahrhundert hinein der Grundsatz respektiert, daß in den Volksschulen die Muttersprache einen Platz haben müsse, namentlich in den Gesinnungsfächern, vor allem im Religionsunterricht.
Darin trat 1906 eine Wandlung ein. Es will uns heute unbegreiflich erscheinen, daß die Staatsmänner jener Tage nicht voraussahen, welche Folgen der Schritt haben mußte, den sie unternahmen. Es zogen doch schon dunkle Wolken am politischen Himmel auf, die sich dann im Gewitter von 1914 entluden.
Die Schulbehörde erklärte, da die Begriffsbildung der Schüler doch nun von klein auf in deutscher Sprache geschehe, könne der Unterrichtserfolg der Religionsstunden gebessert und eher gesichert werden, wenn auch diese in deutscher Sprache gegeben würden.
Das war eine fadenscheinige Begründung eines Gewaltstreiches, der dem Ziel zusteuerte, die Muttersprache der Polen auf den mundartlichen Hausgebrauch für den Alltag herabzudrücken. Er wurde auch nicht durch die Erklärung gemildert, es bleibe ja der innerkirchliche Unterricht, die Vorbereitung auf Erstkommunion und Firmung dem Polnischen vorbehalten.
Die katholische Kirche mit ihrem ganz überwiegend polnischen Klerus

fühlte sich herausgefordert. Sie blieb die Antwort nicht schuldig. In einem fast rein polnischen Landkreis, dem von Wreschen, traten die Eltern von 60000 Schulkindern in einen Streik, der wochenlang den Betrieb aller Volksschulen lahmlegte.

Da ging es wie ein Lauffeuer durch die Presse der gesitteten Welt: die Deutschen tasten das Heiligtum an, stören den Kinderglauben, verletzen die Menschenrechte.

Heftiger Streit entstand in den deutschen Parlamenten. Die preußische Regierung mußte nachgeben; die Schulbehörden in der Provinz Posen wurden angewiesen, nicht auf Durchführung der Verordnung zu bestehen. Aber der Schaden war nicht wieder gutzumachen. Was nach 10 Jahren im neuen Polen geschah und nach 40 Jahren in ganz Osteuropa, was uns im Rahmen der Geschichte des Protestantismus Osteuropas angeht als Glied in der Kette unwiederbringlicher Verluste des evangelischen Kirchenlebens in unserem Erdteil, hat eine seiner Wurzeln in der preußischen Polenpolitik jener Jahrzehnte. Die »Goldene Regel« des Evangeliums läßt sich nicht ungestraft verletzen: »Alles was ihr wollt, das euch die Leute tun sollen, das tut ihr ihnen auch.« Der Anteil der evangelischen Kirche an dem Unheil ist nicht abzustreiten. Sie hat sich allzu irdisch ihres großartigen äußeren Wachstums gefreut. War die Zahl der Evangelischen in Posen doch von 50000, die man um 1888 annehmen darf, bis 1900 fast auf das Zehnfache gestiegen, und in Westpreußen gar auf beinahe eine Million. Sie hatten durchweg treue Gemeinden, fromme gutgeschulte Pfarrer, hervorragende kirchliche Führer und recht entfalteten Liebesdienst. Aber gerade auf diesen Liebesdienst fällt der Makel, daß er sich für politische Zwecke mißbrauchen ließ und dabei das Liebesgebot verletzte. Man hat es mit Recht getadelt, daß die evangelische Kirche Posens sich für die Werke ihrer Inneren Mission und Diakonie von der Ansiedlungskommission überreich beschenken ließ. Gewiß war nichts dagegen zu sagen, daß man die bei den Parzellierungen nicht verwendbaren Häuser und Scheunen, Gärten und Parkanlagen entgegennahm, um sie kirchlichen Zwecken zu widmen, wenn solche aus deutscher Hand stammten. Aber war es richtig, solch großartige Spenden auch dann anzunehmen, wenn sie aus der Auflösung polnischen Eigentums stammten? Hatten auf derartige Hilfe für caritativen Dienst in solchen Fällen nicht die polnischen Katholiken das erste Anrecht?

h) Im neuen Polen: Welchen Ausgang immer der Weltkrieg hätte nehmen können, das polnische Volk mußte zu seinen Gewinnern gehören. Die Wiedererrichtung eines freien polnischen Staates wurde von beiden Seiten versprochen und vorbereitet.

Die beiden Kaiserreiche hatten 1916 fast das ganze Gebiet des einstigen Polens von 1768 mitsamt seinem damaligen litauischen Anteil in ihren Händen. Sie kamen überein, den vor 100 Jahren entstandenen Schaden wieder

gutzumachen. Ihr Plan ging dahin, ein nach Osten etwas erweitertes Kongreßpolen solle als autonomes Gebilde in ähnlicher Weise an den Westen gebunden werden, wie das 1815 nach Osten hin geschehen war. Das wäre aber nur dann sinnvoll gewesen, wenn sie bereit waren, selbst dafür Opfer zu bringen. Es wäre ihnen sogar nur zugute gekommen, wenn sie von ihrem einst gewonnenen Anteil soviel Land und soviel Menschen abgegeben hätten, daß der neue Staat im wesentlichen die Gesamtheit polnischen Lebens umfassen konnte; das hätte sie zudem von der unbequemen Belastung einer zähen Irredenta befreit.
Aber weder wollten die Deutschen die Provinz Posen abgeben – auch nicht die mehrheitlich polnische Osthälfte – noch die Österreicher sich von Galizien trennen – auch nicht von der polnischen Westhälfte mit Krakau. Sie meinten, das neue Polen müsse die jagiełłonische Ostrichtung wieder aufnehmen; was seit 1917 im einstigen Zarenreich vor sich ging, machte sie für die Zukunft besorgt, ein Pufferstaat schien angebracht.
So wurde das von ihnen durch die Proklamation vom 5. November 1916 aus der Taufe gehobene Königreich - unter Ambitionen beider Geburtshelfer auf die Besetzung des Thrones – eine Mißgeburt, die auch bei anderem Ausgang des Krieges nicht lange am Leben geblieben wäre.
Die Versailler Siegermächte – weit entfernt und von Nationalisten einseitig beraten – schufen ein geopolitisch ungeschicktes Gebilde, das zum Zankapfel wurde und schließlich zum Vorwand für den Zweiten Weltkrieg. Was jedoch in Posen 1920/21 geschah, war zwar gewiß weit entfernt von der brutalen Austreibung, mit der sich Polen für die Verbrechen der Jahre 1939–44 rächte, war aber doch großenteils bereits eine systematische Verdrängung mit vielerlei Schäden an Leib und Seele, nur zum geringen Teile eine angsterfüllte Flucht. Übermut und Schadenfreude der einen Seite erzeugten bitteren Grimm und Trotz auf der anderen, ja zum Teil lang schwärenden Haß. Im restlichen Westpreußen (Pomerellen, Pomorze) hielt sich der Abfluß Evangelischer in Grenzen, im Gegensatz zu den schweren Verlusten im Gebiet von Posen. Hier waren die Deutschen meist auch fester verwurzelt. Die westpreußischen Gemeinden, denen verwehrt wurde, sich weiter an das nun in der Freistadt Danzig befindliche ehemalige Konsistorium Westpreußens zu halten, schlossen sich nunmehr an das Posener Konsistorium an und bildeten unter Führung des Generalsuperintendenten *Paul Blau* zusammen mit den Posener Gemeinden die »Unierte Evangelische Kirche in Polen«.
Die neugeordnete Kirche, einst ein Garten voll geistlicher Blüten und gesegneter Frucht, war jetzt eine Diaspora von weit über das Land verstreuten Pflanzstätten, deren Verkümmerung drohte, weil ihrer so schwer zu warten war; die Gemeinden verarmten; die Pfarrerzahl sank.
Ein Ausweg bot sich an; ihn waren die Gemeinden vorangegangen, die

aus dem österreichischen Teil Schlesiens stammten, die schlonsakischen sowohl wie die deutschen. Die lutherische Kirche Mittelpolens war bereit, wie diese schlesischen auch die Posener und galizischen Gemeinden in ihre Hut zu nehmen und ihnen dadurch Anteil an dem Schutz und an der Hilfe des Staates zu verschaffen, deren sie sich erfreuen durften. Sie hatte ja auch ihren äußeren Bestand (mit rund einer halben Million Gliedern) ziemlich unversehrt erhalten können.

Sowohl Posen wie Kattowitz und Stanislau lehnten das Angebot Warschaus ab. Das ist heftig getadelt worden, namentlich darum, weil diese Kirchen als Grund für ihre Weigerung ihren Unionscharakter anführten.

Es ist ja nicht zu bestreiten, daß die Unionsgemeinden fast sämtlich und deutlich lutherisch geprägt waren. Der Vorwurf lag nahe, sie verschleierten den wahren Grund ihrer Ablehnung des Angebots: sie sagten Union und meinten Deutschtum. In der Tat hatte die Abneigung der unierten Kirchen gegen den Zusammenschluß auch darin ihren Grund, daß zwar nicht die Gemeinden Kongreßpolens, wohl aber das nicht von ihnen bestellte Kirchenregiment einen politischen Kurs verfolgte, der Widerspruch verdiente. Wir werden von dem ungeduldigen Assimilationsstreben des Warschauer Konsistoriums an der dafür zuständigen Stelle noch hören. Man kann es den plötzlich aus ihrem deutschen Kreis herausgerissenen Evangelischen nicht verdenken, wenn sie nicht Hals über Kopf zu Polen werden wollten. Nationale Assimilationen brauchen ihre Zeit; sie werden durch Druck und Drängen nur vergiftet; denn sie führen zu seelischen Störungen, die viel Schaden anrichten. Den Fehler der preußischen Polenpolitik mußten die Polen nicht nachmachen.

Aber es waren auch wirklich sehr ernsthafte Unterschiede auf dem Gebiet der Ordnung und Verfassung, die die Kirchen trennten. Noch immer galt für die Warschauer Gemeinden das 1849 vom Zaren autokratisch verordnete Kirchengesetz, das keinen synodalen Rechtskörper als Vertretung der Gemeinden zuließ, weder in den Bezirken noch in der Gesamtkirche. Und es wurde, wie wir noch hören werden, immer deutlicher, daß die Warschauer Kirchenführer darauf aus waren, dem polnischen Staat einen ähnlichen Einfluß auf die Ordnungen und öffentlichen Betätigungen der Kirche einzuräumen, wie sie das Zarenreich ausgeübt hatte. In der Posener Kirche dagegen war wie in den deutschen Landeskirchen nach dem Wegfall der Monarchie eine Beschränkung des Staatskirchenrechts auf die Staatshoheit *(res circa sacra)* das erstrebte Ziel.

Es war aber keineswegs so, daß die deutschen Kirchen sich dem ökumenischen Zug, der in den zwanziger Jahren den Weltprotestantismus zu bewegen begann, versagt hätten. Es war einer der deutschen Kirchenleiter, der Stanislauer D. *Zöckler*, der die Anregung zu einem föderativen Zusammenschluß aller protestantischen Glaubensgemeinschaften im neuen Polen gab und einen solchen losen Bund auch herbeiführte. Daß dieser wenig Nutzen

brachte und sehr kurzlebig war, haben die Deutschen am meisten bedauert. Im Rahmen der ökumenischen Bewegung jener Jahre ist der Frage viel Aufmerksamkeit zugewandt worden, ob Veränderungen von Staatsgrenzen notwendig auch Kirchengrenzen beeinträchtigen müßten. Im katholischen Kirchenrecht gab es manche Beispiele dafür, daß dies keinesfalls der Fall sei. Daher hielten sowohl die Posener wie die Oberschlesier daran fest, daß ihre evangelischen Gemeinden nach wie vor Glieder der preußischen Landeskirche seien. Sie beriefen sich dabei auf das Vorbild von Danzig und Memelland. Dort hatte der Völkerbundskommissar, hier die neue litauische Staatsregierung zugestimmt, daß zwischen den beiden Kirchen und dem Berliner Oberkirchenrat in aller Form Verträge abgeschlossen wurden, die jene Beziehungen regelten, einschließlich der zunächst argwöhnisch angeschauten finanziellen Beziehungen der Gemeinden zu ihrer Mutterkirche. Zu einer gleichen Regelung für die Wojewodschaft Posen und für Oberschlesien war die polnische Regierung nicht zu gewinnen. Doch setzte sich der Grundsatz von dem Vorrang der Kirchengrenzen gegenüber den Staatsgrenzen in einem gewissen Umfang durch. Zwar genehmigte der Staat die von der verfassunggebenden Synode in Posen beschlossene Kirchenordnung nicht, aber er beanstandete sie auch nicht. In ihr war das Verhältnis zur Mutterkirche in Deutschland dahin formuliert, daß beide Kirchen »in bezug auf Bekenntnis, Lehre, Kultus und Union eine Religionsgemeinschaft« bildeten. (In ähnlicher Weise durften auch die wenigen freikirchlichen Gemeinden betonten Luthertums eine organisierte Verbindung mit den »Altlutheranern« der Breslauer Freikirche aufrechterhalten).
Daher konnten jetzt regelmäßig an den Tagungen der preußischen Generalsynoden auch Vertreter aus Posen und Kattowitz teilnehmen, wenn auch ohne Stimmrecht. Es fand auch keinen Widerspruch, wenn für die Besoldungskosten der Geistlichen und der Kirchenbeamten auf dem Bankwege Zuschüsse aus der Kasse des Oberkirchenrates gezahlt wurden, wie auch die freien Werke der Diasporahilfe, namentlich der Gustav-Adolf-Verein, nicht gehindert wurden, dem Diasporadienst im polnischen Staat geldliche Hilfe zu leisten.
Es verdient übrigens erwähnt zu werden, daß die polnisch sprechenden Unionsgemeinden, von denen oben berichtet wurde, nicht im geringsten den Wunsch hegten, der Warschauer Kirche angegliedert zu werden. Sie setzten vielmehr der Verlockung, sich von den deutschen Gemeinden zu trennen und der Warschauer Konsistorialkirche einzufügen, entschiedenen Widerspruch entgegen. Als sich in einigen Städten des Westens Glieder der Warschauer Kirche ansiedelten, bot das Posener Konsistorium ihnen Gottesdienste in polnischer Sprache an. Das Warschauer Konsistorium aber lehnte diese Versorgung ihrer Glieder ab, gründete eigene Gemeinden ihres Typs und ließ die sehr kleine Sonderdiaspora durch aus Warschau entsandte

Reiseprediger bedienen. Es genügte offenbar nicht, daß Predigt und Seelsorge in polnischer Sprache angeboten wurde; die nationalpolitische Note sollte der Sprache nicht fehlen. Geradeso aber stand auch hinter der Ablehnung der Warschauer Angebote durch die polnisch sprechenden Gemeinden um Adelnau herum und in der Schlonsakei ein politisches Gefühl. Die nationale Stellungnahme in volklichen Mischgebieten ist in vielen Fällen von der Sprachenfrage ganz unabhängig. Das zeigte sich im Bereich des Protestantismus Osteuropas an nicht wenigen Stellen.

Auf einem Gebiet wäre eine brüderliche Zusammenarbeit des gesamten Protestantismus in Polen ganz dringend gewesen: auf dem der Fürsorge für den theologischen Nachwuchs, die mit der Schaffung einer Forschungsstätte evangelisch-theologischer Wissenschaft verbunden sein mußte. Einem Zusammengehen auf dieses Ziel hin hätte man sich weder in Posen noch in Oberschlesien noch in Galizien versagt.

Aber das Warschauer Konsistorium hielt sich für berechtigt, für alle zu handeln, und es veranlaßte bereits im Juni 1919 den Senat der Warschauer Universität zu einem Antrag bei der soeben erst gebildeten Regierung, es möge der Universität eine evangelisch-theologische Fakultät eingegliedert werden, für die auch sofort Berufungsvorschläge gemacht wurden. Ohne die Erledigung des Antrages abzuwarten, wurde alsbald mit Vorlesungen und Übungen begonnen. Fünf Gemeindepfarrer hatten sich in Eile darauf vorbereitet.

Bis 1914 war die Ausbildungsstätte für Jungtheologen aus Kongreßpolen die Fakultät im baltischen Dorpat gewesen, an der noch immer in deutscher Sprache gelehrt und gelernt wurde, auch als aus Dorpat »Jur̂ev« gemacht wurde und als die Universität völlig russifiziert worden war.

Die Theologiestudenten der neugewonnenen Westgebiete waren ebenso von ihren bisherigen Ausbildungsstätten in Deutschland abgeschnitten wie jene aus dem früheren Russisch-Polen von Dorpat. Leider hatte man es versäumt, in Posen oder Westpreußen im Verlauf der 100 oder 150 Jahre preußischer Herrschaft etwas Eigenes zu schaffen, das jetzt dienlich sein konnte, als die polnischen Grenzen streng gesperrt wurden, so daß selbst Studenten, die schon einige Zeit in Deutschland studiert hatten, nicht zum Abschluß kommen konnten. In Warschau zu studieren, war den deutschen Theologen darum unmöglich, weil dort ausschließlich in polnischer Sprache doziert wurde, ganz abgesehen von der unzulänglichen wissenschaftlichen Qualität der neuen Professoren.

So mußte für Posen etwa Neues geschaffen werden. Leider war es nicht möglich, dafür die Räume und die große Fachbibliothek des westpreußischen Predigerseminars in Dembowalenka zu benutzen. Die Anstalt war von der Regierung konfisziert worden; polnische Nonnen zogen ein; die Bücher gingen zugrunde.

Man konnte aber anknüpfen an das schon zeitig in einem leerstehenden Pfarrhaus Posens errichtete Predigerseminar, dem man nun eine Theologische Schule beifügte als Ausbildungsstätte für Studenten neben jener Fortbildungsstätte für Kandidaten. Es fehlte für beide Zwecke nicht an hervorragend befähigten Dozenten für alle Fächer, so daß die Schule alsbald den Rang und den Namen einer Hochschule erreichte. Das war ganz besonders ihrem ungewöhnlich begabten und pädagogisch erfolgreichen Direktor *Adolf Schneider* zu danken. Sein allzufrüher Tod (1928) wurde tief betrauert. Seine 1929 von D. *Julius Schniewind* gesammelten und herausgegebenen Aufsätze sind eine Fundgrube für die Forschungsaufgaben der evangelischen Diasporawissenschaft. Einige seiner Nachfolger mögen hier genannt werden: der spätere Ordinarius für Praktische Theologie in Marburg, Prälat *Johannes Horst*, der Kirchenhistoriker *Wilhelm Bickerich*, Glied der Brüderunität in Lissa, weiterhin der in den Unruhen von 1939 umgekommene Dozent *Ernst Kienitz*, daneben die beiden vielseitig mitarbeitenden besonderen Kenner des Posener Kirchentums: der aus den ihm vertrauten polnischen Quellen schöpfende Superintendent von Posen *Artur Rhode*, Verfasser zahlreicher Publikationen, darunter einer breit angelegten Kirchengeschichte des evangelischen Posens, und schließlich der Dogmatiker *Harald Kruska*. Ein Zeichen für die willige Bereitschaft der Kirche, der neuen politischen Lage gerecht zu werden, war es, daß alle Studenten verpflichtet wurden, an der Universität in Posen die Fächer des Studium generale zu belegen, die sämtlich in polnischer Sprache vorgetragen werden.
Die Rechtslage der Hochschule blieb bis zum Ende ungeklärt. Als Anfang 1937 das polnische Parlament *(Sejm)* ein Gesetz verabschiedete, das die Ordnung privater Hochschulen regelte – deren es auf katholischer Seite zahlreiche gab –, stellte das Konsistorium den Antrag, die Posener Hochschule gleicherweise anzuerkennen. Erst nach 2½ Jahren, kurz vor Ausbruch des Krieges (im September 1939) erfolgte die vielleicht schon von dem Kommenden überschattete Antwort: die Anerkennung werde versagt; die Hochschule müsse zum Jahresende aufgelöst werden.
Das wurde sie dann in der Tat, aber nicht durch die polnische Regierung, sondern durch die jetzt folgenden bitteren Ereignisse, unter denen die auf Ausrottung allen echten Gottesglaubens und jeder überlieferten christlichen Gesittung zielende Kirchenpolitik der Hitler-Diktatur die bitterste war.

9. Oberschlesien

Obwohl Schlesien nicht zum polnisch-litauischen Volksraum und Staatsgebiet gehörte, sondern zu den Ländern der Wenzelskrone (mit Mähren und Böhmen), die 1526 Glieder des Habsburgerreichs wurden und bis zur Teilung im Frieden von Hubertusburg (1763) auch blieben, und obwohl es Bedenken erregt, wenn von einem Teil Schlesiens im Rahmen eines Blicks auf Osteuropa berichtet wird, möge anhangsweise doch ein Teil Schlesiens hier behandelt werden, und zwar das Stück Oberschlesiens, das dem 1919 neugegründeten polnischen Staat von den Siegermächten zugesprochen wurde, woraus sich eine Episode in der Kirchengeschichte ergab, die durchaus in den Rahmen dieses Kapitels gehört. Die am 20. März 1921 in Oberschlesien durchgeführte Volksabstimmung hatte sich mit großer Mehrheit gegen die Abtretung ausgesprochen. Bei einer Beteiligung von 97% der Abstimmungsberechtigten wurden 478000 Stimmen für Polen abgegeben, 707000 für Verbleiben bei Deutschland. Es ganz bei Deutschland zu belassen, wie man es in Ostpreußen bei der dort schon vorher geschehenen Abstimmung getan hatte, hätte der Absicht widersprochen, die Deutschen für ihre vorgebliche »Alleinschuld« am Kriege empfindlich zu bestrafen. Daneben aber besaß dieses Industriegebiet für die Wirtschaft des neugegründeten polnischen Staates sehr große Bedeutung. Man ordnete eine Teilung Oberschlesiens an; der größte und reichste Teil, die Industrielandschaft, wurde den Polen zugesprochen.

In diesem Stück Oberschlesiens befanden sich damals 19 evangelische Pfarrgemeinden mit reichlich 60000 Seelen; deren Zahl schmolz durch teils freiwillige, teils erzwungene Abwanderung auf 2/3 zusammen. Man strebe hier wie in Posen an, die Zusammengehörigkeit dieser Gemeinden mit ihrer Mutterkirche in Preußen zu erhalten: nach dem Grundsatz, daß Kirchengrenzen ungehindert die Staatsgrenzen überschreiten dürften. Doch ließ das die polnische Regierung nicht zu. Nur auf dem Gebiet der Lehre, des Kultus und der Diakonie durften die bestehenden Verbindungen bestehenbleiben. Die »Unierte Evangelische Kirche in Polnisch-Oberschlesien« konstituierte sich daher als selbständige Landeskirche und wählte den bisherigen Superintendenten der Diözese und Pfarrer von Kattowitz zum »Kirchenpräsidenten«. Ihm stand die bisherige Kreissynode als »Landeskirchenrat« zur Seite mit den Befugnissen einer obersten Verwaltungsbehörde; sie bestand aus drei Laien und einem Theologen. Die polnische Regierung erhob gegen diese Ordnung keinen Widerspruch, ähnlich wie sie es für Posen (und Westpreußen) tat, und das hätte auch in Oberschlesien geradeso wie dort eine ruhige Entwicklung der evangelischen Kirche gewähren können, wenn nicht nach Aufhören einer 15jährigen Übergangsfrist, die der »Völkerbund« veranlaßt hatte (Genfer Vertrag von 1922), Dinge geschehen wären, die in der evangelischen Kirchengeschichte Osteuropas einzig dastehen.

In jenem Teile Oberschesiens, der zu Preußen gehört hatte, gab es von altersher auch einige evangelische Gemeinden mit polnischer Gottesdienstsprache, ihre Glieder nannten sich Schlonsaken und waren besonders kirchentreue und fromme Lutheraner.

Diese Schlonsaken lebten in fünf von den insgesamt zwölf Dorfgemeinden der neugeordneten oberschlesischen Kirche. Bald aber mußten die in diesen Gemeinden polnisch amtierenden Pastoren auch zu Diensten in Stadtgemeinden herangezogen werden, sofern es nicht möglich war, von auswärts, namentlich aus Galizien, zweisprachige Seelsorger herüberzuholen. Denn sowohl aus dem südlichen Nachbarland um Teschen herum als auch aus dem ehemaligen Kongreßpolen folgten mehr und mehr evangelische Glaubensgenossen der Verlockung des »besseren Lebens« in die hochentwickelte Industrielandschaft Oberschlesiens und erwarteten Gottesdienst und Seelsorge in ihrer Umgangssprache.

Als sich im Posener Land Ähnliches ereignete, gründete die vom Warschauer Konsistorium geleitete »Augsburgische« Kirche für die Zuwanderer eigene Gemeinden unter Betonung ihres Luthertums im Unterschied zu der dortigen Unierten Kirche. Hier in Oberschlesien handelte man anders. Zwar gründete man zunächst durch Entsandte aus Warschau »Vereine evangelischer Polen« und vermochte auch Glieder der unierten Kirche in ihre Reihen zu locken, da sie, aus Staatsmitteln gefördert, keine Kirchensteuern erhoben. Ihre Seelsorger wurden in ihrer Eigenschaft als Religionslehrer vom staatlichen Schulfonds besoldet; einige wurden in die Militärseelsorge eingereiht und hatten die Möglichkeit, im ganzen Land umherzureisen und für die Absonderung von der Landeskirche zu werben.

Gelassen sah diese dem Geschehen zu. Man meinte, es würden die Vereine sich in Gemeinden umwandeln, die ebenso wie in Posen als Glieder der vom Warschauer Konsistorium geleiteten Kirche in schönem Wettbewerb um geistliches Leben mit den unierten Gemeinden in der katholischen Umwelt Zeugen von der Glaubens- und Liebeskraft der Reformation sein würden. Doch deuteten 1930 bereits Bemerkungen polnischer Zeitungen darauf hin, daß die Warschauer Lenker der Vereinsaktion eine andere Taktik anzuwenden vorhatten: die Eroberung der oberschlesischen Kirche von innen her, durch Unterwanderung der Gemeinden. War bisher der Konfessions-Unterschied als Grund für die Absonderung betont worden, so hieß es jetzt, die preußische Union habe in Schlesien stets ihren alten lutherischen Geist bewahrt; daher seien die aus Mittelpolen zugezogenen Protestanten ohne weiteres Mitglieder der dortigen Landeskirche.

Als im Jahre 1930 turnusgemäß Wahlen für die Körperschaften der Gemeinden fällig waren, beschloß die Synode in ihrer Eigenschaft als gesetzgebendes Organ der Kirche, daß nur solche Glaubensgenossen wahlberechtigt seien, die sich am Gemeindeleben beteiligten und auch an der Aufbringung der Mittel für dieses. Der Beschluß blieb vier Jahre lang hindurch unwidersprochen in Geltung. Als die fristgemäß 1936 fälligen Neuwahlen herannahten, überraschte der Wojwode die Kirche durch die Erklärung, jener Synodalbeschluß sei ungültig. Er berief sich dabei auf alte preußische Kirchengesetze, die er ganz willkürlich auslegte. Ein gründliches Gutachten aus der Feder eines

Universitätsprofessors und Fachmanns für Kirchenrecht, das auf 19 Seiten mit 44 Belegen die Fehlschlüsse des Wojwoden bewies und der Warschauer Regierung eingereicht wurde, fand überhaupt keine Antwort.
Der Kattowitzer Kirchenleitung blieb nichts anderes übrig, als sich dem polnischen Eingriff zu fügen. Sie öffneten die Wählerlisten für die Glieder der Vereine; diese zahlten die geringen Umlagen und trugen sich ein, beteiligten sich aber nicht am Gemeindeleben und hielten ihre Separatgottesdienste in den Vereinen. Für die Wahlen von 1936 stellten sie Listen auf mit Namen von in den Gemeinden völlig unbekannten Personen. Es gelang ihnen etwa 20% der abgegebenen Stimmen zu erhalten, in den Presbyterien drei von 55 Sitzen, in den Gemeindevertretungen 26 von 186 Plätzen zu gewinnen. Zur Bemäntelung ihrer Niederlage erklärten sie, diese stamme aus dem »nicht demokratischen Wahlverfahren«, ohne das im geringsten begründen zu können.
Dieser bedauerliche Einbruch politischen Machtstrebens in das Kirchenleben war nur ein Vorspiel zu sehr viel ernsterem Geschehen. Als die Dauer des für 15 Jahre abgeschlossenen Genfer Vertrags sich dem Ende zuneigte, war es gewiß notwendig, daß der Veränderung der Obrigkeit grundsätzlich Rechnung getragen wurde. Das galt für alle Religionsgemeinschaften der Republik Polen. Deren Verfassung von 1919 sah vor, das Verhältnis der Kirchen zum Staat sei unter »vorheriger Verständigung mit deren rechtmäßiger Repräsentation« zu regeln.
Für Oberschlesien, das innerhalb des Staates eine gewisse Autonomie besaß, nahm der Präsident des dortigen Sejms (Landesparlaments) dies Anliegen in die Hand. Am 14. Juli 1937 wurde dem Kirchenpräsidenten D. *Vass* durch den Wojwoden ein Schriftstück eingehändigt, das ihn und die Kirchenleitung völlig überraschte. Es enthielt den Entwurf eines Gesetzes zur Neuregelung des Verhältnisses der evangelischen Kirche Oberschlesiens zum polnischen Staat, das dem schlesischen Sejm vorgelegt worden war. Diesem Landesparlament gehörte nur ein Evangelischer an, und dieser war nicht Mitglied der Kirche. Schon zwei Tage darauf gaben die Sejm-Abgeordneten dem Gesetz ihre Zustimmung. Das von der Verfassung vorgesehene Einvernehmen mit der Kirche hielt man nicht für nötig. In Kattowitz erfuhr man lediglich, daß mit »maßgebenden Stellen« der Warschauer Augsburgischen Kirche Besprechungen stattgefunden hätten.
Wer diese »maßgebenden Stellen« waren, wurde allerdings nicht erklärt. Bischof *Bursche* jedenfalls versicherte schon kurz nach Bekanntwerden dieses Vorganges, daß er weder an dieser Prozedur beteiligt gewesen sei noch überhaupt davon Kenntnis gehabt habe.
Der Wojwode von Schlesien, *Michał Grażyński*, verstieß mit diesem Vorgehen eindeutig gegen die Bestimmungen der polnischen Verfassung. Diese bestimmte ja, daß auch die Minderheitsbekenntnisse die Ordnung der inner-

kirchlichen Angelegenheiten selbst vornehmen sollten. Das Verhältnis von Staat und Kirche aber sollte durch eine Verständigung zwischen den Regierungsvertretern und den rechtmäßigen Kirchenleitungen erfolgen.

Das Vorgehen des Wojwoden, der ohne eine solche Verständigung mit der Kirchenleitung ein Verfassungsgesetz für diese Kirche oktroyierte, muß als schwerer Verstoß gegen die Minderheitenschutzbestimmungen aufgefaßt werden. Leider hat die deutsche Delegation in Paris, die diese Bedingungen mit den polnischen Delegierten aushandelte, es an der nötigen Umsicht zum Teil fehlen lassen, so daß Polen eine Möglichkeit fand, das Vorgehen formal zu begründen, wenn auch nicht überzeugend. Diese Gewaltmaßnahmen, denn als solche sind sie anzusprechen, wurden trotz aller Proteste von deutscher Seite nicht rückgängig gemacht, zumal Deutschland als der »Besiegte« betrachtet wurde, und die Sieger nahmen es selbst mit dem von ihnen in Anspruch genommenen und von ihnen »vertretenen« Recht nicht sehr genau, wenn dies ihrem Vorteil entsprach.

Der allgemeine Protest der protestantischen Kirchen in Polen, für die ein derart autoritäres Vorgehen des Staates leicht zum Präzedenzfall hätte werden können, blieb aber aus, zumal der ökumenische Bund aller protestantischen Kirchen Polens schon seit fünf Jahren nicht mehr zusammengetreten war, trotz aller Bemühungen des allgemein hochgeachteten Initiators der friedlichen Zusammenarbeit, des Superintendenten Galiziens D. *Theodor Zöckler*. Es blieben ja auch die Eingaben ohne jede Antwort, die von den Gliedern des entmachteten Landeskirchenrats an den Kultusminister, den Ministerpräsidenten, an den Staatspräsidenten gerichtet wurden. Die Warschauer Behörden hatten jetzt eine viel schwierigere Frage zu lösen, die der alten »Dissidenten«, d. h. die Neuordnung der lutherischen Kirche in dem einstigen Kongreßpolen. Da mußte wohl das am Rande liegende »Kolonialgebiet« dem selbstherrlichen Wojwoden überlassen bleiben, der noch dazu sicher sein durfte, die Zustimmung der nationalistischen Kreise zu besitzen. Denn durch das neue Gesetz lag die Ernennung des Landeskirchenrates praktisch in den Händen des Wojwoden, und da es auch die Pfarrwahl den Gemeinden nahm, bestand die Möglichkeit, die von nationalistisch-polnischer Seite unerwünschte Bewerber um geistliche Ämter auszuschalten. *Grażyński* machte von der Möglichkeit, die er sich geschaffen hatte, auch sogleich Gebrauch und ließ den bischöflichen Präsidenten seiner Kirche, *Hermann Vass*, mit Polizeigewalt seines Amtes entheben. Diesen Zugriff der Gewalt verwandte der 66jährige Kirchenpräsident nicht. Eine tückische Krankheit warf ihn aufs Krankenbett, das sein Sterbelager wurde. Sein Herz war den Aufregungen über disesen Rechtsbruch nicht gewachsen.

10. Der österreichische Anteil

Während Preußen und besonders Rußland auf dem Wiener Kongreß größere Teile des ehemaligen Polens erhielten, beschränkte sich der österreichische Anteil am polnischen Gebiet auf das bereits bei der ersten Teilung an Habsburg gefallene »Galizien und Lodomerien«. Der österreichische Anteil an der dritten Teilung (1795), das sogenannte »Westgalizien«, war im Frieden von Schönbrunn 1809 an das Großherzogtum Warschau gekommen und auf dem Wiener Kongreß dem Königreich Polen (in Personalunion mit Rußland) zugeschlagen worden.

Das von den Österreichern Galizien genannte Land war die Südhälfte des »Kleinpolen« heißenden Teils des alten Königreichs. Mit diesem Namen verbindet sich die Erinnerung daran, daß hier in der reformatorischen Frühzeit der Hauptsitz des polnischen Kalvinismus zu finden war. Nicht weniger als 122 reformierte Pfarrgemeinden wurden in Kleinpolen gegen 1600 gezählt, fast sämtlich auf Adelsterritorien. Das Wenige, was von diesen den Herrschaftswechsel (1772) noch erlebte, starb in den nächsten Jahrzehnten an der zunehmenden Altersschwäche des polnischen Protestantismus. Nur vier kalvinische Gemeinden bestanden noch um 1800. Die letzte von ihnen, Wielkowac, löste sich 1849 auf. In schöner Pietät schaffte man die Grabsteine der Vorfahren über die Grenze und stellte sie an der Kirche der Gemeinde Kielce auf.

Was sich jetzt noch, über das ganze Land verstreut, an einzelnen Reformierten vorfand, meldete sich zur Mitgliedschaft bei der lutherischen Gemeinde in Krakau, die darum den in Österreich gebräuchlichen Namen »Evangelische Gemeinde Augsburgischen und Helvetischen Bekenntnisses« (A. u. H. B.) annahm.

Die Krakauer Gemeinde hatte um 1800 nur noch eine Altersgenossin neben sich: in dem Städtchen Biala, das schon im 13. Jahrhundert von Deutschen aus Schlesien gegründet worden war, bestand eine lutherische Pfarrei, die sich eng an das nur durch einen Bach getrennte Bielitz anlehnte. Beide Orte waren Mittelpunkte alter deutscher Sprachinseln im Schlonsakentum und hatten wie dieses allgemein der Gegenreformation in zäher Tapferkeit widerstanden. Aber es war im 18. Jahrhundert ein sehr notdürftiges und armseliges Kirchentum, das hier durchgewintert hatte und jetzt einen Frühling erleben durfte.

Das galizische Biala hatte sich, aufgrund des (zweiten) Warschauer Traktats um 1768, eine Kirche mit Turm und Glocken bauen dürfen, während das habsburgische Bielitz erst 13 Jahre später aus dem Kryptoprotestantismus zur Toleranz kam und auf Gleichberechtigung bis 1861 warten mußte.

Noch eine dritte lutherische Gemeinde, allerdings sehr jungen Ursprungs und recht losen Gefüges, erlebte den Übergang aus der Warschauer in die

Wiener Herrschaft. Sie lag an der äußersten Ostecke des Landes. Hier hatte der Vater des polnischen Königs *Stanislaus II. August Poniatowski* in dem ihm gehörigen Städtchen Zaleszczyki im Jahre 1750 eine Textilfabrik errichtet und mit Meistern aus dem Westen besetzt, die sämtlich evangelisch waren. Sie schlossen sich kirchlich zusammen und wollten sich eine Andachtsstätte bauen. Das ließ der Bischof des Bezirks Kamieniec nicht zu, selbst als der König sich dafür einsetzte. Er erklärte: »Lieber lasse ich zehn Judenschulen errichten als eine solche Ketzerburg.« Kurz entschlossen bauten sich die geschickten Handwerker auf dem jenseitigen Ufer des Grenzflusses Dnestr in dem Dorf Philippen ein Bethaus und beriefen sogar einen Pfarrer dorthin. Es war der thüringische Kandidat *Scheidemantel*, der dann (1767) von hier nach Warschau ging (siehe S. 203f.). Zu den Gottesdiensten fuhr man mit Kähnen hinüber in die noch unter türkischer Hoheit stehende Moldau. Die Hohe Pforte hatte hierzu ausdrücklich ihre Zustimmung gegeben, ein Beispiel ihrer auch anderwärts in den Grenzländern Osteuropas den Christen vorbildlich gewährten Toleranz. Als *Scheidemantel* fortging und die Deutschen mit Rückwanderung in die Heimat drohten, der Bischof aber seinen Widerstand nicht aufgeben wollte, griff – auf Bitte seines Vaters – der König ein, ernannte den ihm präsentierten Kandidaten *Lachmann* zum Auditeur der polnischen Garnison in der Stadt und ermöglichte dadurch ihm und seinem gleichfalls in Uniform gesteckten Küster den ungestörten Dienst an der Gemeinde, allerdings zunächst nur in gemieteten Privaträumen.

In diesem Zustand kam die Stadt 1772 unter die Herrschaft *Maria Theresias*. Das bedeutete für die Gemeinde noch nicht sofort eine Befreiung von jedem Druck. Aber 1781 wurde es anders. Die Gemeinde bekam Zuzug, und der Bischof mußte es dulden, daß eine Kirche gebaut wurde. Später allerdings erlitt die Stadt einen wirtschaftlichen Niedergang und die Gemeinde mit ihr. Sie spielte aber noch um 1900 eine gewisse Rolle als Sammelstätte von evangelischen Kurgästen, die in der vom Klima begünstigten Gegend – sogar Feigenbäume wuchsen hier – Erholung suchten.

Wenn dieser bescheidene Restbestand evangelischen Lebens im 19. Jahrhundert zu einer schönen, in sich geschlossenen Kirche aufwuchs, die durch ihren in der Liebe tätigen Glauben die Aufmerksamkeit der Geschichtsschreibung auf sich lenkte, so war das auch hier wie in den anderen Teilungsländern einer vom Staat geförderten Siedlungspolitik zu danken. Im Vergleich mit Posen-Westpreußen und Kongreßpolen war es nur ein kleiner Garten, der hier gepflanzt wurde, und fast völlig fehlte hier die Möglichkeit, an einen Restbestand aus großer Vergangenheit anzuknüpfen. Und doch wies die Statistik der »Evangelischen Kirche A. u. H. B.« in Österreich um 1900 im Bereich der Superintendentur Biala 21 galizische Pfarrgemeinden auf.

Der Wiener Regierung war es zunächst nur darauf angekommen, die wichtigsten Verwaltungs- und Sicherungsposten durch ihre Leute zu besetzen, allenfalls noch Handwerker und Kaufleute in die Städte zu holen. Aber bald meldeten sich auch Landleute und fanden auf Adelsgütern Aufnahme. Durch eigenmächtiges Handeln eines Beamten fand sogar eine Werbung von Bauern in Süddeutschland statt, auf die hin sich so viele Bewerber meldeten, daß man nach einem Ausweg suchte. Kaiser *Joseph II.* hatte nach 1782 die Klöster großenteils aufgehoben und ihre Latifundien eingezogen. Auf ihnen konnten Hunderte von Bauernfamilien angesetzt werden, wenn auch nicht alle, die gekommen waren. Viele kehrten enttäuscht zurück oder folgten der gleichzeitigen Werbung *Katharinas II.* nach Rußland.

Zuerst waren ausschließlich Katholiken willkommen. Nur für ein paar Städte hatte schon *Maria Theresia* 1774 »Handelsleuten, Künstlern, Fabrikanten, Professionisten und Handwerkern« ohne Rücksicht auf die Konfession einen Spalt der Tür geöffnet. Alsbald nach ihrem Tod tat ihr »aufgeklärter« Sohn die Pforte ganz auf. Ja, er scheint die auswanderungslustigen Protestanten aus der Rheinpfalz geradezu bevorzugt zu haben vor den Katholiken, die sich zum Teil auch aus »Rumpfpolen« zahlreich meldeten, eine merkwürdige Umkehr der Haltung seiner Vorfahren, die ihren Staat lieber zur Wüste werden lassen wollten als »Ketzer« in ihm zu dulden.

Kaiser *Joseph II.* hat sich in den Pfälzern nicht getäuscht, die er als »Kulturpioniere« in geschlossenen Dörfern ansetzte und für den schweren Anfang mannigfach unterstützte. Die »Schwabendörfer« – fast alle in der ukrainischen Osthälfte des Landes gelegen – wurden Muster und Lehrmeister für ihre Nachbarn. Vom eisernen Pflug und der hochgezüchteten Kuh bis zur Kinderschulung und nachbarlichen Gesellschaftsordnung waren sie der Umwelt Vorbilder christlicher Berufstreue, Gemeinschaftssinnes und abendländischen Bildungswillens.

Die Zahl der von der Wiener Regierung ins Land gerufenen evangelischen bäuerlichen Ansiedler war nicht so beträchtlich, als daß sie eine politische Rolle spielen konnten. Wohl fand in den ersten Jahrzehnten eine gewisse Bevorzugung der neu eingewanderten Elemente statt. Denn dem bis *Metternichs* Abgang 1848 herrschenden Zentralismus im Habsburger Großreich war es erwünscht, überall bis zu den äußersten Grenzen des Gesamtstaates hinein Menschen von österreichischer, kaisertreuer Gesinnung zu haben, die die Staatssprache beherrschten.

Hieraus erklärt sich die Reserve der evangelischen Kolonisten gegenüber ihrer andersvolklichen Umgebung, vor der sie sich abkapselten. Sie taten das sowohl durch ihr in die österreichische Gesamtkirche hineingebautes presbyteriales Gemeindewesen als auch ganz besonders durch ihr reich ausgebautes, mit eigenen Mitteln unterhaltenes privates kirchliches Schulwesen. Sie hatten aus der Heimat die Vorstellung mitgebracht, wenn schon nicht jedes Dorf gleich eine Kirche haben könne, eine Schule dürfe keinesfalls fehlen. Es war die erste Gemeinschaftstat, sobald erst einmal Wohnhütten

und Behelfsställe errichtet waren, eine Behausung für die Schuljugend zu schaffen, in der sich dann auch des Sonntags die betende Gemeinde versammelte. Da man dafür nicht sofort vollausgebildete Lehrer anstellen konnte, war erträglich, wenn sich unter den Siedlern einer fand, der ein Lied anstimmen, eine Predigt, ein Gebet vorlesen konnte. Bald tauchten auch – von irgendwoher – Männer auf, die sich zum Dienst anboten und eine ihnen aufgetragene Probe bestanden. Nach der Ausbildung und überhaupt nach der Vergangenheit fragte man nicht viel, und manch »räudiges Schaf« mußte der Pfarrer absetzen, wenn er einmal in die Siedlung kam. Es waren aber unter diesen »Aushilfslehrern« auch tüchtige »Naturpädagogen« und dazu treue Bibelchristen, die ihre Gemeinde als Patriarchen in Ordnung hielten. Als Greise übergaben sie dann ihren Söhnen das Amt, die von klein auf beim Vater das »Schulehalten« gelernt hatten.
Später wurde es damit besser, namentlich durch die Errichtung des Lehrerseminars in Bielitz, in das die lerneifrige Jugend der pfälzischen Dörfer sich so zahlreich drängte, daß sie ihren daheim nicht mehr gebrauchten Überschuß nach überallhin in Österreich abgeben konnten. Dann kam die Schulreform des Staates von 1867, die dem evangelischen Kirchenvolk die Frage vorlegte, ob es seine Kinder den nun überall errichteten Staatsschulen anvertrauen mochte, die durchaus von anderem Glaubenstum geprägt und meist in anderen Sprachen geführt wurden, oder ob es das Opfer bringen wollte, ihre kirchlichen Privatschulen weiterhin auf eigene Kosten zu erhalten, obgleich es dadurch keineswegs von den für die Staatsschulen aufzubringenden Schulsteuern befreit wurde. Es ist zu rühmen, daß die Gemeinden fast ausnahmslos dem guten Rat ihrer kirchlichen Führer folgten und jene Opfer auf sich nahmen. Im Jahre 1910 konnte die Kirche berichten, daß sie 88 Schulen mit 127 Klassen und 6084 Schülern unterhielt. Unter den 135 Lehrern waren nun nur noch 45 ohne volle Qualifikation; ganz unzureichende Kräfte waren nicht mehr dabei. Ein aus den Gemeinden herauswachsendes, von freiwilligen Beiträgen erhaltenes »Schulhilfskomitee« hatte durch seine Stipendien an begabte Volksschüler und Beihilfen für die Lehrergehälter diesen schönen Erfolg erzielt.
Als der Josephinische Zentralismus und *Metternichs* Reaktion gegenüber dem Erwachen liberaler Geistigkeit nach 1848 ein Ende fanden und in den dann folgenden zwanzig Jahren die Habsburgische Donaumonarchie jene unglückliche Neuordnung im »ungarischen Ausgleich« des Jahres 1867 erfuhr, die nach 50 Jahren zum Untergang führte, bekam das »Kronland Galizien« eine weitgehende Selbständigkeit unter einem polnischen Statthalter und mit polnischer Amtssprache. Der damit beabsichtigten Assimilation der nicht-polnischen Bevölkerung konnten sich die Ukrainer entziehen; denn im Osten Galiziens bildeten die Polen nur eine städtische Diaspora und die griechisch-katholische Unionskirche schützte ihre Glieder

ebenso vor der Polonisierung vom Westen her wie vor der Russifizierung vom Osten her.
Die Deutschen waren weniger gesichert, namentlich als Stadtbewohner (Beamte, Geschäftsleute, Akademiker) und ebenso die Katholiken unter den Siedlern. Erst nach 1900 regte sich bei ihnen der Widerspruch; sie hatten sich von ihren polnischen Priestern sprachlich gewinnen lassen; aber als man sie auch politisch dem Polentum einschmelzen wollte, erwachte bei ihnen ein österreichisches Nationalgefühl deutscher Prägung; es kam zur Gründung eines »Bundes der Deutschen in Galizien«.
In diesem hatten die Evangelischen die Führung; ihnen wurde es leichter, ihre angestammte Art zu bewahren. Die Kolonisten wohnten in geschlossenen lutherischen – in zwei Fällen reformierten – Dörfern beieinander, überdies zumeist nicht im polnischen Westen, sondern im ukrainischen Osten, der keine Proselyten suchte. Die Städter konnten sich an einen Teil der Beamten und an das Militär anlehnen, hatten auch mit den gebildeten Kreisen des sehr zahlreichen Judentums kulturelle Fühlung. Den evangelischen Kolonisten kam es sehr zugute, daß unter ihren Pfarrern sich solche von wirtschaftlichen Fähigkeiten befanden, z. B. *Georg Faust* in Dornfeld, der die erste Raiffeisengenossenschaft gründete. Mit der Zeit dehnte sich die evangelische Diaspora weit aus. Überzählige Bauernkinder kauften sich in ukrainischen Dörfern an oder fanden in den Städten, in den Industrieorten – Erschließung von Erdölquellen von 1815 an – auch als Beamte bei Post und Eisenbahn als gut geschulte, anstellige, zuverlässige und dabei mehrsprachige Mitarbeiter Anstellung.
Dabei ergab sich im Generationswechsel sehr häufig eine Vollassimilation in Sprache und Lebensführung. Die Pastorenschaft gab sich große Mühe, den sprachlich polonisierten Gemeindegliedern in Predigt, Unterricht und Seelsorge vollauf zu dienen, ohne die Gemeinden zu spalten; doch war an manchen Stellen der Einfluß des gesellschaftlichen Lebens größer als der glaubensgenössische Zusammenhalt. Die Aufstiegsassimilation in den Mischehen brachte der evangelischen Kirche oft Verluste, selbst in Pastorenfamilien waren solche manchmal nicht aufzuhalten.
Der Nachwuchs des Pfarrerstandes war zweisprachig geschult; aber Helfer im Dienst, die aus Österreich oder aus Deutschland nach Galizien kamen, konnten nur selten in gutem Polnisch predigen. Im Osten hatten sie zudem mit der den Alltag beherrschenden Umgangssprache, dem Ukrainischen, ihre Mühe. Einige aber brachten es – bei längerem Verweilen im Land – zu erstaunlichen Fertigkeiten.
Auch körperlich war der Dienst der Pastoren sehr beschwerlich. Kaum einer war ohne Außendienst, der auf oft schlechten Straßen mit Bauernpferden auf primitiven Wagen bei jeder Witterung stundenlange Fahrten erforderte. Dazu war die Besoldung bescheiden; für die Ausbildung der Kinder mußten die ausländischen Diasporahelfer um Beihilfen gebeten werden.

Trotz vieler solcher Beschwernisse fehlte es nicht an laufendem Zustrom sowohl für die Schularbeit als auch die theologische Laufbahn. Nicht wenige aus Galizien stammende Männer erreichten auf dieser später hohe Stufen, z. B. der 1882 in Biala geborene *Viktor Glondys*, dem die Siebenbürger Sachsen 1933 ihr Bischofsamt anvertrauten. Aber auch in der theologischen Wissenschaft haben sich einige aus der evangelischen Kirche Galiziens hervorgegangene Männer einen Namen geschaffen, so der Bonner Neutestamentler *Rudolf Knopf*, der Wiener Kirchenhistoriker *Karl Völker* und der Kirchenhistoriker *Hans Koch*.

Um die Jahrhundertwende drohte den Kolonistengemeinden eine ernste Gefahr. In den östlichen Provinzen Preußens schien der Großgrundbesitz in die frühere extensive Wirtschaftsform zurückfallen zu müssen, da die Massen der Landarbeiter, die bisher zur Verfügung standen, von der wachsenden Industrie des Westens abgesogen wurden. Man war auf das Reservoir geeigneter Ersatzkräfte aufmerksam geworden, das in den deutschen Kolonien Rußlands und Polens vorhanden war und gründete eine Werbestelle, deren Agenten auch nach Galizien kamen. Sie fanden mit verlockenden Flugschriften und Vorträgen an manchen Orten Widerhall. Sie proklamierten, hier stünden die Deutschen doch nur auf verlorenem Posten. Drüben, in der Heimat der Vorfahren, seien nun zwar nicht Bauernhöfe, aber doch Kleinsiedlungen auf Gutsland zu haben für das Geld, das man hier beim Verkauf des Hofes erziele. Wieviel besser lebe es sich dort, wo alle dieselbe Sprache redeten, denselben Glauben hätten, als hier in der fremden, mißgünstigen Welt, an der Grenze des russischen Unruheherdes. Man versprach, ganze Dörfer geschlossen wieder anzusiedeln, die Pfarrer und Lehrer mit hinüberzunehmen; viel größere Schulen, schönere Kirchen gebe es und für die Jugend Aufstiegsmöglichkeiten wie niemals hier.

Aus einigen Orten reisten Vertrauensleute hinaus, um die Lage zu überprüfen; sie kamen mit günstigen Berichten zurück, und allenthalben entstand ein Fragen und Verhandeln, natürlich auch mit den kirchlichen Stellen. Diese waren unschlüssig. Die Vorstände der Hilfsverbände, des Gustav-Adolf-Vereins, des Evangelischen Bundes, der Schweizerischen Diasporafürsorge berieten miteinander: Können wir es verantworten, noch weiter die uns anvertrauten Mittel für eine Sache zu verschwenden, die hoffnungslos verloren ist?

Die Antwort kam aus dem Munde der allernächst Beteiligten. Im Oktober 1903 kam im Orgelsaal der evangelischen Schule zu Lemberg eine repräsentative Schar von Glaubensgenossen zusammen und traf nach ernster Gewissensforschung die Entscheidung. Sie lautete: »Wir bleiben!« Von nun an traten die Pfarrer und Synoden der Abwerbung mit Nachdruck entgegen; und sie hörte auf.

Im Vordergrund des weittragenden Beschlusses stand eine praktische Erwägung. Man sagte: entweder gehen wir alle fort, und das in geregelter Ordnung, ohne einen verlorenen Haufen zurückzulassen; oder wir bleiben und fangen einen neuen Abschnitt in der Geschichte unserer Volks- und Kirchengruppe an. Dahinter aber stand die im Gebetsringen gewonnene Gewißheit: Der Missionsbefehl des Weltheilands gilt auch für die Diaspora. Wir sind Gesandte, wir haben in diesem Lande einen Auftrag, ein jeder in seiner Weise und wir alle in unserer kirchlichen Brüderschaft.

So kam es, daß alle Pfarrer und fast alle Lehrer dablieben trotz der Aussicht auf gute Gehälter und bequeme Wohnungen, auf leichteren Dienst und behaglichere Nachbarschaft. Alles rationale Überlegen wurde überwunden durch die Glaubenserkenntnis: Gott wird ein Volk und eine Kirche nicht im Stich lassen, die der Sendung in die Welt gehorchen will: die Stadt auf dem Berge zu sein, Zeugnis zu geben vom Heil im Evangelium und vom Liebesdienst an den Nächsten, an den vor der Tür stehenden Brüdern.

Neuer Mut durchströmte die Gemeinden. Jetzt fing man an, die erwähnten Genossenschaften zu gründen. Eine Volkshochschule für die Landjugend kam hinzu und mehrfach entschlossen sich junge Theologen in Deutschland, auf einige Zeit in der so tapfer treuen Diaspora im entlegensten Winkel Österreichs als Vikare Dienst zu tun.

Und jetzt begann auch die große Zeit für den Mann, dessen Namen mit der Endgeschichte des Protestantismus in Galizien vor allen andern unlöslich verbunden ist: *Theodor Zöckler.*

Der Sohn des noch heute in der theologischen Wissenschaft durch dauernd wertvolle Arbeiten bekannten Polyhystors *Otto Zöckler* (Ordinarius für Neues Testament in Greifswald) war bei seinen Studien am Leipziger Institutum Judaicum von *Franz Delitzsch* und *Wilhelm Faber* für das Ostjudentum interessiert worden und ließ sich 1891 von der Dänischen Gesellschaft für Mission unter Israel nach Ostgalizien aussenden. In dem zu drei Fünftel von Juden bewohnten Städtchen Stanislau begegnete er dem seltsamen Judenchristen *Chajim Jedidjah (Christian Theophil) Lucky*, der die Gründung gesetzestreuer Synagogengemeinschaften nach dem Muster der Urgemeinde von Jerusalem propagierte. Dieser verwies *Zöckler* und den kurz vorher dort eingetroffenen Studienfreund *Wiegand* auf das Hindernis, das dem Erfolg der Judenmission hier im Wege stehe: Die jammervolle Lage der evangelischen Kolonistengemeinden. »Eine innerlich kränkelnde Diaspora ist ein Gegenbeweis gegen die behauptete Lebenskraft des Evangeliums.«

Zöckler trat in den Dienst der evangelischen Landeskirche Galiziens, zuerst als Vikar, dann als Pfarrer von Stanislau. Bald stieß er auf die große Not, daß für verwaiste oder vernachlässigte Kinder der Kolonisten keinerlei Fürsorge vorhanden war. Mit großem Glaubensmut begann er unter primitivsten Umständen ein Kinderheim zu errichten, das nun die Keimzelle eines großen, reiche Früchte tragenden Diasporawerks wurde. Man hat es das

»Bethel des Protestantismus in Osteuropa« genannt, und wenn es sich auch an Umfang und an Dauer des Bestandes mit dem Riesenkomplex der Bodelschwinghschen Anlagen in Bethel bei Bielefeld nicht vergleichen konnte, an Treue im Beten wie im Arbeiten, im Trösten wie im Mahnen, in Geduld wie in Zuversicht war es ihm ebenbürtig.
Die echte Führungskraft *Zöcklers*, des vielseitig begabten Meisters im Organisieren, bewährte sich darin, daß er Mitarbeiter von Qualität – an Gesinnung, Können und Eifer – um sich zu sammeln verstand. Das waren zunächst die Glieder seiner Familie, allen voran seine wunderbare Frau, die freudig große Opfer brachte. Später wurde sie dem ertaubenden Gatten die unentbehrliche Begleiterin und Handlangerin.
Aus der Zahl der theologischen Mitarbeiter, vieler ausgezeichneter Männer, die sich der gewinnenden bischöflichen Persönlichkeit *Zöcklers* mit großer Anhänglichkeit hingaben, können hier nur wenige genannt werden:
Der oben erwähnte Weggenosse – von Leipzig nach Galizien – *August Wiegand* hat nach Rückkehr in seine mecklenburgische Heimat als Propst des Kirchenbezirks Plau den sehr nützlichen »Hilfsbund für Innere Mission in der Diaspora« gegründet, durch zahlreiche Publikationen in weiten Kreisen Interesse für Stanislau erweckt und erfolgreich Hilfe geworben.
Engste Freundschaft verband Zöckler mit *Max Weidauer*, der von Sachsen »auf ein paar Monate« herüber kam; es wurden daraus 33 Jahre. Er war der ständige und überaus verständige Berater der Anstaltsleitung, dazu ein Volksmissionar von Originalität, der Verbindungsmann zu den Ukrainern, die ihn »den Heiligen von Kolomea« nannten.
Aus der Fülle ähnlicher Gründungen durch charismatisch begabte Christen hebt sich *Zöcklers* Werk dadurch heraus, daß der Gründer nicht nur sein großes Geschick und seinen tapferen Glaubensmut einsetzte, sondern auch ein beträchtliches Vermögen der Familie opferfreudig dafür hingab.
Solchem Vorbild pflegt Nacheiferung nicht zu fehlen. Für Stanislau sei nur der galizische Öl-Industrielle *v. Kaufmann* genannt. Er fühlte sich als evangelischer Christ gedrängt, einen Teil seiner ansehnlichen Gewinne großzügig für caritative Zwecke hinzugeben und half dem Zöcklerschen Werk mehrfach durch Hingabe beträchtlicher Kapitalien.
Mit ihm und anderen privaten Helfern wetteiferten die freien Werke der Diasporapflege, vor allem das Gustav-Adolf-Werk (Leipzig) und der Hilfsverein der Schweiz, beide nicht nur mit Geld- und Warensendungen, sondern auch durch Besuche hin und her, durch Weckung des Interesses in der ökumenischen Gemeinschaft.
Doch ist *Theodor Zöckler* nur einer aus der großen Zahl evangelischer Christen, die sich in aufopfernder Weise der caritativen Aufgabe in der Diaspora widmeten. Es seien hier nur noch zwei Namen genannt: die Baronin *von Thiele-Winckler*, die vor allem im oberschlesischen Miechowitz wirkte

und von den durch sie Betreuten »Mutter Eva« genannt wurde, und die *Gräfin Latour*, deren Wirken sich besonders auf Kärnten erstreckte (Treffen). Das Konsistorium der Landeskirche Schleswig-Holsteins pflegte Pfarramtskandidaten Reisestipendien zum Studium der Diaspora zu gewähren. Zwei von diesen wurden von der Arbeit in Galizien und namentlich von der fesselnden Seelenkraft *Zöcklers* und seines Werks so gepackt, daß sie es nicht beim Vierwochenbesuch bewenden ließen, sondern, von der Heimatbehörde beurlaubt, im Musterland evangelischer Auslandsdiaspora Wurzel faßten und nacheinander in der großen Kolonie Dornfeld (bei Lemberg) wertvollste Dienste leisteten. Schon bald nach 1900 kam in dem Zustrom junger deutscher Theologen nach Österreich, den die dortige »Los-von-Rom-Bewegung« hervorrief, *Georg Faust* herüber, der spätere Missionsdirektor in Leipzig, dann Propst in seiner Heimat. Er war es, der die landwirtschaftlichen Genossenschaften ins Leben rief; er hat durch zahlreiche Vorträge und Aufsätzen den Stanislauer Anstalten viel helfende Freunde gewonnen. Sein Nachfolger war *Fritz Seefeldt*, der Vater der nach dänischem Muster in Dornfeld errichteten Volkshochschulen, deren Segensspuren noch heute nachwirken, da die »evangelischen Galizianer« in alle Welt zerstreut sind und doch einander die Treue halten. *Seefeldt* wie *Faust* haben später in ihrer schleswig-holsteinischen Heimat an führenden Stellen den einstigen Dienst in der Diaspora Galiziens durch erfolgreichen Werbedienst für sie fortgesetzt, anschließend an die dortigen Gustav-Adolf-Vereine, die eine Art Patenschaft für die so weit von der »Wasserkante« entfernten und so ganz anders geführten Glaubensgenossen übernahmen.
Für die letzten Jahrzehnte war es von größtem Wert, daß ein tief gegründeter und weitumherblickender Diasporatheologe aus dem Schwabenland nach Stanislau kam: *Wilfried Lempp*. Er wurde Zöcklers Schwiegersohn und hatte 22 Jahre lang die innere Leitung der Anstalten in seinen Händen, als jener durch sein schweres Ohrenleiden immer mehr behindert wurde. *Lempp* war ein Seelsorger und Verkünder voll Geist und Kraft, von beharrlichem Eifer für den Sendungssinn der Diaspora beseelt. Als er in seine württembergische Heimatkirche zurückkehrte, wurde er dort Prälat erst der Diözese Schwäbisch Hall, dann in Heilbronn.
Die aufgezählten Hauptmitarbeiter *Zöcklers* kamen sämtlich aus lutherischen Landeskirchen. Er selbst entstammte der preußischen Union, die in seiner pommerschen Heimat lutherisch geprägt ist. Er bejahte aber fest die Verwaltungs-Union der Kirche Galiziens, in der sich drei regional abgegrenzte Gruppen (Seniorate mit zusammen 18 Pfarrämtern) mit einer vierten Gruppe zusammenbanden, deren drei Pfarrer eine weit über das ganze Land verstreute reformierte Diaspora zu versorgen hatten. Nur die Gemeinde Krakau vereinte Kalviner und Lutheraner von alters her.
Der im August 1914 ausbrechende Krieg suchte den Osten Galiziens schwer

heim. In Rußland glaubte man, die Ukrainer würden die Befreiung durch ihre »slavischen Brüder«, die Heimkehr zu »Mütterchen Rußland« begeistert begrüßen. Allein die Westukrainer im Ostteil des österreichischen Gebietes zeigten wenig davon. Wenn sie schon von der so viel milderen österreichischen Herrschaft »befreit« werden sollten, dann nicht, um unter die härtere des russischen Reiches zu geraten – vielmehr zogen sie die Unabhängigkeit und Eigenstaatlichkeit vor, ein Wunsch, der allerdings nicht in Erfüllung gegangen ist.
Von den übel hausenden Kosaken hatten die ostgalizischen Gemeinden viel zu leiden. *Zöcklers* Anstalten mit ihren vielen Kindern und Schwachen, Alten und Kranken retteten sich zweimal durch rechtzeitigen Abmarsch nach Österreich, bis 1916 mit der Besetzung ganz Polens durch Truppen der Mittelmächte auch in Galizien Ruhe eintrat.
Sie währte nicht lange. Der Kriegsausgang brachte die Aufteilung der Donaumonarchie und die Wiederherstellung eines polnischen Staates, der an allen Seiten über die Volkstumsgrenzen hinausgriff. Auch das ukrainische Ostgalizien kam zu Polen unter Zusicherung einer gewissen Kultur-Autonomie für die nichtpolnischen Minderheiten.
Für die Evangelischen erhob sich die Frage, ob die kleine Kirche sich nicht mit einer der beiden anderen, je nach Hunderttausenden zählenden Gruppen von deutschsprachigen Glaubensgenossen im neuen Polen zusammenschließen solle. Es waren triftige Gründe, die das verhinderten. Sie stammten aus der verschiedenen Geschichte der drei Gemeinschaften, namentlich ihrer Verfassungsgeschichte: Dort die Gliedschaft in der Preußischen Konsistorialkirche mit ihrer großen Fürsorge, aber auch mit ständiger Gängelung, da die von der russischen Autokratie eingerichtete Landeskirche mit ihrer staatskirchlichen Verwaltungsapparatur, die jetzt der polnische Staat als Rechtsnachfolger beanspruchte, und hier das kleine, ganz abseits gelegene und dadurch eigenwüchsig gewordene Glied der polyglotten evangelischen Kirche des früheren liberalen Österreichs mit der Neigung zum Kongregationalismus.
Nicht minder eigene Wege war bei allen dreien die innere Kirchengeschichte gegangen, jedenfalls in den letzten Jahrzehnten: Man braucht nur die Namen *Hesekiel* und *Blau* dort, *Manitius* und *Bursche* da, *Zöckler* und *Weidauer* hier nebeneinander zu stellen, um das anzudeuten, was hier trennte.
Jede der drei Kirchen ging die ihnen beschiedenen zwanzig Jahre neben den andern her. Auf kurze Zeit kam es wenigstens zu einer Föderation miteinander und mit den beiden reformierten Gruppen um Warschau und Wilna. Leider folgten sehr bald Vorgänge auf staatskirchenrechtlichem Gebiet, die selbst dieses lose Band sprengten. Es wäre falsch, wollte man die beiden Unionskirchen – in Posen und Galizien – als deutsche, der lutherischen Kirche des Warschauer Konsistoriums als einer polnischen gegenüber-

stellen. Das Verlangen nach Pastoration in polnischer Sprache bestand in den drei Kirchen nur bei einer Minderheit, deren Wünsche auch in Posen und Galizien stets offene Ohren fanden.
Zöckler war eine durch und durch irenische Natur. Mit klarem Kopf und reichem Wissen trat er dem überheblichen Nationalismus entgegen, der jede Assimilation der deutschen Evangelischen an die polnische Umwelt als tödliche Glaubensgefahr ansah. Er wußte, im gesamten westslavischen Sprachbereich, bei den Wenden wie bei den Polen, bei den Tschechen wie bei den Slovaken, gab es urwüchsiges Kirchenleben reformatorischer Gestalt, von den Vätern des 16.Jahrhunderts ererbt. Nur den aus letztlich nationalpolitischen Motiven den Gemeinden aufgedrängten Zwang zur Annahme der polnischen Sprache für Gottesdienst und Unterricht lehnte er ab als eines jener »Ärgernisse«, den »Geringsten« angetan, denen Christus sein »Wehe« entgegenrief. Als das Warschauer Konsistorium die zweisprachige und zweikonfessionelle Gemeinde Krakau der Kirche Galiziens unter Rechtsbruch »abspann«, war er tief traurig. Die anderen Gemeinden Galiziens blieben in ungestörter Einigkeit unter der Führung *Zöcklers* beisammen, auch wenn ihre Glieder – wie es in manchen der Stadtgemeinden kaum ausbleiben konnte – zu polnischer Sprache und Haltung übergegangen waren. Selbst die Gemeinde der ostgalizischen Hauptstadt Lemberg (um 1200 als Leopolis Germanica gegründet) mit ihrer großen und energischen Polenminderheit und ihrem reich ausgebauten mehrsprachigen Schulwesen ließ sich nicht verleiten, dem Krakauer Vorgang nachzufolgen.
Die oft erörterte Frage, in welcher Art evangelische Diaspora den Missionsauftrag erfüllen soll, der dem über den Acker der Welt ausgestreuten Samen obliegt, fand in Ostgalizien eine eigenartige Antwort. Ukrainische Auswanderer hatten in den Vereinigten Staaten Anschluß an protestantische Denominationen gefunden und in diesen für Generationen die Liebe zur alten Heimat und die Treue zur Heimatsprache bewahrt, so daß dort lange Zeit hindurch evangelische Zeitschriften mit ukrainischen Texten gedruckt wurden. Aus diesen Kreisen gingen junge Theologen hervor, die sich entschlossen, in die Länder ihrer Muttersprache zu reisen, um dort zu evangelisieren und freie Gemeinden zu gründen. Die Sowjet-Ukraine war ihnen verschlossen und die Karpato-Ukraine (im Osten der Slovakei) nicht leicht zugängig. So kamen sie nach Galizien. Hier war in der Landbevölkerung dadurch der Boden für ein neues Pflügen aufgelockert, da die Volksmassen unter Anführung des niederen Klerus der Leitung des neuen Staates, in den sie ungefragt eingegliedert wurden, mißtrauisch gegenüberstanden. Man meinte gewisse Äußerungen aus Krakau oder Warschau, die wohl von Rom her gesteuert waren, z. B. die Propaganda für den Priesterzölibat, dahin auslegen zu sollen, daß eine Latinisierung der Unionskirche im Gange sei. In den griechisch-katholischen Priesterseminaren kam es zu Austritten gan-

zer Jahrgänge. Ins Politische gewandelt hieß jetzt die Parole: man will uns katholisch und polnisch machen.
In diese Atmosphäre hinein kamen die amerikanischen Missionare. Als protestantische Glaubensgenossen erbaten sie sich die evangelischen Kanzeln zu Predigten in ukrainischer Sprache und erhielten sie. Noch nie war bisher in den evangelischen Bethäusern anders als deutsch oder polnisch gesprochen worden. Unter den Ukrainern Werbung für den Protestantismus zu treiben, hatte man nie im Sinn gehabt. Den Sendungsauftrag der Bergpredigt verstand man dahin, daß auf dem Leuchter eines geordneten, von Brudergeist getragenen Gemeindelebens das Licht des Zeugnisses vom lauteren Evangelium in die Umwelt erstrahle und lautlos die verheißene Wirkung tue. Erstaunt nahm man jetzt den großen Zulauf des ukrainischen Volkes zu den Erweckungspredigten in seiner Muttersprache wahr; denn in der unierten (griechisch-katholischen) Kirche wurde ebenso wie in der griechisch-orthodoxen Rußlands nicht gepredigt und die Messe in der altslavischen, dem Volk kaum verständlichen Kirchensprache gehalten. Es kam zur Bildung ukrainisch-protestantischer Gemeinden, sogar zur Erbauung von eigenen Bethäusern, da die Kirchen der evangelischen Gemeinden nicht ausreichten. Leider litt der Erfolg an dem konfessionellen Zwiespalt der Evangelisten. Die Lutheraner machten dem Volk das Zugeständnis, die gewohnte Bilderwand *(Ikonostas)* vor dem Altar aufzustellen, nur daß sie jetzt nicht mit sagenumwobenen Heiligen, sondern mit Gestalten aus dem Evangelium bemalt war. Auch übersetzten sie schöne, ehrwürdige Stücke der ostkirchlichen Liturgie in die Volkssprache und spendeten das Abendmahl in ostkirchlicher Form mit in den Kelch getauchtem Brot.
Diese sich auch dogmatisch zum Luthertum bekennenden kleinen Gemeinden schlossen sich der jetzt ganz unter der Leitung *Zöcklers* stehenden Kirche an und ehrten ihn als ihren Bischof.
Die andere Gruppe sammelte sich in puritanischen Formen. Sie hätte sich als Reformierte Kirche auch den Stanislauern anschließen können, da diese ja ein ganzes Seniorat Helvetischer Konfession (H. B.) mit ihrer lutherischen Mehrheit (A. B. = Augsburgische Bekenntnis) verband. Aber man hielt es für nützlicher, die Tradition des kleinpolnischen Kalvinismus aufzunehmen, erbat sich und erhielt Anschluß an das reformierte Konsistorium in Warschau. Auf dessen Fürsprache bei der Staatsregierung bekam die kleine Gruppe die gewünschte Autorisation und auch wirtschaftliche Förderung. Die von *Zöckler* geleitete Kirche war nun dreisprachig geworden. Sie erlebte in den 20 Jahren ihres Bestandes eine schöne Entfaltung geistlichen Wachstums in Frieden und Eintracht, auch durch den Unruheherd Krakau kaum gestört. Ihre viel bewunderten Liebeswerke wurden von den Glaubensgenossen in den anderen Gemeinschaften als Erweis echter Nachfolge des Erlösers gewürdigt. *Zöckler* genoß ein hohes Ansehen auch im polnisch-

katholischen Raum und bei den Behörden. Von der kleinen Schar in diesem Winkel des weit ausgedehnten Staates hätte bei der anerkannten ökumenischen Haltung ihrer leitenden Männer manche Hilfe zur Überwindung der Spannungen ausgehen können, die in Warschau, Posen, Kattowitz und Wilna zwischen den führenden Kräften des Protestantismus ausbrachen und viel Schaden ausrichteten. Aber das wäre eine Aufgabe vieler Jahre gewesen; die gab es nicht mehr.

Wieder einmal wie so oft seit 150 Jahren kam über das polnische Volk und seinen Staat das Unglücksschicksal der Aufteilung seines Territoriums unter die militärisch mächtigeren und politisch unbedenklicheren Nachbarn. Im Sommer 1939 schlossen die beiden Diktatoren imperialistischer Reiche, *Hitler* und *Stalin*, den Vertrag, der die Unterwerfung des westlichen Polens unter das nationalsozialistische Reich herbeiführte und als Preis für die Duldung dieser Gewalttat der Sowjet-Union große Stücke Ostpolens zuschanzte, darunter auch die Osthälfte Galiziens.

Der Vertrag der beiden, mit Menschen so leichtfertig und bedenkenlos umgehenden Spieler sah vor, daß aus dem sowjetischen Interessenbereich alle Deutschen herausgezogen werden müßten, und zwar sofort. *Stalin* wollte wohl damit die Schwierigkeiten verringern, die ihm bei der nun unvermeidlichen Anpassung der gewonnenen Gebiete an die kommunistische Gesellschaft und ihre Wirtschaft durch das Verbleiben deutscher Bauern erwachsen konnten. *Hitler* wollte die ihm bekannten »Rassenwerte der Kolonialpioniere« für den geplanten Einsatz auf zu eroberndem Land reservieren. So zogen denn nach der schnellen Niederwerfung Polens im September 1939 deutsche Kommissionen durch Galizien, nahmen den Bestand an Personen und Eigentum der Kolonisten auf, setzten hohe Werte für Grundstück und Inventar ein und zahlten mit Wechseln auf Auszahlung nach dem Krieg. Der Abtransport geschah mit Sorgfalt, die Unterbringung in Sammellagern war fürs erste erträglich. Aber dann setzte eine nachdrückliche Belehrung der Insassen im nationalsozialistischen Sinne ein mit dem Ziel einer Umerziehung aus dem »zurückgebliebenen« Ethos der »erledigten Vergangenheit« eines frommen Christenlebens. Wenn einem Besucher – ausnahmsweise – das Betreten eines Lagers erlaubt wurde, war man erschüttert von den Klagen: »Man will uns nun auch noch unser höchstes Gut, unsern Glauben nehmen!« »Auf den neuen Abgott sollen wir vertrauen!«

Dann begann die Neuansetzung in bisher polnischen Bauern gehörenden Höfen. Ein dabei mitwirkender SS-Mann erzählte, wie tief es ihn ergriffen habe, daß die Umsiedlerfamilie vor dem Eintritt in den neuen Hof an der Türschwelle einen Choral gesungen habe. Ein anderer berichtete, daß man Mühe gehabt habe, den Widerwillen zu brechen, der sich sträubte, in das erst tags zuvor von den mit Polizeigewalt exmittierten polnischen Eigentümern verlassene Haus einzuziehen. Nur einigen wenigen Pfarrern wurde die Ausübung der Seelsorge, die Abhaltung von Gottesdiensten gestattet. Bald fand der Krieg sein Ende. Das phantastisch aufgebaute Kartenhaus eines weit in den Osten ausgreifenden Kolonistenreichs der Deutschen stürzte zusammen. Die Rote Armee besetzte Polen. Wer nicht rechtzeitig flüchten konnte, nur ein Bündel Wäsche im Rucksack und wertlos gewordene Scheine über einstigen Reichtum in der Tasche, wurde abgeführt in die Sklaverei der sowjetischen Arbeitslager oder in die Steppen Sibiriens, wo er sich mit Tausenden von Schicksalsgenossen zusammenfand, mit den Nachkommen der Menschen aus Schwaben oder der Pfalz, die – ebenso wie die eigenen Vorfahren von Österreichs Kaisern nach Galizien – von russischen Kaisern an die Ufer der Wolga oder in das Schwarzerdegebiet der Ukraine gerufen worden waren und nun von Stalin beraubt und verjagt wurden. Wir wissen heute, daß sich im Osten bis hin zur chinesischen Grenze Gemeinden evangelischer Christen gesammelt haben. In urchristlicher Weise tun sie auch ohne Pfarrer und Lehrer, nur durch Zusendung von Bibeln, Gesang- und Gebetbüchern aus der fernen Heimat unterstützt, das, was die »verstreuten Kinder Gottes«, wie es Johannes 11, 52 sagt, zu tun haben, nämlich sich zu sammeln im Warten auf das verheißene Heil im ewigen Reiche Gottes.

11. Die Bukowina

Zum polnisch-litauischen Raum gehört die Bukowina nicht. Sie wurde aber nach der eigenmächtigen Besitznahme durch Kaiser *Joseph II.* 1775 staatsrechtlich an Galizien angeschlossen und das sich in ihr entfaltende evangelische Kirchenleben gliederte sich in das Galiziens ein. Dadurch rechtfertigt sich unser Bericht an dieser Stelle. Das Land bildete das Verbindungsstück zwischen Österreichs Galizien und Ungarns Siebenbürgen. Man konnte nun von Wien über Krakau und Czernowitz nach Bistritz, Hermannstadt und Kronstadt marschieren und dabei den nie gern gegangenen Weg über Ungarn vermeiden. Auch war jetzt der Sperriegel gegen Rußland verstärkt und ein Vorposten gegen das Osmanenreich gewonnen. Der als türkischer Statthalter die Moldau regierende rumänische Fürst mußte sich den Gewaltstreich des Kaisers gefallen lassen; er hoffte im Habsburgerreich einen Bundesgenossen zu finden, wenn für die übrige Moldau die Zeit zur Abschüttelung des Türkenjochs reif sein werde.
Die Bevölkerung des nicht großen Landes betrug damals keine 100000 Seelen, kaum 10 auf den Quadratkilometer. Im Süden und Osten saßen seit Jahrhunderten Rumänen. In den Norden waren Ukrainer eingewandert, an Zahl fast soviel wie die Rumänen. Beide Völker sind an Sprache und Art sehr verschieden, aber einig in ihrer von Anfang an bestehenden Zugehörigkeit zur Ostkirche.

Das von üppigen Laubwäldern bedeckte Land – von den Österreichern »Buchenland« genannt – nahm alsbald den Überschuß des Einwanderungsstromes auf, der in Galizien hoch angeschwollen war. Zu den Bauernkolonien kamen Händler und Handwerker in neu entstehenden Städten. Als das Schürfen nach Erdschätzen Erfolg hatte, stellten die Bergstädte der nahen Slovakei Kumpels und Steiger; es gab guten Verdienst in den Gruben, deren Erze an Ort und Stelle zu Eisen und Kupfer, Blei und Silber verhüttet wurden. Die ländlichen Siedler waren meist, die Bergleute durchweg Lutheraner. Eine ganze Reihe evangelischer Bauerndörfer entstand und bald folgten die Industriesiedlungen mit Gemeindebildungen.
Eine Anknüpfung an älteren Bestand war dabei nicht möglich. Die Tuchmachergemeinde am linken Dnestr-Ufer gegenüber Zaleszczyki war längst vom Winde verweht. Erst recht war nichts von dem ungeordneten Reformationskirchentum übriggeblieben, das ein zwielichtiger Usurpator um 1550 durch hastige Umwandlung der katholischen Fremdengemeinden herbeigezaubert hatte. Der Pseudofürst wurde hingerichtet und die Gegenreformation räumte mit dem unechten »Protestantismus« schnell auf.
Erster Seelsorger der sich bildenden Gemeinden wurde der Pfarrer von Zaleszczyki, *Himesch*, der zunächst auf eigene Faust im Nachbarlande umherreiste, dann aber von der österreichischen Regierung zu solchem Reisedienst verpflichtet wurde. Dies geschah 1786. Als dann das evangelische Kirchenwesen Österreichs rechtlich geordnet wurde, gliederte der Wiener Oberkirchenrat die Bukowinagemeinden der 1804 errichteten galizischen Diözese ein. Sie bildeten später zusammen mit einigen Nachbargemeinden jenseits des Grenzflusses ein Seniorat der galizischen Superintendentur.
Um 1900 bestanden in diesem Raum acht Pfarrgemeinden mit zahlreichen Filialen. Die größte war die der Hauptstadt Czernowitz mit 6800 Seelen. (Bei der Gemeindegründung waren es 400 gewesen.) Die räumlich größte Gemeinde war Radautz, deren Glieder in weiter Verstreuung rund um die Stadt auf den Dörfern wohnten. Eine der Gemeinden, Andrasfalva, war geschlossen reformiert und hatte magyarische Kirchensprache, die anderen waren alle sprachlich und konfessionell gemischt, aber meist mit deutscher Sprache in Gottesdienst und Unterricht.
Kein Landstrich der österreichisch-ungarischen Monarchie wies eine so bunte Sprachenmischung wie die Bukowina auf. Zu den drei sich hier begegnenden slavischen Sprachen – ukrainisch, polnisch, slovakisch – traten das Magyarische und Rumänische, alle überlagert von der deutschen Amtssprache. Dieser bedienten sich auch die zahlreichen Juden – in Czernowitz allein 60% der Bewohner – mit ihrer jiddischen Umgangssprache. Aber gerade diese Mannigfaltigkeit brachte es mit sich, daß hier eine österreichi-

sche Gemeinschaft Bestand hatte, die anderwärts allzuschnell von einer mehr zentrifugalen Politik zerrüttet wurde.
In Czernowitz war es möglich, daß 1875 eine staatliche Universität eingerichtet wurde, auf der in allen Fakultäten deutsch die Lehrsprache war, sogar in der orthodox-theologischen. So konnte der Pfarrernachwuchs sowohl für die Rumänen wie für die Ukrainer hier Ausbildung finden; aus Serbien wurden Priester, die für höheren Rang kandidierten, hierhergeschickt, solange es dort noch keine akademische Theologenschule gab. Für den Dienst an den Gemeinden in der Bukowina stellten sich des öfteren Theologen aus Siebenbürgen zur Verfügung. Von ihnen sei hier nur *Joseph Fronius* erwähnt, der sich um das Schulwesen der Kirche als früherer Schuldirektor sehr verdient machen konnte. Es war gleichsam ein Gegengeschenk der Bukowina, als 1922 der Pfarrer von Czernowitz, *Viktor Glondys*, das Stadtpfarramt in Kronstadt übernahm, der 1932 sogar von den Siebenbürger Sachsen zu ihrem Bischof gewählt wurde.
Als 1919 das Königreich Rumänien sich an der Aufteilung Ungarns beteiligte und den größten Teil Siebenbürgens zugeteilt bekam, weil hier inzwischen durch Zuwendung und Zuwachs eine rumänische Mehrheit entstanden war, beerbte es auch das auf sein Kernland reduzierte Österreich und erhielt die Bukowina. Die dadurch von Galizien getrennten evangelischen Gemeinden traten nun in den Bereich der Siebenbürgisch-Sächsischen Landeskirche und bildeten in ihr ein Dekanat. Sie nahmen an den Bedrängnissen teil, die der Herrschaftswechsel damals schon der Sachsenkirche brachte, haben aber den neuerlichen Umschwung mit seiner tödlichen Bedrohung dieser Kirche nicht mehr erlebt. Der Hitler-Stalinsche Umsiedlungsvertrag von 1939 führte zum Abzug aller Deutschen auch aus der Bukowina. Das Land wurde zwischen der Sowjetunion und Rumänien geteilt, wobei der Norden ebenso wie die Osthälfte Galiziens der ukrainischen Sowjetrepublik einverleibt wurde. Evangelisches Kirchentum gibt es seither dort nicht mehr.

12. Kongreßpolen

Die polnische Frage war nur eine, und nicht einmal die schwierigste der Fragen, die der Friedenskongreß zu Wien bei der Liquidation der napoleonischen Konkursmasse zu lösen hatte. Dabei sollten nicht nur das Interesse aller Beteiligten und die Rechtssituation gewürdigt werden; es galt auch die »Verdienste« der einzelnen Staaten im Befreiungskampf gegen Napoleon zu belohnen. Die Polen hatten – und zwar mit Begeisterung – auf Frankreichs Seite gekämpft. Aber die Strafe dafür sollte nicht zu hart ausfallen. Sie sollten wieder einen Staat haben; aber mit welchen Grenzen und mit welcher inneren Gestalt?
Dem Zaren konnte man nicht gut abschlagen, daß alles Land bei Rußland

bleiben solle, das seine Vorgänger bei den drei historischen Teilungen ihrem Reich einverleibt hatten. Ob ihm jedoch ein weiterer Landzuwachs zugebilligt werden könne, schien zweifelhaft.
Allein der Zar bestand darauf, Herr über das »Königreich Polen« zu werden, und da er mit seinen »400000 Bajonetten« drohte, stimmten Preußen und Österreich schließlich zu, nur kleine Korrekturen vermochten sie durchzusetzen.
Das neue Königreich, dessen Hauptbestandteil das alte Masowien mit Warschau, das Kalisch-Petrikauer Gebiet Großpolens und der Lubliner und Cholmer Bezirk Kleinpolens bildeten, ragte nur mit seinem Nordostzipfel in litauischen Volksraum hinein.
Als Staatsverfassung kam die alte der Adelsrepublik mit dem vom Adel beherrschten Sejm, dem davon abhängigen Präsidenten, den man »König« nannte, nicht wieder in Betracht. Ein richtiger Monarch, ein »Herrscher«, mußte es sein, auch Frankreich erhielt ja wieder einen solchen – allerdings sollte eine Konstitution seine Macht etwas beschränken. Ein Pole allerdings sollte dieser König nicht sein, auch die Verfassung vom Mai 1791 sollte es nicht sein – der russische Kaiser ließ sich huldvoll herab, selbst die polnische Königskrone zu tragen. Beide Staaten wurden in Personalunion verbunden, und auch der Widerstand *Metternichs* und *Castlereaghs* gegen die Pläne *Alexanders I.*, die sich gegen das Vorschieben der russischen Westgrenze wandten (denn das bedeutete diese Personalunion in Wirklichkeit), vermochte ihre Ausführung nicht zu verhindern.
Es wurde davon berichtet, daß die Formulierung für die polnische Freiheit unter dem russischen Herrscher in der Wiener Schlußakte allzu weitherzig ausfiel und von keiner völkerrechtlichen Garantie begleitet war. Aber *Alexander* täuschte das ihm geschenkte Vertrauen an diesem Punkte nicht. Er schien ihm »nützlich und angebracht« *(utile et convenable)*, den Polen ein Parlament, ein eigenes Heer und volle Freiheit eigensprachiger Kultur und eigensprachlichen Kultuslebens in einer liberalen Verfassung zuzugestehen; er beschwor sie vor der Krönung mit feierlichem Eid.
Die russisch-polnische Personalunion band sehr ungleiche Partner zusammen und konnte kaum glücklich werden. Als *Peter der Große* Livland und Estland annektierte (siehe S. 54f.), war zu hoffen, daß der Ständestaat der lutherischen Balten bei ihrem temperierten Nationalgefühl sich mit der zentralistischen Reichsidee des einem »Selbstherrscher« unterstellten Rußlands einigermaßen vertragen würde; was denn auch 150 Jahre hindurch geschah. Aber die Verkoppelung einer ganz westlich orientierten, leicht erregbaren, römisch-katholischen Demokratie mit der östlich starren und dazu ostkirchlich unduldsamen Autokratie mußte mißglücken. Aktionen und Gegenaktionen waren unvermeidlich.
Es liegt nahe, an die ähnliche Lage zu denken, die eintrat, als 1809 unter ent-

schiedener Mitwirkung *Napoleons* das lutherische Finnland mit dem Zarenreich gleichfalls in Personalunion verbunden wurde. Doch konnte sich das Großfürstentum, wenn auch mit vielen Schwierigkeiten, besonders in den Zeiten der »Russifizierungs«-Politik, seine Autonomie einigermaßen bis zum Umschwung von 1905 und dem endgültigen Bruch von 1917 bewahren. Der Versuch, die Sonderrechte des Landes aufzuheben, wozu auch die Einführung der russischen Sprache als Amtssprache dienen sollte, mißglückte schließlich.

Ganz anders jedoch war die Lage in Polen. Hier war das Volk streng katholisch, die Orthodoxie des Zarenreiches, die sich selbst als die alleinige Rechtgläubigkeit betrachtete und aufspielte, bedeutete hier eine schismatische Irrlehre. Das Volk brachte weder dem wohlwollenden *Alexander* noch seinem Bruder *Konstantin*, der als Statthalter in Warschau saß, mit einer Polin verheiratet war und für russische Verhältnisse recht liberal regierte, sein Vertrauen entgegen.

Alexander starb 1825. Nach dem »Großmutsstreit« seiner beiden Brüder folgte der jüngste als *Nikolaus I.* auf dem Zarenthron.

Seinem Regierungsantritt folgte der Dekabristenaufstand, der auf *Nikolaus*' Regierung einen weitreichenden Einfluß ausgeübt hat. Die folgenden Jahrzehnte sind voll widerspruchsvollen Geschehens in beiden Teilen des Riesenreiches mit seiner ungeheuren Ausdehnung, die schwer übersehbar war, mit seiner vielfältig zusammengesetzten Bevölkerung, die im russischen Kaiserreich keinen freien Gehorsam kannte, während die Polen im Königreich an eine größere Freiheit gewöhnt waren. Der Zusammenstoß der »Selbstherrschaft« mit den Gedanken der französischen Revolution, die sich in Polen ausgebreitet hatten, führte zu Unruhen und Emigrationen, Verschwörungen und Empörungen, Hinrichtungen und Verbannungen, kurz, zu einer politisch sehr unruhigen und bewegten Zeit.

Die Geschichte der polnischen Aufstände von 1830, 1846 und 1863 beweist, daß die Nation, repräsentiert durch ihren zahlreichen Kleinadel, die Szlachta, noch immer nicht das Augenmaß erworben hatte, das zu einer realistischen Beurteilung des politisch Möglichen führt. Zum Teil ließen sich auch die weitblickenden Führer des Staates und Volkes vom ungezügelten Pathos der Massen fortreißen. Jedesmal unterlagen die Aufständischen, weil sie die Kräfte falsch eingeschätzt hatten. Alle Sympathien, die man in ganz Westeuropa, auch in Deutschland, den »heldischen Freiheitskämpfern« entgegenbrachte, auch die diplomatischen Einmischungen der westlichen Mächte (1863), halfen ihnen nicht. Stück für Stück ging Recht und Freiheit verloren. Sogar den Namen Polen wollte man auslöschen. Von 1864 an sprach man in Rußland nur noch vom »Weichselgebiet« *(Priviljanskij kraj)*, und 1871 wurde das Russische statt des Polnischen die Amtssprache.

Die Lage der Protestanten in Kongreßpolen hatte sich gegenüber der großherzoglichen (napoleonischen) Zeit insofern verändert, als die große Mehrzahl der lutherischen Gemeinden, nämlich die großpolnische, wieder in die preußische Landeskirche zurückgekehrt war, der sie schon zwischen 1793 und 1806 angehört hatte. Von der einst (1772) etwa 100 Pfarreien in Gesamtpolen blieben in Kongreßpolen 30 zurück. Der polnische Kalvinismus verlor den Zusammenhang mit seinen um Wilna gruppierten Glaubensgenossen völlig, da diese durch die Grenzziehung an Rußland kamen; nur die kleine Warschauer Gruppe – fünf Gemeinden – blieb erhalten. Die Lutheraner im litauischen Raum kamen jetzt teils zum Kurländischen Konsistorialbezirk (Wilna, Grodno, Białystock), teils zum Petersburger (Podlesien und Wolhynien). Aus Krakau und Umgebung wurde ein Freistaat gemacht, der aber nur 30 Jahre hindurch Bestand hatte.

Sobald sich die Lage beruhigt hatte, flutete ein großer Einwanderungsstrom in das neue Königreich. Jetzt waren es neben den Bauern auch Industrielle, vornehmlich Unternehmer, Werkmeister und Facharbeiter des Textilgewerbes. Sie kamen zum größten Teil aus Sachsen und waren Lutheraner. Bald entstanden neue Gemeinden, die von Jahrzehnt zu Jahrzehnt anwuchsen. Um 1850 ergab eine Zählung 47 Kirchspiele mit doppelt so viel Filialen und 199958 Seelen. Auch die Zahl der reformierten Gemeinden erhöhte sich jetzt auf sieben mit 7886 Mitgliedern.

Der uns bereits bekannte reformierte Superintendent und Senior der Unität *Karl Diehl* hatte sein Ziel nicht aus den Augen verloren, eine Organisation aller Protestanten herbeizuführen. Unermüdlich verfolgte er es mit opfervoller Zähigkeit. Es gelang ihm, das Interesse des Zaren *Nikolaus* dafür zu gewinnen, und dieser erließ 1828 überraschend einen Ukas, der beiden Gemeindegruppen eine gemeinsame Leitung vorsetzte. Nur von Gemeindegruppen kann hier geredet werden. Eine geordnete Kirche besaßen weder die Lutheraner noch die Reformierten. Jetzt schuf der Zar eine solche, und zwar eine nach seinem Geschmack, nicht nach dem des reformierten Superintendenten. Es sollte für die Protestanten in Polen nur eine geschlossene Staatskirche geben, eng an das autokratische Staatsoberhaupt gebunden, so wie das inzwischen in Preußen geschehen war, wo immerhin das Staatsoberhaupt der von ihm dirigierten Kirche selbst angehörte.

Ein grundsätzlicher Widerstand gegen die Union erwuchs hier nicht; aber daß die Posten in der »Generalkonsistorium« genannten Kirchenleitung ganz paritätisch von Reformierten und Lutheranern besetzt wurden, daß also jene vier Prozent der Gesamtkirche die gleiche Zahl von Konsistorialräten stellten wie die 96% der Lutheraner, schuf Verstimmung und Verbitterung. Es wirkten auch wohl schon volkliche Spannungen mit, denn es kam vor, daß lutherische Kandidaten die theologische Prüfung dann nicht bestanden, wenn sie polnische Fragen der reformierten Prüfer nicht geläufig ebenso beantworten konnten.

Für die Verstimmung im lutherischen Lager ist folgender Vorgang bezeichnend. Der brandenburgische Pfarrer *Kawel* fuhr 1838 ins Königreich Polen, um den Plan einer Auswanderung seiner ganzen mit der preußischen Union unzufriedenen Gemeinde nach Polen vorzubereiten. *Kawel* war einer der Führer der Separation von der preußischen Landeskirche. Er kehrte sehr enttäuscht zurück und führte seine Anhänger nach Australien.

Um diese Zeit war man in Petersburg von den alten Unionsplänen für die Protestanten Innerrußlands bereits abgekommen. Für diese hatte Kaiser *Nikolaus* 1832 eine Kirchenverfassung verordnet, die eine rußländische lutherische Gesamtkirche mit einem Generalkonsistorium in der Hauptstadt an der Spitze und mit fünf diesem unterstellten Einzelkonsistorien (Petersburg, Moskau, Reval, Riga, Mitau) errichtete (siehe S. 66, 414). Nur Finnland, das seine alte bischöfliche Ordnung behielt, blieb ausgenommen.

Das mußte in Polen das Verlangen nach gleichartiger Behandlung erwecken. Es gingen Beschwerden gegen das Warschauer unierte Generalkonsistorium nach Petersburg; von dort kam eine Untersuchungskommission; doch alles blieb beim alten. Da griff ein General ein. Der evangelische Balte *Paul von Rüdiger*, Kommandeur des in Polen stationierten russischen Armeekorps, interessierte den Zaren für die Lage. Und er hatte Erfolg; ein paar Jahre vergingen noch mit Beratungen der Bürokratie. Es kamen auch die Wirren um die Republik Krakau 1846 und die Unruhen der achtundvierziger Zeit dazwischen. Aber im Februar 1849 war es soweit: der Kaiser erließ eine »Kirchenordnung für die Evangelisch-Augsburgische Kirche im Königreich Polen«, die der für das Kaiserreich verordneten zum großen Teil wörtlich entnommen war und ihre Rechtsgültigkeit bis 1936 behielt.

Dies bedeutete das Ende des Generalkonsistoriums und seiner Union. Jede der beiden nun für sich statuierten Kirchen erhielt ein eigenes Konsistorium, dessen Etat der Staat übernahm. Die Reformierten bekamen eine provisorische Kirchenordnung auf sehr freiheitlicher, synodaler Grundlage mit dem Auftrag, sich eine endgültige Verfassung selbst zu geben. Sie waren damit erst nach mehr als 30 Jahren fertig. Der Staat kümmerte sich nicht viel um die »Jednota Warszawska«, wie sie sich in Anknüpfung an die Unitätskirche vor 300 Jahren nannte; sie war für ihn eine Bagatelle. Eine Statistik von 1865 zählt folgende fünf reformierte Pfarrgemeinden auf: Warschau und Zelow mit je etwa 2000 Seelen, Sielce mit 1200, Zychlin und Sereje je mit kleinen Zahlen, zusammen 8684 Seelen.

Die Kirche Augsburgischen Bekenntnisses war im gleichen Jahr auf 62 Kirchspiele, 56 Pastoren, 236000 Seelen angewachsen, von denen mindestens 90% Deutsche waren. Die Verfassung gab dem Konsistorium weitreichende Befugnisse, darunter auch die gerichtliche Regelung aller Eheangelegenheiten. Die Ernennung des (weltlichen) Präsidenten und des Generalsuperintendenten mußte vom Kaiser selbst erfolgen, die der Räte stand dem Statthalter zu. Oberstes Aufsichtsorgan wurde 1863 das Innenministerium in Petersburg, also nicht eine polnische, sondern eine russische Stelle. Von 1889 an mußte das Konsistorium russisch amtieren, bis dahin geschah das polnisch und deutsch. Die Verfassung von 1849 trug im Titel die Bezeichnung »für das Königreich Polen« und bewahrte ihn, als man in Petersburg nur noch vom Weichselgebiet sprach.

Das Warschauer Konsistorium unterstand dem in Petersburg errichteten Generalkonsistorium nicht, sondern direkt dem Justizministerium der Zentralregierung. Nur ein einziges Band verknüpfte das Luthertum Polens mit dem Rußlands. Das war die theologische Fakultät an der Universität Dorpat. Die Ausreise nach Westeuropa war seit 1830 fast völlig versperrt. Nach Helsinki hätte man zum Theologiestudium gehen können; aber wer verstand finnisch oder schwedisch? Deutsch sprachen sie alle. Deutsch blieb auch dann noch die Sprache der Fakultät, als aus Dorpat Jur'ev wurde und sonst in allen Fächern nur noch russisch vorgetragen werden durfte. Diese Bindung an einen Zentralpunkt evangelisch-theologischen Forschens, Lehrens und Lernens war für den Zusammenhalt des gesamten Protestantismus in Polen von höchstem Wert; denn auch die Reformierten konnten eine Ausbildung ihrer Theologen nur hier finden. Erst um 1900 herum wurde dem theologischen Nachwuchs beider Konfessionen die Ausreise zu den Ausbildungsstätten Westeuropas gestattet.

Wenn der Zar den Protestanten in seinem Reich autokratisch Kirchenverfassungen auferlegte, die weit über die Ordnung des Staatskirchenrechts hinausgriff und auch die inneren Anliegen ordnete, so nahm man das gelassen hin, weil auch seine eigene Kirche selbstherrlich von ihm – durch den »Allerheiligsten Synod« – geleitet wurde und weil sogar der Katholizismus sich seine Eingriffe gefallen lassen mußte.

Bei diesem geschah das mit besonderer Schärfe, weil sich zahlreiche Priester an dem Aufstand von 1830 führend beteiligt hatten. Der Zar hob gegen 200 Klöster auf, konfiszierte viel kirchlichen Grundbesitz und verbot, daß Kinder aus Mischehen mit Orthodoxen katholisch erzogen würden. Ähnlich handelte *Alexander II.* Er liquidierte weitere 100 Klöster, verlangte Innehaltung des Julianischen Kalenders, verbot Prozessionen und sabotierte das Vatikanum von 1870. Diese Härte dauerte bis zur Revolution von 1905. Erst danach erhielt die römische Kirche in Polen wie auch in ganz Rußland Erleichterungen. Die Jesuiten aber wurden nicht wieder zugelassen.

Gegenüber der griechischen Kirche, die 1825 im ganzen Reich (einschließlich Polens) noch 1,5 Millionen Glieder in etwa 1500 Pfarreien umfaßte, war der Duldungskurs *Katharinas II.* von *Paul* und *Alexander I.* beibehalten worden. *Nikolaus I.* aber ging auch hier radikal vor. Die Farce von Polock im Jahre 1839 war sein Werk: 1000 unierte Priester unterschrieben eine »demütige Bitte« an ihn, er möge sie und ihre Gemeinden in den Schoß der

Mutterkirche zurücknehmen. Nur in Polen erhielt sich noch ein unierter Bischofssprengel. Die Unfehlbarkeitserklärung des Vatikanums 1870 wurde Anlaß, auch hier reinen Tisch zu machen. Was sich noch an unionsgesinnten Polen etwa versteckt erhielt, nutzte die 1905 eintretende Toleranz zum offenen Übertritt zum römischen Katholizismus. Es sollen gegen 100000 Getreue gewesen sein.

Dem Protestantismus standen die Zaren und ebenso die russischen Regierungskreise durchaus tolerant, zum Teil wohlwollend gegenüber. Sämtliche Zarinnen seit *Katharina II.* stammten aus lutherischen Fürstenhäusern, in den obersten Hof- und Regierungsstellen gab es Protestanten in großer Zahl, dazu manche, deren Vorfahren Protestanten gewesen waren: die nicht wenigen zum russischen Volk und Glauben hinübergegangenen Balten. Bei der ihnen zustehenden Ernennung der lutherischen Kirchenführer pflegten die Zaren dem Rat von evangelischen Mitgliedern ihres Petersburger Vertrauenkreises zu folgen. Es kam nicht vor – wie das in Österreich geschah –, daß ein Nichtprotestant an die Spitze einer evangelischen Kirche gestellt wurde. Als nach Erlaß der Verfassung von 1849 der erste Generalsuperintendent für die Lutheraner in Polen zu ernennen war, fiel die Auswahl auf den Warschauer Superintendent *Ludwig*, der bei Ausarbeitung der in der Verfassung auch enthaltenen inneren Kirchenordnung mitgewirkt hatte. *Ludwig* war Rationalist und fand viel Widerspruch. Aber er verstand zu organisieren und erreichte in den schwierigen ersten Jahren durch geschicktes Verhandeln mit polnischen und russischen Stellen manchen Vorteil für seine Kirche.

Sein Nachfolger wurde der Livländer *Waldemar von Everth* von 1875 ab. Er verstand nicht ausreichend polnisch, lernte es auch weder in Wilna, wo er vorher 30 Jahre lang die lutherische Gemeinde geleitet hatte, noch in Warschau. Darum lehnte er das ihm dort zustehende Pfarramt in der Hauptstadt ab und beschränkte sich auf sein Oberhirtenamt. Unermüdlich bereiste er das ganze Land mit den vielen deutschen Predigt- und Schulstellen; immer wieder rief er die Pfarrer zu theologischen Konferenzen (»Synoden«) zusammen und verstand es, durch seine tiefgegründete Dorpater Theologie den von seinem Vorgänger gepflegten Rationalismus auszuräumen. Die von diesem bekämpften Herrnhuter begünstigte und förderte er. Sie hatten inzwischen aus ihren Erlebnissen im Baltenland eine Lehre gezogen und gründeten hier nicht wie dort sich separierende »Gemeinen«, sondern riefen in ihren »Gemeinschaften« das Kirchenvolk zu individueller Bekehrung und Heiligung in der Kraft der Jesusliebe. Der Zar verlieh 1880 dem von ihm hochgeschätzten Generalsuperintendenten den Bischofstitel, aber nur als Rang ohne besondere Befugnisse.

Everths Nachfolger wurde 1895 der Warschauer Pastor *Manitius*; ein 72jähriger trat an die Stelle des 83jährigen. Letzter in der Reihe wurde 1904 der bekannteste der polnischen Kirchenführer lutherischen Bekenntnisses *Julius Bursche*. Die ihm damit aufgebürdete Last war übergroß: die Revolution von 1905, die sich auch in Polen auswirkte und die Lage der Kirche beeinflußte, die Okkupation Russisch-Polens durch die Mittelmächte 1914, der er aus der Verbannung in Moskau zusehen mußte, bis er 1918 nach der Sowjetisierung des Zarenreiches vom deutschen Regierungschef in Warschau aus Schweden zurückgeholt und wieder ins Amt eingesetzt wurde. Es folgten die schweren innerkirchlichen Auseinandersetzungen, schließlich nach dem Kriegausbruch 1939 Flucht nach Lublin und Tod des 78jährigen, schon seit Jahrzehnten körperlich schwer behinderten Greises in einem Hitlerschen Konzentrationslager.

Bursches Persönlichkeit ist noch umstritten, sein Bild verzerrt. Es scheint angebracht, seine Absichten hier darzulegen. *Bursche* war der Meinung, das Polentum sei für die reformatorische Botschaft neuerdings empfänglicher geworden. Um diese Bereitschaft zu nutzen, sollte besonders auf dem Lande der polnischsprachige Gottesdienst vermehrt werden, in den Städten war dies durch die Polonisierung der deutschen Lutheraner bereits weitgehend eingeführt. Das starre Festhalten der deutschen Kolonisten und ihrer Landgemeinden schien seinen Absichten hinderlich, und der Konflikt, der sich daraus ergab, hat zu schweren Störungen des kirchlichen Lebens der Protestanten in Polen geführt. *Bursche* wurde dabei von der polnischen Regierung (nach 1918) und von polnischen Nationalisten unterstützt. Die Minderung, ja Abschaffung der deutschsprachigen Gottesdienste hätte die deutsche Minderheit in Polen gefährdet, schloß sie sich doch um Kirche und Schule zusammen und fand dort ihren Rückhalt inmitten einer fremdvölkischen Umgebung. War dieses Zentrum des Volkstums beseitigt, so schien es nur eine Frage der Zeit, bis sich die deutschen Bevölkerungsteile assimilierten und im Polentum aufgingen, eine Aussicht, die den Anhängern eines geschlossenen Nationalstaates verlockend erscheinen mußte.

Allerdings stand *Bursches* Ansicht die Erfahrung gegenüber, daß der Übergang zum polnischen Volkstum meist auch den Übertritt zum Katholizismus zur Folge hatte. Dieser war ja aufs engste mit dem polnischen Nationalgefühl verbunden. Zudem war durch die vorangehende Auseinandersetzung im deutschen Teile Polens das Luthertum, dem die preußischen Beamten und Militärs meist angehörten, in den Augen der Polen »vorbelastet« – es war gleichbedeutend für Deutschtum. Daneben aber hatte die Aufhebung der Zollgrenze zwischen Russisch-Polen und Rußland im Jahre 1825 die polnische Industrie rasch wachsen lassen, und dies hatte viele geschäftstüchtige Leute, vorwiegend aus Schlesien und Sachsen, nach Polen gelockt, besonders in das Zentrum der Textilindustrie Łódź. Hier saßen insgesamt etwa 100000 evangelische Gemeindeglieder, deren Glaubenstreue und Freude am Gemeindeleben sehr rege war, und die von hervorragenden

Seelsorgern wie etwa dem späteren Professor in Erlangen, *Althaus*, betreut wurden.
Die Erörterungen im Warschauer Konsistorium wurden durch den Blick auf die Tatsache gefördert, daß die beiden Okkupationsmächte gewillt waren, der Befreiung Polens von der russischen Herrschaft die Errichtung eines souveränen Polens folgen zu lassen, wobei allerdings berücksichtigt werden sollte, daß dieses Polen mehrere nationale Minderheiten in seinen Grenzen bergen werde, deren Rechte gesichert werden müßten.
Der Generalsuperintendent und die zur Beratung herangezogenen Vertreter der in ihrer Mehrheit nationalpolnisch eingestellten lutherischen Gemeinde in Warschau stimmten dem Verfassungsentwurf und damit auch jenen Formulierungen zu, die die neuen sprachenrechtlichen Garantien für die Minderheiten enthielten. Es schien ihnen unter den gegebenen Umständen das günstigste Ergebnis, das zu erzielen war, wenn sie nicht den ganzen Entwurf gefährden wollten. Die Kirchenverfassung von 1849 wich für die Lutheraner in Polen von dem, was sie von ihrem Ursprung her gewohnt waren, darin ab, daß sie keine Synoden kannte, wie sie den Reformierten ohne weiteres zugestanden wurden. Unter der Bezeichnung Synode verstand man ausschließlich die Zusammenkünfte der Pastoren einzelner Kirchenkreise (erst nach 1880 auch der Gesamtkirche), die jedoch nur beratende Funktion hatte, nicht aber das Recht der Beschlußfassung. Dies besaß allein das Konsistorium, das unter Aufsicht des Ministeriums in Petersburg stand. Immerhin war auch die Einberufung einer Generalsynode vorgesehen, jedoch nur »in besonderen Fällen«, die mit Erlaubnis des Kaisers unter dem Vorsitz eines von diesem zu ernennenden Präsidenten mit je einem geistlichen und einem weltlichen Delegierten aller 6 Diözesen hätte zusammentreten dürfen. Eine solche ist niemals berufen, wohl auch niemals erwogen worden.
Im Gegensatz zu dieser Einschränkung stand die volle Autonomie der Einzelgemeinden. Sie durften ihre Kirchenvorstände eigenständig wählen, Steuern erheben und alle Einkünfte verwalten. Sie hatten auch das Recht freier Wahl ihrer Pastoren und der Einrichtung ihrer Schulen. So kam es, daß auch aus den baltischen Provinzen und aus den südrussischen Kolonien stammende Theologen in Polen Anstellung fanden, obwohl sie nicht polnisch sprachen. In der Führung der standesamtlichen Register galten die Pfarrer als Staatsbeamte. Die Matrikeln wurden bis 1889 meist deutsch, aber auch zum Teil polnisch geführt; dann durfte dies nur noch russisch geschehen.
Als Bekenntnisgrundlage ist in der Kirchenordnung von 1849 für die Lutheraner nicht mehr wie früher das Konkordienbuch genannt, sondern nur die Augustana mit dem Zusatz: »in ihrer unveränderten Gestalt«. Bei den Reformierten steht in eigenartigem Zusammenhang neben dem Heidelberger Katechismus der Konsensus von Sandomir (1570) (siehe S. 86).

Die Konsistorien waren fast mehr mit staatlichen als mit innerkirchlichen Anliegen beschäftigt: ihr Etat wurde ja auch vollständig und ziemlich freigiebig vom Staat bestritten. Besonders stark wurde ihre Arbeit von ihrer Ehegerichtsbarkeit in Anspruch genommen. Seit sie – gegen den Widerspruch der Bischöfe – auch Ehen ehemaliger Katholiken rechtsgültig scheiden, nicht nur trennen durften, gab es zahlreiche Übertritte polnischer Katholiken, aber mehr zu den Reformierten als zu den Lutheranern.
Trotz aller ihrer Mängel, deren noch manche genannt werden könnten, boten die zarischen Kirchenverfassungen eine gediegene Grundordnung für ersprießliche Entfaltung des evangelischen Gemeindelebens in Rußland wie in Polen. Und eine solche setzte gerade jetzt in der Mitte des 19. Jahrhunderts ein. Das geschah durch jene erwähnte, fast stürmisch vor sich gehende, von den staatlichen Stellen zwar nicht mehr wie einst inszenierte, aber doch begünstigte und geförderte Einwanderung. Sie kam mit ganz geringen Ausnahmen ausschließlich der lutherischen Kirche zugute. Denn die Einwanderer waren jetzt fast durchweg Deutsche, und wenn sie etwa aus der Pfalz oder dem Niederrhein kamen und den Heidelberger Katechismus mitbrachten, so schlossen sie sich nicht den rein polnisch geführten Kalvinern an, sondern ihren Landsleuten und wurden Lutheraner.
Nur an einer Stelle gab es auch nichtdeutsche Einwanderer. Am Nordrand Masowiens und in dem Suwalki-Zipfel setzten sich teils Masuren, teils Litauer aus Ostpreußen an; es kamen sogar Letten aus Kurland über die Grenze; sie alle waren Lutheraner und verstärkten oder gründeten nur ländliche Gemeinden, während die nach Mittelpolen kommenden zumeist in die Städte gingen.
Daß die lutherische Kirche Polens in ganz großem Umfang aus eingewanderten Deutschen bestand, ist oben berichtet worden. Von den Waffenschmieden in Warschau um 1700 war die Rede und ebenso von den Tuchmachern in Zaleszczyki um 1750. Zahlreiche andere Beispiele ließen sich aus dem 18. Jahrhundert anführen; sie waren nur Fortsetzungen eines Wanderflusses tüchtiger Leute aus dem früher entwickelten Westen in den sich jetzt allmählich aufbauenden Osten, übrigens nicht nur Deutscher, wenn auch hauptsächlich solcher. Sie kamen meist nicht spontan, von sich aus; sie drängten sich nicht ein, sie wurden gerufen, eingeladen, geworben, geholt. Im 19. Jahrhundert wurde der Fluß zum Strom, und sein besonderes Kennzeichen war das Überwiegen der Sachsen, Schlesier und anderen Nachbarn aus lutherischen Ländern. Das Maschinenzeitalter war im Anzug; das Volk vermehrte sich rasch und erwartete Massenproduktion von Konsumgütern. Die Regierungen wünschten Errichtung von Fabriken, Geschäften, Verkehrswegen. Als die Zollgrenze Polens gegen Rußland fiel (1825), gab es »Gründerjahre« mit großen Verdiensten.
Man pflegt in diesem Zusammenhang an erster Stelle den Namen Łódź zu

nennen (gegr. 1821). Doch fing es schon 1816 mit Ozorkow an. Dieses Städtchen wurde durch Zusammenwirken eines polnischen Schlachtizen mit einem Fabrikanten aus Aachen zur Mutterkolonie des ganzen Industriebezirks, dessen Gipfelleistung dann allerdings die Großstadt Łódź darstellte. Aus den 800 Einwohnern des vorherigen Dorfes wurden hier bis 1911 mehr als eine halbe Million, darunter 125000 Deutsche, fast alles Lutheraner. Bereits 1826 erbauten sie sich ihre »Trinitatiskirche« an bevorzugter Stelle auf dem Marktplatz. Sie wurde 1892 durch einen prunkvollen Neubau ersetzt, dessen Bild sich zu dem des schön abgewogenen Rundbaus von Warschau seltsam gesellt. Auch die beiden anderen dem Wachstum der Gemeinde Rechnung tragenden Großkirchen wurden in der großen Hauptgeschäftsstraße, der »Petrikauer«, errichtet; die Vorstädte und Nachbarorte im Industriebezirk bauten bescheidener, entfalteten aber um so tiefergreifend ein neues, sich auch in warmer Liebesarbeit bewährendes Gemeindeleben.
Das evangelische Kirchenleben hatte sich in diesem Teil Polens, dem Warschauer Konsistorialbezirk, vorwiegend um das Łódźer Industriegebiet konzentriert. Hier hatte sich ein zweiter Schwerpunkt neben den Kolonistengemeinden im Weichselgebiet gebildet. Hier genoß man den Vorteil des engen Beieinanders im Raum, während die Kolonisten über das Weichseltal von Thorn ab aufwärts bis hinter Warschau, im Kalischer Land und im Lubliner Bezirk verstreut lebten und wenig voneinander wußten. Es kam hinzu, daß nun neben die alte Intelligenzschicht der wenigen Großstädte – zumeist Kaufleute und Akademiker – eine neue, junge Bürgerschicht voll Unternehmungsgeist getreten war, die noch lebendige Erinnerungen an die Großkirchen in der landeskirchlichen Heimat in sich trug. Es ist von der Urgemeinde her eine Anfechtung der Christenheit, daß sich gesellschaftliche Gruppen miteinander um den Rang und den Einfluß in der Glaubensgemeinschaft streiten, statt sich aus der Verbundenheit aller Glieder mit dem Haupt der Kirche zu verstehendem und vergebendem Dienst aneinander treiben zu lassen. In der lutherischen Kirche Polens war es schon in der ersten Zeit nach dem Aufhören der Verfolgungen – die hatten noch bindend gewirkt – zu Streit um den Vorrang gekommen. Jetzt in der Zeit ihres äußeren Aufblühens geriet diese Kirche in einen anderen, noch viel tiefergreifenden Meinungsstreit. Er führte sie im 20. Jahrhundert an den Rand des Abgrunds und in ihn hinein; nur noch Trümmer sind übriggeblieben.

Zum Verständnis dieses Hergangs muß noch einmal in die politische Geschichte der polnischen Nation hineingeblickt werden: Als der Kongreß die Grenzen des Königreichs festlegte, war er der Meinung, die Polen würden sich, wenn auch nicht leicht, doch allmählich mit ihnen abfinden. In der Tat, den Verlust von Posen, Krakau und Danzig hätten sie vielleicht verschmerzt. Jedenfalls rebellierten sie nicht deswegen. Ihr Blick war wie gebannt auf den »historischen Raum« im Osten gerichtet. Unerträglich schien es ihnen zu sein, daß sie ihr altes Kolonisationsgebiet dort verlieren sollten. Das litauische Wilna, das weißrussische Minsk, das ukrainische Wolhynien, die Länder, die dem Polentum so viele seiner Besten geschenkt hatten, durften doch unmöglich jenseits der Grenze bleiben! Mit welch warmen Worten hatte der Zar doch 1815 bei der Übernahme der Königskrone die slavische Gemeinschaft betont. Und jetzt ließ er sich nichts abbetteln. So wie *Katharina II.* immer betont hatte, hier handle es sich um ostkirchliches Land und Volk, so meinte er jetzt die Politik *Ivans III.* fortsetzen zu müssen mit dem »Sammeln der russischen Lande«. Mit tiefer Betrübnis und innerster Erregung blickte man von Warschau auf das verlorene Feld so erfolgreicher polnischer Kulturmission hinüber. Hier hatte man die Großen für die polnische Sprache und Lebensart gewinnen können, die Kleinen aber wenigstens durch die Union dem Moskauer kirchlichen Einfluß entzogen und dem »polnischen Glauben«, dem Katholizismus, angenähert. Aus solchen und ähnlichen, die Machtverhältnisse nicht beachtenden Gedanken, zum Teil im Emotionalen verwurzelt, entstand die Revolution von 1830/31.

Die Generation, die in ihrer Jugend das politische Chaos der Jahrzehnte um 1800 mit ihrem mehrmaligen Wechsel der Herrschaft erlebte, hatte auf ihren neuen König mit großem Vertrauen geblickt, als er in Warschau gekrönt wurde und auf eine freiheitliche Verfassung den Eid leistete. Daß ein Ausländer den polnischen Thron bestieg, war den Polen nichts neues: die Jagiełłonen waren Litauer, die Wasas Schweden, die Wettiner Sachsen. Dazwischen hatte es einen Franzosen, den Anjou, gegeben und einen Magyaren, *Stephan Báthory*. Aber fast jeder von ihnen war den Polen ein Pole geworden und hatte gesucht, das Reich zu mehren, wenn auch nicht immer erfolgreich.

Alexander I. aber? Gewiß, er war gütig, zeigte Verständnis und bewies Entgegenkommen. Es war ihm auch Ernst mit der Konstitution im Königreich; sie sollte ein Paradigma fürs Zarenreich sein. Stets jedoch ließ er erkennen, daß ein Zar mehr sei als ein König und daß er als Glied der alten, allein orthodoxen Kirche die Jünger Roms geringschätze. Vor allem aber: für die ihm oft und dringend vorgetragenen Bitten, die Grenzen zwischen seinem Königreich und seinem Zartum so zu legen, daß »Ostpolen«, dieses vielgeliebte Symbol einstiger Größe der polnischen Nation, wieder »heimkehre«, war er taub. Nur der kleine Nordostzipfel Litauens (Suwalki-Augustowo), der schon 1795 und auch 1807 *(Napoleon)* zu Polen geschlagen worden war, blieb dabei, ein einziger Rest der Mitgift, die 1386 der erste Jagiełłone in die polnisch-litauische Ehe eingebracht hatte.

Alexanders Nachfolger, *Nikolaus I.*, wurde schon beim Antritt seiner Regierung durch den Aufstand der »Dekabristen« in eine Abwehrhaltung gedrängt. Dennoch hat er dem Polenaufstand von 1830 gegenüber zunächst Geduld und Nachsicht geübt. Erst als er auf sein Friedensangebot von den Rebellen die Antwort erhielt, daß die volle Autonomie Polens, wenn auch unter seiner Krone, wiederhergestellt werden solle, und daß sowohl Weißrußland wie die Ukraine wieder ausgeliefert werden müßten, ließ er seine Regimenter vorrücken, und als sie Warschau besetzt hatten, erklärte er die Verfassung von 1815 für aufgehoben.

Die Enttäuschung war auf beiden Seiten groß. Keiner der nun folgenden Zaren hat noch einmal versucht, polnischer König zu sein und das Vertrauen der Polen zu erwerben. Diese aber vollzogen jetzt die historische Rückwendung von der jagiełłonischen zur piastischen Blickrichtung. Den jugendlichen Elan des nach Osten gerichteten Kolonisationseifers hatte die russische Übermacht erstickt. Nun dachte man an den Anfang des Königtums (1024) und an seine Wiedergeburt (1320), die aus der Abwehr des böhmischen Zugriffs und aus dem Verzicht auf unwiderbringlichen Verlust zur Höhe der Nationalgeschichte geführt hatte. König *Kasimir der Große* (1333–70) konnte Vorbild sein für eine neue Epoche. Verständigung mit den westlichen Nachbarn, das schien der Weg zur Abschüttelung des Jochs und zum Durchbruch der Freiheit.

Während des Aufstands und noch Jahre nach seinem tragischen Ende entstand in Westeuropa ein Exilpolen, das sich in Paris politisch organisierte. Aber auch im österreichischen Galizien, im preußischen Posen, im liberalen Süddeutschland verbrüderten sich Emigranten mit allen »Tyrannenhassern«. Auf dem »Hambacher Fest« (1832) marschierten polnische Studenten Arm in Arm mit den deutschen unter der verbotenen schwarz-rot-goldenen Fahne.

Dann war 1846, ehe die große Revolution Europa überflutete, in Posen die Fackel aufgeflammt. Sie wurde schneller gelöscht als zwei Jahre darauf der Aufstand in Berlin, der dem Preußenkönig die Entlassung der polnischen Empörer aus den Gefängnissen abnötigte. In Russisch-Polen rührte sich keine Hand und keine Stimme.

Allen diesen die polnische Welt aufs tiefste erregenden Geschehnissen standen die seit 1815 eingewanderten Evangelischen verständnislos gegenüber. Sie waren aus Ländern mit noch patriarchalischen Regierungen und einheitlicher Geisteshaltung gekommen und betäubten das Unbehagen der Doppeldiaspora, in der sie sich abkapselten, durch intensiven wirtschaftlichen Arbeitseinsatz, der sich hier reichlich lohnte. Sie hatten daneben ihre eigenen Kirchen und Schulen, unbehelligt von konfessioneller oder nationaler Eifersucht. Sie gingen fleißig zum Gottesdienst und zum Abendmahl, hatten ehrerbietige Hochachtung vor ihren Pastoren und auch Vertrauen zu ihnen, ohne daran Anstoß zu nehmen, daß unter ihnen mancher sehr seltsame – rationalistische – Predigten hielt.

Der Aufstand von 1830 hatte die soeben erst in Gang gekommene Industrialisierung nur kurze Zeit gefährden können; die damals schon zahlreich vorhandenen deutschen Bauern gehorchten ganz naiv dem Befehl, Sensen abzuliefern, damit sie zu Bajonetten umgeschmiedet würden. Man konnte von ihnen nicht verlangen, daß sie sich an einer Rebellion beteiligten, die nichts weiter als eine provinzielle Grenzverschiebung – so verstanden sie die von *Alexander I.* abgelehnte Forderung – als Ziel hatte.
Dann brannte 1863 das Feuer noch einmal hoch. Inzwischen hatte die nachgewachsene Generation der einstigen Einwanderer in Stadt und Land etwas von dem Dilemma der Doppelobrigkeit gemerkt. Bisher hatten sie in recht lutherischer Untertanschaft der Warschauer Obrigkeit gehorcht. Das war nicht schwer gewesen; man hatte von ihnen kaum mehr verlangt, als daß sie möglichst viel Getreide produzierten und zu den Weichselschiffen brachten; die Wirtschaft brauchte Sterling-Pfunde. Die paar Brocken Polnisch, die man brauchte im Umgang mit Nachbarn, auf dem Markt, beim Verkauf der Eier, der Butter, beim Einkauf eines Pferdes, einer Kuh, eigneten sich die Männer an. Die Frauen und die Kinder lebten im geschlossenen Dorf nicht viel anders als einst daheim. Die Schule war deutsch, ebenso der Gottesdienst, jeden Sonntag vom Kantor gehalten, ein paarmal im Jahr von dem aus der Kreisstadt herauskommenden Pastor.
Der Aufstand und seine Niederschlagung machte dieser Idylle ein Ende: man hatte jetzt gesehen: die eigentliche Obrigkeit, der die Christen untertan sein sollen, saß nicht in Warschau, sondern in Petersburg. Es war ein Kaiser, wie die Deutschen einstmals auch ihn gehabt hatten, und die Kaiserin war eine deutsche Fürstentochter. Den Deutschen in ihrem Reich war die Regierung freundlich gesinnt, wie es die Jungmannschaft sogar im Soldatendienst erfahren hatte. Es war also nicht Versklavung von Freiheitskämpfern, wie die Polen sagten, sondern gerechte Strafe für Ungehorsam, wenn jetzt die Kosaken mit der Knute dreinhieben.
Aber sie kannten doch ihre Nachbarn, die jetzt mit blutigen Köpfen von den Kampfplätzen heimkehrten. Das waren doch keine »Roten«, vor denen man seit 1848 Angst hatte, sondern Bauern wie sie, nur daß sie anders sprachen und beteten; man vertrug sich doch; man half und förderte sich »in allen Leibesnöten«.
Dann traten sie wohl, in Verwirrung und Verlegenheit, an ihren Pastor heran: was sollen wir als lutherische Christen über das alles denken und dabei machen?
Und nun tat sich der verheerende Zwiespalt auf: die Pfarrer hatten nicht ihren Sitz in den Dörfern, sondern in einer Kreisstadt, von der aus sie in andauernden Reisen ihre – oft mehrere tausend Seelen umfassenden – Außengemeinden besuchten. Sie waren zwar auch wie die Gemeindeglieder deutscher Abstammung, Muttersprache und Bildung, allgemeiner und durch

ihr Studium in Dorpat auch fachlicher Bildung, aber lebten doch jetzt in völlig polnischer Umwelt – außer in den neuen Industriestädten – und waren mit ihren Familien (ihre Kinder hatten nur eine polnische Schule) dem Assimilationsprozeß preisgegeben, dem seit Jahrhunderten die Kolonialdeutschen erlegen waren und auch weiterhin hätten erliegen müssen, angezogen von der liebenswerten Wärme und sympathischen Galanterie des polnischen Gesellschaftslebens. Aber mußte dieser Unterschied sich in einen Gegensatz verwandeln?; mußte er gar in so scharfem Streit ausmünden, wie er im Innenleben der Warschauer Konsistorialkirche zum Ausbruch kam und dann zu den Spannungen nach 1900, zu den Widerständen um 1916, zu den Kämpfen der dreißiger Jahre und schließlich zu dem bitteren Ende von 1944 führten?

Mehrfach ist uns in den vergangenen Abschnitten die Zähigkeit begegnet, mit der handwerkliche Einwanderer evangelischen Glaubens es ertrotzten, daß ihnen – selbst in Masowien – Gemeindegründungen gestattet wurden. Den gleichen Trotz auch zur Bewahrung ihres nationalen Gutes aufzuwenden, hatten die früher Eingewanderten nicht nötig gehabt. Niemand verwehrte ihnen Muttersprache noch Heimattreue; und das nicht nur, weil man die tüchtigen Leute eben brauchte, sondern weil das alte Polen den Nationalismus nicht kannte, jene Überzüchtung des Nationalgedankens, der das 20. Jahrhundert ins Verderben riß. Von der matriarchalischen Sippenhaftigkeit des polnischen Adels – angefangen bei den fürstlichen Magnatenfamilien, endend beim kleinbäuerlichen Schlachtizen – wurde neuerdings gesagt, sie sei die kulturelle Stärke der Nation gewesen, allerdings aber auch ihre politische Schwäche. Sie sah im »Andern« nicht gleich den »Fremden, den Gefährlichen«, wohl gar den »Feind«. Sie baute vielmehr eine Brücke zu ihm und öffnete ihm den Weg in die eigenen Reihen. Diesen Weg sind denn auch – von *Bolesław I.* († 1025) an – viele Tausende von Litauern und Letten, von Weißrussen und Ukrainern, von Tschechen und Slovaken, aber auch von Deutschen gegangen.

Das war jetzt anders geworden, und zwar auf beiden Seiten: Die Polen hatten im 17. Jahrhundert den ersten Akt ihrer »Tragödie« erlebt, im 18. den zweiten. Nach *Peter dem Großen* und *Karl XII.* waren *Katharina* und *Friedrich* gekommen, Gegenspieler der Königlichen Republik, die keine Staatsräson anerkennen wollte. Frankreichs Revolution und *Napoleons* Hybris waren gefolgt. Als der Kaiser stürzte, zog er das »Großherzogtum Warschau« mit sich ins Gericht. Das Urteil von Wien fiel milde aus: es gab wieder einen polnischen Staat wie einst, einen König wie einst, eine demokratische Ordnung wie einst, nur zeitgemäß gewandelt; der »dritte Stand« hatte sein Recht bekommen.

Als im Sommer 1914 der Krieg ausbrach, der sich sehr bald zum Weltkrieg auswirkte, sah man in Deutschland allgemein, in der Donaumonarchie größtenteils, seine tiefste Ursache in dem historischen Expansionsdrang des russischen Riesenreichs, das, voller nationaler und sozialer Spannungen, zu keiner ruhevollen Ordnung kommen konnte. Auf der russischen Seite sah man es anders, und ein Teil der Slaven in Österreich-Ungarn stimmte dem zu. Man beurteilte die strengen Forderungen, mit denen die Habsburger Monarchie den Mord von Sarajevo rächen und den Besitz von Bosnien festigen wollte, als Beginn einer Abriegelung des Balkans und damit als Versperrung des für lebenswichtig gehaltenen Zugangs zu den Dardanellen und zum Mittelmeer, wobei das historische Sehnen nach der Rückgewinnung Konstantinopels für die ostkirchliche Christenheit im Hintergrund stand. Als sich das deutsche Reich hinter den österreich-ungarischen Bundesgenossen stellte, war man schnell bei der Hand mit der Deutung: die Deutschen gönnen den Slaven nicht die Entfaltung ihrer Kraft und Zahl. Eine Welle von höchst erregtem Deutschenhaß überflutete das Zarenreich, in dem bis dahin eine mehr als zwei Millionen zählende weithin von der Ostsee bis tief nach Sibirien hineinreichende Diaspora – zu 90% evangelischen Glaubens – in Frieden und Freiheit gelebt hatte, seit mindestens 100 Jahren, vielfach seit Jahrhunderten hier ansässig und als Träger gediegenen Kulturlebens bewährt. Für sie begann jetzt eine Zeit schlimmster Leiden. Sie steigerte sich im polnischen Gebiet zum grausamen Abtransport von etwa 120000 Kolonisten nach Osten, als die Zaren-Armeen sich 1915 zurückziehen mußten. Obwohl kein Zweifel daran bestand, daß alle deutschsprachigen Untertanen des Zaren ihre staatsbürgerliche Pflicht im Heeresdienst treu erfüllen würden und erfüllten, mißtraute man vor allem den Bauern in den geschlossenen deutschen Dörfern als im Herzensgrunde doch auf der Feindesseite stehend. Das ganze mittelpolnische Gebiet geriet schon im ersten Kriegsjahr in die militärische Okkupation, teils durch deutsche, teils durch österreichische Truppen. Das hatte für die evangelische Kirche hier einschneidende Bedeutung. Die Besatzungsregierung war genötigt, die Leitung dieser Kirche neu zu ordnen, da das Konsistorium durch den Weggang des Generalsuperintendenten und der drei weltlichen Räte arbeitsunfähig war. In voller Übereinstimmung mit dem Völkerrecht wurden diese drei Stellen durch deutsche Juristen besetzt, die der Generalgouverneur, dem nach Kriegsrecht die Funktionen des Zaren zustanden, ernannte, während der Generalsuperintendent durch den amtsältesten theologischen Konsistorialrat vertreten wurde.

Die Zusammenarbeit mit den polnischen Theologen war zunächst durchaus erfreulich. Sie waren dankbar dafür, daß sich zwei Dutzend Pfarrer aus Deutschland bereit fanden, die Versorgung von verwaisten Pfarreien vorübergehend zu übernehmen, zumal es dadurch möglich war, in den Gemeinden östlich der Linie Weichsel-Rawka-Bzura einen wichtigen wirtschaftlichen Dienst zu leisten. – In den menschenleer gewordenen deutschen Dörfern hatten die polnischen Nachbarn alle Häuser besetzt und geplündert, die Felder unter sich aufgeteilt. Die Pfarrverweser bekamen den Auftrag, nicht nur die kleine Schar der Zurückgebliebenen, meist Alte, Kranke und Invaliden kirchlich zu versorgen, sondern auch das Eigentum der Vertriebenen sicherzustellen, die Äcker und Wiesen zu verpachten und die Pachtsummen zu verwalten, so daß nach dem Frieden mit der 1917 an die Stelle des Zarenreichs getretenen Sowjet-Union, als die Überbleibsel der Deportierten zurückkehrten – nicht viel mehr als die Hälfte hatten die zwei schlimmen Jahre überstanden –, ein neuer Anfang möglich war. Daß die deutschen Pfarrer nicht nur diesen für die Zukunft der aufgelösten Gemeinden wichtigen Dienst leisteten, sondern auch ihre Pflichten in Predigt, Unterricht und Seelsorge in großer Treue erfüllten, fand allgemeine Anerkennung. Als der Generalsuperintendent, der nach der Oktoberrevolution 1917 Rußland verlassen hatte und sich in Stockholm aufhielt, im Januar 1918 nach Warschau zurückkehrte und sein Amt wieder übernahm, dankte er ihnen diesen Dienst, meinte aber, sie vor Übergriffen ins politische Gebiet warnen zu müssen. Das war nicht nötig, denn in politischer Gesinnung war zwischen den Gemeinden und den Pastoren nicht der geringste Unterschied. Sie erhofften alle, der von Deutschland und Österreich am 5. November 1916 proklamierte neue polnische Staat werde im Bündnis mit den Kaiserreichen den evangelischen Deutschen jeden Standes ein Leben in Frieden und Freiheit gewähren. Sogar die 9 nichtdeutschen Gemeinden, 6 masurisch, 3 litauisch sprechende, für die aus Ostpreußen sprachkundige seelsorgerische Treuhänder eingesetzt worden waren, wünschten nichts anderes, als ein Freiwerden von allem russischen, nun gar sowjetischen Druck, aber auch von aller katholischen Beeinträchtigung und Bedrängung.

Zwischen den beiden verbündeten Kaiserreichen bestand keine Einigkeit über die Verbindung des als Monarchie gedachten neuen Polen mit ihren Staaten.

Der Tod des 86jährigen *Franz Joseph* (1916), der seit 1848 die zentrifugalen Kräfte der österreichischen und der ungarländischen Völker zusammengehalten hatte, und der Eigensinn seines Nachfolgers, dessen Verhalten nahe an Verrat grenzte, erschwerten die Verhandlungen mit dem die Verwaltung Polens nach und nach in die Hände nehmenden Regentschaftsrat in Warschau.

Als nach Übergabe des Gerichtswesens auch die der Kulturverwaltung an die Reihe kam, suchten die deutschen Verhandlungsführer nach Garantien für die Freiheit der deutschsprachigen Staatsbürger Polens in ihrem Schul- und Kirchenwesen. Von der bisherigen engen Verbindung der deutschen Schulen mit den evangelischen Kirchen ging man ab. Ein simultaner deutscher Schulverband als Körperschaft des öffentlichen Rechts sollte neben dem staatlichen und dem katholischen Schulwesen selbständig tätig sein;

das war ein Fehler, der sich sehr rächte; diese Schulen gerieten später sämtlich in die Hand des Staates. Da sie den Halt an der Kirche verloren hatten, büßten sie ihren eigentlichen Wert zum größten Teil ein, sie wurden polnische Schulen, trotz deutscher Unterrichtssprache.

Dann waren die Religionsfragen an der Reihe. Für die Katholiken, die Pravoslaven, die Juden fand man Lösungen, nicht aber für die Protestanten. Die zarische Kirchenverfassung von 1849 konnte zwar für die Reformierten mit geringen Änderungen übernommen werden, da sie dem Synodalprinzip vollauf Rechnung trug. Bei den Lutheranern war man sich darüber klar, daß es unerläßlich war, der neuen Zeit Rechnung zu tragen. In zahlreichen Besprechungen und Sitzungen wurde man sich über die Grundgedanken einig: presbyteriale Autonomie der Gemeinde, synodale Leitung der Gesamtkirche, konsistoriale Verwaltung und einem Doppelpräsidium für theologische und säkulare Anliegen.

Das Konsistorium beschloß, dem Vorbild von 1768 zu folgen, als man den Kirchenrechtsprofessor *Scheidemantel* in Jena zu Rate zog. Diesmal wurden ein Jurist und ein Theologe (beide in Leipzig) gebeten, gemeinsam einen Entwurf vorzulegen. Dieser sah nach der in Deutschland üblichen Weise für die Synode eine Mehrheit von Laien gegenüber der Pastorenschaft vor, wobei offen ausgesprochen wurde, damit solle der Konservatismus der einfachen Gemeindeglieder begünstigt werden gegenüber der Assimilationsneigung der städtischen Bürgerschaft und ihrer Pastoren. Für die Inkraftsetzung der neuen Verfassung war nach der positiven Rechtslage (von 1849) der Generalgouverneur allein zuständig. Es lag ihm aber alles an einer Verständigung. Er ließ daher eine als Synode bezeichnete, aus Wahlen in den Gemeinden hervorgegangene Versammlung zu dem Verfassungsentwurf Stellung nehmen.

Die Versammlung fand am 18. Oktober 1917 – also kurz vor dem Reformationsjubiläum – in Łódź statt. Eine recht ungeschickte Leitung, die es versäumte, eine unparlamentarische Äußerung zurückzuweisen, gab den polnischen Synodalen die Gelegenheit, die Versammlung nach dem klassischen Muster der polnischen Reichstage zu »zerreißen«. Als Anfang 1918 der Generalsuperintendent *Bursche* zurückkam, wurden die Besprechungen über die Kirchenverfassung fortgesetzt und es kam zu einem Ausgleich zwischen den polnischen und den deutschen Wünschen. Es war abzusehen, daß im Herbst 1918 die Verkündung des Kirchengesetzes erfolgen und eine Tagung der ersten Synode zur Übernahme der Kirchengewalt unter Achtung der Kirchenhoheit des polnischen Staats sowie zur Wahl einer Kirchenleitung stattfinden könne.

Es ist nicht dazu gekommen; die Kapitulation der beiden Verbündeten vor den Siegern und der Zusammenbruch der beiden Kaiserreiche schufen eine völlig neue Lage für das ganze polnische Volk und für die lutherische Kirche in ihm, deren Verfassungsgeschichte nun in ein neues Stadium geriet, das

mit viel schlimmeren Streitigkeiten über den Ersatz der Kirchenordnung von 1849 durch eine der neuen Lage angepaßte gefüllt war.
Den Pariser Friedensverhandlungen 1919 wohnte als Delegierter der polnischen Regierung der Generalsuperintendent *Bursche* bei, weil – wie es offen ausgesprochen wurde – das politische Ziel, die Einbeziehung Ostpreußens mit seiner ausgedehnten Ostseeküste in die Grenze des neuen Staats auch damit begründet werden könne, daß die Masuren eine polnische Irredenta darstellten, die »erlöst« werden müßten; daran habe der Protestantismus Polens ein hohes Interesse.
Bekanntlich hat die 1920 für Ostpreußen angesetzte Abstimmung gezeigt, daß die Masuren keineswegs »erlöst« werden wollten. Sie fühlten sich – und solche Beispiele »schwebenden Volkstums« gibt es in allen Nationen – als Deutsche polnischer Sprache, nicht als Polen.
Immerhin durfte sich die neuerschaffene Republik Polen über die Grenzen des ehemaligen Kongreßpolens ausdehnen. Das gleiche tat auch die bisher auf diese Grenzen beschränkte Kirche des Warschauer Konsistorialbezirks. Bei den wesensverwandten Gemeinden im Nordosten (besonders Grodno und Bialystock, dazu nach dem Frieden mit den Bolschewisten auch Wilna) lag das nahe, ebenso bei den Gemeinden im Osten, in Podlesien und Wolhynien. Diese alle hatten bisher zu den Sprengeln der Konsistorien Kurland (Mitau) oder Petersburg gehört. Sie zählten zusammen etwa 60000 Seelen, überwiegend deutscher, aber auch polnischer und litauischer Sprache.
Im Süden war es fraglich, wie sich Polen und die Tschechoslowakei in das nun von Österreich abgetrennte Stück Schlesien teilen würden. Es dauerte mehrere Jahre, bis dem Streit darum, der zum Teil mit Waffen ausgetragen wurde, durch Festlegung der Olsa-Grenze ein Ende gemacht wurde. Dieses Flüßchen ging mitten durch die größte Stadt des Gebietes, Teschen, hindurch. Auf der rechten, zu Polen kommenden Seite, gab es elf Gemeinden mit über 40000 Seelen. Drei von ihnen waren deutsche, darunter die hochentwickelte Industriestadt Bielitz, auf deren Marktplatz sich das einzige dem Reformator Luther gewidmete Denkmal in Polen befand. Die anderen acht Gemeinden wurden von Schlonsaken gebildet, also von Sprachpolen ohne nationalpolitische Haltung. Die Schlonsaken waren, wie schon oben berichtet wurde, neben den Masuren Ostpreußens die einzige größere genuin polnische Gruppe von Lutheranern, die ihren Glauben in ungebrochener Tradition aus der Reformationszeit bewahrt hatten. Alle elf Gemeinden wurden ohne Befragen auf Antrag des Polnischen Nationalrats von Teschen und »im Einvernehmen mit dem Kultusminister« schon im Dezember 1918 vom Warschauer Konsistorium annektiert, obwohl es in ihrer Mitte nicht an der Tendenz fehlte, ihre historische aus der jahrhundertelangen Gemeinschaft mit dem österreichischen Staat herrührende Eigenart kirchlich besonders zu organisieren.

In Galizien lehnten die Gemeinden es mit einer Ausnahme ab, sich Warschau anzuschließen. Nur in der Krakauer, konfessionell gemischten Gemeinde – sie war die einzige in Galizien, die sich A. und H. B. nannte –, fand sich eine Mehrheit für den Beitritt zu der Evangelisch-augsburgischen Kirche.
Im Westen bestanden sowohl die Posener wie die westpreußische Kirchenprovinz auf Festhalten ihrer Eigenständigkeit. Es hätte sie verlocken können, durch den Anschluß an Warschau die Führung der Gesamtkirche in die Hand zu bekommen. Aber das wäre ein politischer und nicht ein kirchlich legitimer Schritt gewesen. Im Laufe der Zeit sammelten sich in einigen größeren Städten beider Länder kleine Gruppen zugewanderter evangelischer Nationalpolen, die nicht mit dem zufrieden waren, was ihnen die deutschen Pastoren der Landeskirche im polnisch-sprachigen Gottesdienst darboten. Sie fühlten diesen Seelsorgern gegenüber eine Fremdheit und ließen es sich gerne gefallen, als das Warschauer Konsistorium in den Städten Posen, Bromberg, Graudenz und Thorn je eine kleine Gemeinde betont polnisch-nationalen Typs gründete. Wäre der Zustrom von Nationalpolen hier so groß gewesen wie der in die Kirchenkreise Oberschlesiens (soweit sie nach der Grenzziehung an Polen gefallen waren), hätte man es wie in Oberschlesien versuchen können, die deutschen Gemeinden zu zweisprachigen und auf diesem Wege zu polnischen zu machen.
Die Verfassung der Warschauer Kirche konnte unter den neuen demokratischen Verhältnissen im Staate unmöglich die bleiben, die 1849 durch den Zaren erlassen worden war. Dennoch hat es 18 Jahre gedauert, bis sie durch eine neue ersetzt wurde. Diese aber wurde der Kirche nicht weniger autoritativ aufoktroyiert als jene und fesselte sie noch drückender an den Staat. Über die Vorgänge, die zur Kirchenverfassung von 1936 führten, muß ausführlicher berichtet werden, weil sie in der ökumenischen Welt viel Aufsehen fanden. Die deutsche, ernst um Objektivität bemühte Darstellung der Vorgänge lautet so:
Bald nachdem die durch die Abstimmungskämpfe 1920 aufgeregte Stimmung sich beruhigt hatte und nachdem durch den Frieden von Riga 1921 die Drohung der Roten Armee, die bis an die Weichsel vordrang, gewichen war, ging man an die Schaffung einer neuen Kirchenverfassung heran.
Die Vorgänge von 1917 machten es unerläßlich, daß über den Entwurf dafür, den das alte, noch aus der Zarenzeit herrührende Konsistorium vorlegte, auch die Gemeinden befragt wurden. Durch Urwahlen in ihnen kam eine Synode zustande, in der die Laienvertreter ausschlaggebend waren, so daß sich eine gewaltige deutsche Mehrheit ergab. Diese weigerte sich, dem ihr vorgelegten Entwurf ihre Zustimmung zu geben, weil er die Kirche zu eng an den Staat binde. Von diesem war für die Anliegen der Deutschen kein Entgegenkommen zu erwarten. Da wiederholte sich der Vorgang von 1917; die polnische Minderheit sprengte die Versammlung.

Aber dabei konnte es doch nicht bleiben: es drängte alles darauf, daß die alte Kirchenverfassung, die dem Staat ganz einseitig das Recht gab, die Kirchenleitung zu ernennen, durch eine Neuordnung ersetzt werde, die nur eine synodale sein konnte. So kam man nach einiger Zeit wieder zusammen und brachte in langwierigen Verhandlungen unter Nachgeben auf beiden Seiten einen neuen Entwurf zustande, der dem Staat vorgelegt wurde.
Dieser jedoch verweigerte sein Placet; der provisorischen Kirchenleitung schien das recht zu sein; denn sie ließ die Sache zehn Jahre lang auf sich beruhen. Erst 1933 kamen wieder Verhandlungen in Gang. Aber nun war von jenem Kompromißentwurf nicht mehr die Rede. Völlig neue Vorschläge tauchten auf, wurden ausgiebig – sogar in der Tagespresse – diskutiert und fanden nicht nur bei den Deutschen in der Kirche, sondern auch bei namhaften Polen in führender Stellung scharfen Widerspruch.
Wieder vergingen drei Jahre. 1936 nahm der Staat selbst die Regelung seines Verhältnisses zu allen Kirchen in die Hand. Ein Beschluß des Sejm ermächtigte den Staatspräsidenten, dieses Verhältnis im Verordnungswege zu regeln, wobei eine Verständigung mit den Partnern die Voraussetzung sein sollte. Das geschah denn auch erfolgreich in Verhandlungen mit einigen kleineren Glaubensgruppen. Jetzt sollten solche auch mit der lutherischen Kirche stattfinden. Es wäre also notwendig gewesen, die 1923 geschlossene Synode oder eine andere an ihrer Stelle einzuberufen und ihr den neuen Entwurf zur Stellungnahme vorzulegen. Dies geschah jedoch nicht. Vielmehr rief der Bischof *Bursche* die Kommission zusammen, die 1923 zu Verhandlungen über den damaligen Entwurf gewählt worden war, und verlangte von ihr, sie solle jetzt namens der Kirche die Zustimmung zu dem Staatsentwurf geben. Die vier deutschen Vertreter in der paritätisch zusammengesetzten Kommission erklärten, sie seien dazu nicht befugt. Das ihr vor dreizehn Jahren erteilte Mandat sei erloschen und habe sich überdies nur auf den damaligen Entwurf bezogen. Das hielt die vier polnischen Mitglieder (bzw. drei von ihnen, da der vierte während der Verhandlung starb) nicht ab, den Staatsbehörden den Entwurf als von der Kirche genehmigt zurückzugeben, indem sie ihre Unterschrift neben die des Bischofs setzten. Es ist unverständlich, daß der Staatspräsident diese Unterschriften als ausreichendes Votum der Gesamtkirche ansah. Aber er unterschrieb gleichfalls, und zehn Tage darauf erlangte die neue Verfassung durch Verkündigung im Gesetzblatt der Republik Rechtskraft.
Die Empörung hierüber war allgemein, auch bei einer sehr namhaften Gruppe der polnischen Gemeindeglieder. Der oberste polnische Militärseelsorger, Senior *Gloeh*, verwies darauf, wie friedlich und förderlich zur russischen Zeit das durch die Deutschen dirigierte Konsistorium gewaltet habe, während jetzt der Streit kein Ende nehme.
Dem neuen Kirchenrecht gegenüber gab es keine Möglichkeit zum Wider-

spruch. Aber es war doch soweit demokratisch, daß eine neu zu wählende Synode das Recht bekam, ihre innere Ordnung der Kirche selbst zu bestimmen und ihr eine Leitung nach ihrem Willen zu geben.
Die Synode trat zusammen. Sie war nicht wie 1922 durch Urwahlen, sondern durch regional gebildete Wahlkörper (Seniorats-Versammlung, Kirchenkreise) beschickt. Aber nur sechs von diesen, hinter denen 22059 Wahlberechtigte standen, hatten Vertreter entsenden können; die vier anderen, in denen 54289 Wahlberechtigte vertreten waren, hatte der Bischof aufgelöst, ehe sie den Wahlakt vornahmen. Er begründete das mit der »Politischen Klausel« des Staatsgesetzes, die er allerdings nicht unbedingt wahrnehmen mußte. Er erreichte es aber durch sein Vorgehen, daß die Synode aus nur 16 Mitgliedern bestand, die alle Polen waren. Er wurde selbst zum Bischof gewählt, und auch die übrigen Amtsträger wurden gemäß seinen Vorschlägen und Wünschen bestallt.
Bursche wurde wegen seines Vorgehens von deutscher Seite aufs heftigste angegriffen, sowohl im Hinblick auf die Verfassung als auch auf die Wahl von Synode und Amtsträgern. Ohne Zweifel hat der Bischof den Tendenzen der polnischen Regierung, die sich – im Widerspruch zu den Pariser Vorortverträgen – gegen die zugesicherten Minderheitenrechte richteten, zu sehr nachgegeben und sein Amt hier nicht im rechten Sinne ausgeübt. Wenn er, wie er zu seiner Rechtfertigung ausführte, damit glaubte, der Evangelischen Landeskirche die rechtliche Gleichstellung mit der katholischen Kirche zu verschaffen, so übersah er doch, daß das zahlenmäßige Übergewicht der Katholiken diesen auch dem Staat gegenüber eine Sonderstellung einräumen würde. Konnte er aber erwarten, daß der Staat sich an die Rechtssatzungen hielt, wenn er selbst innerhalb der Kirche das Recht mißachtete? Daß er guten Willens gewesen ist, wird man ihm nicht bestreiten wollen, doch scheint es, daß er in der vom Nationalismus vergifteten Atmosphäre nicht die klare Sicht behielt, die erforderlich gewesen wäre.
Zum Austrag dieser Auseinandersetzung, die sich aus *Bursches* Handeln ergaben, ist es nicht mehr gekommen. Der zunehmende Gegensatz zwischen Deutschen und Polen bot dem von Raumhunger und Machtwahn besessenen Diktator Deutschlands die Gelegenheit, den Konflikt zu schüren, bis er schließlich in einem verheerenden Kriege mündete, der beide Völker in ein grauenvolles Blutvergießen stürzte.

13. Litauen

In dem seit 1569 vereinigten litauisch-polnischen Reich lag das politische Schwergewicht bei dem kulturell fortgeschrittenen und ziemlich einheitlichen Polen. Das räumlich viel größere, von der Ostsee bis fast an das Schwarze Meer reichende Großherzogtum Litauen umfaßte dagegen ein buntes Völkergemisch, darunter beträchtliche ostslavische Bestandteile, deren obere Schichten dem Westslaventum der polnischen Adelsrepublik ein bereites Assimilations-Objekt darboten. Teils ließen diese Orthodoxen sich – unter Beibehaltung des ostkirchlichen Ritus und anderer angestammter Sitten (wie Tracht und Ehe der Priester) – zur Union mit der Papstkirche verlocken, teils taten sie den weiteren Schritt ganz in den römischen Katholizismus und dann ganz ins Polentum hinein.

Das mußte der Moskauer Vormacht des Ostslaventums und der »pravoslaven« (rechtgläubigen) Kirchen ein Dorn im Augen sein. Als ihr durch den Wiener Kongreß (1815) nicht nur der bereits 1795 annektierte, sich tief nach Süden erstreckende Ländergürtel, sondern auch große Stücke der von Preußen und Österreich besetzten Teile Polens zugesprochen wurde, trennte der Zar und »König von Polen« das sogenannte »Kongreßpolen« von den Gouvernements, in die er das einstige Litauen zersplitterte. Nur der Zipfel von Augustowo, den Preußen als einzigen Anteil am litauischen Gebiet erhalten hatte, wurde dem »Königreich« angegliedert, so daß die dortigen protestantischen Gemeinden nun unter Warschauer Kirchenregiment kamen. Von den Gemeinden im übrigen Litauen von einstmals kamen die lutherischen unter das kurländische Konsistorium Mitau, die reformierten behielten ihre synodale Selbständigkeit unter Wilna.

a) Die Reformierten: Vom kalvinistischen Protestantismus war wie in Polen, so auch in Litauen nicht viel übriggeblieben. Am besten noch hatten sich die etwa 30 Bauerngemeinden gehalten; sie waren durchweg Litauer geblieben, während die Städter sich polonisiert hatten. Das galt besonders von der Hauptstadt Wilna. Hier hatte das schon 1557 errichtete »Kollegium« seinen Sitz, dessen schlimmes Geschick beim Pogrom der Jesuiten (1611) noch geschildert wird (siehe S. 207). Immerhin war in Wilna ein großes Archiv der Kirche erhalten geblieben, auf das man stolz sein durfte.

Man amtierte in Wilna polnisch, war aber sehr darauf bedacht, die litauisch sprechenden Bauerngemeinden artgemäß zu bedienen. Die Übersetzungen der Bibel, Katechismen, »Kanzionalen« (Gesangbücher) ins Litauische wurden durchweg von Polen geliefert, die damit der Entstehung einer litauischen Hochsprache und einer litauischen Literatur Bahn brachen. Immerhin war der polnische Einfluß selbst jetzt in der russischen Zeit noch beträchtlich, auch auf politischem Gebiet. Die beiden reformierten Gymnasien wurden 1824 und 1864 von der Regierung geschlossen, weil sie als Herde umstürzlerischer Politik verdächtig waren. Jeder Reformierte in Litauen galt als Staatsgegner und hatte z. B. beim Erwerb von Grundbesitz Schwierigkeiten. Dem Pfarrer-Nachwuchs wurde verwehrt, zur Ausbildung ins Ausland zu reisen. Die einzige inländische Schulungsstätte (Dorpat) war lutherisch und unterrichtete auf deutsch.

Einen gewissen Schutz vor staatlichem Eingriff bot die streng synodale Verfassung der Kirche. An ihrer Spitze stand ein Ausschuß der Synode, nun »Konsistorium« genannt, der von einem (meist juristischen) »Aktor« geleitet wurde. Der ihm beigeordnete Theologe führte später den Titel »Generalsuperintendent«, obwohl ihm nur ein Dutzend Pfarrer unterstanden. Als Petersburg ersuchte, den gesamten Protestantismus des Reiches staatskirchlich zu ordnen (1832), gelang ihm das hier nicht dank zäher Abwehr durch Synode und Behörde.

Im Laufe des 19. Jahrhunderts entstanden im Innern Rußlands noch etwa 20 neue reformierte Gemeinden zu den wenigen schon seit Peter dem Großen bestehenden. Zu einem Zusammenschluß mit diesen älteren, wie er besonders von *Dalton* erstrebt wurde, konnte sich die »Jednota Litewska« (Unitas Lithuania) nicht entschließen, wie sie auch weder mit den Unitätsgemeinden in Posen noch mit den Reformierten in Kongreßpolen und Galizien in mehr als oberflächliche Verbindung trat.

Tragisch gestaltete sich ihre Geschichte nach dem Zusammenbruch des Zarenreiches und der Schaffung des litauischen Freistaates 1919 mit einer weit überwiegend katholischen Bevölkerung von über 2 Millionen. Da die Abgrenzung Litauens gegenüber Polen jetzt nicht nach volklichen, sondern nach historischen Gesichtspunkten erfolgte, blieb die einstige Hauptstadt Wilna nebst Umgebung bei Litauen. Ihre fast ganz im Polentum aufgegangene Bevölkerung fühlte sich als Irredenta, und Warschau bemühte sich, sie zu erlösen. Da das durch Verhandlungen nicht gelang, erfolgte es durch einen soldatischen Handstreich 1920.

Das hatte aber für die Kirchenleitung in Wilna zur Folge, daß sie von ihren meisten und größten Gemeinden abgeschnitten wurde und nun im polnischen Staat neben dem in Warschau residierenden reformierten Konsistorium ein sehr bescheidenes Dasein führte. Es waren immerhin 1938 noch 11 Gemeinden mit durchschnittlich je 1000 Seelen, die zur *Jednota* gehörten, deren Namen nun von »Litewska« in »Wilnawska« geändert wurde. Die etwa 30 reformierten Gemeinden im neuen litauischen Freistaat ordneten sich zu einer ganz selbständigen Kirche mit einem Konsistorium in Birsen.

Für den Verlust von Wilna hielt sich der litauische Staat dadurch schadlos, daß er – gleichfalls durch Friedensbruch mit Freischärlern – das ostpreußische Memelland in Besitz nahm, dessen Bevölkerung zur einen Hälfte aus Deutschen, zur anderen aus im 16. Jahrhundert eingewanderten Litauern bestand. Sie waren sämtlich evangelisch und hatten nicht im mindestens den Wunsch, dem katholischen Litauen eingefügt zu werden. Sie blieben daher auch der angestammten Landeskirche (Konsistorium in Königsberg, Oberkirchenrat in Berlin) treu und wurden nicht in die bedauerlichen Wirren hineingezogen, die das Kirchenleben der Lutheraner Litauens in der Folgezeit erschütterten.

b) Die Lutheraner: Im Unterschied von den reformierten wesentlich bäuerlichen Gemeinden bestanden die lutherischen fast ausschließlich aus Städtern, und zwar meist aus eingewanderten Deutschen. Ihre älteste, die von Wilna, war schon 1557 gegründet worden. Sie wurden, wie schon erwähnt, 1795 dem Konsistorium in Mitau unterstellt. Im ersten Drittel des 19. Jahrhunderts gesellten sich weitere städtische, mehr aber noch ländliche Gemeinden hinzu. Das geschah im Gleichlauf mit dem Massenzustrom, den das neue, dem Westen die Türen weit öffnende Rußland überallhin anzulocken verstand. Hier aber waren es nicht nur Deutsche, wie in Kongreßpolen, die als Unternehmer mannigfacher Betriebe und dergleichen der Lockung folgten. In das billige und fruchtbare Land zogen auch vom Norden her lutherische Kolonisten, Litauer aus Ostpreußen und Letten aus Kurland und Livland. Damit war der kurländischen Kirchenleitung die Aufgabe gestellt, nicht nur deutsche und lettische Glaubensgenossen zu Gemeinden zu sammeln und sie in ihrer Sprache zu bedienen, wie sie es gewohnt war, sondern auch litauische. Das wurde durch Hilfeleistung aus Ostpreußen möglich. Denn dort gab es, wie bereits berichtet wurde, im Gebiet von Tilsit und namentlich im Memelland seit der Reformationszeit eingewanderte Litauer und für sie eine wohlgeordnete Seelsorge in ihrer Sprache.
Auch die dem Warschauer Konsistorium übergebenen lutherischen Gemeinden im Bezirk Augustowo/Suwalki auf der linken Memelseite erhielten Zustrom von Deutschen und Litauern – nicht jedoch von Letten. Bis 1850 waren hier 5 Gemeinden entstanden, von denen die älteste und kleinste (Godlewo) bald 3300 Seelen zählte, die größte (Mariampol, gegr. 1822 mit Hilfe sowohl des Zaren wie des preußischen Königs) auf 6500 anwuchs. Die Grenzgemeinde Wirballen (gegenüber Eydtkuhnen) entstand 1844 durch Einwanderung von Nachkommen einstiger Salzburger Emigranten. Nur zwei der Gemeinden setzten sich je zur Hälfte aus Deutschen und Litauern zusammen, die anderen hatten nur kleine litauische Minoritäten. Da hier und da auch Polen hinzukamen und Städter sich vielfach polonisierten, mußten die Pfarrer dreisprachig sein, später sogar, als das Russische als Staatssprache seinen Tribut forderte, viersprachig. Ihre Ausbildung fand zum Teil in Dorpat, mehr aber in Königsberg statt, wo besondere Seminare der theologischen Fakultät auf den Gebrauch der polnischen (masurischen) und litauischen Sprache in Predigt, Unterricht und Seelsorge vorbereiteten.
Als 1919 der Freistaat Litauen gegründet wurde, kamen die beiden lutherischen Gemeindegruppen wieder zusammen und bildeten jetzt eine stattliche Kirche von 75000 Seelen, eine allerdings verschwindende Minderheit in dem katholischen Staat.
Leider wurde die Kirche sehr bald durch einen Streit der drei in ihr zusammenlebenden Nationen aufs tiefste erschüttert. Die 40000 Deutschen, 20000 Litauer und 15000 Letten sonderten sich in drei Seniorate, unter einem ge-

meinsamen Konsistorium, das in Kaunas (polnisch: Kowno; deutsch: Kauen) seinen Sitz hatte.
Es war gewiß verständlich, daß die Litauer den Vorrang beanspruchten. Aber sie taten es in einer Weise, die in der ganzen Welt Kopfschütteln und mehr als das hervorrief. Ein preußischer Pfarrer litauischen Volkstums, *Saigalat*, setzte sich mit Hilfe des Staatsapparates an die Spitze des Konsistoriums und versuchte, die beiden anderen Gruppen zunächst mundtot zu machen und dann ihres Sonderrechts zu berauben. Die Einzelheiten darüber seien hier übergangen. Wohl aber möge das Urteil über sie hier Raum finden, das ein bekannter Vorkämpfer der ökumenischen Bewegung, der Berliner Universitätsprofessor D. *Adolf Deissmann* ausgesprochen hat. Es findet sich im Vorwort einer Broschüre, die ein mit den Verhältnissen genau bekannter Jurist in ausführlichen kirchenrechtlichen Darlegungen geschrieben hat, und lautet:
»Es ist mir darum ein tiefer Schmerz, wenn ich sehe, daß mitten im Kreise der großen und kleinen, längst zur Ruhe gekommenen freien Schwesterkirchen Europas eine Kirche vorhanden ist, die noch eine Sonderstellung einnimmt: die evangelisch-lutherische Kirche in Litauen. Wäre mir diese Tatsache nicht wirklich ein großer Schmerz, so könnte ich versucht sein, sie als einen Treppenwitz der Kirchengeschichte oder als ein Kuriosum der Eigenbrötelei kirchlichen Schildbürgertums zu ironisieren. Aber so lächerlich die seitherigen Zustände der litauischen Kirche dem flüchtig von ihnen Notiznehmenden auch erscheinen mögen – sie sind wahrlich nicht zum Lachen. Sie sind eine offene Wunde im Luthertum, ja im Gesamtprotestantismus und in der Gesamtchristenheit. Es waren daher Gefühle tiefer Sympathie mit dem gefährdeten litauischen lutherischen Kirchenvolk, verbunden mit der Hoffnung, durch einen brüderlichen Appell von befreundeter Seite vielleicht zur Besserung beitragen zu können, die mich leiteten, als ich mich auf Bitten des Verfassers dieser Broschüre bereit erklärte, das Vorwort zu schreiben. Aber es ist ja doch, vom Standpunkt des ökumenischen Bewußtseins aus für jeden Protestanten ein Stück eigenster Angelegenheit, um das es sich hier handelt.
Worum handelt es sich denn? Kurz gesagt darum, daß mitten in dem neuen europäischen Zeitalter kirchlicher Freiheit und Selbstverwaltung eine einzelne Kirche noch unter einem Verwaltungszustand schmachtet, den man nur als kirchliche Autokratie bezeichnen kann. Ich lasse die Persönlichkeit des derzeitigen Trägers dieser Kirchenautokratie in Litauen völlig aus dem Spiel. Ich weise nur auf die Tatsache der Kirchenautokratie selbst hin: daß es möglich war, unter Berufung auf alte, längst obsolent gewordene russische Gesetzesparagraphen in einem modernen Freistaat eine von keinerlei Vertrauen der Kirche selbst getragene Zwangsherrschaft aufzurichten – eine Tyrannis, die, mit der staatlichen Polizei verbündet, mit Ausweisungen und Verhaf-

tungen treuer Kirchendiener arbeitet, die ruhige Ausübung der Seelsorge an volkreichen Gemeinden dadurch stört und mit alledem das kirchliche Selbstbestimmungsrecht der Gemeinden und Synoden wie auch die Gewissensfreiheit der einzelnen Kirchenglieder aufs schwerste gefährdet.«

14. Danzig

Die Stadt Danzig, bei der bereits 997 der hl. *Adalbert* von Prag auf seiner Missionsreise taufte, kam nach wechselvollem Schicksal, das sie bald unter brandenburgische, polnische oder dänische Herrschaft führte, im Jahre 1308 unter die Hand des deutschen Ritterordens. Die Lage der Stadt am Rande des Weichseldeltas war günstig, sie bildete den Schlußpunkt der langen Schiffahrtsstraße, die bis Oberschlesien und Galizien reicht. So wuchs die Stadt rasch und wurde ein bedeutender Umschlagplatz für das polnische Hinterland, der im 14. Jahrhundert der Hanse beitrat. Doch im 15. Jahrhundert kam es zu steigendem Gegensatz zum Deutschen Orden: wie im späteren Ostpreußen die Unzufriedenheit zunahm, so erst recht in der reichen und mächtigen Handelsstadt. Die Bürger fühlten sich in ihrer Handlungsfreiheit beengt, durch die Steuern bedrückt. Schließlich schloß sich die Stadt, die ein Gebiet von etwa 900 km^2 ihr eigen nannte, dem polnischen König an. Er versprach feierlich, die Rechte der Stadt zu wahren und ihre Privilegien zu achten. Die Stadt ward dem König in Personalunion verbunden, sie schickte später ihre Abgesandten zum polnischen Reichstag, hatte auch ihren eigenen Sekretär in Warschau, nahm an den Königswahlen teil und prägte eine eigene Münze mit dem Bild des polnischen Königs. Der Deutsche Orden konnte sich dem nicht widersetzen: 1460 mußte er selbst die Oberhoheit des polnischen Königs über den Rest des Ordensstaates anerkennen. Dieses gute Einvernehmen zwischen der bedeutenden Stadt und der polnischen Krone aber wurde getrübt, als die Reformation sich auch nach Danzig ausbreitete. Bereits 1518 erschien der erste Reformator in der Stadt, zwei Jahre später druckten die Danziger Buchdrucker die erste reformatorische Schrift, und 1522 fand die erste öffentliche evangelische Predigt statt. Der Rat der Stadt stand dem Neuen, Umwälzenden abwartend gegenüber, doch unter der Bürgerschaft fand die Botschaft aus Wittenberg eifrige Anhänger. Sie wurden so stark, daß sie schließlich den Rat der Stadt, den »Senat«, zur Duldung der evangelischen Lehre drängen konnten, und bald schon hörte man in der mächtigen Hauptkirche der Stadt, der 1502 fertiggestellten Marienkirche, die ersten Predigten im Geiste *Luthers*.
Der katholische Bischof von Włocławek, dessen Diözese die Stadt angehörte, war aber nicht gesonnen, den Abfall von Rom zu dulden. Er wurde bei dem polnischen König *Sigismund* vorstellig, und dieser griff zugunsten des Bischofs ein.

Die auf ihre Freiheit stolzen Bürger wurden dadurch aber in ihrer Haltung noch mehr bestärkt. Schon hatte man begonnen, die Kirchenverfassung der Stadt umzubilden, als der König sich einschaltete und die neue Lehre verbot. Allein, da es bei dem Verbot blieb, der Senat der Stadt und der Official mit der Wahrung der kirchlichen Angelegenheiten betraut waren, fruchtete auch das Wort des Königs nicht viel. Die Hinrichtung von 13 protestantischen Führern im Jahre 1526, die Wiederherstellung des katholischen Gottesdienstes vermochten nur eine äußerliche Rückkehr zu erzwingen, und selbst die nur für kurze Zeit. Es setzte eine stille Reformation ein, an der besonders der Pfarrer der Marienkirche eifrig mitwirkte. Und als auf *Sigismund* sein Sohn *Sigismund August* folgte, gelang es den Protestanten bald, die Anerkennung ihres Glaubens vom König zu erlangen. Im Jahre 1557 wurde die Austeilung des Abendmahles in beiderlei Gestalt zugestanden, die Pfarrkirchen der Stadt wurden den Evangelischen übergeben, nur 3 Klosterkirchen verblieben den Katholiken, die etwa ein Drittel der Bevölkerung ausmachten. Auch die Marienkirche fiel an die Protestanten, der Stolz und das Wahrzeichen der Stadt. Daneben waren es noch die Kirche von St. Katharinen, St. Johann, die Petri-, Bartholomäi- und Jakobskirche, um nur die größten zu nennen, die zu Pflegestätten der neuen Lehre wurden.

Als das Dekret von Lublin im Jahre 1569 Westpreußen widerrechtlich zur polnischen Provinz erklärte, widersetzte sich die Stadt, und der König, dem die Gegenreformation andere, wichtigere Aufgaben stellte, ließ es hingehen, daß Danzig nicht auf dem Sejm erschien. Während der Adel in Westpreußen durch diese Entwicklung einer langsamen Polonisierung verfiel, wahrte Danzig sein deutsches Gesicht. Auch der Versuch *Stephan Báthorys*, der seit 1576 König von Polen war, die Stadt mit Gewalt zur Anerkennung und Befolgung des Lubliner Dekrets zu zwingen, blieb vergeblich: er mußte seine Belagerung erfolglos abbrechen (1577).

Die Stadt aber schuf sich inzwischen eine eigene Kirchenordnung. Ein »Geistliches Ministerium«, das sich aus allen lutherischen Predigern zusammensetzte, übte nun die geistliche Gewalt aus. Um für den Nachwuchs an Pfarrern zu sorgen, hatte man 1558 das ehemalige Franziskanerkloster zu einem Akademischen Gymnasium gemacht, hier wurden die künftigen Theologen auf ihr Studium vorbereitet. Die Schule genoß hohes Ansehen, sie galt als eine der »wichtigsten Pflanzstätten lutherischer Theologie und humanistischer Wissenschaft im deutschen Nordosten«. Die Studenten zogen zum größten Teil auf die Universität Königsberg im nunmehr herzoglichen Preußen. Von dort wurde das evangelische Leben stark gefördert, die meisten Schriften für die Danziger Protestanten wurden in Königsberg gedruckt. Den Niedergang des polnischen Königtums seit 1572 nutzte die Stadt geschickt aus, um ihre Selbständigkeit zu festigen und zu vergrößern. Um die Mitte des 17. Jahrhunderts war die Schutzherrschaft des Königs über die Stadt nur noch ein leerer Titel. Danzig wahrte seine Interessen im Ausland durch eigene Gesandte, im Stadtgebiet übte es die Wehrhoheit selbst aus. Die starken Befestigungen machten die Stadt fast uneinnehmbar, 1626 belagerte König *Gustav Adolf* von Schweden die Stadt, die zu ihrem polnischen Oberherren hielt, ebenso vergeblich wie 1655 *Karl Gustav*. Und in dem langen Krieg zwischen Schweden und Polen, der 1660 mit dem Frieden zu Oliva endete, jenem Kloster unweit von Danzig, gelang es den Schweden nicht, die Stadt zu erobern.

Es mag als widersinnig erscheinen, daß eine vorwiegend protestantische Stadt sich zu einem katholischen König hielt. Doch hatte dieser die Freiheit Danzigs anerkannt, was man von den Schweden nicht erwarten konnte, und diese Freiheit war den Bürgern die schwere finanzielle Belastung wert. Denn der fünfjährige Krieg hatte die Kassen der Stadt erschöpft. Danzig hat danach nie wieder diese Bedeutung und Macht erlangt, der Niedergang Polens brachte ein Absinken des Handels mit sich, die Einnahmen der Stadt sanken. Besonders im 18. Jahrhundert wurde der Wandel sichtbar. Hatte sie noch 1656 77000 Einwohner gezählt (Königsberg 20000, Berlin 10000), so sank ihre Zahl immer mehr, während in Polen der Nordische Krieg (1701–21) und der polnische Erbfolgekrieg (1733–37) das Land verwüsteten und Handel und Wandel zum Erliegen brachten, die doch die Haupterwerbsquelle für Danzig bildeten.

Da in Danzig der Rat der Stadt die oberste Gewalt ausübte, ein Kollegium also, ist es nicht zu den üblen Erscheinungen des Glaubenszwanges und -krieges gekommen wie in den monarchischen Staaten. Gewiß sind auch hier die Konfessionen heftig aufeinandergeprallt, aber sie verstanden es, miteinander statt gegeneinander zu leben. Der Anteil der Katholiken, der etwa ein Drittel der Bevölkerung betrug, ist erhalten geblieben, nicht zuletzt durch das Wirken der Jesuiten, die seit 1585 im Danziger Gebiet eine Residenz besaßen. Ihr Wirken war für die Protestanten eine ständige Quelle der Beunruhigung, zu einer wirklichen Bedrohung ist sie aber nicht geworden. Auch die Eingliederung der Kalvinisten, die die Gegenreformation aus den spanischen Niederlanden vertrieben hatte, schuf Konflikte, bis ihnen schließlich das Stadtregiment das Recht des Gottesdienstes und der Lehre zugestand. Hingegen wies man die Mennoniten ab. Sie siedelten draußen, auf dem flachen Lande, und haben sich um Eindeichung und Urbarmachung des Weichseldeltas große Verdienste erworben.

Als die Stadt nach der ersten polnischen Teilung fast ganz von preußischem Gebiet umschlossen war, ging der Handel noch mehr zurück, denn der Weichsellauf befand sich in preußischen Händen. Die Differenzen und Streitigkeiten mit Berlin endeten, als Preußen 1793 Danzig erhielt. Doch blieb die geistliche Ordnung der Stadt bestehen, ihre Selbständigkeit, die sie so lange verteidigt hatte, wenigstens auf diesem Gebiet gewahrt. 1799 begründete man zwar nach preußischem Muster ein Kirchen- und Schulkollegium als oberste Instanz für das Gebiet der Stadt, doch wurde sie der westpreußischen Provinz nicht angeschlossen. Tiefer reichten die Eingriffe, die nach dem Ende der »Freien Stadt« von Napoleons Gnaden (1807-14) vorgenommen wurden. Danzig wurde Zentrum eines Regierungsbezirkes, die preußische Verwaltung erfaßte nun auch Kirchen- und Schulleben. 1816 entstand das Konsistorium Danzig, doch bald verlor die Stadt auch diese beschränkte geistliche Selbständigkeit. Die Vereinigung der Provinzen Ost- und Westpreußen traf auch sie, der Sitz des gemeinsamen Konsistoriums ward Königsberg.

Diese Unterstellung unter ein fremdes Konsistorium währte ein halbes Jahrhundert. Als aber der Bevölkerungszuwachs die Auflösung der riesigen Provinz erforderte, wenn man eine einwandfrei arbeitende Verwaltung wünschte, wurde die Trennung West- von Ostpreußens im Jahre 1878 vollzogen, und sechs Jahre später erhielt Danzig wieder sein eigenes Konsistorium, das zur Altpreußischen Union gehörte. Dieser Status blieb der Danziger evangelischen Kirche bis zum Jahre 1919.

Die Abtrennung vom deutschen Reich durch den Versailler Vertrag und die Selbständigkeit der »Freien Stadt Danzig« schufen erneute Probleme. Doch war es wenigstens auf kirchlichem Gebiet möglich, den Zusammenhang und die Verbindung mit Deutschland zu erhalten. Das Danziger Konsistorium wurde zu einer eigenen Landeskirche, die aber im Verband der Altpreußischen Union verblieb. Es wurde ein eigener Landeskirchenrat geschaffen, dem 5 Kirchenkreise unterstanden. Die Leitung lag, wie schon früher, in den Händen des ersten Pfarrers an der Hauptkirche der Stadt, der Marienkirche. Er war der Generalsuperintendent, seit 1933 führte er den Titel eines Bischofs der evangelischen Kirche Danzigs. Bei dieser Ordnung ist es geblieben, auch als die Freie Stadt 1939 wieder Deutschland angeschlossen wurde. Ein Ende hat dem Protestantismus dieser einst blühenden und großen Stadt erst das Ende des Zweiten Weltkrieges bereitet. Die wenigen Evangelischen, die heute, nach Flucht und Vertreibung, noch in Danzig leben, werden von einem Pfarrer aus Zoppot versorgt.

15. Krakau

Die alte polnische Königsstadt Krakau war Sitz einer bedeutenden Universität, an der der Humanismus eine Pflegestätte gefunden hatte. Als nun in Deutschland die Reformation einsetzte, strömten die neuen Gedanken auch in dieses geistige Zentrum des polnischen Königreiches, das vielerlei Verbindungen mit den gelehrten Stätten des übrigen Europas unterhielt. Zu einer Gemeindegründung kam es jedoch vorerst noch nicht, denn der Bischof, der in der Stadt residierte, wachte darüber, daß die »Ketzerei« keinen

Eingang fand und daß die Verbote des Königs, durch die die neue Lehre unterdrückt werden sollte, eingehalten wurden. Er konnte aber nicht verhindern, daß unter Adligen und Bürgern sich viele für die Lehre Luthers erklärten, denn auch in Polen bestanden genügend Ursachen, eine Besserung des christlichen Lebens und der kirchlichen Verhältnisse zu fordern. So blieb zwar nach außen alles beim alten, in Wirklichkeit aber gab es bereits eine große Anzahl von Protestanten in der Stadt.

Zu einer heftigen »Ketzerverfolgung« ist es anfangs nicht gekommen. Zwar wurde der Druck protestantischer Bücher mit der Todesstrafe bedroht, auch galt dies für den Besuch protestantischer Universitäten (seit 1540), doch konnte ein evangelischer Buchhändler in der Stadt seine Bücher verkaufen, ohne mehr als materiellen Schaden durch vereinzelte Revisionen seiner Bestände zu erleiden. Ein Ketzerprozeß, der im Jahre 1539 eine siebzigjährige protestantische Bürgerin zum Tode verurteilte, bildete eine Ausnahmeerscheinung. Auch die Bücherzensur, zu der der Rektor der Universität durch einen Erlaß des Königs gehalten war und die alle aus dem Ausland kommenden Bücher betraf, wurde höchst oberflächlich gehandhabt.

Der Tod *Sigismund I.* und sein gegen die »Dissidenten« toleranter Nachfolger *Sigismund II. August* schufen die Möglichkeit, eine Gemeinde zu gründen, in der die Bekenner der neuen Lehre geistliche Betreuung fanden (siehe S. 84). Zu einem Zusammenschluß scheint es bereits 1551 gekommen zu sein, denn das Jahr 1651 wurde als hundertjähriges Jubiläum der evangelischen Gemeinde Krakau betrachtet. Die Opposition des Adels – selbst des katholischen – gegen die Vorrechte und die Machtstellung des katholischen Klerus verhinderte dabei eine zielbewußte Bekämpfung und Unterdrückung der Protestanten, die die Gelegenheit nutzten, eine eigene Kirchenorganisation aufzubauen. Im Jahre 1570 trafen sich die Vertreter der Protestanten in Krakau zu einer Synode für das kleinpolnische Gebiet, ihr Ergebnis war die Errichtung einer kleinpolnischen evangelischen Kirche, die aus fünf Kreisen bestand. Einen davon bildete Krakau und seine Umgebung.

Viel Förderung hat der Protestantismus in seinen ersten Jahren zwei Männern zu danken gehabt, die an wichtiger Stelle in der Stadt standen. Der eine war der königliche Sekretär, der andere hatte die Stellung des Burggrafen inne. Ohne ihre wohlwollende Duldung wäre es dem Bischof wohl eher möglich gewesen, die Evangelischen zu unterdrücken.

So aber konnten sie daran gehen, im Jahre 1572 eine eigene Kirche in der Stadt zu errichten. Sie erhielten dafür ein königliches Privileg von *Sigismund August*. Damit fanden die Protestanten einen Mittelpunkt, um den sie sich in den kommenden schweren Zeiten scharen konnten und der ihnen Rückhalt verlieh.

Denn schon 1558 war der »Vortrupp der Gegenreformation«, die *Societas*

Jesu, in Krakau erschienen. Die Jesuiten genossen seit 1565 den ausdrücklichen Schutz des Königs, und mit dieser Rückendeckung gingen sie daran, das Land der katholischen Kirche zurückzugewinnen. Wie immer war es auch hier vor allem das Schulwesen, auf das sich ihre Bemühungen konzentrierten. Die Universität Krakau verschloß sich zwar dem Eindringen der Gesellschaft, aber das ausgezeichnete Schulwesen, das mit den reichen Mitteln des Ordens aufgebaut werden konnte, führte ihr bald die Jugend des Landes zu. Auch auf dem Gebiet des Buchwesens machte sie den Evangelischen Konkurrenz. Waren im 16. Jahrhundert meist protestantische Bücher in den Bürgerhäusern und Adelssitzen gelesen worden, so waren es im folgenden fast nur katholische Schriften.

Die Gemeinde Krakau hatte die neuen Gegner bald unangenehm zu spüren bekommen. Ähnlich wie in Wilna kam es zu schweren Unruhen in der Stadt, zu Ausschreitungen der Masse gegen die evangelische Gemeinde (siehe S. 207). Zweimal in kurzer Frist wurde die Kirche zerstört, 1587 und 1593. Diese Vorfälle trugen dazu bei, daß auch in Krakau der Protestantismus seinen Niedergang während des 17. Jahrhunderts erlebte. Es war freilich nicht allein der äußere Druck – das geschickte Vorgehen besonders des Jesuitenordens hat den größten Anteil an der Rekatholisierung auch dieser Stadt gehabt. Als 1651 ein Krakauer Protestant anhand der Quellen die »Chronik der evangelischen Gemeinde in Krakau« geschrieben hatte, wagte er es nicht, sie drucken zu lassen. Erst im Jahre 1817, als Krakau den Status einer Freien Stadt besaß und die Glaubenskämpfe ihre Heftigkeit verloren, erschien das Werk im Druck.

Um die Mitte des 17. Jahrhunderts lebte in Krakau nur noch eine verschwindende Zahl von Protestanten, von einem eigentlichen evangelischen Glaubens- und Gemeindeleben kann kaum mehr gesprochen werden. Auch auf dem Lande ging der Protestantismus mehr und mehr zurück, am Vorabend des Warschauer Traktates (1768) bestanden in Kleinpolen noch neun Gemeinden insgesamt, davon eine lutherische. Die reformierten Gemeinden waren solche, die von einflußreichen reformierten Adligen unter ihren Schutz genommen worden waren, lutherische Adlige gab es in dieser Gegend kaum, daher erklärt sich auch das Schwinden der Augsburgischen Konfession. Eine Wendung trat erst ein, als im Verlaufe des 19. Jahrhunderts zahlreiche deutsche Siedler in das Land strömten, die nach 1846 auch sich im Gebiet der bis dahin (seit 1815) »Freien Stadt« Krakau niederließen. Doch schon die in die vornapoleonische Zeit fallende Zugehörigkeit Krakaus zu Österreich (1772–1807) hatte zu einem Zustrom von Protestanten geführt, so daß bereits seit dieser Zeit wieder von einem evangelischen Gemeindeleben in Krakau gesprochen werden kann. Und wie das übrige an Österreich gefallene Teilungsstück gehörte auch Krakau in kirchenrechtlicher Stellung der Mährisch-Schlesischen Superintendentur der Österreichischen

Evangelischen Landeskirche an, deren Konsistorium in Teschen seinen Sitz hatte.

Als 1867, im Zusammenhang mit dem ungarischen Ausgleich Galizien (und Lodomerien) eine gewisse Selbstverwaltung erhielt, traf dies die evangelischen Gemeinden schwer, weil in den staatlichen Schulen polnisch als Unterrichtssprache eingeführt wurde, die deutschen Privatschulen aber kaum auf Unterstützung durch den Staat rechnen konnten. So verfielen besonders in Krakau ein Großteil der städtischen evangelischen Bevölkerung, die überwiegend deutschstämmig war, der Polonisierung, ein Teil folgte auch den Agitationsparolen, wanderte ab und ließ sich im preußisch-deutschen Gebiet Westpolens nieder.

Eine ganz neue Lage ergab sich im Jahre 1918. Die »Evangelische Kirche Augsburgischen und Helvetischen Bekenntnisses in den im Reichsrate vertretenen Königreichen und Ländern« des alten Österreich löste sich auf, der Oberkirchenrat in Wien, bisher oberstes kirchliches Organ, bestand nicht mehr. Es tauchte der – von der Warschauer Kirche unterstützte – Gedanke auf, sich mit den anderen evangelischen Kirchen in Polen zusammenzuschließen (siehe S. 146f.), doch fürchteten die Deutschen, dann von den Polen majorisiert zu werden und die deutsche Predigtsprache zu verlieren. So kam es zur Gründung einer selbständigen »Evangelischen Kirche A. u. H. B. in Galizien«. Krakau hätte eigentlich aufgrund der kirchlichen Tradition dazugehören sollen. Doch in der Stadt gehörte ja ein Teil der Protestanten dem Polentum an, und dieser zeigte sich für die Warschauer Konzeption des »Polnischen Evangelizismus« empfänglich. Als *Bursche* anläßlich einer Gedächtnisfeier für den polnischen Humanisten *Nikolaus (Mikoła) Rej* eine erste Tagung der »Evangelischen Kirchen Kleinpolens« nach Krakau berief, fand er dort mit seinem Plane eine Reihe von Anhängern. Als dann die Abstimmung in der Krakauer Gemeinde stattfand, gelang es den Anhängern Warschaus durch ausgesprochen demagogisches Vorgehen, die Mehrheit der Versammelten (92 von 1300 Gemeindegliedern waren anwesend) für den Anschluß an Warschau zu gewinnen.

Dies führte zur Spaltung der Krakauer Protestanten und zog einen jahrelangen Streit nach sich. Alle Versuche zu vermitteln fruchteten nichts. Schwere Störungen des kirchlichen Lebens waren die Folge, denn Schul- und Matrikelwesen befanden sich in den Händen der Kirche, und die Warschauer Richtung zeigte sich zu keinem Zugeständnis bereit. So konstituierte sich 1923 eine eigene A. u. H. B.-Gemeinde, doch damit waren die Schwierigkeiten nicht beseitigt. Auch der Rat der Evangelischen Kirchen in Polen, der schließlich angerufen wurde, konnte den Konflikt nicht beilegen. Schließlich wurde 1927 der A. u. H. B.-Gemeinde wenigstens die Mitbenutzung der Kirche zugestanden, im selben Jahr stellte sie einen eigenen Pfarrer an. Der Streit um das Kirchenvermögen und die evangelische Privatschule aber dauerte fort, bis ein Dekret des Präsidenten der Republik 1936 unter Verletzung des Selbstbestimmungsrechtes der Gemeinde entschied, die Abstimmung von 1922 sei gültig und rechtens. Damit wurde die Gemeinde Krakau der Warschauer »Evangelisch-Augsburgischen Kirche in Polen« zugewiesen.

16. Warschau

Auch in Warschau hat die reformatorische Botschaft offene Ohren und Herzen gefunden, doch ist es hier nicht zu einer Gemeindegründung gekommen. Nach dem Tod des streng katholischen Königs *Sigismund I.* wurde zwar den Protestanten Gleichberechtigung zugestanden, doch vermochte es auch die Tätigkeit von *Johannes a Lasko* nicht, die Anhänger des Protestantismus in der Stadt an der Weichsel zusammenzufassen. Lutheraner, Kalvinisten, Böhmische Brüder und Unitarier fanden sich nicht zusammen, auch war der katholische Druck zu stark, und so währte es bis zum Jahre 1775, ehe eine eigene Warschauer Gemeinde gegründet wurde.
Allerdings war bereits vorher eine größere Zahl von Protestanten in Warschau betreut worden. Pfarrer war der dänische Gesandtschaftsprediger, der sich unerschrocken der protestantischen Glaubensgefährten annahm und sie geistlich versorgte. Denn in der großen Stadt befanden sich viele Deutsche, die sich zum Protestantismus bekannten; besonders durch die Personalunion mit Sachsen unter den Wettinern und auch später, als Polen sich wirtschaftlich erholte und für unternehmungslustige Leute einen Anreiz bot, hatten sich Deutsche in der Hauptstadt niedergelassen. Ihre Pfarrei aber befand sich in dem Orte Wengrow, der 70 km von Warschau entfernt lag. So bedeutete jeder Gottesdienst eine Tagesreise, bei unwirtlichem Wetter ein schier unmögliches Unterfangen. Zwar kam der Wengrower Pfarrer zweimal im Jahr nach Warschau, um Taufen und Hochzeiten vorzunehmen, auch die eben anfallenden Beerdigungen, doch ließ diese Betreuung viele Wünsche offen. Dabei durfte man noch froh sein, daß in Wengrow der Magnat, ein *Radziwill*, dem der Ort gehörte, seinen protestantischen Pfarrer unter seinem Schutz hielt, sonst wäre im weiten Umkreis kein anderer evangelischer Geistlicher gewesen, der Warschau hätte betreuen können. Im 18. Jahrhundert hatte es der brandenburgische Gesandte dann durchgesetzt, daß an den Gottesdiensten der Gesandtschaft, die wechselweise für Reformierte und Lutheraner abgehalten wurden, auch die Protestanten der Stadt teilnehmen durften, aber nachdem die Zahl der Gläubigen um die Mitte des Jahrhunderts auf 5000 gestiegen war, reichte dies natürlich nicht aus.
So war die Erhebung zu einer selbständigen Gemeinde, die aufgrund des Warschauer Traktates von 1768 endlich im Jahre 1775 erfolgte, eine Befreiung von drückenden Fesseln. Angespornt durch diesen Erfolg ging die

Gemeinde daran, eine große, der Bedeutung der Stadt entsprechende repräsentative Kirche zu bauen. Bereits 1777 wurde ein Bauplatz gekauft und ein Bethaus gebaut, um einen Raum für die Gottesdienste zu besitzen, bis die Kirche fertiggestellt war. Ein Warschauer Bankier erwirkte aufgrund seiner guten Verbindungen zum König die Erlaubnis zum Kirchenbau und die Genehmigung der Baupläne. Er spendete auch selbst eine beträchtliche Summe dafür, 56000 Gulden, für damals eine ungeheure Summe. Doch der bedurfte es auch. Über eine halbe Million hatte der Bau gekostet, als er endlich 1781 eingeweiht werden konnte. Selbst aus dem Ausland waren Spenden nach Warschau gekommen, um den evangelischen Brüdern zu helfen. 5000 Personen fanden in dem mächtigen Kuppelbau der »Warschauer Gemeinde unveränderter Augsburgischer Konfession« Platz.
Inzwischen aber hatte sich in der Gemeinde der Streit zwischen Reformierten und Lutheranern erhoben. Nach preußischem Vorbild wollten zwei reformierte Kirchenvorsteher, ohne von der Gemeinde autorisiert zu sein, eine Union mit den Reformierten schließen, obwohl die Gemeinde selbst zu über 90% aus Lutheranern bestand. Die »rationalistische« Theologie des aufgeklärten Jahrhunderts wollte die Unterschiede verwischen, die zwischen den einzelnen Denominationen des Protestantismus bestanden; es sollte ein neuer Katechismus in Geltung kommen, auch von der lutherischen Liturgie abgewichen werden. Doch die Gemeinde zeigte sich nicht einverstanden mit diesen Tendenzen. Sie verlangte die unveränderte Beibehaltung der Agende. Der Pfarrer, der zu dem »Neuen« neigte, kam dieser Forderung allerdings nicht nach, und so wurde der Streit schließlich vor den russischen Gesandten in Warschau gebracht, der der Garant des Warschauer Traktates war.
Die Verwirrung, die dadurch in die Gemeinde getragen wurde, beruhte teilweise auch auf den Beschlüssen der Wengrower Synode von 1780. Dort war zwar eine zweite Union geschaffen worden, doch verblieb den Konfessionen eine eigene Verwaltung. Die Warschauer Kirchenvorsteher hatten dies jedoch als eine vollständige Union aufgefaßt und wollten sie durch ihre Maßnahmen vorbereiten. Als der Konfessionsstreit immer häßlichere Formen annahm, kam es 1782 schließlich zu einer lutherischen Partikularsynode. Sie beschloß die Errichtung eines eigenen Verwaltungsorgans in Warschau unter der Bezeichnung: »Consistorium unveränderter Augsburgischer Confession«. Die Lutheraner wurden in ihrer festen Haltung besonders durch die lutherische Orthodoxie in Sachsen bestärkt, während die Unionsanhänger aus Preußen unterstützt wurden.
Als Warschau dann an Preußen fiel, wurde das Konsistorium dem Posener Oberkonsistorium unterstellt, die Forderung, die die Stadtgemeinde bereits 1775 erhoben hatte, nämlich den Sitz des obersten kirchlichen Organs nach Warschau zu legen, also auch diesmal nicht erfüllt.
Nach dem kurzen napoleonischen Zwischenspiel fiel die Stadt dann durch

den Wiener Kongreß im Jahre 1815 an den Zaren. Sie wurde Hauptstadt des »Königreiches Polen«, und unter russischer Oberhoheit konnte endlich 1828 in Warschau ein Generalkonsistorium errichtet werden, das beide Bekenntnisse vereinte. Ein kaiserlicher Ukas genehmigte diesen Schritt.
Doch die alten Spannungen waren damit nicht behoben. Die Verwaltungsunion brachte neue Konflikte, und die Lutheraner, die sich benachteiligt fühlten, suchten nach einer Lösung. Inzwischen hatte der polnische Aufstand von 1830/31 die Autonomie des Königreiches beseitigt, und als 1849 von Petersburg aus die Trennung beider Konfessionen verfügt wurde, geschah dies wohl nicht ohne Hinblick auf das alte Wort: »Divide et impera!« Die Anregungen des ersten lutherischen Pfarrers der Stadt dazu mögen dem russischen Ministerium nicht unwillkommen gewesen sein. Ab jetzt bestanden wieder zwei getrennte Konsistorien, das Generalkonsistorium wurde liquidiert.
Die Zunahme der industriellen Tätigkeit und der damit verbundene Aufschwung des Handels zog in der zweiten Hälfte des Jahrhunderts immer mehr Menschen in die Stadt. Dennoch blieb die Zahl der Gemeinden fast gleich, sie stieg bis 1918 nur um vier an. Auch die Zahl der Pfarrer stagnierte – sie blieb sogar bis zum Weltkrieg gleich (59). Die Gründe dafür sind vornehmlich darin zu suchen, daß sich Warschau zum Zentrum eines starken polnischen Nationalismus entwickelte. Schon der Aufstand des Jahres 1863 hatte eine starke Abwanderung deutscher Protestanten zur Folge, und als gegen Ende des Jahrhunderts ein erneuter polnischer Nationalismus unter wohlwollender Duldung und Förderung von Petersburg sich gegen Deutschland wandte, die Wiederherstellung des alten Polens unter russischer Herrschaft und mit russischer Hilfe anstrebte (es sei hier nur an *Roman Dmowski* erinnert), verließen erneut viele Deutsche die Stadt und siedelten sich in dem rasch wachsenden Industriegebiet von Łódź an. Die nationalpolnische Atmosphäre Warschaus war so stark, daß viele Deutsche assimiliert wurden und im Polentum aufgingen, man schätzt die Zahl derer, die sich zwischen 1750 und 1900 zum Polentum bekannten, auf 40000–50000. Dieser Verlust an Abwandernden betraf allerdings meist die Lutheraner, die Polen gehörten überwiegend der reformierten Kirche an.
Unter dem Einfluß dieses polnischen Nationalismus wurden in Warschau die Gedanken des sogenannten »Polnischen Evangelizismus« entwickelt, einer Bewegung, die nach 1918 im neuen polnischen Staat dann in Bischof *Bursche* ihren herausragenden Vertreter besaß. Doch auf diesen Streit, der sich aus dem Konflikt zwischen ihm und den anderen in Polen entstandenen evangelischen Kirchen ergab, ist bereits hingewiesen worden. Ohne das besondere Klima der Stadt, die das Zentrum dieser Richtung wurde, ist aber diese Bewegung nicht denkbar.
Der Weltkrieg, der den Zusammenbruch der alten Ordnung Ostmittel-

europas nach sich zog, hat schließlich Polen als souveränen Staat wiedererstehen lassen. Warschau wurde wieder Hauptstadt, ein Generalkonsistorium hatte dort seinen Sitz, es gelang sogar, an der Universität eine Theologische Fakultät für Protestanten zu errichten. Doch mit dieser Machterhöhung begann auch der Konflikt mit den evangelischen Kirchen, die in Posen-Westpreußen und in Galizien in der Teilungszeit entstanden waren. Sie haben zu heftigen Erschütterungen geführt, doch die Warschauer Protestanten haben sich nicht davon berührt gezeigt und sind fest zu ihrem Bischof *Julius Bursche* gestanden.

17. Wilna

Über die Anfänge der Gemeinde in Wilna, der Ausbildung dieser protestantischen Kirche im Nordosten Polens, sind wir heute auf Vermutungen angewiesen. Denn im Jahre 1611 hat eine aufgehetzte Menge nicht nur die evangelische Kirche, sondern auch die Bibliothek und das gesamte Archiv der Wilnaer Evangelisch-Reformierten Kirche zerstört und die Gebäude samt ihres Inhaltes niedergebrannt. Doch haben sich in Krakau Akten gefunden, die zeigen, daß bereits 1557 sich in Wilna eine »christliche evangelische« Gemeinde konstituierte, im gleichen Jahre also wie in Danzig.
Die Keimzelle dafür wird die Lateinschule gebildet haben, die 1540 von einem aus Wittenberg zurückkehrenden Theologen gegründet wurde. Da der Humanismus damals in Polen in hohem Ansehen stand, schickten viele Adlige ihre Söhne dorthin, um sie für den Besuch der Universitäten vorzubereiten. So wurde diese Schule ein Ort, von dem aus die Wittenbergische Lehre sich über das Land verbreitete. Rückhalt fanden die Protestanten, zu denen die meisten der deutschen Stadtbürger Wilnas zählten, an den mächtigen Adelsgeschlechtern des Landes, besonders an der Familie *Radziwiłł*. Diese hielt in einem eigens dafür errichteten Hause Gottesdienste ab, an denen auch die anderen Protestanten teilnehmen durften.
Das Wirken *Johannes a Laskos* hat dann sehr bald (seit 1557) die litauischen Adeligen dem reformierten Bekenntnis gewonnen, auch die *Radziwiłł*, und so trennten sich die Lutheraner von der reformierten Gemeinde, die in der Hofkirche ihre Gottesdienste hielt, und erbauten um 1560 ein eigenes Gotteshaus. Da ihnen ein Seelsorger fehlte, wandten sie sich an den Herzog von Preußen, und dieser sandte ihnen sehr schnell einen Pfarrer, der sie betreute. Der rasche Aufschwung des Protestantismus aber rief die Jesuiten auf den Plan. Schon 1569 wurde in der Stadt eine Niederlassung dieses Ordens gegründet, der vor allen anderen die Gegenreformation in Polen trug. Unter seiner Leitung befand sich sehr bald das Schulwesen, die von Jesuiten geleitete Hochschule erhielt 1578 den Rang einer katholischen Akademie, der die protestantische Seite nichts Entsprechendes entgegenzustellen hatte.

Dadurch aber wurden viele junge Adlige angezogen, das Schulwesen erwies sich auch hier als ein entscheidendes Mittel im Kampf um die Seelen. Auf den beiden protestantischen Gemeinden lastete bald ein immer stärkerer Druck. Doch auch die Gruppe derjenigen Adeligen, die noch aus alter Zeit her dem orthodoxen Glauben anhingen, spürten ihn und fühlten sich in der Ausübung ihres Glaubens bedroht.
So kam es zu der Versammlung von orthodoxen und protestantischen Adeligen im Jahre 1599 im Palast des Fürsten *Kostjantyn Ostrożkyj* in Wilna (siehe S. 114), auf der man übereinkam, gemeinsam gegen Übergriffe von seiten der Katholischen Stellung zu nehmen. Besonders die Pravoslaven fühlten sich bedrängt, nachdem 1596 die Synode von Brest die Kirchenunion zwischen Katholiken und Orthodoxen beschlossen hatte.
Es ist dieser Vereinigung keine lange Dauer beschieden gewesen. Denn der Initiator des protestantisch-orthodoxen Bündnisses, Fürst *Ostrożkyj*, starb wenige Jahre später, und die Anerkennung, um die die Pravoslaven den ökumenischen Patriarchen von Konstantinopel als obersten Kirchenherren ersucht hatten, blieb aus. Ab 1608 hören wir von der gemeinsamen Front der Nichtkatholiken nichts mehr.
Das machte sich sehr bald bemerkbar. Im Jahr 1611 kam es, wie schon geschildert, zu den schweren Ausschreitungen gegen die protestantischen »Ketzer« durch den Pöbel, der von den Schülern der katholischen Hochschule angeführt wurde. Doch der Verlust der Gemeindegebäude konnte die Protestanten nicht zerbrechen, wie ja Haß und Gewalt niemals überzeugen. Die Reformierten gingen denn auch bald nach dem Verlust daran, ein neues Gotteshaus zu errichten. Und alle Bemühungen der gegenreformatorischen Kräfte, Wilna zu einer rein katholischen Stadt zu machen, sind an der Glaubenskraft der Protestanten gescheitert.
Wir haben von dem Schicksal der lutherischen Gemeinde dieser Stadt wenig Kenntnis, es fehlen uns die notwendigen Quellen, um ihre Geschichte zu erhellen. Nur über die reformierte Kirche und ihr Leben sind wir besser unterrichtet. 1639 kam es wieder zu schweren Ausschreitungen und Tumulten in der Stadt, als die Masse die reformierte Kirche zu plündern suchte. Der polnische Reichstag griff ein und verfügte die Schließung der reformierten Kirche. Die fadenscheinige Begründung lautete hier wie in anderen, ähnlichen Fällen auch: Um die Ruhe und Ordnung der Stadt zu sichern. Doch konnte die Gemeinde wenigstens die Erlaubnis zu einem Neubau jenseits der Stadtmauern erlangen. Das bedeutete zwar in diesen kriegerischen Zeiten, daß die Kirche bei Angriffen auf die Stadt ohne Schutz war, doch konnte wenigstens der Gottesdienst weitergeführt werden. Sicher war allerdings die Gemeinde nicht – auch nicht vor den katholischen Mitbürgern. Im Jahre 1682 wurde die Kirche erneut bis auf den Grund niedergebrannt. Der König selbst mußte eingreifen und den Neubau unter seinen Schutz

stellen. Neben der Kirche wurde nun ein neues Schulgebäude errichtet, auch ein Hospital und die dazugehörigen Wohnungen für Pfarrer und Lehrer.
Die protestantischen Gläubigen sind in dieser Zeit vielfachen Bedrückungen ausgesetzt gewesen. In den Zünften und Gilden der Stadt wurden ihre Rechte mehr und mehr eingeschränkt, wodurch besonders die deutschen lutherischen Stadtbürger betroffen waren, doch auch in den Selbstverwaltungsorganen, den Kreislandtagen, wurden die politischen Rechte der Protestanten eingeschränkt, sie wurden zu Bürgern zweiter Klasse, zu Außenseitern.
Diesem Zustand setzte erst der Warschauer Traktat (1768) ein Ende, und die bald darauf erfolgte Annexion durch Rußland ließ die Protestanten aufatmen.
Auch Wilna ist von den Spannungen, die sich zwischen Polen und der russischen Herrschaft ergaben, nicht verschont geblieben (siehe S. 172, 175). So wurde 1824 das Gymnasium in Kiejdany, das auf Beschluß der Provinzial-Synode des Jahres 1625 errichtet worden war, wegen der Beteiligung der Schüler an nationalpolnischen Bestrebungen (wie man damals sagte: »patriotischen«) geschlossen, und nach dem Scheitern des Aufstandes von 1863, an dem die Schüler der oberen Klassen teilgenommen hatten, entzog man der Reformierten Kirche auch ihr anderes Gymnasium.
Als 1921 im Frieden zwischen Polen und der Sowjetunion das Gebiet um Wilna an Polen fiel, konnte die Wilnaer Evangelisch-Reformierte Kirche ihre Eigenständigkeit gegenüber den Warschauer Ansprüchen, die Führung einer allgemeinpolnischen protestantischen Kirche zu übernehmen, nicht unbegründet behaupten. Denn da Warschau als Zentrum Kongreßpolens eine andere verfassungsmäßige Entwicklung genommen hatte als das zu den russischen Westgebieten gehörende Wilna, ergaben sich schon in der Struktur der Kirchenorganisation starke Abweichungen. Wilna besaß eine »Synodalverfassung reinster Form«, während Warschau und seine Kirche auf synodal-presbyterialer Grundlage organisiert war.
Schon 1918 fand eine erste Synode in Wilna statt, wenige Tage vor der Proklamation des Anschlusses dieses Gebietes an den polnischen Staat. Sie beschloß, die durch die russische Verwaltung aufoktroyierten Vorschriften zu beseitigen und kehrte, als selbständige kirchliche Organisation konstituiert, zu den alten Kirchengesetzen zurück. Auch die sogenannte »Große Agende«, die aus dem Jahre 1637 stammte, wurde wieder in Kraft gesetzt. Bald nahm die Kirche wieder enge Beziehungen zu Deutschland und Holland, auch zur Schweiz auf. Ebenso suchte sie Verbindung zu den anderen evangelischen Kirchen in Polen im Sinne einer ökumenischen Zusammenarbeit. Aus ihrer besonderen Stellung heraus – ihre Gläubigen gehörten überwiegend dem Polentum an, doch wahrte die Kirche ihre Selbständigkeit gegenüber Warschau – unternahm sie den Versuch, zwischen der War-

schauer »Evangelisch-Augsburgischen Kirche in Polen« und dem westpolnischen und galizischen Protestantismus zu vermitteln, ein Versuch, der trotz verschiedener guter Ansätze letztlich scheiterte (siehe S. 188ff.). Die Wilnaer Kirche war es, die 1926 jene Konferenz der protestantischen Kirchen in Polen einberief, auf der der »Rat der Evangelischen Kirchen in Polen« begründet wurde. Aber auch sonst bemühte sich die Kirche zu vermitteln, besonders zwischen Polen und dem litauischen Staat, der mit der Annexion Wilnas durch die Warschauer Regierung nicht einverstanden war und Wilna als ehemaliges Territorium des Großfürstentums Litauen für sich beanspruchte.

Zu einem Erfolg ist es in beiden Angelegenheiten nicht gekommen. Die Gegensätze waren zu groß, um beseitigt zu werden. Erst mit der brutalen Lösung des ostmitteleuropäischen Problems durch *Hitler* und *Stalin* 1939 und dann – vorläufig »endgültig« – durch die Grenzziehung und Neuordnung nach dem Zweiten Weltkrieg sind diese Fragen »erledigt«. Die Wilnaer Kirche freilich hat dabei ihre Eigenständigkeit eingebüßt, ihr Territorium gehört heute der Litauischen Sowjetrepublik an, und ihre Gläubigen teilen das Schicksal der Protestanten in der Sowjetunion.

18. Die Entwicklung nach dem Zweiten Weltkrieg

In keinem der osteuropäischen Länder hat wohl der Protestantismus solch schwere Verluste infolge des Krieges und seiner Nachwirkungen erlitten wie gerade in Polen. In diesem Lande, dessen Bevölkerung zum überwiegenden Teil der römisch-katholischen Kirche angehört, bildete das deutsche Bevölkerungselement seine Hauptstütze. Zur Zeit der Fremdherrschaft, als das Land in seinem östlichen Teile einem orthodoxen und in seinem westlichen einem protestantischen Herrscher untertan war, hatte die katholische Kirche in Polen sich in einer mehr oder minder starken Abwehrstellung befunden, und in dieser »Abwehr« des »Fremden« traf sie mit dem polnischen Nationalismus zusammen. Die Ereignisse, die sich nach dem Aufstand des Jahres 1863 im russischen und während des »Kulturkampfes« im preußischen Teil des Landes abspielten, festigten dieses Bündnis nur noch mehr, so daß vielfach bewußtes Polentum und Bekenntnis zum Katholizismus als identisch galten. Angesichts dieser Verquickung lag es nahe, die orthodoxe Konfession mit russischem und die protestantische Konfession mit deutschem Volkstum gleichzusetzen. An dieser Einstellung änderte sich auch während der Zeit der polnischen Republik (1918–39) wenig; den Großteil der Glieder der Evangelisch-Augsburgischen Kirche in Polen (etwa 80%) bildeten die Volksdeutschen.

Als 1945 dem wiederhergestellten polnischen Staat die provisorische Verwaltung der Gebiete jenseits von Oder und Neiße zugesprochen wurden, zwang die polnische Regierung alle Deutschen, das Gebiet des neuen Polen zu verlassen, um so die Nationalitätenfrage, die mit einen Vorwand für *Hitlers* Überfall geliefert hatte, radikal zu lösen und sich gleichzeitig diese ehemaligen deutschen Gebiete zu sichern, die nun mit Polen besiedelt wurden.

Diese Zwangsaussiedlung der Volksdeutschen aus dem Gebiete des neuen polnischen Staates schwächte den Protestantismus in Polen außerordentlich. Nur zwei größere Zentren verblieben: die Protestanten in Masuren und die Schlonsaken.

Mit der Vertreibung und Liquidation alles Deutschen wurden auch die in den ehemaligen deutschen Ostgebieten bestehenden kirchlichen Organisationen aufgelöst. Übrig blieb allein die Evangelisch-Augsburgische Kirche Polens, die ihren Sitz in Warschau hatte. Da diese Kirche – als polnische Kirche – unter den Verfolgungen während der Besatzungszeit wie alles Polnische gelitten hatte (man erinnere sich an das Schicksal ihres General-Superintendenten *Julius Bursche)*, war ihre Wiedererrichtung nach dem Kriege möglich. Sie begann, die polnischen Protestanten zu erfassen und ein geordnetes kirchliches Leben aufzubauen.

Die Schwierigkeiten, die man bei der Neuordnung der kirchlichen Organisation zu überwinden hatte, waren außerordentlich. Der Rückzug der deutschen und der Vormarsch der sowjetischen Truppen hatte die Verkehrs- und sonstigen Verbindungswege schwer getroffen, eine wirklich funktionierende Kirchenleitung mußte erst wieder errichtet werden. Doch bereits im Januar 1945 trafen sich in Tschenstochau einige protestantische Pfarrer, um die Leitung der kirchlichen Angelegenheiten wieder zu ordnen. Ein »Vorläufiges Konsistorium« wurde von diesen Männern gewählt, dem die kirchlichen Belange anvertraut wurden, »vorläufig« um so mehr, als aufgrund der verworrenen Lage auf dieser Zusammenkunft nur ein kleiner Teil der Gemeinden überhaupt vertreten sein konnte.

Inzwischen waren durch eine Verordnung der polnischen Regierung (vom 19. September 1946) die evangelischen Kirchen, die in der Hauptsache aus Deutschen bestanden, aufgelöst worden. Ihre Gemeinden wurden der polnischen evangelischen Kirche eingegliedert, ihr Vermögen fiel an den polnischen Staat, soweit es nicht in der Zwischenzeit in den Besitz der Evangelisch-Augsburgischen Kirche übergegangen war. Die Proteste, die die Leitung der Evangelischen Kirche der altpreußischen Union als die meistbetroffene Stelle gegen diesen Rechtsbruch einlegte, blieben unbeachtet.

In der Zwischenzeit hatten sich die Reste der deutschen Gemeinden unter der Leitung der zurückgebliebenen Pfarrer wieder zusammengefunden. Vor allem in Schlesien, wo 1945 noch etwa 1 Million Evangelischer lebten, hatte die Kirchenleitung wieder ein geordnetes kirchliches Leben in Gang gebracht. In Breslau fand 1946 eine Synode statt, und die Kirchenleitung

trat in Verhandlungen mit der polnischen Regierung ein. Doch das rasche Absinken der Zahl der Evangelischen infolge der Aussiedlung einerseits und die Verordnung über die Unterstellung auch der schlesischen unter die Evangelisch-Augsburgische Kirche andererseits machten diese Bemühungen hinfällig.
Die kleinen deutschen Restgemeinden, die in Mittelpolen, Posen, Danzig und Ostoberschlesien noch bestanden, konnten sehr bald und ohne Schwierigkeiten in die polnische Evangelisch-Augsburgische Kirche eingegliedert werden. Schwieriger gestaltete sich dies im polnischen Teil Ostpreußens. Hier waren die Methodisten sehr rührig gewesen und hatten häufig die Nachfolge der (deutschen) Kirche angetreten. Es kam zu langwierigen und oftmals wenig erfreulichen Auseinandersetzungen, bis die Evangelisch-Augsburgische Kirche die geistliche Versorgung der Evangelischen durchführen konnte. Doch brachte die Betreuung durch die Evangelisch-Augsburgische Kirche, deren Gottesdienst – da sie eine polnische Kirche ist – in polnischer Sprache abgehalten wird, viele Schwierigkeiten. Da von polnischer Seite die sogenannten »Autochthonen« in Ostpreußen, d. h. die Masuren, als »germanisierte Slaven« angesehen werden, wird von staatlicher Seite Wert darauf gelegt, daß die deutsche Sprache durch die polnische ersetzt wird, um diese »Germanisierung« wieder aufzuheben. Daß dabei oftmals viele seelische Not entstand, weil die gottesdienstliche Betreuung in der fremden Sprache erfolgte, die zumal in den ersten Jahren der neuen Ordnung nicht allen geläufig war, kümmerte den Staat nicht.
Diese Lage der deutschsprechenden Bevölkerung führte auch mit dazu, daß alle diejenigen, die an ihrer deutschen Sprache hängen, sich um die Auswanderung nach Deutschland bewarben und somit die Zahl der deutschen Evangelischen mehr und mehr zurückging.
In Hinterpommern und Niederschlesien aber war eine verhältnismäßig größere Zahl von Deutschen zurückgeblieben, und diese wurden nicht als »Autochthone« angesehen, ihr Deutschtum also anerkannt. Hier beschränkte sich die Evangelisch-Augsburgische Kirche hauptsächlich auf eine Art von Aufsichtsrecht, während die deutschen Gemeinden bestehenblieben. Doch machte sich der Mangel an Geistlichen sehr stark bemerkbar, denn die meisten deutschen Pfarrer wurden von der Zwangsaussiedlung betroffen.
Bei der außerordentlich starken Streuung der deutschen evangelischen Diaspora war eine ordnungsgemäße Versorgung der Gemeinden durch die wenigen verbliebenen Pfarrer nicht möglich. Um sie nicht ganz ausfallen zu lassen, schalteten sich daher mehr und mehr Laienkräfte in den seelsorgerischen Dienst ein, und zwar so stark, daß man geradezu von einer »Kirche der Lektoren« sprach. Die Bedeutung der Laien, die als Lektoren, Katecheten, Diakonissen, Kantoren, Chorleiter oder Helfer aufopfernden Dienst verrichteten, kann nicht hoch genug eingeschätzt werden. Ihrer

Arbeit ist es zum Großteil zu verdanken, daß die Gemeinden mit der notwendigsten Seelsorge einigermaßen ausreichend versorgt wurden. Versuche der deutschen Mutterkirche, dem Pfarrermangel durch Entsendung deutscher Pfarrer abzuhelfen, scheiterten an der Ablehnung der polnischen Regierung, die keine Verbindung mit Deutschland wünschte. Erst nach 1956 wurde durch die anfangs dieses Jahres gebildete »Kommission des Konsistoriums der Evangelisch-Augsburgischen Kirche in der Volksrepublik Polen für die Seelsorge der nichtpolnischen Kirchen« die Frage der geistlichen Betreuung dieser deutschen Diasporagemeinden in Angriff genommen.
Es war der Evangelisch-Augsburgischen Kirche in Polen in den Jahren zwischen 1946 und 1956 gelungen, eine neue Kirchenleitung einzusetzen und die kirchliche Verwaltung aufzubauen, freilich nicht ohne Schwierigkeiten, die der Kirche und den Gläubigen seitens der kommunistischen Regierung bereitet wurden. Je mehr das Land auf den »Sozialismus« ausgerichtet wurde, desto größer wurde das Ärgernis, das Kirche und »religiöser Aberglaube« für die Kommunisten als Vertreter einer »wissenschaftlichen« Weltanschauung bildeten. Die Methoden, mit denen gegen Kirche und Religion vorgegangen wurden, unterschieden sich von den in anderen kommunistisch beherrschten Ländern praktizierten nur wenig und hatten die antikirchlichen Maßnahmen der Sowjetunion zum Vorbild.
Leichter wurde die kirchliche Arbeit erst wieder nach der Beseitigung des Stalinschen Systems in Polen im Oktober 1956. Kurz darauf konnte eine Synode einberufen werden, die daran ging, die kirchlichen Ämter teilweise neu zu besetzen und die Fragen zu lösen, die sich aus der veränderten Situation ergaben.
Die Schwierigkeiten, denen sich die Evangelisch-Augsburgische Kirche in Polen auch heute noch gegenübersieht, sind groß. Besonders schwierig ist die geistliche Versorung der in ausgedehnter Diaspora lebenden Glieder. Dazu kommt, daß die finanzielle Belastung sehr schwer ist, müssen doch nicht nur die Besoldung der Pfarrer, sondern auch die Unterhaltung der kirchlichen Gebäude von den Opfern der Gläubigen bestritten werden. Manches kann hier der polnische Gustav-Adolf-Verein, dessen Sitz Teschen ist, beitragen.
Aber auch andere Schwierigkeiten bringt die Diaspora-Situation noch mit sich. So ist z. B. die Erteilung von Religionsunterricht an die Bedingung geknüpft, daß mindestens 20 Kinder an ihm teilnehmen. Dies ist aber durch große Ausdehnung der einzelnen Pfarreien oftmals nicht möglich, so daß auf mancherlei Art nach Abhilfe gesucht wird.
Während sich nach 1956 das Verhältnis zur Regierung und den Behörden etwas gebessert hat, sieht sich der Protestantismus in Polen mit Besorgnis den Ansprüchen der katholischen Kirche gegenüber, die ihren Anspruch, die Kirche Polens zu sein, auch weiterhin aufrechterhält. Angesichts der

Bedeutung, die der katholischen Kirche in Polen zukommt, können die konfessionellen Minderheiten auch kaum auf den Schutz der Regierung gegen eventuelle Übergriffe seitens der Katholiken rechnen.
Ungeachtet all dieser Bedrängnisse und Nöte bemüht sich die Evangelisch-Augsburgische Kirche Polens, ihre Arbeit zu verstärken, besonders unter der Jugend. Breiten Raum nimmt die ökumenische Arbeit ein. Bereits während des Krieges wurde der Christliche Ökumenische Rat in Polen (Chreścijańska Rada Ekumeniczna w Polsce) gebildet. Bis 1956 war seine Arbeit durch die innenpolitische Lage fast unmöglich, seitdem aber arbeitet der Rat mit viel Erfolg. Ihm gehören neben der Evangelisch-Augsburgischen Kirche die romfreie »Polnische Katholische Kirche« (etwa 40000 Mitglieder), die in Amerika entstand, die Mariawiten (etwa 30000 Seelen), eine stark sozial-caritativ ausgerichtete Sekte, die Methodisten, Baptisten, die Evangeliumschristen (ein Zusammenspielschluß verschiedener Gruppen, die sich z. T. vom ukrainischen Stundismus herleiten) und die »Polnische Reformierte Kirche« (etwa 5000 Seelen) an.
Mit dieser letzteren Kirche ist die Zusammenarbeit der Evangelisch-Augsburgischen Kirche besonders eng. Solange die Trinitatiskirche in Warschau, die Hauptkirche der Evangelischen, vom Staat beschlagnahmt war (sie wurde erst im Herbst 1956 zurückgegeben), diente das Gotteshaus der Reformierten auch der Warschauer evangelischen Gemeinde.
Wenn es der Evangelisch-Augsburgischen Kirche in Polen nach 1956 auch gelungen ist, viele Aufgaben zu lösen, so bleibt die Lage dieser kleinen Kirche mit ihren rund 100000 Seelen, die in 300 Gemeinden von 100 Pfarrern betreut werden, doch weiterhin angespannt, besonders auf finanziellem Gebiet. Zwar bemüht man sich nach Kräften, die Schwierigkeiten zu beseitigen, doch kann sich diese Diasporagemeinde nur unter größten Anstrengungen behaupten. Hier tut ökumenische Hilfe wahrhaft not, wenn diese Insel des Protestantismus nicht untergehen soll.

IV. IM REICH DER WENZELSKRONE

1. Einleitung

Das einstige Habsburgerreich gehörte nur zu einer Hälfte nach Osteuropa, zu der, die von den Geographen als »Pannonischer Raum« bezeichnet wird. Die andere Hälfte, die vom Erzgebirge bis weit nach Süden reicht, ist ein Stück Mitteleuropas.

Von dieser Hälfte wird im Nachfolgenden der nördliche Teil unter der Bezeichnung »Reich der Wenzelskrone« in unsere Berichterstattung einbezogen, der Landstrich, den man auch als »Tschechei« bezeichnet, um ihn von der »Slowakei« abzuheben, mit der er in der »Tschechoslovakei« seit 1919 zu einem Staat verbunden ist. Es sei aber kurz wiederholt: die hier liegenden drei Länder, unter ihren historischen Namen als Königreich Böhmen, Markgrafschaft Mähren und Herzogtum Schlesien bekannt, haben in der Geschichte des osteuropäischen Protestantismus eine so eigenartige und so bedeutsame Rolle gespielt, daß sie nicht übergangen werden darf, wenn man nicht einen wesentlichen Faktor dieser Geschichte verfehlen will. Noch heute überragt der Protestantismus der Tschechen alles, was von slavischem reformatorischem Christentum zu berichten ist, wenn auch nicht in den Ziffern seines Bestandes – darin stehen die Slovaken voran, – so doch an theologischem Bemühen und praktischer Missionsenergie.

Allein in Böhmen und Mähren geschah es, daß eine protestierende Bewegung schon im 15. Jahrhundert sich nicht wie anderwärts in Unruhen und Widerständen erschöpfte, sondern zu einer eigenen Kirchenbildung führte, dazu einer solchen, die ein höchst eigenständiges Gepräge trug, etwa zweihundert Jahre Bestand hatte und in ihren Nachwirkungen bis in unsere Tage reicht.

Es darf auch nicht gering geschätzt werden, daß der Husitismus – denn von diesem ist die Rede – von Bedeutung dafür war, daß die beiden großen Reformationsbewegungen des 16. Jahrhunderts, das Luthertum und der Calvinismus, so schnellen und weiten Erfolg fanden. Von Böhmen aus wurde der Boden für sie im Geistesleben des Ostens in unserem Kontinent aufgelockert.

Die unmittelbaren Voraussetzungen für das Entstehen und die Entfaltung des Husitismus sind oben geschildert worden: das von den Wiclifiten und Waldensern bestimmte Auftreten des tschechischen Reformators Jan Hus, sein tapferes Bekenntnis vor dem Konzil zu Konstanz und sein Märtyrertod auf dem Scheiterhaufen 1415, dem im Jahr darauf das gleiche Schicksal seines engsten Genossen Hieronymus folgte.

In dem dritten der genannten Länder liegen die Dinge insofern anders, als das Piastenreich Schlesien nicht zum tschechischen, sondern zum polnischen Kulturbereich gerechnet werden muß. Die hier sich abspielende Reformationsgeschichte erfordert gesonderte Behandlung (siehe S. 275ff.).

2. Utraquisten

Der Widerhall, den das Konstanzer Martyrium des Pfarrers und Universitätslehrers von Prag in seiner Heimat fand, übertraf jede Erwartung. *Hus* wurde zum Nationalhelden.

Als Sprecher der Nation nahmen die Stände das Wort. Ihr achtfach ausgefertigtes und versandtes Protestschreiben trug 452 Unterschriften und angehängte Wappensiegel. Die daraufhin erfolgende Vorladung jedes einzelnen Unterzeichners, vor dem Konzil zur Rechtfertigung zu erscheinen, wurde nur verlacht. Aber nicht nur der Adel, auch die zahlreiche Bürgerschaft in den Städten und sogar die Bauern auf dem Lande waren tief erregt, erbittert und empört.

Für die Ausbreitung der Volksbewegung und ihre Festigung sowie später für den Zusammenhalt der auseinanderstrebenden Gruppen war es von hoher Bedeutung, daß sie bald in einem schönen Symbol einen sehr volkstümlichen Ausdruck fand. Der »Kelch« ist bis heute seit über 500 Jahren das Kennzeichen der Protestgesinnung im religiösen und nationalen Leben des tschechischen Volkes.

Es erregt immer Aufsehen, wenn bei den Tagungen der Ökumene (seit 1925; Stockholm) die Priester der »Tschechoslovakischen Kirche« in ihren schwarzen Talaren auftreten, die einen großen, rot gestickten Kelch auf der Brust tragen. Wenn man auf oder an der Elbe aus Sachsen nach Süden fährt, so sieht man aus dem Stadtbild von Leitmeritz das Rathaus herausragen, dessen Turm von einem großen Kelch gekrönt ist. Die Züge der Husiten, die bis zur Ostsee vorstießen, leben noch in dem Volkslied von den »Husiten vor Naumburg« fort. In dieser von Weinbergen und Kirschgärten umfluteten, vielbesungenen Saalestadt wurde noch bis 1940 jährlich ein Fest gefeiert, das der Erinnerung daran galt, daß der Husitenführer Prokop von der Belagerung der Stadt abließ, als eine Bittprozession der hungernden Schulkinder sein Soldatenherz erweichte. Die dabei flatternden Fahnen des jenen Vorgang darstellenden Festzugs zeigten einen goldenen Kelch auf schwarzem Tuch.

Schon sehr früh kam für die Husiten die Bezeichnung »Kalixtiner« auf, vom lateinischen *calix* (der Kelch) gebildet, und der amtliche Name der größten Husitengruppe lautete »Utraquisten«. Damit war das genannt, was auch später noch, als man sich zu großen Konzessionen bereit fand, den tschechischen vom römischen Katholizismus deutlich schied: die Austeilung des Abendmahls *sub utraque specie* (»unter beiderlei Gestalt«) zum Unterschied von den Subunisten *(sub una specie)*.

Man fühlt sich zu der Frage veranlaßt, wie es denn dazu kam, daß die Kelchparole das ganze tschechische Volk so zu entflammen vermochte und mit so anhaltender Begeisterung erfüllte.

Es mag sein, daß viele meinten, wie *Hieronymus* es tat, nur durch die ungeteilte Einverleibung des in den beiden Elementen dargebotenen Christus sei eine voll mystische Einigung mit dem Erlöser zu erreichen *(unio mystica)*. Es ist auch wohl richtig, daß bei *Jakobus von Mies*, dem kleinen, daher meist Jakobellus genannten Nachfolger des großen Magisters, der Hang des Vulgärkatholizismus zur magischen Deutung des Sakraments mitwirkte, zumal er höchst nachdrücklich die Kinderkommunion proklamierte, bis hin zu ihrer Spendung an Säuglinge gleich nach der Taufe.

Aber es steckte doch mehr dahinter, etwas ganz Radikales: man proklamierte, der Christ sei dem biblischen Evangelium unbedingten, wortgetreuen Gehorsam schuldig. Wenn Christus befahl: »trinket alle daraus«, so dürfe daran kein Papst und kein Konzil etwas drehen und deuteln. Hat uns nicht die Gemeinde der Apostel und der Urchristenheit das rechte Vorbild gegeben: »man muß Gott mehr gehorchen als den Menschen«? Damit war ein Kirchenbegriff aufgestellt, der in offenbarem Widerspruch zu dem des Mittelalters stand. An dem, was im Laufe der Jahrhunderte aus der Kirche der apostolischen Zeit geworden war, hatten seit langem schon viele scharfe Kritik geübt; ihren offenkundigen Mängeln war aufs nachdrücklichste die Forderung gründlicher Reformen gegenübergestellt worden. Hier aber ging es um weit mehr als um Reformen, es ging ums Grundsätzliche. Und völlig neu war, daß hier ein ganzes Volk aufstand und den Anfang machte, eine Epoche der abendländischen Geschichte zu beenden – um eine andere zu begründen.

Aber war es wirklich eine neue Epoche, die mit der Aufnahme, Fortführung und Vertiefung waldensischer und wiclifitischer Proteste durch das gesamte tschechische Volk und mit der Proklamation eines neuen – des urchristlichen – Kirchenbegriffs begann? Oder war es doch nur eine Episode, zu früh in der Folge der Jahrhunderte und an falscher Stelle einsetzend?

Bei der Umschau auf die Gesamtlage des geistlichen wie des weltlichen Lebens im 15. Jahrhundert wird man wohl sagen dürfen, der biblische Kairos (»als die Zeit erfüllet war«, Gal. 4, 4) kam erst 100 Jahre nach *Hus* und den Husiten. Dann erst gefiel es Gott, ein wirklich neues Kapitel im Geschichtsbuch der Christenheit, ja der Menschheit, beginnen zu lassen. Damit soll die Bedeutung dessen, was die Tschechen mit dem Husitismus für die Geschichte des Protestantismus, ja der Christenheit und der Menschheit überhaupt geleistet haben, nicht verkleinert werden. Die Tschechen waren damals und sind auch heute noch im Vergleich mit vielen anderen ein kleines Volk, dem westslavischen Sprachzweig angehörig (mit den Slovaken, Polen und Wenden), der sich deutlich von den 3 ostslavischen und den 4 südslavischen Stämmen abhebt, sanguinischen Temperaments, musisch und handwerklich vor den anderen begabt, auf einem in der Mitte Europas gelegenen, an Erdenschätzen reichen Fleck ansässig und früh zu eigener Volks- und Staatsgeschichte erwacht.

Wie in manchem anderen der slavischen Völker steckt in den Tschechen ein Zug zum opportunistischen Kompromiß, der ihre Einschmelzung in andere Gemeinschaftsformen begünstigt. Das hätte hier für das nationale Leben leicht zu einem völligen Aufgehen im Österreichertum führen können, zum Herabdrücken der Sprache in eine Mundart für den Hausgebrauch, der nationalen Lebensart zur Folklore, wenn nicht in diesem aktivsten Zweig der Slaven auch die andere Seite der slavischen Seele sich in geschichtlicher Weite hätte entfalten können: der Stolz des Rechthabens, die Lust zum Widerspruch, die Tapferkeit leidensbereiter Siegeshoffnung.

In der Kirchengeschichte des Tschechenvolkes stellt die utraquistische Nationalkirche jene Neigung zum Nachgeben und Anpassen dar. Ihr Gegenpol, eine jugendfrische Gruppe trotziger Draufgänger waren diejenigen Husiten, von denen nunmehr unter dem zusammenfassenden Namen Taboriten die nächsten Seiten berichten sollen.

3. Taboriten

Schon in dem Namen liegt eine Andeutung der seelischen Eigenart, die zum mindesten die Anfänge dieser Gruppe bestimmte. Es ist das die Theologie des »Chiliasmus«, d. h. des Glaubens an das unmittelbar bevorstehende Ende der Erdenzeit und die ihm folgende Errichtung des »Tausendjährigen Reichs«, von dem die Apokalypse spricht (Chilioi = griechisch: tausend) und auf das der Name Tabor den Kenner der Bibel hinweist.

Bei den Anhängern der Blutzeugen von Konstanz hin und her im ganzen Tschechenland hatten sich Schmerz und Trauer zu tiefer Erregung gesteigert, als König *Wenzel* 1419 ernsthafte Schritte tat, um nun endlich den Anordnungen des Konzils zu folgen und die »Ketzerei« auszurotten. Mochten die Stadtleute in Prag ihre Abwehr in klugen Grenzen halten; die Massen auf dem Lande und in den Provinzstädten griffen zu drastischem Widerstand. Sie wurden dazu von ihren zum Kelchgebrauch und zum Gottesdienst in der Landessprache übergegangenen Priestern in leidenschaftlichen Predigten aufgepeitscht. Der Antichrist schien ihnen am Werk zu sein, als immer mehr utraquistische Kirchen auf Befehl des Königs geschlossen wurden; aber bald werde Christus kommen, ihn in die Hölle zu jagen. Dem nahen Erscheinen des Erlösers müsse aber die Schar der Getreuen entgegengehen. Flugblätter legten Bibelstellen dahin aus, daß »auf den Bergen« des Landes die Rettung vor dem drohenden Gericht zu finden sein werde (Mark. 13, 14). Zu Tausenden, ja Zehntausenden wallfahrten schwärmende Haufen in die Versammlungen auf den Höhen, die mit Gesängen, Gebeten, Predigten, Beichten, Kommunionen gefüllt waren und in fanatischem Überschwang die Zeichen der Zeit, der Endzeit, deuteten.

Eine der Berghöhen, die häufiger als andere solche Massen anlockte, nannte man »Tabor« nach dem Gipfel im Heiligen Land, den die Überlieferung als den Ort der Verklärung des Heilandes ansah (Matth. 17). Als die Gläubigen zu engerem Zusammenschluß drängten, sammelte man sich zu geschlossener Behausung an mehreren Orten, vor allem aber hier. Aus primitivsten Anfängen gründete sich auf der an drei Seiten durch tiefe wasserreiche Schluchten gesicherten Höhe die Stadt Tabor. Sie wurde zu einer Art Kirchenburg ausgebaut, geeignet zum Schutz vor den Feinden des Herrn und als fester Platz für den Heeresauszug zu ihrer Niederzwingung. Jubelnd begrüßte man es, als in Prag dem satten und stolzen Patriziat der Altstadt vom Proletariat der Neustadt die Macht entrissen wurde: durch bewaffneten Aufstand, bei dem es nicht an einem Fenstersturz – wie zweihundert Jahre später – fehlte (siehe S. 240). Erbittert hörte man die Nachrichten vom grausamen Vorgehen der Soldaten des Königs und von dem fürchterlichen Ende der Frommen in Kuttenberg, die mitsamt ihren Priestern von den Bergherren auf Antreiben der Barone und Offiziere zum elenden Hungertod in die leeren Schächte geworfen wurden. Bei der Nachricht hiervon traf den König der Schlag. Ihm folgte sein Bruder *Sigismund*, der Letzte der Luxemburger, auf den Thron.

Diese Bergherren waren meist Deutsche, wie überhaupt damals fast alles, was in Böhmen an Handel, Handwerk und Industrie in Blüte stand. Deutsche waren es auch, die zum Teil die kirchliche Hierarchie besetzt hatten und die Neuerungen der Tschechen abzustellen trachteten. So kam es, daß nun die religiöse Erhebung auch einen nationalistischen Einschlag gewann. Den hat der Husitismus, solange er währte, behalten. Auch das, was im 19. wie in unserem Jahrhundert in seiner Nachfolge steht, ist davon nicht frei. Das ist allerdings begreiflich; denn die Insellage der slavischen Bewohner des böhmischen Kessels in der Umzingelung durch eine wirtschaftlich so erfolgreiche Umwelt und eine durch Jahrhunderte währende Zugehörigkeit des Landes zum Heiligen Römischen Reich und dann zum Kaiserreich der Habsburger brachten es mit sich, daß die Geschichte der tschechischen Länder dauernd von Spannung zwischen den beiden Völkern gefüllt ist und nur selten eine Gleichgewichtslage gegenseitigen Verstehens und Helfens aufweist, die für den Frieden Europas so sehr erwünscht gewesen wäre.

Bei den Taboriten geriet in den Mischkessel ihrer religiösen und nationalen Erregungen noch ein drittes Motiv hinein: das soziale.

Schon seit Jahrzehnten lag um 1400 eine große gesellschaftliche Unruhe auf

den Bewohnern der Länder der Wenzelskrone. Die hohe Blüte des Staates war vorbei, der *Karl IV.* den Glanz der Kaiserkrone hatte hinzufügen können, so daß Prag die Hauptstadt des Reiches und Sitz der ersten Reichs-Universität wurde. Ein Absinken der zentralen Herrschaft und ein Aufstieg des selbstherrlichen Feudaladels war ihr gefolgt, was dem »gemeinen Volk« schwere Schäden brachte. Die Besitzer der Latifundien in den fruchtbaren Ländern konnten ihre fürstliche Lebenshaltung nicht mehr anders bestreiten, als daß sie die ihnen hörigen – noch keineswegs schon leibeigenen – Bauern zu immer größerem Frondienst zwangen, der höchst unwillig geleistet wurde. Welch ein Echo mußte es in diesem schwerbedrückten Stande finden, wenn jetzt das Evangelium verkündigt wurde, der jüngste Tag, der Tag der Freiheit und Gleichheit sei nahe! Als er verzog, da galt es nachzuhelfen, selbst anzupacken gegen die Widersacher des Gottesreiches. So trat zu dem religiösen und nationalen Moment des Aufstandes ein soziales.
Solange in Tabor die Vorräte reichten, hatte man sich mit einem Konsumkommunismus begnügt, nach dem Vorbild der Urchristenheit. Ans Produzieren dachte man nicht. Aber Sensen und Dreschflegel lassen sich auch als Waffen gebrauchen. Ein Rauben und Plündern ohne Maßen begann gegen die Andersdenkenden und erstreckte sich weit in die Nachbarländer hinein. Das hätte bald das übliche Ende gefunden, wäre nicht ein neuer Umstand hinzugekommen: hier und da hoben sich überlegene Einzelne aus den Massen heraus und nahmen ihre Lenkung in die Hand.
Den größten Erfolg dabei hatte ein seltsamer Mann, ein einäugiger Ritter aus dem Bauernadel: *Johann Žižka.* Er hatte Zutritt zum König und wurde von diesem begünstigt, als er versuchte, die wirren Menschenhaufen der Aufständischen zu ordnen, aus ihnen ein regelrechtes Heer aufzustellen und für Böhmen ins Feld zu führen. Er verband christgläubigen und nationalen Fanatismus mit höchster Tapferkeit. Als ihm das eine Auge durch einen Pfeilschuß genommen wurde, kämpfte er als Blinder weiter. Vor allem aber: er war ein geborener Meister der Kriegskunst. Seine Erfindung, hinter einer beweglichen Wagenburg sein Fußvolk vor dem Anprall der Reiter zu schützen, sein Geschick, die Truppen mit den neuesten Schußwaffen auszurüsten und mit regelmäßiger Verpflegung zu versorgen, die Kraft, mit der sein Feuergeist das ganze Heer zu todesmutigem Angriff entflammte, dazu seine Begabung für schnelle Taktik und klare Strategie hoben ihn in die Reihe der großen militärischen Genies.
Aber damit erschöpfte sich seine Bedeutung nicht. In das innerkirchliche Geschehen griff er mit Nachdruck ein. Die Taboriten, das sah er, würden mit ihrem schwärmerischen Radikalismus bald Schiffbruch erleiden. Er trennte sich von ihnen und schuf sich in der Gegend von Königgrätz einen »kleinen Tabor«, der dann gleichfalls bald einen biblischen Namen bekam,

den des Horeb (von 1. Kön. 14). Hier sammelte er sich eine Gardetruppe, die ihm entscheidenden Einfluß sicherte. Nach seinem frühen Tode 1424 blieben die Horebiten als besondere kirchliche Gruppe beisammen und tauschten nun, dem verehrten Führer nachtrauernd, ihren Namen mit dem der »Waisen« oder »Orphaniten« (vom griechischen Wort für Elternlose). Sie bildeten in den folgenden Feldzügen den Kern der husitischen Heere und das Zünglein an der Waage im kirchenpolitischen Gegensatz, der die »Prager« von den Taboriten trennte. *Žižkas* Nachfolger *Prokop* trug die Husitenkriege weit über die Grenzen Böhmens hinaus, sogar bis an die Ostküste. Dabei fand er nicht nur Gegner, die niederzuschlagen waren, sondern auch Zulauf von revolutionären Untergrundströmungen aus religiöser und sozialer Vergrämung, die sich überall angesammelt hatte. Bei der Rückkehr in die Heimat war sein Heer größer als beim Ausmarsch. Zweifellos haben sich die husitischen Truppen viel Plünderungen, Zerstörungen, sogar grausame Quälereien zuschulden kommen lassen, doch schwerlich schlimmere als die katholische Gegenseite, die sich sogar ihrer aus Haß und Wut quellenden scheußlichen Rachetaten mit erschreckendem Übermut rühmte. Mit Stumpf und Stil sollte durch im Reich zusammengetrommelte Kreuzheere die Ketzerei ausgerottet werden. Es gelang nicht.
Auf Ausrotten war auch *Žižka* mit den Seinen bedacht, wenn er sah, daß auf husitischer Seite der empörerische Radikalismus die Grenzen christlicher Besonnenheit überstieg. Mit den liberalen »Pikarden«, z. B. den Brüdern des freien Geistes und den libertinistischen Adamiten machte er sehr kurzen Prozeß. Mehr und mehr neigte er den Prager Utraquisten zu.

4. Nationalkirche

Die Kriege der Husiten waren solange vom Sieg begleitet, wie sich die Spannungen zwischen ihren beiden Flügeln, dem konservativen und dem revolutionären, sofort ausglichen, wenn es galt, gegen den Feind gemeinsam Front zu machen. Den Höhepunkt der Erfolge stellt der Kampf bei Taus 1431 dar. Zum fünften Kreuzzug gegen die Ketzer hatten Papst und Kaiser ein Heer von wohl 100000 Mann aufgeboten. Aber es kam überhaupt nicht zum Handgemenge. Vom Lärm der mit kreischenden Achsen heranrückenden Kriegswagen, vom ekstatischen Geschrei der in ihnen hockenden Frauen und Kinder, vom Getöse des taboritischen Schlachtgesangs: »Ihr, die ihr Gottes Streiter seid *(ktož ste boži bojovnici)*, schlagt zu, schlagt zu, laßt keinen am Leben!« wurde das bunt zusammengewürfelte Söldnerheer eingeschüchtert und verwirrt. Das Donnern der Žižkaschen Haubitzen kam hinzu, die Pferde scheuten vor dem unheimlichen Anblick einer sich bewegenden unangreifbaren Burg. Eine Panik brach aus. Umsonst warf sich der Feldherr, der vom Papst dazu entsandte Kardinal *Cesarini*, der allgemei-

nen Flucht entgegen. Sie riß ihn mit; sein reiches Gepäck mit all seinen Akten, Ornaten und Kostbarkeiten wurde Beute der Sieger.
Als der Legat nach Basel zurückkehrte und dem dort versammelten Reformkonzil (1431–49) das Erlebte schilderte, wurde auch dieses vom Schrekken gepackt und versöhnlich gestimmt. Es gab lange Verhandlungen über den »Index compactatus«. Die Forderung der siegreichen Husiten ging weiter als nur auf den Kelch; den hätten die Subunisten wohl zugestanden, allerdings nur als Ausnahme, nicht als allgemein durchzuführende Regel. Die Kompromißler von Prag wären damit zufrieden gewesen; sie gerieten mit den Radikalen in Streit und schlugen sich nun auf die andere Seite. Das so verstärkte Kreuzheer vermochte – nur drei Jahre nach jener schimpflichen Niederlage – die vereinten Taboriten und Orphaniten entscheidend zu schlagen und ihre Kampfkraft völlig zu vernichten. Ihr Feldherr *Prokop* blieb auf dem Schlachtfeld von Lipani (1434).
Dennoch fielen die zwischen dem Konzil und den Tschechen abgeschlossenen Verträge nicht allzu ungünstig aus. Über den von Papst *Eugen IV.* dagegen erhobenen Widerspruch setzte sich das Hierarchen-Parlament hinweg. In ganz moderner Weise nahm es den Vorrang vor dem Monarchen in Anspruch. Die berühmten »Kompaktaten« wurden 1436 in Iglau zum Landesgesetz erhoben und 1437 vom Kaiser *Sigismund* in Prag beschworen. Wenn der nächste Papst, *Pius II.*, die Konzilbeschlüsse für ungültig erklärte, so änderte das nichts daran, daß nun die utraquistische Nationalkirche eine Rechtsbasis erhalten hatte, die nicht mehr übersehen werden konnte.
Die Kirche umfaßte so gut wie vollständig das ganze tschechische Volk. Was ihr in beiden Ländern als romtreue Minderheit gegenüberstand, das war außer einer Gruppe des Hochadels vornehmlich das deutsche Element im Lande. Dem deutschen Bürgertum in den Städten hatte sich im 13. Jahrhundert eine stattliche Bauernmasse hinzugesellt. Aus den Nachbarländern waren im Zuge der großen deutschen Siedlungsbewegung Scharen landloser Bauernsöhne hereingeströmt, hatten die unberührten Urwälder an den Rändern des böhmischen Kessels in Wiesen und Äcker verwandelt und Dorfgemeinschaften gegründet. Ihre Zahl war zwar in den Husitenkriegen durch Vernichtung und Vertreibung dezimiert, wenn nicht gar halbiert worden, aber immer noch ansehnlich. Ihre Parteinahme für die alte Kirche war vielleicht mehr national als glaubensmäßig begründet.
Soweit die Taboriten die Katastrophe von Lipani überlebt hatten, sammelten sie sich mit den »Waisen« *Žižkas* in Tabor. Dort leisteten sie noch 20 Jahre lang Widerstand und boten dadurch vielen aus manchen Ländern kommenden »Häretikern« eine Zufluchtsstätte vor Verfolgung. Zahlreich waren darunter auch Deutsche aus den Waldenser-Gemeinden in Süd- und Norddeutschland, die bis in die brandenburgische Mark hinein Jünger gewonnen, dort

sogar ein Zentrum des Waldensertums gegründet hatten. Das einst so nationalistische Tabor wurde ein Mittelpunkt ökumenischer Protestantengemeinschaft. Von hier aus sammelte sich dann am Südrand des Erzgebirges eine große Waldensergruppe. In der berühmten Hopfenstadt Saaz hatte diese sogar einen Bischofsitz mit einem Priesterseminar. Hier lehrten einträchtig neben husitischen Theologen der recht selbständige Wiclifit *Payne* (Magister Englisch) und der deutsche Denker *Johann von Saaz*.
Die Rechtsgrundlage der utraquistischen Kirche hatte sowohl theologische als auch juridische Mängel. Die Auslegung der Kompaktaten war dehnbar. Wurden die Kelchner von Rom als Häretiker oder als Schismatiker betrachtet wie die Pravoslaven (siehe S. 112ff.) oder vielleicht gar nur als konzessionierte Sondergruppe wie die Unionsgriechen von Ferrara? Der Papst sah zu, als die Stände aus ihrer Priesterschaft 1435 einen Erzbischof ernannten, hinderte ihn nicht in Ausübung des Amtes, verweigerte *Rokycana* aber Bestätigung und Konsekration.
Das brachte große Verlegenheiten; denn der selbst nicht zum Bischofsrang geweihte *Rokycana* konnte nach kanonischem Recht keinen Priester weihen. Zu dem Entschluß aber raffte er sich in seiner Traditionsbefangenheit nicht auf, den theologischen Nachwuchs der Kirche aus eigener Verantwortung zu ordinieren, unbeschadet dessen, daß er nicht in die Reihe der Apostolischen Sukzession aufgenommen war. Um dieser Not abzuhelfen, verhandelte er mit dem Ökumenischen Patriarchen in Konstantinopel, der einen Legaten nach Prag sandte. Es tauchte die Aussicht auf, mit dem Husitismus werde in der Nachfolge von Kyrill und Method ein westslavischer Zweig der morgenländischen Orthodoxie entstehen. Aber Konstantinopel fiel 1453 in die Hände der Türken und der »Phanar«, der Vatikan der Ostkirche unterstand jetzt der »Hohen Pforte«.
So gewannen in der utraquistischen Kirche heillose Zustände die Oberhand. Vielfach fanden Minderwertige, die anderwärts fortgejagt waren, in Böhmen als Priester Unterschlupf, wenn sie nur die Weihe nachweisen konnten, die sie vielleicht betrügerisch erschlichen hatten.
Das war nicht die einzige Unwahrhaftigkeit, von der die Geschichte der Utraquistenkirche belastet ist. Auf die sonst so ernsthaft bischöfliche Gestalt *Rokycanas*, des warmherzigen Christen und eindrucksvollen Predigers, fällt der Schatten, daß er sein Gewissen wieder und wieder schweigen ließ, um die Koexistenz mit den Gegnern aufrechtzuerhalten. Eine Zeitlang widerstand ihm eine Gruppe, die das Absinken in einen »Kryptokatholizismus« nicht mitmachen wollte. Aber das gesellschaftliche Übergewicht der königlichen Hauptstadt, ihrer Beamten und Bürger, Barone und Patrizier saugte bald diese »Neu-Utraquisten« auf, soweit sie nicht auf den Tabor einschwenkten, solange dieses Widerstandsnest sich noch hielt.
Daß diese an schwächlichen Halbheiten so kranke Kirche noch mehr als

100 Jahre bestehen konnte, ist verwunderlich, wird aber durch einen Blick auf die politische Lage jener Jahrzehnte verständlich.
Die utraquistischen Stände hatten es nach dem Tode des Kaisers *Sigismund* (1437) abgelehnt, seinen Schwiegersohn, den österreichischen Herzog, späteren König *Albrecht II.* zum König zu wählen, sondern setzten ihre Hoffnung auf *Sigismunds* nachgeborenen Sohn *Ladislaus Postumus* und bestellten 1448 zu seinem Verweser aus ihren Reihen den klugen und tatkräftigen *Georg von Podjebrad.* Ihn riefen sie dann auch selbst auf den Thron, als 1457 der achtzehnjährige König starb. In seinen Händen war die Kirche äußerlich geschützt. Die wenigen Romtreuen, namentlich der Hochadel und die Städte, mußten sich mit dem Bestand der Landeskirche abfinden, ebenso die Hierarchie. Den eigensinnigen Tabor legte *Podjebrad* lahm. Alle Sektierer wurden vertrieben oder verbrannt. Es lag ihm daran, nicht von offenbaren Ketzern belastet zu sein, da er sich Hoffnung machte, seiner böhmischen auch noch die deutsche Krone hinzufügen zu können. Er starb 1471, ein Jahr darauf starb auch *Rokycana.* An seine Stelle trat nicht ein neuer Bischof, sondern ein vom Landtag bestelltes Konsistorium mit einem Administrator und teils juristischen, teils theologischen Räten. Es residierte als »unteres Konsistorium« im Moldautal; auf dem Hradschin waltete das »obere« als römischer Generalstab ohne Armee.
Beide Konsistorien sprachen sich nach längerem Gezänk 1485 für gegenseitige Anerkennung ihrer Kirchen aus und im ganzen Lande herrschte eine einzig dastehende konfessionelle Toleranz. Die Königsgewalt war in diesen Jahren zwischen polnischen Jagiellonen und Habsburgern strittig, auch durch Bindungen an Ungarn und Kämpfe mit den Türken gehemmt. Sie mußte zusehen und schließlich zugeben, daß Böhmen zu einer oligarchischen Adelsrepublik wurde, der man in kirchlichen Dingen nicht dreinreden dürfe.
Die Kurie tröstete sich, da ihre Bannsprüche (1462 gegen die Kompaktaten, 1466 gegen den König) ins Leere stießen, mit der Beobachtung, daß die Aufweichung des Husitentrotzes dauernd Fortschritte machte und bald zu der mit Gewalt nicht erreichbaren Rückkehr der Abtrünnigen führen werde. Sie sah die Lage ähnlich als taktisches Manöver von vorübergehender Bedeutung an, wie sie später nach der Schlacht bei Mühlberg das hinnahm, was *Karl V.* im Augsburger, *Ferdinand I.* im Prager Interim den zwar besiegten, aber nicht bezwungenen Protestanten immerhin zugestanden hatten.
In beiden Fällen war die Rechnung falsch. In Böhmen zunächst geschah etwas Unerwartetes. Aus der Wurzel des verdorrenden Baums trieb ein grünender Sproß: Die Kelchkirche starb ab, die Brüderkirche wurde ihr Erbe.

5. Die Brüder

Das Zwielicht, das über dem Charakter des kalixtinischen Erzbischofs liegt, weicht an einem Punkt einem freundlichen Anblick. Seine Betätigung als volkstümlicher Prediger in der historischen Tein-Kirche zu Prag hatte einen eigenartigen Erfolg, der die Nationalkirche überdauerte und Segensspuren hinterließ, die bis in unsere Tage wirksam sind. *Rokycana* hielt sich vor den ihm zuströmenden Massen nicht mit dogmatischen Fragen auf; seine Theologie war ja unklar und schwankend. Seine ganze hinreißende Beredsamkeit wandte er der täglichen Praxis des Christen zu. Mit schwärzesten Farben malte sein Pessimismus das Bild der Zeit. Nicht nur das Kirchenvolk wurde mit harten Worten gestraft für den Abfall von dem heiligen Eifer der Alten, sondern auch die Priester, die tschechischen so gut wie die römischen. Er warnte vor dem Empfang der Sakramente aus den Händen solcher, die in Todsünden dahinlebten: »Nicht wahr, Mutter, einen Pfennig oder Gulden siehst du dir genau an, daß du nicht betrogen wirst. Aber wem man seine Seele anvertrauen soll, danach fragt man nicht, wenn es nur ein Priester ist. Wenn man eine Strohpuppe in einen Priesterrock steckte, würde dieses Volk ihr beichten«.

Deutlich zielte er auf eine Absonderung derer, »die mit Ernst Christen sein wollen«, von dem großen Haufen. Vor seinen Augen stand eine *ecclesiola* (Kirchlein) *in ecclesia*, als Sauerteig in der Großkirche wirkend, sie von innen her reformierend. Er nahm damit Gedanken *Luthers* vorweg, die dann 1675 *Spener* weiterdachte, als er in seinem Buch »Pia desideria« (Fromme Wünsche) aufrief, die Reformation der Lehre durch eine solche des Lebens zu vollenden.

Einige der Predigthörer, unter ihnen ein Neffe des Bischofs, der bäuerliche Landedelmann *Gregor*, baten um Rat: was sollen wir denn nun tun? *Rokycana*, voll Besorgnis, daß ja nicht wieder der militante Extremismus der Taboriten aufstehe, wies sie an *Peter von Chelčicky*, einen Laientheologen waldensischer Schulung, der wohl den Mittelpunkt eines »Kirchleins in der Kirche« – nicht außerhalb ihrer – werde bilden können. Aber *Peters* überspitzter Pazifismus – *Tolstoi* hat ihn seinen Vorläufer genannt – machte ihn zur Führung auf die Dauer ungeeignet. Er starb bald, aber sein Einfluß währte noch lange.

Gregor bat seinen Onkel, ihm und seinen Freunden zur Gründung einer geschlossenen Gemeinde behilflich zu sein. Sie hatten in einem frommen Priester *Michael*, dem Pfarrer von Senftenberg (Žamberk), einen Seelsorger nach ihrem Herzen gefunden, und der Bischof bewog den König, die Ansiedlung in dem ihm gehörigen, jetzt wüst liegenden Dorf Kunwald unweit Senftenbergs zu genehmigen. Das geschah Ende 1457 oder Anfang 1458 und war die Geburtsstunde der »Jednota bratrská« (»Brüderische Einheit« oder »Brüder-Unität«, auch »Unitas fratrum«).

Gregor bewährte sich als erfolgreicher Organisator der »Brüder«, die durch Zustrom Gleichgesinnter bald eine stattliche Dorfschaft bildeten. Über diese hinaus verbanden sich mit dem Zentrum hin und her im Lande Einzelne und Gruppen. In Kirtschin entstand ein zweiter, in Klattau ein dritter Mittelpunkt. Immer wurde bei Aufnahme von Neuen ein strenger Maßstab angelegt. Angehörige der zahlreichen fanatischen Sekten und Rotten, die sich seit Zersprengung Tabors gebildet hatten, wurden entschieden abgelehnt.

Trotzdem gerieten die Brüder allmählich selbst in Verdacht, verkappte Taboriten zu sein, und es kam zu Verfolgungen, Verhaftungen, Folterungen, in sieben Fällen sogar zu tödlichem Martyrium. Viele flüchteten aus den Gemeinschaftssiedlungen in die Wälder und Berge.

Gregor war schwer enttäuscht von der Haltung *Rokycanas*, der doch Anreger und Förderer der Separation gewesen war und den er am liebsten mit nach Kunwald genommen hätte. Er warf seinem Onkel Leidensscheu vor, als dieser ihm sagte: »Ich weiß, daß ihr recht habt; aber wollte ich euch helfen, so müßte ich Schmach leiden«. Offenbar stand er stark unter dem Druck König *Georgs*, der alle Ursache hatte, sich als Gegner jeder Häresie zu erweisen und trotzdem 1466 vom Papst feierlich gebannt wurde.

Nach *Gregors* Tode, in der Zeit der Zwischenregierungen und der Türkenkriege, ließen die Bedrückungen nach. Die Brüder konnten sich wieder zu Gemeinden sammeln. Sie gaben sich Ordnungen für Verwaltung, Kultus und Kirchenzucht. Vor allem gingen sie an die Klärung der Priesterfrage.

Man wird nicht umhin können festzustellen, daß sie hierbei in einer Halbheit steckenblieben, die der recht ähnlich war, die sie dem Erzbischof vorgeworfen hatten. Dabei ist ihre Gewissenhaftigkeit ebenso anzuerkennen, wie ihrer Befangenheit Verständnis gebührt.

Sie gingen sehr umständlich vor. Der verdiente Direktor des Unitätsarchivs in Herrnhut, *Joseph Th. Müller*, hat in seiner dreibändigen »Geschichte der Böhmischen Brüder« ausführlich die Vorgänge geschildert, die im Jahre 1467 einen so bedeutsamen Abschnitt der Brüdergeschichte einleiteten. Es war das Jahr nach der Bannung König *Georg von Podjebrads* (siehe S. 223) und des Beginns eines zweiten »Husitenkrieges«, der die Brüder in der Überzeugung bestärkte, es sei nun unerläßlich, radikal mit der römischen Kirche und ihrem Prager Anhang zu brechen.

Viel Meditieren und Beten, von Fasten und Kasteien begleitet, gingen der Entscheidung voran. Man wollte sie aber nicht selbst treffen, sondern Gott überlassen. Später erzählte man: »Wir erinnerten uns daran, daß die Kinder Israel, wenn sie in Bedrängnis waren und darin den Willen Gottes suchten, das Los gebrauchten, wie die Schrift sagt: Das Los fällt nach Gottes Willen (Prov. 16, 33).« Man ließ einige Zeit vergehen und kam wieder zusammen. Es war nötig, darüber Klarheit zu gewinnen, ob es wirklich jetzt angebracht sei, das neue Priestertum zu errichten und wen unter ihnen Gott dafür haben wolle. »Es wurden deshalb neun Brüder gewählt, von denen man überzeugt war, daß sie den Forderungen entsprächen, die an einen Brüderpriester gestellt wurden. Jeder dieser Neun erhielt einen von zwölf verschlossenen Zetteln, von denen neun leer und drei mit »jest« (er ist) bezeichnet waren. Es war also möglich, daß alle neun Gewählten leere Zettel erhielten und die drei beschriebenen übrigblieben, oder auch zwei oder einer. »Und wenn es auf keinen gefallen wäre, so wären wir dieses Jahr ohne alle Priester geblieben und das solange, bis Gott auf unser Gebet und unseren Glauben gezeigt hätte, daß er es nun haben wolle, und auch die Personen, die seiner Gnade wohl gefielen ... Und Gott der Herr tat nach unserm Glauben und Gebet, daß es auf alle drei kam. Und dabei zeigte Gott der Herr seine Weisheit und Macht in uns, daß wir alle fühlbar erkannten, daß Gott der Herr uns besucht und zu unser Betätigung große Dinge getan habe.«

Um aus den gelosten Drei den herauszufinden, der den ersten, leitenden Posten einnehmen solle, wurde abermals das Los geworfen. Es fiel auf einen Bauern aus Kunwald, *Matthias*, denselben, den *Gregor* dafür empfohlen hatte. Alle 3 waren Laien; *Matthias*, der jüngste, erst 25 Jahre alt, wurde Senior (Bischof). Die Brüderchronik berichtet weiter: »Als das Los auf drei gefallen war und unter ihnen auf einen, daß er Bischof würde, da entstand unter uns ein Zwiespalt, ob es so bleiben sollte.«

Die führenden Männer waren sich dessen ganz klar, daß über die deutliche Stimme Gottes hinaus keine Sanktion des Geschehenen nötig sei. Die wahre Apostolische Sukzession bestehe nicht in lückenloser historischer Reihenfolge der Handauflegung mit mechanisch-magischer Wirkung, sondern in der Glaubensnachfolge von der Urgemeinde her und in der Ausrüstung mit den Geistesgaben, wie sie die Apostel zierten. Doch um der Schwachen im Glauben willen und auch, um den Gegnern, den Katholiken wie den Kalixtinern, eine Waffe aus der Hand zu schlagen, beschloß man, der inneren Rechtmäßigkeit doch noch ein äußeres Merkmal hinzuzufügen.

Man erinnerte sich eines in der Nähe wohnenden Waldenserpriesters von Rang eines Seniors, der dem eines Bischofs gleichzuachten sei. Der fand sich bereit, einem der römisch geweihten Priesterbrüder seine eigene Bischofsweihe weiterzugeben. Von diesem empfing nun der Laie *Matthias* die Weihe, so daß mit einem gewissen Recht 260 Jahre später *Zinzendorf* sagen konnte, auch seine Weihe zum Bischof der »Erneuerten Unität« stelle ihn über *Comenius* und *Jablonski* in die Apostolische Sukzession. Bekanntlich hat das englische Parlament 1749 diese Behauptung anerkannt. Die Lambeth-Konferenz der anglikanischen Bischöfe aber lehnten den Beschluß dieser dafür nicht zuständigen Stelle ab.

Joseph Th. Müller schließt seine ausführliche, hier stark gekürzte Beschreibung der denkwürdigen Vorgänge wie folgt: »Mit welcher radikalen Entschiedenheit die Brüder alle und jede Verbindung mit der Kirche abzubrechen wünschten, mit der sie von Jugend auf durch zahllose Fäden verknüpft waren, geht auch daraus hervor, daß die Versammelten nun, sobald sie eigene Priester erlangt hatten, sich von diesen aufs neue taufen ließen. Einer der Anwesenden, *Gabriel Komarovský*, soll damals den Gefühlen des freudigen Dankes und der gläubigen Zuversicht, die alle Brüder erfüllten, in einem langen Liede Ausdruck gegeben haben, in dem es heißt:

Auch hat Gott in seiner Kraft
Treue Diener uns verschafft
O Herr, hilf mit deiner Gab,
Daß dein Werk ein' Fortgang hab!
O vollend nach deiner Lust,
Was du angefangen hast.
Denn all unsre Zuversicht
Ist, Herr, nur auf dich gericht.

Der kühne Schritt der Brüder hatte zur Folge, daß die Utraquisten, allen voran der König und der Erzbischof, sie nun nicht mehr als Glaubensverwandte ansahen und nicht mehr gegen Bedrängungen in Schutz nahmen. Von solchen wird mit grausamen Einzelheiten berichtet, z. B. von einer tödlichen Hungerfolter in Richenburg und einem Scheiterhaufen in Podjebrad. Aber es wird auch erzählt, daß der König einen der Unität angehörigen Zwerg als Hofnarr in seiner nächsten Umgebung duldete, der ihn mit »Bruder König« anredete und als scharfsinniger Ratgeber und witziger Ablenker seinen Glaubensbrüdern manche Linderung verschaffen konnte.

Nach *Georg von Podjebrads* Tod (1471) trat eine Zeit der Ruhe und des äußeren Wachstums ein, so daß die Unität im öffentlichen Leben eine Rolle zu spielen begann. Als die Witwe des Königs auf dem Landtag in Beneschau (1473) eine gewandte dreistündige Rede gegen die »Pikarten« aus der Sicht der Utraquisten hielt, hatte das nur zur Folge, daß sie vor allen Zuhörern beschimpft wurde: »Du lügst das alles in den Hals hinein.« Es kam zu langen Diskussionen mit den Magistern der Universität, die das Ansehen der Brüder steigerten.

Einen wertvollen Zuwachs erhielten sie in Mähren. Die zahlreichen Waldenser der Mark Brandenburg waren damals in schlimme Not geraten, die sie zur Auswanderung in das als Hort der Glaubensfreiheit gepriesene Tschechenland veranlaßte. Einige hundert von ihnen kamen 1480 nach Mähren und siedelten sich bei ihren deutschen Landsleuten in der Gegend von Fulnek und Landskron an. Damit entstand ein deutscher Zweig der Unität. Er wurde nach 150 Jahren der Ursprung der Herrnhuter »Brüdergemeine«.

An dem zwischen den beiden Konsistorien in Prag geschlossenen Kirchenfrieden hatte die Unität keinen Anteil. Er kam ihr jedoch insofern zugute, als

viele der Gutsherren die bei ihnen arbeitenden Brüder als wertvollste, weil unbedingt verläßliche und geschickte Arbeitskräfte hochschätzten und sie vor allzu harten Bedrängnissen schützten. Es fehlte nicht an solchen in der Herrenschicht, die den Brüdern nicht nur um des Nutzens willen zugetan waren und gern in ihre Reihen eingetreten wären. Das war ihnen jetzt noch verwehrt. Hindernis war nicht nur die überspannte Strenge der asketischen Lebenshaltung, die nach dem Vorbild *Chelčickys* den Alltag wie den Sonntag der Brüder formte. Ganz primitiv war alles Äußere: nur an wenigen Orten hatte man ein Bethaus *(sbor)*; man sammelte sich in Wohnungen; die Priester lebten in freiwilligem Zölibat, ernährten sich von ihrer Hände Arbeit; selbst der adlige Begründer des Bundes *Gregor* erlernte ein Handwerk und schneiderte. Essen, Trinken, Kleidung usw. trug kärglichsten Zuschnitt; es galt für Sünde, Wasser bis zur vollen Sättigung zu trinken.
Von solcher Lebensentfremdung ist es nur ein kleiner Schritt zur Weltflucht. Zwar Mönche und Nonnen wurden die Brüder und Schwestern nicht. Sie sonderten sich äußerlich nicht von der Welt, aber sie mieden sie ängstlich, um sich »von ihr unbefleckt« zu halten. Sie lebten in einem geistlichen Ghetto als »die Stillen im Lande«.
Ganz streng nahm man es mit dem Streben nach der »besseren Gerechtigkeit« (Matth. 5, 20) durch Erfüllung der sechs »kleinsten Gebote« der Bergpredigt: nicht zürnen, nicht begehren, sich nicht scheiden lassen, nicht schwören, dem Übel nicht widerstehen, den Feinden Gutes tun. Man kann diese rigorosen Forderungen gewiß auch weitherzig auslegen und muß es wohl tun, wenn man in der Welt nicht nur bleiben, sondern auch wirken will. Wie konnte ein Glied des Landtags, bei dem in jenen Jahrzehnten mehr Regierungsmacht als beim König war, den Eid verweigern oder den Kriegsdienst? In den Städten brauchte man ehrliche Leute als Schöffen und Richter, Ratsherren und Zunftmeister. War es wirklich richtig, daß den brüderischen Stadtbürgern der Rat erteilt wurde, ihre zur Habgier verleitenden Geschäfte aufzugeben, aufs Dorf zu ziehen und dort durch peinliche Enthaltsamkeit das Gewissen zu retten? Aber wer hatte denn schon, ob er gleich die zehn großen und die sechs kleinen Gebote ängstlich zu erfüllen trachtete, doch dabei das gute Gewissen, Gott wohlgefällig zu sein?
Die innere Verworrenheit in den Gemeinden und auf ihren Synoden – die von Brandeis 1490 zeigte das besonders – muß groß gewesen sein. Denn man kam auf einen abenteuerlichen Ausweg. In frommen Kreisen des ganzen Mittelalters kursierten Sagen von urapostolischen Christenscharen, die im Fernen Osten sich verborgen erhalten hätten und die Geheimnisse des Erlösers in Treue bewahrten. Wir haben die Hoffnung, heißt es nun in einer brüderischen Schrift, »daß es noch wahre Christen in den israelitischen Ländern unter den Heiden gibt . . . auch sonstwo in den indischen oder griechischen Ländern«. Man beschloß, nach diesen auf die Suche zu gehen. Mit

viel Opfermut wurden die Kosten aufgebracht, um vier Brüder auszusenden: den Theologen *Lukas*, einen Ritter, einen Leitomischler Bürger und einen der Brandenburgischen Waldenser. Sie reisten zusammen bis Konstantinopel; dann wanderten zwei über den Balkan, einer nach Rußland, einer über Kleinasien und Palästina nach Ägypten. Ihre Reiseerlebnisse sind in einem Buche niedergelegt. Sein tschechischer Titel lautet deutsch: »Reise von Böhmen nach Jerusalem und Ägypten von *Martin Kabatnik* aus Leitomischl und die Beschreibung der auf dieser Reise gesehenen verschiedenen Länder, Gegenden, Städte und ihrer Beschaffenheit und auch der Gebräuche der Menschen.«

Abgesehen von dem Interesse, das man noch später dem von den Brüdern erlebten Abenteuer entgegenbrachte, war es hinausgeworfenes Geld und unnütz ertragene Fahrten-Mühsal. Was sie suchten, das war nicht zu finden. Aber *Lukas*, der etwas später in ähnlicher Mission nach Italien reiste, dabei auch die Waldenser in den Tälern (Piemont) besuchte und in Florenz Augenzeuge der Verbrennung des *Savonarola* wurde, gewann jetzt die führende Stellung und hatte sie 30 Jahre lang inne. Er war ein hervorragender Theologe, in der Theorie so gut wie in der Praxis, Verfasser von anderthalbhundert Schriften, darunter Agenden, Katechismen und Gesangbücher (seit 1501), aber auch Bibelübersetzungen (seit 1518) und der grundlegenden »Apologia sacrae scripturae« (1511), mit der sich *Erasmus* wie *Luther* beschäftigten.

Lukas verstand es, die Unität vor der Gefahr zu retten, eine Sekte zu werden. Sie wollte Kirche sein und bleiben, obwohl sie diesen Namen ablehnte – er solle für die *una sancta* vorbehalten bleiben – und sich nur *jednota* nannte, was man mit »Einigung« ins Deutsche übersetzen müßte (*jedan* tschechisch = eins). Der Ausweg, den er fand, entspricht noch nicht dem reformatorischen *sola fide* (allein durch den Glauben), nähert sich ihm aber.

Daß ein Teil der Brüder (die »kleine Partei«) den neuen Weg nicht mitgehen mochte und daß neben der Jednota eine ekstatische Büßergruppe entstand, die »weinerlichen Brüder«, nach ihrem bäuerlichen Begründer »Nikolaiten« genannt, ist nicht verwunderlich und kirchengeschichtlich ohne Bedeutung.

6. Reformation

Das Bild der kirchlichen Lage in Böhmen und Mähren hat in der ersten Hälfte des 16. Jahrhunderts in ganz Europa nicht seinesgleichen. Von den schätzungsweise 3 Millionen Bewohnern gehören nur etwa 10% der alten Kirche an. Alle anderen verteilen sich auf drei Gruppen. Von den alten Utraquisten hat sich die Unität gelöst, und unter dem Einfluß der deutschen Reformationsbewegung entfaltet sich ein kräftiges Luthertum.

Die Utraquisten haben eine eigenständige Verwaltung auf einer gesetzlich verbürgten Grundlage, die jedesmal der Regent feierlich durch Eid bestätigt Diese, die »Kompaktaten« von 1437, werden von der Kurie stillschweigend geduldet, wenn auch nicht anerkannt. Das »untere Konsistorium« im Carolinum, dem die Universität angegliedert ist, betreut um 1530 etwa 1200 Pfarrgemeinden, das »obere« auf dem Hradschin nur noch 200; etwa ebenso groß mag die Zahl der Gemeinden und Diasporagruppen der Unität gewesen sein.

Die Kalixtiner sind in 2 Richtungen gespalten; die der »Prager« hält sich streng an die von den Kompaktaten gezogenen Grenzen der erlaubten Abweichungen vom römischen Katholizismus, ist ängstlich darauf bedacht, dem Papst wie dem König das Verharren in der Duldung nicht zu erschweren, wird aber mehr und mehr von schwankenden Charakteren durchsetzt, ja von heimlichen oder offenen Überläufern zur kurialen Partei geschwächt. Allmählich erstarrte der alte Utraquismus zu einem Zerrbild des Husitismus, das man nicht mehr ernst nahm.

Von den »Pragern« unterschied sich die jüngere Generation durch energische Betonung der alt-husitischen Parolen und wachsende Offenheit gegenüber den Werbungen Wittenbergs.

Die Glieder der »brüderischen Einheit« *(jednota bratrská)* stand außerhalb der offiziellen Duldung, verhielten sich möglichst still und traten erst in den späteren Jahrzehnten mehr ans Licht.

Diese drei Erben des Husitismus horchten auf, als sie die bekannten Worte *Luthers* über *Hus* erfuhren, die auf der Leipziger Disputation über den Ablaß 1519 sein Kontrahent *Eck* aus ihm herauslockte. Zuerst suchten die »Prager« Verbindung mit Wittenberg, schwerlich vom echten Verständnis für *Luthers* eigentliches Anliegen getrieben, eher von dem patriotischen Stolz, der den Nationalheiligen, den Märtyrer von Konstanz, wie ein Nimbus umstrahlte. Ein Prager Magister *Kahera* ging zum Studium nach Wittenberg und kam als begeisterter Anhänger *Luthers* zurück. Mit sich brachte er ein Büchlein, das der Reformator auf seine Bitte den Pragern *(senatui populoque Pragensi)* geschrieben hatte mit dem Titel: »De instituendis ministris« (Von der Einsetzung der Kirchendiener – 1523). *Luther* berührte damit den wunden Punkt, an dem der Utraquismus so lange krankt. Er empfahl, der Priesternot dadurch ein Ende zu bereiten, daß man die Kandidaten aus eigener Vollmacht zu Pfarrern ordinierte. Nach längerem Verhandeln gelang es *Kahera*, 1524 die Zustimmung einer Synode hierfür zu erlangen und zugleich seine Ernennung zum bischöflichen Administrator. Sein Versuch, die Kirche völlig ins Wittenberger Fahrwasser zu leiten, gelang aber nicht. Zu fest war in der älteren Generation das Glaubensleben mit dem Respekt vor der Weihekraft des Priesters verbunden. *Kahera* schwenkte um, ließ auf einer neuen Synode jene Beschlüsse aufheben und begann jetzt, *Luther* und seine Anhänger zu bekämpfen, sogar zu beschimpfen.

Aber die unterlegene Minderheit, die jetzt anfing, sich »evangelisch« zu nennen, hatte die Jugend für sich und gewann schließlich doch die Oberhand, und zwar je mehr bei den Alten die Neigung zu restloser Unterwerfung unter den Papst zunahm. Nur am husitischen Kelch hielten auch die Alten in Prag noch zähe fest. Den, glaubten sie, werde Rom ihnen doch schließlich noch belassen, wie ja 1439 die »Unierten Griechen« (siehe S. 112ff.) allerlei Privilegien erhalten hatten. Sie hofften umsonst. Aus dem in der Tradition der Urkirche stehenden Osten Europas die Nachbarn der römisch-katholischen Völker durch Zugeständnisse herüberzulocken, war für Rom etwas anderes als im Abendland selbst die straffe Ordnung zugunsten nationaler Sekten zu lockern.

Eine wesentliche Stärkung erfuhr die kalixtinische Landeskirche dadurch, daß sich die neue Gruppe ihr zugesellte, die von *Luthers* Aufrufen gepackt und gewonnen wurde. Sie bestand zum größten Teil aus den Deutschen im Lande. Nach den Husitenkriegen hatte sich allmählich sowohl in den Städten wie auf dem Lande wieder eine stattliche Schar von Zuwanderern eingefunden, namentlich aus Franken. Die der Wenzelskrone nur lose, als Pfandobjekte angegliederten fränkischen Länder Asch, Eger, Elbogen, die alten Bergstädte wie Kuttenberg und Iglau, die Stadtsiedlungen in Prag, Brünn, Olmütz usw. waren wieder aufgeblüht und nahmen an dem bei allen Deutschen im Reich entfachten Auseinandersetzung um den Glauben starken Anteil. Fast restlos gingen die katholischen Pfarrgemeinden der Deutschen zum Luthertum über und da sie, aus der Jurisdiktion des »oberen« Konsistoriums ausscheidend, eine neue Rechtsbasis nötig hatten, unterstellten sie sich dem »unteren« und brachten damit den Utraquisten eine wertvolle Verstärkung zu, nicht nur ziffernmäßig, sondern auch geistlich, namentlich auch durch das Herüberholen von Theologen aus Wittenbergs Schule.

Jetzt gab es kaum mehr Widerstand gegen *Luthers* Rat von 1523. Man ließ den Nachwuchs in Wittenberg, Frankfurt a. d. Oder usw. ausbilden und von dortigen Superintendenten ordinieren.

Man konnte damals glauben, es werde in Böhmen und Mähren aus dem Zusammengehen der beiden jungen Bewegungen eine genuin lutherische Kirche tschechischer und deutscher Sprache erwachsen, besonders als der tapfere Lutherschüler *Mitmanek* die Seele des Konsistoriums wurde. Sein Wirken war ein rühmliches Gegenstück zu dem jenes Renegaten *Kahera*. Aber *Mitmanek* war ein allzu kühner Draufgänger. Er wagte es, dem König ins Gesicht zu sagen: »Auf die Leitung der kirchlichen Dinge Euch einzulassen geziemt Eurer Königlichen Gnaden nicht; denn Ihr seid von Gott nicht dazu berufen. Mit der Leitung der weltlichen Angelegenheiten habt Ihr genug zu tun, daß Ihr dem kaum genügen könnt«. Er mußte froh sein, dafür nicht strenger als durch Landesverweisung bestraft zu werden. Schärferes Vorgehen gegen die täglich größer werdende lutherische Gefahr konnte sich *Ferdinand*, der neue König, der erste aus der nun 400 Jahre lang folgenden Reihe der Habsburger, damals nicht leisten; sein ungarisches Königreich war 1526 im Begriff, osmanische Provinz zu werden.

Als aber *Karl V.* mit seines Bruders Hilfe im unseligen »Schmalkaldischen« Krieg den Trotz der evangelischen Fürsten im Reich gebrochen hatte und ihnen das Interim von 1548 aufzwang, griff auch *Ferdinand* zu, ließ mehrere der Adligen hinrichten, die ihm, um nicht gegen Glaubensgenossen zu streiten, Waffenfolge für jenen Krieg verweigert hatten, und versuchte auch seinerseits durch ein Interim (Prag 1549) der Rückkehr aller Protestanten Böhmens nach Rom den Weg zu bahnen. Er hatte damit in Böhmen ebensowenig Erfolg wie sein Bruder bei den Deutschen. Die vereinten »Evangelischen« hatten dabei Rückhalt an den »Defensoren« des unteren Konsistoriums, wenngleich es zweifelhaft war, ob die Kompaktaten alle die Reformen deckten, die Lutheraner und Neuutraquisten in ihren Gemeinden inzwischen durchgeführt hatten.

Ohne Schutz aber waren die Brüder. Ihnen, den vielverleumdeten »Pikarten« wandte sich der ganze Zorn des aufgebrachten Fürsten zu. Sie standen in Böhmen seit 1508 unter dem Damoklesschwert des Jakobsmandats, das 1547 erneuert wurde. Die Bethäuser wurden zerstört oder verrammelt. Jedes Heraustreten in die Öffentlichkeit war verboten. Man traf in den Wohnungen zusammen. Umherreisende Diasporaprediger kamen zu Besuch, ermahnten zu Geduld und unverzagter Hoffnung. Viele gerieten dabei ins Martyrium, nicht nur der ehrwürdige Nachfolger des 1528 verstorbenen Seniors *Lukas*, *Johann Augusta*, und nicht nur die bäuerlichen Untertanen auf den enteigneten Gütern, denen jetzt der Schutz ihrer Herren fehlte und die das erste Tausend der später in die Hunderttausende anwachsenden Emigration darstellten.

Erschütternd ist die Erzählung von dem Schicksal der 16 Teilnehmer an einem brüderischen Begräbnis, die in einem Turm gefangengesetzt wurden. Da sie sich hartnäckig weigerten, ihrem Glauben abzusagen, sperrte man sie in die Abortgrube. Sieben wurden gebrochen und gegen Bürgschaft freigelassen, neun hielten noch wochenlang aus und wurden – auf Bitten eines Arztes – unter der Bedingung befreit, sofort mit der Familie das Land zu verlassen. Elf brüderische Prediger wurden zur Galeerenstrafe verurteilt und entgingen dem schlimmen Schicksal nur, weil sie, 60–70 Jahre alt, für die Ruderknecht-Arbeit nicht mehr fähig waren.

Ganz schlimm versündigte sich *Ferdinand* an dem Brüderbischof *Augusta*, den er 16 Jahre lang gefangenhielt, auch als er – nach der Abdankung seines der Welt überdrüssig gewordenen Bruders *Karl V.* – die Kaiserkrone trug und, wenn nicht an den Wortlaut, so doch an den Geist des Religionsfriedens von Augsburg 1555 gebunden war.

Augusta war durch einen Treuebruch – »weißt du nicht, daß am Abend gegebene Versprechungen nächsten Tags ungültig sind?« – in einen Hinterhalt gelockt und gefangengenommen worden. Man beschuldigte ihn des Landesverrats durch Beziehungen zum sächsischen Kurfürsten, den er sogar mit Geld unterstützt haben sollte. Er wurde auf ausdrücklichen Befehl *Ferdinands* wiederholt aufs scheußlichste gefoltert. Man wollte von ihm das Geständnis erpressen, daß des Aufstands eigentlicher Urheber die Unität gewesen sei. Bei der in ihr herrschenden Disziplin sei es doch unmöglich gewesen, daß die Adligen ohne seine Zustimmung, wo nicht gar auf sein Anstiften gegen ihren König rebellierten. Die Gefangenschaft *Augustas* wurde erst durch das Eingreifen des kaiserlichen Leibarztes *Crato von Craftheim*, eines persönlichen Freundes *Luthers*, und durch das Mitleid der *Philippine Welser* von Augsburg – der morganatischen Gattin des jüngsten der Kaisersöhne, *Ferdinand* von Tirol – gemildert. Sie fand erst ein Ende, als der Brüderbischof sich bereit erklärte, das Abendmahl aus der Hand eines Priesters zu empfangen, den das utraquistische Konsistorium dafür entsandte. Damit hatte er, so schien es, seinen Übertritt zur Landeskirche vollzogen, ohne seine Gliedschaft zur Unität aufzugeben.

Die Freilassung *Augustas* erfolgte am Palmsonntag 1564 kurz vor dem Tode *Ferdinands*, wohl auf Veranlassung *Maximilians II.*, den die Stände auf dem Januar-Landtag darum gebeten hatten, das Unrecht gutzumachen.

Augusta stammte aus dem Utraquismus Prags. 1500 dort als Sohn eines Hutmachers geboren, übte er dieses Handwerk auch als Priester noch aus, etwas verächtlich auf die Theologen als »Müßiggänger« herabblickend und von diesen »Musenfeind« *(misomusos)* genannt. 1524 zur Unität übertretend, lernte er in der Ausbildung zum Brüderpriester etwas Latein. Seine sehr reiche literarische Betätigung aber erfolgte durchweg in seiner Muttersprache. Als ihm 1532 von der Synode zu Brandeis, die eine Auffrischung der nach dem Tode des *Lukas* (1528) erstarrten Leitung (»Engerer Rat« genannt) für nötig hielt, mit so jungen Jahren das Bischofsamt anvertraut wurde, begann ein neuer Abschnitt im Leben des Gesamtprotestantismus in den böhmischen Ländern, der 1609 in der Schaffung der – allzu kurzlebigen – Unionskirche (siehe S. 239) gipfelte. *Augusta* nahm alsbald die von *Lukas* unterbrochene Verbindung mit *Luther* wieder auf. Sowohl die »Apologie« von 1533 als die Confessio von 1535, die dem König überreicht wurden – entsprechend dem, was die Deutschen 1530 vor dem Kaiser getan hatten –, gab *Luther* mit wohlwollenden Vorworten in Wittenberg heraus, aber erst nachdem die Brüder die Kosten für die Drucklegung aufgebracht hatten. Wiederholt hat *Augusta* mit *Luther* korrespondiert, oft ihn auch persönlich besucht. Sie waren einander in vieler Hinsicht ähnlich. Dennoch konnte sich der tschechische Luther mit dem Luthertum nicht recht befreunden, besonders als es sich zu scholastischer Orthodoxie verhärtete. *Melanchthon* und sein konziliánter »Philippismus« standen den Brüdern näher. 1540 hatten sie in Straßburg

Buzer und *Kalvin* angetroffen; bald drängten Basel und Genf Wittenberg in den Hintergrund. *Zwingli* dagegen und die Schwärmergruppen gewannen in Böhmen – anders als in Mähren – keinen Einfluß.

Bei den Utraquisten war inzwischen eine Wendung eingetreten. *Ferdinand* hatte die Zügel straff angezogen und außer dem geistigen Kampf – Errichtung des Clementinums auf dem Hradschin, das dem utraquistischen Carolinum an der Moldau den Rang ablief – auch wirtschaftliche Mittel gegen die »A-Katholiken« angewandt, z. B. Verdrängung des Landadels aus den Verwaltungsposten durch aus Wien entsandte Beamte. Da war die Verbindung der Prager mit den Lutheranern und die Hinneigung zu den Brüdern recht vorsichtiger Zurückhaltung gewichen. Zwischen *Augusta* und utraquistischen Priestern gab es manch heftigen Streit. Als er aber 1564 aus dem Gefängnis zurückkam und die Leitung wieder übernahm und als in den 12 Regierungsjahren *Maximilians II.* der Druck nachließ, näherten sich die drei Gruppen wieder und erreichten ein Jahr vor des Kaisers Tod auf dem Prager Landtag 1575 eine Etappe auf dem Weg der Duldung und Einigung, die ihnen für fast ein halbes Jahrhundert eine wenig gestörte Entfaltung evangelischen Wachstums in Freimut des Bekennens und Freude an der Gemeinschaft gewährte.

In diese Gemeinschaft wuchs nun auch der Protestantismus Mährens hinein. Hier lagen die politischen Verhältnisse im 16. Jahrhundert viel günstiger als in Böhmen. Der Adel stand einhellig entweder zum Utraquismus oder zum Luthertum oder zu den Brüdern. Als *Ferdinand I.* 1550 auf dem Landtag zu Brünn seinen Willen zur Wiederherstellung der alten Zustände in heftige Drohungen münden ließ, überreichte ihm der Landeshauptmann eine deutsche Übersetzung des Eides, den der König am Huldigungstag abgelegt hatte. »Ich will mir lieber den Kopf abschlagen lassen, ehe ich der evangelischen Wahrheit den Abschied gebe«, schloß seine Rede. Die ganze Versammlung rief laut »Ja«, als er darauf fragte, ob seine Worte in aller Namen gesprochen seien. *Ferdinand* verlangte die Gegenprobe: »Wer dieser Rede nicht beistimmt, trete heraus.« Nur fünf Barone und zwei Ritter taten das. Der König verließ wütend den Saal und warf die Türe krachend zu. Der Landtag aber antwortete mit einer mutigen Demonstration. Vollzählig geleitete er den Hauptmann an *Ferdinands* Fenstern vorbei in sein Haus.

Nicht immer war man in Mähren so einig. Schon früh hatte sich im Norden des Landes das Luthertum eingebürgert. Als Beispiel seien die alte deutsche Bergstadt Iglau mit *Paulus Speratus* (1522) genannt und Mährisch-Trübau im Schönhengstgau, wo seit 1523 in blühenden Schulen und hochentwickeltem Buchhandel ein »lutherisches Athen« erwuchs. Im Süden waren über Österreich aus der Schweiz Zwinglische und wiedertäuferische Bewegungen mannigfacher Art (Habrovaner, Huterer u. a.) eingeströmt, die in Nikolsburg ihren Mittelpunkt fanden. Die bekanntesten der draufgängerischen

Schwärmer von zum Teil großem und dauerndem Erfolg waren *Hubmeier*, *Kalenec* und *Dubčanský*. Die erstaunliche Toleranz, die vom mährischen Adel auch diesen Sonderlingen ebenso wie den anderen Färbungen der reformatorischen Begeisterung erwiesen wurde, stand leider eine rechthaberische Intoleranz der einzelnen Gruppen untereinander gegenüber. Immerhin war das Beispiel Böhmens nicht ohne Einfluß. Es dauerte allerdings zehn Jahre, bis sich der protestantischen Landeskirche von Böhmen 1619 – nach der politischen Vereinigung beider Länder – auch eine solche von Mähren an die Seite stellte. Die Unität zählte um 1550 in Mähren etwa 85 Gemeinden, unter ihnen als einzige rein deutsche die zu Fulneck. Auch in Eibenschütz gab es in wachsender Zahl Deutsche unter den Brüdern, als die »Kryptokalvinisten« Sachsens der Unduldsamkeit der lutherischen Orthodoxie müde, vielfach freiere Luft aufsuchten. Hier scheint sogar eine ausgesprochen reformierte Gemeinde deutscher Sprache entstanden zu sein, die als die der »Schweizer Brüder« in der Dreifaltigkeitskirche ihre Gottesdienste hielt.

Während der Gefangenschaft *Augustas* war der Unität ein neuer bedeutender Leiter geschenkt worden, der gelehrte Theologe *Blahoslav*. Mit erst 23 Jahren war der vom Humanismus herkommende, dem Philippismus *Melanchthons* zugeneigte Jüngling 1548 in den führenden Kreis eingerückt, wo er seine diplomatische Begabung in der damals schwierigen Zeit auf zahlreichen Reisen, besonders bei den Verhandlungen mit Wien und Prag zu nutzen wußte.

Von *Blahoslavs* Auftragsreisen ist die 1556 nach Magdeburg erfolgte des Bemerkens wert. Sie galt dem lutherischen Streittheologen *Flacius*, der – vielleicht als Material für seine »Centurien«, die erste evangelische Kirchengeschichte – Nachrichten über Ursprung und Art der Unität verlangt hatte. Das Lehrgespräch verlief völlig erfolglos; wohl aber wurde geklärt, daß der vielleicht am tiefsten greifende Gegensatz beider Männer darin bestand: der eine gehörte einer Volkskirche, der andere einer Freikirche an.

Blahoslav starb schon 1571, ein Jahr vor Augusta. Beider theologische Mitarbeit wäre besonders wichtig gewesen bei der Ausarbeitung des gemeinsamen Bekenntnisses aller Protestanten in Böhmen, das *Maximilian II.* als Grundlage für die Verhandlungen über die Religionssachen auf dem bedeutsamen Landtag verlangt hatte, der im Februar 1575 zusammentrat. Die Utraquisten hatten sich darauf geeinigt, die in Deutschland anerkannte Confessio Augustana vorzulegen und luden die Brüder ein, dem beizutreten. Es ist für die Lage bezeichnend, daß sie, um die Zögernden anzuspornen, 20 Exemplare des »Consensus Sendomiriensis«, der 1570 zur Integration des Protestantismus in Polen geführt hatte, auf dem Landtag austeilten. Eigenwillig hielten die Brüder bei aller Zustimmung zur Augustana daran fest, daß ihre Sonderstellung Berücksichtigung verdiene. Langwierige Verhandlungen ergaben sich. Über die Osterferien arbeitete der Prager Professor *Pressius* an den Formulierungen; aber erst zu Pfingsten war man so weit, dem Kaiser die *Česká Konfesse (Confessio Bohemica)* als gemeinsames Bekenntnis zur Genehmigung vorzulegen. Neben dem Prager Professor war der Weißkirchener Brüderpriester *Georg der Vetter (Jiří Strejc)* an der Abfassung maßgebend beteiligt.

Die Mehrheit der Protestanten auf dem Landtag war so überwältigend, daß der Kaiser, der eine große Geldbewilligung verlangte, das Anliegen sehr ernst nahm. Standen doch den vereinigten Alt-Utraquisten und Römern (16 Herren, 19 Ritter) auf der protestantischen Seite die Fraktionen der Neu-Utraquisten mit 69 Herren, 100 Rittern und der Brüder mit 6 Herren, 16 Rittern, also mit 191 von insgesamt 226 Stimmen gegenüber, die Stimmen der Städte ungerechnet, die zumeist von Lutheranern geführt wurden.

Es vergingen aber wegen der Ernteferien und weil eine Reihe von Gutachten (u. a. vom Kurfürsten von Sachsen) eingeholt und studiert werden mußte, drei Monate, bis die Tagung der Stände fortgesetzt wurde, auf der *Maximilian* die Krönung seines Sohnes *Rudolf* zum böhmischen König erreichen wollte. Sie erfolgte am 22. September 1575. Wodurch wurde sie erkauft?

Keineswegs durch eine regelrechte, öffentliche und urkundliche Anerkennung des Böhmischen Bekenntnisses. Der Kaiser gab zunächst dem Landtagsvorstand ein rundes Nein zur Antwort, berief aber bald darauf alle protestantischen Abgeordneten zu einer vertraulichen Besprechung, in der er ihnen »bei seiner Treue« feierlich »für sich und seine Nachfolger erklärte«, er werde die Bekenner nicht hindern und niemandem gestatten, ihnen nahe zu treten. Als man sich mit mündlicher Zusage nicht zufrieden geben wollte und Eintragung des Zugeständnisses in die Landtafel (Urkundenbuch) verlangte, ließ er eine zehnköpfige Deputation auf den Hradschin kommen und versicherte sie »auf gut deutsch und böhmisch, nicht auf französisch«, daß er seine Zusage halten werde. Er schlug sich an die Brust mit den Worten: »Gott weiß, daß ich mit euch treulich handele. Sofern anderes ist, so gebe Gott, daß das an meiner Seelen auch geht.« Eine höhere Zusicherung als sein kaiserliches Wort gebe es nicht.

Maximilian duldete es auch, daß seine von einem Teilnehmer nachgeschriebene und von ihm selbst korrigierte Rede in einer Schachtel bei der Landtafel verwahrt werde. Dabei beruhigten sich die Kelchner; den Brüdern aber genügte die Zusicherung des Oberstlandrichters, sie dürften sich auf des Kaisers Zusagen verlassen, solange sie sich zu jenen hielten, auch wenn sie auf ihrer eigenen Verfassung und Ordnung bestehen wollten.

Dem in Prag anwesenden Nuntius gegenüber leugnete der Kaiser seine Zusagen rundweg ab. Ja, er ließ sich von diesem, alsbald nach *Rudolfs* Krönung, zum Erlaß von Befehlen bewegen, die seinen Zusagen voll widersprachen. Auch verbot er die Drucklegung der Confessio und gab den Alt-Utraquisten recht, wenn sie gegen Priester und Versammlungen der Brüder wie der Lutheraner Gewalt anwandten. In beiden Fällen aber war die Zähigkeit der Widerstehenden so stark und erfolgreich, daß der Bestand, ja die Ausbreitung des reformatorischen Glaubenstums in der mehrfachen Ausprägung der tschechischen Länder nicht wesentlich gehindert wurde. Um die Jahrhundertwende waren Adel und Bürger in beiden Ländern mit geringen Ausnahmen evangelisch im Bekenntnis wie im kirchlichen Aufbau. *Maximilian* hat das in den letzten paar Monaten, die ihm noch zu leben vergönnt waren, mit zynischem Gleichmut angesehen. Er hätte wohl auch nichts gegen das gehabt, was seine beiden Söhne ein paar Jahre später taten: sowohl *Rudolf* wie *Matthias* ließen sich das, was der Vater nicht hergeben wollte – urkundliche Bezeugung der evangelischen Kirchenfreiheit –, von den Ständen durch Zugeständnisse abkaufen. Der eine tat das in den »Majestätsbriefen« für Böhmen und Schlesien; der andere bestätigte für Mähren in aller Form die althergebrachten Religionsrechte zum Dank für die Hilfe, die man ihm im »Bruderkrieg des Hauses Habsburg« geleistet hatte.

7. *Gegenreformation*

Das Geschick der Reformation in den Ländern der Wenzelskrone entschied sich zwischen den Jahren 1564 (Tod Kaiser *Ferdinands I.*) und 1620 (Schlacht am Weißen Berge bei Prag). Mitbestimmend für die Entwicklung waren dabei die Kaiser *Maximilian II.*, *Rudolph* und *Matthias*. Mit *Ferdinand II.* beginnt dann die katholische Restauration.

Maximilian, der »rätselhafte« Kaiser – so nennt ihn sein Biograph, der Wiener Historiker *Bibl* –, war zwar als Kronprinz liberal, wie das oft bei Thronfolgern der Fall ist. Er ist das in einem Winkel seines Herzens auch immer geblieben. Aber die »Staatsraison«, die *Machiavelli* vor kurzem als die dem »Fürsten« (»Il Principe«, 1512) ziemende Richtschnur proklamiert hatte, war stärker als er. 1562 hatte seine Aussöhnung mit dem strengen Vater durch eine Art von Bekehrung stattgefunden. Feierlich legte der Fünfunddreißigjährige in Gegenwart seiner Brüder, der Minister und des ganzen Hofstaats vor dem Kaiser den Eid ab, in der katholischen Kirche leben und sterben zu wollen. Dadurch hatte er sich den Weg freigemacht: wie zur Wenzelskrone in Prag und zur Stephanskrone in Preßburg so auch zur deutschen Krone in Frankfurt.

Aber was war vorangegangen? – Eine Rundfrage bei deutschen Fürsten: bei den drei protestantischen Trägern von Kurhüten (Sachsen, Brandenburg, Pfalz), bei dem württembergischen Herzog, dem hessischen Landgrafen, dem Küstriner Markgrafen und anderen. Sie wurden gefragt, wessen der Thronfolger sich zu versehen hätte, »so er bapstisch oder anderer Ursach persekutiert würde«. Nach vier Monaten war der Bote zurückgekehrt. Er brachte keiner-

lei Zusagen, vielmehr den Rat, ja nicht »gegen den Vater etwas Tätliches zu unternehmen«. – Da war allerdings die Bekehrung naheliegend.
Und was war ihr nachgefolgt? – Ein zweiter Bote wurde nach Rom gesandt. Er brachte dem Kaiser das erbetene Privileg des Papstes mit, daß *Maximilian* persönlich auch ferner bei dem bisher eigenmächtig geübten Gebrauch des Laienkelches bleiben dürfe, ohne darum den Caltixtinern zugerechnet zu werden. – Dann ging es nach Frankfurt. Als in der Krönungsmesse bei der Elevation (Erhebung der Monstranz) alles Volk in die Knie sank, blieb der Kaiser als einziger im Dom aufrecht stehen und ließ sich daran genügen, mit gebeugtem Haupt zur Erde zu blicken. – Auf der Heimreise den Rhein hinauf wurde in Heidelberg haltgemacht und mit *Friedrich dem Frommen* ein »ganz christlich treuherzig Gespräch« über »unsere wahre ungezweifelte Religion« geführt. Den Neckar entlang führte der Weg nach Stuttgart zu dem schwäbischen Freund *Christoph*. – Und dann gab es gar in Günzburg ein Wiedersehen mit dem geliebten einstigen Hofprediger und Beichtvater *Johann Sebastian Pfauser*, der in Lauingen an der Donau Superintendent geworden war. – Daheim aber folgten nun die Verhandlungen mit den Lutheranern in Nieder- und Oberösterreich, die zu den »Religionskonzessionen« von 1568 führten. Sie wurden 1571 auch verbrieft, kosteten die Stände aber zweieinhalb Millionen Gulden zur Deckung der Hofschulden. – In Böhmen ließ der König sich überreden, den Kelchnern die Fesseln abzunehmen, die das Fortbestehen der überholten Kompaktaten mit sich brachte, und dadurch die Bahn frei zu machen zu dem, was sich 1575, wie geschildert, auf dem Prager Landtag ereignete.
Die bis 1600 folgenden Jahre standen in ganz Europa unter dem Zeichen schwerster Auseinandersetzungen. In Spanien und Frankreich, in England und Holland tobten Glaubenskämpfe; im Osten hatte Sultan *Suleiman* fast ganz Ungarn besetzt; die baltischen und sarmatischen Länder waren voller politischer und kultureller Unruhe einer Übergangszeit. – Der römische Katholizismus aber hatte inzwischen auch selbst den Reformierungswillen der Zeit in sich aufgenommen: auf dem Konzil zu Trient (1545–68) und durch den Orden Jesu mit seinem deutschen Vertreter *Petrus Canisius* († 1580). Da hätte die Wenzelskrone anderer Träger bedurft als *Rudolfs* und *Matthias'*, um ihre Länder im Gleichgewicht zu halten.
Der junge König *Rudolf II.* nahm seine Residenz in Prag und gab sich als einsamer Hagestolz auf dem Hradschin seinen mancherlei Liebhabereien (Astrologie, Raritätensammlung u.a.) hin. Das von seinem Vater für ihn abgelegte Versprechen kümmerte ihn nicht. Die aus Wien mitgebrachten Hofleute verbanden sich eng mit dem Erzbischof, dem Nuntius, den Jesuiten. Diese bauten das Clementinum, das Gegenstück zum kirchlich bedeutungslos gewordenen Carolinum, zu einer ansehnlichen Universität aus und schickten von hier den gelehrten Doktor *Wenzel Sturm* mit literarischem Ge-

schütz ins Feld. Bald war das »untere« Konsistorium, der Hort der »Alt-Utraquisten«, völlig romanisiert. Auf den königlichen Gütern wurden alle nicht folgsamen Priester abgesetzt. Zweimal, 1584 und 1602, wurde das Jakobsmandat erneuert. Der passive Widerstand der brüderischen Adligen wie des Volks verhinderte jedoch seine Durchführung; nur in wenigen Fällen gerieten die Brüder in große Bedrängnis, besonders in Landskron und Jungbunzlau.

Unordnung der politischen, Verwirrung der kirchlichen Dinge herrschte überdies wie hier im ganzen Habsburgerreich, auch in Ungarn, soweit dort nicht der Türke seine Ordnung durchsetzte. Am schlimmsten stand es in den Sudetenländern; hier drohte die Anarchie. Da der immer tiefer in Geisteskrankheit versinkende Kaiser zu freiwilliger Abdankung nicht zu bewegen war, hielt es sein Bruder für Recht und Pflicht, Gewalt anzuwenden. Mit stattlicher Macht rückte er in Mähren ein, gewann dort die Stände, ihnen alles versprechend, was sie nur wünschten. Sie schlossen sich dem Feldzug an und marschierten auf Prag.

Da lenkte *Rudolf* ein, versöhnte sich mit *Matthias* und teilte das Reich mit ihm, wenigstens Böhmen fest in der Hand behaltend, da die meisten der dortigen Adligen zu ihm hielten. Sie taten das aber nur um einen hochgetriebenen Preis. Alles, was der Vater 1575 mündlich versprochen hatte, mußte der Sohn jetzt urkundlich festlegen. Das geschah in dem berühmten »Majestätsbrief« von 1609, der die nächsten zehn Jahre hindurch die formelle Grundlage für eine unter dem historischen Namen der Utraquisten geeinte Kirche Böhmens bildete.

Aber selbst diese kurze Frist war nicht eine Zeit glücklichen Friedens. Den föderalistischen Kirchenbund – mehr war er nicht, keineswegs eine Unionskirche – füllte im Innern der Widerstreit liebloser Ansprüche und von außen wurde er dauernd angegriffen. Schon *Rudolf* suchte alsbald seine Duldungszusagen auszulegen und einzuschränken, so wie die Jesuiten es ihm ins Ohr bliesen. Seine Unfähigkeit wurde so handgreiflich, daß man ihn 1611 entmündigen mußte; seine letzten acht Jahre verlebte er im Irrsinn auf der Prager Burg.

Matthias wurde nun auch Böhmens König. Er regierte das Land von Wien aus durch streng katholische Statthalter und Landesbeamte, in deren Kreis er auch tschechische Herren aufnahm, wenn sie sich – wie z. B. *Albrecht von Waldstein (Wallenstein)* – bereit fanden, zu den Römern oder – was fast dasselbe war – zu den Alt-Utraquisten überzutreten. Gewalt zur Bekehrung anzuwenden, war nicht tunlich; noch galt der »Majestätsbrief«, der in einer silbernen Kapsel mit dem Wappensiegeln aller evangelischen Landtagsglieder versehen, im Staatsarchiv auf der Festung Karlstein bei Prag aufbewahrt wurde. Aber über dem ganzen Land lag die Spannung einer unheimlichen Gewitterschwüle.

Die kam zur Entladung, als eine in dem Toleranz-Dokument enthaltene Unklarheit – ob es auch für die kirchlichen Gutsbezirke gelte – zur Sperrung oder Zerstörung zweier lutherischer Kirchen im deutschen Teile Böhmens (Braunau und Klostergrab) führte. Die leitenden Adligen waren aufs äußerste aufgebracht, wobei auch das drückende Bewußtsein eines weiteren Fehlers mitwirkte, zu dem sie sich ein Jahr vorher durch *Matthias* hatten verleiten lassen. Der König, der sein Ende nahen fühlte, hatte ihnen seinen Neffen *Ferdinand*, den Sohn seines jüngsten Bruders *Karl* (von Tirol) als Thronfolger präsentiert und sie hatten ihn gewählt, obwohl sie wußten, was jener seit 20 Jahren als Erzherzog in der Steiermark durch die grausame Unterdrückung des Luthertums angerichtet hatte.
Der Schaden, den die protestantischen Mitglieder des am 23. Mai 1618 auf dem Hradschin versammelten Generallandtages in ihrem Jähzorn durch die übliche Schnelljustiz (Fenstersturz der Mißliebigen) anrichteten, hätte sich wieder gutmachen lassen, zumal die Betroffenen ohne Schaden davonkamen. Aber daß man nun alsbald zu den Waffen griff, die kaiserliche Regierung verdrängte, an ihre Stelle ein Direktorium von 30 Baronen – mit einem »Bruder« an der Spitze – einsetzte, das die Katholiken durch ein Schreckensregiment einschüchterte, war offene Rebellion. Die konnte Wien nicht hinnehmen.
Der Tod Kaiser *Matthias*' brachte *Ferdinand II.* die Kaiserkrone. Und mit seiner Thronbesteigung war der Anlaß gegeben, der den Dreißigjährigen Krieg beginnen ließ, in dessen Verlauf es in Böhmen zur radikalen Gegenreformation kam. Sie betraf nicht nur die böhmischen Länder, sondern alle Länder im Habsburgerreich, wenn auch in Abstufungen des Umfangs und der Strenge. Nirgends aber wurde sie so hart und rücksichtslos durchgeführt wie in Böhmen und Mähren. Hier brachte sie nicht nur eine Ausrottung allen reformatorischen Lebens mit Stumpf und Stiel, sondern auch einen nationalen Schaden von größter Tragweite.
Die Niederlage des tschechischen Aufstandes in der Schlacht am Weißen Berge (8. November 1620) war nicht unverdient. Denn der Versuch, den vor zwei Jahren gewählten König vom Thron zu stoßen und ihn durch den Jüngling *Friedrich von der Pfalz* zu besetzen, war nicht nur Hochverrat, sondern Torheit. Einsichtige hatten – wenn man schon den Fehler von 1526 gutmachen und die Habsburger loswerden wollte – an den sächsischen Nachbarn gedacht. Das hätte zu friedlicher Beilegung des Streits führen können, zumal zwischen Wien und Dresden ein Erbfolgevertrag bestand. Man knüpfte Verhandlungen mit dem lutherischen Kurfürsten von Sachsen an, brach sie aber plötzlich ab und rief den Kalvinisten herbei; der konfessionelle Hintergrund ist deutlich; die früher so unpolitische Unität stand dabei in der Führung. Daß nun der Sachse auf des Kaisers Seite trat und Böhmen besetzte, war für den Ausgang des Kampfes entscheidend. Hätte es nun nicht

nahegelegen, einen Mann aus den eigenen Reihen zu wählen, wie es die Vorfahren 1458 mit *Georg Podjebrad* getan hatten?
Heute hört man aus den Reihen der protestantischen Tschechen vernehmlich diese Klage über die Fehler der Vorfahren: über ihre allzu willige Bereitschaft zum Kompromiß in der Politik, etwa bei den Wahlen zur Krone: Nach dem Aussterben der Jagiełłonen gab man sie 1526 dem ersten Habsburger *Ferdinand I.* und erfuhr große Enttäuschung. Schon der Name hätte nun abschreckend sein müssen; aber 1617 stimmte man einem zweiten Ferdinand zu! Andererseits kritisiert man den rechthaberischen Trotz der Ahnen, namentlich in den kirchlichen Anliegen, etwa bei dem liebeleeren Gezänk nach 1609, aber auch im politischen Kräftespiel, vor allem bei der Revolution von 1619, die völlig unrealistisch vom Zaun gebrochen wurde, ohne die Machtverhältnisse zu bedenken.
Wie intolerant stürzten sich die 30 Direktoren auf die Gegner, von denen sie Toleranz gefordert hatten! Daß man die Jesuiten vertrieb, mag hingehen, auch daß man geraubte Kirchen zurückholte. Aber man plünderte die Klöster, entfesselte den Bildersturm, ließ es nicht an Folter und Fallbeil fehlen. Als der »Winterkönig« im November 1619 im Veitsdom auf dem Hradschin die Wenzelskrone aus den Händen des Brüderbischofs (!) *Johann Cyrill* empfing, »wütete man gegen die Schöpfungen berühmter Meister ... mit empörender Ruchlosigkeit.«
Schnell kam der Gegenschlag. Schon vier Wochen nach der Schlacht zogen die Jesuiten wieder ein. Jetzt bekamen sie zum Clementinum das Carolinum hinzu und für das ganze Land das Unterrichtswesen in die Hand. Sie waren während der langen folgenden Zeit im wesentlichen die Vertreter der Meinung, daß die Ausrottung der zäh im Volk wurzelnden Ketzerei vor allem auf positivem Wege erfolgen müsse: durch Reformen in der alten Kirche, durch Neuorganisation der Bischofssprengel und Pfarrämter, durch Verbesserung des Volksschulwesens und Belehrung der Gemeinden, anknüpfend an ihre Gewohnheit des Bibellesens und Predigthörens. Es ist wohl nur eine Ausnahme gewesen, daß die Vertreter der »Societas Jesu« in Prag die schärfere Tonart vertraten, während die Kapuziner im Einvernehmen mit dem neuen Erzbischof, dem Grafen *Harrach*, zur Milde rieten. Doch gehört das einer späteren Zeit an.
Die Berichte über das, was in den ersten Jahren nach Niederwerfung des Aufstandes geschah, sind tief erschütternd. Man darf allerdings nicht gleich alles, was *Ferdinand II.*, die Verletzung seiner kaiserlich-königlichen Majestät streng ahndend, verfügte, schon auf Rechnung der Gegenreformation buchen: die einen ganzen Tag lang währende öffentliche blutige Hinrichtung der hohen Adeligen, die als Hauptschuldige angesehen wurden, die Konfiskation von mehr als der Hälfte alles Herreneigentums an Gütern, Schlössern, Kapitalien zugunsten des Herrschers und fast mehr noch seiner zum Teil

landesfremden Gefolgschaft. Daß diese Weise, Rache zu nehmen, eines Kaisers des »Heiligen Römischen Reichs« unwürdig war, hat die Geschichtsschreibung mehrfach geurteilt. Auch als seine erste heiße Erregung sich abgekühlt hatte, ließ *Ferdinand* sich noch zu einem Akt des Hasses hinreißen: Er zerschnitt eigenhändig mit einer Schere den böhmischen Majestätsbrief aus dem Jahre 1609, nachdem er vorher das Wappensiegel seines Vorfahren entfernt hatte.

Nun wurde mit dem Jakobsmandat von 1508, das so oft erfolglos erneuert worden war, letzter Ernst gemacht. Sämtliche brüderischen Priester wurden des Landes verwiesen und alle Zusammenkünfte auch in den Häusern streng verboten und bitter bestraft. Die lutherischen Pfarrer erhielten noch eine Galgenfrist von einem Jahr: das geschah aus Rücksicht auf den sächsischen Fürsten, dem zum guten Teil der Erfolg am Weißen Berg zu danken war. Alle anderen nichtkatholischen Bethäuser und Kirchen, auch solche, die sich die Evangelischen neu gebaut hatten, darunter die schöne, von den deutschen Lutheranern in Prag erst kürzlich errichtete Salvatorkirche, wurden umgewandelt oder geschlossen, wenn nicht gar zerstört. Regelmäßiger Besuch des katholischen Gottesdienstes, besonders der Beichte, wurden zur staatsbürgerlichen Pflicht gemacht. Die sich dem Befehl Entziehenden wurden in die Messe hineingeprügelt. Vereinzelt kam es sogar vor, daß man den sich Weigernden vor dem Altar die Hostie in den mit einem Pflock aufgesperrten Mund hineinstopfte. Vom Kelchgebrauch der Laien war selbstverständlich nicht mehr die Rede. Es tut weh, in den Quellen und in den auf sie aufgebauten Darstellungen aus jener Zeit die Einzelheiten zu lesen, in denen die grausamen Bekehrungsmethoden »mit eiserner Zunge« wieder aufgenommen wurden, die vor einem halben Jahrtausend vielleicht entschuldbar waren, die jetzt aber als Zeugen einer Verrohung betrachtet werden müssen, die auf den Verlust an christlicher Substanz bei den sie Ausübenden hindeutet. Zum Glück ging es so nicht die ganzen 160 Jahre (bis 1781) weiter, obwohl auch noch aus dem 18. Jahrhundert unglaublich scheinende Grausamkeiten der Zwangsanwendung zur Konversion berichtet werden. Das wesentliche Kennzeichen der Gegenreformation in diesen Jahrzehnten ist der Versuch einer restlosen Reinigung des Landes von allen, die nicht gewillt waren, das Verbleiben in der Heimat mit dem Glaubenswechsel zu erkaufen. Als die fortschreitende »Aufklärung« es nicht mehr zuließ, gegen die Unbelehrbaren mit brutaler Vertreibung vorzugehen, gab es noch Mittel genug, durch wirtschaftlichen oder gesellschaftlichen Druck freiwillige Auswanderung oder heimliche Flucht über die Grenze zu erzwingen. Daß trotzdem sich 1781 ein »Rest, der übrigblieb« noch allenthalben vorfand, und daß aus der Wurzel des abgehauenen Baums ein grünender Zweig hervorschoß, hatte zum Teil darin seine Ursache, daß die ungarische Reichshälfte durch innenpolitische Umstände und außenpolitische Geschehnisse den habsburgischen Herrschern gegenüber erfolgreicher ihre Eigenständigkeit zur Geltung bringen konnte, als das in Böhmen möglich gewesen war.

8. Exulanten und Kryptoprotestanten

Von der ersten Austreibung der Protestanten aus dem Reich der Wenzelskrone ist oben bereits einiges berichtet worden (siehe S. 82, 242). Es war eine verhältnismäßig kleine Gruppe, die von ihr betroffen wurde: die schollengebundenen Mitglieder der Unität auf den Gütern, die 1546 der König konfiszierte, und ihre einstigen Grundherren, die er damit für ihren passiven Widerstand im Schmalkaldischen Krieg bestrafte. Das geschah nur in Böhmen, nicht auch in Mähren. Daß der Samen dieser Diaspora wunderbar aufging und die Frucht des polnischen Zweigs der Brüdergemeinschaft brachte, hat in einem Abschnitt des Polen-Kapitels (siehe S. 94,) Behandlung gefunden.
Was sich nach 1621 ereignete, war zunächst nicht eine Austreibung wie damals, sondern eine aus Furcht und Verzagen geborene Flucht in die Wälder und durch sie hindurch zur Nachbarschaft im Norden und Osten, wo man glaubensbrüderliche Aufnahme und weitere Hilfe zu finden glaubte. Viele mag wohl, wie meist in solchen Fällen, der Gedanke getröstet haben, der drohende Groll werde sich bald verziehen, so daß eine Rückkehr an den heimischen Herd möglich sei. Am ehesten konnten die Deutschen, in der Mehrheit Stadtbürger, sich mit dem Wechsel abfinden. Manche werden dorthin zurückgekehrt sein, von wo sie oder ihre Ahnen ins Tschechenland gekommen waren, mag das auch schon vor Jahrhunderten geschehen sein. Auch in den Alpenländern Österreichs – das mag hier eingeschaltet werden – haben die evangelischen Deutschen unter *Ferdinand II.* und später bis in die Zeit *Maria Theresias* die Gegenreformation in der Weise erlitten, daß ihnen die Alternative »Glaube oder Heimat« aufgezwungen wurde. Man weiß von den Salzburgern, die ihr Landesherr, der Erzbischof *Firmian* (1732) vor die Wahl stellte, den Rosenkranz oder den Wanderstab zu wählen. Ihr Zug durch die deutschen Länder unter dem Gesang von *Schaitbergers* Exulantenlied ist viel beschrieben worden. Weniger bekannt ist, wie man die »Landler« im 18. Jahrhundert »abstiftete«. Auf großen »Plätten« (bewohnbare Flöße) wurden in Linz die Lutheraner verladen, die ihren Glauben noch mehr liebten, als ihr vielgeliebtes »Landl« Oberösterreich. Die Fahrt aber ging nicht donauaufwärts nach Deutschland; als wertvolle Arbeitskräfte sollten sie Österreich erhalten bleiben. Es ging den Strom hinab durchs Ungarland hindurch und dann über die Waldberge Transsylvaniens hinweg nach Siebenbürgen, wo sich nun schon einmal ein unausrottbares Ketzernest befand und geduldet werden mußte (siehe S. 373ff.). Über dieser Emigration waltete eine erschütternde Tragik; vor Abfahrt der Schiffe holte man die Kinder herunter: »die gehören dem Kaiser; seinen Glauben sollen sie lernen.«

Viel schwerer als die Deutschen traf die Not des Heimatwechsels die Tschechen. Im Nachbarland Sachsen waren sie gar nicht sehr willkommen, obwohl sie nun durch Besiedlung des Nordhangs der Erzgebirgslandschaft den Grund für die Entfaltung ertragreichen Gewerbes legten. Man empfand sie als Fremde in ihrer Sprache, Tracht, Lebensweise, namentlich in ihrem Glauben, soweit sie nicht – wie meist die Mährer – sich zum Luthertum bekannten. Viele zogen daher weiter – nach Schlesien, Polen, Brandenburg, sogar bis in die baltischen Länder.

Über die, die sich der großen Flucht nicht angeschlossen hatten, hoffend, noch einmal gut davongekommen zu sein, breitete sich von 1627 an das Verhängnis einer nun ganz hartherzig durchgeführten Ausweisung. Man rechnet, daß etwa 36000 Familien, darunter viele vom Adel, vor allem aber Bauern und Bürger, betroffen wurden.

Über die bitteren Erlebnisse bei dieser Massenbewegung gibt es eine Fülle von eindrucksvollen Schilderungen auf Grund neu aufgedeckter Quellen, die man nur mit Bewegung lesen kann. Es war nicht nur die Mittellosigkeit, z. T. Bettelarmut – im buchstäblichen Sinne – der Exulanten, was es ihnen erschwerte, wieder Boden unter den Füßen zu gewinnen. Es kam die kleinliche Profitfigur von Bauern, Bürgern und Edelleuten in den deutschen Ländern bis hin zum sächsischen Kurfürsten hinzu.

Im Hin und Her des Dreißigjährigen Krieges gab es zweimal die Möglichkeit vorübergehender Rückkehr. Als die Sachsen nach dem schwedischen Sieg bei Breitenfeld 1631 Böhmen besetzten, wurden allein in Prag 34 Kirchen zurückgenommen, die zehn Jahre früher katholisch gemacht worden waren. Bei der Prozession, die zur Totenfeier für die 1621 Hingerichteten in die Teinkirche zog, schritten 33 Paare von Exulantengeistlichen dem Zuge voran, die voll freudiger Zuversicht heimgekehrt waren. Auch die von den deutschen Lutheranern in der Prager Altstadt erst 1611 erbaute Salvatorkirche mußten die Paulaner-Mönche nun räumen und zurückgeben. Aber die Freude dauerte nur ein halbes Jahr. *Wallenstein*, von *Gustav Adolf* abgelehnt, vertrieb die Sachsen und mit ihnen die Rückkehrer. Auch der Schwedeneinfall nach *Wallensteins* Ermordung 1634 brachte nur eine kurze Pause voller Hoffnung, die alsbald durch den beschämenden Prager Frieden 1635 erledigt wurden.

Was die Vertriebenen alles zur geistlichen, kulturellen und wirtschaftlichen Entwicklung ihrer neuen Heimat beigesteuert haben, besonders zum kirchlichen Leben der sie allmählich rezipierenden Kirchengemeinden, ist ein weitreichendes Feld. Neuere Forschungen haben herausgestellt, welche bedeutenden Einfluß tschechische Exulanten auf die Geisteskultur von Völkern unter der Stephanskrone gehabt haben bis zu den Slovenen, Kroaten, Serben und Rumänen. Größer war das, was der Protestantismus in Polen den »Brüdern« zu danken hatte, die in Lissa, Posen und vielen kleineren

Orten ihre Unitätsgemeinden gründeten. Immer neuer Zustrom aus der Heimat, besonders nach dem Bauernaufstand von 1680, aber auch im 18. Jahrhundert bis zuletzt noch 1775, half dazu, daß die zusammenschmelzenden Gruppen im Widerstand gegen die sprachliche Assimilation bestärkt wurden, obwohl diese letztlich unaufhaltsam war. Aber selbst wo man in der Sprache nachgab, bewahrte man mit Stolz die sonstigen Merkmale der Abstammung, vor allem die brüderische Tradition im kirchlichen Leben.

Für die Glieder der Brüder-Unität besaßen Brandenburg und Schlesien besondere Anziehungskraft. In der »Mark« hatten der Große Kurfürst und seine Nachfolger schon den vertriebenen Hugenotten die Tür weit geöffnet. Nun ließen sie auch die tschechischen Glaubensbrüder herein. Die Hohenzollern waren selbst reformiert, aber duldsam für jeden Glauben. Hier konnten die Flüchtlinge besser Fuß fassen als im lutherischen Sachsen. Für die Entfaltung einer schnell zur Blüte kommenden Industrie haben die drei böhmischen Kolonien Berlins wichtigsten Beitrag geliefert. In der Stadtmitte wurde der eigenartige Rundbau der »Bethlehemskirche« errichtet; ihren Namen erhielt sie im Gedenken an *Hus*. Sie wurde der Ausgangspunkt wirksamer Volksmission, vor allem durch den ausgezeichneten Prediger der Erweckungsbewegung um die Jahrhundertwende, »Vater Janikke«. 1748 als *Jan Jenik* in Böhmen geboren, war er in jüngeren Jahren mit seinen Eltern ausgewandert. Am Rande der Hauptstadt, in Rixdorf (jetzt Stadtteil Neukölln), in Nowawes (jetzt Stadtteil von Potsdam) entstanden und erhielten sich bis ins 20. Jahrhundert »böhmische Gemeinden«. *Friedrich der Große* lenkte in seiner auf »Peuplierung« der 1742 neu gewonnenen Provinz gerichteten Innenpolitik den noch immer andauernden Zustrom nach Schlesien. In Mittelschlesien fanden die slavischen Eroberer von 1945 Dörfer mit tschechischen Namen vor und in ihnen Bewohner tschechischer Abstammung. Sie wurden nicht mit den anderen Einwohnern nach Deutschland geschickt, sondern, obwohl längst zu Deutschen geworden, nach Böhmen verpflanzt, der tschechisch-brüderischen Kirche ein willkommener Zuwachs. Groß muß die Zahl derer gewesen sein, die es zunächst verstanden, sich der Austreibung zu entziehen; denn in immer neuen Wellen setzten sich die Emigrationen bis tief in das 18. Jahrhundert fort. Die katholischen Pfarrämter mußten genaue Listen über die Bewohner ihrer Ortschaften einreichen, in denen die zuverlässig Bekehrten neben den Unsicheren und den Widerspenstigen je besonders aufgeführt wurden. Dann reisten »Religionskommissionen« im Lande umher, von Soldatentrupps als Exekutivorgane begleitet, und konnten von zahlreichen »Bekehrungen« berichten. Stießen sie auf Widerstand, so hinterließen sie, weiterziehend, in solchen Häusern eine Einquartierung, die es verstand, die Bewohner zu zermürben, sei es zum Nachgeben, sei es zum Fortzug. Man soll nicht vorschnell hart urteilen über arme, schlichte Menschen, die sich zur Koexistenz, gar zur Kollaboration entschlossen, etwa zur Teilnahme an Beichte und Messe, an Prozessionen mit Gebeten, den Rosenkranz in der Hand. Sieht man auf das, was 1781 als Ergebnis der in aller Heimlichkeit hindurchgeretteten evangelischen Glaubenstreue zutage trat, wer will den tadeln, der Gott dafür dankt?

Für die damals an ihrer Scholle klebenden Bauern in den Alpen Österreichs müssen wir ebenso Verständnis und Verzeihung haben, wie heute für die in »innerer Emigration« verharrenden Menschen unter atheistisch-kommunistischer Diktatur. Wir lechzen alle danach, daß uns Gott unsere Sünden vergibt. Auch in unseren Tagen ruht die Hoffnung auf gesunden Wiederaufbau ruinierter Gemeinschaften auf der zähen Tapferkeit der in Katakomben sich verbergenden Getreuen.

Als die vielgeschmähte »Aufklärung« das nachholte, was der Humanismus der Renaissance nicht zuwege gebracht hatte, als auch die Kirche sich genötigt sah, die augustinische Fehldeutung des Gleichniswortes Luk. 14, 23 (*Luther:* nötige sie hereinzukommen; Vulgata: compelle intrare) abzuschütteln und als der »Rest, der übrigblieb« im gesamten Habsburger Reich und daher auch in den Ländern der Wenzelskrone die Maske ablegen konnte, unter der er sich an vielen Stellen hatte verstecken müssen, da meldeten sich in den böhmischen Ländern allein 80000 Erwachsene als Protestanten, ungefähr ebensoviel wie im ganzen übrigen Österreich, immerhin ein erstaunlicher Prozentsatz. Mehr als 150 Jahre hindurch hatte sich von Generation zu Generation die Überlieferung vererbt: Wir sind etwas anderes als die anderen alle; auch wenn die es gar nicht merken, wir haben unsere Bibel, die wir vor allen verbergen, unsere Lieder, die wir bei heimlichen Feiern in den Waldschluchten singen, unseren Katechismus, an dem die Kinder buchstabieren lernen, unsere Erzählungen von *Hus* und *Žiška*, von *Georg* und *Gregor*, von *Lukas*, *Augusta* und *Blahoslav*.

Den tapfer Durchhaltenden wäre allerdings schon bald der Atem ausgegangen, hätte man ihnen nicht von außen laufend Trost und Hilfe gebracht. Aus den Sammelplätzen der Emigranten kamen immer wieder Abgesandte in die einstige Heimat, oft in abenteuerlicher Verkleidung, beladen mit Paketen von über die Grenze geschmuggelten erbaulichen Schriften. Sie brachten auch Grüße der Verwandten mit, Durchhaltemahnungen und Endsiegverheißungen, Gewissentrost für die von den Kompromißfragen Angefochtenen: in der Anrufung des Gekreuzigten aus der Tiefe der Sündennot, in der Gemeinschaft der Genossen gleichen Glaubens beim Beten und Brotbrechen.

Die literarische Produktion der tschechischen Emigrantengruppen war bedeutend. Die einst vertriebenen Theologen und ihre Jünger in der Geschlechterfolge leisteten Hervorragendes für ihre Kirche und damit zugleich für ihr Volk. Anstelle vieler, die hier genannt zu werden verdienen, sei nur ein Name genannt, der des letzten Bischofs der Brüderunität, des unverzagten Dulders vieler schlimmer Schickungen, die einen anderen überwältigt hätten, des nicht nur durch theologische, mehr noch durch philosophische und pädagogische Arbeiten zum Lehrer seines Zeitalters – neuerdings sogar unserer der Belehrung bedürftigen Tage – gewordenen *Johann Amos Comenius*.

Aber auch daheim brachen mit der Zeit Quellen der Stärkung und Zuflucht auf. Als der Rachedurst der Habsburger gestillt war, wagten mutige Einzelne zwischen den hier und da sich haltenden Gruppen Fäden der Verbindung zu knüpfen. Da waren die Bergknappen von Kuttenberg, bei denen man ein Auge zudrückte, wenn sie, die in ihrem Beruf Unentbehrlichen, statt in die Messe zu ihren Konventikeln gingen. Und wenn Kaufleute oder Fabrikanten aus Franken und Sachsen in Böhmen Geschäfte aufmachten, die dem Staate nützlich waren, so durfte man im Zeichen des Merkantilismus ihnen ihr willkommenes Wirken doch nicht mit kirchlichen Schikanen verleiden. Dazu kam die bald entdeckte Möglichkeit des »Auslaufens«. Die Lutheraner des Egerlandes hatten es ganz nahe nach Asch, und auf dem Kamm des Erzgebirges lag die Exulantensiedlung Johanngeorgenstadt. Vom Osten Mährens pilgerte man allen Verboten zum Trotz nach Teschen oder gar nach Ungarn hinüber zu den Slovaken. Bis an deren Grenze zog sich, von dem Elbestädtchen Raudnitz angefangen, über Ostböhmen und die mährische Walachei eine Kette von Ortschaften, die nie ganz katholisch geworden waren.

9. Das Toleranzedikt

Das Haus Habsburg, eines der mächtigsten und andauerndsten Herrschergeschlechter, die Europa jemals sah, spielte in der Geschichte der Reformation eine so entscheidende Rolle, weil es durch seine politischen Interessen, die einst den ganzen Erdball umspannten, aufs engste an die römische Papstkirche gebunden war. Dabei wird auch die Familientradition mitgewirkt haben. Als sich das 18. Jahrhundert, von Fieberschauern eines gewaltigen Zeitenumbruchs erschüttert, seinem Ende zuneigte, umfaßte das Kaiserhaus einen großen Länderkomplex, in dem alle »Ketzerei« auszurotten seit 200 Jahren sein dringliches Anliegen gewesen war. In keinem seiner Gebiete ist das restlos gelungen. In der österreichischen Staatshälfte hatte sich überall, in den Alpenländern so gut wie in den sudetischen, ein zäher Kryptoprotestantismus durchgewintert, der in überraschender Zahl und Kraft aus Katakomben ins Sonnenlicht trat, als am 20. Oktober 1781 *Joseph II.* das berühmte Toleranz-Edikt (auch Patent, Generale, Zirkulare genannt) erließ, alsbald nach dem Tode seiner Mutter, der so achtenswerten, aber durch ihre Religiosität gehemmten Kaiserin *Maria Theresia*.

Das war ein Ereignis von einschneidender Bedeutung. Das Edikt wurde im ganzen Reich des Monarchen publiziert, auch in Belgien, in Vorderösterreich (am Oberrhein), in der Lombardei. Es hatte auch für Ungarn und Siebenbürgen wichtige Nachwirkungen, nirgends aber größere als in den drei Ländern der Wenzelskrone, die eine national gemischte Bevölkerung hatten: Tschechen, Deutsche, Polen.

Josephs Entschluß entstammte nicht der Laune eines freiheitlich und nützlich (merkantilistisch) denkenden Machthabers, sondern dem Geist der Zeit, dem Geist der »Aufklärung«, der, seit langem vorbereitet, damals die abendländische Welt »begeisterte«. Selbst hohe Würdenträger der katholischen Kirche konnten sich ihm nicht entziehen. Die sehr ausführliche Monographie über Entstehung und Wirkung des Edikts, die der Wiener Kirchenhistoriker *Gustav Frank* auf Grund der Akten des kaiserlich-königlichen Hofarchivs 1881 aus Anlaß des 100-Jahr-Gedächtnisses herausgab, füllt nicht weniger als 17 Seiten mit Zeugnissen toleranter Gesinnung im höheren Klerus.

Auf protestantischer Seite jubelte man dem Kaiser enthusiastisch zu. Denkmünzen sollten das große Ereignis verewigen. Da sieht man auf einem Silberstück drei Pfarrer: in der Mitte den katholischen mit dem Kelch in der Hand; neben ihm stehen ein lutherischer und ein reformierter, jeder mit einer Bibel, und alle drei blicken empor zu dem über ihnen schwebenden Kaiseradler, der von den hebräischen Buchstaben des Gottesnamens bestrahlt wird. Auf dem Rande liest man: »Ecce amici in deo« (Siehe, sie sind Freunde in Gott).

Ähnlich überschwenglich zeigt eine andere Münze auf der einen Seite *Luther*, auf der anderen den Kaiser, beide die Hand auf der Bibel. Dort die Inschrift: »Es werde Licht, 1530«; hier: »und es ward Licht, 1781«.

Auch die Gläubigen der Ostkirche im ganzen Reich priesen den Monarchen begeistert, um so mehr, als nun die lauernde Gefahr, in die »griechisch-katholische« Union gepreßt zu werden, gebannt schien. Einer der zahlreichen griechischen Schwammhändler in Wien gab seinem Haus die Inschrift:

Vergänglich ist dies Haus,
Doch Josephs Nachruhm nie.
Er gab uns Toleranz;
Unsterblichkeit gab sie.

Für die Westhälfte des Reiches – die in dem Namen »Österreich« zusammengefaßten »Königreiche und Länder« – war allerdings das Geschenk des Kaisers im Unterschied zu Ungarn nur Toleranz (Duldung, »Privat-Exercitium«), nicht mehr. Die Gleichberechtigung ließ hier noch 80 Jahre auf sich warten. Noch lange blieb die katholische Kirche die »dominante« mit allen Vorrechten einer politischen Staatsreligion. Doch durften die drei nun geduldeten Gruppen der »A-Katholiken«, die lutherische, kalvinische, orientalisch-orthodoxe sich jetzt Bethäuser bauen; nur solche, nicht Kirchen mit Turm und Glocken und nicht an der Straßenfront. Sie durften auch rechtsfähige Gemeinden bilden, aber nur mit »Pastoraten«, nicht »Pfarrämtern«; Matrikelführung und Stolgebühren blieben dem jeweils örtlich zuständigen römischen Parochus vorbehalten. Auch wurde den Gemeinden erlaubt, konfessionelle Privatschulen zu errichten; doch mußten sie das ganz aus eigenen Mitteln tun.

Noch in den zwei Monaten des restlichen Jahres ließen sich 73000 Evangelische beider Konfessionen und aller Sprachen der Monarchie bei den staatlichen Registrierstellen einschreiben. Eine Zahl, die sich bald auf das Doppelte erhöhte.

Da der Westfälische Friede 1648 nur die beiden Großkirchen des kontinentalen Protestantismus reichsrechtlich anerkannt hatte, kam in den Ländern der Wenzelskrone – sie gehörten seit ihrer Christianisierung und bis 1806 zum Römischen Reich – eine Wiederaufrichtung der zwei vorreformatorischen Formen des tschechischen Protestantismus, Utraquismus und Unität, nicht in Betracht. In Ostböhmen und Mähren meldeten sich die Krypto-Protestanten größtenteils zum Luthertum; sie hatten sich ja immer an die schlonsakische und slovakische Nachbarschaft angelehnt. Dasselbe taten die Deutschen: Da ihre Bauern zumeist emigriert waren, kamen nur drei armselige Dorfgemeinden zustande, aber zwei stattliche Bürgergemeinden: Prag und Brünn. In Böhmen überwogen das utraquistische und das brüderische Erbe mit der hergebrachten Reserve gegenüber den Wittenbergern. So entstanden unter den Tschechen bis 1790 50 Gemeinden Helvetischen Bekenntnisses (H. B.) mit etwa 70000 Seelen und 20 Gemeinden Augsburgischen Bekenntnisses (A. B.) mit durchschnittlich 1000 Seelen. Die Lutherischen Schlonsaken kamen auf etwa 40000 Glieder; fast ebenso groß war die Zahl der deutschen Lutheraner, einschließlich der seit alters privilegierten Grenzecken von Asch und Teschen.

Zur Gründung reformierter Gemeinden hatten auch die Nachkommen der einstigen Emigranten, wenn sie befragt wurden, geraten. Hatten sie doch selbst meist solche gebildet, namentlich in den preußischen Ländern. Zudem war bei ihnen unvergessen, daß *Comenius*, der unermüdliche Fürsorger der Brüder-Diaspora und letzte Bischof der Unität, einst jahrelang im Zentrum des ungarischen Kalvinismus, in Saros-Patak (siehe S. 247), wirkte und daß er im Schoß der »Heformde Kerk« in Amsterdam gestorben war.

Es kam vor, daß schlichtes Bauernvolk – es wurde im österreichischen Reichsteil 1781/82 aus der Leibeigenschaft entlassen – unschlüssig vor dem Beamten stand und erklärte: »wir sind Husiten« oder »wir sind Brüder« und sich dann von ihm zur Eintragung in die lutherische Liste überreden ließ; das Schweizertum galt in Österreich als ärger ketzerisch und staatsgefährlich. Das hatte dann hier und da zur Folge, daß bald darauf – nach erhaltener Aufklärung, wo die echten »mährischen Brüder« zu finden seien – ganze Dörfer geschlossen ihre Umschreibung von der Augsburgischen Confession zur Helvetischen vollzogen.

Die deutschen lutherischen Gemeinden in den Hauptstädten wurden später vor die Frage gestellt, ob sie den aus mancherlei Gründen zuziehenden Reformierten aus Frankreich, Holland, Schottland und der Schweiz, die in den tschechischen Gemeinden H. B. nicht heimisch werden konnten – nicht nur aus sprachlichen Gründen –, gastliche Aufnahme gewähren wollten. Sie taten das gern und die Gemeinden nannten sich von nun an »A. und H. B.« Das gab dann in dem unierten Brünn einmal Anlaß zu Streit, als aus den tschechischen Dörfern eine laufende Zuwanderung erfolgte und die reformierten Tschechen eine eigene nationale Gemeindegründung erstrebten. Ein engstirniges Presbyterium weigerte sich unter Berufung auf das Doppelbekenntnis der Gemeinde acht Jahre lang, dem zuzustimmen, aus Furcht vor »Unterwanderung« der deutschen Stadtbürgerschaft.

Wir dürfen uns die Anfänge des neuen Gemeindelebens nicht leicht vorstellen. Die Staatsbehörden waren über die große Zahl der ersten Meldungen entsetzt und bauten für die Übertritte der Einzelnen und die Errichtung von Gemeinden allerlei Hindernisse ein. Das Schlimmste war, daß von 1789 an keine Eintragung in die Übertrittslisten mehr vorgenommen wurden, wenn nicht eine Bescheinigung des katholischen Parochialpriesters vorgelegt wurde, ein mindestens sechs Wochen umfassender Bekehrungsversuch sei erfolglos verlaufen. Und strengstens verboten war jede Werbung für den Übertritt. An den protestantischen Gottesdiensten durfte niemand teilnehmen, der nicht bereits jene Bekehrungsfolter siegreich überstanden hatte. Unter diesen Umständen ging der organisatorische Aufbau im Kleinen wie im Großen nur langsam vonstatten.

Für ihre örtliche Verwaltung konnten die jungen Gemeinden sich die nötige Ordnung selbst geben. Sie schufen sich Vorstände (Presbyterien), in denen stets ein Laie, »Kurator« genannt, neben dem Pastor die Führung hatte. Die gesamtkirchliche Ordnung dagegen nahm notgedrungen der Landesfürst in die Hand. Der Kaiser ernannte sieben Superintendenten und wies einem jeden eine recht umfangreiche Diözese zu. Den Superintendenten wurden später »Senioren« unterstellt, die in ihrem Seniorat meist etwa 20 Pfarrgemeinden zu beaufsichtigen hatten, so daß die Superintendenten die Arbeit und den Rang von Oberhirten bekamen, entsprechend den anderwärts als Generalsuperintendent, Prälat u. a. betitelten theologischen Kirchenleitern. Die Lutheraner, also das Augsburgische Bekenntnis, besaßen 4 Superintendenturen. Davon waren die Wiener und die oberösterreichische fast rein deutsch, die böhmische hingegen vorwiegend tschechisch. In der mährisch-schlesischen Superintendentur bestand die Hälfte der Gläubigen aus Schlonsaken, der Rest etwa zu gleichen Teilen aus Deutschen und Tschechen.

Die Reformierten verfügten über die drei Sprengel Wien, Böhmen und Mähren. Sie waren zu einer konfessionell geschlossenen zweisprachigen Kirche verbunden.
Die späteren Neuordnungen betrafen vor allem deutsche Lutheraner. Als man sich 1804 endlich entschloß, das 1772 bei der ersten Teilung Polens gewonnene Galizien (siehe S. 102) und die 1775 den Türken abgenommene Bukowina kirchlich einzureihen, schuf man die neue Diözese und nannte sie A und HC, obwohl die Reformierten eine kleine Minorität darstellten (1908: 5600 gegen 53000). Auch die Zahl der polnischen Lutheraner betrug hier nur wenige Prozent der Seelenzahl.
Die Ascher Superintendentur, die 1908 fast 30000 Seelen (in 3 Pfarrgemeinden) zählte, wurde 1870 gegründet, als das seit alters dort bestehende Konsistorium dem Oberkirchenrat eingegliedert worden war.
Salzburg und Tirol kamen zu Oberösterreich im Zusammenhang mit der Säkularisation der geistlichen Herrschaften im Römischen Reich (1806) und mit der Rückkehr Tirols (1815) nach der Bayrischen Episode.
Die Teilung Böhmens wurde 1900 vollzogen, als sich im deutschen Siedlungsteil die Zahl der Lutheraner auf 40000 vermehrt hatte, während die der Tschechen hier nur ein Viertel davon betrug. Der bisherige Weg, abwechselnd einen deutschen und einen tschechischen Superintendenten zu wählen, war bei der zunehmenden Leidenschaft im Nationalitätenstreit unhaltbar geworden. Man blieb aber wenigstens in der einen den ganzen Staat umfassenden Landeskirche beisammen.
Der örtliche Zusammenschluß der »Heimlichen« und ihre kirchliche Zusammenfassung war dadurch erleichtert worden, daß sie sich untereinander kannten und gegenseitig beistanden. Manche Siedlungen im tiefen Wald oder schwer ersteigbaren Gebirge waren ohne Ausnahme von Gleichgesinnten erfüllt, so etwa bei den Deutschen am Fuß des Dachsteins Gosau am Nordhang und Ramsau auf der Südseite, bei den Tschechen in der unwirtlichen »Mährischen Wallachei«.
Wie hatte das gemeinsame »Auslaufen« zu den Gottesdiensten in den freien Nachbarländern verbunden: aus Oberösterreich nach der lutherischen Enklave der Reichsgrafschaft Ortenburg bei Passau; aus Böhmen über den Erzgebirgskamm nach Sachsen; aus Mähren nach Schlesien oder in die Slovakei! Da war man sich der Glaubensgenossenschaft in einer zwar weithin verstreuten, aber doch stattlichen und tapferen Diaspora bewußt geworden. Dazu war ein anderes gekommen. Grenzgänger »von drüben« kamen unverdrossen auf Schleichwegen herüber mit Rucksäcken voll Bibeln und Andachtsbüchern. Das beliebte kleine Taschengebetbuch ließ sich auch sonst bei den Reisen leicht im Gepäck verstecken. Zu dem deutschen Exulantenvater *Schaitberger* besaßen die Tschechen ein Gegenstück in dem Angehörigen einer ehedem emigrierten Familie, *Wenzel Kleych*, aus Zittau. Ursprünglich

Bauer, war er später bis zum Verlagsbuchhändler emporgestiegen, der seine Erbauungsschriften selbst unter Tschechen und Slovaken opfermutig kolportierte.

Es soll auch nicht übersehen werden, daß seit dem Ende des Dreißigjährigen Krieges von den evangelischen Ständen des Reiches unablässig moralische Unterstützung geleistet wurde. Das »Corpus Evangelicorum« hörte nicht auf, Beschwerden der Unterdrückten entgegenzunehmen und dem Kaiser auf den Reichstagen vorzutragen. Auch wenn das umsonst war, hat es doch tröstend und stärkend gewirkt. Nun, da die Bresche geschlagen war, reichte manche grüßende Hand über die Grenze, und eine Welle solidarischer Hilfsbereitschaft erquickte das aufgebrochene Feld.

Größte Freude herrschte 1781 in der tschechischen Emigration. Rückkehr allerdings wurde keinem der Nachkommen einst Geflüchteter oder Vertriebener gestattet. Es wurde nicht einmal erlaubt – was doch so wichtig für das geistliche Leben der Gemeinden gewesen wäre –, ihnen vom Ausland Pfarrer und Lehrer zuzusenden, die sprachkundig waren und in der Tradition der Alten standen. Wollte man damit noch die Urenkel der einstigen Emigranten strafen? Oder fürchtete man Ansteckung durch freiheitliches Gedankengut?

Vorübergehend boten die schlichten Laienprediger, die bisher in den »Katakomben« den Verkündigungsdienst getan hatten, sich als Aushilfe an. Aber für den berufsmäßigen Gemeindedienst eigneten sie sich doch nicht, zumal der Seelsorgedienst in manchen Gegenden, besonders in Mähren wegen der dort noch immer Unruhe stiftenden Schwärmer aller Art, recht schwere Aufgaben stellte. Die Behörden verwiesen auf Ungarn. Dort war schon sehr viel früher ein geduldetes Kirchenleben in Gang gekommen. Von den Nachbargemeinden in Preßburg, Tyrnau, Trentschin u. a. war seit 150 Jahren durch wechselseitige Besuche viel Trost und Ermutigung herübergeflossen.

Das kam allerdings nur den Lutheranern zugute. Für ihre 20 Gemeinden fanden sich slovakische Pfarrer, die bereit waren, den Pionierdienst im fremden Land unter meist sehr kümmerlichen Anfangsverhältnissen zu wagen. Für sie gab es kaum sprachliche Schwierigkeiten; denn in der Slovakei begann die Volkssprache erst im 19. Jahrhundert sich selbständig zu einer eigenen Schriftsprache zu entfalten. Selbst heute noch stehen die Kralitzer Bibel ebenso wie die Cithara sanctorum des *Tranovscius*, beide in der alttschechischen Bibelsprache (Biblictina) verfaßt, diesseits und jenseits der March-Grenze in Gebrauch.

Sehr viel schlechter waren die Reformierten dran. Den Nachfahren eines *Chelčicky* und *Blahoslav* waren die altlutherischen liturgischen Formen und Sitten der slovenischen Pfarrer anstößig. Talar und Hostie, Kniebeugen und Kreuzschlagen erinnerten zu sehr an die Messe, in die man bisher zu heuchlerischer Teilnahme gezwungen worden war. Slovakische Glieder aber hatte die reformierte Kirche der Magyaren damals nur in sehr geringer Zahl. Immerhin gab es im slovakischen Sprachgebiet Ungarns doch auch reformierte Pfarrer, denen die slovakische Umweltsprache nicht fremd war, und so kam es, daß in den ersten 20 Jahren nicht weniger als 67 Magyaren es versuchten, den tschechischen Konfessionsverwandten den Pfarrerdienst zu leisten. Es ist nicht zu verwundern, daß viele bei dem Versuch scheiterten. Aber es waren doch nicht wenige, die in der ihnen fremden, ganz anders gelagerten Welt festen Fuß faßten. Noch heute gibt es in den tschechischen Gemeinden Pfarrerfamilien, die mit Stolz auf die opfermutige Tapferkeit ihrer ungarischen Vorfahren zurückblicken. Und überhaupt verrät in den Führungskreisen des tschechischen Volks mancher Name die Herkunft der Familie aus der pannonischen Tiefebene.

Am leichtesten konnten die »Schlesier« für ihre 12 neuen Gemeinden Pastoren beschaffen. Die angesehene Schule der Jesusgemeinde in Teschen war schon lange Mittelpunkt einer ausgebreiteten evangelischen Volksbildung in allen drei dort gebräuchlichen Sprachen. Aus den eigenen Reihen hatten sich seit Altranstädt Lehrer und Prediger herausgehoben in ständiger Fühlung mit den Nachbarländern und ihrem evangelischen Leben. Das schon erwähnte Konsistorium in Teschen konnte sogar fürs erste die Gesamtleitung des österreichischen Protestantismus übernehmen und bildete den Grundstock für die spätere Zentralinstanz, den Oberkirchenrat in Wien.

Daß es schnell gelang, den äußeren Rahmen des Gemeindelebens herzustellen, ist ein Beweis für die große Freudigkeit, von der die Gründungsträger trotz aller Hemmungen erfüllt waren und zu erstaunlichen Opfern bewegt wurden. Es fehlte auch nicht an Aufbauhilfe aus der Glaubensgenossenschaft der Nachbarländer, die ohne Bedenken die konfessionellen und nationalen Grenzen übersprang, um denen unter die Arme zu greifen, deren Kraft zu versiegen drohte. Aus einer Scheune einen Betsaal zu machen, das war nicht allzu schwer: aber Wohnungen für Pfarrer und Lehrer zu beschaffen, ein Heim für den Gottesdienst, ein Schulhaus für die Jugend, das ging oft über die Kraft. Vergebens bat man darum, wenigstens die kirchlichen Gebäude zurückzuerhalten, die einst von den Vorfahren selbst errichtet wurden; in einigen Fällen gelang es, Kirchen, die den Katholiken gehörten, aber leer standen, zum Gebrauch auszuleihen, sofern sie nicht an der Straßenfront standen und nicht als Heiligtümer kenntlich waren.

Von Anfang an war der Blick der Gemeinden mit viel Sorgfalt ihrer Jugend zugewandt. Daß diese in den fünf Generationen seit der Zerstörung des evangelischen Schulwesens in dem großen Krieg nicht völlig verwahrlost war, vielmehr Träger einer einfältigen Bildung und Bewahrer des Glaubensgutes geblieben war, ist dem Notbehelf der Mutterschule zu danken, für die *Comenius* einst geworben und Anleitung geliefert hatte (siehe S. 247). Das ganze 19. Jahrhundert hindurch haben sich die evangelischen Kirchenschulen in allen Teilen Österreichs allseitiger Anerkennung ihres hohen pädagogischen Ranges erfreuen dürfen. Später allerdings konnten sie mit den simultanen Staatsschulen nicht mehr konkurrieren, da die Evangelischen auch für deren Errichtung und Erhaltung steuerlich mit aufkommen mußten, ohne für ihre privaten Schulen einen Ausgleich zu erhalten.

10. In der österreichischen Landeskirche

Der Josephinismus, der die Aufklärung zur Mutter, den Absolutismus zum Vater hatte, war kein klares und gediegenes Staatsprinzip. »Alles für das Volk, nichts durch das Volk« – das mag einem humanen Sklavenhalter die rechte Losung sein, der Regent eines geschichtsträchtigen Völkerreiches mußte daran scheitern. Kurz vor seinem Tode (1790) – soeben waren in Paris die »Menschenrechte« ausgerufen worden – widerrief Kaiser *Joseph II.* fast alle seine Verfügungen. (Wir werden davon hören, wie sein Nachfolger *Franz Joesph* gleichfalls das »verbrannte, was er angebetet hatte«. Nach Niederschlag der Aufstände von 1848 hatte er in der *Bach*-Ära die Zügel der Reichslenkung straff angezogen; nach zehn Jahren ließ er die Pferde laufen – am Rande des Abgrunds entlang, in dem der Wagen 1918 zerschellte.
Das Toleranzedikt nahm *Joseph* vom Widerruf aus – zum Glück für seine Ehre und für das Wohl des Staates. Aber war es ein Glück, daß auch der Plan beibehalten und durchgeführt wurde, die neu entstandene evangelische Kirche Österreichs in zentrale Lenkung zu nehmen? Dieser Frage muß nachgegangen werden.
Niemanden unter den nach 1781 aufatmenden Protestanten fiel es damals ein, diese Frage auch nur zu stellen. Viele Jahrzehnte mußten vergehen, bis die politische Parole des aufgewachten tschechischen Nationalgefühls: »Los von Wien« auch in den evangelischen Gemeinden ein Echo fand. Ein tschechischer *Košut* – nicht mit dem ungarischen verwandt – war es, der in einer kurzlebigen Zeitschrift von 1849 an die Klage erhob, Luthertum und Kalvinismus seien den Protestanten Böhmens aufgezwungen worden. Die rechte aus tschechischem Geist entsprungene, den besten Regungen der tschechischen Seele entsprechende Religion seien »Husitismus und Brüdertum«. Zu ihnen müsse man zurückkehren.
Neuerdings wird von tschechischen Kirchenhistorikern darüber vorsichtig gesprochen: »Man muß allerdings zugeben, daß unter den gegebenen Umständen dieser aufdiktierte (!) Stand für die Tschechen am vorteilhaftesten war« *(Říčan)*. Die jungen Gemeinden seien allein zu schwach gewesen, als daß sie damals »eine eigene Kirche auf der Grundlage der tschechischen Reformation hätten bilden können«.
Dem muß einiges hinzugefügt werden: 1. Unter den aus den Katakomben

der Unterdrückung jetzt auftauchenden tschechischen Protestanten befanden sich – besonders in Mähren und Schlesien – auch Träger einer betonten lutherischen Tradition von den Ahnen her. Für diese stand es außer Frage, daß sie ihre neuen Gemeinden als lutherische aufbauten, zumal sie sich dadurch an die seit längerem bereits gefestigten nachbarlichen Gemeinschaften der Konfessionsverwandten polnischer oder slovakischer Sprache anlehnen konnten. 2. Die Urenkel der Utraquisten und der Brüderunität hatten an den Exilgemeinden ein Beispiel dafür vor Augen, daß eine Eingliederung der alten tschechischen Gemeinschaften in die synodal organisierten Gruppen kalvinistischer Prägung, die sie in Polen oder in Brandenburg vorfanden, keinen Substanzverlust zu bedeuten brauche. 3. Nichts hat die neugegründeten tschechischen Gemeinden helvetischen Bekenntnisses daran gehindert, wertvollste Bestandteile des Vätererbes wieder aufleben zu lassen: die Gemeindezucht, den diakonischen Dienst aneinander; wenn auch das Charakteristikum der Gründung *Gregors* (siehe S. 224), die freikirchliche Abkapselung der *unitas fratrum*, im Zeitalter des Josephinismus und noch viel länger nicht durchführbar war. 4. Die erwähnte Schwäche der jungen Gemeinden war groß. Sechzehn Jahrzehnte lang war die geistliche Pflege der spärlichen Reste der einstigen Unität ganz dürftig und ungeregelt gewesen. Das wurde alsbald sichtbar, als jene 1783 angeordnete Unterrichtung der schlichten Menschen in Kraft trat, die sich zur »Einschreibung« gemeldet hatten. Es sind noch Akten über die dabei vorgenommenen »Glaubensverhöre« vorhanden. Bei diesen haben sich nicht wenige der Angemeldeten einschüchtern und von der Liste wieder streichen lassen. Von den Standhaften aber waren doch manche in radikaler, gar rabiater Negation des Katholizismus steckengeblieben. Andere irrten zwischen unklarer Gefühlsmystik und enthusiastischer Schwärmerei hin und her. Nicht groß war der zuverläßliche Kern der neuen Gemeinden, jener Männer und Frauen, die im Meditieren über der Bibel und im Beten aus den alten Andachtsbüchern zu echter reformatorischer Erweckung in Gnadenerfahrung »aus dem Glauben allein« hindurchgedrungen waren. Bei solcher Lage war es wahrlich ein Segen, daß eine größere und aus mancherlei Gründen gefestigtere Gemeinschaft ihren schützenden Arm um die tschechische Glaubensverwandten legte.

Aber hat denn die österreichische evangelische Kirche auch so liebevoll brüderlich helfend an ihren tschechischen Bestandteil gehandelt? Oder wird ihr mit Recht der Vorwurf gemacht, sie habe durch die Tatsache ihrer deutschen Mehrheit, gestützt auf den staatlichen Zentralismus, von Wien aus die Minderheit majorisiert, wohl gar zu germanisieren versucht?

Jedenfalls werden die Anfänge dieser Kirche von diesen Vorwürfen nicht betroffen. Was Kaiser *Joseph* tat, um die kirchliche Ordnung in Gang zu bringen, ist durch den kirchlichen Notstand erklärlich und wurde von allen Beteiligten dankbar entgegengenommen, zumal sowohl der Erlaß einer

Gottesdienstordnung (1782) und die Drucklegung von Gesangbüchern als auch die Errichtung der Diözesen und Ernennung ihrer Superintendenten, dazu die Verwandlung des Teschener Konsistoriums in eine Doppelbehörde zu Wien (1784) nicht ohne Beratung mit Theologen und Juristen erfolgte, die dafür sachkundig waren.

Die Doppelbehörde weist darauf hin, daß der Protestantismus in Österreich keinen Unionscharakter hatte, sondern aus zwei nach dem Bekenntnis geschiedenen Kirchen bestand. Ihre spätere Zusammenfassung als »Kirche Augsburgischen und Helvetischen Bekenntnisses« betraf nur Dinge der Verwaltung und gemeinsamer Interessenvertretung.

Die österreichische Kirche H. B. bestand, wie oben zu lesen war, aus drei Diözesen; von diesen war eine fast ausschließlich deutsch, die der Alpenländer; die beiden der Sudetenländer waren rein tschechisch. Die drei Sprengel hatten miteinander kein gemeinsames geistliches Oberhaupt. Leitendes Organ war die Generalsynode und ihr geschäftsführender Ausschuß. $^{9}/_{10}$ der Gemeinden amtierten tschechisch, $^{1}/_{10}$ deutsch. Wie sollte da eine Majorisierung der Tschechen durch die Deutschen möglich sein?

Dennoch kam es zum Streit; Anlaß war die Sprachenfrage. Das geschah allerdings erst nach Jahrzehnten, in den Zeiten des nationalen Erwachens der Völker Osteuropas, das nicht zum wenigsten auf die Gedanken der deutschen Romantik zurückgeht.

Es war nun einmal das Los dieser kleineren, in Großräumen eingebetteten Völker, daß sie – mindestens in ihren führenden Schichten – neben der eigenen Sprache die ihrer Umwelt als Zweitsprache brauchen, um Schritt zu halten: wirtschaftlich wie kulturell. Die von den tschechischen Gemeinden zur reformierten Generalsynode abgeordneten Pfarrer und Laien verstanden deutsch, die aus den Alpenländern gekommenen Synodalen verstanden kein Wort tschechisch. Es brauchte daraus kein Streit zu entstehen, wenn man allein das Zweckmäßige bedachte und nicht nationale Prestige-Fragen aufwarf.

Aber vielleicht war es doch mehr als ein Geltungsbedürfnis, was zum Streit führte. Es war doch wohl der instinktive Widerspruch zu dem Geschichtsverlauf von tausend Jahren, der in den Tschechen auch heute noch nicht zur Ruhe kommt. Kam nun bei den tschechischen Protestanten das Erinnern hinzu an die 400 Jahre seit *Hus* und den Husiten und an *Ferdinand* vor 300, vor 200 Jahren, dann steigerte sich jener Widerspruch gegen das Geschehen unter *Karl dem Großen* (807) zur Klage über alles, was nach ihrem Empfinden der Übergang der Wenzelskrone an das Haus Habsburg den böhmischen Ländern an Unheil gebracht habe.

Es wäre verfehlt, wollte man die politische Grundhaltung des tschechischen kirchlichen Protestes auf grundsätzliche Haßgefühle gegen das Deutsche und gegen die Deutschen zurückführen. Was *Wenzel IV.* im Jahre 1409 im Kuttenberger Dekret – nicht ohne Mitwirkung des Magisters *Hus* – verfügte, ist nicht als Vertreibung der deutschen Studenten (nach Leipzig) zu verstehen, sondern als Umwandlung der bisherigen Reichsuniversität – von *Wenzels* Vater Kaiser *Karl IV.* 1348 gegründet – in eine provinzielle Hochschule recht geringen Ranges. Der Haß der Taboriten gegen die Ritterherren der Kreuzzüge bis 1434 galt der ganzen bunt zusammengewürfelten internationalen Söldnerschar, nicht nur ihrem deutschen ritterlichen Bestandteil, galt dem Papst und dem ihm willfährigen Kaiser, den deutschen Fürsten und Hierarchen. Selbst die schrecklichen Plünderungszüge der Husiten durch ganz Deutschland bis an die Ostsee, die so viele Dörfer und Städte, Schlösser und Kirchen verwüsteten, wollten nicht die Deutschen ruinieren, sondern die protzigen Bauern, hochmütigen Bürger, stolzen Barone und feisten Pfaffen.

Als sich die Utraquistenkirche konsolidierte und *Rokycana* ihr Erzbischof wurde, standen ihm auch deutsche Priester als Berater zur Seite. *Georg von Podjebrad*, seit 1448 Verehrer der Krone, nach des jungen *Ladislaus* – eines Habsburgers – Tode (1458) selbst ihr Träger, war mit Kaiser *Friedrich III.* und mit deutschen Fürsten befreundet und hatte zeitweilig sogar für sich an die Kaiserkrone gedacht.

Von den politisierenden Kelchnern zweigten sich die Brüder ab, von *Chelčicky*, dem Vorläufer *Tolstojs*, zu rigorosem Gehorsam gegenüber dem Gesetz der Bergpredigt angehalten; sie liebten selbst ihre Feinde. Deutsche konnten sich unbesorgt ihrer Brüderschaft anschließen und waren hochwillkommen, ob sie als Einzelne herzutraten oder als Vertriebenengruppen, wie jene in Fulnek.

Dann war die Reformation gekommen. Was von den Utraquisten jetzt nicht ganz zu den Römern überging, neigte sich den Wittenbergern zu; die Brüder zog es mehr nach Straßburg und Basel; dort aber sprach man deutsch. – Die auf der Confessio Bohemica aufgebaute allzu kurzlebige Unionkirche umschloß auch die deutschen lutherischen Bürgergemeinden. Diese standen wirksam neben dem tschechischen Adel, als die Verhandlungen mit *Maximilian*, *Rudolf* und *Matthias* einen Religionsfrieden für alle Zukunft zu versprechen schienen.

Daß es so ganz anders kam, hatte keinesfalls nationale Gehässigkeit zum Hintergrund. Als das Mißtrauen gegen *Maximilian* zum Groll gegen seine beiden Nachfolger wurde, war es ein Streit um zwei deutsche Gotteshäuser, an dem sich die Explosion entzündete, und bei dem Fenstersturz auf dem Hradschin 1618 hatten auch deutsche Herren mit angefaßt. Sie erlitten dafür im vollen Gleichschritt mit den tschechischen Standesgenossen die Strafen: Hinrichtung, Güterenteignung, Landesverweisung. Und wir wissen, daß die vertriebenen Deutschen ihrer Heimat – mit den Gräbern der Ahnen in langer Geschlechterfolge – ebenso nachtrauerten wie die Tschechen, wenn es ihnen auch leichter wurde als jenen, in den Aufnahmeländern heimisch zu werden. Wenn es zwischen den tschechischen Flüchtlingen und den Deutschen hier und da zu Spannungen und Reibungen kam, so lag dem, z. B. nach 1546 im herzoglichen Ostpreußen und später in Sachsen, nicht die nationale, sondern die konfessionelle Fremdheit zugrunde. Im Brandenburg des großen Kurfürsten und im preußisch gewordenen Schlesien hielten sich reformierte (brüderische) Tschechengemeinden bis ins 20. Jahrhundert hinein, weder sprachlich noch bekenntnismäßig bedrängt oder gar bedrückt (siehe S. 245).

Was 200 Jahre später im Protestantismus der böhmischen Länder vor sich ging, jene Unzufriedenheit der tschechischen Reformierten mit ihrer Eingliederung in die österreichische Gesamtkirche, steht im Zusammenhang mit dem Erwachen volkhafter Energien unter den Tschechen. Solch nationales Besinnen auf den Gesamtkomplex der sprachlichen, kulturellen und geschichtlichen Eigenart war damals keine Einzelerscheinung in Osteuropa. Wir begegneten ihm schon im Baltenland und im polnisch-litauischen Raum, werden ihm später in Pannonien und an der Donaulinie begegnen, und zwar auch in der evangelischen Kirchengeschichte dieser Länder. Gleichmäßig ist dabei zu beobachten, daß der nationale Elan bei den Reformierten entschiedener einsetzte als bei den Lutheranern und durchgreifendere Erfolge hatte. In Böhmen und Mähren fand jene Los-von-Wien-Bewegung des Prager *Košut* bei den tschechischen Lutheranern keinen Widerhall und erst recht nicht im österreichischen Restteil von Schlesien mit seiner polnischen Mehrheit.

In der Sprachenfrage kam das so zum Ausdruck, daß die lutherischen Theologen tschechischer oder polnischer Herkunft sich bedenkenlos auch in deutschen Gemeinden anstellen ließen und dort wohl aufgenommen wurden. Hatten sie doch ihre theologische Bildung in deutscher Sprache erhalten, wovon wir sogleich hören werden. Die Reformierten waren an Zahl zu wenig, um eine eigene Bildungsstätte zu schaffen. Frankreich, Holland, Schottland waren fernes Ausland und hatten außer in Straßburg, Basel und Bern unbekannte Sprachen. Im Inland aber gab es reformierte Theologenschulen nur auf dem Boden Ungarns, und auch dort stand die Sprache im Wege. Man lehrte zwar in Debrecen und Saros-Patak um 1800 die Theologie auf lateinisch, aber das ganze Leben sonst spielte sich im schwer zugänglichen Magyarisch ab. Die allein allen evangelischen Studenten Österreichs gemeinsam geläufige Sprache war die deutsche. Sollte dem Gesamtprotestantismus Österreichs eine bodenständige Schulungsstätte für den Pfarrernachwuchs geboten werden, so mußte sie deutschsprachig sein.

Eine Anknüpfung dafür bot das seit über 100 Jahren bestehende und trefflich bewährte Institut der Lateinschule polyglotter Art in Teschen. Man verwandelte 1811 diese Anstalt, die »Jesusschule«, in ein theologisches Gymnasium, dessen Abiturienten wohlvorbereitet auf ausländische Hochschulen ziehen konnten zu einem zweijährigen Ergänzungskurs; im Notfall wurden sie in Landgemeinden sogar sofort eingesetzt.

Als zehn Jahre darauf aus dieser Wurzel die schöne Blüte der Wiener »Theologischen Lehranstalt« (1821) erwuchs, stand leider hinter dem, was der Staat dabei tat, weniger die Erkenntnis von der Unzulänglichkeit jenes Teschener Notbehelfs, als vielmehr eine politische Sorge. Offen wurde ausgesprochen, es sei zu befürchten, daß »durch Besuch auswärtiger Universitäten die innigen Bande, die den Zögling an sein Vaterland fesseln, lockerer gemacht, ihm vielleicht nachteilige Begriffe über die österreichische Staatsverwaltung beigebracht und irrige Ansichten über den Staat, dann manche nicht zu billigende Maximen eingeflößt werden können, ja selbst die Gefahr eintritt, daß die Akademiker auf diesen Universitäten Verbindungen anknüpfen, die bei uns nicht geduldet und von ihnen kaum mehr aufgegeben werden.« Beim letzten Satz war offenbar an die wenige Jahre vorher entstandene deutsche Burschenschaft gedacht.

Als Sitz für das neue akademische Institut, das in seiner Ordnung dem Range der Priesterseminare der katholischen Kirche entsprach, konnte nur Wien in Betracht kommen. Hier in der zentral gelegenen Reichshauptstadt war die erwünschte Anlehnung an eine große, angesehene Universität möglich. Auf ihr trieben die Studenten am Vormittag das Studium generale; die theologischen Vorlesungen fanden nachmittags statt. Daß die örtliche Nähe der beiden obersten Leitungsstellen der Kirche (siehe S. 256) mannigfachen Vorteil bot, kam hinzu.

Der Anfang war durchaus bescheiden. Nur zwei Professoren statt der erwünschten sechs waren angestellt; ihr Vortrag war an genehmigte Lehrbücher gebunden. Sprachschwierigkeiten gab es damals noch nicht; niemand nahm Anstoß daran, daß der Unterricht in der Staatssprache, also deutsch, geschah. Die Vorbildung der Abiturienten auf den Gymnasien trug dem völlig Rechnung, daß die heranwachsende Intelligenz im ganzen Lande deutsch verstehen und auch einigermaßen reden konnte. Einige Fächer auf der Lehranstalt wurden lateinisch vorgetragen und auch geübt. Das geschah besonders um der magyarischen Studenten willen, die bis 1867, dem Jahr des sogenannten »ungarischen Ausgleichs«, in wachsender Zahl nach Wien kamen. Hier konnten sie ihre daheim erlangte Ausbildung ergänzen, die hauptsächlich in Latein erfolgte, das in Ungarn noch bis in die Mitte des 19. Jahrhunderts die Sprache der Behörden, ja sogar des Parlaments war.

30 Jahre lang bemühte sich die Wiener Anstalt trotz unzulänglicher Mittel um eine Erhöhung ihres Niveaus, und das mit ansehnlichem Erfolg. 1850 endlich wurde sie zu einer Fakultät ausgestaltet; 1853 erhielt diese sogar das Promotionsrecht, ein beträchtlicher Vorzug vor den inzwischen auch in Ungarn erwachsenen entsprechenden Instituten. Die von vielen wissenschaftlichen

und kirchlichen Stellen angestrebte Einreihung der Fakultät in die Wiener Universität war unter den Habsburgern nicht zu erlangen. Der katholische Charakter der Rudolfina war ihnen ein »noli me tangere«, obwohl sie selbst sich 1873 als paritätisch erklärte. Doch durften die Mitglieder des Lehrkörpers sich dann bald den Titel Universitätsprofessor beilegen. Erst nach der Zertrümmerung der Monarchie wurde im österreichischen Reststaat die volle Aufnahme in den Verband der Universität erreicht (1922). Das geschah, kurz nachdem das Hundertjahr-Gedächtnis der Gründung von 1821 in einem großen Festakt begangen worden war, zu dem die Universität ihre Aula hergegeben hatte. Nicht weniger als 12 deutsche, 4 holländische, 3 schweizerische, 2 schwedische und je eine norwegische und dänische Universität hatten Vertreter mit Glückwünschen entsandt. Der Rektor der Universität Wien schritt hinter seinen Pedellen dem Einzug der mit ihrem Ornat bekleideten Rektoren, Dekanen, Professoren voran. 60 studentische Verbindungen chargierten mit Wichs und Fahne. Fast sämtliche Gratulationsredner gaben nachdrücklich der Erwartung Ausdruck, die Fakultät werde nun bald ihren Platz in der Reihe der anderen im Rahmen der Universität finden, was bald darauf geschah.

Mit der Rangsteigerung war schrittweise eine Leistungssteigerung verbunden, die einem wachsenden Kreis von Studenten aus dem Gesamtprotestantismus Osteuropas zugute kam. Nur das livländische Dorpat konnte noch neben Wien genannt werden, wenn in diesen Ländern nach theologischer Wissenschaft von ökumenischer Bedeutung gefragt wurde. In den ersten Jahrzehnten hatte es die Hochschule schwer, Dozenten von Rang und Ruf zu gewinnen. Ausländer waren zunächst ausgeschlossen; sie kamen erst nach 1848 in Betracht. Dann aber begann ein reger Austausch mit deutschen und schweizerischen Fakultäten, herüber und hinüber, der ungemein fruchtbar wurde. Allmählich gelang es, sogar aus den österreichischen und ungarischen Landeskirchen selbst junge Kräfte für die akademische Laufbahn zu gewinnen, auch aus den mehrsprachigen Ländern. Das kam dem übernationalen Anliegen der Fakultät zugute. Sie war unablässig darauf aus, allen Studenten und Kandidaten eine Ausbildung zu vermitteln, die sie zur Ausübung ihres pastoralen Berufs in der Heimat befähigte. Es war dafür gesorgt worden, daß katechetische und homiletische Übungen auch in tschechischer, in slovakischer, in slovenischer und sogar in ungarischer Sprache stattfinden konnten, so daß dem künftigen Dienst der Studenten und Kandidaten in ihrer Heimat durch das Vorherrschen der deutschen Sprache in den Vorlesungen kein Abbruch geschah. In keiner der anderen Sprachen gab es eine wissenschaftliche Theologie, die der deutschsprachigen ebenbürtig war. Erst in neuerer Zeit wurden Übersetzungen deutscher Lehrbücher und auch eigene Forschungsergebnisse und Darstellungen von Rang in jenen Sprachen gedruckt.

Leichter als bei der Pfarrerausbildung war die Antwort auf die Sprachenfrage bei der Lehrerbildung zu finden. In den Volksschulen hängt der Erfolg des Unterrichts ganz davon ab, daß zwischen Lehrern und Schülern eine innige Sprachgemeinschaft besteht. (Bekanntlich gilt das sogar von der Beherrschung des Dialekts, mit dem die Kinder in die Schule kommen). Die Kryptoprotestanten waren für die Unterrichtung ihrer Kinder ganz auf die Mutterschule angewiesen. Jetzt hatten sie das Recht bekommen, in jeder geordneten Gemeinde eine kirchliche Schule – auf eigene Kosten natürlich – einzurichten. Ausgebildete evangelische Lehrer gab es noch nicht. Man mußte sich mit Aushilfen begnügen und froh sein, wenn sich solche fanden, die angeborenes Unterrichtsgeschick mitbrachten. Aber sehr bald schon ging man daran, Absolventen der evangelischen Lateinschule, die es in Teschen seit 1706 gab, als Lehrer an den Volksschulen anzustellen. Schließlich folgte der weitere Schritt, die Errichtung von Lehrerseminaren. Die erste dieser Anstalten errichteten die evangelischen Deutschen in Bielitz. Hier auf der Sprachinsel mitten im standhaften Schlonsakenvolk (siehe S. 275ff.) wagte man den großen Schritt. Die dortige lutherische Gemeinde (gegründet schon 1550) besaß seit 1782 ein sorgsam gepflegtes Schulwesen, dem der opferwillige Bürgersinn der dort heimischen Textilindustrie die wirtschaftliche Grundlage gab. Die in dem ganzen Schlonsakenland herrschende Vielsprachigkeit machte es möglich, daß die hier ausgebildeten Lehrer allenthalben bei allen Schulen brauchbar waren, welche Sprache immer bei ihnen den Vorrang hatte. Die Tschechen kamen erst etwas später zur Errichtung einer eigenen Lehrerbildungsanstalt, und zwar geschah das 1813 in Tschaslau. Es ist ein rühmliches Zeugnis für die ökumenische Weitherzigkeit, die in der evangelischen Kirche Deutschlands geherrscht hat, und für die klare Einsicht in die pädagogischen Grunderfordernisse des Schulwesens gemischtsprachiger Länder, daß die Rechnungslegung des Gustav-Adolf-Vereins im Jahre 1910 bei dem Konto Tschaslau die Summe von 124851.– Mark aufweisen konnte, die der dortigen reformierten Gemeinde und dem später errichteten tschechischen Lehrerseminar seit 1841 zugeflossen sind. Die Zahl der in Böhmen, Mähren und Schlesien bestehenden und von der gleichen Diaspora-Hilfsstelle laufend unterstützten kirchlichen Privatschulen aller drei dort gebräuchlichen Sprachen betrug stets mehr als 80, zeitweilig gegen 100.

11. Der Beginn der Spaltung

In den ersten Jahrzehnten nach 1781 war die junge Toleranzkirche ganz von Dankbarkeit und Freude erfüllt. Es tat auch der Freude keinen Abbruch, daß die geschilderten Mängel und Nöte viel Geduld verlangten und Opfer forderten. Man war nicht nur darüber glücklich, daß endlich das Heimlichtun und Kompromißschließen ein Ende hatte, sondern auch darüber, daß ein großer Gemeindebund die Glaubensbrüder nun zu einer Kirche zusam-

menband. Und man war nicht nur Gott für dieses Gnadengeschenk dankbar, sondern auch dem Kaiser, in dem man Gottes Werkzeug erblickte.
Denn nationale Gegensätze bestanden damals kaum, obwohl sich in Böhmen die nationalen Unterschiede allmählich bemerkbar machten, und zwar zuerst bei den reformierten Tschechen. Diese knüpften zwar alte Verbindungen zu den deutschen Kalvinisten in Wien, Basel und am Niederrhein an, doch zu einer engen, herzlichen Beziehung kam es nicht. Das husitische Erbe machte sich bemerkbar, auch die slavischen Blutsbrüder verspürten das. Erst recht galt diese Zurückhaltung natürlich gegen die Deutschen. Sowohl die städtischen Lutheraner der Wenzelsländer als auch die Reformierten der Wiener Diözese betrachtete man als Ausländer. Die altansässigen lutherischen Bauern der Alpenländer aber blieben diesen tschechischen Reformierten völlig fern.
Immerhin gab es gemeinsame Erlebnisse, die solche Hemmungen zurückdrängten. Das war einmal der Kampf gegen Napoleon und der Sieg über ihn, zum anderen brachte die Romantik einen Überschwang des Verstehens zwischen Slaven und Deutschen. Als 1832 in Deutschland das erste Diaspora-Hilfswerk gegründet wurde, die Gustav-Adolf-Stiftung, waren tschechische Gemeinden beider Konfessionen mit unter den ersten, die Aufnahme in den Unterstützungsplan erbaten und bekamen. Auch an anderen Stellen und in späteren Zeiten fehlte es nicht an Beispielen dafür, daß oft genug die Konfessionsgemeinschaft imstande war, den Graben des volklichen Gegensatzes zu überbrücken. Als Beispiel für die damalige labile Situation möge eine Skizze des großen tschechischen Historikers *Franz Palacký* hier folgen.
Er war 1798 als Sohn eines frommen und strengen Volksschullehrers in der slovakischen Ostecke Mährens geboren. Sprößling eines zähen Geschlechts von einstigen Kryptolutheranern, wuchs er ganz in deutscher Bildung auf, studierte in Wien evangelische Theologie und hatte Aussicht, an der dortigen theologischen Lehranstalt die Professur für Kirchengeschichte zu bekommen. Er zog es vor, in Prag die Geschichte Böhmens aufs gründlichste zu erforschen und darzustellen. Er schrieb seine Bücher in umfassender Weitsicht mit ehrlichem Bemühen um Gerechtigkeit bei der Schilderung der nationalen und religiösen Gegensätze, und zwar in deutscher Sprache. Er fand dabei, daß Höhepunkte in der Geschichte seines Volkes jene zwei Jahrhunderte (1414–1620) gewesen seien, in denen die von *Hus* ausgehende religiöse Volksbewegung den Genius der slavischen Rasse zu edelster Blüte getrieben habe. Er meinte damit nicht den militanten Husitismus der Taboriten, auch nicht die weiche Kompromißhaltung der Utraquisten unter Führung Rokycanas (siehe S. 224f.), sondern die tapfere Geduld und Leidensbereitschaft der Brüder-Unität. Dabei bejahte er betont den Idealstaat der Donaumonarchie, den man »im Interesse Europas und der Humanität« schaffen müßte, existierte er nicht schon längst. Auch als er 1849 von der Umsturz-

welle ergriffen wurde, ging sein politisches Programm nur dahin, das Kaiserreich zu einem Bundesstaat zu machen, dessen Völker (Tschechen, Slovaken, Polen, Ukrainer, Magyaren, Slovenen, Italiener, Kroaten, Serben, Rumänen) unter deutscher Führung vereint, der übrigen Welt ein Vorbild für Einheit in der Mannigfaltigkeit, für Freiheit in der Bindung sein könne. – Ein großartiges Bild, allerdings nur dort und dann durchführbar, wo der natürliche Wettbewerb der in unaufhebbarer Gemengelage miteinander verzahnten Volks-Individuen sich unter die »Goldene Regel« des Evangeliums stellt: Alles, was ihr wollt, daß Euch die Leute tun sollen, das tut ihr ihnen auch (Matth. 7, 12).

Die Größe *Palackýs*, des »tschechischen Herodot«, hat darin ihre Grenze, daß er sich gegen Ende seines Lebens zum Panslavismus verführen ließ, den der Imperialismus des Zarenreiches in der gesamten Slavenwelt damals propagierte und der nicht weniger Unheil anrichtete, als es später der Pangermanismus tat. *Palacký* gehörte mit zu den »Moskaupilgern« von 1867 und sah seither die Geschichte Böhmens so an, als sei sie seit Beginn der Begegnung mit den Deutschen beherrscht gewesen vom gierigen Machtwillen jenes »Raubvolkes«, dem gegenüber das tschechische »Taubenvolk« sich immer in der Verteidigung befunden habe.

Was bei dem gelehrten Historiker eine Alterserscheinung war, ergriff im Rausch von 1848 eine junge Generation des tschechischen Protestantismus. Betrug sei es gewesen, daß die Toleranz den aus der Heimlichkeit auftauchenden Evangelischen Böhmens den Kalvinismus und gar das Luthertum als Form ihrer Kirche aufzwang. Hatten ihre Väter doch aus der Kraft ihrer slavischen Seele eine eigenwüchsige Reformationsgeschichte aufwachsen lassen. Jetzt sei es an der Zeit, zur Unionskirche von 1575 zurückzukehren. In den Gemeinden fand diese mit rhetorischem Fanatismus in einem Wochenblatt (»Der tschechisch-brüderische Herold«) propagierte Parole keinen Widerhall. Als der redegewaltige Herold Pfarrer *Košut* diesen Gedanken auf nationale Befreiungsziele zuspitzte, griff der Staatsanwalt ein. *Košut* emigrierte nach Deutschland und starb nach Jahrzehnten als Pfarrer einer reformierten Gemeinde im Rheinland.

Eine von politischen Nebengedanken freie Reform des evangelischen Kirchenwesens zu erreichen, legte sich aber doch nahe, als im März 1848 *Metternich* vertrieben wurde und der den notvollen Tagen nicht gewachsene *Ferdinand I.* die Kaiserkrone seinem jungen Neffen abtrat.

Als der achtzehnjährige *Franz Joseph* im März 1849 die freiheitliche Reichsverfassung erlassen hatte – sie blieb nur bis Ende 1851 in Geltung –, baten ihn die Superintendenten der acht österreichischen Diözesen um die Erlaubnis, ihre Wünsche für die Neuordnung ihrer Kirche vorlegen zu dürfen.

Wie stand es bis dahin mit dieser Ordnung? Kaiser *Joseph II.* hatte sich gleich nach 1781 das in Warschau 1780 eingeführte »Allgemeine Kirchenrecht beider evangelischer Konfessionen in Polen und Litauen« vorlegen lassen, meinte dann aber, es sei »in monarchischen Staaten nicht anwendbar«. Alle Versuche, etwas Eigenes, und zwar Gemeinsames zu schaffen, blieben erfolglos. Sie wurden abgebrochen: man behalf sich mit »Instruktionen der Hofkanzlei«. Mit denen ging es in Österreich immer noch besser, als es in Ungarn mit dem Versuch Kaiser *Leopolds II.* ging. Der hatte 1791 mit dem ungarischen Landtag ein Staatsgesetz vereinbart, das der Kirchenordnung den Weg bereiten sollte. Es dauerte hier 70 Jahre, bis endlich nach viel Streit und Verdruß ein Ergebnis erzielt wurde.

Der moderne Gedanke, dem österreichischen Protestantismus einen hierarchischen Aufbau von den Gemeinden aus mit bischöflicher Spitze zu geben, lag dem „Josephinismus" ganz fern. Er strebte doch sogar danach, den Katholizismus am staatlichen Gängelband zu führen; erst recht wollte er das bei der doch nur „aus fürstlicher Gnade tolerierten" Kirche tun.

Eine Anknüpfung für deren Gesamtverwaltung bot das Vorhandensein zweier evangelischer Konsistorien. Das althistorische Kirchentum der reichsunmittelbaren, darum von der Gegenreformation fast völlig verschonten Zwergdynastie Asch besaß eine »Konsistorium« genannte Leitung ihrer drei Pfarrgemeinden. Es war rein deutsch und saß in der äußersten Nordwestecke des Staats, wo die Grafschaft wie ein Keil in die Nachbarländer Sachsen und Bayern hineinragte. Asch kam für die Leitung der Gesamtkirche nicht in Betracht. Auch das andere Konsistorium, das in Teschen, lag an einer ungünstigen Stelle. Aber es hatte dreisprachige Tradition und wurde daher Ansatz für die Verwaltungsordnung. Der Kaiser hielt es jedoch schon 1784 für gut, es nach Wien zu verlegen, und schied es dort in zwei Teile, je einen für die beiden Konfessionen. Das brachte für die Reformierten in Böhmen eine Verschiebung des Schwergewichts zugunsten ihrer deutschen Diözese. Bei den Lutheranern blieben Schlesien und Mähren – trotz der Entfernung von Wien – gegenüber den Alpenländern in der Führung dank ihrer gefestigten Tradition und besseren wirtschaftlichen Basis.

Die ersten Jahrzehnten nach dem Edikt waren nicht geeignet, das Verfassungsleben der jungen Kirche zu konsolidieren. Das öffentliche Leben war von den großen weltgeschichtlichen Ereignissen dieser bewegten Zeit völlig in Anspruch genommen: Frankreichs Revolution, *Napoleons* Glück und Ende, Europas Befreiungskriege und Neuordnung im Wiener Kongreß, der Freiheitsrausch der akademischen Jugend und die dann einsetzende Periode der Reaktion eines *Metternichs* und seiner kleinen Nachahmer.

Die Zeit der »Heiligen Allianz« war für die evangelischen Gemeinden nicht günstig. 50 Jahre nach dem Toleranzedikt konnte es geschehen, daß 8000 Evangelische aus dem Zillertal um ihres Glaubens willen die Heimat verlassen mußten, damit ja im »heiligen Land Tirol« die Glaubenseinheit bewahrt bleibe. In ganz Österreich wurden die hindernden Bestimmungen des

Toleranzedikts streng gehandhabt. Das Mischehenrecht hemmte die natürliche Zunahme der Seelenzahl; jede evangelistische Werbung neuer Glieder war verboten. Man wurde müde und verzagt, obwohl gerade jetzt, wie oben erwähnt, eine sorgfältige Bruderhilfe der Glaubensgenossen aus den Nachbarländern, vor allem aus Deutschland und der Schweiz, einzusetzen begann. In der Hoffnung, die neue Staatsverfassung werde den Beschränkungen ihrer Kirche ein Ende bereiten, war jene Beratung der acht Superintendenten begonnen worden. Sie wurde abgebrochen, als der Kaiser nach Niederwerfung der ungarischen Revolution – dazu war das Eingreifen russischer Truppen nötig geworden – die Verfassung vom März 1849 widerrief (31. Dezember 1851). Doch enthielt die Proklamation den ausdrücklichen Zusatz, daß den gesetzlich anerkannten Kirchen die freie öffentliche Religionsübung und sogar »die selbständige Verwaltung ihrer Angelegenheiten« weiterhin gewährleistet sei. Darauf fußend konnte jetzt wenigstens erreicht werden, daß die bisherige abschätzige Benennung der Protestanten als Altkatholiken abgeschafft und durch »Evangelische« ersetzt wurde; auch erhielten die bisherigen Pastorate jetzt die Amtsbezeichnung Pfarreien. Aber zu einer Neufassung von Kirchenrecht und Kirchenordnung kam es noch nicht.

Das hatte seinen Grund darin, daß aus der Reaktion auf den separatistischen Umsturz, der in Ungarn so überaus wilde Formen angenommen hatte, der alte Wiener Zentralismus neuen Auftrieb gewann. Dann schien es jetzt rätlich, die spruchreif gewordene Regelung der protestantischen Kirchenfragen gleichmäßig für das Gesamtreich vorzunehmen. Der Kultusminister des Reiches Graf *Thun-Hohenstein* legte dem Kaiser einen Entwurf vor, der das gesamte protestantische Leben Österreich-Ungarns in einer Reichskirche zusammenfassen sollte. *Zimmermanns* großzügiger Plan stammte zwar aus der Meinung, es sei jetzt an der Zeit, die Josephinische Reichsidee für die Gesamtmonarchie wieder aufzunehmen, hatte aber für die protestantische Kirche keine Unionsabsicht, sondern meinte durchaus eine Föderation mit völliger Respektierung der kirchlichen und volklichen Eigenständigkeiten. Der Plan fand volles Verständnis in denjenigen kirchlichen Kreisen, die in den Revolutionsjahren eine Gefährdung ihres konfessionellen und ihres damit verbundenen nationalen Bestandes erlebt hatten; das waren sowohl Slaven wie Deutsche, und beidemal Lutheraner. Die Slovaken in Oberungarn hofften auf Schutz ihrer ausgeprägten kirchlich-konservativen Glaubenshaltung vor den Vorstößen des Kalvinismus; die Siebenbürger Sachsen hatten einhellig auf des Kaisers Seite gestanden, als ihr Land von Revolutionsbanden überschwemmt und verwüstet wurde. Für eine dauernde Sicherung ihrer historischen Privilegien als »Sächsische Nation« im Großfürstentum Siebenbürgen wäre ihnen eine Reichsunmittelbarkeit unter dem Kaiser äußerst erwünscht erschienen. Vielleicht konnte die autonome Sachsenkirche als Provinz im Verband der Reichskirche den Anfang dafür bilden. Weit größeres Gewicht als die Freunde des Verfassungsplanes besaßen in Ungarn seine Gegner, die den nach ihrer Meinung drohenden Zentralismus zwar nicht grundsätzlich ablehnten (denn im eigenen Raum suchten sie ihn entschieden durchzusetzen), aber ihn nicht auf sich selbst angewandt sehen wollten.

Wie es den reformierten Magyaren gelang, unter Beihilfe auch lutherischer Landsleute zunächst den auf Ungarn bezüglichen Teil des kirchlichen Ordnungsplanes zu torpedieren, möge im Kapitel V nachgelesen werden. In Österreich wandten die Protestanten im neu ausbrechenden ungarischen »Patentstreit« (siehe S. 339ff.) ihre Sympathie größtenteils den »Patentisten« zu. Die führenden Lutheraner der deutschen, der polnischen, auch der tschechischen Gemeinden bedauerten die Nachgiebigkeit des Kaisers gegenüber der Kyriarchie des von den Kalvinern angeführten magyarischen Adels. Treue Patrioten in den Alpenländern meinten es kommen zu sehen, daß die Habsburgische Monarchie auf der schiefen Ebene der magyarischen Hegemonie in den Abgrund treiben werde.

Wenn nun der in Ungarn gescheiterte Versuch, durch das Kaiserliche Patent die Kirche zu ordnen, in Österreich zu erfreulichem Ziel führte, so hatte das seine Vorgeschichte. Der Kaiser hatte in der März-Verfassung von 1849 den Protestanten die »Selbstverwaltung« ihrer Kirche zugesagt und ein Gutachten darüber verlangt, das dann auch alsbald von einer Tagung der acht Superintendenten und ihrer Vertrauensmänner vorgelegt wurde. Es fußte auf dem Artikel XVI des Grundgesetzes des »Deutschen Bundes«. In diesem hieß es: » Die Verschiedenheit der christlichen Religionsparteien kann in den Ländern und Gebieten des deutschen Bundes keinen Unterschied in dem Genusse der bürgerlichen und politischen Rechte begründen«. Da Österreich damals dem Deutschen Bunde nicht nur angehörte, sondern seine Führung besaß, durften die acht Superintendenten nunmehr die volle Gleichberechtigung mit den Katholiken und eine selbständige Kirchenverwaltung fordern. Sie brachten zum Ausdruck, daß die bisherige Konsistorialverfassung mit der Kaiserlichen Erklärung von 1849 nicht vereinbar sei. Die »Kirchenhoheit«, das Aufsichtsrecht, stehe dem Staat wohl zu, die »Kirchengewalt« aber müsse ausschließlich bei der Kirche selbst liegen. Das zu hören, war natürlich den beiden Wiener Konsistorien nicht angenehm. Der Minister aber mißbilligte das Gutachten nicht, er entließ den – katholischen – Präsidenten und setzte den erwähnten Dr. *Zimmermann* an seine Stelle. Der Unfug eines katholischen Präsidiums bei einer evangelischen Kirchenbehörde hörte damit auf.

Es dauerte immerhin noch bis 1861, ehe das österreichische »Protestantenpatent« in Kraft trat und die Kirche aus der Duldung in die – wenigstens formale – Gleichberechtigung führte. Die beiden Konsistorien wurden durch eine einheitliche Behörde ersetzt, durch den »K. k. Evangelischen Oberkirchenrat A. u. H. B.« Diese kaiserlich-königliche Staatskirchenbehörde Augsburgischen und Helvetischen Bekenntnisses behandelte im Plenum nur solche Anliegen, an denen die lutherischen Gemeinden und die kalvinischen in gleicher Weise beteiligt waren. Sonst trennten sich ihre Mitglieder, so daß je eine Behörde der einen wie der anderen Konfession amtshandelte. Erster Präsident des Oberkirchenrats wurde Dr. *Zimmermann*.

Stellt man die Freiheiten, die das Patent von 1861 den Evangelischen in Österreich bescherte, dem großartigen Plan gegenüber, mit dem der Gesamtprotestantismus der Monarchie in ökumenischer Weite föderativ zusammengefaßt werden sollte, und stellt man sie neben das, was 1859 den beiden ungarländischen Kirchen in voller Eigenständigkeit zugefallen war, so legt sich die Frage nach den Gründen nahe, die den autoritären Herrscher und die ihn beratenden Regierungsbehörden zu solchem Messen mit ungleichem Maß veranlaßten.

Eine kurze Privataudienz zweier hochadliger Abgesandter der magyarischen Kyriarchie hatte genügt, den »Patentstreit« in Ungarn zu beschwichtigen. Den Gemeinden und ihren Gruppen wurde freigestellt, »Patentisten« zu werden oder sich selbst Ordnungen zu geben. In Österreich gab es keine Wahl, sondern nur Gehorsam. Es regte sich auch kaum ein Widerspruch; die reformierten Tschechen hätten es gern gesehen, wenn sich für Böhmen und Mähren eine eigene Kirche nach dem Territorialprinzip unter Berufung auf das alte Staatsrecht hätte bilden dürfen. Aber es waren nur kleine Gruppen von mehr politischem als kirchlichem Interesse, die das anstrebten. Das Kirchenvolk war nicht zu gewinnen, sondern zufrieden, daß nun nach 80 Jahren einer eingeschränkten Toleranz endlich die Gleichberechtigung seines Glaubens rechtlich verbürgt war, wenn auch deren rechtliche Durchführung noch manches zu wünschen übrigließ.

12. Getrennte Kirchen

a) Einleitung. Wie immer man die Schuld am Ausbruch des Krieges 1914 verteilen mag — daß die Zerschlagung des großen Donaureiches ein Hauptziel des Zarenreiches war, wird kaum mehr bestritten. Zwar schied das besiegte Rußland schon 1917 durch den Friedensschluß im litauischen Brest aus dem Kriegsbund der »Entente« aus; trotzdem machten sich die Westmächte das Ziel der Russen zu eigen und bereiteten dem Habsburgerstaat im Diktat von Trianon 1919 ein unrühmliches Ende.

Es ist nicht wahr, daß der seit vier Jahrhunderten viele Länder und Völker zusammenschließende Bund damals nicht mehr lebensfähig war und dem Untergang auch ohne den Eingriff von außen entgegenging. Mit seiner ausgewogenen Gesamtwirtschaft und der gewachsenen Mannigfaltigkeit seiner zusammenklingenden Kulturlandschaften hätte er – nach gewissen zeitgemäßen Reformen – durchaus noch lange leben können, hätte ein Muster werden können für weitergreifende Ordnung der Länder und Völker Europas, bei der die Achtung vor der Würde jeder sich frei entfaltenden Gruppe der gegliederten Menschheit den Ausgleich ihres Fortschrittsstrebens in willig bejahten Schranken finden konnte.

Es war nicht allein der von Rußland her gesteuerte Panslavismus (siehe S. 263), der den Tschechen die »Los-von-Wien«-Parole lieferte und die Serbokroaten »Los von Budapest« rufen ließ; denn auch die Rumänen und die Nichtslaven, nicht am wenigstens die Magyaren, träumten, goldene Zeiten kämen, wenn sie nur erst die allein befehlenden Herren im Hause seien, die Kommandanten im eingezäunten Hofbezirk, in dem die »Anderen«, die »Fremdem« sich als geduldete Gäste einfügen müßten.

Aber in keinem der neuen Staaten gewann das herrschende Staatsvolk eine solche Autorität aus Geschichtsmächtigkeit und Kulturkraft, daß es der Schwierigkeiten Herr wurde, die sich aus dem bunten Gemisch von Volkheiten und Glaubensweisen ergaben.

Um des kirchenhistorischen Zusammenhangs willen ist es angebracht, an dieser Stelle auch die kleinen Absplitterungen aufzuzählen, die 1919 von der übrigbleibenden österreichischen Restkirche in ihren einstigen Südprovinzen erfolgten. Bei den Abtretungen an Italien gingen die beiden schönen, wohlhabenden, bereits im 18. Jahrhundert gegründeten Bürgergemeinden (je eine lutherische und reformierte) in der großen Hafenstadt Triest verloren. Auf Istrien geschah das gleiche mit der Marinegemeinde Pola und der im Seebad Abbazia, dann mit Görz im Isonzotal, samt dem dort angeschlossenen schönen Liebeswerk der Gräfin *La Tour*, ferner in der deutschen Hälfte Südtirols die Kurorte Bozen und Meran. Jugoslavien bekam mit den drei deutschen Sprachinseln Marburg (Drau), Cilli und Laibach aus der Steiermark und aus Krain Stadtgemeinden jüngeren Ursprungs, die einzigen Zeugnisse evangelischen Lebens im slovenischen Sprachgebiet Österreichs, das 400 Jahre vorher ganz von der Reformation ergriffen worden war.

Bei den 1919 erfolgenden Landabtrennungen von Preußen an Polen und Litauen wurde – zum Teil (Memelgebiet) mit Erfolg – der Grundsatz aufgestellt, Änderungen von Staatsgrenzen brauchten im Bereich des Protestantismus ebensowenig wie beim Katholizismus Änderungen der Kirchengrenzen mit sich zu bringen. Das würde in unserem Fall bedeutet haben, daß die Lutheraner und Kalvinisten der Böhmischen Länder mit denen in Restösterreich die alte Gemeinschaft, zwar nicht unter dem Wiener Oberkirchenrat – denn er war eine k. k. Staatsbehörde –, aber wohl unter einem selbstgewählten Präsidenten, sei es in Wien oder in Prag, beieinander blieben. Lehnte man das ab, so bestand doch die andere Möglichkeit, das Zusammen-

bleiben der oben aufgezählten sechs Diözesen der Länder Böhmen, Mähren, Schlesien und die damit gegebene Errichtung einer protestantischen Gesamtkirche in der Tschechei. Doch das wurde überhaupt nicht versucht. Wenn die tschechischen Kirchenführer dieses Ziel angestrebt hätten, so wäre es möglich gewesen, die ihm widerstrebenden anderen, etwa die Deutschen oder die Schlonsaken, mittelst des Staatskirchenrechtes dazu zu zwingen, so wie es *Joseph II.* 1781 getan hatte. Daß die schlesische Ostgrenze gegen Polen damals noch strittig war – sie wurde erst 1920 am Olsafluß entlang gezogen –, brauchte dabei nicht im Wege zu stehen.
Auf keiner der drei Seiten zeigten sich ernstliche Wünsche für eine Fortsetzung des bisherigen Beieinander. Den Anfang mit Errichtung einer nationalen Sonderkirche machten die Tschechen; Deutsche und Schlonsaken folgten ihrem Beispiel.
b) Die tschechische Einheitskirche: Die Gründung der tschechischen Einheitskirche bedeutete einen Bruch mit der Reformationsgeschichte der böhmischen Länder, denn diese waren zwar ganz stark am tschechisch-husitischen Ursprung des Protestantismus im Wenzelsreich ausgerichtet, aber keineswegs von so betonter Gegnerschaft gegenüber den deutschen Mitbürgern erfüllt, wie diese im Kriege sich äußerte. Allerdings war diese sich oft bis zum Haß steigernde Gegnerschaft auch auf der anderen Seite zu finden. Die Deutschen Österreichs verstanden den aus dem Mord von Sarajevo herausgewachsenen Krieg als Verteidigung gegen einen slavischen Großangriff, blickten mißtrauisch auf die geringe Kampfeslust der slavischen Regimenter in der k. u. k. Armee und nannten es Landesverrat, als die politische Führung der Tschechen auf die Feindseite emigrierte. Es gab dabei keinen Unterschied der Konfessionen: Der Katholik *Beneš* und der Protestant *Masaryk* standen einmütig an der Spitze. Die groß aufgemachten Nationalfeiern, in denen Prag am 6. Juli 1915 des gleichen Tages von 1415 gedachte, entzündeten in der nervösen Hauptstadt eine Flamme des Antigermanismus, der Wien und Berlin beschuldigte, den Slaven insgesamt den Scheiterhaufen zugedacht zu haben, der einst für den tschechischen Nationalhelden *Hus* angezündet wurde. Als sich gar die Waagschale des Erfolges trotz der Siege über Serben und Russen zugunsten der »Entente« zu senken begann, da schritt man in weiten Kreisen der Tschechen vom passiven Widerstand zur revolutionären Aktion. Die Daheimgebliebenen streuten Sand in die Staatsmaschine; die an den Fronten Stehenden liefen zum Feind über. Ja, sie trieben nicht nur Fahnenflucht, sondern reihten sich als »Legionen« den gegnerischen Armeen ein. Damals geschah es, daß Freunde und bewährte Helfer des tschechischen Kirchenlebens, darunter der Gustav-Adolf-Verein, an die von ihm seit Jahrzehnten unterstützten tschechischen Gemeinden die Frage richteten: Was sagt ihr dazu? Sie hofften eine ähnliche Antwort zu erhalten, wie sie die tschechische Fraktion im Wiener Parlament am 31. Januar 1917 dem Außen-

minister erteilt hatte mit der Erklärung, »daß die tschechische Nation wie stets in der Vergangenheit so auch in der Zukunft nur unter dem Zepter der Habsburger ihre Zukunft und die Bedingungen ihrer Entwicklung« sehe. Was die Führung der befragten Gemeinden jetzt erwiderte, lautete ganz anders, ließ keinen Zweifel daran, daß sie die Niederlage ihres Staates wünschten und auf das Fortbestehen brüderlicher Verbindung mit den Glaubensgenossen in Deutschland verzichteten. Sie zerschnitten damit ein Band, das wieder zu knüpfen bisher nicht gelungen ist.

Wahrscheinlich wäre der töricht verlängerte Krieg auch ohne die Irredenta-Sabotage der Tschechen, der sich bald auch die Südslaven und Rumänen anschlossen, für Deutschland und Österreich verlorengegangen – trotz dem Ausscheiden der Russen 1917 –, weil die Vereinigten Staaten von Amerika sich einmischten. Sie taten damit den ersten Schritt, der sie an die Spitze der westlichen Welt führte.

Das Ende des Krieges brachte den Tschechen die souveräne Herrschaft über den böhmisch-mährischen Raum und dazu die Angliederung von Oberungarn (mit der Slovakei und der Karpato-Ukraine). Zwar wurde dem von den verbündeten Siegern errichteten neuen Staat die Verpflichtung auferlegt, den beiden Völkern der Osthälfte, den Slovaken und den Ukrainern, volle Kultur-Autonomie zu gewähren, den Minderheiten in der Westhälfte, den Deutschen und Polen, sprachliche Eigenrechte zu belassen, aber die Führung des Staats in Politik, Wirtschaft und Kultur lag vollständig in tschechischen Händen.

Das tschechische Volk hatte in den dreihundert, nach der Schlacht am Weißen Berg verflossenen Jahren seine religiöse Struktur vollständig verändert. Von den 1920 in den drei Ländern lebenden über sechs Millionen Tschechen (bei einer Gesamtbevölkerung von rund 13 Millionen) war der weitaus größte Teil römisch-katholisch und nicht einmal ganze sechs Prozent protestantisch. Aber die Erinnerung an die Kompaktaten, an die Utraquistenzeit mit König *Georg von Podjebrad* und Erzbischof *Rokycana*, an die Unität der Brüder und an die große Einheit eines die Mehrheit des Volkes in der Confessio Bohemica von 1575 vereinenden Protestantismus war durchaus noch lebendig, hatte auch im ersten Jahrzehnt nach 1900 den tschechischen Stadtgemeinden manchen Zuwachs an Übertritten gebracht, die im Zusammenhang mit der sudetendeutschen Los-von-Rom-Bewegung standen. Die Hoffnung, es werde sich in dem nun endlich »vom fremden Joch befreiten Volk« der religiös-nationale Genius der Vorfahren zu neuer Flamme entfachen lassen, war der Antrieb für das bereits im Dezember 1918 erfolgte Zusammentreten von leitenden Gliedern der beiden tschechischen Superintendenturbezirken. Sie waren von 121 der insgesamt etwa 150 Pfarr- und 200 Filialgemeinden der Bezirke entsandt und beschlossen, daß die Gesamtheit dieser Gemeinden nunmehr eine nationale Einheitskirche bilden sollte

unter Aufholung der beiden Sonderbekenntnisse Augustana und Helvetica aufgrund der erwähnten Bohemica.
Man war auf den Widerspruch der Lutheraner gefaßt, der auch sofort einsetzte: das husitische Jahrhundert sei doch keineswegs ein reines Vorbild gewesen, weder in seiner taboritischen noch in seiner utraquistischen Ausprägung. Dann sei zum Glück die Brüder-Unität hinzugekommen und schließlich die Reformation mit ihren beiden Richtungen von Wittenberg und von Genf her. Als sich 1575 auf Grund der Confessio Bohemica die vorhandenen vier Richtungen: die Alt-Utraquisten, die Lutheraner, die Reformierten und die den Reformierten zuneigenden »Brüder« zu einer Gemeinschaft zusammenschlossen, sei das immerhin nur eine Art Verwaltungsunion gewesen; insbesondere hätten die »Brüder« ihrerseits gegenüber den Lutheranern ihre Besonderheit stets stark hervorgehoben.
Mit einem bloßen Kirchenbund, wie man ihn einst auf Grund der Zusagen des Kaisers *Maximilian II.* und des Majestätsbriefes *Rudolphs* in Böhmen und Mähren gegründet hatte, wollten sich jedoch die nationalen Wortführer jetzt nicht begnügen. Eine volle Consensus-Union strebten sie an, nicht nur eine solche der Verwaltung. Die Lutheraner gaben nach, als man ihnen bewies, daß die Confessio Bohemica der Augustana sehr viel näher stehe als den Bekenntnisschriften der Genfer. So entstand die tschechische Einheitskirche, die allerdings zunächst einen Streit um ihren Namen auszufechten hatte. Sie hätte gern den der 1457 gegründeten Brüder-Unität *(Jednota bratrská, Unitas fratrum)* gewählt. Der wurde ihr jedoch im Prozeßwege abgestritten, und zwar von der gemischtsprachigen Herrnhutergruppe in Böhmen, von der oben berichtet wurde (siehe S. 246f.). Daher ersetzte man das Wort »Jednota« (Unität) durch» Cirkev« (Kirche), so daß der tschechische Name lautet: »Českobratrská cirkev evangelická«, übersetzt: Tschechisch-brüderische evangelische Kirche, neuerdings im Deutschen abgekürzt: Tschechische Brüderkirche.
Diese Kirche ist keine Unionskirche, wie sie etwa in Preußen, in Baden, in der Pfalz gegründet worden waren; sie trägt in ihrer ganzen Gestalt ein durchweg reformiertes Gepräge. Nur ein Erbe hat sie von den einstigen Gemeinden Augsburgischen Bekenntnisses und ihren Pfarrern sowie aus ihrem einstigen Zusammenhang mit den Lutheranern Gesamtösterreichs übernommen: einen deutlichen Einschlag der aus Wittenberg stammenden Theologie. Dafür ist die von der Brüderkirche gegründete Fakultät in Prag der Beweis. Sie war ursprünglich eine mit der tschechoslovakischen Kirche gemeinsame Einrichtung unter dem Namen *Hus*-Fakultät, sonderte sich aber mit guten Gründen aus dieser ab und nennt sich seitdem nach *Comenius*. Sie verdankt ihr Ansehen der Tradition, die sie aus der Wiener Fakultät mitgebracht hat, an der zwei hervorragende tschechische Professoren *Skalský* und *Bohatec* gelehrt und geforscht hatten und grundlegend geworden

waren für eine enge Verbindung mit der theologischen Wissenschaft der westlichen Länder. Ihr namhaftester Forscher und Lehrer in unseren Tagen ist der aus dem Luthertum stammende Professor *Jan Hromadka.*

Die tschechisch-brüderische Kirche ist nicht einfach identisch mit jener Christengemeinschaft, die von *Gregor* bis *Comenius* reichte über *Chelčický* und *Lukas*, über *Augusta* und *Blahoslav* hinweg. Aber sie ist eine Abart von ihr und damit eine der vielen Abwandlungen kirchengeschichtlichen Erbes dieser konfessionsträchtigen Landschaft. Neben lutherischen und reformierten Merkmalen hat sie sich ein Wesentliches zu eigen gemacht, das die alte Brüderunität kennzeichnete und auszeichnete, jenes Gesetz, nach dem *Gregor* und die Seinen 1457 angetreten sind, als sie sich von *Rokycana* trennten, den Widerspruch gegen träges Gewohnheitschristentum. Sie fügte den zwei lutherischen Merkmalen der Kirche *(notae eclesiae)*: reine Lehre und wahrhaftiges Sakrament, ein drittes hinzu: Zucht und Ordnung, gemäß dem »Gesetz des Evangeliums«. In geläuterter Form tritt das Vollkommenheitsstreben (Perfektionismus) der ersten Brüder von Kunwald in dem sozialen Impuls zutage, der heute wie einst das Auge ihrer Gemeinschaft auf die Menschennot der Gegenwart lenkt.

Die staatskirchliche Lage aller Religionsgemeinschaften in der Tschechoslovakei wurde 1925 geregelt. Ein Jahr darauf folgte ein »Kongrue-Gesetz« nach dem österreichischen Muster. Weitere staatliche Begünstigungen, die bis zur Steuerbefreiung für Pfarrhäuser und zur Postgebührenfreiheit pfarramtlicher Korrespondenz gingen, folgten später. Die standesamtlichen Register blieben nach wie vor in den Händen der Pfarrer. Nur für die Glieder der auf Vereinsbasis organisierten Freikirchen und für die Konfessionslosen gab es Zivilehen. Im allgemeinen beschränkte sich der Staat auf die Kirchenaufsicht, zu der er es rechnete, daß seine etwa nötig scheinenden Einwände gegen die politische Haltung von Amtsträgern seitens der Kirche respektiert wurden. Er war allerdings genötigt, seine Bedenken binnen 30 Tagen nach der Wahl anzumelden und zu begründen.

Die von der Synode beschlossene innere Kirchenordnung stieß auf Schwierigkeiten; erst 1931 erlangte sie die staatliche Anerkennung. Sie hat unverändert noch heute Geltung. Die Verwaltungsorganisation geht von den frei gewählten, örtlichen Vorständen (Presbyterien) der Parochialgemeinden aus und gipfelt über die Seniorate in der Synode mit dem Synodalrat und dem Synodalsenior, der jeweils auf 6 Jahre gewählt wird. Ihm steht nicht nur die geistliche Leitung der Kirche zu, er hat auch den Vorsitz in der Synode und dem Synodalrat. Ein Laienpresbyter steht ihm zur Seite, auch in Repräsentationsfällen. Die Wahl des Synodalseniors und seiner Amtskollegen bedarf der staatlichen Genehmigung. In den ersten Jahren nach ihrer Gründung gewann die Kirche zu ihren aus dem Zusammenschluß der alten Gemeinden gekommenen 160000 Seelen etwa 60000 neue, fast durchweg durch Übertritte aus dem Katholizismus. Bis 1938 wuchs sie auf mehr als 300000 an, so daß auf jeden der etwa 200 geistlichen Amtsträger rund 1500 Seelen fielen. Daß der Zuwachs durch Übertritte keinen größeren Umfang erreichte, lag daran, daß eine mit dem Protestantismus konkurrierende Übertrittsbewegung den nationalen Elan, der sich von römischer Bevormundung trennen wollte, aufzufangen verstand. Von dieser möge anhangsweise an dieser Stelle noch berichtet werden.

Gemeint ist nicht nur der 1920 aus panslavischen Gedanken entstandene Versuch, in Anknüpfung an die älteste orthodoxe Christenmission in diesem Landstrich (siehe S. 20) eine tschechisch-orthodoxe Kirche ins Leben zu rufen; er hatte geringen Erfolg. Die wenigen Tausend Anhänger der sich dem Patriarchat von Belgrad unterstellenden Gemeinschaft hätten im eigenen Land einen solchen Rückhalt finden können, wenn sie bereit gewesen wären, sich den über 600000 Seelen zählenden ostslavischen Karpatoukrainern anzuschließen, die unter einer vertraglich gesicherten Kulturautonomie im Osten der Slovakei siedelten. Aber hier hatte – ebenso wie in dem benachbarten Ostgalizien – seit langem die griechisch-katholische Union festen Fuß gefaßt, der die tschechischen Pravoslaven sich nicht anschließen mochten.

Die überraschend große »Los-von-Rom-Bewegung« in der neuen Tschechoslovakischen Republik mündete in einer ganz neuen Glaubensgemeinschaft, die sich nach einigem Schwanken den Namen gab: »Tschechoslovakische Kirche« *(Československà Cirkev)*. Sie ist eine Abart des »Altkatholizismus« auf tschechisch-nationaler Basis, wurde jedoch von der altkatholischen »Utrechter Union« nicht aufgenommen, und zwar nicht nur darum, weil diese bereits seit 1890 in Böhmen einen Ableger auf übernationaler Basis besaß, sondern auch aus inneren Gründen. Auch die 1925 (in Stockholm) erwachende ökumenische Bewegung trug Bedenken, die beiden zunächst gastweise teilnehmenden Priester als Vollglieder anzuerkennen. Sie fiel insofern aus dem Rahmen des Utrechter Altkatholizismus heraus, als sie nicht nur - unter Beibehaltung der Messe und anderer katholischer Kultusformen in tschechischer Sprache - ganz stark den Protest gegen Rom in den Vordergrund stellte, sondern von einer deutlichen Neigung zum liberalen Kulturkirchentum beherrscht war.

Diese Kirche entstand aus einer Gemeinschaft »modernistisch« gesinnter römischer Priester, die bald nach der Gründung der Republik an den Papst mit recht revolutionären Wünschen herantraten, z. B. mit dem der vollen Gemeindeautonomie unter Beteiligung der Laien, auch bei der Priesterwahl und sogar bei der Wahl der Bischöfe. Da sie sich zudem nicht mit der Einführung des Tschechischen in der Messe und des obligatorischen Laienkelches begnügten, sondern auch die Abschaffung des Zwanges zum Zölibat forderten, konnten sie natürlich in Rom nicht den einstigen Erfolg der Utraquisten erzielen. So entschlossen sich etwa anderthalb Hundert dieser

Priester zur Gründung einer national-katholischen Kirche und gewannen in kurzer Zeit über 200000 Mitglieder für sie.
Der neuen Gründung war auch weiterhin ein erstaunliches Wachstum beschieden. Sie zählt in der Gegenwart in rund 300 Gemeinden über eine Million Seelen, denen 320 Priester und 350 Laiendiakone seelsorgerlich dienen. Nicht weniger als 29 Kirchenblätter helfen dazu mit. Ihren großen Erfolg hat sie anscheinend dem in weitesten Kreisen des tschechischen Volkes herrschenden Rationalismus zu danken, für den es bezeichnend ist, daß ihr Patriarch-Bischof *Gustav Adolf Prochaska* (Prag), der Nachfolger von Patriarch Dr. *Karl Farský*, als Programm aufstellte, »das religiös und sittlich Ewige aus dem Evangelium Christi mit den erwiesenen Errungenschaften der modernen Wissenschaft und mit berechtigten Forderungen der menschlichen Natur zur einheitlichen modernen Welt- und Lebensanschauung synthetisch zu verbinden«.
Es verdient Beachtung, daß solchen alt-liberalen Tendenzen bei der jüngeren Generation ein konservativer Widerspruch entgegentritt, der die Substanz des Evangeliums nicht verwässern oder gar verlieren will. Es ist durchaus wahrscheinlich, daß sich in dieser Kirche ebenso eine von jungen Kräften getragene Abspaltung vollziehen wird, wie das einst beim Utraquismus der Fall war (siehe S. 215ff.). In ihren Priesterkreisen ist der Einfluß der Brüderkirche mit ihrer lebendigen Theologie im Wachsen. Vom Papst wurden die Kirche und ihre Priester natürlich gebannt, vom Staat aber anerkannt und sogar gefördert, wenn auch nicht so, wie sie es wünschte, durch Zuweisung von bisher katholischen Kirchengebäuden.
Ist man bereit, die Tschechoslovakische Kirche in der Erbfolge des einstigen Utraquismus zu würdigen, so darf man wohl auch von einem Wiederaufleben der radikalsten Form des nationalen Husitismus reden: das taboritische Erbe setzte sich in einer großen sozialistischen Austrittsbewegung fort. Bei der Volkszählung von 1921 ergab sich bereits, daß fast ein Zehntel der Bevölkerung in den drei historischen Ländern keiner Religionsgemeinschaft mehr angehörte. Unverkennbar ist in dieser Bewegung der Hintergrund des schwärmerischen Utopismus der Taboriten wirksam.
Die tschechische Sozialdemokratie hatte seit langem eine lebhafte Werbung für den Austritt aus der katholischen Kirche getrieben, die als eine solche des Bürgertums und des noch immer in den drei Ländern sehr einflußreichen Feudaladels galt. Einen bloßen Austritt aus der Kirche ohne Eintritt in eine andere Religionsgemeinschaft aber konnte man in der österreichischen Zeit kaum vollziehen. So waren um 1900 herum immerhin etliche Tausend Arbeiter evangelisch geworden. In der Republik fiel jenes Hindernis fort, und so gab es in kurzem 800000 konfessionslose Tschechen. Ständig vermehrt sich diese Ziffer, sie wird jetzt die zweite Million weit überschritten haben. Der neuerdings den Staat beherrschende und das Volk leitende Kom-

munismus wirbt erfolgreich für Freidenkertum und Kirchenaustritt und nimmt mit seinem Utopismus den Chiliasmus der Tabortien wieder auf. Es fehlt aber nicht an Zeichen dafür, daß in den aus dem proletarischen Dasein aufsteigenden Schichten sich der Überdruß an der flachen Geistlosigkeit des propagierten Atheismus mehrt und zum Aufwerfen von Fragen führt, auf die Antwort zu geben die evangelische Tschechenkirche bereitsteht.
Eigene kirchliche Schulen bestehen jetzt nicht mehr. Der Religionsunterricht an den Staatsschulen ist geregelt. Er ist – außer für die obersten Gymnasialklassen – obligatorisch, wird meist von den Pfarrern, zum Teil von pädagogisch besonders dafür ausgebildeten Lehrern erteilt, die wie in Österreich vom Staat besoldet werden.

13. Die Schlonsaken

Ganz anders als bei den Tschechen in Böhmen und Mähren lagen die konfessionellen Dinge 1781 in dem Teil Schlesiens, der nach dem Hubertusburger Frieden 1763 bei Österreich geblieben war, im »Herzogtum Teschen«.
Dieses ist nach allerlei, schon 1919 beginnenden Streitigkeiten zwischen den Tschechen und den Polen, die zum Teil mit den Waffen ausgefochten wurden, seit 1920 zwischen ihren beiden Staaten geteilt worden, und zwar so, daß in der östlichen Hälfte kaum Tschechen, in der westlichen aber viele Polen das Schicksal volklicher Minderheitsnot tragen müssen.
Die protestantischen Polen Oberschlesiens, die sich selbst Schlonsaken nennen (Schlesien heißt auf polnisch *Śląsk*, sprich: schlonsk), haben in großer Zahl besonders zäh ihren evangelischen – durchweg lutherischen – Glauben festgehalten und schon im Westfälischen Frieden und dann dank dem Eingreifen des Schwedenkönigs *Karl XII.* gewisse Erleichterungen für ihr kirchliches Leben erfahren (Altranstädt 1706).
Das schönste, weithin sichtbare Zeichen davon war die von 1709 ab in zwanzigjähriger mühsamer und opferreicher Arbeit erfolgte Erbauung der »Jesuskirche« in Teschen mit ihren 8000 Plätzen in einem hochragenden Schiff und auf drei Emporen. Ein halbes Jahrhundert lang war dies dann das einzige Gotteshaus für eine Gemeinde von 40000 Seelen, die z. T. ganz geschlossen beieinander wohnten von Jablunkau an bis nach Teschen, z. T. aber über weite Flächen zerstreut waren bis hin nach Pleß und Ratibor. Zu den sich in dieser einzigartigen Kirche aus der Ferne sammelnden Frommen aus 19 evangelischen Ortschaften kamen fast jeden Sonntag große Scharen in weiten Fußwanderungen hinzu, die aus der weniger vom Glück der Toleranz begünstigten Markgrafschaft Mähren über die Grenze des Herzogtums hinüberströmten.
Zwei Pfarrämter wurden bei der Jesuskirche eingerichtet, eins für die Deutschen und eins für die Polen, mit je einem Gehilfen für die Pfarrer. Vier Pre-

diger waren jeden Sonntag von früh an, zum Teil schon vom Vorabend an, bis zum Nachmittag abwechselnd in lang dauernden, mit viel Singen und Beten gefüllten, meist in Kommunion mündenden Gottesdiensten beschäftigt, das Verlangen nach Erbauung und Unterweisung zu stillen.

Die Teilung Schlesiens zwischen Österreich und Preußen im Frieden von Hubertusburg (1763) verringerte die Ziffer der Deutschen, die sich zur Teschener Gemeinde hielten, nur wenig. Die Zahl der evangelischen Schlonsaken im preußischen Teil Oberschlesiens war gering.

Das Toleranzedikt Kaiser *Josephs II.* und die Schaffung einer geordneten Kirche beider protestantischen Bekenntnisse wirkte sich im k. k. Schlesien besonders glücklich aus. Schnell entstanden 12 neue Gemeinden, 9 polnische, 3 deutsche. Von letzteren gewann die in der Industriestadt Bielitz mit der Zeit eine Bedeutung, die weit über die Provinz hinausragte. Das dort 1867 gegründete Lehrerseminar lieferte bis 1918 nicht nur die nötigen Lehrkräfte für die gegen hunderttausend Evangelischen, die man bis dahin in der mährisch-schlesischen Diözese – ein Viertel des Gesamtprotestantismus in ganz Österreich – zählte, sondern auch für die zahlreichen, in den Sudeten-, Karpaten- und Alpenländern bestehenden etwa 200 kirchlichen Privatschulen recht verschiedener Größe, Ausstattung und Leistung, die von den Kirchgemeinden in deutscher, tschechischer und polnischer Sprache erhalten wurden. Da die öffentlichen, vom Staat getragenen Schulen, obwohl grundsätzlich simultan, tatsächlich zumeist katholische Propaganda-Anstalten waren – neben den sehr zahlreichen Klosterschulen, die auch evangelische Kinder annahmen –, war es von unermeßlichem Wert für die Erhaltung der evangelischen Diaspora, daß die Gemeinden sich die großen Opfer nicht verdrießen ließen, die sie für ihre Privatschule aufbringen mußten. Die kleine und schwache Diasporakirche Galiziens z. B. wäre sehr schnell im Meer der glaubensfremden Umwelt versunken, wenn nicht neben ihren Pfarrern über 100 Lehrer in 81 Kirchenschulen der Jugend die Treue zum Väterglauben in die Herzen gepflanzt hätten.

Was die schlonsakischen Gemeinden deutlich aus dem ganzen Bereich des Protestantismus bei den Slaven heraushebt, ist ihre streng lutherische Haltung. Das lag wohl an dem Abgeschlossensein dieser Gruppe von den Glaubens- und Volksgenossen im polnisch-litauischen Staat, bei denen die Nations- und Konfessionsspaltungen solch verhängnisvolle Rolle spielten. Dazu kam ihre moralische Trennung von den tschechischen Nachbarn mit deren unverwüstlicher Husitentradition. Vielleicht fiel auch die Tatsache ins Gewicht, daß es sich in Schlesien bei den Protestanten weit weniger als anderwärts um adlige Grundbesitzer und deren Hörige als um freie, wenn auch nur kleinen Besitz bearbeitende Bauern handelte.

Bei der oben erwähnten Teilung des Schlonsakengebiets im Jahre 1920 waren 10 Gemeinden mit gegen 60000 Seelen zu Polen gekommen. Sie unterstellten sich geschlossen dem Warschauer Konsistorium, obwohl ein Teil der deutschen Protestanten, namentlich die Bielitzer, den Anschluß an die Nachbarkirche in Galizien vorgezogen hätte. Da die historische »Jesuskirche« auf dem rechten Ufer des Grenzflusses Olsa lag, kam sie zu Polen. Die etwa 44000 Seelen westlich des Flusses waren vor die Frage gestellt, welcher der großen evangelischen Kirchengruppen in der Tschechei sie sich eingliedern wollten. Hier waren in den letzten Jahrzehnten drei stattliche Industriegemeinden entstanden, die eine deutsche Mehrheit hatten, aber auch in tschechischer und polnischer Sprache ihren Gliedern dienten: Friedeck, Mährisch-Ostrau und die Grenzstadt Oderberg. Sie schlossen sich ohne Bedenken der deutschen lutherischen Kirche des Tschechenlandes an, die sich inzwischen gebildet hatte.

Es wäre günstiger gewesen und hätte auch die bewährte Tradition der evangelischen Kirche Österreichs fortgesetzt, wenn die deutschen Gemeinden sich mit den schlonsakischen zusammengefunden hätten. Doch diese fühlten sich zu stark als Irredenta, die noch auf eine Vorschiebung der Grenzen Polens nach Westen hoffen dürfe, weil ursprünglich eine Volksabstimmung über die Grenzlinie entscheiden sollte. Sie schlossen sich daher auch ihrerseits national zusammen als »Evangelische Kirche Augsburgischen Bekenntnisses in Ostschlesien«.

Die erwartete Grenzverschiebung blieb aus, und die Kirche mußte sich konsolidieren. Sie wuchs bis 1939 auf sieben Gemeinden mit über 50000 Seelen an, so daß die einzelnen Gemeinden sehr groß waren und von ihren 14 Seelsorgern und 18 akademischen Katecheten nur notdürftig versorgt werden konnten. An wirtschaftlicher und kultureller Bedeutung überragten die evangelischen Schlonsaken im tschechischen Schlesien die doppelt so große Zahl ihrer katholischen Volksgenossen bedeutend.

Die Verfassung der Schlonsaken-Kirche ist rein synodal, doch führt die Synode nicht diesen Namen, sondern nennt sich bescheiden, »Senioratsversammlung«. An ihrer Spitze stand der »Senior«, der alle sechs Jahre durch die Gemeindevorstände (Presbyterien) neu gewählt wurde.

Mit der Zeit wurde es notwendig, in diesen Gemeinden auch der tschechischen Staatssprache mehr und mehr Raum zu geben, und zwar darum, weil, wie ihr Senior *Michejda* bedauernd feststellte, der tschechische Nationalstaat gleich anderen seiner Art das Recht in Anspruch nahm, »nationale Minderheiten aufzusaugen«. Die zunehmende Unterwanderung des früher so geschlossen polnischen Gebietes durch tschechische Beamte, Unternehmer und Arbeiter, soweit diese überhaupt evangelisch-kirchliche Gesinnung mitbrachten, hat dann zur Gründung von mehreren Diasporagemeinden der tschechisch-brüderischen Kirche in diesem früher ausschließlich lutherischen Raum geführt. Glieder der Schlonsakengemeinden zu werden, bestand bei den zuwandernden Tschechen keine Neigung. Dagegen nähern sich die polnischen Lutheraner neuerdings ihren slovakischen Konfessionsverwandten jenseits der östlichen Grenze Schlesiens. Auf deren theologischer Hochschule in Modern (Modra) lassen sie ihren Nachwuchs ausbilden. Ihre im Westen des Staates verstreute Diaspora wird von der einzigen lutherischen Parochie Böhmens (Prag), die von den Slovaken in diesem Staatsteil gebildet wird, mit versorgt. Auch hier zeigt sich die bindende Kraft, die von der konfessionellen Glaubensbruderschaft ausgeht.

14. Die Deutschen

Wiederholt war oben davon die Rede, daß in den drei Ländern der Wenzelskrone neben der tschechischen Hauptmasse und dem polnisch-schlonsakischen Volkssplitter eine starke deutsche Gruppe lebte, die am Gesamtleben der Bevölkerung leistend und leidend vollen Anteil hatte.

Im Nordwesten Böhmens saßen die Deutschen auf dem alten, geschlossen deutschen Boden Oberfrankens und waren hier großenteils nur durch dynastische Tauschgeschäfte, z. B. Verpfändung, zum Königreich Böhmen gekommen.

Anders stand es mit den Deutschen am Südrand des böhmischen Kessels. Sie waren keine Franken, sondern bayrischen Stammes und von Süden her schon seit Jahrhunderten in langsamer Siedlung in den böhmischen Raum vorgedrungen. Im Norden aber wie im Süden geschah die Landnahme durch Rodung ohne Verdrängung der Tschechen, die eine klare Sprachgrenze im Mittelteil des Landes umschloß.

Auch in den beiden anderen Ländern, Mähren und Schlesien, stammten die Deutschen schon aus dem frühen Mittelalter. Mönche und Bauern hatten durch Urwaldrodungen in den Grenzgebirgen Fuß gefaßt und waren von dort auch in die Ebene hinuntergestiegen. Wie überall waren auch hier den vordringenden Kolonisten Bürger und Ritter auf dem Fuß gefolgt. Die größeren Städte, in Mähren sowohl wie in Schlesien, waren fast sämtlich deutschen Ursprungs. Ihre Bewohner waren in den Husitenkriegen schwer heimgesucht, zum Teil dezimiert worden. Doch hatte das 16. Jahrhundert die Lücken wieder aufgefüllt.

Dem aus dem Husitentum hervorgegangenen älteren Utraquismus gegenüber hatten sich die Deutschen mit besonderer Treue zum römisch-katholischen Kirchentum gehalten. Dagegen hatte die universal gerichtete »Unität« *(Jednota)* auch Deutsche als »Brüder« zu gewinnen vermocht, und zwar sowohl aus den bürgerlichen und bäuerlichen wie aus adligen Kreisen. Von der Zuflucht, die waldensisch gesinnte Brandenburger 1458 in Fulneck fanden, wurde oben berichtet (siehe S. 227).

Als Luthers Ruf zur Erneuerung des Evangeliums ganz Deutschland emporriß, da folgten ihm auch die Deutschen in den habsburgischen Ländern, zu denen seit 1526 auch die böhmischen gehörten. Wie überall gingen auch hier einerseits die Städte, andererseits die Bergwerkssiedlungen voran. Von letzteren sei aus dem böhmischen Raum hier das berühmte Kuttenberg genannt. Mitten im utraquistischen Prag bauten sich die deutschen Lutheraner auf der »Kleinseite« ihre Trinitatiskirche, der sie dann später – noch 1610, also wenige Jahre vor dem großen Umbruch – in der Altstadt die große Salvatorkirche hinzufügten, zu deren Pfarrei sich der deutsche Adel Böhmens hielt. Von den zahlreichen anderen deutschen lutherischen Gemeinden, die bereits zu Beginn der Reformationszeit entstanden, seien aus Mähren die Landeshauptstadt Brünn genannt und aus Böhmen das bekannte Joachimsthal im Erzgebirge, das heute als Zentrum des Uranbergbaus eine bedeutende Rolle spielt. Damals wurde in Joachimsthal das Silber für die nach diesem Ort den Namen tragenden »Taler« der kaiserlichen Münze gefördert. Bekannt aber ist der Ort auch in der Kirchengeschichte durch seinen Pfarrer *Mathesius*, der hier ein geistliches Gold zu Tage brachte: die erste Lebensbeschreibung *Martin Luthers* in Gestalt der »Lutherhistorien« betitelten Predigten.

Wir haben oben davon gehört, wie sich im böhmisch-mährischen Raum Tschechen, Polen und Deutsche, Utraquisten, Lutheraner und »Brüder«, Adlige, Bürger und Bauern von 1575 an zu einer ökumenischen Kirchenkonföderation zusammenfanden und miteinander eine Reihe von Jahren des Friedens und der aufwachsenden Blüte erlebten. In dem Ringen um die Freiheit der evangelischen Religion gegenüber den Kaisern *Rudolph* und *Matthias* stand der Gesamtprotestantismus im Bereich der Wenzelskrone in einer Front.

Dann kam das Unglücksjahr 1618. An dem Adelsaufstand auf der Prager Burg waren auch lutherische Deutsche führend beteiligt. Fünf von ihnen mußten neben zweiundzwanzig Tschechen nach der Katastrophe vom Weißen Berge (1620) das Schafott auf dem Ring in Prag besteigen. Hunderte teilten mit ihren tschechischen Standesgenossen und mit Zehntausenden von Bürgern und Bauern beider Nationen das schwere Schicksal des Verlustes von Hab und Gut, von Heimat und Vaterland.

Das nun folgende Katakombenchristentum, das sich durch die einsetzenden Verfolgungen hindurch rettete, war in Böhmen eine bäuerliche Angelegenheit. So kam es, daß die ländlichen Toleranzgemeinden fast ausschließlich tschechisch waren; die deutschen Bauern waren zumeist ausgewandert. Nur an drei Stellen hatten sie Pfarrgemeinden gebildet. In Mähren waren sie etwas zahlreicher geblieben; in Schlesien sogar, dank der dortigen Sonderlage, in großer Zahl. Zumeist war es ein Geheimglaube unter Argwohn und Kontrolle; bis sich 1781 die Tore zum Licht der Duldung auftaten (siehe S. 247ff.).

Bald kam ein Neues hinzu. In die Städte und andere Gewerbeorte wanderten im Zeitalter des Merkantilismus aus den deutschen Nachbarländern, aber auch aus Ungarn und Siebenbürgen viele Lutheraner hinzu, die man brauchte und die darum selbst unter *Leopold* und *Maria Theresia* milde behandelt wurden. Man ließ es ihnen durchgehen, daß sie nicht zur Messe und Beichte gingen, daß sie über die Landesgrenzen zur Predigt und Kommunion »ausliefen«. Man verargte es ihnen auch nicht, daß sie dort dabei waren, wo an den politischen Mittelpunkten nach internationalem Recht ausländische Diplomaten, um ihrem evangelischen Glauben leben zu können, sich Betsäle einrichteten und Seelsorger anstellten. Für die Gemeindebildung der Kryptoprotestanten in der Toleranzzeit waren diese älteren privilegierten Gruppen der Glaubensgenossen von großer Wichtigkeit. Sie schlossen sich mit den neuen nun legitimen Gemeinden zusammen und stärkten sie durch allerlei Hilfe.

Von den vier alten Diözesen waren zwei reformiert und rein tschechisch; die beiden lutherischen (Böhmen und Mähren-Schlesien) waren dreifältig national gemischt. Die im äußersten Nordwestzipfel zwischen Bayern und Sachsen gelegenen Gemeinden der einstigen Reichsgrafschaft Asch waren durch den westfälischen Frieden gesichert und standen ganz für sich.

Im 19. Jahrhundert verschob sich die Lage in Böhmen bald stark zugunsten der Deutschen und damit der deutschen lutherischen Gemeinden; vor allem wuchsen ihre lutherischen Stadtgemeinden – Prag, Brünn, Olmütz voran – durch Zuwanderung von draußen, aber auch durch Einsickern aus den Dörfern. Um 1900 standen in der böhmischen Superintendentur Augsburgischen Bekenntnisses den 40000 Deutschen nur 13000 tschechische Lutheraner gegenüber. Da entschloß man sich, und zwar in vollem Einvernehmen, zu nationalem Auseinandergehen. Es bildete sich eine westböhmische und eine ostböhmische Diözese, die eine vor allem aus Deutschen, die andere zumeist aus Tschechen bestehend.

Jetzt ergaben sich bei der zunehmenden Durcheinanderwürfelung der Bevölkerung mannigfache Diasporasituationen und damit verbundene Reibungen. Der Fall, daß deutsche Lutheraner in den Seelsorgeraum tschechischer Pfarrer zogen, war dabei leichter zu behandeln als der umgekehrte; denn die – sämtlich in Wien theologisch ausgebildeten – Tschechen beherrschten das Deutsche. Wenn umgekehrt Tschechen in das deutsche Sprachgebiet einwanderten, so wurden sie schnell zweisprachig. Waren sie Protestanten, so fügten sie sich anfänglich leicht in die Gemeinden, die sich, wenn der Zuwachs an Reformierten anwuchs, nach dem österreichischen Muster A. u. H. B., d. h. »Augsburgisch und Helvetischen Bekenntnisses« nannten, ohne deswegen ihren lutherischen Grundcharakter zu verlieren. Als jedoch von etwa 1848 an das tschechische Nationalgefühl sich gegen den Vorrang der »Reichssprache« – des Deutschen – auflehnte, der weiten Kreisen einen gewissen Grad von Zweisprachigkeit aufzwang, und als die Anfänge der Industrialisierung zu einer starken Binnenwanderung führte und das sudetendeutsche Randgebiet rund um das tschechische Gebiet immer stärker volklich durchmischte, drangen die Spannungen und Störungen im Zusammenleben beider Völker auch in das Leben der Kirchen ein. Stärker als die katholische Kirche war die protestantische davon betroffen, die die Predigt mehr betont. Meist beherrschten die deutschen Pfarrer die tschechische Sprache nicht, und wenn sie sie lernten, genügten sie häufig den Ansprüchen der tschechischen Hörer ihrer Predigt nicht. Auch mußten diese hier das nationale Pathos, das ihnen in ihrer Heimat auch in der Predigt begegnete, bei einem deutschen Pfarrer notwendig vermissen. Gegen Ende des 19. Jahrhunderts gerieten mehr und mehr alle deutschen Pfarrer, die im Bereich des Sprachengemisches – besonders in Ostmitteleuropa – wirkten, in die Lage, daß sie beim Dienst an nichtdeutschen Gliedern ihrer Gemeinden verspüren mußten: trotz aller Bemühungen, trotz eifrigen Sprachstudiums und aller Herzenswärme ihrer Verkündigung erreichten sie nicht mehr wie früher ihre Vorgänger die Herzen ihrer nichtdeutschen Zuhörer. Der Unterschied der Völker wurde im ausgehenden 19. Jahrhundert zum Gegensatz, ja zur Feindschaft der Nationen. Daraus erklärte sich der Zank in Brünn mit seiner Rechthaberei auf beiden Seiten. Der Sprachenstreit erreichte einen Höhepunkt, als von 1898 an die aus deutschnationalen Antrieben entfachte »Los-von-Rom-Bewegung« die Zahl der deutschen Lutheraner um mehr als 100000 anschwellen ließ. Jetzt bereitete sich das vor, was später zu aller Unglück geschehen sollte.

Der Gegensatz versteifte sich, als 1918 die österreichisch-ungarische Monarchie ihrer Auflösung entgegentrieb und eine Neuordnung bevorzustehen schien. Sobald die Deutschen von den Verhandlungen erfuhren, die von führenden tschechischen Emigranten in Paris mit den Franzosen und Engländern aufgenommen waren, schalteten sie sich ein. Die deutschen Parteiführer beriefen sich auf das von *Wilson* als Grundsatz für die Aufteilung der Länder der Monarchie aufgestellte Prinzip des Selbstbestimmungsrechts der Völker. Sie fühlten sich als Vertreter der fast 3 Millionen Deutschen, die in den drei Ländern der Wenzelskrone lebten, und forderten den Anschluß ihrer Wohngebiete an die deutschen Nachbarländer: an Bayern, Sachsen, Schlesien im Norden, an Österreich im Süden. Dem widersetzten sich die Tschechen ganz entschieden. Sie betonten die geopolitische Einheit des »Böhmischen Kessels« und beriefen sich auf das »historische Staatsrecht« der Länder der Wenzelskrone. Sie drangen damit bei den Friedensberatungen durch, mußten sich aber gefallen lassen, daß dem Staatsneubau der »Tschechoslovakischen Republik« die Pflicht zur Achtung der Kulturrechte aller Bewohner als Hypothek ins Grundbuch eingetragen wurde, allerdings in sehr dehnbaren Formulierungen.

Als Bekenntnis der neuen Kirche wurde ausdrücklich das lutherische fest-

gelegt, doch wurde sieben alten Stadtgebieten das Recht zugestanden, ihre bisherigen reformierten Glieder auch weiterhin mit zu versorgen und den in Österreich hergebrachten Namen »A. und H. B.« weiterzuführen. Auch eine kleine geschlossen reformierte Dorfgemeinde von 150 deutschen Seelen (Tschenkowitz) wurde ausnahmsweise mit aufgenommen. Sie ließ sich von dem benachbarten lutherischen Pfarrer in dem Städtchen Grulich bedienen. Die innere Kirchenordnung wurde der in der österreichischen Zeit geltenden angepaßt; mit Aufbau von unten her. Die Gemeinden wählten sich ihre Pfarrer und Presbyterien, hatten auch das Wahlrecht für die Senioren, die den sechs neugebildeten Kirchenkreisen vorgesetzt wurden. Von diesen Kreisen hatten fünf eine Seelenzahl von 20000–30000, und zwar dadurch, daß sich in ihnen eine größere Zahl von Stadtgemeinden befand. Der sechste Kirchenkreis, der wesentlich aus mährischen Landgemeinden bestand, kam nicht über die Ziffer von 10000 Seelen hinaus.
Die Leitung lag in den Händen einer Kirchenbehörde, in der zwei Pfarrer und drei Juristen nebenamtlich tätig waren, von der Synode auf Zeit gewählt und ihr verantwortlich. Einer der Pfarrer wurde auf Lebenszeit gewählt und führte den Titel Kirchenpräsident. Bischöfliche Vollmacht besaß er nicht; doch hatte der die ganzen 25 Jahre des Bestehens der Kirchen diesen Titel führende Pfarrer von Gablonz, D. *Erich Wehrenfennig*, sich eine solche Autorität erworben und so allgemeine Verehrung dazu, daß man ihn als den bischöflichen Führer der Kirche ansprechen durfte.
Die deutschen Staatsbürger dieses neuen Staates waren den seelischen Bedrängnissen nicht völlig gewachsen, die sich aus dem Absturz ergaben, der sie so jäh in eine Minderheitengruppe verwandelt hatte ohne die Unterstützung der österreichischen Deutschen. Aber auch die Tschechen bewältigten ihre Aufgabe, die sich für sie als Staatsvolk gegenüber den Minderheiten ergab, nur ungenügend. Es fehlte dazu auf beiden Seiten an Geduld und Toleranz und am Maßhalten im Abgrenzen von Rechtsansprüchen und Billigkeitsverlangen, leider auch unter den evangelischen Glaubensbrüdern. Doch oft half die klare und mannhafte, aber irenische Natur des ehrwürdigen Kirchenpräsidenten wieder weiter. Um so schmerzlicher empfanden es weiteste Kreise der ökumenischen Christenheit, daß der ehrwürdige Greis 1945 in Gablonz verhaftet wurde und eine lange, seine Gesundheit heimsuchende Gefangenschaft unter nichtigem Vorwand erdulden mußte.
Die staatskirchenrechtliche Lage der deutschen Kirche entsprach der auch für die anderen Religionsgemeinschaften geltenden. Eine der österreichischen »Staatspauschale« entsprechende Beihilfe für Bauten, Gehälter, Pensionen empfing die Kirche ebenfalls.

In den unwegsamen Wäldern und Schluchten, die man die mährische Walachei nennt, hatten sich zahlreiche schwärmerische Gruppen des tschechischen Protestantismus bis in die Toleranzzeit hinein halten können. Allmählich aber erlagen diese Sekten der landeskirchlichen Neuordnung. Am zähesten hatten die seltsamen »Hutterer« ihren Bestand gewahrt, eine Wiedertäufergemeinschaft mit kommunistischer Gesellschaftsordnung. Ihre letzten Reste sind erst 1874 aus Mähren nach Süd-Dakota (USA) ausgewandert. Sie führen noch heute dort ein Gemeinschaftsleben, das an die Anfänge der Jednota (Unität) von 1457 erinnert. Von diesen Sekten sind die Freikirchen zu unterscheiden, die in neuerer Zeit entstanden sind.

An erster Stelle sei der Brüderunität (unitas fratrum, Jednota bratrská) gedacht, von deren Anfängen im Jahre 1874 schon oben berichtet wurde (siehe S. 271). Wir erinnern uns, daß der Exulantenstrom, der nach der Schlacht am Weißen Berge 1620 einsetzte, bis ins 18. Jahrhundert hinein andauerte. Unter den Auswanderern des zweiten Jahrzehnts befand sich eine Schar deutscher Bauern und Handwerker. In ihnen war die Überlieferung der Unität lebendig geblieben. Sie wandten sich, angeregt durch pietistische Erweckung, an den Grafen *Zinzendorf* mit der Bitte um ein gemeinsames Asyl, und es wiederholte sich nun das, was einst geschehen war, als der Utraquistenkönig *Georg Podjebrad* die Ansiedlung der Prager Frommen in seinem Dorf Kunwald ermöglicht hatte.

Die *Zinzendorf*sche Gründung auf dem Gut Bertelsdorf in Sachsen erhielt den Namen Herrnhut und wurde als »Die erneuerte Brüderunität« bezeichnet. Es ist bekannt, welch ein Baum von über die ganze Erde verbreiteten »Brüdergemeinen« aus diesem Senfkorn erwachsen ist. In treuem Festhalten der Erinnerung an den mährischen Ursprung nennen sich die »Brüder« *(Brethren)* in den angelsächsischen Ländern »Moravians«; sie feierten 1957 in der ganzen Welt das Gedächtnis des vor 500 Jahren Geschehenen mit frohem Dank und ernster Besinnung.

Was aber heute in den tschechischen Ländern den althistorischen Namen »Jednota« führt, ist nicht etwa aus den Resten der einstigen Unität hervorgegangen. Solche hatten sich nach 1781 neben den landeskirchlich als Reformierte oder Lutheraner Organisierten nicht halten können. Allenfalls gab es sie noch im Exil, wovon oben berichtet wurde.

Die heutige tschechische »Jednota« stammt vielmehr aus einer Erweckung unter tschechischen Katholiken, die sich nach 1870 an die Unitätsdirektion in Herrnhut wandten und um Entsendung eines Seelsorgers baten. Aus der auf Vereinsrecht konstituierten kleinen Gruppe wurde 1880 eine in Österreich staatlich anerkannte Religionsgemeinschaft, der auch der alte Name zugebilligt wurde: »Brüdergemeine« (Jednota bratrská – ohne jeden nationalen

Zusatz). Als die 1918 gegründete Unionskirche sich gleichfalls »Jednota« nennen wollte, wurde ihr das von den tschechischen Staatsbehörden nicht genehmigt; sie ersetzte das Wort »Jednota« durch »Cirkev«, d. h. Kirche. Das entspricht auch ihrem landeskirchlichen Charakter im Unterschied zur brüderischen Freikirche.

Von den zehn tschechischen und vier deutschen »Gemeinen«, die bis 1944 in Böhmen und Mähren zur Herrnhuter Unität gehörten, bestehen jetzt nur noch die tschechischen, da die deutschen das Land verlassen mußten. Die tschechischen aber haben eine ausgedehnte Diaspora mit vielen Predigtplätzen gewonnen und bilden eine gegen 10000 Seelen umfassende eigene Provinz der universalen Gesamtunität. Ihre Leitung hat z. Zt. der »Brüderbischof« *Reichel* in Prag.

Von den weiteren Freikirchen ist die der Baptisten die älteste. Sie hängt aber nicht mit den Wiedertäufern (Habaner) in Nikolsburg unter *Hubmeier* zusammen, von denen oben berichtet wurde (siehe S. 235). Sie entstand vielmehr durch den Missionstrieb, den *I. G. Oncken*, der Begründer des Baptismus Deutschlands, in seiner Kirche erweckt hat und auf mehrere Arbeitsfelder in Osteuropa leitete. Die erste Baptistengemeinde in Böhmen entstand unter den Deutschen des historischen Städtchens Braunau im Jahre 1855. Erst zwanzig Jahre später setzte von ihr aus die Missionierung unter den Tschechen ein. Sie begann, zum Teil von Polen aus gefördert, in Brandeis, führte aber erst in Prag zu größerem Erfolg, daneben dann auch an einigen anderen Orten in Mähren und besonders in der Slovakei, wo sich nicht nur Slovaken, sondern auch Deutsche, Magyaren und sogar Ukrainer durch die Taufe in die Baptistenkirche aufnehmen ließen. Geringer als im Gebiet des ungarischen Staats waren die Erfolge der Baptisten im österreichischen Raum. Hier galten die Freikirchen noch nicht als Körperschaften des öffentlichen Rechts, hatten keine volle staatliche Anerkennung und waren auch sonst in ihrer Missionsarbeit in mancherlei Weise behindert. Daher trat die Baptistenkirche 1919 mit nur 3 Predigern in ganz Österreich in die neue Ära ein. Bald aber entfaltete sie, von nordamerikanischen Baptistengemeinden slavischer Herkunft reichlich unterstützt, eine erfolgreiche Aktion – auch in der Wohlfahrtsarbeit – und gründete sogar 1921 bereits in Prag ein Predigerseminar. 1937 konnte von 30 Gemeinden mit 3200 Getauften und mit weiteren Tausenden von Taufanwärtern berichtet werden. Auf Eintragung in die Liste der staatlich anerkannten Religionsgemeinschaften legte man jetzt keinen Wert mehr, denn eine Behinderung der Gottesdienste und Evangelisationen fand nicht mehr statt. Zeitweilig fügte man dem Namen der Kirche den des um 1450 in Böhmen wirkenden bedeutenden Laienpredigers *Chelčický* bei, in dem – irrtümlichen – Glauben, er habe die Kindertaufe verworfen und die Neutaufe der Bekehrten gefordert.

Etwas später als die Baptisten haben die »Kongregationalisten« eine Mission unter den Tschechen begonnen. Hier ging die Anregung unmittelbar von Amerika aus. Der »American Board of Mission« sandte 1872 Boten aus, die im Rahmen der reformierten Landeskirchen evangelistisch wirkten, ohne an Gründung einer eigenen Denomination zu gehen. Es kam aber dann doch zu einer solchen mit dem Zentrum in Prag, weil die aus dem Katholizismus kommenden Erweckten besonderer Gemeinschaftspflege bedurften. In langsamem Wachsen brachte man es bis 1915 auf 17 autonome Gemeinden in Böhmen, die sich »Freireformiert« nannten. Nach 1918 änderte man den Namen in »Tschechisch-brüderische Unität« *(Jednota Českobratrská)*. Als auch in diesem Fall die Herrnhutische Brüdergemeine gegen diesen Namen Einspruch erhob, hatte sie damit keinen Erfolg, denn die lediglich auf Vereinsbasis organisierte Glaubensgruppe war von den Staatsbindungen der privilegierten Kirchen in Rechten und Pflichten frei. Eine Statistik von 1937 wies 32 Gemeinden in der Tschechei auf mit 4367 erwachsenen Mitgliedern und deren 2106 Kindern, dazu 670 Aspiranten, also zusammen 7143 Seelen. 29 Prediger dienten dem Werk, das sich 1932 wirtschaftlich ganz selbständig machen konnte und der bisherigen Hilfe aus Amerika nicht mehr bedurfte.

Die jüngste der Freikirchen ist die der Methodisten. Bekanntlich bestanden zwischen dem Vater des Methodismus und der Brüdergemeine grundlegende Beziehungen. 1738 machte sich *John Wesley* auf den Weg, um Herrnhut zu besuchen. Meist zu Fuß wandernd durchquerte er den Kontinent. Längere Zeit weilte er in Zinzendorfgemeinden und schrieb dann in sein Tagebuch: »Ich wäre gern mein Leben lang dort geblieben ... ach, wann wird dieses Christentum die Erde bedecken, wie Wasser das Meer bedeckt.«

Die Erinnerung daran mag mitgewirkt haben, als die bischöfliche Methodistenkirche *(Methodist episcopal church)* in den Vereinigten Staaten bei der Feier des Jahrhundert-Jubiläums ihrer Missionsarbeit 1919 den Beschluß faßte, diese ihre Sendung auf Osteuropa auszudehnen. Sie beauftragte ihren Südzweig in Europa mit der Durchführung. Für die böhmischen Länder bot das Vorhandensein von Methodistengemeinden tschechischer Sprache in Chicago, Baltimore und einigen anderen Orten die Anknüpfung. Die Nachkommen von seßhaft gewordenen einstigen tschechischen Auswanderern waren in Texas so erstarkt, daß sie sogar Missionsprediger auszubilden vermochten, die nun in die Heimat der Vorfahren entsandt werden konnten. Bei den Evangelisationen der Methodisten, die im Einvernehmen mit den Landeskirchen erfolgten und durch großzügige Bibelkolportage, Zeltmissionen und liebevolle Sozialarbeit unterstützt wurden, hatte man vor allem die Massen im Auge, die dem angestammten Katholizismus den Rücken kehrten und sich durch Verkündigung des Evangeliums in erweckendem Wort und gütiger Tat ansprechen ließen. 1922 gründete man ein Predigerseminar, und von diesem Zentrum aus begann eine mannigfaltige literarische

Produktion. Die Statistik von 1937 berichtete von 7900 Anhängern, darunter 2536 bekehrten Vollmitgliedern. 19 Gemeinden mit 30 Predigtstellen wurden von 25 Amtsträgern versorgt.

16. Nach dem Zweiten Weltkrieg

Die Lage der protestantischen Kirchen der Tschechoslovakei ist, obwohl die einer Minderheit, dennoch weitaus günstiger als die des polnischen Protestantismus. Die Vertreibung der Deutschen hat hier nicht solche Lücken hinterlassen, denn ein Großteil der Deutschen im Gebiet der alten Wenzelskrone gehörte, bedingt durch die Rekatholisierung nach 1620, der katholischen Kirche an. Unter dem tschechischen Volk aber bestand seit Hus eine lange Tradition, die zu eigenen protestantischen Kirchenbildungen geführt hatte und die auch die Rekatholisierung nicht zu brechen vermochte. Ein Zeichen dafür ist, daß es hier nie zu einer Gleichsetzung von Nation und Konfession kam wie in Polen.
Dagegen hat sich, zum Teil durch die verschiedenen völkischen Minderheiten bedingt, der Protestantismus in einzelne Gruppen gespalten, die auch nach der Vertreibung der Deutschen und Magyaren nach 1945 weiterbestanden.
Nebeneinander bestehen noch heute die »Slovakische Evangelische Kirche Augsburgischen Bekenntnisses« (etwa 430000 Seelen mit 327 Gemeinden), die »Evangelische Kirche der Böhmischen Brüder« (etwa 325000 Seelen mit 271 Gemeinden), die »Reformierte Christliche Kirche in der Slovakei« (etwa 100000 Seelen in über 300 Gemeinden), die (schlonsakische) »Schlesische Kirche Augsburgischen Bekenntnisses« (50000 Seelen mit 19 Gemeinden) sowie vier kleinere Kirchen, die »Brüder-Unität« (Jednota Bratrská), die »Tschechisch-brüderische Unität« (Českobratrská Jednota) und die Methodisten- und Baptistenkirche. Daneben besteht noch die starke »Tschechoslovakische Kirche«, die sich 1920 von der römisch-katholischen löste. Sie gehört dem Weltbund für freies Christentum an und steht trotz des Modernismus, der auch vor Bibel und reformatorischem Dogma nicht haltmacht, stark in der husitischen Tradition, besonders auf liturgischem Gebiete.
Die Aufzählung dieser verschiedenen Gruppen weist schon auf die großen Schwierigkeiten hin, die sich für die einzelnen Kirchen ergeben. In der Vergangenheit kam es oft zu Differenzen und Reibungen zwischen ihnen, und es bestand die Gefahr, daß die – seit 1948 eindeutig kommunistische – Regierung diesen Umstand ausnützen werde und die einzelnen Kirchen gegeneinander ausspiele. Doch hat sich, gerade wegen dieser Zersplitterung, nach dem Zweiten Weltkrieg eine starke Einheitsbewegung innerhalb der nichtrömischen Kirchen der ČSR gebildet, die schließlich 1955 zur Gründung

des »Ökumenischen Rates der Kirchen in der ČSR« führte. Hier finden sich die Vertreter aller – außer der katholischen – Kirchen zu ökumenischer Zusammenarbeit.
Es ist diesem Rat gelungen, die Konflikte, die sich aus dem Nebeneinander und der Konkurrenz so vieler verschiedener protestantischer Gruppen ergeben, zu schlichten und gütlich beizulegen. Die Streitfragen, die sich aus dem Nationalitätengegensatz ergaben und die besonders stark zwischen Slovaken und Magyaren waren, aber auch zwischen Deutschen, Tschechen und Polen bestanden, sind heute fast völlig beseitigt. Brüderliche Hilfe, beispielsweise durch Überlassung des Kirchenraumes für den Gottesdienst einer anderen Kirche, wird bereitwilligst gewährt. Im Zeichen dieser ökumenischen Zusammenarbeit beschloß auch die slovakische Reformierte Kirche, der vornehmlich die noch in der Slovakei verbliebenen Magyaren angehören und die eine weitverbreitete Diaspora besitzt, die Interkommunion unter allen protestantischen Kirchen in der Tschechoslovakei in ihre Kirchenverfassung aufzunehmen. Damit ist die Möglichkeit gegeben, daß die Angehörigen einer jeden evangelischen Kirche bei den Abendmahlsfeiern der Reformierten Kirche kommunizieren können. Als Zeichen der Verbundenheit darf auch betrachtet werden, daß die wenigen Deutschen, die in der ČSR verblieben und sich zum Protestantismus bekennen, von der Evangelischen Kirche der Böhmischen Brüder betreut werden.
Auch anläßlich der Feiern zum 500jährigen Bestehen der Brüderkirche bewährte sich der Ökumenische Rat. Es wäre schwierig gewesen, die Ausrichtung der Feiern einer Kirche zu übertragen, die die alleinige Nachfolgerin der Brüderkirche hätte sein sollen, wirkt diese doch in allen mehr oder weniger stark fort. So richtete der Ökumenische Rat diese Feiern selbst aus und symbolisierte damit erneut die Einheit des Protestantismus über alle Streitfragen hinweg.
Viel trägt auch zu einer reibungslosen Zusammenarbeit zwischen den einzelnen Kirchen die gemeinsame Ausbildung des Nachwuchses bei. Mit Ausnahme der Slovakischen Augsburgischen Kirche A. B., die in der alten slovakischen Bischofsstadt Modra (Modern) ihren Nachwuchs ausbildet, und der Tschechoslovakischen Kirche, die seit 1950 eine eigene Fakultät (Hus-Fakultät) besitzt, besuchen die Studenten der einzelnen Kirchen alle die Comenius-Fakultät der Prager Universität.
Auch über die Landesgrenzen hinaus bemüht sich der Ökumenische Rat um die Pflege und Verbesserung der Beziehungen der einzelnen Kirchen. Zu fast allen ökumenischen Veranstaltungen werden Delegierte entsandt, und welche Bedeutung der tschechoslovakischen ökumenischen Bewegung zugemessen wird, zeigt sich nicht zuletzt auch darin, daß einige ihrer Vertreter bedeutende Stellungen in den ökumenischen Organisationen innehaben.
Die Beziehungen zum Staat gestalteten sich in der ersten Zeit nach der Er-

neuerung der Tschechoslovakischen Republik sehr schwierig. Denn bereits damals befanden sich die wichtigsten Ämter, unter anderem das für die kirchliche Arbeit zuständige Kultusministerium, in kommunistischer Hand – oder gelangten alsbald in diese. Vor allem in der Slovakei kam es zu heftigen Spannungen, zumal die Kommunisten versuchten, die einzelnen Kirchen gegeneinander auszuspielen, eine Methode, die allerdings den Willen zum Zusammenschluß der Kirchen verstärkte. Auch fiel vielen Pfarrern und Gläubigen die Umstellung, in einem Staat zu leben, der eindeutig von Kommunisten gelenkt wurde und deren Ziele zu den seinen machte, nicht leicht. Wie überall unter kommunistischer Herrschaft setzten auch in der ČSR Verfolgungen gegen kirchliche Amtsträger und Gläubige ein, die die Auffassung des Marxismus-Leninismus von der Rolle des Staates nicht akzeptieren konnten. Besonders in der Frage des Konfirmandenunterrichtes ergaben sich heftige Spannungen. Die protestantischen Kirchen der ČSR, die sich einem mit allen Machtmitteln ausgerüsteten und davon rigoros Gebrauch machenden Staatsapparat gegenübersahen, haben versucht, einen modus vivendi zu finden. Es ist ihnen zum großen Teil gelungen, die Wandlung von der Volkskirche, deren Mitglieder teilweise aus Tradition der Kirche angehörten, in eine echte Bekenntniskirche zu vollziehen, deren Angehörige durch ihren Glauben Glieder der Kirche sind. Freilich ist dies nicht ohne Wunden abgegangen, und manche Schwierigkeit, auch innerhalb der Kirchen selbst, war zu überwinden. Doch hat diese Umwandlung auch zu einem neuen Durchdenken der Aufgaben der Kirche und zu Ergebnissen geführt, die nicht nur für den tschechoslovakischen Protestantismus von Bedeutung sind. Es sei hier nur an die fruchtbare Diskussion über das Sakrament der Hl. Taufe erinnert, die zu einer Besinnung auf das Wesen der Taufe überhaupt hinleitete.

Hand in Hand mit dieser Umbildung zur Bekenntniskirche geht eine starke Laienarbeit. Regelmäßig finden Fortbildungskurse der Seelsorger statt, und auch im Rahmen der kirchlichen Vereine wird eine rege Vortragstätigkeit entfaltet, in denen zu Fragen der Kirche und der Gläubigen Stellung genommen und nach neuen Lösungen gesucht wird.

Das Vermögen der Kirchen ist durch die Bodenreform des Jahres 1948 – wie auch in den anderen »Volksdemokratien« – schwer geschädigt worden. Die Kirchen sind ohne ausreichende Mittel, um die caritative Tätigkeit zu finanzieren, doch helfen hier in bewundernswerter Opferbereitschaft die Gemeindeglieder durch Spenden. Bei der Erhaltung oder Neuerrichtung kirchlicher Gebäude sind die Kirchen allerdings auf die Unterstützung des Staates angewiesen. Im allgemeinen wird sie auch gewährt, der im Gesetz verankerten wirtschaftlichen Fürsorge des Staates für »Kirchen und religiöse Gemeinschaften« wird nachgekommen. Auch die theologischen Fakultäten in Prag und Modra werden vom Staat unterhalten. Dies gehört zur Zuständigkeit des 1949 gegründeten »Staatsamtes für kirchliche Angelegenheiten«, das praktisch die Bedeutung eines Kirchenministeriums besitzt. Ihm obliegt die Kontrolle sämtlicher kirchlicher Angelegenheiten, von der Überwachung der kirchlichen Publikationen bis hin zur Kontrolle der seelsorgerischen Arbeit.

Dieses Staatsamt ist für alle Kirchen zuständig. In der Verfassung der ČSR aus dem Jahre 1948 wurde allen Kirchen und Religionsgemeinschaften in gleicher Weise Religions- und Gewissensfreiheit garantiert. Niemand sollten aus seinem religiösen Bekenntnis Nachteile erwachsen, vorausgesetzt jedoch, daß dadurch keine vom Gesetz festgelegte Bürgerpflicht (z. B. die des Wehrdienstes) verletzt werde. Bei dieser Einschränkung ist es allerdings nicht geblieben, denn in der Praxis hat der Artikel 17 sehr viel Bedeutung erlangt, in dem bestimmt wird, daß die aus dem religiösen Bekenntnis entspringenden Handlungen oder die zu seiner Erfüllung notwendigen nicht gegen die öffentliche Ordnung oder die guten Sitten verstoßen dürfen. Wer mit der Flexibilität der Rechtsauslegung in kommunistischen Staaten nur andeutungsweise vertraut ist, weiß, daß sich mit Hilfe dieser Bestimmung so ziemlich jede religiöse Handlung unter Strafe stellen läßt, wenn es dem Regime tunlich erscheint.

Besonders steng gebunden sind die Geistlichen, die – wie auch in Ungarn – einen Eid ablegen müssen, wenn sie ihr Amt ausüben wollen, und darin geloben müssen, die Grundlagen des Staates zu wahren. Diese Grundlage ist aber – mindestens seit der Erklärung des Staates zur »Tschechoslovakischen Sozialistischen Volksrepublik« (ČSSR) – eindeutig der Marxismus. Die entsprechende Stelle des Eides lautet: »Ich gelobe, der volksdemokratischen Ordnung die Treue zu halten, nichts zu tun, was gegen ihre Interessen (sic!) verstößt und mit allen Kräften die Regierung zu unterstützen . . .«.

In der Praxis treten zu diesen allgemeinen Bestimmungen, die allerdings leicht als »Gummi-Paragraphen« benutzt werden können, noch eine Reihe von kriminal- und verwaltungsstrafrechtlichen hinzu, die sich auf die Kirchen und die Religionsausübung beziehen. Besondere Bedeutung kommt dabei dem § 123 des Strafgesetzbuches zu, wonach der Versuch, auf Angelegenheiten des politischen Lebens einen für die »volksdemokratische« Ordnung ungünstigen Einfluß auszuüben, als »Mißbrauch religiöser Funktionen« angesehen wird und als »Aufreizung gegen die Republik«, ja sogar als »Hochverrat« bestraft werden kann. Das beinhaltet aber, daß es der Kirche verboten ist, politische Entscheidungen am Maßstabe christlicher Ethik zu messen und zu bewerten. Und wo ist die Grenze zwischen »politisch« und nicht-politisch? Streng genommen gibt es in einem kommunistischen Staat nichts, was nicht politisch ist . . .

Die anfangs gehegten Befürchtungen, daß den protestantischen Kirchen aus der Kirchengesetzgebung unüberwindliche Schwierigkeiten erwüchsen, haben sich glücklicherweise nicht erfüllt. Zwar hat die Umwandlung, die durch das Verhältnis zu dem nunmehr atheistischen Regime hervorgerufen wurde, viele Opfer gefordert, und das Leben im kommunistischen Staat fordert immer wieder neue, doch bestehen die Kirchen noch fort und verkünden das Wort Gottes. Die Regierung vermeidet es offensichtlich, sich in innerkirchliche Fragen einzumischen, soweit sie durch das Gesetz der freien Entscheidung der Kirchen überlassen sind. Damit soll wohl auch einer Opposition der kirchlichen Amtsträger und Gläubigen vorgebeugt werden, die eine Berechtigung besäße. Wenn es doch immer wieder zu Konflikten kommt, muß dies nicht in jedem Falle »von oben« veranlaßt sein, sondern entspringt wohl auch oft der persönlichen Auffassung eines lokalen Machthabers.

Allgemein darf festgestellt werden, daß es den protestantischen Kirchen in der Tschechoslovakei gelungen ist, sich den geänderten Verhältnissen und den Möglichkeiten, die ihnen unter dem Kommunismus verblieben sind, notgedrungen abzufinden. Bis zum gegenwärtigen Zeitpunkt besteht trotz allem kein Anlaß zu schwerwiegenden Bedenken gegenüber der Haltung der Staatsführung. Ob diese freilich immer so bleiben wird, kann nur die Zukunft erweisen.

V. UNTER DER STEPHANSKRONE

1. *Anfänge der Reformation*

An einer anderen Stelle in diesem Buche wurde bereits darauf hingewiesen, daß nur an zwei Stellen Osteuropas protestantisches Kirchentum sich aus dem reformatorischen Jahrhundert bis in das jetzige in einem Bestand von Millionen zäher Bekenner hat erhalten können. Neben dem Luthertum hoch im Norden, im einstigen Ordensland des Baltikums, tritt nun der »Pannonische Raum« in unsere Betrachtung, der den mittleren Donaulauf umgibt und von dem mächtigen Bogen der Karpaten umkränzt wird.

Der hier von den Arpaden mit einem kühnen Reitervolk gegründete, von *Stephan dem Heiligen* christianisierte Staat der nun Seßhaften hat in seiner frühen Geschichte zweimal eine Ausweitung zur Großmachtstellung erfahren: Unter *Ludwig dem Großen* aus dem Hause Anjou (1342–82) erstreckte er sich von Neapel bis zu den baltischen Ordensländern. Hundert Jahre später reichte er von Brandenburg bis zur Adria, von Tirol bis Rumänien. Das war unter *Matthias Corvinus* der Fall, dessen Vater *Johann Hunyadi* als »Held der Christenheit« gefeiert wurde, weil seine Feldherrnkunst die Türken daran hinderte, nach der Eroberung der Stadt Konstantins 1453, des »Zweiten Roms«, und der Unterjochung eines Großteils des Balkans das Abendland zu überrumpeln. Auch *Ladislaus I.* und *Ludwig II.*, die auf die Anjous folgten, hatten das Reich noch einigermaßen zusammengehalten, bis es in der Katastrophe von Mohács (1526) zerbrach. Das gesamte ungarische Adelsheer wurde vernichtet, sein König ertrank auf der Flucht. Nur ein Drittel des ungarischen Territoriums blieb von der Okkupation durch die Sieger verschont. Im übrigen Gebiet konnte sich Siebenbürgen eine gewisse Selbständigkeit unter Tributpflicht ertrotzen. Es hatte schon 100 Jahre vorher seine Bastion gegen den Sultan *Murad* behauptet. Das ganze Tiefland wurde osmanische Provinz unter *Soliman II.*; Buda (Ofen), eine alte Gründung auf dem Boden der römischen Militärkolonie Aquintum, eine wohlhabende deutsche Stadt, wurde 1541 Residenz eines Großwesirs.

Die 18 Komitate – von insgesamt 75 –, die das Unglück verschont hatte, kamen durch Erbvertrag – *Ludwigs* Gattin *Maria* war die Schwester *Karls V.* und *Ferdinands I.* – ebenso wie das damals jagełłonische Wenzelsreich an das Haus Habsburg.

Das geschah in der Zeit, da sich die Kunde von dem großen Geschehen in Wittenberg, in Worms, in Speyer mit Windeseile auch im Osten ausbreitete. Überall rief die Losung aus Wittenberg: »zurück zum alten, reinen Evangelium« ein lautes Echo hervor, nirgends aber lauter und nachhaltiger als bei *Luthers* Landsleuten im Osten Europas, die sich dort seit Jahrhunderten mit ihren Städtegründungen weithin verstreut hatten, Pioniere der Wirtschaft, der Kultur, nun auch der kirchlichen Erneuerung. Von ihnen drang die evangelische Botschaft nach allen Seiten in die fremde Welt hinein, zu den Slovaken in Oberungarn, zu den Südslaven an der Drau und zu den Magyaren in der Ebene zwischen ihnen.

Es erübrigt sich, hier das zu wiederholen, was oben zu lesen stand, noch einmal auf die mannigfache Lockerung des Ackers hinzuweisen, die in ganz Europa vorangegangen war: auch in Ungarn hatte der Humanismus die Bildungswelt aufgeweckt; auch hier waren die Volksgenossen von den offensichtlichen Verderbnissen der Kirche tief erregt; auch hier hatte die Seelennot in allerhand Konventikel- und Sektenwesen einen Ausweg gesucht. Dazu kam dies: Im Landvolk Ungarns hatte vor hundert Jahren der Vorstoß der Husiten (siehe S. 219f.), die über die Slovakei hinweg bis an die Wallachei vorgedrungen waren, die sozialen Instinkte wach gemacht. Zahlreiche Massenaufstände rüttelten seitdem an den Ketten des adligen wie des kirchlichen Feudalismus. Die erfolgreiche Erhebung des bäuerlichen Edelmannes *Dósza* (1514) hatte auch den niederen Klerus aufgewühlt, der ein bettelarmes Leben fristete, indes Bischöfe und Prälaten mit Grafen und Baronen in Luxus und Verschwendung wetteiferten. War nicht der Kardinal *Bakócz* von Estergom 1513 zur Papstwahl mit einem so üppigen fürstlichen Gefolge eingeritten, daß selbst die prunkliebenden Römer darüber den Kopf schüttelten?

Eine ungewöhnliche Förderung war der lutherischen Bewegung im ersten Jahrzehnt nach 1517 am königlichen Hof in Buda beschieden. Dort hatte sich um die oben erwähnte Königin-Witwe *Maria* ein hochgeistiger deutscher Kreis gesammelt, in dem der brandenburgische Markgraf Georg den Ton angab, der durch Heirat mit einer reichen Jagiełłonin in Ungarn ansässig geworden war. Er war der Bruder und zugleich Schwager des Hochmeisters *Albrecht* in Königsberg, der 1525 den Orden säkularisierte und das Herzogtum Preußen begründete (siehe S. 34).

Ebenso bedeutsam war es, daß die neu aufgestellten militärischen Verbände der kirchlichen Neuerung zufielen. Sie waren zur Abwehr eines weiteren türkischen Vordringens in zahlreichen Burgen gesammelt und über das ganze frei gebliebene Land hin zerstreut, und sie konnten sich – ebenso wie später die Soldaten der »Militärgrenze« – noch mancher Vorrechte in Glaubenssachen erfreuen, als schon die Gegenreformation ins Werk gesetzt wurde. Es war gewiß die besondere Lebensgefährdung der Soldaten und ihrer Kommandanten, was sie empfänglich machte für die Tröstung und Ermutigung der frohen Botschaft vom Heil aus reiner Gnade. Aber wie sie bangte ja das ganze Land in allen drei Teilen um seine Existenz angesichts der unberechenbaren Drohung der muselmanischen Horden. Man lauschte auf *Luthers* Predigt, kein christlicher Kreuzzug tue not, um der Türkennot Herr zu werden, sondern nur die Besserung der Christenheit durch Hören auf Christus. So kam es jetzt überall zu reformatorischer Umwandlung des Gottesdienstes und der kirchlichen Ordnung nach lutherischem oder kalvinischem Vorbild. Und das geschah nicht, wie anderwärts, durch die Obrigkeit, sondern spontan aus heilsamem Erschrecken vor dem gewaltigen Zorn Gottes und seiner Zuchtrute unter dem Zeichen des Halbmonds.

2. *Im dreigeteilten Ungarn*

Am freiesten konnte sich evangelisches Kirchentum in Siebenbürgen entfalten. Die magyarischen Fürsten des den Türken tributpflichtigen, aber im Inneren autonomen Landes waren entweder weitherzig und duldsam oder selbst Protestanten. Das Luthertum der Siebenbürger Sachsen stand ebenso wie der Kalvinismus der Magyaren in einer Geltung, die der einer privilegierten Staatsreligion für beide Nationen nahekam. Auch jene Splitterform des Protestantismus, die sich aus Polen hierher rettete, der Unitarismus der Schüler *Socinis*, war als gleichberechtigt anerkannt. Das seit dem 15. Jahrhundert aus der Walachei herübersiedelnde rumänische Hirtenvolk hatte freien Raum für sein orthodoxes Christentum, wenn es auch erst später gesamtkirchlich organisiert wurde. Die Katholiken bildeten als fünfte Gruppe eine bescheidene Minderheit neben den anderen. Auch als die politische Selbständigkeit des Landes geschmälert wurde und schließlich ihr Ende fand, ging das kirchliche Leben hier seinen eigenen Weg.

Im türkischen Teil des Landes war die Freiheit insofern eingeschränkt, als zwar die Einzelgemeinden sich nach Belieben gestalten und ordnen durften, eine Zusammenfassung aber in keiner Weise zugelassen wurde. Das traf die Katholiken mehr als die Protestanten. Die bischöflichen Diözesen lösten sich auf, und die Ortsgemeinden wurden so selbständig, daß ihre Reformierung meist ohne großen Widerstand erfolgte. Soweit es noch Gutsherren mit Patronatsrecht gab, verlangten sie von den Priestern, sich umzustellen. Selten versagte sich einer dem Befehl und zog die Abwanderung vor.

Das breit hingelagerte Pußtaland an und hinter der Theiß hat am stärksten den Charakter einheitlicher magyarisch-kalvinischer Prägung aufgenommen und bis heute erhalten.

Den Habsburgern war nach Abflauen der Kriegsbewegungen – ohne Friedensschluß – nur ein bescheidener Reststaat geblieben. Der führte wegen seiner Kriegsgefährdung ein Sonderdasein gegenüber der österreichischen Reichshälfte. Dem jetzt aufblühenden Kirchenleben kam das in den ersten Jahrzehnten zugute.

Weder der Schmalkaldische Krieg noch was in Passau und Augsburg, in

Linz und Wien, in Graz und Prag vor sich ging, störte daher den ruhigen Aufbau der Gemeinden. Es kam sogar zu Anfängen einer kirchlichen Gesamtorganisation.
Die Reformierung der Kirche erfolgte hier bei den Deutschen und bei den Slaven im Sinne des Luthertums, anfänglich auch bei den Magyaren; doch schwenkten diese großenteils nach dem Vorbild des Pußtalandes allmählich zum Kalvinismus hinüber.
Die Deutschen saßen, wie erwähnt, vor allem in den von ihnen seit der Stauferzeit gegründeten Städten, dazu in den an Gold, Silber und Kupfer reichen Bergwerksgegenden. Von den ländlichen deutschen Siedlungen in Oberungarn am ganzen Südrand des Karpatengebirges, wo einst Kolonisten den Urwald gerodet und Bauernhöfe gegründet hatten, war infolge der Aufsaugung durch die Umwelt nicht viel übriggeblieben: einige hundert Dörfer des »Hauerlands« und die ländliche Umgebung der 24 Zipser Städte, Nachkommen flandrischer Auswanderer aus der gleichen Zeit, in der die Besiedlung Siebenbürgens erfolgte.
Eine weitere ziemlich geschlossene Gruppe bäuerlicher Deutscher war durch mittelalterliche Grenzziehung von der österreichischen Nachbarschaft (Niederösterreich, Steiermark) abgetrennt worden: nördlich im Weinbaugelände bei Preßburg und am Neusiedler See; dann weiter nach Süden bis über die Raab in dem Landstrich, der wegen seiner sprachlichen Eigentümlichkeiten das »Heanzen« (Heinzen)-Land genannt wurde. (Ein westlicher Streifen dieses Gebietes, der sich dank der österreichischen Nachbarschaft ganz deutsch gehalten hatte, wurde 1921 an Österreich angegliedert. Man gab dem von den Ungarn sehr ungern abgetretenen Stück den Namen »Burgenland«. Hier hatte sich lutherisches Kirchentum verhältnismäßig gut durch die Gegenreformation durchretten können, da es als Teil von Ungarn dessen Schicksal teilte. Dadurch kommt es, daß von den einst 300000–500000 zählenden deutschsprachigen Lutheranern in Ungarn (ohne Siebenbürgen) nach seinem Zusammenbruch 1945 doch wenigstens ein bescheidener Rest sich bis in unsere Tage erhalten hat. Die Superintendentur des Burgenlandes zählt 77 Pfarrgemeinden mit 30 Pfarrern und 117 Lehrern. Nur eine Gemeinde, Oberwart (westlich von Steinamanger) ist nicht lutherisch, sondern kalvinisch und hat magyarische Betreuung in Unterricht und Seelsorge).
Der größte Bestandteil des Luthertums in Ungarn wurde von den Slovaken gestellt. Dieser Volksstamm war bei der großen Landnahme der Slaven in die Gebiete südlich der Tatra gekommen und hatte sich in den Flußtälern des Gebirges festgesetzt, ein gediegenes und gelehriges Bauernvolk, das sich stark vermehrte und seinen Menschenüberfluß bis weit in den Süden Ungarns abgab. Noch heute findet man in den an Jugoslavien und Rumänien gekommenen Gebieten slovakische Dörfer, zum Teil mit rein evangelischer Bevölkerung. Eine Zuwanderung in die deutschen Städte erfolgte erst viel

später. Die lutherischen Gemeinden dort wurden nun zweisprachig. Als das Magyarische sich als Staatssprache durchsetzte, mußten in Oberungarn die meisten Pastoren dreisprachig sein. Bis tief ins 19. Jahrhundert hinein kam dazu das Lateinische, die Sprache der höheren Bildung, auch der Rechtspflege und der Verwaltung.

In der Reformationszeit und auch in den beiden Jahrhunderten der Gegenreformation störten noch keine nationalistischen Empfindlichkeiten die glaubensbrüderliche Eintracht. Als sich konfessionelle und sprachpolitische Gegensätze zwischen die Slovaken und Magyaren drängten, hatten die Slovaken an ihrer Stammesverwandtschaft mit den benachbarten Tschechen und mit den schlesischen Polen einen starken Rückhalt für ihr Luthertum mit seinen spezifischen Gottesdienstformen.

Bei den Südslaven hat sich der Protestantismus nur unter den Slovenen erhalten. Serben und Bulgaren wurden von ihm kaum berührt, und was sich um 1900 in diesen Ländern an protestantischer Bevölkerung fand, waren zumeist deutsche Siedler, zum Teil Auswanderer aus dem südlichen Rußland. Die meisten dieser protestantischen deutschen Inseln aber sind in den Ereignissen, die dem Ende des Zweiten Weltkrieges folgten, zugrunde gegangen, zumindest aber so geschwächt worden, daß ihre Lage in fremdvölkischer und fremdkirchlicher Umgebung, unter kommunistischem Regime, abgeschnitten von der Verbindung mit der Heimat als verzweifelt angesehen werden muß.

Von den protestantischen Kroaten überstand nur ein geringer Rest die Gegenreformation, während der Teil der lutherisch gewordenen Slovenen, der im Königreich Ungarn im Gebiet »Jenseits der Mur« (Prekmurje) lebte, sich bis heute erhalten hat. Der größere, westliche Teil Sloveniens gehörte teils zur Republik Venedig, besonders Istrien, teils zu Innerösterreich (Kärnten, Krain und Steiermark). Hier gab es zwar schöne und hoffnungsvolle Anfänge evangelischen Lebens, aber die Erzherzöge der habsburgischen Sekundogenituren haben hier früher und radikaler, als es in anderen habsburgischen Landen geschah, das evangelische Leben restlos beseitigt.

Die magyarischen Bewohner der habsburgischen Zone saßen in ihrer größeren Zusammenballung hauptsächlich an der Donau und an der unteren Raab bis zum Plattensee. Die Evangelischen unter ihnen waren hier ebenso wie in ihrer über das ganze Gebiet verstreuten Diaspora und wie ihre slovakischen oder deutschen Nachbarn lutherisch und blieben das meist auch später, als ihre Sprachgenossen in der Türkenzone und in Siebenbürgen zum Kalvinismus übergingen. Der größte Teil des später mehrere Hunderttausende umfassenden magyarischen Luthertums aber waren nicht Nachkommen dieser Gruppen, sondern stammten aus der Assimilation von Deutschen und Slovaken, wobei in der Regel mit dem Übergang in das andere Volkstum die Aufgabe des die Abstammung verratenden Namens

verbunden war, die bei den auch sonst überall in der Welt sich vollziehenden Umvolkungen nirgends so häufig wie hier zu beobachten war.
In den größeren Städten vollzog sich die Einführung der Reformation wie fast überall in Osteuropa durch die Stadtobrigkeit unter lebhafter Zustimmung der gesamten Bürgerschaft. Mit den Bischöfen lagen die sehr selbstbewußten Magistrate ohnehin von jeher im Streit über die Besetzung der Pfarreien. Aus dem Patriziat der Städte fanden sich überall Söhne, die sich vom Zeitstrom nach Wittenberg lenken ließen und nach wenigen Jahren als wohlunterrichtete, bereits ordinierte Prediger zurückkamen.
Schwierigkeiten allerdings hatte Preßburg. Seit 1526 war es Hauptstadt Restungarns, dazu Aufbewahrungsstätte der »Heiligen Stephanskrone« und Krönungsort. Hier hielt die Staatsregierung die Stadtbehörde eng in Schranken. So war bis zu der Wende von 1606 (siehe S. 299) nur ein heimliches Glaubensleben der Bürgerschaft möglich. Das »Auslaufen« über die Stadtgrenze in die unbehinderten Nachbarorte bot einen Ausweg.
Der Wiener Frieden 1606 veranlaßte den Magistrat der Residenzstadt Ungarns – das war Preßburg bis 1848 –, den Hofprediger des Grafen *Kolonich* im nahe gelegenen Ratzersdorf als Stadtpfarrer zu berufen; er mußte aber die Gottesdienste in einem Privathaus halten. Dem aus Sachsen gekommenen Pastor *Reuchlin* folgte der hervorragende Theologe aus Lauingen (Pfalz Neuburg) *Simon Heuchelin* und auf diese beiden die ganze Reihe von fast 30 aus Deutschland berufenen Geistlichen (bis 1711). Ihnen stellte der Magistrat, als sich auch Slovaken in den Vorstädten ansiedelten, einen »böhmisch-ungarischen« Pfarrer zur Seite, der auch während der Landtagssitzungen den magyarischen Adligen in ihrer Sprache predigte. Während der tschechischen Unruhen 1620 und der Besetzung Preßburgs durch *Bethlen Gabor* bekamen die Evangelischen den Dom zur Benutzung, aber nur auf ein Jahr. Kaiser *Ferdinand* sah es nur ungern, daß in der Hauptstadt eines seiner Königreiche das Luthertum die Oberhand hatte. Es dauerte bis 1638, daß endlich ein großes, ganz aus Holz errichtetes Bethaus fertig wurde, und bis 1658, daß für Slovaken und Magyaren eine kleinere, aber turmgekrönte Kirche daneben stand. Beide wurden in der Leopoldinischen Verfolgung mit Militärgewalt weggenommen und den Katholiken übergeben. Erst in den achtziger Jahren konnten die beiden Gemeinden – nun unabhängig von der katholisch gewordenen Stadtbehörde – sich wieder konstituieren und in einem Privathaus zusammenkommen. Nach 1700 erlebten sie unter Leitung des hochgelehrten *Matthias Bél*, eines Pietisten aus der Schule *August Hermann Franckes*, eine hohe Blüte. Die Morgenröte der Toleranz ermöglichte schon 1774 die Erbauung der monumentalen »Großen Kirche« für die Deutschen (mit 3000 Sitzplätzen) und einer kleineren für die anderen Lutheraner. Später bauten sich auch die Reformierten hier ein Gotteshaus als Bischofskirche für ihren Nordwest-Distrikt.

Noch ein zweites Bild vom Werden einer großen evangelischen Stadtgemeinde verdient Beachtung. In der jenseits der Donau südlich von Preßburg gelegenen Großstadt Ödenburg – sie mag etwa 10000 Bewohner gezählt haben – begann die Umwandlung mit der Errichtung der Schule, die zu zentraler Bedeutung für das Luthertum der Deutschen in Ungarn heranwuchs, bis sie der Magyarisierung anheimfiel. Im 20. Jahrhundert entwickelte sich aus ihr eine angesehene theologische Akademie, die 1920 in eine Fakultät der Universität Fünfkirchen umgewandelt wurde, aber infolge ihrer räumlichen Trennung von dieser nicht zu voller Teilnahme am universalen Wissenschaftsbetrieb gelangte.
Der bedeutendste Reformator Ödenburgs *Simon Gerengel*, der nicht nur als Prediger und Schulmann, sondern als Verfasser eines ausgezeichneten Katechismus und Organisator der liturgischen Ordnungen zu rühmen ist, starb leider schon 1570 nach nur fünfjähriger Amtszeit und fehlte der Stadtgemeinde sehr, als nach dem Tode Kaiser *Maximilians II.* unter *Rudolf* die Rechtslage der »Königlichen Freistadt« Anlaß zum Gegenschlag des Bischofs wurde.
Der Papst *Gregor XIII.* hatte 1582 die Reform des julianischen Kalenders angeordnet. Auch in Ungarn wie anderwärts im jungen Protestantismus – z. B. in Riga – empfand man das als katholisierende Anmaßung. Der Stadtrat Ödenburgs verweigerte die Durchführung und wurde vom König, der die Stadt als sein Eigentum ansah, dafür mit Einkerkerung bestraft. Mürbe gemacht, fügte er sich, auch als die Vertreibung aller Pastoren und die Rückkehr der katholischen Priester verfügt wurde. Die Bürgerschaft aber leistete passiven Widerstand, boykottierte die Messen, errichtete Winkelschulen, ließ die vertriebenen Prediger heimlich zurückkommen und bestach die katholischen Stadtpfarrer, damit sie beide Augen zudrückten, bis endlich der Freiheitstag anbrach, den der Rebellenführer *Stephan Bócskay* auch für Ödenburg herbeiführte. Das geschah ganz unverdient; denn die Stadtväter hatten ihm und seinen Heiducken die Tore versperrt. Sie meinten, der kaiserlichen Obrigkeit trotz allem Treue zu schulden. Den Wiener Frieden, der die Religionsfreiheit brachte, begrüßten sie um so dankbarer.
Aus der Reformationsgeschichte in den Landgemeinden sind keine dramatischen Ereignisse zu berichten. Der Wiener Frieden hatte in der liberalen Ausdeutung, die *Matthias* der unklaren Formulierung seines Bruders *Rudolf* gab, »für alle Stände, Städte, Marktflecken, Grenzplätze und Dörfer« die Religionsfreiheit sichergestellt, aber es war strittig, ob sie auch den auf dem Lande einzeln Wohnenden galt. In dieser Zeit der Bauernknechtung, die den bisher »Untertänigen« zum »Leibeigenen« zu erniedrigen begann, beriefen sich die Gutsherren auf das *ius reformationis*, wenn sie, selbst wieder katholisch werdend, ihre Bauern zum gleichen Schritt zwangen. Unter *Leopold* und *Karl VI.* (als König von Ungarn *Karl III.*) wurden ebenfalls die

früheren Zugeständnisse mit dem Bemerken eingeschränkt, sie seien nur *salvo iure dominorum terrestrium*, das heißt unter Vorbehalt der Rechte der Gutsherren gültig. Den benutzte jetzt vor allem der König selbst dazu, auf den ihm unmittelbar eigentümlich gehörigen Ländereien jede Regung evangelischen Lebens zu unterbinden. Sogar den »königlichen Freistädten« gegenüber versuchten die Träger der Stephanskrone Eingriffe in das kirchliche Leben, indem sie erklärten, gerade als königliche Städte betrachteten sie diese als ihr persönliches Eigentum und könnten ihre Religion bestimmen. Meist vermochten sich die Magistrate und Bürgerschaften dem erfolgreich zu widersetzen. Doch nahmen sie ihrerseits ohne Bedenken das *jus reformationis*, ja eine Art Summepiskopat für die Stadtbewohner in Anspruch.

3. Bürgerkriege

Seit dem Tabor der Husiten riß dreihundert Jahre hindurch in Europa die Kette der Bürgerkriege nicht ab, in denen Glaubensstreit mit Waffen ausgetragen wurde. Daß in ihnen allenthalben – in England, Frankreich, Holland so gut wie in Polen, Böhmen, Ungarn und anderen Ländern – die religiösen Motive eng mit solchen politischer Art verbunden waren, darf keine Geschichtsschreibung übersehen. Aber wo in aller Welt wird – in kleinen wie in großen Dingen – stets aus ganz reinen Motiven gehandelt? Wie mischen sich doch überall den idealen die sehr realen Beweggründe hinzu, der selbstlosen Begeisterung das Denken an den Vorteil!
Der Leser erinnert sich des Hinweises darauf, daß der Frühling der Reformation in Ungarn mit der Katastrophe von 1526 zusammenfiel. Die Rückzugskämpfe vor dem ungestümen Vorsturm der Türken legten der Innenpolitik des Kaisers Geduld und Duldung auf. Der im spanischen Sinn erzogene *Karl V.* fand hierlands nicht wie in den romanischen Provinzen seines Weltreichs die Möglichkeit, das junge Pflänzlein aus dem Wittenberger Samen schon im Keim zu ersticken. Selbst seinen Sieg bei Mühlberg 1546 konnte der Kaiser nicht voll ausnutzen. Auf das »kleine Interim« von Passau (1552) folgte das »große« im Kompromiß von Augsburg (1555). Es hatte seine Wirkung auch über die Reichsgrenzen hinweg in den Ländern der Stephanskrone, in denen zunächst das Luthertum, dann auch der Kalvinismus aufblühten und Frucht brachten.
Denn was der geistig nicht ganz normale Kaiser *Rudolf* in Abkehr von der Versöhnungspolitik seines Vaters *Maximilian II.* sofort nach Antritt der Regierung – ein Jahr nach dem Höhepunkt jener Politik im Prager Geschehen von 1575 (siehe S. 236) – zur Behinderung protestantischen Blühens und Wachsens unternahm, waren zunächst nur Nadelstiche, die den Evangelischen in Ungarn weh taten und sie hinderten; verhindern konnten sie den

Fortgang und die Konsolidierung der Bewegung in jedem der drei Landesteile nicht.

Dann aber setzte an unerwarteter Stelle ein Großangriff ein. 1599, also kurz vor der Jahrhundertwende, dankte der letzte *Báthory (Andreas)* auf dem Fürstenthron Siebenbürgens ab und verkaufte seine Herrschaft gegen schlesische Güter und österreichisches Geld dem Kaiser. Der ließ alsbald über die Brücke von Kaschau hinweg seinen – italienischen – General *Georg Basta* einmarschieren; dessen aufreizendes Vorgehen brachte den Eimer des Mißvergnügens zum Überlaufen, den allerlei Rechtsbrüche der Katholiken bis zum Rande gefüllt hatten.

Es kam zum ersten der fünf Aufstände und Bürgerkriege, von denen nun zu berichten ist.

Stephan Bócskay, einer der wichtigsten Magnaten Siebenbürgens, war zuerst habsburgisch gesinnt, weil ihm die Befreiung Ungarns vom Türkenjoch am Herzen lag. Persönliche Erlebnisse am Prager Hof Kaiser *Rudolfs*, Kränkungen und Eigentumsschädigungen kamen zu Sorgen um die Sonderrechte Siebenbürgens und um die bisher geltende Religionsfreiheit hinzu; aus einem Widerstand im Kleinen wurde ein Aufruhr im Großen. In raschem Vordringen trieben *Bócskays* Heiducken die kaiserlichen Truppen aus Ungarn hinaus. In Wien schloß der nun zum Fürsten Siebenbürgens gewählte Sieger 1606 mit dem Kaiser den berühmten Frieden, der die Magna Charta der Freiheit Ungarns dekretierte. Gleich im ersten Paragraphen der großen Urkunde heißt es, weder der Adel noch die freien Städte, noch die dem König unmittelbaren Ortschaften, noch die Soldaten der Militärgrenze sollten nirgends und niemals in ihrer Religion und Konfession von ihm gestört werden; er werde auch verhindern, daß sie von anderen gestört oder gehindert würden *(nusquam et numquam turbalit, nec per alios turbari aut impediri sinet)*. Allerdings folgt sofort im § 2 der Zusatz, die Erlaubnis zur freien Religionsausübung präjudiziere keinerlei Benachteiligung der katholischen Religion *(absque praejudicio Cattolicae Romanae religionis)*. Freilich nötigten die Stände zwei Jahre darauf *Matthias*, der im bekannten »Bruderzwist« *Rudolf* Ungarn – wie auch Mähren und Schlesien – abgezwungen hatte, bei Abfassung des Krönungsdiploms diesen zweideutigen Satz fortzulassen. Aber das hat spätere Herrscher nicht daran gehindert, sich auf ihn zur Begründung von Einschränkungen der Glaubensfreiheit zu berufen.

Voll Begeisterung hatten inzwischen die siebenbürgischen Stände *Bócskay* zum Fürsten gewählt. Beide königlichen Brüder bestätigten die Wahl und sprachen allen am Aufstand Beteiligten volle Versöhnung aus. Es bleibe dahingestellt, ob wirklich der noch im gleichen Jahr erfolgte Tod des genialen Fürsten durch eine vom Wiener Hof bestellte Vergiftung erfolgte, wie das Volk fest glaubte. An der Sachlage änderte sein Heimgang nichts. Aber nur ein Dutzend Jahre hindurch währte der erkämpfte Kirchenfrieden.

Die böhmischen Wirren (1618) (siehe S. 240) zogen Siebenbürgen in den großen Krieg hinein. Fürst *Gabriel Bethlen*, der seit 1613 sein Land zu einem europäischen Machtfaktor erhoben hatte, verbündete sich mit dem aufständischen Böhmen, konnte aber deren Niederlage (1620) nicht verhindern. Doch gelang es ihm, *Ferdinand II.* 1621 im Frieden von Nikolsburg für Ungarn das abzuzwingen, was in Deutschland 30 Jahre lang Zankapfel war: Gleichberechtigung beider Auslegungen des Evangeliums. Daß der kaiserliche Fanatiker, der lieber über eine Wüste als über ein Land voll Ketzer herrschen wollte (»malo regnum desolutum quam damnatum«) von dieser Regel für Ungarn eine Ausnahme gewährte, war eine Inkonsequenz, die Verdacht erregte.

Georg I. Rákócsy, der seit 1630 Fürst von Siebenbürgen war, mißtraute den schon in Gang kommenden westfälischen Friedensverhandlungen und griff – im Bündnis mit Schweden – vorsorglich noch einmal zu den Waffen. Er erreichte im Frieden von Linz 1645 eine erneute königliche Bestätigung der Nikolsburger Zugeständnisse. Überdies wurde 1648 der Westfälische Frieden auch vom Fürsten Siebenbürgens mit unterschrieben; die Religionsfreiheit Ungarns sollte damit völkerrechtliche Garantie gewinnen.

Es wird später davon berichtet werden (siehe S. 321ff.), wie wenig all diese Kämpfe, Siege und verbrieften Konzessionen genutzt haben, als Habsburgs trotzige Macht, von *Gustav Adolf* aus dem Norden verdrängt, sich nach Osten wandte. Zum Türkenkrieg rüstend suchte Kaiser *Leopold* das ungebärdige Ungarn fest in die Hand zu bekommen. Er sah als größtes Hindernis den Umstand an, daß über das ganze Land in der ersten Hälfte des Jahrhunderts sich ein wohlgeordnetes protestantisches Kirchenwesen ausgebreitet und gefestigt hatte. Der Augenblick schien günstig, da der gefürchtete Gegenspieler, Siebenbürgen, sich durch das polnische Abenteuer einstweilen ausgeschaltet hatte. Zudem gaben unglückliche Konspirationen mit einem türkischen Pascha dem Kaiser Handhabe, scharfe Maßnahmen anzuordnen, um jeden Landesverrat im Keim zu ersticken. Immerhin war es einem jungen Draufgänger, dem Grafen *Emmerich Tököly*, gelungen, mit Hilfe der bäuerlichen Partisanen, die sich vor den übel hausenden habsburgischen Söldnern in die Wälder geflüchtet hatten, große Erfolge zu erringen. Einige Zeit hindurch war ganz Oberungarn unter seiner Regierung ein selbständiger vierter Teil des einstigen Ungarn neben Siebenbürgern im Osten, der Türkenzone in der Mitte und dem kleinen Habsburgerstück im Westen. Die siegreichen Kämpfe des Kreuzzuges gegen die Türken (1683 Schlacht am Kahlenberg vor Wien, 1686 Rückeroberung Ofens, 1699 Friede zu Karlowitz) machten der schimpflichen Teilung ein Ende.

Das galt auch für Siebenbürgen, das nun 1691 seine Autonomie verlor und, von Ungarn losgelöst, als österreichische Provinz durch einen Gouverneur verwaltet wurde (siehe S. 378). Dies geschah zu der Zeit, da in Frankreich

Ludwig XIV. das Edikt *Heinrichs IV.* von Nantes aufhob – hundert Jahre nach der Bartholomäusnacht –, Straßburg besetzte und das Heidelberger Schloß zerstörte. *Leopold* war kein »Sonnenkönig«, aber auch er trumpfte auf und hatte damit Erfolg. Auf dem Landtag zu Ödenburg 1681 beantragte er, die Städte sollten freiwillig auf das ihnen in der »Goldenen Bulle« von 1222 verliehene Widerstandsrecht gegenüber dem König – falls er die Gesetze verletze – verzichten, da es eine Beleidigung der Majestät des Erbkönigs sei, ihm Rechtsbruch zuzutrauen. Der Landtag tat ihm unter dem Druck der für den Türkenkrieg aufs höchste gesteigerten Rüstung den Gefallen. Das *ius rebellionis* des Artikels XXXI jener alten Urkunde war nun Vergangenheit.
Damit schien die Gefahr, daß *Tökölys* »Kuruzen«, die noch immer die Ruhe störten, wieder einen Führer fänden, beschwichtigt. Sie war es in Wirklichkeit nicht.
Es war wieder ein *Rákócsy*, diesmal aber ein Sproß der katholischen Seitenlinie der siebenbürgischen Fürstenfamilie, der 1703 die Insurgentenfahne schwenkte. »Pro deo et libertate« war ihre nicht eindeutige Inschrift. Ganz Siebenbürgen ohne Unterschied des Glaubens folgte ihr; in kurzer Zeit war auch der größte Teil Ungarns in seiner Hand. Nun wiederholten seine siegestrunkenen Anhänger den Fehler der Böhmen von 1619. Sie erklärten den gewählten und gekrönten König für abgesetzt und riefen *Franz II., Rákócsy* als seinen Nachfolger aus. Auf dem Landtag zu Szécseny 1703 gab man dem wieder errichteten Gesamtstaat eine Art republikanischer Verfassung und sozialer Neuordnung. Auch volle Gleichberechtigung aller Bekenntnisse wurde proklamiert. Es taucht die Erinnerung an das auf, was oben (siehe S. 248) vor dem Begeisterungsjubel für *Joseph II.* berichtet wurde, wenn man erfährt, daß fast 80 Jahre früher in ähnlicher Weise Dokumente für die Nachwelt geschaffen wurden, die ihr vom Rausch der Seelen jener Tage erzählen sollten: auf einer Goldmünze sieht man drei Geistliche um einen Altar stehen, je einen in katholischem, lutherischem und kalvinischem Ornat. Sie schüren miteinander das Feuer auf einem antiken Altar. Die Inschrift lautet: »Concurrunt ut alant« (gemeinsam nähren sie die heilige Glut). Auf dem Münzrand steht: »Concordia religionum animata libertate«, (die Eintracht der Religionen ist von der Freiheit beseelt). Man spürt den ersten Hauch von dem Wehen der »Aufklärung«, das die Stickluft der Rechthaberei zu vertreiben beginnt.
Der Freudenrausch währte nicht lange. Wieder wie 1620 kam es zur Katastrophe. Schlecht geführte, allzu siegesgewisse Massen unterlagen dem taktisch überlegenen Heer kaiserlicher Generale. Nur der noch nachwirkenden Friedensatmosphäre von Altranstädt 1706 war es zu verdanken, daß der Kaiser bei den Verhandlungen zu Szatmar 1711 die Religionsfreiheit noch einmal bestätigte, wenn auch ohne gesetzliche Festlegung, allein »aus königlicher Gnade um des lieben Friedens willen«.

Auch ausländische Friedensvermittlung war bei der milden Gesinnung Kaiser *Josephs I.* nicht ohne Wirkung, während noch einige Jahre vorher diplomatische Vorstellungen an dem Fanatismus *Leopolds* fruchtlos abgeglitten waren, als sie fragten, ob heutige Dragoner und Husaren tauglich seien, das Amt der Apostel auszurichten, die Christus als Menschenfischer berufen habe und nicht als »unbarmherzige Jäger der Menschenseelen«.
Ob der Griff zu den Waffen gegen die Obrigkeit gerechtfertigt sei, wenn das Handeln mit dem Maßstab des Wortes Gottes im Evangelium gemessen werde, das ist im Protestantismus Ungarns damals vielfältig bedacht und besprochen worden. Bei den Reformierten tat man sich leichter, »ja« zu sagen, als bei den Lutheranern. Es war ihnen zwar jetzt nicht mehr möglich, sich auf das *jus rebellionis* von 1222 zu berufen. Aber *Kalvin* hatte doch, obwohl im Grunde mit Luther im Pazifismus für die Innenpolitik einig, das Vorgehen *Colignys* zur Rettung der Hugenotten – auf der großen Synode von Paris 1559 waren über 2000 Gemeinden vertreten – gebilligt. Jedenfalls aber geschieht den magyarischen Reformierten kein Unrecht, wenn man zu ihrer Haltung in dieser Frage auch die »turanische Willenhaftigkeit« heranzieht, die von Historikern zur Erklärung ungarischer Temperamentausbrüche herangezogen wird. Der Anschluß an den Genfer Zweig der Reformation bewirkte in dem ziffernmäßig kleinen Volk den Glauben an seine Prädestination zur Größe; obwohl es fast allen europäischen Völkern nach Abstammung, Sprache und Artung fremd gegenüberstand, entfaltete es ein starkes Sendungsbewußtsein und verkannte nicht selten die Grenzen seiner Kraft und den Auftrag der Zeit.
Bei den Lutheranern war es gleichfalls nicht nur theologische Erwägung, was sie bei ihrer Entscheidung im Gewissensdilemma bestimmte. Soweit sie Deutsche waren, kam zu *Luthers* Warnung vor dem Aufruhr gegen die Obrigkeit der verständliche Stolz auf das »Heilige Reich« und die Ehrfurcht vor dem von sakraler Aura umrahmten »Römischen Kaiser«. Die lutherischen Slovaken andererseits waren in ihrer slavischen Sonderart – in der sie sich von den ihnen sonst nahe verwandten Tschechen unterschieden – konservativ und obrigkeitsfromm. Viele von ihnen hatten zudem von alter Vergangenheit her den Husitenschreck in den Gliedern und spürten wenig Neigung, ihre Haut zu Markt zu tragen, wo es sich – nach ihrem Gefühl – um politische Kämpfe handelte, zumal diese meist in ihrem Lande ausgefochten wurden. Dazu kam – bei ihnen mehr als bei den Deutschen – eine sehr nachdrückliche Ablehnung des Kalvinismus, besonders später, als dieser sie zu konfessioneller Union verlocken wollte (siehe S. 371).
Allerdings gab es bei Deutschen wie bei Slovaken in nicht geringer Zahl Abtrünnige. Der eigentümliche Charme der magyarischen Zivilisation und die Energie ihrer Staatsraison hatten für den slovakischen Adel und für das deutsche Bürgertum eine erfolgreiche Anziehungskraft. Da die Magyaren,

ferne von jedem blutbegründeten Rassendünkel jeden wertvollen Menschen, der in ihre Reihe treten wollte, willkommen hießen, ja sogar begünstigten, brachte die Lockung dieser »Aufstiegsassimilation« im Lauf der Zeit, besonders im 19. Jahrhundert, eine ganz wesentliche Umgestaltung der Bevölkerungsstruktur zustande. Dabei war es keineswegs so, daß ein Übergang von slavischen oder deutschen Lutheranern in die Sprache und Kultur des Staatsvolks auch den Wechsel der Konfession nach sich zog, so wie das in Polen – zum mindesten bei den Nachkommen – der Fall war. Sosehr der Kalvinismus in Anspruch nahm, der eigentliche magyarische Glauben *(magyar hit)* zu sein, so wenig zog er bei den magyarischen oder sich magyarisierenden Lutheranern ihre Volks- und Staatstreue in Zweifel. Das heutige, nach dem Geschehen von 1945 fast rein magyarische Luthertum ist mindestens zu 75%, wahrscheinlich aber in noch größerer Zahl durch Einschmelzung von Slovaken oder Deutschen geprägt. Die Namensanalyse ist dabei wertlos; denn in erstaunlichem Umfang legten die Assimilanten darauf Wert, die Entschiedenheit ihres Volkstumswechsels durch Annahme eines anderen Namens zu betonen, wenn es nicht gar geschah, um die Abstammung zu verschleiern. Auch wurde nach 1920 von ungarischer Seite zum Teil erheblicher Druck ausgeübt, so daß viele Nichtmagyaren, besonders wenn sie im Staatsdienst standen, ihren Namen magyarisieren ließen, um ihre »Staatstreue« zu dokumentieren.
Das mußte so ausführlich dargelegt werden, um verständlich zu machen, warum die Stellungnahme der Slaven und Deutschen des lutherischen Lagers in den geschilderten Bürgerkriegen nicht einhellig war. Die Revolutionsheere hätten nicht von Siebenbürgen durch die Slovakei auf Wien marschieren können, hätten sie in Kaschau, in der Zips, in den Bergstädten die dort angehäuften Lutheraner als Widerstandsnester im Rücken gewußt. Dabei waren die Preßburger jedesmal der Entscheidung überhoben. Die starke Besatzung der Burg, die Hüter der heiligen Krone mit dem schiefen Kreuz – vom einstigen Versteck verbogen – garantierten die Königstreue der Bürgerstadt. Die andere lutherische Großstadt des Westens, Ödenburg, hat sowohl *Bócskay* wie den zweiten *Rákócsy* die Gefolgschaft verweigert und *Tököly* nur unter dem Druck der vor Wien aufmarschierten Türken vorübergehend aufgenommen. Die Haltung aber der Lutheraner Siebenbürgens, der »Sachsen« war, durch ihren politischen Sonderstatus bedingt und muß eigene Darstellung erfahren (siehe S. 373).

4. *Martyrium*

Die Versuche, das Eindringen der Reformation in Ungarn zu verhindern, begannen nicht erst mit dem Übergang des Landes in die Hände Habsburgs. Bereits 1524, unter dem letzten Jagiełłonenfürsten *Ludwig*, gab es ein hartes

Gesetz gegen die lutherische Ketzerei. Und der siebenbürgische Wojwode *Johann Szapolyai* war gleichfalls Gegner der Neuerung. Sein Aufstand gegen *Ferdinand I.*, dem er als Gegenkönig trotzte, hatte – anders als die oben aufgezählten späteren (siehe S. 299ff.) – nichts mit einer Abwehr von Gegenreformation zu tun.
Die Gefahrenlage des von den Türken verschonten Reststaats kam der Ausbreitung und Festigung der Erneuerung zugute. Sie geschah ohne Sturm und Drang. Die Priester reformierten sich und ihre Pfarreien. Wo sie es nicht von selbst taten, setzten die Grundherren fast allgemein Prediger, die sie von auswärts beriefen, an ihre Stelle.
Zur vollen Durchführung der Reformation im ganzen Land hätte es gehört, auch die Bischofsstühle mit Evangelischen zu besetzen. Diese waren ja großenteils leer; es fehlte an Herden für die Hirten. Aber, was anderwärts die Territorialfürsten taten, durften höchstens die drei autonomen »Nationen« Siebenbürgens wagen, nicht die an den König gebundenen Stände Ungarns. So blieb der hierarchische Apparat bestehen, wurde allmählich – dank dem reichen Grundbesitz der Kirche – wieder ausgebaut und konnte zum Gegenstoß vorgehen, als nach *Maximilians* Tod seine Söhne, in den Alpenländern beginnend, in Böhmen fortfahrend, nun auch in Ungarn mit der Gegenreformation ernst machten. Es gelang ihnen voller Erfolg nur in Cisleithanien; in den böhmischen Ländern erreichte geschickte Ständepolitik 1609 den Majestätsbrief (siehe S. 239); in Ungarn erkämpfte *Bócskay* den Wiener Frieden.
Von da ab wiederholten sich, wie oben geschildert, mehrere Male Schlag und Gegenschlag; Gewaltanwendung der päpstlichen Hierarchie selbst oder der ihnen zu Hilfe eilenden Staatsmacht zog gewalttätige Abwehr nach sich. Neben den großen Bürgerkriegen – meist unter Führung siebenbürgischer Fürsten – gab es in den Städten Krawalle und Straßenkämpfe; sogar auf dem Lande schlug man sich, beraubte, verjagte man sich gegenseitig mit wechselndem Glück. Es ist wohl möglich, daß es keine Erfindung ist, wenn Bischöfe den auf dem Landtag klagenden Ständen vom Elend mancher katholischer Dorfpfarrer berichteten, die vor ihren widerspenstigen Bauern in die Wälder flüchten mußten, geprügelt und beschimpft, hungernd und frierend, bettelarm und seelisch gebrochen. Es ist bezeichnend, daß die Antwort der Evangelischen lautete, es sei doch nun einmal die große Mehrheit des ganzen Volkes evangelisch gesinnt und wünsche, darin nicht gestört zu werden.
Die Mehrheit allerdings bröckelte zusehends ab, als nach Beendigung des großen Krieges die Könige Ungarns die Zügel strafften, die sie so lange hier hatten schleifen lassen. Sie mußten das tun, als ihr Blick sich nun auf den Schandfleck Europas richtete, den auszutilgen niemand mehr berufen war als die Kaiser des »Heiligen Reichs«. Es durften künftig im Aufmarschgelände

gegen die Türken keine Bürgerkriege mehr vorkommen und vor allem keine Konspirationen mit dem »Erzfeind« der Christenheit. Dessen aber waren die Protestanten Ungarns verdächtig; in der besetzten Zone und im Tributärstaat Siebenbürgen waren sie und ihre Kirche die herrschende Geistesmacht. Das war gefährlich. 1657 bestieg *Leopold I.* den ungarischen Thron, als sein bereits gekrönter Bruder unerwartet starb. Der 17jährige Jüngling war nicht zum König, sondern zum Priester bestimmt gewesen; er sollte Nachfolger seines Onkels auf dem Bischofsstuhl in Passau werden und wurde von klein auf als Theologe erzogen. Ohne jeden staatsmännischen Weitblick war er völlig in der Hand seiner Minister und Feldherren. Diese halfen ihm zu Sieg und Ruhm. Jene lenkten seine Innenpolitik auf ultramontane Ziele. An gegenreformatorischem Eifer übertraf er *Ferdinand II.* und seinen Sohn. Aber sie waren wenigstens ehrliche Hasser. Bei *Leopold* kam eine bedauerliche Verschlagenheit hinzu. Seine fast 50 Jahre währende Regierung brachte dem Protestantismus der ungarischen Länder die Zeit seines Martyriums.

Man soll mit dem Wort Martyrium sparsam umgehen. Nicht jede Absetzung eines Pfarrers oder Wegnahme einer Kirche erzeugt Märtyrer. Selbst die Todesopfer eines Bürgerkrieges sind nicht ohne weiteres den Blutzeugen gleichzuachten, die seit Beginn der Kirchengeschichte bis in unsere Tage mit tapferem Dulden von Qual und Sterben Zeugnis ablegten für Christus und sein Reich. Wieviel ständischer Trotz, nationaler Eigensinn, machtgieriger Ehrgeiz war den »Glaubenskriegen« beigemischt, die sich mit diesem Namen tarnten. Man darf auch nicht übersehen, daß nicht selten Evangelische vor dem ungezügelten Treiben der Aufständischen stutzig wurden und sich in christlichem Gehorsam, in Ordnungsstreben, Eidesachtung, Königsehrung auf die Gegenseite stellten. Liest man die katholischen Darstellungen jener Geschehnisse, so wird man auch drüben manch ehrliche Sorge um Gottes Reich, manch opfermutigen Lebenseinsatz für heilige Werte anerkennen müssen.

Ist dies vorausgeschickt, so wird es doch wohl nicht nur unser Recht, vielmehr unsere Pflicht sein, des glaubensstarken Widerstands »bis aufs Blut« dankbar zu gedenken, den unsere Glaubensgenossen dort und damals leisteten. Wir dürfen auf sie stolz sein und sollen ihrem Vorbild nacheifern. Auch in den Alpenländern Österreichs, an den Sudeten und Beskiden ging es schlimm her. Aber mit Scheiterhaufen und Scharfrichtern war man dort nicht so schnell bei der Hand. In Ungarn geschah Grausamstes, Blutrünstiges, Heimtückisches, und es füllte Jahrzehnte! Am schwersten betroffen waren die lutherischen Slovaken. Die reformierten Magyaren kamen glimpflich davon; sie saßen in großer Zusammenballung hinter der Theiß. Die Deutschen hatten zum Teil den polnischen Schutz, konnten sich auch manchmal durch Dukaten loskaufen, durch geschickte Anwälte verteidigen und waren an ihren Hauptplätzen – an der Westgrenze gegen die Steiermark – weniger von den Aufständen und deren Abwehr berührt. Nur in Oberungarn traf auch sie wie die dortige magyarische Diaspora manch schwerer, ja tödlicher Schlag.

Nach dem Niedergang der siebenbürgischen Macht, die für die Protestanten Ungarns oftmals Schutz und Schirm gewesen und die Habsburger gezwungen hatte, Rücksicht zu nehmen und ihre Rekatholisierung bedachtsam zu betreiben, fiel eine Fessel der Wiener Politik. Die türkische Macht aber wandte sich nach innenpolitischen Auseinandersetzungen zuerst gegen Siebenbürgen und Venedig, und der Sieg der habsburgischen Waffen an der Raab 1664 bewirkte eine fast zwanzigjährige Atempause, die zur inneren Festigung des Staates benutzt wurde.

Das bedeutete die Unterdrückung des Protestantismus. Die Maßnahmen, die auf der Synode von Tyrnau (1658) beschlossen worden waren, wurden rücksichtslos durchgeführt, die Beschwerden der Protestanten verworfen. Als Leopold I. im Frieden von Vasvár 1664 ungünstige Bedingungen annahm, fürchtete der ungarische protestantische Adel Schlimmes. Man suchte nach einem Weg, die sich ankündigende Rekatholisierung, hinter der die ganze Macht des Staates stand, abzulenken oder zu verhindern. Eine Beratung ließ den Plan aufkommen, sich zum Schutze des Glaubens dem Sultan zu unterstellen, wenn dieser gewisse Rechte gewähren wolle. Doch Wien ward schnell davon unterrichtet, und der Kaiser reagierte rasch. Die Anklage des Landesverrats bot ihm die Möglichkeit, sich der mächtigsten ungarischen Protestanten zu entledigen, ohne daß der eigentliche Grund, nämlich ihre Sorge um die Erhaltung des Glaubens, gewürdigt zu werden brauchte. Gleichzeitig bot sich die Möglichkeit, alle Protestanten zu verdächtigen und mit ihnen abzurechnen. Truppen wurden in das Land geschickt, und wenn die Bevölkerung Widerstand leistete, galt dies nur als Beweis, daß noch größere Härte und strengere Maßnahmen zu ergreifen seien. Der Druck führte teilweise zum Erfolg, die Bürger bekehrten sich. Andere aber verließen Haus und Hof und flüchteten ins Ausland oder in Gebiete, wo sie vor den Nachstellungen sicher zu sein glaubten, vornehmlich nach Siebenbürgen.

Die Kurutzenkriege, Kämpfe gegen Freischärler, die sich in Siebenbürgen aus den Exulanten bildeten und in das Land des verhaßten Habsburgers einfielen, um sich für die Vertreibung zu rächen (freilich waren unter ihnen auch manche, denen es nicht um den Glauben ging, sondern um Raub und Plünderung), boten neuen Vorwand zum Terror, bei dessen Durchführung sich besonders der Erzbischof *Szelepcsenyi* einen unrühmlichen Namen gemacht hat. Er war Vorsitzender eines Sondergerichtes, vor dem sich die protestantischen Geistlichen zu verantworten hatten. Die Anklage lautete auf Beleidigung des Landesherren und der katholischen Kirche und auf Landesverrat. Die Angeschuldigten hatten zu wählen zwischen »Bekehrung«

oder Landesverweis. Mit harten Behandlungen der Vorgeladenen, unter Anwendung strenger Haft, gelang es in einem jeder Rechtlichkeit hohnsprechenden Verfahren, drei Viertel der Bedrängten zu unterwerfen.
Die übrigen wurden in kleinen Gruppen in Festungen eingesperrt und mit demütigender Zwangsarbeit bei schlechter Unterbringung und Ernährung gequält. Einige gaben nach, aber 42 blieben beständig. Sie wurden »im März 1675 nach Neapel getrieben. Unterwegs über Steiermark und Triest konnten 3 fliehen; sieben starben von den ungeheuren Strapazen. Die restlichen 32 wurden in Neapel als Galeerensklaven für 100 Taler je Mann verkauft«.
Diese Grausamkeiten erregten in allen evangelischen Ländern größtes Aufsehen. Der in Venedig als Arzt und zugleich als deutscher Pastor wirkende *Nikolaus Zaff* entfaltete eine umfangreiche Agitation in England, Holland, der Schweiz und Deutschland. In der Schweiz wurde eine Sammlung veranstaltet, deren reiches Ergebnis dem König von Neapel als Lösegeld angeboten wurde. Jesuitisches Eingreifen verhinderte das Zustandekommen des Geschäfts. Als die niederländische Regierung durch ihren Gesandten *Bruiningx* in Wien vorstellig wurde, versprach die Regierung, sich für den Loskauf einzusetzen, wenn die Verurteilten den bekannten Revers unterschreiben würden. Schließlich begnügte sie sich aber damit, daß der Gesandte selbst für alle Gefangenen unterschrieb, und nun konnte mit dem Schweizer Geld der Loskauf stattfinden. Die Niederlande entsandten ein Kriegsschiff nach Neapel. Der Admiral *Michael de Ruyter* nahm die armen Menschen – nur 26 von den 32 lebten noch – an Bord und lud in Fiume fünf weitere Märtyrer auf, das Überbleibsel von 20 Pfarrern, die aus den ungarischen Gefängnissen in Fußmärschen dorthin getrieben waren. Für diese hatte sich der Kurfürst von Sachsen erfolgreich eingesetzt.
Überhaupt horchte jetzt das protestantische Europa auf und gab den Nachrichten über mittelalterliche Vorkommnisse in den Habsburgischen Ländern eine Öffentlichkeit, die in Wien peinlich empfunden wurde, zumal die Türkengefahr jetzt wieder aufflackerte und ihre Abwehr eine einige Christenheit zur Voraussetzung hatte (siehe S. 314).
Um so mehr ist es zu verwundern, daß 1686, also in dem Jahr der Rückeroberung Ofens, noch einmal eine Schandtat möglich war, in der die Gegenreformation sich austobte. Sie ist bekannt unter dem Namen des »Blutgerichts von Eperies«. Der Name erinnert an das ebenso benannte Geschehen in Thorn und auch an die grausige Rache, die *Ferdinand II.* 1620 auf dem Altmarkt zu Prag an den utraquistischen und brüderischen Adligen nahm, die den Aufstand um 1618 zur Schuld hatten.
Wir folgen dem Bericht, den vor fast 100 Jahren ein in Leipzig studierender slovakischer Kandidat (späterer Religionslehrer in Teschen, dann Pfarrer in Thüringen und Hannover) über eines, wie er schreibt, »der fürchterlichsten Szenen, die je in Ungarn vorgekommen sind«, verfaßt hat.

Der kaiserliche General *Caraffa*, ein Italiener, der das Etappenheer in Oberungarn befehligte, berichtete, er sei einer weitverzweigten Verschwörung auf die Spur gekommen. *Leopold I.* überließ ihm die Untersuchung und Bestrafung der Schuldigen, jedoch nach ungarischen Gesetzen und ohne die verkündete Amnestie zu verletzen. Allein der hitzige Italiener beachtete diese Weisung nicht. *Caraffa* setzte aus zwei Italienern, einem Danziger und einem Schwaben ein Gericht zusammen und ließ in Eperies auf dem Platze vor seinen Fenstern »ein Schauspiel aufführen«. Am ersten Tage wurden vier lutherische Adlige »zuerst gefoltert, worauf man ihnen die rechte Hand, dann den Kopf abhieb, ihre Körper vierteilte und in den Straßen aufsteckte«. Die nächsten fünf wurden ohne solche Martern hingerichtet, und einige Monate später folgten zahlreiche weitere Enthauptungen. »Auf eine so unmenschliche Weise hätte Caraffa noch weiter in Ungarn gewütet, wenn der König nicht infolge einer sehr ernsten Vorstellung sein empörendes Gericht aufgehoben und ihn von Eperies entfernt hätte«. Er belohnte ihn jedoch durch Beförderung und tat nichts zur Wiedergutmachung des Unrechts, obwohl er, als die völlige Nichtigkeit der Urteilbegründung zu Tage trat, das Geschehene bedauerte.

Die Männer, die diese Untersuchung führten und das Urteil sprachen, waren zutiefst verblendet. Noch für uns Heutige sind die Unschuldsbeteuerungen des ältesten unter jenen Glaubensopfern, *Andreas Kecser*, tief bewegend und überzeugend. Aber hier ging es darum, »ein Exempel zu statuieren«, und der Bericht, der sich im Jahrbuch der österreichischen Ordensprovinz der »Societas Jesu« findet, zeigt deutlich, daß nicht Staatsfeinde getroffen und bestraft werden sollten, sondern Menschen, die nicht der »alleinseligmachenden« Kirche angehörten. Es spricht ein Gutteil Triumph aus diesem Bericht, Triumph darüber, daß den »Ketzern« ein schlimmes Ende bereitet wurde zur Mahnung und Warnung für alle anderen.

5. *Anfänge der Organisation*

Von gesamtkirchlichem Bemühen konnte, wie oben berichtet wurde, in der Türkenzone nicht die Rede sein. Das nur allmählich im Lauf einiger Jahre stattfindende Vordringen des osmanischen Heeres und der ihm folgenden Besatzung war zwar nicht wie 800 Jahre früher der stürmische Einbruch der Araber in die christliche Welt Nordafrikas mit Austilgung der Kirche und des Glaubens verbunden. Sein Schaden bestand in Plünderungen und Brandschatzungen, in dem fürchterlichen Blutzoll der Menschenverschleppung und der fast völligen Brachlegung des fruchtbaren Ackerlands. Das religiöse Leben der Bevölkerung interessierte die Wesire des Sultans nicht, soweit es sich in örtlichen Grenzen abspielte. Aber gegen Zusammentreffen und Beratungen von Gruppen der Ansässigen war die Regierung sehr mißtrauisch. Soweit noch Bischöfe übriggeblieben oder nach der Flucht zurückgekehrt waren, hatten sie keine Diözesen mehr. Das kam der Umwandlung der katholischen Parochien in evangelische Predigtgemeinden zugute. Sie vollzog sich ohne Hinderung und Aufsehen.

Die Lage in Siebenbürgen wich hiervon völlig ab. Hier gab es einen protestantischen Landesherrn. Besaß er auch keine restlose Souveränität, so blieb doch das Regiment des geographisch abgeschlossenen und geschichtlich alt fundierten Landes in seiner Hand. Jedoch nicht er war es, der – wie es anderwärts geschah – das Steuer des Kirchenschiffs auf neuen Kurs umlegte. Das taten die sehr selbständigen Stände, aber mit großer Liberalität, so daß hier eine dreifältige Ordnung protestantischen Kirchentums zustande kam, die sich aus Lutheranern, Reformierten, Unitariern zusammensetzte. Neben ihr wurde einem Rest von Katholiken volle Gleichberechtigung zugestanden. Auch der allmählich immer zahlreicher aus der Wallachei über die Berge einwandernden, politisch rechtlosen – weil nicht »rezipierten« – Masse rumänischer Hirten und Tagelöhner blieb ihre Konfession unangetastet. Erst später fand sich für sie durch Missionare aus ihrer Heimat eine Versorgung in ostkirchlich-orthodoxer Gemeindebildung.

Dem geschichtlichen Verlauf der protestantischen Kirchenorganisation Siebenbürgens wird in zwei späteren Abschnitten dieses Kapitels ausführliche Darstellung gewidmet (siehe S. 362ff., 373ff.). Die Nordgrenze des Landes war zeitweilig tief in die Slovakei vorgeschoben, so daß die dortigen evangelischen Gemeinden Nutznießer der siebenbürgischen Toleranz wurden.

Im Habsburgischen Reststaat kam es zunächst noch nicht zu einer durchgreifenden Regelung des reformatorischen Kirchenlebens. Es fehlte dafür im 16. Jahrhundert noch völlig an einer Rechtsbasis. Weder der Religionsfrieden im Reich (Augsburg 1555) noch die Zugeständnisse, die von den österreichischen Ständen den Erzherzögen oder von den Tschechen dem Kaiser *Maximilian* 1575 abgerungen wurden, hatten in Ungarn rechtliche Bedeutung. Erst der Wiener Frieden von 1606 brachte eine gesetzliche Grundlage für den Aufbau einer organisierten Kirche. 1608 bestimmte ein ungarisches Staatsgesetz, daß Kirchenleitungen gebildet würden *(ut quaevis religio ... superiores aut superintendentes habeat)*. Vorher hatten sich nur vereinzelt und gelegentlich die evangelisch gewordenen Priester oder die von auswärts herbeigerufenen Prediger zu Erfahrungsaustausch, Beratung, Ermutigung und Disziplinierung zusammengefunden. Sie nannten ihre Gemeinschaften Fraternitäten; später wurden daraus wohlgeordnete »Konvente« oder – bei den Reformierten – »Tractus«. Erst langsam kam man dazu, Senioren für kleinere, Superintendenten für größere Kreise von Gemeinden zu wählen, stets in freier Selbsbestimmung; der Staat mischte sich nicht hinein. Er hatte, in viele Kriege verwickelt, Wichtigeres zu tun und wurde wiederholt durch das

Eingreifen Siebenbürgens (1621 und 1645) (siehe S. 300) auf die Rechtslage von 1606 festgelegt.

Es stellte noch keine Organisation geschlossener Kirchenkörper dar, sondern hatte konfessionspolitische Gründe, daß schon um die Mitte des Reformationsjahrhunderts die deutschen Stadtgemeinden gruppenweise sorgfältig formulierte theologische Bekenntnisschriften aufstellten. Die erste hatte den berühmten Theologen Leonhard Stöckel (aus Bartfeld) zum Verfasser. Sie wurde 1549 dem König von den fünf Städten Leutschau, Bartfeld, Eperies, Klein-Zeben und Kaschau als Nachweis ihres Christenstandes in Nachfolge der Augustana von 1530 überreicht (Pentapolitana). Dasselbe taten bald danach die sieben Bergwerkstädte des Erzgebirges mit ihrer Heptapolitana (oder Montana) und schließlich die 24 Städte und Ortschaften der Zips mit der Szepusiana.

Die Zips war eine schon seit dem 12. Jahrhundert am Fuß der Hohen Tatra siedelnde deutsche Sprachinsel, bestehend aus 24 Städten und zahlreichen Dörfern. Ein Teil der Städte war seit langem an Polen verpfändet und kam erst 1770 nach Ungarn zurück. Die Liberalität des lockeren polnischen Staatsgefüges kam der Reformierung der ganzen Zips zugute. *Leopolds* Gegenreformation richtete hier nicht viel aus.

Auch die Reformierten bemühten sich bald um Fixierungen ihres Sonderbekenntnisses. Eine Reihe von Formulierungen – in Debrecen, Erdöd, Csenger usw. veröffentlicht – zeigt, daß die konfessionellen Unterschiede damals als noch nicht so im Grunde trennend empfunden wurden, wie das später geschah. Zum erstenmal wurden beide Konfessionen in einem Landtagsartikel erst 1647 nebeneinander genannt, während sie bis dahin unter dem Namen »Evangelische« zusammengefaßt wurden.

Ganz langsam erst kam es zu festen Organisationsformen, insbesondere zu zwanglosen Beratungen in freien Synoden und zu Bestellung von Aufsehern über die Einzelgemeinden. Dabei trat von Anfang an ein Zusammenwirken von geistlichen und weltlichen Personen in Erscheinung, das bis heute für den Protestantismus in Ungarn kennzeichnend ist. Je mehr die Evangelischen zur Abwehr der Gegenreformation genötigt waren, desto mehr war es von hoher Bedeutung, daß in den Ständeversammlungen die Evangelischen unter den mitregierenden Adelsherren zahlreich vertreten waren. Wer anders als sie konnte die Beschwerden der Pastoren dem Landtag oder gar dem König vortragen und notfalls der Berufung auf Recht und Gesetz durch Steuerverweigerung Nachdruck verleihen?

Wenn das später bei den Lutheranern zu einer bedenklichen Einmischung politischer Tendenzen ins Kirchenleben, zu der viel bestrittenen »Kyriarchie« führte, so hat das in der besonderen Lage ihrer Kirche seinen Grund. Sie war national gespalten und oft von Sprachenkämpfen bewegt, in denen die Geistlichen um der Wirkung des Worts willen das Recht der Muttersprache verteidigten, während die weltlichen »Inspektoren« (Kuratoren) den wachsenden Vorrang der Staatssprache zur Geltung zu bringen suchten. Die national einheitliche reformierte Kirche hat bei den Wirren des letzten Jahrzehnts unserer Tage in einer abgewogenen Parität des theologischen und des säkularen Elements die Spannungen ausgeglichen.

Für die territoriale Abgrenzung der Kirchenbezirke fehlte es in Ungarn an historisch gewordenen Landschaften. Geographisch heben sich nur Oberungarn von der Tiefebene ab und das Land an und hinter der Theiß von dem an der Donau. Ein Eigengepräge ethnographischer Art haben Westungarn und das Südslavenland an der Drau und Save entlang. Aber nicht die Grenzen dieser Landschaften wurden für die Abgrenzung der Kirchenbezirke entscheidend, sondern andere Gründe.

Im Reststaat hoben sich zwei Gebiete deutlich voneinander ab: das überwiegend slovakische Oberungarn am Karpatensaum und das damals noch überwiegend deutsche Westungarn entlang der österreichischen Ostgrenze.

Westungarn war das Gebiet des später »Jenseits der Donau« genannten Distrikts, der, zwischen Österreich und dem Türkenland eingeklemmt, von der Donau über den Neusiedler See bis an die Raab reichte und sich dann im Slovenenland bis an die Adria fortsetzte. Hier zählte man um 1650 etwa 300 lutherische Gemeinden. Unbestrittene Hauptstadt war Ödenburg, auch in kirchlicher Hinsicht; denn in Fünfkirchen saßen die Türken.

Etwa doppelt so groß war das oberungarische Kirchengebiet. Es zählte etwa 400 Gemeinden im Westen, von Preßburg bis über die Waag, und 200 Gemeinden im Osten, vornehmlich in der Zips, aber auch östlich von ihr. Hier war es, wo sich zuerst ein staatskirchenrechtlicher Verband von Gemeinden zusammenschloß, sobald die erwähnte Rechtsbasis von 1606 bzw. 1608 das zuließ. Während bis dahin die Zusammenkünfte der Geistlichkeit (Konvente) unter freigewählten Vorstehern ausschließlich mit innerkirchlichen Anliegen beschäftigt waren, besonders mit Überwachung von Reinheit der Lehre und mit dem Wandel der Pfarrer, und die Vorsteher – verschiedener Titulatur – keine Ordinationsbefugnisse hatten, wurde das jetzt anders. 1610 trat zum ersten Mal eine formgerechte, vom Staat mit Verfassungsbefugnissen ausgestattete Synode zusammen, und zwar in Sillein. Sie war von den Gemeinden der 10 nördlichen Komitate beschickt und bestand überwiegend aus adligen Gutsherren (Gemeindepatronen), zu denen sich auch ein paar Städtevertreter und einige wenige ausgewählte Geistliche gesellten.

Einberufer war der Palatin (Pfalzgraf) des ungarischen Königreichs *(Sacrae Regiae Majestatis Consiliarius et per Hungariam Locumtenens)*, Graf *Georg Thurzó*. Unter seiner Leitung organisierte die Synode drei Kirchenkreise (Distrikte) und bestätigte deren drei – bisher nur formlos amtierende – Vorsteher als kirchenrechtlich eingesetzte Superintendenten. Alle drei waren Slovaken, wie das der weit überwiegenden Sprachigkeit der Evangelischen

dieser Bezirke entsprach. Für die sprachlichen Minderheiten wurde dadurch gesorgt, daß für den Preßburger und Bergstädter Bezirk (einschließlich Zips) je ein deutscher Pfarrer, für die Magyaren im ganzen Bereich ein solcher ihrer Sprache den Superintendenten als Vertreter beigegeben wurden. Seit 1606 haben die zu 3/4 evangelischen Stände mehrfach das ihnen jetzt zugebilligte Recht, aus ihren Reihen den Palatin zu wählen, wahrgenommen. Graf *Thurzó* handelte aber nicht etwa in kirchlichem, sondern im staatlichen Auftrag, als er die Synode einberief. Das festzustellen, ist für das Urteil über die späteren Vorgänge im protestantischen Kirchenrecht Ungarns wichtig. Ohne die Formel zu gebrauchen, nahm der katholische König das Recht des *summus episcopus* über die evangelische Kirche von Anfang an in Anspruch, ließ es allerdings durch seinen evangelischen Stellvertreter, den Palatin, ausüben. Er beschränkte sein Recht nicht auf die Kontrolle über Innehaltung der Staatsgesetze, sondern setzte selbst Kirchenrecht, und zwar in äußeren wie in inneren kirchlichen Anliegen. Denn die von der Synode beschlossene Verleihung des Rechts der Superintendenten zur Examination und Ordination der Kandidaten wurde erst durch des Königs Genehmigung rechtskräftig. Ebenso konnte eine etwas später von dem Preßburger Pfarrer *Heuchlin* ausgearbeitete innere Kirchenordnung erst eingeführt werden, nachdem der Palatin sie bestätigt hatte. Sie hatte aber nur lokale, keine gesamtkirchliche Bedeutung.
Zu einer Zusammenordnung aller Gemeinden Ungarns konnte es in jener Zeit noch nicht kommen. Ein Übergreifen der Aufsicht und Verwaltung in die Türkenzone – wie das Kirchenleben Deutschlands nach 1945 die Besatzungsgrenzen übersprang – war bei den von den Paschas angeordneten, aus Angst um den eroberten Besitz quellenden Verkehrsbehinderungen völlig ausgeschlossen.
Aber nicht einmal das Gesamtgebiet des »königlichen Ungarn« wurde kirchlich geeinigt. Jeder Distrikt stand völlig für sich. Erst die Verfolgungszeit zwang zu engerer Fühlungnahme und erst die Vertreibung der Türken ermöglichte die Schaffung der beiden Großkirchen, von denen sich die eine »evangelisch«, die andere »reformiert« nannte. Siebenbürgen hielt sich davon fern und beharrte wenigstens kirchlich auf seiner Sonderstellung, wenn es auch seine politische Autonomie allmählich völlig einbüßte.

6. Nach der Türkenherrschaft

Ein geflügeltes Wort hat Österreich glücklich gepriesen, weil es nicht wie andere Staaten durch Kriege, sondern durch Heiraten seiner Herrscher und durch die damit gegebenen Erbschaften groß geworden sei. Das ungarische Erbe allerdings, das dem Habsburgerstaat durch den Tod des letzten Jagełłonen 1526 (siehe S. 291) aus einem Erbfolgevertrag zufiel, war ein zweifelhafter Gewinn. Denn der blutjunge König *Ludwig II.* hatte in der Schlacht bei Mohács 1526 nicht nur sein Leben und seinen Thron verloren, sondern die nicht geringe Kraft seines Staates bis zum Ausbluten geopfert, ohne daß es gelungen wäre, dem Ungestüm der Osmanen Halt zu gebieten. Sie stießen jetzt vom Balkan nach Norden, von der Moldau nach Westen schrittweise vor. Daß es dem Thronerben *Ferdinand I.* gelang, ihr weiters Vordringen vor Wien (1529) aufzuhalten und damit der Überrollung des ganzen Abendlandes durch asiatische urwüchsig-wilde Kräfte vorzubeugen, ist ein welthistorisches Verdienst.

Warum aber blieb der Gegenstoß aus? Enthielt die Gabe des Erbes nicht zugleich eine Aufgabe? Mußte nicht jetzt sofort alle Kraft des erschreckten Europas daran gesetzt werden, das ganze Ungarn wieder freizukämpfen? Damit wäre doch der Anfang gemacht worden, die großen politischen Fehler der beiden letzten Jahrhunderte gutzumachen.

Denn es war ein Fehler Westroms gewesen, daß es 1453 dem byzantinischen Ostrom nicht ausreichend zu Hilfe kam, so daß Konstantinopel fiel. Und es war hundert Jahre vorher schwere Schuld des Abendlandes gewesen, daß die Serben 1389 auf dem Amselfeld den Türken allein gegenüberstanden und daher restlos vernichtet werden konnten. Beidemal spielte dabei auch der rechthaberische Trotz der päpstlichen Kurie mit. Sie sah in den Gliedern der Ostkirche die Schismatiker, die von Gottes Zorn gestraft wurden, weil sie darauf beharrten, den alten Weg der Kirche, den der griechischen Väter, zu gehen, und sich nicht mitnehmen lassen wollten auf den Pfaden der lateinischen Entwicklung in Kultus und Dogma.

Nun nahte die Zuchtrute dem Abendland. Rund um Wien, die Hauptstadt des Heiligen Römischen Reichs, hatten 1529 die Fahnen des Halbmonds geweht. Noch war es geglückt, sie bis hinter Preßburg und Ödenburg zurückzudrängen. Aber in Ofen saß seit 1541 ein Pascha. Jetzt waren es nicht mehr Schismatiker, sondern katholische Glaubensgenossen, die unter die Mörder fielen. Wie warteten sie darauf, daß an ihnen geschehe – nicht was Priester und Levit machten, sondern was der Samariter tat.

Statt dessen verzehrten Kaiser *Karl V.* und sein Bruder *Ferdinand*, in deren Reich doch – so dehnte es sich über das Erdenrund – die Sonne nicht unterging, ihre politische und militärische Kraft im Kirchenkampf. Alles andere trat zurück vor dem Willen zu unbedingter Unterdrückung der großen, unaufhaltsamen Glaubensbewegung, die aus der Rückkehr zum biblischen Christentum ihre seelische Kraft schöpfte, und die aus dieser heraus den Mut fand, Papst und Kaiser zu trotzen.

Nun war es zum Schmalkaldischen Krieg gekommen, der mit dem »kleinen Interim« endete. Ihm folgte das »große Interim«, der Ausgleich auf Reichsbasis im Religionsfrieden von 1555. Jetzt hätte doch eine Außenpolitik von weiter Schau einsetzen müssen, die der Türkennot ein Ende machte. Aber der Kaiser des »Heiligen Reichs« blickte nicht auf die blutenden Wunden der unter den Mördern Gefallenen, sondern sah nur auf die Türme Roms und »ging vorüber«.

Es wäre auch noch unter seinem Sohn Zeit gewesen, das Steuerruder des Reichsschiffs herumzuwerfen. *Maximilian* besaß, wie oben geschildert wurde, die nötige Einsicht und wagte darauf den mutigen Ansatz von 1575 (siehe S. 235f.); aber er überlebte ihn nur ein Jahr. Dann lähmte der unselige »Bruderzwist im Hause Habsburg« den Willen zur Integration der doch immer noch ungebrochenen Kräfte. Sie strebten nun zentrifugal auseinander und lösten den furchtbaren Krieg aus, der fast ganz Europa auseinanderhetzte und das Land seiner Mitte an den Rand des Abgrunds brachte. Endlich, endlich endete der hundertjährige Irrweg, der 1547 in Mühlberg begann, im mühsam ausgehandelten Vergleichsfrieden von Münster und Osnabrück 1648.

Erst die restlose Erschöpfung der Wirtschaft, Halbierung der Bevölkerungsziffern, Erlahmung der Willenskräfte hatte dem Quälen und Vernichten ein Ende gemacht und Bereitschaft zu dem längst fälligen Kompromiß erweckt. Allmählich war bei vielen das Nachdenken darüber erwacht, ob der Antichrist nicht viel eher in Mekka zu finden sei als in Rom, wie die einen vermuten, oder in Wittenberg – Genf, wie die andern behaupten.

Es bedurfte nur der Lebenslänge einer Generation, bis die Vitalität der ausgebluteten Völker sich wieder gefangen hatte, und neues Leben aus den Ruinen erblühte. Angestachelt durch den tollkühnen Abenteurer *Tököly* brach der Türke einen Präventivkrieg vom Zaun, stieß aber am Kahlenberg bei Wien 1683 wiederum wie 1529 auf eine europäische Abwehr, die ihn zum Rückzug zwang. Nun aber folgte Schlag auf Schlag und Sieg auf Sieg. Nach drei Jahren war Ofen wieder Ungarns Hauptstadt und das Königreich samt Siebenbürgen von den Türken frei. Nur das Banat mußte noch 20 Jahre bis zum Karlowitzer Frieden (1699) auf Befreiung warten.

Das von den Türken hinterlassene Land war etwa dem zu vergleichen, was man in späteren Zeiten »verbrannte Erde« nannte. Nur Siebenbürgen, das damals seine Nordgrenze bis über die Theiß an die Nordkarpaten herangeschoben hatte, war – dank seiner Autonomie unter türkischem Protektorat – leidlich davongekommen. Auch der Osten des eigentlichen Ungarn, der sich an Siebenbürgen anlehnte und mit seinen Steppenflächen in der Pußta die Eroberer wenig interessierte, hatte es noch erträglich gehabt. In Mittelungarn aber und im Süden sah es übel aus.

Die türkische Verwaltung war unbeholfen gewesen und die ganzen 150 Jahre hindurch völlig labil. An den Grenzen gab es dauernd Vorstöße und Rückzüge, und im Innern war alles in Bewegung. Darunter litten die Dörfer mehr als die Städte; denn diese waren mit ihrem Handwerk und ihrem Handel auch für die Besatzungstruppen wichtig. So vermochten sie wohl sich von Belästigung freizukaufen oder in ihrem Mauerring zu widerstehen. Aber nicht nur die Bauern, auch die Bürger mußten stets auf Plünderung und Folterung gefaßt sein und auf die schrecklichen Verschleppungen des gesunden Nachwuchses – der Knaben zu den Janitscharen, der Mädchen in den Harem.

Die christliche Bevölkerung des befreiten Landes atmete auf und hoffte, daß nun Zeiten der Wohlfahrt, vor allem aber der Freiheit von Angst vor Willkür und Unrecht eintreten werde. Daß sie darin enttäuscht wurden, daß eine barocke Geistesströmung von Österreich her trotz der harten Schule jener 150 Jahre schlimmste Glaubensbedrückungen und Kirchenzerstörungen mit sich brachte, daß man bittere Vergleiche ziehen mußte zwischen der gelassenen Duldsamkeit der Moslims gegenüber dem Protestantismus und der gehässigen Ungeduld der nun wieder auftrumpfenden Bischöfe, darüber lese man das nach, was im Abschnitt 7 zu lesen sein wird.

Hier möge nur das noch berichtet werden, was sich als erfreulicher Zuwachs an evangelischem Kirchenleben an einer sich deutlich abhebenden Stelle ereignete.

Es handelt sich dabei um jene Landschaft, die etwa beschrieben werden kann als das Dreieck, dessen Seiten von der Linie des Plattensees und den beiden Flußläufen der Drau und der Donau bis zu ihrem Zusammenfluß gebildet werden. Das Besondere dieses Gebiets – im wesentlichen der Komitate Tolna, Baranya und Somogy – ist, daß hier mit der Neubesiedelung des wiedergewonnenen Landes begonnen wurde, von deren großzügiger Fortsetzung später mehr zu melden sein wird. Hier bestanden dafür günstigere Voraussetzungen als anderwärts in der »Neoacquisition«. Hierher waren sehr bald die Grundherren zurückgekehrt, die sich in Sicherheit gebracht hatten. Hier waren auch die ersten Latifundien – Geschenke an Staatsmänner, Feldherren oder Günstlinge irgendwelcher Art – verteilt worden. Zu deren Bearbeitung fehlte es an Kräften. Tausende von Hektaren fruchtbaren Bodens lagen seit Jahrzehnten brach oder waren von Busch und Wald überwuchert. Sie warteten auf Rodhacke und Ackerpflug.

Die Gutsherren warben auf Grund des »Inpopulationspatents« von 1689 in allen Teilen Ungarns und Österreichs Tagelöhner, Pächter, Kleinsiedler. Und aus allen Ländern und Völkern ließen sich untertänige Bauern herbeilocken, da ihnen Freizügigkeit, fester Lohn und Aussicht auf Erbeigentum winkte.

Weiter als Privatleute konnte der Staat ausholen. Er beschränkte sich nicht auf Ungarn. Aus Böhmen und Schlesien, sogar aus Polen und Rußland holte er die Landhungrigen herbei. Der Kaiser richtete seinen Blick auch auf Deutschland; er schrieb an Reichsfürsten, es sei nötig, daß sie von ihrem Menschenüberfluß Leute abgäben, damit er das wiedergewonnene Land, »als eine Vormauer der Christenheit mit teutschen Leuten besetzen« könne.

Die Evangelischen unter den so Angesprochenen antworteten mit der Frage, wie es denn in Ungarn mit der Religionsfreiheit stehe; sie bekamen selbstverständlich weitherzige Zusagen, trauten ihnen aber nicht und hielten sich zurück. Nur katholische Regenten gestatteten die Werbung in ihren Ländern, indem sie dem Kaiser zu Gefallen ihre Abneigung gegen den Verlust an Menschen überwanden.

Aber die Verlockung drang auch in evangelische Gebiete Westdeutschlands. Unternehmungsmutige Protestanten machten sich auch ohne Paß und Entlassungspapiere auf den Weg und fanden Aufnahme, da sich sowohl die Gutsherren wie auch der für die Ansiedlung auf den Staatsgütern verantwortliche Präsident der Kameralverwaltung über die Wünsche der ungarischen Hierarchie hinwegsetzten. Diesem Präsidenten ist es zu danken, daß in dem schönen, um das alte Fünfkirchen gelagerten Lande nicht nur eine blühende Kulturprovinz deutscher Prägung entstand, die unter dem Namen »schwäbische Türkei« berühmt wurde, sondern auch eine Provinz viel geistlichen Segens evangelischer Prägung und christlicher Kraft.

Es war der aus Lothringen stammende Freund des Prinzen *Eugen* General Graf *Mercy*. Man darf annehmen, daß er von seiner hugenottischen Abstammung her, obwohl selbst katholisch, Vertrauen zur charakterlichen und wirtschaftlichen Tüchtigkeit der Protestanten mitbrachte. Es gelang seinen Werbern, von beiden Seiten des Neckars wie des Rheins, aus Württemberg und Hessen, aus der Pfalz und vom Markgräflerland Evangelische für die Ansiedlung zu gewinnen. Sie kamen mit großen Familien herüber. Er sorgte dafür, daß sie in geschlossenen Kolonien angesetzt und sowohl kirchlich wie schulisch gut versorgt wurden. Mit welchen Schwierigkeiten dabei zu kämpfen war, welch Segen aber doch auf dem Unternehmen ruhte, dafür mögen zwei Beispiele hier eine Anschauung bieten.

Zu den Einwanderern, die sich ihren Pfarrer mitbrachten, gehörten die in Varsád Angesetzten. Mit ihnen war der Kandidat *Schwarzwälder* – der Name verrät seine Heimat – »in die Türkei« gewandert. Er hatte gründliche Studien der Theologie hinter sich, aber noch kein Examen und daher auch keine Ordination. Weit und breit gab es keine Stelle, an die er sich deswegen wenden konnte. Er mußte, von zwei der Bauern begleitet, etwa 300 Kilometer weit nach Norden ins slovakische Gebiet reiten. Dort im Kremnitzer Bergwerksgebiet fand er einen Superintendenten, der ihn 1718 prüfte und ordinierte. Aber schon nach kurzer Tätigkeit bei seinen Landsleuten mußte er die Kanzel mit dem Gefängnis vertauschen. Der Bischof von Fünfkirchen, der zugleich Obergespan des Komitats Tolna war, veranlaßte seine Absetzung. Wir erinnern uns, daß den katholischen Bischöfen in der Leopoldinischen Zeit Visitation der protestantischen Gemeinden und Verhör der Pastoren aufgetragen wurde. Das war ein beliebtes Mittel, unbequeme Seelsorger in Schuld zu verstricken. Vom Gericht freigesprochen, tauchte

Schwarzwälder nun an mehreren Orten auf, bediente magyarische und slovakische Gemeinden – er muß ungewöhnliche Sprachbegabung besessen haben –, starb aber bereits 1731, wegen seines Fleißes, seiner Ehrlichkeit und Tapferkeit gerühmt und betrauert. Das Gerücht ging um, fanatische Kapuziner hätten diesen Störenfried ihrer Kirche durch ein giftiges Medikament, das man ihm bei einer Erkrankung einflößte, beseitigen lassen.

Unter den einheimischen Pfarrern, die das Opfer des Kolonistendienstes nicht scheuten, verdient der adlige Magyare *Bárány* hier ein Denkmal. Früh ganz verwaist und völlig verarmt, aber keine Arbeit der Hände und des Kopfes scheuend, verstand er es, sich doch eine hohe Schulbildung anzueignen, studierte u. a. in Halle und gab sich dem Einfluß *August Hermann Franckes* mit größtem Eifer hin. Nach erfolgter Ordination 1711 in seine Heimat zurückgekehrt, fand er in Raab und Preßburg gleichgesinnte Amtsbrüder, die ihn förderten. Die Pietisten hatten damals in Ungarn einen schweren Stand; ihre innige, zum Teil mystische Frömmigkeit wurde von der herrschenden Orthodoxie bitter bekämpft.

Nachdem er sich in mehreren deutschen Kolonistengemeinden sehr segensreich betätigt hatte, gab ihm Graf *Mercy* ein Gut zur Gründung einer magyarischen Gemeinde. In der verblieb er, bis er 1755 in hohem Alter starb. Das allgemeine Ansehen, das er sich, über allen Sprachenzwist erhaben, dank seiner Organisationsgabe erworben hatte, verschaffte ihm das Amt eines Seniors des ganzen Siedlungsgebiets, das 1725 schon 10 Pfarrgemeinden mit vielen Filialen umfaßte. Ein deutscher Konsenior wurde ihm zur Seite gestellt, so wie später ein deutscher Senior einen magyarischen Konsenior erhielt. *Bárány* war eine bischöfliche Gestalt voll milder Güte. Er wurde der Stammvater eines warmen Pietismus in diesem Landstrich, dessen Nachwirkungen noch heute – unter sehr veränderten Umständen – dort zu finden sind. Er übersetzte Schriften *Johann Arndts*, führte Konfirmanden-Unterricht ein und verpflanzte Hallesche Waisenhaus-Pädagogik in die damals zahlreich entstehenden kirchlichen Volksschulen, deren Lehrerschaft – im Kantorendienst »Leviten« genannt – allerdings viel zu wünschen übrigließ. Alles das konnte ihn aber nicht davor bewahren, in Anklage, Verurteilung und Verbannung durch das dem Fünfkirchner Bischof unterstehende Komitatsgericht zu geraten. Drei Jahre lebte er am Plattensee im Exil. Als General *Mercy*, vom Feldzug zurückkehrend, sein Schicksal erfuhr und sich nachdrücklich für ihn einsetzte, durfte er seine Ämter wieder übernehmen.

Von dem, was sich später aus diesen Anfängen in der »schwäbischen Türkei« entwickelt hat, wird im Zusammenhang mit der Kirchengeschichte in den übrigen Siedlungsgemeinden Südungarns zu berichten sein (siehe S. 348ff.).

Ist das österreichische Barock eine liebenswürdige Kulturblüte, der man ihren katholisch-bigotten Beigeschmack verzeiht oder übersieht, so ist das »barocke Österreich« eine verwunderliche und bedauerliche Erscheinung in den zwei Jahrhunderten zwischen dem Augsburger Religionsfrieden (1555) und dem Aufstieg des »aufgeklärten Absolutismus«, der einen *Joseph II.* im Habsburgerreich neben den preußischen *Friedrich* und die russische *Katharina* stellt.
Die Kulturhistoriker haben Mühe, das in Worte zu fassen, was mit dem Schlagwort Barock gemeint ist. Die dynamischen Perioden des wunderlichen Menschengeistes sind immer schwer zu beschreiben; sie sind voller Widersprüche. In der Epoche des Barock steht apollinische Logik und Klarheit neben dionysischem Überschwang, überraschendes Aufblühen von Naturforschung, Mathematik, Astronomie neben absichtlicher Undurchsichtigkeit, Alchemie, Astrologie neben verschnörkeltem Stil und geschraubter Kunst, und das bis in die Niederungen des Alltags hinein in Kleidung und Manieren, in Sprache und Schrift, Arbeit und Vergnügen, Zucht und Tändelei, aber auch in Philosophie und Politik, sogar in der Kirche, in Gottesfurcht und Christenglauben.
Noch war der Kirchgang allgemeine Sitte, die göttliche Weltlenkung über jeden Zweifel erhaben; Furcht vor den Höllenstrafen und Hoffnung auf köstlichen Himmelslohn bestimmte das Ethos; Leugnung der Trinität galt als Kapitalverbrechen; der Moslem war ein Heide, der Jude viel Schlimmeres.
Vom Fluch des überreizten Nationalismus waren die Völker noch verschont. Wohl hingen sie alle weichen Herzens an der Heimat, redeten stolz von ihrem Vaterland; in unserem Osten die Polen, Tschechen, Slovaken so gut wie die Deutschen und Magyaren. Aber es gab noch immer das »Heilige Reich« und seinen Kaiser. Babels Sprachenverwirrung schien überwunden durch die Koine der Bildungswelt: ein geläufiges, geschmeidiges Latein, das beim Wirtschaftlichen im ganzen Osten durch ein bürgerliches Deutsch ergänzt wurde, in dem *Luthers* Bibelsprache die Mundarten zu entmachten begann.
Und doch war es eine gespaltene Welt. Hart und streng standen Protestanten und Katholiken sich gegenüber. Warum? – Waren es die sichtbaren Unterscheidungen: hier die Messe, da die Predigt; hier der Zauber von Bildern und Kerzen, Weihrauch und Musik, da der entgötterte Tempel, Choralsingen, inbrünstiges Beten; hier die Magie der »Wandlung«, Gott geht leiblich in mich ein, die Inkarnation des Logos wiederholt sich auf ein geheimnisvoll geflüstertes Weihewort; dort scheinbar nichts anderes als die Kommunion der Jüngerschar, um den Tisch des Meisters gesammelt bei Feier des Sakraments zu seinem Gedächtnis und zu seiner Nachfolge in der Bruderschaft.
Man wird schwerlich annehmen dürfen, daß die Massen die ganze Tiefe des

Grabens begriffen, der sie voneinander trennte: hier das wohlgefügte, traditionsgeheiligte Lehrgebäude; man zwingt sich zum gehorsam »Ja« und alles ist gut; dort das Wagnis des Vertrauens zu dem »ganz Andern«, ganz Unbegreiflichen jenseits allen Denkvermögens; der alle Sterne des Universums gezählt hat und in ihren Bahnen lenkt, der »kennt auch mich und hat mich lieb«, so wie jener Vater den verlorenen Sohn liebhatte, und das trotz meiner täglich neuen Sünde in täglich neuer beglückender und belebender Gnade.

Nicht einmal in den führenden Schichten ist man sich durchweg des ganzen Ernstes dieser Alternative bewußt gewesen; sonst wären nicht so häufig Konversionen nach der einen oder der anderen Seite vorgekommen. Die »Einmischung nichttheologischer Motive« in Glaubensentscheidungen ist die Ursünde der Kirchengeschichte von Anbeginn bis zum heutigen Tag. Solcher Sünde machten sich im Zeitalter von Reformation und Gegenreformation beide Parteien schuldig. Volkspsychologische und nationalpolitische Hintergründe waren genauso dabei beteiligt, als die romanischen Länder den sich auch bei ihnen erhebenden Protestantismus im Keim erstickten, wie es bei der integralen Annahme des Luthertums als Staatsreligion in den Ländern Nordeuropas der Fall war.

In Mitteleuropa gab es das »Heilige Römische Reich«. Das war ein Hindernis für die Nachfolge auf dem nordischen Weg. Wodurch erreichte *Ferdinand I.*, daß *Maximilian II.* nachgab und in einem feierlichen Eid seine ganze Vergangenheit widerrief? Die Königskrone Böhmens und Ungarns auf dem Haupt eines Protestanten, das sei wohl denkbar. Aber die des Kaisers, seit *Karl dem Großen* von mythischem Nimbus umstrahlt, sei an den Segen der Kirche Roms aufs engste gebunden und werde den Rivalen Habsburgs zufallen, wenn *Max* in der Ketzerei verharre. – Damit überwand der streng gläubige Vater den schwankenden Sohn. – Als dann der pfälzische Kurfürst *Friedrich* am 28. August 1619 in Frankfurt seines Stimme für *Ferdinand II.* abgab, obwohl er wußte, daß einige Tage vorher der revolutionäre Landtag in Prag jenen vom böhmischen Thron gestoßen hatte, den nun zu besteigen er sich anschickte, da handelte er aus Gebundenheit an Geschichtsmächte, denen er sich bald darauf zu seinem Unheil entzog.

Auf der anderen Seite war seit der Goldenen Bulle *Karls IV.* der Föderalismus der »Reichsstände« im Wachsen. Und der Aufstieg der Habsburger zur Weltmacht, der die Frankfurter Kur zur Fiktion machte und den Wiener Herrschern den Kaiserthron fast als Erbanspruch sicherte, mehrte nur das zentrifugale Streben der Territorial-Fürsten nach Souveränität in immer wachsendem Ausmaß.

So mußte es in Deutschland trotz der Reichs-Acht über *Luther* (Worms 1521) und der Niederlage des »Schmalkaldischen Bundes« (Mühlberg 1546) zur Spaltung der Kirche kommen und zur Koexistenz der beiden Fraktionen im

Reichstag, des Corpus Evangelicorum neben dem Corpus Catholicorum. Nach dem Augsburger Religionsfrieden (1555) war 50 Jahre lang ein Gleichgewicht der beiden Hälften gegeben und damit ein Ausgleich angebahnt. Doch war da ein Unsicherheitsfaktor: die *cuius-regio*-Klausel. Ihr Sinn war eigentlich, den *status quo* zu fixieren; und der war durchaus eindeutig. Es gab nur wenig Regionen im Reich, in denen es nicht mit der Religion so stand, daß entweder alles evangelisch war oder doch der evangelische Teil neben dem privilegierten katholischen seine rechtlich gesicherte Ordnung hatte. Das galt sogar von der alle anderen Glieder des Reichs überschattenden Großmacht der Habsburger. Sie hatte ganz besonderen Grund zu Geduld und Gerechtigkeit. Die neu ererbten Kronen – Wenzels- und Stephanskrone – standen in Gefahr. In den böhmischen wie in den ungarischen Ländern war Rom in Diaspora; die Landeskirchen waren hier zum großen Teil protestantisch.

Erst um die Jahrhundertwende wurde diese Lage in Frage gestellt; mit der Regierung *Rudolfs* begann das Unglück. Dieser barocke Sonderling empfand die Staatsgeschäfte als Störung seiner grübelnden Zirkel in den geheimnisvollen Kammern des Hradschin. Wie unbequem war ihm dieses Unionskonsistorium in Prag mit privilegierten »Defensoren«, die sich auf Augsburg (1530, 1555) beriefen und auf die feierlichen Zusagen seines Vaters *Maximilian* (1575). Und erst recht diese drei Konfessionen in Ungarn, besonders nach dem fragwürdigen Tauschgeschäft mit Siebenbürgen.

In beiden Ländern mußte er nachgeben: 1606 schloß er mit *Bócskay* den Wiener Frieden; 1609 unterschrieb er den Majestätsbrief. Aber beides war nicht ehrlich gemeint. Ähnlich stand es mit *Matthias*, dem Bruderfeind in den von ihm geraubten, dann geerbten Ländern. Beide Kaiser trugen einen großen Teil der Schuld an der gespannten und gereizten Lage, aus der sich die folgenschweren Ereignisse von 1618/19 entwickelten.

Es wird heute niemand mehr bereit sein, den Dreißigjährigen Krieg allein aus dem Glaubensstreit herzuleiten, sowenig man den Anteil echter frommer Überzeugung verkleinern darf; niemand aber auch wird bestreiten, daß die tragische Verlängerung des Verwüstens von Leben, Gütern und Gesittung dem unversöhnlichen Eigensinn der Habsburger zur Last fällt. Sie waren es, die sich der Erkenntnis verschlossen, daß die Zeit vorbei sei, in der man mit der Staatsraison den Zwang in Glaubensfragen rechtfertigen könne. Die Protestanten waren in der Defensive, und ihr Ergreifen der helfenden Hand des Auslands war entschuldbar.

Der Westfälische Friedensschluß weist im Verlauf wie im Ergebnis der Verhandlungen typisch barocke Züge auf, am deutlichsten in seinem Antworten auf die Konfessionsfragen, z. B. in den Vereinbarungen über den paritätischen Wechsel im Bistum Osnabrück. Für Osteuropa kommt zweierlei in Betracht: nicht einmal die spärlichen Zugeständnisse kamen für Böhmen in Betracht, die den »Herren und Rittern« in Nieder-Österreich und Mähren auf 8 Jahre noch gewährt wurden und die für Schlesien und Niederösterreich darüber hinaus noch einige Erleichterungen für alle Protestanten brachten. Heftigste Vorwürfe machte *Comenius* dem ihm doch so nahe verbundenen Schwedenkanzler *Oxenstierna* darüber, daß er nicht für die Brüder-Unität – für ihre Rechte in der Heimat und für ihre die Rückkehr ersehnenden Emigranten – eine Duldung ausgehandelt habe. Zum andern: das nicht zum Reich gehörige Ungarn war dadurch in Osnabrück beteiligt, daß der siebenbürgische Großfürst das Friedensdokument mit unterzeichnete. Dadurch schienen die Freiheiten von Wien (1606), Nikolsburg (1620) und Linz (1645) auch für Siebenbürgen völkerrechtlich gesichert zu sein.

Auf den beschränkten Eiferer *Ferdinand II.*, der den cisleithanischen Länderbund in einen straff gezügelten, von Ketzerei gesäuberten Einheitsstaat verwandelte und seine Grausamkeiten als Ausfluß der Liebe und Sorge ums Seelenheil der Betroffenen hinstellte, war 1637 der junge *Ferdinand III.* gefolgt. Des Krieges müde war er zu Konzessionen geneigt, aber nur außerhalb der Grenzen seiner Hausmacht. Es traf ihn schwer, daß Papst *Innocenz X.* ihm für seine Zustimmung zum Westfälischen Frieden bittere Vorwürfe machte, und die Familienkatastrophe von 1654 empfand er als Gottesstrafe für seine Nachgiebigkeit: es war das der plötzliche Tod seines ältesten Sohnes, den er vorsorglich schon 1653 als Zwanzigjährigen hatte zu seinem Nachfolger wählen und krönen lassen. Drei Jahre darauf starb auch der Vater; der zweite Sohn, erst siebzehnjährig, wurde der Nachfolger. *Leopold* war zum Priester erzogen und zum Bischof von Passau bestimmt, hätte wohl auch einst den Purpur der Kardinäle tragen dürfen. Nun schmückte ihn der Hermelin auf dem Kaiserthron, und das bis 1705, fast 50 Jahre lang. Er war eine exemplarische Barockfigur; das beweist sein Schwanken zwischen gelehrten Studien und Aberglauben, zwischen Freundschaft mit *Ernst dem Frommen* von Gotha und Gefallen am Hofprediger und Spaßmacher *Abraham a Santa Clara*, zwischen den Verhandlungen mit dem Philosophen *Leibniz* über ein Unionskonzil und der Gefolgschaft, die er seinem Beichtvater *Spinola* gewährte im Bemühen, auch bei bewußter Verletzung der Verträge den »Schein des Rechts« zu wahren.

Da hörte er geduldig die Beschwerden der Protestanten in Ungarn an – nur von dort her waren solche noch in seinen Ländern möglich –, ließ sie von seinen Räten untersuchen, kümmerte sich um Tatbestand und Rechtslage und gab dann spitzfindige Ausreden als Antwort, die ihm das Prälatenlager suggerierte.

Da konnte es vorkommen, daß er den Beschwerdeführern ein sie befriedigendes Dokument überreichen ließ; aber – es entbehrte seiner Unterschrift. Erst als eine große Mehrheit des Landtages das mit Entschiedenheit bemängelte, holte er die »Formalität« nach.

Ein andermal versprach er mündlich die Abstellung ihm gemeldeter Mißstände und sandte dann eine Urkunde, die in der Landtagssitzung feierlich eröffnet und verlesen wurde: sie enthielt jedoch nichts als eine Mahnung zum Frieden und Gehorsam; Protest und Verbitterung waren das Echo.
Es war gewiß ein europäisches Verdienst Kaiser *Leopolds*, daß er hervorragende Feldherren fand und einsetzte, die 1683 die Türken aus dem Lager vor Wien vertrieben und im Gegenstoß fast ganz Ungarn freikämpften. Aber es schmälert seinen Ruhm, daß er im neuen Machtgefühl daran ging, den zurückgewonnenen Landesteilen die Freiheiten im Glauben zu beschneiden, deren sie sich unter den Moslims erfreuen durften.
Einige weitere Beispiele für *Leopolds* Gegenreformation voll listiger Verschlagenheit gehören zum Bilde des barocken Österreich in der Herrschaft über das wieder mit ihm vereinte Ungarn.
Es war verständlich, daß die Katholiken, sobald unter Staatsmaßnahmen ihre Ortsgemeinden wieder zu Kräften kamen, ihre einstigen Gotteshäuser zurückverlangten, ehe noch Verjährung des Eigentums eintrat. Aber sie verlangten auch das Eigentum an den Gebäuden, die sich die Evangelischen inzwischen selbst gebaut hatten. Mit Gewalt nahmen sie diese an sich, und wenn es zum Prozeß kam, machten sie geltend, die nun einmal erfolgte bischöfliche Weihe sei unwiderruflich und begründe ihren Rechtsanspruch. Die vom Staat dafür bestellten Richter willfahrteten diesem Verlangen, und im Laufe der Zeit wurde der Bestand an evangelischem Kircheneigentum auf etwa fünf vom Hundert der Zahlen von 1600 zurückgeschraubt.
Eine Hilfe für die so entstehende Raumnot der evangelischen Gemeinden sollte es dann darstellen, daß ihnen die Erbauung neuer Kirchen »aus Gnaden« gestattet wurde. Als es sich aber erwies, daß die zusammengeschmolzene Schar doch noch stark und treu genug war, um zahlreiche Bauten zu errichten, wurde verfügt: Dem Bedarf wird es genügen, wenn in jedem Komitat zwei Kirchen bestehen. Ein eigener Gesetzartikel ordnete das, und man machte sich an den Bau der »Artikularkirchen«. Wieder setzte die Rechtsbeugung ein: den Ort für den Neubau und den Platz im Ort bestimmte die Behörde. Welch eine Möglichkeit zum Austoben gehässiger Schikanen! Recht weit weg von der günstigsten Stelle im Bezirk und am schlechtesten, wohl gar schimpflichen Platz wurde der Baugrund angewiesen. Womöglich schrieb man noch den Bauplan vor – verlangte etwa einen Holzbau ohne steinernes Fundament – und setzte hemmende Termine für die Fertigstellung.
Man kann über diese Dinge nicht hinweggehen, als seien es nur Nadelstiche gewesen, die weh tun, aber nicht töten können. Es waren das wirksame Mittel zur Einschüchterung der Mitläufer und Unsicheren, die dann auch zahlreich den Hafen ansteuerten, den die Mächtigen im Staat und am Hof für jeden »Heimkehrer« offenhielten.

Solcher Mittel gab es noch viele zur Verschleierung der Brutalität, mit der die Katholisierung betrieben wurde. Wer ein Staatsamt begehrte oder es als Inhaber aus früherer Zeit behalten wollte, wurde keineswegs gezwungen, seinem Glauben abzuschwören. Das wäre gegen die Grundgesetze gewesen, die jeder König Ungarns beeiden mußte. Aber der Amtseid der Beamten wurde jetzt so formuliert, daß kein Evangelischer ihn mit gutem Gewissen leisten konnte: er verlangte die Anrufung der Heiligen und der »Gottesmutter«.
Dann fand sich in der wiedergewonnenen Türkenzone ein wirksames Lockmittel. Weite herrenlos gewordene Gutsbezirke wurden verschenkt, aber nur an zuverlässige Katholiken. – Ähnlich wirkte in etwas späterer Zeit der »Fundus Revertitorum«, eine hochdotierte Stipendienstiftung für Proselyten von Rang, denen die Mittel zur Ausbildung auf berühmten Gelehrtenschulen und auf »Kavaliersreisen« geboten wurden. Dabei gab es die Sicherung, daß es als Meineid beurteilt und mit Todesstrafe bedroht wurde, wenn ein Proselyt etwa seine Konversion rückgängig machte. Unter *Maria Theresia* spielte auch die Vermittlung von Mischehen im hohen Adel eine Rolle. Die Kaiserin hielt sich nicht für zu gut, dabei mitzutun. Sie erwartete gar nicht den Übertritt des protestantischen Ehepartners. Es genügte das Mischehengesetz: die Kinder wurden ausnahmslos katholisch.
Noch einmal zurück in die Leopoldinische Zeit. Daß sie in nicht wenigen Fällen den Evangelischen in Ungarn, vor allem in der Slovakei, weit schlimmere Nöte brachte als die hier geschilderten, ist oben dargelegt. Selbst das immer mit Vorsicht zu gebrauchende Wort Martyrium ist bei den Ereignissen von 1677 und 1687 wohl angebracht.
Immerhin wiederholte sich das nicht. Man wandte feinere Methoden an, namentlich in der willkürlichen Auslegung von Gesetzen. Um einen besonders tüchtigen, beliebten und erfolgreichen Prediger mattzusetzen, zog man den die Majestätsbeleidigung mit schweren Strafen bedrohenden Paragraphen heran. Hatte einer sich auf der Kanzel oder im Gespräch etwa einmal etwas drastisch über den katholischen Glauben ausgedrückt, so galt das als Beschimpfung der diesem Glauben anhängenden »Apostolischen Majestät« des Ungarnkönigs. Amtsenthebung und langes Gefängnis waren die Strafe. Den Reuigen gewährte die beleidigte Majestät die »Gnade der Landesverweisung«. – Mehrfach erschien eine »Explanatio Leopoldina«, in der altes, in aller Form gesichertes Recht der Protestanten umgedeutet und dadurch aufgehoben wurde. So sollten die Verträge von Wien und Linz (siehe S. 296) nur für West- und Oberungarn, nicht für die einstige Türkenzone Geltung haben, da diese damals Ausland gewesen sei, und auch in jenen Ländern seien die Zugeständnisse damals nur in Rücksicht auf ihre Grenzlage gegeben worden, daher mit deren Aufhören eigentlich erloschen.
In einer anderen »Resolutio« bestritt *Leopold* überhaupt, daß alte Abmachun-

gen den König binden könnten, sie seien doch nur »aus königlicher Gnade und Milde« »um des lieben Friedens willen« und nur »bis auf weiteres« *(ad huc)* gewährt worden.
Bei alledem scheint es schwer begreiflich, wenn eine schmeichlerische Geschichtsschreibung es fertigbringen konnte, die barocke Figur des kläglich-haltlosen Kaisers *Leopold* mit dem Beinamen »Der Große« ehren zu wollen. Die großen außenpolitischen Erfolge seiner Regierungszeit waren das Verdienst seiner Feldherren und Minister. Den großen Aufgaben in der Innenpolitik seiner österreichischen und ungarischen Länder stand in ihm ein recht kleiner Geist gegenüber.
Unter *Leopolds* Nachfolgern änderten sich die Methoden der Gegenreformation nicht wesentlich. Für die 30 Jahre *Karls VI.* (1711–40) ist die »Resolutio Carolina« von 1731 bezeichnend. Sie erfolgte im selben Jahr, in dem noch einmal ein slovakischer Pastor ein schlimmes Martyrium zu bestehen hatte, aus dem ihn selbst das nachdrückliche Eintreten des Preußenkönigs *Friedrich Wilhelm I.* nicht retten konnte. Es war dies der lutherische Superintendent *Krman*, ein streitbarer Anti-Pietist, der unschuldig in Händel verwickelt wurde, bei denen es sich um einen übergetretenen Katholiken handelte. 9 Jahre verbrachte er im Kerker. Dem Sterbenden steckte ein Priester die Hostie in den Mund. Das legte man als Konversion aus; eine großartige Leichenfeier folgte; ein Grabstein im Dom zu Preßburg krönte die Lüge. Eine neue Erklärung des Kaisers aber, von der die Evangelischen auf Grund früherer, gütiger und gerechter Äußerungen eine Besserung ihrer Lage erhofften, enthielt trotz allem eine volle Bestätigung der Leopoldinischen Exploration und weitere drückende und drängende Anordnungen, von denen oben einige Beispiele geschildert wurden. Als neu hinzugekommene sind zwei sehr üble zu nennen: Eine strenge Bücherzensur beschlagnahmte mit Willkür an den Grenzen Transporte selbst reiner Erbauungsschriften und konfiszierte in den Pfarrhäusern sogar Bibeln, Gesangbücher, Agenden, erst recht theologische Werke. Daß ausnahmsweise auch einmal eine katholische Arbeit, weil voll gehässigster Polemik und Aufreizung zu Gewalttat, verboten und eingezogen wurde, geschah auf Einspruch ausländischer Stellen, um ein Alibi für angebliche Unparteilichkeit vorzuweisen.
Das andere kaum erträgliche Übel bestand in der Anordnung, daß die Superintendenten, deren Amtseinsetzung jetzt gewährt wurde, kein Visitationsrecht bekamen. Dafür wurden die katholischen Aufsichtsstellen verpflichtet, die Pastoren danach zu kontrollieren, ob sie in der gemeinchristlichen Dogmatik sattelfest seien. Die Bischöfe und Archidiakonen veranstalteten daraufhin vielfach pomphafte Visitationsreisen – deren Kosten die Gemeinden belasteten – und verhörten deren Geistliche, besonders über Tauffragen, rechte Lehre und korrekten Ritus mit dem hämischen Versuch, Anlaß zur Denunziation und darauf folgende Absetzung zu finden.

Mühsam hatte *Karl VI.*, dem männliche Nachkommen versagt waren, 1713 die »Pragmatische Sanktion« durchgesetzt, so daß seine Tochter *Maria Theresia* ihm 1740 auf den Thronen Österreichs und Ungarns folgen konnte, während die deutsche Kaiserwürde nach dem kurzen Abenteuer des Bayern *Albert* – als Kaiser: *Karl VII.* (1742–45) – ihrem Gemahl *Franz I.* (von Lothringen-Toskana, 1745–65) und dann beider Sohn *Joseph II.* (1765–90) zufiel. *Maria Theresia* hatte viele sehr hoch einzuschätzende Eigenschaften, um deretwillen man sie weit über die Zarin *Katharina II.* stellen muß, die gleich ihr aus altem deutschem Fürstenadel stammte. Aber ihre viel gerühmte Herzensgüte versagte völlig in der nun zur Entscheidung drängenden Kirchenfrage. Mochte sie dem einzelnen Protestanten sein Ketzertum verzeihen und etwa einen *Bruckental* als Berater so einschätzen, daß die Nachwelt ihm an ihrem schönen Standbild zu Wien einen Platz unter den sie umgebenden Würdenträgern gönnte, mochte sie staatsmännisch erkennen, daß im neugewonnenen Galizien (siehe S. 101f.) kein Rückschritt in Freiheitsfragen angängig sei, mochte sie merkantilistisch anordnen, daß die hartnäckigen »Landler« aus Oberösterreich nicht mehr ins Ausland vertrieben, sondern nur nach Siebenbürgen »abgestiftet« würden – die Drangsalierung der evangelischen Gemeinden und ihrer Glieder hörte nicht auf.
Es war schwer für die Kaiserin, alsbald nach Regierungsantritt in den Krieg mit Preußen zu geraten und Schlesien abtreten zu müssen. Sie hätte Ursache genug zu versöhnlicher Haltung wenigstens in Ungarn gehabt, als sich in Böhmen der Vorgang von 1619 wenn auch unter anderen Vorzeichen wiederholte: Huldigung der Stände vor dem Kurfürsten von Bayern und grausamste Rache nach dessen Vertreibung. Aber sie weigerte sich, eine Deputation des ungarländischen Gesamtprotestantismus zu empfangen. Eine ausführliche Bittschrift mit Darlegung vieler Einzelheiten und Aufstellung von zehn präzisierten Forderungen für die Zukunft blieb ohne jede Antwort, obwohl ihr auch ein Auszug aller in Ungarn geltenden Landesgesetze und Diplome, die die Religionsfreiheit betrafen, beigefügt wurde. Es sei denn, daß man es als Antwort betrachte, wenn sie 1742 alsbald nach dem Hubertusburger Frieden die »Resolutio Carolina« von 1731 in vollem Umfang bestätigte, ja darüber hinaus ihres Vaters Zugeständnis in Sachen der katholischen Formulierung des Beamteneides ausdrücklich aufhob.
Die viele Seiten füllenden Schilderungen von allerlei Bedrängungen und Behinderungen der Gemeinden um die Jahrhundertmitte, die man in den Geschichtswerken findet, schließen mit der Bemerkung, es würden ganze Bücher erforderlich sein, wolle man alles aufzählen, was damals dieser Art geschah. Um so mehr muß hier darauf verzichtet werden, ausführlicher zu werden. Doch sei ein Ereignis nicht verschwiegen, das besonders kennzeichnend ist.
Am 26. Februar 1751 richtete der Preußenkönig *Friedrich II.* an den Fürst-

bischof von Breslau, Graf *Schaffgotsch*, einen Brief, in dem er ihn auf die »harten Drangsale und Verfolgungen« der Protestanten in Ungarn aufmerksam machte. Er nehme an, »daß die Schuld aller dieser Verfolgungen nicht sowohl an der Kaiserin-Königin von Ungarns und Böhmens Majestät« liege, »welches von deroselben bekannter gerechter und großmütiger Denkungsart ohnedies nicht zu vermuten gewesen, als an der römisch-katholischen Klerisei in Ungarn, welche die Ausrottung der Protestanten im dasigen Königreiche ein für alle mal fest beschlossen«. Der König weist dafür auf »eine von dem Bischof von Meßprim, *Martin Biro*, vor einiger Zeit an das Licht gestellte skandalöse Schrift« hin.

Der König appelliert alsbald an die ihm bekannte »von superstiziösem Vorurteil freie Menschlichkeit« des Breslauer Kirchenfürsten, geeignete Schritte in dieser Sache zu tun, da er es sich – nach Lage der Dinge – versagen müsse, unmittelbar an die Landesherrin heranzutreten. In der Tat führte das zu einem gewissen Erfolg. Graf *Schaffgotsch* sandte das Schreiben *Friedrichs* »an den Hof nach Rom«, und *Benedikt XIV. (Prospero Lambertini)*, den *Ranke* einen der edelsten Päpste genannt hat, ließ an den Staatsrat in Berlin »ein äußerst versöhnliches Schreiben« ergehen und veranlaßte seinen Nuntius in Wien, den Ministern der Kaiserin die Besorgnis davor auszudrücken, es könne etwa in protestantischen Ländern an Katholiken Wiedervergeltung geübt werden.

Wirklich entschloß sich *Maria Theresia*, die Schmähschrift des Bischofs *Biro* zu konfiszieren, auch erklärte sie den Protestanten, sie werde Mißgriffe unterer Stellen nicht mehr zulassen, sie sollten sich aber mit ihren Klagen nicht an ausländische Stellen, sondern an sie selbst wenden.

Das waren leere Worte; es änderte sich nichts, bis nach Beendigung des Siebenjährigen Krieges von 1765 an, der Sohn der Kaiserin, *Joseph II.*, ihr Mitregent wurde und eine neue Zeit anzubrechen begann, der besondere Aufmerksamkeit gebührt.

8. Josephinismus

Kaiser *Joseph II.*, an den man zunächst denkt, wenn vom Josephinismus die Rede ist, hatte in seinem gleichnamigen Großonkel einen Vorläufer, der nicht übersehen werden darf. Allerdings hatte *Joseph I.* (1705–11) nur eine der beiden Wesenszüge des Josephinismus aufzuweisen: die antiklerikale Haltung.

Er kam als Nachfolger des bei den Protestanten in üblem Gedächtnis stehenden *Leopold* zu einer Zeit auf den Thron, als in der österreichischen Hälfte seines Reiches vom evangelischen Kirchentum nur noch in versteckten Winkeln der Wälder und Berge heimliche Reste übrig waren. In Ungarn dagegen gab es noch etwa 5 Millionen, die öffentlich – wenn auch unter

vielfältiger Beschränkung und Bedrückung – ihren Gottesdienst hielten und der Gegenreformation widerstanden.
Wenn es nach 80 Jahren wesentlich anders aussah, wenn *Joseph II.* 1781 nur noch zweien der fünf Millionen das Ende der Bedrückung und den Anfang der Duldung verkünden konnte, so war das nicht die Schuld dieses Gütigsten seiner Ahnen, sondern die seiner Nachfolger *Karl VI.* und *Maria Theresia. Joseph I.* war weder des Papstes noch der Bischöfe Freund. Als *Clemens XI.* sich im Erbfolgekrieg auf die Seite der Franzosen stellte, ließ der Kaiser ohne viel Umstände den Kirchenstaat von seinen Truppen besetzen. Und als der Nuntius ihm 1706 einen Vorwurf daraus machte, daß er in Altranstädt den schlesischen Lutheranern allerhand Zugeständnisse gewährt habe, erschreckte er ihn mit der Antwort, er wisse nicht, was er getan hätte, wenn *Karl XII.* als Preis für den Frieden verlangt hätte, er solle lutherisch werden. Das war natürlich nicht ernst gemeint. Aus der Habsburgischen Familientradition hatte sich weder einstmals ein *Maximilian* herauslösen können, noch konnte das jetzt ein *Joseph.*
Das andere Kennzeichen des Josephinismus, der Zentralismus in der Innenpolitik seiner Monarchie, war *Joseph I.* noch fremd, vielleicht nur, weil er zu früh starb, d. h. ehe der Türkenbesieger Prinz *Eugen* die alten Grenzen des Staates wiedergewonnen hatte. Es war eben doch nicht nur eine aus abstraktem Rationalismus stammende Liebhaberei, daß im 18. Jahrhundert der »aufgeklärte Absolutismus« im Donaustaat zentralistisch dachte und handelte. Er fing längst vor 1780 an, den Individualismus im Staatskörper zu bändigen, gipfelte aber in *Joseph II.* und überschlug sich auf seinem Höhepunkt. Als der Kaiser sein Ende nahen fühlte, hat er viele seiner autokratischen Maßnahmen widerrufen, alle die Verstiegenheiten, zu denen ihn die phantastische Parole verführte, mit der er seine Regierung angetreten hatte: »Seitdem ich den Thron bestieg und das erste Diadem der Welt trage, habe ich die Philosophie zur Gesetzgeberin meines Reiches gemacht.«
Von seinem Widerruf nahm der Kaiser das Toleranzedikt aus und ebenso die 21 »Intimate«, die inzwischen notwendig geworden waren, um die zahlreichen Verletzungen gutzumachen, in denen nicht nur Priester und Bischöfe, sondern auch staatliche Behörden sich in Widerspruch zur angeordneten Duldung setzten. Das kam besonders oft in Österreich vor, wo der Übergang von der völligen Rechtslosigkeit des Protestantismus zu seiner – wenn auch beschränkten – Rechtmäßigkeit nicht ohne Hemmungen vor sich ging. Aber auch in Ungarn, wo man doch das Nebeneinander der beiden Kirchenformen gewohnt war, gab es Reibungen und Kämpfe. In völligem Gegensatz zu dem, was in Österreich geschehen war (siehe S. 248), protestierte in Ungarn die ganze Hierarchie einmütig gegen die größeren Freiheiten, die das Edikt gewährte, vor allem gegen das Recht der Protestanten, überall, wo sie zahlreich genug beisammensaßen, eine Gemeinde zu bilden

und ein Gotteshaus zu bauen. Bisher war dieses Recht, wie oben berichtet wurde, auf die »Artikularkirchen« beschränkt.
Dabei verdient es Beachtung, daß die dem Landtag angehörigen Bischöfe sich auf die Verfassung beriefen. Diese verlange für so weittragende Änderungen die Zustimmung des Ständeparlaments. Wie hatten sie bisher die Klagen der Protestanten über Verletzung der Gesetze oder Beschlüsse der Stände mit dem Hinweis auf die absolute Königsmacht beantwortet! Dabei zeigte sich später, daß der Widerspruch der Hierarchie keineswegs die Mehrheit im Landtag fand. Humorvoll erwiderte der Kaiser den Bischöfen, er wolle keinem seiner Untertanen einen Zwang auflegen, auch den Priestern nicht; jedem stehe es frei, sein Amt niederzulegen und auszuwandern.
Nicht minder humorvoll war die Art, wie der Kaiser den Papst behandelte, als dieser, gleich ein halbes Jahr nach dem Erlaß des Toleranzedikts, nach Wien kam. *Joseph* empfing den unerwünschten, sich aufdrängenden Besucher mit aller Höflichkeit, geleitete ihn auch zur Heimreise persönlich bis zum Kloster Marienbrunn hinter Wien und überreichte ihm als Abschiedsgeschenk ein mit Diamanten besetztes Kreuz, das 200000 Gulden wert war. Der Unterhaltung aber über die Toleranzfrage war er stets mit der Bemerkung ausgewichen, er sei kein Theologe und müsse bitten, diese Sachen schriftlich vorzutragen, damit er seine Fachleute beteiligen könne. Dem Pontifikalamt im Stephansdom am Osterfest blieb er ostentativ fern, weil die Protokollchefs sich nicht über die Sitzordnung einigen konnten. Und wenige Stunden nach der Verabschiedung in Mariabrunn verfügte er die Aufhebung auch dieses Klosters und verwandte den Erlös, wie das regelmäßig mit den so gewonnenen Millionen geschah, zur Gründung neuer katholischer Pfarreien und Schulen.
Bis zur Jahrhundertwende hatte sich in Ungarn die Zahl der protestantischen Gemeinden beträchtlich vermehrt. Waren schon in den achtziger Jahren 76 lutherische und 102 reformierte Kirchspiele neu gegründet und besetzt worden, so erreichte die Gesamtzahl bald die Ziffer Tausend (ohne Siebenbürgen). Trotz aller Erfolge der Gegenreformation gehörte noch immer rund ein Drittel der Bevölkerung Ungarns zu den Kirchen der Reformation.
Um die formalrechtlichen Bemängelungen des Toleranzedikts gegenstandslos zu machen, legte *Leopold II.* es 1791 dem Landtag vor. Auf diesem platzten die konfessionellen Gegensätze heftig aufeinander. Da die Zahl der evangelischen Standesherren durch die oben geschilderten Maßnahmen seit *Leopold I.* stark zusammengeschmolzen war, bestand für josephinische Toleranz eine ernste Gefahr. Doch war inzwischen auch der katholische Adel unter dem Eindruck der Pariser Ereignisse (1789) zur Einsicht gekommen. Er stimmte dem Wunsch des Königs zu, daß die Anliegen der Protestanten in Ungarn durch ein neues Staatskirchenrecht gesetzlich geregelt würden. Aus weitläufigen Kommissionsverhandlungen ergab sich ein Ent-

wurf von 17 Paragraphen. Sie wurden *Leopold* vorgelegt, damit er über sie »kraft seiner königlichen Macht und Würde, den bestehenden Gesetzen gemäß, nach seiner Weisheit« entscheiden möge. Sie erfuhren in Wien geringfügige Änderungen; dann aber nahm sie der Landtag mit Dreiviertel-Mehrheit an. Ausdrücklich wurde hinzugefügt, der »Widerspruch des Klerus und eines Teils der säkularen Katholiken« werde »für alle Zeit wirkungslos« *(in perpetuum nullum vigorem habens)* sein.
Von diesem als Artikel XXVI der ungarischen Staatsgrundgesetze bezeichneten Kodex ist der § 4 besonderer Beachtung wert; sein Wortlaut ist für die Beurteilung der späteren Streitigkeiten zwischen Staat und Kirche in Ungarn von Bedeutung. Er folge daher hier in freier Übersetzung:

Die Evangelischen beider Konfessionen sollen in Religionsangelegenheiten ausschließlich ihren eigenen religiösen Oberen unterstehen. Damit aber diese stufenweis gegliederte Religionsobrigkeit in eigener bestimmter Ordnung bestehe, behält sich Seine Majestät vor, eine feste Ordnung aufzurichten. Diese soll – unbeschadet der sonstigen Religionsfreiheit – sowohl die Zusammenarbeit der erwähnten Obrigkeit wie die übrigen Disziplinangelegenheiten regeln, und zwar so, daß sie als möglichst weitgehend mit der gemeinsamen Ansicht der Religionsangehörigen übereinstimmend zu erachten sind, sowohl der weltlichen wie der geistlichen.
Daher wird S. M. gemäß der obersten Vollmacht in dem ihm zustehenden Aufsichtsrecht die Evangelischen beider Konfessionen für sich anhören und dafür sorgen, daß in dieser Sache eine bestimmte Ordnung zustande kommt, die den Prinzipien dieser Religion angepaßt ist. Inzwischen wird folgendes angeordnet: Beschlüsse, die durch Synoden der beiden Konfessionen in ihrer Weise zustande gekommen und gegenwärtig in Gebrauch sind, ferner Beschlüsse, die künftig zustande kommen, und zwar in der durch dieses Gesetz festgelegten Weise, können weder durch behördliche noch durch königliche Anordnungen geändert werden.
Was ferner das künftige Funktionieren der Konsistorien (Verwaltungsstellen), welcher Art immer, aber auch der Synoden anlangt, so gilt folgendes: sowohl was die Zahl ihrer Teilnehmer, als auch was ihre Tagesordnung anlangt, wird S. M. sie von Fall zu Fall anordnen. Den Ort mögen sie selbst im Einvernehmen mit S. M. bestimmen. Diesen Superintendentialsynoden der einen oder anderen Konfession, die, wie gesagt, S. M. anzuzeigen sind, soll, wenn es S. M. gut scheint, auch ein königlicher Kommissar, gleich welcher Religion, beiwohnen dürfen, doch nicht zur Leitung oder zum Präsidium, sondern nur zur Aufsicht.
Die Canones und Statuten, die auf solche Weise zustande kommen, sollen nur dann Rechtskraft erlangen, wenn sie der königlichen Oberaufsicht vorgelegt wurden und Zustimmung erhielten.
Im übrigen bleibt in allen Stücken die königliche Vollmacht zur Oberaufsicht in Kraft, die auf dem Wege der gesetzlichen Behörden des Königreichs auszuüben ist. Aufrecht bleiben auch alle übrigen königlichen Rechte S. M., die sich auf die Anliegen circa sacra der evangelischen Kirche beider Konfessionen beziehen. Zu keiner Zeit wird S. M. gestatten, daß diesen Rechten irgend ein Abbruch geschehe.

Alsbald nach Inkrafttreten des Gesetzes von 1791 stellten prominente Glieder der beiden Kirchen den Antrag, je eine Synode abhalten zu dürfen, um nunmehr Kirchenordnungen für die innere Gestaltung des protestantischen Gemeinschaftslebens zu formulieren. Sie erhielten die Erlaubnis und traten noch vor Ende des Jahres zusammen: die Lutheraner in Pest, die Reformierten in Buda. Eine formelle Legitimation von den Gemeinden her besaßen weder die Antragsteller noch die Synodalen. Aber da der König die Synoden anerkannte, waren sie nicht ohne Rechtsbasis. Unter Teilnahme von königlichen Kommissaren – gemäß der Vorschrift in § 4 – berieten zunächst Ausschüsse, teils getrennt, teils gemeinsam unter Zugrundelegung der oben erwähnten, für die Warschauer Kirche entworfenen Verfassung des Professors *Scheidemantel* in Jena (siehe S. 123). *Joseph II.* hatte diesen den politischen Verhältnissen angepaßten Entwurf als »für monarchische Umstände nicht geeignet« abgelehnt; *Leopold* wandte nichts gegen sie ein. Um eine möglichst große Übereinstimmung zwischen beiden Kirchen festzulegen, verzichtete man auf jedwede Aussage über das Bekenntnis. Um so fleißiger ging man ins Detail bei Anordnung der Verwaltungsregeln. Die Formulierung der Lutheraner enthält nicht weniger als 160 zum Teil sehr umfangreiche Canones und dazu 40 Paragraphen über die Prozedur und über die zu zahlenden Taxen.

Um in Kraft zu treten, bedurften diese Vorschläge gemäß der Anordnung des § 4 der königlichen Genehmigung. Sie wurden dafür eingerichtet und – blieben ohne Antwort. Der Thronwechsel 1792 ließ das zunächst verständlich erscheinen. Es folgten die Kriege mit dem revolutionären Frankreich und dann mit *Napoleon*. Als 1815 der Wiener Kongreß« Europa neu ordnete, sprachen zwei protestantische Glieder des Hochadels bei *Franz I.* – jetzt österreichischer, nicht mehr deutscher Kaiser – vor, erinnerten auch *Metternich*, den »Kanzler Europas« daran, daß eine 1799 eingereichte, 60 Bogen umfassende Beschwerdeschrift noch unerledigt sei; er hatte aber dafür keine Zeit.

Es waren nicht nur die äußeren Nöte, die Übergriffe katholischer Stellen in Mischehenfragen, die Hindernisse staatlicher Organe in Vermögensanliegen und dergleichen, die bis in die vierziger Jahre hinein das Gemeindeleben der Protestanten in Ungarn erschwerten. Die innere Geschlossenheit der Kirche litt unter dem Ausbleiben einer rechtlichen Ordnung. Auch reichte die alte, ganz allgemein formulierte Bekenntnisgründung nicht mehr aus: *Augustana variata* oder *invariata* hieß es bei den Lutheranern. Sogar für das ganze Konkordienbuch trat eine Reihe von Theologen ein; nur einige überscharfe antikatholische Ausdrücke in diesem Buch dürften allenfalls geändert werden. Bei den Reformierten wurde die Prädestinationslehre weithin fallengelassen. Ganz stark wuchs unter ihnen das Verlangen nach einer dogmatischen und liturgischen Union mit den Lutheranern, denen man gern in diesen Fragen Zugeständnisse machen wollte.

Als Motiv wirkte dabei, offen eingestanden, der Wunsch mit, die magyarische Sprache und Staatsgesinnung bei den Lutheranern zum Sieg zu führen. Denn die slavische Mehrheit der Lutheraner, voran die Slovaken, aber auch die Slovenen, fanden in ihrer bekenntnismäßigen Absonderung einen Hort auch für ihre Sprache und ihr politisches Sonderdasein. Wenn ihnen von magyarischer Seite später dafür der Vorwurf gemacht wurde, sie hätten sich dem Panslavismus hingegeben, so ist das ein Mißbrauch dieses Begriffs. Was man ihnen hätte vorwerfen können ist, daß sie großösterreichisch gesinnt waren. Sie ließen sich die josephinische Anordnung gefallen, daß in allen höheren Schulen das Deutsche als Unterrichtsgegenstand gelehrt werde, wenn nur die Unterrichtssprache die angestammte bleiben könne. Sie hatten auch nichts dagegen, daß die Sprache der Magyaren, ihrer Nachbarn, einen Platz in den Schulen einnahm, wehrten sich aber zäh gegen die von jenen angestrebte völlige Verdrängung der Muttersprache. Ihr Vertrauen zu Wien ging so weit, daß sie das Ausbleiben der Bestätigung für die Verfassung der Kirche von 1792 geradezu begrüßten und wünschten, der Kaiser möge die Ordnung der Kirche Ungarns selbst in die Hand nehmen; von ihm stamme ja auch das wertvolle Grundgesetz des Artikels XXVI von 1791. Einige politische Führer träumten sogar von einer Umgestaltung der Monarchie in sieben verschiedene, nach Geschichte und volklicher Gestalt abgegrenzte Bundesländer. Das war für die Magyaren Hochverrat. Sie pochten auf ihr Vorrecht in Sprache und aller Kultur in dem von ihren Ahnen durch die Landnahme der Arpaden gegründeten Staat und strebten danach, durch Assimilation der anderen Völker zunächst die Mehrheit zu gewinnen, sodann die Alleingeltung ihrer Kultur und Politik. Ihr Staatsdenken ging, solange eine volle Unabhängigkeit von Österreich noch nicht zu erreichen war, auf bloße Personal-Union. Die erreichten sie mit geringer Einschränkung 1867 im »Dualismus«. Er ermöglichte es ihnen, im ungarländischen Raum denselben Zentralismus straff durchzuführen, den sie im Gesamtreich aufs schärfste bekämpfen zu müssen meinten.

Dabei war der josephinische Zentralismus keinesfalls als ein Raub an den Individualitäten der das Reich bildenden Länder gedacht. Es wäre doch eine ganz irreale Phantasterei gewesen, wäre er wirklich, wie man ihm vorwarf, auf Germanisierung, auf Einschmelzung der sieben slavischen und zwei weiteren Völker ins Deutschtum aus gewesen. Wenn er für die gebildeten Schichten dieser Völker eine gewisse Kenntnis einer zentralen Reichssprache propagierte, so war das eine reine Zweckmäßigkeitssache, insonderheit für das Wirtschaftsleben und die Verwaltung.

Daß dies die Sprache der Österreicher sein müsse, eine der großen Weltsprachen, der gegenüber die zahlreichen Landessprachen ein bescheidenes Dasein führten, das konnte niemand bestreiten. Wie bewußt die Proklamierung des Deutschen zur Reichssprache als reine Zweckmäßigkeit angesehen wurde, zeigt *Josephs* Äußerung: »Si le royaume de Hongrie était la plus importante de mes possessions, je n' hésiterais pas à imposer sa langue aux autres pays«. Die grundsätzliche Ablehnung des Josephinismus war gleichbedeutend

mit der Ablehnung des historischen Berufs des Habsburgerstaats, der ihm auftrug, im südosteuropäischen Raum das bunte Völkergemisch zu integrieren, das heißt: unter ein Dach zu bringen *(tegere)*, und zwar in »vernünftiger« Ordnung, jeden an seinem Platz.
Allerdings hätten zur Durchführung dieses Berufs andere Staatsmänner gehört als *Metternich* vor 1848 und die wechselnden Berater *Franz Josephs* von da ab bis zur Katastrophe von 1918. Auf die Fehler, die sich insbesondere in der Kirchenpolitik der Josephinismus zu Schulden kommen ließ, wird der Finger noch zu weisen haben. Einer derselben war fürs erste jene Gleichgültigkeit der Wiener Regenten gegenüber der Verworrenheit im Kirchenleben der Protestanten Ungarns, die aus dem Mangel einer rechtskräftigen Kirchenordnung floß. Vom Fehlen einer klaren Bekenntnisgrundlage war oben die Rede, ebenso von der Unionstendenz der magyarischen Reformierten, der die slavischen Lutheraner ihren nicht nur konfessionell, sondern auch national begründeten Widerspruch entgegenstellten.
Es muß ein zweites hinzugefügt werden: In der Zeit vor 1781 hatte das protestantische Kirchenleben in Ungarn auch keine fest bindende und jeden verpflichtende Ordnung. Es ging sehr patriarchalisch zu. In den Landgemeinden kommandierte der Grundherr als Patron über seine »Eigenkirche«, berief einen ihm genehmen Pfarrer und zog die bäuerlichen Gemeindeglieder kaum mehr als zu Naturalleistungen für die Kirche heran. Ähnlich ging es in den Städten zu, solange die Magistratsbehörden einheitlich – so zuerst – oder mehrheitlich – so etwa seit 1650 – evangelisch waren. Zusammenfassungen von Gemeinden in kleineren Gruppen als Seniorate oder in größeren als Diözesen oder »Distrikte« waren eine freiwillige Sache, die oft durch Eigensinn der Patrone oder der Pastoren gehemmt wurde. Eine Gesamtkirche als gegliederte Organisation gab es weder bei den Reformierten noch bei den Lutheranern. Bei jenen gingen die Distrikte oft recht eigene Wege, insbesondere führte der Distrikt hinter der Theiß mit dem Mittelpunkt Debrecen und der berühmten Bildungsstätte Saros-Patak ein Sonderdasein. Hier hatten die Theologen die Führung; man nannte ihn darum den »Bischofsdistrikt«. In anderen Distrikten erhielt sich bei den Reformierten vielfach noch die Sitte, daß die Pfarrer auf Jahresvertrag angestellt wurden und daß eine Gemeindeversammlung zu Neujahr mit ihm abrechnete.
Bei den Lutheranern stand es anders. Hier verdarben sich die Theologen oft das Ansehen durch dogmatischen Streit untereinander. Die Zänkereien in Deutschland – Orthodoxie, Philippismus, Pietismus, Rationalismus – schlugen ihre Wellen bis auf diesen so fernen Strand. Das verschaffte den führenden Laien die Oberhand, die hier sehr bezeichnend Inspektoren genannt wurden, während sie bei den Reformierten Kuratoren hießen. Bei Streitfällen in den Gemeinden galt ganz allgemein die Losung: »Inspector est dominus pastoris«. Den Gipfel erreichte diese Einrichtung darin, daß über den Inspektoren der

Gemeinden, der Seniorate, der Superintendenturen ein Generalinspektor waltete, der ohne irgendeine andere Bindung als sein evangelisches Gewissen und seine Standesehre die oberste Leitung der lutherischen Gesamtkirche in Händen hatte. Es war dies zweifellos in der schlimmen Zeit *Leopolds I.* und *Karls VI.* oft von Vorteil für die Kirche. Aber es war nach 1789 nicht mehr zeitgemäß und der 1792 gemachte Versuch, eine auf Presbyterien und Synoden aufgebaute Kirchenverfassung auf gesetzmäßige Weise zustande zu bringen, hätte Anerkennung und Förderung verdient. Warum versagte Wien jede Verhandlung über die Vorschläge der beiden Synoden? Wollte man das, was nun eintrat, das Chaos der Willkür? Da ordneten sich die einen nach jenen Richtlinien, auch ohne daß sie Gesetz wurden, die anderen lehnten sie ab und verwandten sie nur, soweit es ihnen paßte. Allenthalben aber war man verärgert und die Zentrifugalkräfte wurden wach und höchst aktiv. Sie gewannen schließlich so sehr die Oberhand, daß die schmerzlichen Ereignisse von 1848 und der folgenden Jahre das Hineinzerren der evangelischen Kirchen in den verwüstenden Bruderkrieg die Folge waren.

9. Die große Siedlung

In Abschnitt 6 wurde von der unmittelbar nach dem Sieg über die Türken 1683 einsetzenden Besiedlung befreiten Landes und den dabei entstehenden ersten evangelischen Neugemeinden berichtet. Als 1718 durch den Frieden von Passarowitz auch das Banat zurückkam, begann hier eine neue Kolonisationsperiode. Ihr stellten sich allerdings weit größere Schwierigkeiten in den Weg als damals in der Tolna und der Baranya. In beiden Ländern tat eine höchst angespannte und lange andauernde Bemühung not, um wirtschaftlichen Nutzen zu erzielen.

In einem vor 30 Jahren geschriebenen Aufsatz heißt es: Selbst heute bieten die »breiten Flußläufe mit toten Armen, Nebenläufen, Sümpfen, fast unzugänglichen, immer aufs neue von Hochwasser überschwemmten Inseln und kaum genutzten Auenwäldern oft noch ein Bild fast unzerstörter Urlandschaft«. Wenn das noch vor so wenigen Jahrzehnten so aussah, kann man sich vorstellen, was die Kolonisten 200 Jahre früher dort antrafen. Das wenige, was schon vor dem Einfall der Osmanen unter den Anjous und Jagellonen zur Kultivierung der Inundationsflächen geschehen war, hatten die Eroberer ohne Pflege gelassen. In 150 Jahren waren die Urlandschaften längs der Flüsse meilenweit in die Breite gewachsen.

Mit energischen Entwässerungen begann erst *Maria Theresia*, ihren Nachfolgern zum Vorbild. Die größten und nützlichsten Kanäle wurden erst im 19. Jahrhundert fertig: sie heißen nach den Kaisern *Franz* und *Franz Joseph*. Bis dahin herrschten viel Sumpfkrankheiten, besonders die Malaria; nur die

Siedler auf den höher gelegenen Flächen blieben gesund. Gut kam man im Südosten an der Walacheigrenze vorwärts; hier in den Bergen gab es Kohle und Erze. Dort war man auch einigermaßen sicher, als die Türken 1737 und 1788 von neuem einbrachen; neue Verwüstungen und Verschleppungen verheerten das Land. In einigen Gegenden war das Räuberunwesen schier unausrottbar. Da mußten in jedem Siedlerdorf jede Nacht ein Dutzend Männer mit Gewehren Wache halten. Zuletzt hat noch der Bürgerkrieg von 1848 gerade hier schlimmsten Schaden angerichtet. Um 1900 sagten die endlich zum Wohlstand gelangten Kolonisten dem Besucher das Sprichwort: Den Ahnen der Tod, den Vätern die Not, uns Enkeln erst das Brot.
Als die Kolonisten einzogen, war das Land fast menschenleer. Selbst die Bergwerke hatten die Türken verfallen lassen; sie waren vom Wald überwuchert. Auf den einstigen Äckern weideten riesige Schafherden. Aus der Walachei waren rumänische Hirten mit ihnen über die Berge gekommen, noch ganz ein Nomadenvolk und erst langsam festen Wohnsitz nehmend, aber den Türken willkommen als Lieferanten von Fleisch und Wolle für ihr Heer.

Im Westen gab es arme Serbendörfer; sie stammten aus der Zeit, als die Christen vor den nachdrängenden Moslems nach Ungarn ausweichen mußten. Die Soldaten des Prinzen *Eugen* fanden bei ihrem Einmarsch hier nur noch Frauen, Kinder, Greise vor. Die Männer hatte der Türke zum Heeresdienst gepreßt und in den Schlachten geopfert.

Der Frieden von Belgrad 1739 brachte Serbien und die »Kleine Walachei« wieder in die Hand der Türken. Jetzt wiederholte sich das alte Schauspiel. Zahlreich flüchteten die Christen vor den Moslems. Schon früher hatte der Patriarch *Arsenije Carnojević* den Großteil seiner Diözese über die Save und Donau geführt; er nahm seinen Amtssitz in Karlowitz und gewann für seine pravoslavischen Serben eine recht weitgehende Kulturautonomie.

Die kaiserliche Regierung siedelte viele Tausende der Serben in der Batschka und in Syrmien an; im Banat häufte sich der Zustrom von Rumänen. Mit der Zeit gewannen beide Völkerschaften die Überzahl gegenüber den anderen, so daß es mit den Sprach- und Glaubensziffern begründet werden konnte, als 1919 die Westmächte bei Liquidierung der Habsburger Monarchie diese Gebiete zwischen Jugoslavien und Rumänien aufteilten. Das waren ungewöhnlich wertvolle Gebiete, die diese beiden Staaten erhielten.

Was war aus der »Urlandschaft« von einst geworden? Ein Land »voll Milch und Honig«, eine überreiche Nährkammer voll Weizen und Mais für den ganzen Staat, eine großartige Devisenquelle für den Rohstoffbedarf einer aufblühenden Industrie, Hintergrund einer sich allenthalben heiter entfaltenden Kultur spezifisch österreichisch-ungarischen Gepräges mit mannigfachen Variationen in Sprache und Art. Schon bald war das merkantilistische Denken vom physiokratischen abgelöst worden. Nicht mehr möglichst viele, son-

dern möglichst fähige Menschen hereinzuholen und an den nutzbringenden Platz zu bringen, wurde Grundsatz. Darum hat *Maria Theresia* ihren Protestantenkomplex überwunden, als ihr 1772 ein Stück des aufgeteilten Polen zufiel. Sie drückte auch im Süden ein Auge zu, wenn einzelne mit Latifundien beschenkte Magnaten auf ihnen geschlossen evangelische Siedler ansetzten, sich auf das Vorbild *Mercys* berufend, und auf das *ius reformationis* der Regenten, »also auch der Gutsregenten«.
Zuerst kamen dafür die Slovaken Oberungarns in Betracht, nur zögernd folgten Deutschösterreicher, Zipser, Burgenländer und Magyaren aus der Pußta. Aus Deutschland kam der große Schwabenzug erst in der Toleranzzeit in Schwung. Jetzt konnten die deutschen Kleinfürsten nicht länger widerstehen, wenn die kaiserliche Werbestelle zu Frankfurt die Wanderlustigen herüberholte, teils Arme, die vorwärtskommen wollten, teils geweckte Köpfe, mit Barvermögen und reichem Hausgerät, die aus der Enge der Kleinstaaterei mit ihrer Bevormundung herauswollten in die Weite der Freiheit unter einem aufgeklärten Monarchen. Welche landesväterliche Freundlichkeit der beliebte und geliebte Kaiser den Kolonisten entgegenbrachte, belegt die Namensgebung einer großen lutherischen Siedlung im Banat. Man hatte ihn gefragt; er antwortete: »Euer Dorf ist mein ‚Liebling' und so soll es heißen«. So wurde es dann auch genannt; es bestand bis 1945. Ein anderes sehr großes evangelisches Dorf wurde Franzfeld genannt; von dort auswandernder Volksüberschuß wurde in Bosnien angesiedelt und Franz-Josephsfeld genannt.

10. Von 1848 bis zum Patentstreit 1859

Sehr schnell pflanzte sich die auf Frankreichs Boden im Februar 1848 beginnende revolutionäre Bewegung ins Habsburgerreich hinein fort. Sie führte in Wien schon im März zur Vertreibung *Metternichs* und der »Mitternächter«. Im April bewilligte der Kaiser den Ungarn ein eigenes Ministerium mit *Kossuth* als Finanzminister. Im Mai mußte *Ferdinand V.* Wien verlassen; er ging nach Innsbruck. Es folgte im September die Ermordung des kaiserlichen Statthalters in Ungarn. Das »tolle Jahr« endete im Dezember mit der Abdankung des Monarchen; sein Neffe *Franz Joseph* bestieg den Thron.
Keinem Habsburger war eine so lange Regierungszeit beschieden wie ihm; er starb 1916 im 87. Lebensjahr. Und keiner seiner Vorfahren wurde so wie er vom Schicksal geschlagen. Das Persönliche (*Maximilian*, sein Bruder, *Elisabeth* seine Gattin, *Rudolf* sein Sohn, *Franz Ferdinand* der Thronfolger, starben sämtlich eines gewaltsamen Todes) bleibe beiseite. Das politische Geschehen aber der 70 Regierungsjahre war mit nichts Geringerem gefüllt als mit der langsamen Auflösung eines Großreichs, dessen welthistorische

Aufgabe gewesen wäre, auf lange Sicht Vorbild und Keimzelle einer europäischen Staaten-Union zu sein.
Wie der Mord am Grafen *Lambert* auf der Donaubrücke zwischen Ofen und Pest am Anfang der Regierung *Franz Josephs* stand, so leiteten die Schüsse auf *Franz Ferdinand*, seinen Thronfolger, am Peter- und Pauls-Tag 1914 in Sarajevo das Ende ein.
Im April 1849 mußte der achtzehnjährige, noch unerfahrene Jüngling es erleben, daß der ungarische Reichstag ihm die Stephanskrone absprach, so wie es der böhmische Landtag 1619 mit *Ferdinands* Wenzelskrone getan hatte. Aber ein Unterschied war dabei. Die Wahl eines Lutheraners zum Reichsverweser – des aus der Slovakei stammenden *Ludwig Kossuth* – hatte keine konfessionelle Bedeutung, wie sie 1619 die Wahl des »Winterkönigs« gehabt hatte. Sonst hatten in Ungarn die gegen Österreich gerichteten Revolutionen von *Bócskay* bis zu *Franz II. Rákóczy* sämtlich irgendwie mit dem Protestantismus zu tun und kamen ihm zugute, selbst wenn sie katholische Führer hatten. 1848 war das anders. Angriffe oder Gefährdungen der evangelischen Kirchen standen nicht auf der Liste der Beschwerden, mit der sich die Aufständischen rechtfertigten. Aber ein Stück des Konfessionskampfes war doch dabei: die Katholiken empfanden sich als bedroht und angegriffen. Kroatiens Soldaten, die ihr Banus *Jelačić* gegen Pest, das Zentrum der Revolution führte, empfanden sich als Kreuzfahrer. Und von den Orthodoxen Ungarns, den Karpatoruthenen, Serben und Rumänen, stellten sich fast alle auf die Seite des Kaisers. Was aber taten die Protestanten? Nur die Reformierten schlossen sich fast einmütig der *Kossuth*-Regierung an. Die lutherischen Slovaken standen ganz, die Deutschen zum Teil gegen sie. Betont galt das von den Siebenbürger Sachsen, deren führender Kopf, der Pfarrer *Stephan Ludwig Roth*, für seine Kaisertreue sein Leben lassen mußte. (Es soll bei allem nicht übersehen werden, daß sich bei diesem Kampf bereits die große Auseinandersetzung der Folgezeit, der Nationalitätenstreit bemerkbar machte).
Es soll den Magyaren und ihrem Anhang aus den anderen Völkern ihr guter Glaube nicht abgesprochen, soll auch nicht bestritten werden, daß in ihren Reihen aufrechte Christen mitkämpften. Und es soll nicht verkannt werden, daß auf beiden Seiten in gleicher Weise eine Mischung nationaler und konfessioneller Regungen die Parteinahme bestimmte. Aber unzweifelhaft waren die Magyaren die Angreifer; die anderen verteidigten mit ihrem Glauben ihre angestammten nationalen Güter. Mußte es nicht vor allem den frommen Christenmenschen lutherischen Bekenntnisses erschrecken, wenn kein Geringerer als der »Generalinspektor« der Evangelischen Kirche Augsburgischen Bekenntnisses in Ungarn, *Karl Graf Zay*, einer der lebhaftesten Vorkämpfer der Revolution, das Programm aufstellte: »Seien wir weder Lutheraner noch Kalvinisten, weder Orthodoxe noch Katholische,

weder Christen noch Juden: seien wir aber Magyaren«. Gerade weil sie nicht Magyaren werden wollten, weil sie Slovaken und Deutsche, Kroaten und Rumänen bleiben wollten, und weil sie zum Kaiser das Vertrauen hatten, er werde sie in diesem Willen schützen und stützen, darum wünschten sie seinen Sieg und halfen dazu mit.

Als die Niederlage der Revolution schon ganz nahe war, wurde ihr Hilfe aus Polen. Jetzt mußte auch Wien Verstärkung suchen. Man darf es durchaus als eine Defensive zur Erhaltung unaufgebbaren Seelenguts betrachten, daß nun die »Heilige Allianz« von 1813 wieder auflebte und in dem zu Warschau 1850 geschlossenen Bündnis zwischen *Franz Joseph* und Kaiser *Nikolaus* gipfelte. Jetzt ritten die Kosaken in Ungarn ein und machten dem Aufruhr in ihrer Art ein Ende. Dem mit ihnen zusammen siegreichen General *Haynau* gab der Kaiser auf vier Jahre Vollmacht zur Befriedigung des Landes unter der unbarmherzigen Strenge des Kriegsrechts.

Die Bücher der Geschichte wissen nichts davon zu berichten, daß in der Welthistorie bei Behandlung besiegten Aufruhrs die dem Diktator Roms Gajus Julius Cäsar nachgerühmte *clementia*, die versöhnende Milde, viele Nachahmer gefunden habe. Ausnahmen waren es, wenn nicht auf den harten Schlag der Revolution ein unerbittlicher Gegenschlag der Reaktion folgte. Man wird an das Geschehen in Prag nach der Schlacht am Weißen Berge erinnert, wenn man von der grausamen Rache erfährt, die sich in Ungarn abspielte. Den Hinrichtungen der »Großen« wegen ihres »Hochverrats« folgte eine Abschreckungsjustiz gegenüber den »Kleinen«, den »Mitläufern«. Von ihr wurden auch Glieder der protestantischen Kirchen betroffen. Ein gutes Dutzend reformierter Pfarrer mußten Gefängnisstrafen abbüßen, bei den Lutheranern wurden drei Superintendenten abgesetzt, durften aber ihr Pfarramt behalten. Alle »Inspektoren« (AB) und »Kuratoren« (HB) verloren ihre Funktionen; es waren durchweg magyarische Adlige. Freie und freigemachte kirchliche Amtsstellen besetzte die Regierung mit willfährigen Geistlichen, die sie auch geldlich unterstützte. Sie mußten sich dafür als »Judasse« beschimpfen lassen, denen die Freiheit der Kirche für »Silberlinge« feil sei. Alle kirchlichen Zusammenkünfte außer den Gottesdiensten und den »Lokal-Konventen« (Sitzungen der Gemeindevorstände) waren verboten.

Als Zweck dieser Anordnungen wurde bekanntgemacht, sie geschähen lediglich dazu, »dem traurigen Zustande, in welchem die protestantische Kirche Ungarns durch den Mißbrauch der Amtsgewalt einiger ihrer Vorsteher zu Parteizwecken und zur Verführung des Volkes zum Aufstande versetzt worden ist, abzuhelfen«.

Allmählich milderte man die Strenge dieser Maßnahmen. Nicht nur konnten mehr denn zehn Deputationen Bittschriften um ihre Zurücknahme »zu den Füßen des Thrones flehend niederlegen«; es durften auch verschiedentlich

Distrikt-Konvente (Superintendentialsynoden) stattfinden. Einer derselben hat dem Kaiser unter dem 5. Mai 1851 eine sehr ausführliche Beschwerdeschrift vorgelegt, aus der einiges hier zitiert sei, weil es die Stimmung in diesen Kreisen und ihre Auffassung der Lage kennzeichnet.
Mehrfach erkennt die Eingabe an, daß die *Haynau*schen Anordnungen unter Ausnahmerecht erfolgt und nur provisorisch gemeint seien. Aber, fährt sie fort, »Jesus und sein Reich, das nicht von dieser Welt ist, kann nicht in Belagerungszustand versetzt werden«. Es sei zuzugeben, daß »es auch kirchliche Individuen gab, die als Menschen und Bürger vom Strom und Sturme fortgerissen wurden. Aber es habe doch die Kirche gegen die obrigkeitliche Gewalt weder sich ausgesprochen noch etwas getan. Auch in der katholischen Kirche hätten »die Wogen der politischen Bewegung Männer mit fortgerissen« und sie sei doch nicht »in Belagerungszustand versetzt«, noch seien »ihre Glaubensgrundsätze und Lehren aufgehoben« worden, während die Protestanten im Glauben Störung erleiden müßten und »zu Handlungen gezwungen werden sollen, die mit dem Glaubensbekenntnis streiten«. Jener Erlaß sei eine »an die Wurzel des Protestantismus gelegte Axt«; denn er zwinge ihn, »die Institutionen der katholischen Kirche nachzuahmen« durch Errichtung einer Hierarchie unter Ausschluß der Weltlichen. Die Bittschrift wünscht vom Kaiser, er wolle »uns erlauben, unsere kirchlichen Versammlungen in der von den Aposteln vorgezeichneten Gestalt« abzuhalten. Dabei zitiert sie ein charakteristisches Wort »jenes berühmten Reformators *Knox*«, der das Bekenntnis ausgesprochen hat, es sei einerlei, »ob man uns die Freiheit unserer Versammlungen oder das Evangelium wegnehme«.
Eine ähnlich ausführliche Eingabe war schon ein Jahr früher an *Maria Dorothea*, die Witwe des Erzherzogs *Joseph*, eine ihrem Glauben treu anhängende württembergische Prinzessin, gerichtet worden. In ihr verstieg sich der Ton bis zu der Behauptung, das *Haynau*sche Edikt wolle die protestantische Kirche in eine Polizeianstalt verwandeln; seit Christi Zeiten sei das noch nie geschehen, daß eine von einer Militärmacht ernannte Autorität die Gemeinde Christi regieren wolle. Zum Erweise dessen, daß die beiden protestantischen Kirchen sich nicht »an den letzten traurigen Kämpfen und Unruhen beteiligt« hätten, wird dabei angeführt, was sie am 1. September 1848 getan haben. »Wie ein Mann« haben sie die Angebote der Revolutionsregierung zurückgewiesen, »alle Prediger und Lehrer aus der Staatskasse besolden zu wollen«, weil sie sich nicht »von ihrer gesetzmäßigen Basis durch irgendwelche Vorteile« hätten verdrängen lassen wollen.
Es war den Beratern des Kaisers ein leichtes, ihm die Antworten vorzubereiten, die er den Bittstellern – auch der Erzherzogin – in aller Geduld und Freundlichkeit erteilte; niemand denke daran, sich in die innerkirchlichen Angelegenheiten einzumischen; nur um in der noch immer von großer Unruhe erfüllten Zeit im ganzen öffentlichen Leben Ordnung zu halten,

müsse sich auch die Kirche vorübergehend Einschränkungen ihrer Freiheit gefallen lassen.
In der Tat erfolgte bald nach Aufhebung des Belagerungszustandes (April 1854) eine Aufhebung der drückendsten Bestimmungen der *Haynau*schen Verordnung. Am Schluß der Bekanntmachung heißt es dann, die Evangelischen beider Bekenntnisse würden »nach Maßgabe des § 4 im 26. Artikel von 1791 zum Zweck der definitiven Allerhöchsten Entscheidung über ihre kirchlichen Angelegenheiten gehört werden«.
Es war im Grunde beschämend für die Regierung, daß sie erst jetzt, nach 62 Jahren, die 1792 angeregten Verhandlungen aufnahm. Vor 1848 wäre es sehr viel leichter gewesen, einen Kompromiß zu finden zwischen dem – unaufgebbaren – Anspruch der Kirche auf Autonomie ihrer innerkirchlichen Ordnung *(res in sacra)* und dem gleichfalls vollberechtigten Aufsichtsrecht des Staates. Die Initiative zu neuen Verhandlungen konnte – nach Lage der Dinge – nur bei den Staatsbehörden liegen. Ein ungarisches Ministerium gab es nun nicht mehr. Der Wiener Kultusminister mußte die Sache in die Hand nehmen.
Das war seit 1849 Graf *Leo Thun*, Sprößling einer früher in Sachsen ansässigen, dann nach Tetschen an der Elbe übersiedelten Familie. Es mag wohl an dieser seiner Abstammung gelegen haben, daß er den Anliegen der evangelischen Kirchen mehr Verständnis entgegenbrachte, als das sonst in Wien zu finden war. Es wurde ihm deutlich, daß dem Protestantismus die Eigenverantwortung für seine Verwaltung und innere Ordnung ein Stück seines Wesens sei und daß sowohl in Österreich wie in Ungarn unmögliche Zustände eingetreten seien, die geändert werden müßten.
Er hatte dabei das Glück, für diesen schwierigsten Ausschnitt seines Arbeitsbereichs einen Mitarbeiter zu finden, der dafür hervorragend qualifiziert war, und zwar in dem Siebenbürger Sachsen *Joseph Andreas Zimmermann*, den er aus seiner Stellung als Professor an der landeskirchlichen Rechtsakademie in Hermannstadt nach Wien holte. *Zimmermann* brachte eine ungewöhnliche Kenntnis des Kirchenrechts in der Monarchie und ihren Nachbarländern mit, war als Siebenbürger Sachse von der bei den Deutschen in Ungarn allzu häufigen politischen Labilität weit entfernt und ein gediegener evangelischer Christ »vom Scheitel bis zur Sohle«.
Schon einmal, unter *Maria Thersia*, war ein Siebenbürger Sachse nach Wien geholt worden, um als zuverlässiger Berater für den schwierigen Ausgleich zwischen dem Reich und seinen auf ihre Sonderrechte pochenden Gliedern zu dienen; das war der damalige Comes der Sächsischen Nation, der Freiherr *Samuel von Bruckenthal*. Wie er gab *Zimmermann* den Rat, die Einheit des Staates und den Zentralismus seiner Regierung nicht zu erzwingen, sondern wachsen zu lassen.
Diesen Grundsatz, schlug er vor, müsse man vor allem auch für die fällig

gewordene Neuordnung des evangelischen Kirchenwesens anwenden. Der Minister meinte, man solle dies für die ganze Monarchie einheitlich gestalten und dann alle sieben protestantischen Kirchen (2 in Österreich, 2 in Ungarn, 3 in Siebenbürgen) durch einen Reichskirchenrat von Wien aus leiten lassen. Es gelang *Zimmermann*, durchzusetzen, daß zunächst einmal in Ungarn mit seinen zwei Millionen Protestanten angefangen würde. Er scheute sich dabei nicht, deutlich auf den Fehler hinzuweisen, den die höchsten Stellen in der Vergangenheit sich zuschulden kommen ließen. Sorgfältig zitierte er alle Akten, die unerledigt in den Kanzleien begraben lagen.

Schon 1852 waren Grundsätze für die Neuordnung aufgestellt worden. Nach Aufhebung der Militärdiktatur wurden diese mit hierfür einberufenen Vertrauensmännern beraten. Nach weiteren zwei Jahren wurde daraufhin der Entwurf einer Kirchenverfassung bekanntgemacht. Zu der sollten die Kirchen Stellung nehmen. Aber es gab ja keine verfaßten Kirchen, sondern nur independente Gemeinden, die willkürliche Gruppen bildeten oder ganz allein standen.

So stellten die eingehenden Antworten ein Chaos von Billigungen und Ablehnungen dar. In den Vordergrund drängten sich die radikalen Gegner. Da sprachen sie vom verfassungswidrigen Oktroy, obwohl es sich doch nur um eine Diskussionsgrundlage handelte. Da klagten sie über »Verletzung der presbyterialen Grundsätze«, obwohl der Verwaltungsaufbau so gedacht war, daß er von unten auf in drei Stufen erfolgen sollte.

Zwei Einwände waren ernsthafter Natur. Der Entwurf sah auf allen Stufen der kirchlichen Verwaltung das Präsidium der Geistlichen vor: des Pfarrers, des Seniors, des Superintendenten. Jedesmal sollte diesem ein »Vizepräses aus dem Laienstande zur Vertretung und Hilfe« beigegeben werden. Das war die Übertragung des bei den Reformierten seit langem herrschenden Zustandes auf die Kirche des Augsburgischen Bekenntnisses. In dieser hatte sich jener Zustand älterer Zeit erhalten, als evangelische Adlige allein in der Lage waren, auf den Landtagen die Anliegen ihrer Glaubensgenossen zu vertreten. Aber die Zuständigkeit der Landtage für Religionssachen hatte längst aufgehört. Fortan hatten bei den Reformierten die Theologen die kirchliche Führung. Warum das bei den Lutheranern anders war, ist oben geschildert worden. Jetzt fühlten sich die von *Haynau* abgesetzten Inspektoren, an ihrer Spitze der erwähnte Graf *Zay*, getroffen. Der Streit zwischen den »Kyriarchen« und den »Hierarchen« wachte wieder auf. Als der Kaiser einen Bericht darüber verlangte, wurde ihm Folgendes vorgetragen: Es habe sich »ein Zustand entwickelt, der das ganze kirchenregimentliche Gebäude einer kleinen Anzahl politischer Agitatoren zum Werkzeug machen mußte, die Geistlichkeit und den Stand der Schullehrer, bei ihrer bis zur Schutzlosigkeit gehenden Abhängigkeit von den Laien, jeder Widerstandsfähigkeit berauben mußte, und der aus diesem Grunde nicht wenig beigetragen hat zur Erstarkung der Revolution, die Ew. Majestät mittelst schwerer Opfer des gesamten Reiches niederzuschlagen genötigt wurden.«

Das war eine rein politische, dabei noch zeitbedingte Begründung einer Verwaltungsreform, die durchaus zu den inneren Angelegenheiten der Kirche gehörte. Sie hätte sich bei presbyterial-synodalem Aufbau der Verfassung sehr bald ähnlich wie bei den Reformierten gestaltet.

Noch größeren Widerstand fand der Vorschlag, den Aufbau der Verwaltung in einer kirchlichen Staatsbehörde gipfeln zu lassen. Er wurde begründet mit dem im Gesetz von 1791 festgelegten *ius supremae inspectionis* des Landesherrn, das dieser offenbar als recht weitreichend auslegte. Denn die 15 Aufgaben, die der Entwurf der »k. k. Oberkirchenrat für Ungarn« genannten obersten Kirchenbehörde zuweist, gehen deutlich über das hinaus, was man das *ius circa sacra* zu nennen pflegt.

Es ist an dieser Stelle nötig, sich an die gleichzeitigen Vorgänge in Österreich zu erinnern, wie sie in Kapitel IV dieses Buches (siehe S. 266f.) geschildert wurden. Dort kam es in der Tat zur Errichtung eines k. k. evangelischen Oberkirchenrats, in den die bisherigen beiden, von einem katholischen Präsidenten geleiteten Konsistorien verwandelt wurden. *Zimmermann* wurde dessen erster Präsident. Das wurde in den österreichischen Ländern fast ohne Ausnahme willkommen geheißen und willig angenommen. Denn wie das Toleranzedikt von 1781 der erste Schritt aus der völligen Rechtslosigkeit des Protestantismus Österreichs in die gesetzlich festgelegte Duldung war, so bedeutete 1861 die Errichtung des Oberkirchenrats einen weiteren rechtsetzenden Schritt auf dem Weg von der Duldung zur Gleichberechtigung. Allerdings schloß dieses Recht nicht aus, daß der Staat die Verwaltung der Kirche in seine Kontrolle nahm. Ja, der grundlegende § 4 des Gesetzes von 1791, auf den sich auch die Gegner des Entwurfs immer wieder beriefen, ging darüber hinaus, da er dem König das Recht zusprach, eine Ordnung in der Kirche zu errichten *(stabilire ordinem)*, und schränkte es nur dahin ein, daß diese Ordnung der allgemeinen Meinung der Kirchenglieder im höchsten Grade angepaßt sein müsse. Der Ordnungsbestand solle, so lautet der Text, *communi consensione maxime congruus* sein.

Aber da erhebt sich die für die Festlegung von Ordnungen in der Kirche entscheidungsvolle Frage: auf welchem Wege kann die »allgemeine Meinung« der Kirchenglieder festgestellt werden? Zum mindesten in Ungarn kamen damals wenige Jahre nach der Revolution demokratische Wahlen für Gesamtsynoden nicht in Betracht, wenn sie überhaupt jemals und irgendwo das geeignete Mittel für die Ordnung einer Kirche sind.

Das Ministerium meinte, die *communis opinio* der Protestanten durch eine öffentliche Erörterung des Entwurfs ermitteln zu können. *Zimmermann* ließ den Entwurf drucken und verbreitete ihn weithin im Inland und auch im Ausland mit der Aufforderung zur Stellungnahme. Diese war im Ausland durchaus freundlich. Man anerkannte den großen Fortschritt gegen früher. In Ungarn griff vor allem die politische Tagespresse den willkommenen Stoff auf. Sie erfreute sich einer für jene Zeit bemerkenswerten Sprechfreiheit, auch gegenüber Wien, sah aber auf magyarischer Seite alles in politischer Schau. Als Beispiel diene der Kampf gegen die Neuordnung des kirchlichen Schulwesens. Man brandmarkte es als Vorstoß zur Germanisierung Ungarns, daß auf den höheren Schulen überall das Deutsche als Lehrgegenstand mit ein paar Stunden eingesetzt werden sollte, während man gleichzeitig propagierte, das Magyarische solle auf allen Schulen, auch auf den Volksschulen der anderen Völker, die einzige Unterrichtssprache sein.

Thun ließ sich drei Jahre Zeit, das Echo des Entwurfs zu studieren und aus ihm Folgen zu ziehen. Inzwischen blieb in den Kirchen alles beim alten, ja die Verwirrung wurde ärger als je. Die Auswirkungen des schmählichen Konkordats mit Rom (1855), dann die Niederlagen Österreichs im italienischen Krieg 1859, die den Verlust der Lombardei herbeiführten, gaben den antiösterreichischen Tendenzen der Magyaren Oberwasser.

Es war kein politisch günstiger Augenblick, an dem nun der Unruhe und Unordnung in den evangelischen Kirchen durch einen entscheidenden Schritt ein Ende gemacht werden sollte. Am 1. September 1859 erschien in der amtlichen »Wiener Zeitung« ein vom Kaiser-König unterzeichnetes »Patent betreffend die innere Verfassung, die Schul- und Unterrichts-Angelegenheiten und die staatsrechtliche Stellung der evangelischen Kirche beider Bekenntnisse in den Königreichen Ungarn, Kroatien und Slavonien, in der Woiwodschaft Serbien mit dem Temeser Banat und in der Militärgrenze«. Am Tage darauf erfolgte eine Verordnung des Ministers *Thun*, »womit provisorische Bestimmungen über die Vertretung und Verwaltung der Kirchenangelegenheiten« in denselben genannten Ländern »kundgemacht« wurden. Das entsprach der im Patent enthaltenen Bestimmung (§ 55): »Die kirchliche Ordnung ... erhält ihre definitive Gestalt auf dem Wege der kirchlichen Gesetzgebung. Für solange, bis diese Regelung erfolgt sein wird, haben hierüber provisorische Bestimmungen in Wirksamkeit zu treten.«

Gegenüber dem Entwurf von 1856 zeigt das Patent gewisse Veränderungen. Am bedeutsamsten ist es, daß die Gedanken, an die Spitze beider Kirchen eine Staatskirchenbehörde zu stellen – wie das in Österreich der Fall war –, nicht wiederkehrten. An ihre Stelle soll vielmehr (§ 42) eine Generalkonferenz der sämtlichen Superintendenturen treten, die jedoch weder den Synoden noch den Superintendenturen gegenüber eine Eingriffsbefugnis habe. Die Synoden können alle 6 Jahre zusammentreten. Ihre Einberufung erfolgt auf Antrag der Generalkonferenz durch das Ministerium. Sie tagen – ungeachtet des dem König 1791 gemachten Zugeständnisses – ohne Gegenwart eines landesfürstlichen Kommissars.

In dem anderen oben besprochenen Punkt des Entwurfs von 1856 lauten die Bestimmungen jetzt dahin: In jeder Pfarrgemeinde kann ein dem weltlichen Stande angehöriger Gemeinde-Inspektor (Kurator) gewählt werden; in jedem Seniorat, ebenso in jeder Superintendenz ist ein Seniorats- bzw. Superintendential-Inspektor zu wählen. Die Inspektoren (Kuratoren) müssen jedoch in der betroffenen Ortsgemeinde, Senioratsgruppe, Superintendentialdiözese ihren Wohnsitz haben.

Die 1856 Anstoß erregende Schulsprachenfrage wird überhaupt nicht berührt. Die staatskirchenrechtliche Stellung des Protestantismus in Ungarn wird ausdrücklich noch einmal gemäß dem Gesetz von 1791 bestätigt unter Aufhebung der damals für Kroatien und Slavonien verfügten Einschränkungen. Als Organ der Staatsaufsicht über die Kirche soll eine nur aus Evangelischen bestehende Abteilung im Kultusministerium errichtet werden.

Einer der Schlußsätze des Patents lautet: »Wir erklären es für die Aufgabe der nächsten Synode des einen wie des anderen Bekenntnisses, Uns mit Benützung der inzwischen ... gewonnenen Erfahrungen ... die zur Feststellung und weiteren Entwicklung für geeignet erachteten Vorlagen zu machen.«

Daß mit der weiteren Entwicklung der Angelegenheit gemeint war, sie solle auf dem Weg von frei gewählten Synoden erfolgen, geht daraus hervor, daß am 10. Januar 1860 das Kultusministerium Fristen für die Neuordnung (Koordinierung) der Gemeinden und der Seniorate bis zum Frühjahr setzte, damit dadurch der Weg zum Zusammentritt einer Synode bereitet werde.

Zweierlei an den Wirkungen des Patents scheint dem heutigen Beobachter kaum begreiflich: der Sturm der Entrüstung, den es hervorrief, und die Einschüchterung des Kaisers, die dieser Widerstand zur Folge hatte.

Ganz entschiedene Ablehnung war die Antwort der magyarischen Reformierten. Nur 25 von über 2000 Gemeinden organisierten sich den Vorschriften entsprechend in presbyterialer Ordnung. Von den Lutheranern folgten 226 Gemeinden, 333 weigerten sich; jene waren meist Slovaken, diese Magyaren und die ihnen zuneigenden Deutschen. Das zeigte sich deutlich auf dem noch im September abgehaltenen Distriktualkonvent der Superintendenz Theiß, der in Käsmark, der Hauptstadt der deutschen Zips, stattfand. Hier wurde ein Beschluß gefaßt, den Gemeinden völlige Ablehnung des Patents zu empfehlen. Als nun gar dieser Beschluß und seine Begründung verbreitet wurde, schritt der Staatsanwalt ein, und ein Gericht verhängte über die drei Hauptverantwortlichen die Strafe von einigen Monaten Gefängnis wegen Aufforderung zum Ungehorsam. Es ist bezeichnend, daß bei den Lutheranern vor allem gegen eine vom Patent verfügte Neuordnung der Superintendenturbezirke gekämpft wurde. Statt der früheren vier sollten jetzt sechs bestehen, wobei der nationalen Differenzierung durch Zusammenfassung der slovakischen Gemeinden im Norden, der

deutschen im Süden (Batschka usw.) Rechnung getragen wurde. Die bisherige und später wiederhergestellte Einteilung verfolgte den Zweck, in keinem Distrikt eine slovakische oder deutsche Gemeindemehrheit aufkommen zu lassen.
Die Abwehr des Widerstands durch die Wiener Verantwortlichen war schwächlich und ungeschickt. Was half es, wenn man Theologen, Kirchenrechtler und Staatsmänner in Deutschland befragte und deren zustimmende Gutachten veröffentlichte. Eines von diesen sei als Beispiel hier angeführt. Der Heidelberger Theologieprofessor Kirchenrat *Daniel Schenkel*, ein recht radikaler Verfechter der Demokratie in der badischen Generalsynode, sagte im Spätherbst 1859 in einem den badischen Verfassungsstreit behandelnden Buch: »Wir haben es nicht gewagt, für unsere Landeskirchen einen Grad von Freiheit und Selbständigkeit in Anspruch zu nehmen, wie sie die wohlwollende Hand des Kaisers von Österreich der dortigen protestantischen Bevölkerung soeben verliehen hat.«
Eine größere Deputation von Gliedern beider evangelischen Kirchen Ungarns begab sich Ende Januar 1860 nach Wien, um den Kaiser dazu zu bewegen, daß er das Patent zurücknehme und den Stand der Dinge vor 1848 – seit 1792 – wieder herstelle. Zwar nicht diese Deputation, wohl aber ihre zwei Führer, der lutherische Freiherr *v. Pronay* und der reformierte Baron *Vay* wurden in Privataudienz empfangen. Der Kaiser muß wohl von der Unterredung den Eindruck gewonnen haben, daß er von seinem Minister nicht genau unterrichtet und nicht gut beraten worden sei. Denn plötzlich änderte er den Kurs. Graf *Thun* fiel in Ungnade und wurde bald darauf durch den Ritter *von Schwerling* ersetzt.
Im Mai erschien sodann ein Handschreiben *Franz Josephs* an den Generalgouverneur Ungarns, das ein Dokument hohen historischen Ranges ist. Denn es ist der erste Schritt auf einem Wege, auf dessen Ende nichts anderes steht als das Jahr 1919 mit dem Untergang jenes Staats, von dem gesagt wurde, er müsse geschaffen werden, wenn es ihn noch nicht gäbe.

11. Bei den Slovaken

Der von den Magyaren bei ihrer Landnahme besetzte pannonische Raum hatte im Norden eine natürliche Grenze: den Karpatenbogen. Dessen inneren Rand füllte das westslavische Volk der Slovaken. Das hohe Waldgebirge verhinderte ein Ausweichen vor dem Drängen der landhungrigen Eroberer. Keine politische Kraft, wie sie das »dreieinige Königreich« der Südslaven, Kroatien, Slavonien, Dalmatien umfassend, den Magyaren entgegenstellen konnte, schützte die Slovakei; das »großmährische Reich« war dahingesunken. Vor Vernichtung oder Aufsaugung konnte nichts bewahren als tapferes Beharren in kluger Geduld.

Das haben die Slovaken bewundernswert geleistet. Es half ihnen dabei der Rückhalt, den ihnen ihr glaubensstarkes Christentum gewährte.

In den vorangegangenen Abschnitten wurde ausführlich geschildert, wie sich die Reformation in allen Landschaften Ungarns, auch im slovakischen Oberungarn schon sehr früh verbreitete, hier vornehmlich in seiner lutherischen Prägung. Dann wurde davon berichtet, daß eine Kette von Bürgerkriegen bis ins 18. Jahrhundert hinein mit konfessionellem Hintergrund gerade die Slovakei heimsuchte, aber doch auch Gutes wirkte. Die unerbittliche Gegenrevolution der Habsburger blieb – zunächst wenigstens – im wesentlichen erfolglos. Aber dann kam die barocke Ära des Theologen *Leopold* auf dem Thron. Die Befreiung Ungarns vom Türkenjoch gab dem Übermut des Absolutismus mit seinem Gewissenszwang Auftrieb. Nun kam es zu manch standhaftem Martyrium, aber auch zu schwächlichem Nachgeben, zur Verleugnung heiliger Bindungen und zu Verlusten.

Auf drei Dinge muß nun noch einmal der Blick gerichtet werden, will man das Besondere des slovakischen Protestantismus zeichnen.

a) Die tschechische Nachbarschaft: Zwischen Tschechen und Slovaken bestand an der Wende des Mittelalters zur Neuzeit eine viel engere Sprachverwandtschaft als später und erst recht heute. (Die slavischen Sprachen haben überhaupt eine zentrifugale Tendenz, was beim Urteil über den Panslavismus nicht übersehen werden darf.)

Bedeutsamer als der Sprachunterschied zwischen Tschechen und Slovaken ist der ihres Temperaments. Die Differenz wird an der Stellungnahme zum Husitismus deutlich. Er ist von ganz genuin tschechischem Wuchs und ein Volkskennzeichen bis zum heutigen Tag.

Die Slovaken haben nur vereinzelt echte taboritische, utraquistische, brüderische Gemeinden gegründet. Die 40 Jahre währende Gewaltherrschaft des Husitenführers *Iiskra* (seit 1442) hat bei ihnen Rückgefühle hinterlassen, die sich lange auswirkten. Wenn ein älterer Schriftsteller davon spricht, daß »bald die ganze Slovakei husitisch« war, so bedeutet das nur, Priester-Ehe, Laienkelch und Messe in der Landessprache seien weithin im Lande allgemein gebräuchlich geworden. Doch fehlte völlig das militante Wesen, das den Husitismus charakterisiert. Immerhin war durch jene äußeren Reformen der Boden im ganzen Lande gelockert. Der Same der evangelischen Verkündigung traf bereitete Seelen, ging auf und brachte reiche Frucht.

b) Die Dolmetscher: Vom 12. Jahrhundert an waren Deutsche in die Slovakei eingewandert. Bauern hatten in den von den Slaven gemiedenen Wäldern am Fuße des Gebirges durch Rodung Ackernahrung gewonnen. Bergleute wurden gerufen, nach Erz und Kohle zu schürfen, sie abzubauen, zu verhütten. Handwerker und Kaufleute gründeten Städte mit Rathäusern, Kirchen und Schulen, die noch heute vom Kunstsinn und Opferwillen reich werdender Bürgerschaften erzählen. Diese Stadtleute waren die ersten und

stets auch die eifrigsten Vermittler mit Wittenberg und dem neuen geistlichen Leben, das dort begonnen hatte. Wie an so vielen Stellen in ganz Osteuropa taten Deutsche auch hier den Einheimischen den Dienst des Dolmetschers von edelstem Gut, vom Worte Gottes »lauter und rein«.
Es kam hinzu, daß fast alle slovakischen Theologen im Reformationsjahrhundert zum Studium nach Wittenberg gingen und dort freundlichste Aufnahme fanden, ganz besonders bei *Melanchthon*, der durch seinen Lausitzer Schwager, den Arzt *Peuker*, am Slaventum interessiert wurde. Sie holten sich auch dort oder an anderen deutschen Stellen ihre Ordination und bezogen von dort ihre theologischen Bücher. Doch reicht das alles nicht aus, um die Zuneigung der Slovaken zu den Deutschen zu erklären, die sich auch politisch auswirkte. Von *Zápolyai* an bis zu *Kossuth* stellten sie sich in den Bürgerkriegen auf die österreichische Seite. Der Kaiser des Heiligen Reiches war ihnen im Ernst ein Sendling »von Gottes Gnaden«. Sie wären lieber eine Provinz Österreichs geworden als in Ungarn ohne landschaftliche Zusammenfassung eine ganze Reihe von Komitaten zu bilden. Und wenn sie schon wegen der Kleinheit ihres Volkes – es zählt auch heute noch nicht mehr als zwei Millionen –, um in der großen Welt bestehen zu können, eine Zweitsprache lernen müßten, so doch lieber die deutsche als die magyarische, deren Verständigungsbereich den des Slovakischen bis ins 19. Jahrhundert hinein nur wenig überstieg. Auch verband ihr konservativer Grundzug sie mehr mit dem Deutschen als mit den draufgängerischen Magyaren.
c) Assimilation und Union: Unter diesen Umständen nimmt es nicht wunder, daß die Assimilationsbemühungen der Magyaren bei den Slovaken ziemlich erfolglos waren. Nur der Grundbesitz ließ sich leichter von dem charmanten Lebensstil der Magnaten einfangen und von dem politischen Geschick des zahlreichen Kleinadels, der Gentry, majorisieren. Das slovakische Bauernvolk bekam erst sehr spät Volksschulen, zu seinem Glück; denn überall sind Analphabeten gegen Umvolkungsgefahr einigermaßen geschützt. Es mag auch das dumpfe Gefühl in ihnen gelebt haben, daß ihnen als den Voreinwohnern ein Erstlingsrecht zustehe, dem der Eroberer kein Recht, sondern nur seine Macht entgegenstellte.
Denn das war der Grundfehler der magyarischen Assimilationsbemühung, daß sie sich nicht darauf beschränkte, durch Lockung und Werbung Proselyten zu gewinnen, sondern durch Gewaltanwendung aus der Minderheitssituation in ihrem Staate herauszukommen suchte.
Bei ihrem Widerstreben hatten die Slovaken den Vorteil, sich auf ihre konfessionelle Sonderart stützen zu können. Nur im kleinen Umfang hatten sich slovakische Leibeigene im Osten des Landes von ihrem Herrn mit in den Kalvinismus nehmen lassen; dort beherrschten zeitweilig die siebenbürgischen Fürsten Teile der Slovakei. Sonst hielt das ganze Volk zäh am angestammten Luthertum fest, dem es sich durch Wahlverwandtschaft verbun-

den fühlte und in dem es ähnliche spezifisch slavische Formen der Frömmigkeitsübung entfaltete, wie wir es bei den Masuren (siehe S. 92) und Schlonsaken bereits feststellten.
Es war sehr natürlich, daß die ihrer Sonderart bewußten Gläubigen nach einem kirchlichen Zusammenschluß strebten. Das geschah nach dem Wiener Frieden alsbald durch die Synoden von Sillein 1610. Die Zahl der dort vertretenen westlichen Gemeinden war so groß, daß man sie in drei Diözesen teilte und jeder einen slovakischen Superintendenten vorsetzte, denen zwei Deutsche und ein magyarischer Assistent für die Betreuung der Minderheiten beigesellt wurden. Ähnlich geschah es 1614 im Osten. In der Zipser Stadt Kirchdrauf wurden zwei deutsche Superintendenten gewählt, ebenfalls unter genau festgelegter Fürsorge für die – hier slovakische – Minderheit. Später sahen Staats- und Kirchenbehörden in solcher Konsolidierung sprachlich zusammengehöriger Gemeindegruppen eine nationale Gefahr. Die Distriktseinteilung spaltete die slovakischen Lutheraner durch – geographisch ganz unbegründete – Nord-Süd-Linien der Distriktsgrenzen.
Die Josephinische Toleranz brachte ans Licht, in wie großer Treue gerade die Slovaken im Verfolgungsjahrhundert am Glauben der Väter – oft heimlich, stets in Gefahren und meist mit Opfer fordernden Beschwernissen – festgehalten hatten. Mit vielen Gemeinden waren sie auf der historischen Synode von 1791 vertreten.
Mit dieser Synode fand, wie oben berichtet wurde, zum ersten Mal eine ungarländische Generalsynode beider Konfessionen statt. Ihr Zweck war ein gemeinsames Vorgehen bei Gestaltung der Kirchenordnung. Deutlich trat schon hier das Bestreben der Magyaren zutage, die Gemeinschaft der Kirchen zu verstärken: Unionspläne wurden diskutiert.
Das setzte sich in den folgenden verfassungslosen Jahrzehnten fort und führte nach 1848 und 1859 zu erbitterten Gegensätzen. Daß einzelne magyarisierte Pfarrer slovakischer Gemeinden in der Revolution mit dem Säbel aufs Pferd stiegen und *Kossuths* Scharen gegen die Kaisertruppen anführten, verstand der schlichte, fromme Lutheraner nicht. Er stimmte den andern zu, die 1848 in der großen Kundgebung im Liptauer St. Nikolaus zusammenkamen und den Widerstand gegen den Aufruhr predigten. Er empfand Genugtuung darüber, daß mit dem Ende des Aufruhrs auch die Unionsbeschlüsse von 1848 erledigt waren und daß in den *Haynau*-Jahren die Kirche ihr geistliches Leben ungehindert leben konnte.
Dann kamen die Verhandlungen über die Kirchenordnung, kam das Patent von 1859. Sofort organisierten sich die slovakischen Gemeinden im neuen Stil. Daß der Kaiser kurz darauf umschwenkte und es zuließ, daß die Gegner seines Befehls alle die beschimpften und bedrängten, die freudigen Gehorsam geleistet hatten, hinterließ tiefen Groll. Dann kam das Schlimmste: im »Ausgleich« Österreichs mit dem von seinem Adel beherrschten, ver-

führten Magyarentum ließ der Kaiser 1867 die Slovaken im Stich. Kroaten, Serben, Rumänen erhielten Kulturgarantien, die Slovaken nicht. Da erwachten Irredenta-Gefühle.

In diesen Jahren geschah es, daß namhafte slovakische Kirchenführer mit lutherischen Kreisen in Deutschland Fühlung nahmen. Unter ihnen ragte der Pfarrer *Joseph Hurban* hervor, den die theologische Fakultät von Leipzig später mit dem Doktorhut ehrte. Er hatte die erwähnte Versammlung im Mai 1848 geleitet und die Parole, »los von Ungarn« ausgegeben. Ihm gelang es, das Interesse des bayerischen »Kirchenvaters« *Wilhelm Löhe* auf die Lage in der Slovakei zu lenken. *Löhe* sandte sogar seinen Adjutanten Dr. *Weber* zur Erkundung der Lage nach Oberungarn. Dessen Berichte und Gutachten wurden zum Teil veröffentlicht und erregten viel Aufsehen. Der berühmte Leipziger Systematiker *Luthard* veranlaßte den bei ihm studierenden Kandidaten *Borbis*, eine ausführliche Geschichte der lutherischen Kirche in Ungarn zu schreiben und fügte dieser dann ein Vorwort bei. Sowohl *Löhe* wie *Luthard* wußten, daß die Zähigkeit der konfessionellen Treue bei den Slovaken von nationalen Abwehrgefühlen unterbaut waren, beanstandeten das aber nicht, wie auch *Ehlert* in seiner »Morphologie des Luthertums« das evangelische Ethos des politischen Widerstands der Slovaken gewürdigt hat.

12. Bei den Südslaven

Die Geschichte der Reformation im Gebiet der Südslaven ist eine bunte Mischung von schönem Gelingen und bitteren Rückschlägen, von großartigem Planen und kläglichem Versagen.

Die Träger des reformatorischen Elans hatten sich hier weite Ziele gesteckt. Nicht nur auf die ihnen räumlich nahen beiden westlichen Stämme der südslavischen Rasse hatten sie den Blick gerichtet, auf Slovenen und Kroaten; auch den beiden südöstlicheren Gruppen wollten sie das wiederentdeckte Evangelium bringen, den Serben und Bulgaren. Gerade bei diesen, glaubten sie, sei der Acker für ihre Saat aufs beste vorbereitet. Sie wußten von dem seit langem dort lebendigen Mut glaubensstarker Sekten, die – wie die Bogumilen in Bosnien – der Hierarchie Trotz boten und die Einzwängung in ungeliebte Kultusformen ablehnten. An diese anknüpfend sollte dem einst von Byzanz aus begründeten, müde gewordenen Ostkirchentum nun evangelische Erkenntnis und reformfreudige Energie aufgeprägt werden. Ja, man sprach sogar davon, weiter nach Osten mit dem biblischen Evangelium vorzudringen und den osmanischen Islam von innen her zu bezwingen, den argen Störer der Christenheit, dem man mit Waffen nicht beikam, durch Bekehrung zum Stillstand und Frieden zu bringen.

Vorher aber mußte doch wohl ein evangelistischer Erfolg bei den beiden westlichen Stämmen, den Slovenen und Kroaten, erzielt werden.

Diese beiden südslavischen Stämme sind einander ähnlich in ihrer Kirchengeschichte: sie wurden von Rom aus christianisiert. Sie sind verschieden in ihrer politischen Geschichte und entwickelten sich kulturell, insbesondere auch sprachlich recht weit voneinander weg. Andererseits sind die Kroaten sprachlich den Serben aufs engste verbunden, gleich diesen aber von den Bulgaren in großem und mannigfachem Abstand getrennt.

Um das Jahr 1000 etwa war im Gebiet des altrömischen Reichsteils Illyricum das »dreieinige Königreich« der Kroaten entstanden, das die späteren Länder Dalmatien, Kroatien und Slavonien umfaßte und Knin zur Hauptstadt hatte. Als es durch innere Wirren zerrüttet wurde und seine Macht schwand, bemächtigte sich die Republik Venedig der Ostküste der Adria. Nun wurde Agram (Zagreb) zum Mittelpunkt des Kroatentums, in Dalmatien hingegen drang immer stärker italienische Kultur und Sprache ein und überfremdete das Land.

Kroatien dagegen kam durch die ungarische Erbschaft der Habsburger im Jahre 1526 an Österreich, während Slavonien zu dem von den Türken besetzten Gebiet gehörte und erst später, nach dem Frieden von Karlowitz, wieder an Habsburg kam.

Die Slovenen hingegen gehörten schon seit langem zu diesem Staat. 1258 erhielt *Rudolf von Habsburg* durch Erbschaft die Gebiete von Kärnten, Steiermark, Krain, Görz, Gradiska und Istrien, sie wurden Teile des Römischen Reiches und Kern der Habsburgischen Hausmacht. Hier wohnten ohne scharfe Abgrenzung Deutsche, Slovenen (»Wenden«) und im Süden Italiener viele Jahrhunderte nebeneinander und teilten alles, was ihnen der Wechsel der Geschichte und das Auf und Ab des Habsburger Reiches brachte.

Als die Grenze der Steiermark gegen Ungarn sich festigte, durchschnitt sie das slovenische Sprachgebiet. Das jenseits der Mur gelegene, daher »Prekmurje« genannte Stück, gehörte seitdem zu Ungarn. Seine Hauptstadt Murska-Sobota (wörtlich: Samstagstadt an der Mur) wurde von den Deutschen Olsnitz, von den Magyaren Murska-Szombath benannt. Der Herrschaftswechsel war von reformationsgeschichtlicher Bedeutung, der wir zunächst unsere Aufmerksamkeit schenken wollen.

Sie besteht darin, daß hier allein Reste der zahlreichen evangelischen Gemeinden slovenischer Sprache sich erhalten haben, während so gut wie alles, was wir noch von slovenischem Protestantismus in den österreichischen Herzogtümern hören werden, der Gegenreformation zum Opfer fiel. Daß es an Versuchen, das evangelische Kirchenleben völlig zu unterdrücken, auch unter der Stephanskrone nicht fehlte, soweit die Habsburger sie trugen, konnten wir oben hören. Aber die geschilderten Freiheitskämpfe der Magyaren waren auch den Gemeinden in der Prekmurje zugute gekommen. Als 1781 die Josephinische Toleranz der Ängstlichkeit und Heimlichkeit ein Ende machte, zeigte sich, daß in zahlreichen Orten rund um die Hauptstadt herum sich das evangelische Leben erhalten hatte und zu neuer Gemeindebildung fähig war. Heute bestehen hier 10 Pfarrgemeinden mit etwa 25000 Seelen, allerdings über 112 Dörfer zerstreut. Sie bilden eine eigene lutherische Kirche in der Sozialistischen Volksrepublik Slovenien, dem westlichen Teil der föderativen Volksrepublik Jugoslavien.

Eine Eigenart dieser evangelischen »Wenden« – so nennen sie sich gern – ist es, daß sie als Sprache des Gottesdienstes und der Hausandacht ein altes Slovenisch gebrauchten und jetzt nur zögernd das moderne Hochslovenisch an die Stelle ihrer gewohnten, »hieratischen« Glaubenssprache setzen. Sie haben für den Nachwuchs von Lehrern und Pfarrern in der Hauptstadt Laibach ein Schülerheim und schickten ihre theologischen Studenten lieber auf die deutschen Universitäten, als sie den unzureichenden und gefährdenden Vorbereitungskursen in Belgrad auszusetzen.

Doch kehren wir ins 16. Jahrhundert zurück. Auf zwei sprachlichen Wegen drang der Wittenberger Ruf in den slavischen Raum: durch die Deutschen in den Erzherzogtümern, die in zahlreichen Städten zwischen den Slovenen, zum Teil auch unter den Kroaten und Italienern saßen; und durch das Latein der gebildeten Welt, das die katholische Geistlichkeit in der hier waltenden Sprachmischung eng verband und über den eifrig gepflegten Humanismus der Reformation zuführte.

Es wären zahlreiche Namen zu nennen, wollte man auch nur alle die Konvertiten zum Protestantismus anführen, die dem gehobenen Klerus angehörten; auch in Istrien, selbst in Dalmatien bis zur südlichsten, an Montenegro grenzenden Spitze. Einige von diesen aber verdienen unsere Aufmerksamkeit. Da ist der Istrier *Matthias Garbicius (Garbić)*, der nach Wittenberg ging und bei *Melanchthon* so gründlich das Griechische erlernte, daß er dann 22 Jahre in Tübingen als Dozent dieser Sprache und Professor des Neuen Testamentes tätig sein konnte.

Neben ihm steht ein anderer *Matthias*, der gleich ihm in der Geschichtsschreibung als »Illyricus« zitiert wird, der berühmte *Flacius (Flačić*, deutsch: Frankowitsch), der sich bei seinem Oheim, dem Franziskanerprovinzial *Ubald Lupetinus* zum Eintritt ins Kloster meldete, von diesem aber nach Wittenberg geschickt wurde. *Luther* nahm sich seiner an und verschaffte ihm die Professur für Hebräisch in Wittenberg. Bekannt ist sein unnachgiebiger Streit gegen das »Interim«, das Kaiser *Karl V.* den Lutheranern 1547 aufzwingen wollte. Als leidenschaftlicher Feind *Melanchthons* und alles Philippismus' mußte er später Wittenberg verlassen. Schwer verbittert ging er nach Magdeburg und gab dort in 20jähriger Arbeit die »Magdeburger Centurien« heraus, ein kirchengeschichtliches Riesenwerk, das seine Bedeutung bis heute nicht verloren hat.

Als Dritter sei Pater *Paul Vergerius* vorgestellt, Sprößling einer altadligen istrianischen Familie. Anfänglich Rechtsanwalt in Venedig, widmet er sich

nach dem Tode seiner Frau ganz der Theologie, steigt zu hohen geistlichen Würden auf, wird päpstlicher Nuntius in Wien und Berlin, nimmt als solcher auch am Reichstag in Augsburg teil. Um eine Schrift »gegen die Abtrünnigen in Deutschland« zu verfassen, studiert er die Bücher der Reformatoren, disputiert sogar mit Luther, zieht sich aber bald auf seinen Bischofssitz in Capodistria, seiner Vaterstadt, zurück. Nun wird er der Kurie verdächtig und nicht zum Konzil von Trient zugelassen. Jetzt bekennt er offen seinen Abfall, sammelt um sich einen Kreis intelligenter Erweckter, denen sich auch die Bischöfe von Zengg und Pola-Triest anschließen, bis die Inquisition sie alle aus dem Lande jagt. Nach mehrjährigem Unterschlupf in der Schweiz findet der allseitig geachtete Emigrant Zuflucht beim Herzog *Christoph* von Württemberg, als dessen Hofrat er seinen Lebensabend mit literarischer Werbung für die evangelische Sache beschließt.
Aus den in Venedig neuerdings aufgefundenen Resten der Inquisitionsakten hat man ermitteln können, in welch weite Ferne hinein die lateinischen und italienischen, z. T. auch slovenischen Arbeiten des gelehrten Theologen und Juristen verbreitet wurden. Auf den Inseln Cherso, Arbe und Curcola, in Spalato, selbst Cattaro wurden sie gelesen und in Taten umgesetzt. Ein dauernder Erfolg aber war ihnen nicht beschieden. Die Signoria der venetianischen Republik war, um der Türkenabwehr willen, in ein enges Bündnis mit dem Papst getreten, wollte es mit ihm nicht verderben und gab der Inquisition freien Lauf.
Der eigenartigste Fall von Einwirkung der Reformation auf die hohe Geistlichkeit im venetianischen Kroatenland ist der des Erzbischofs von Spalato und Primas von Dalmatien aus der Familie der Gospodnetić, der sich mit italienisiertem Namen *Markantonio de Dominis* nannte. Er war Vorkämpfer der episkopalen Richtung gegen die Übermacht der Kurie, des Konziliarismus, versuchte durch persönliche Vorstellungen den Papst davon zu überzeugen, daß die Kirchenspaltung durch Delegation der Leitung überwunden werden könne, und entfaltete in diesem Sinne eine umfassende literarische Tätigkeit. Um schlimmeren Folgen zu entgehen, floh er nach England. *Jakob I.* machte ihn zum Dekan von Windsor und ermöglichte ihm die Herausgabe zahlreicher Bücher. Sein Wirken schien dem Vatikan so gefährlich, daß *Gregor XV.*, sein einstiger Lehrer, ihn mit glänzenden Angeboten zur Rückkehr verlockte. Der Heimkehrer wurde auch gnädig empfangen und hätte wohl Verzeihen und Wiedereinsetzung erfahren, wäre nicht der greise Papst sehr bald gestorben. Die Vakanz benutzten die Gegner, einen Prozeß gegen ihn aufzurollen. Der neue Tiaraträger *Urban VIII.*, der Papst des 30jährigen Krieges – »mehr Soldat als Priester« –, legte den Verhafteten in die schaurigen Verließe der Engelsburg, wo er alsbald am Kerkerfieber starb. Daß er vorher widerrufen oder auch nur den Widerruf versprochen habe, ist unwahrscheinlich. Der Prozeß wurde alsbald über seiner

Leiche zu Ende geführt, die man aus dem Sarg nahm, durch die Straßen schleppte und zusammen mit einem Sack voll seiner Bücher draußen verbrannte. Die Asche streute der Henker in den Tiber.
Etwas anders als im kroatischen Sprachgebiet lag die Sache der Reformation im Raum der Slovenen. Zwar lebte auch dort die Masse des Volkes noch in stumpfer Geschichtslosigkeit und in Analphabetismus. Aber es fanden sich Männer, die den Fehler sahen und an Abhilfe dachten.
Da ist an erster Stelle *Primus Truber* (slovenisch *Trubar*) zu nennen, ein Zimmermannssohn, dessen hohe Fähigkeit es ihm ermöglichte, die Lateinschulen von Salzburg und Wien zu besuchen. Auch in Fiume studierte er einige Zeit, so daß er dann auch das Slovenische und Italienische beherrschte; Universitätsbildung erfuhr er nicht. Er wurde dank seiner großen Predigtbegabung in allen drei Sprachen Domherr in Laibach, wo *Paul Wiemer* Generalvikar des Domkapitels war. Beide mußten wegen ihrer freimütigen evangelischen Predigten die Heimat verlassen. *Wiemer* ging nach Hermannstadt und wurde der erste Bischof der Siebenbürger Sachsen, *Truber* ging zuerst nach Mittelfranken (Nürnberg und Rothenburg), dann nach Württemberg, wo er 1586 fast 80jährig starb.
Die Bedeutung *Trubers*, den man den »slovenischen Luther« genannt hat, reicht, wie bei diesem, weit über das Kirchengeschichtliche hinaus in die nationale Geschichte hinein. Er ist der »Kolumbus des slovenischen Schrifttums« und damit ähnlich zu würdigen wie viele baltendeutsche Pastoren. Wie diese dem estnischen und lettischen Volk nicht nur die erste Literatur und damit ihre Literatursprache schufen, so tat das Tuber für die Slovenen. Ja, er mußte für den unterkrainischen Dialekt, den er aus der Fülle der bis in die Dörfer hinein differenzierten Mundarten heraushob, überhaupt erst ein Alphabet erfinden. Das lateinische war nicht ohne weiteres geeignet; und und die beiden serbokroatischen Alphabete Cyrillica und Glagolica waren den Slovenen völlig fremd. So schuf er auf der Grundlage der deutschen Fraktur durch Zusatzzeichen die erforderlichen Buchstaben, ähnlich wie Hus die Antiqua durch diakritische Zeichen für das Tschechische geeignet machte. Als er in späteren Jahren daran ging, die slovenischen Bücher auch den Kroaten zugänglich zu machen, wurde für die Übersetzungen das glagolitische Alphabet verwendet. Dieses war im früheren Mittelalter aus der griechischen Minuskel (Kleinschrift) gestaltet worden und als Werk des heiligen *Hieronymus* ausgegeben worden, um die Kroaten gegen den Einfluß der pravoslavischen Liturgie zu schützen. Leider waren die kroatischen Übersetzungen von *Trubers* Schriften nicht immer glücklich. Es gab darüber manchen Verdruß und sogar Zwiespalt unter den Freunden. Der bedeutendste der kroatischen Übersetzer war *Stephan Konsul*; der hervorragendste Nachfolger *Trubers* im slovenischen Schrifttum wurde sein Schwiegersohn *Georg Dalmotins*, der leider schon mit 43 Jahren starb. Dem in Gurkfeld geborenen,

sprachgewaltigen Slovenen war die Vollendung von *Trubers* reichhaltigem Werk durch eine Übersetzung der Vollbibel zu danken.
Die ganze, reichhaltige und mannigfache literarische Arbeit, die sich sogar auf primitive Lesefibeln und Volkskalender erstreckte und später auch – bei *Dalmotin* – in die Dichtung emporstieg, wäre nicht möglich gewesen, hätten ihr nicht hochstehende und hochmögende Gönner zur Seite gestanden.
Der Vortritt gebührt dabei dem Kaiser *Maximilian II.* Allerdings hat dieser »seltsame Kaiser« in manchen Fällen – vielleicht durch sein Räte irregeführt – recht störend eingegriffen. Doch hat er andererseits durch eigene Geldspenden und durch Förderung der von *Truber* wiederholt veranstalteten Geldsammlungen – bei den evangelischen Fürsten Europas – sehr wesentliche Hilfe geleistet. Ihm hat *Truber* einige seiner Werke gewidmet und wohl alle zugesandt.
Zum anderen ist der Herzog *Christoph* von Württemberg zu nennen. Nicht nur *Vergerius* fand an seinem Hofe Zuflucht fürs ganze Leben und ein großes Wirken in der Ferne. Ohne ihn wäre auch das nicht möglich gewesen, was nun von einem der wichtigsten Mitspieler auf der Bühne des slovenischen Reformationsdramas zu berichten ist.
Hans Ungnad, Freiherr von Sonnegg, Landeshauptmann der Steiermark, Feldhauptmann der »Windischen Mark«, Obergespan von Varasdin, Eigentümer großer Landgüter auch in Kroatien, mußte seine evangelische Glaubenstreue nach fast 40jährigem kaiserlichem Dienst mit Emigration büßen. Auf dem Wege nach Wittenberg schrieb er aus Dresden an Kaiser *Maximilian*, der ihn gerne behalten hätte, einen Abschiedsbrief. In ihm legte er die Gründe seines Schrittes dar: um des Gewissens willen müsse er das Exil den Glaubensbedrückungen der Erzherzöge vorziehen.
Sofort erkannte er nun, woran es bei der bisherigen evangelischen Schriftenmission in seiner Heimat fehlte. Eine Massenherstellung und Verbreitung von *Trubers*, *Konsuls*, *Dalmotins* und anderer Blätter und Bücher müsse einsetzen; das aber hatte den Besitz einer Spezialdruckerei zur Voraussetzung. Die stellte er in Urach her. In der Werkstatt des Nürnberger Meisters *Johann Hartwarch* wurden die Drucktypen für die drei Alphabete der Südslaven angefertigt, und nun konnte eine Flut von Flugblättern, Bibelteilen, Postillen, Gesangbüchern hinüberströmen, vermischt mit allgemeinen Bildungsmitteln aller Art, der Anfang der später zu hoher Blüte gedeihenden, sich auch jetzt noch neben der serbokroatischen Schriftstellerei haltenden und auszeichnenden Literatur des kleinen Volkes der Slovenen. Daß es schon von Anfang an zu Behinderungen durch Konfiskation der Büchertransporte über die Landesgrenze, dann durch die Radikalmaßnahmen *Ferdinands II.* und seines Sohnes zu restloser Zerstörung alles evangelischen Lebens in Innerösterreich bei den Deutschen so gut wie bei den Slovenen kam, liegt an der betonten lutherischen Loyalität der Stände, die – zumal bei der allgemeinen

Furcht vor den Türken – davor zurückschreckten, sich den Aufständen anzuschließen, die im Norden die Tschechen, im Südosten die siebenbürgischen Magyaren gegen die habsburgische Herrschaft als Trägerin der Gegenreformation unternahmen, dort zwar erfolglos, hier aber nicht ohne Gewinn für Rettung eines wertvollen Bestands bis auf den heutigen Tag. Die Nürnberger Lettern kamen übrigens später als Beutegut im Dreißigjährigen Krieg nach Rom und dienten dann der gegenreformatorischen Propaganda.

Ganz anders als im slovenischen verlief die Reformationsgeschichte im serbokroatischen Raum. In dessen Südteil, der von den Venetianern beherrscht wurde, blieb von den schönen Anfängen kaum etwas übrig. Im Norden aber faßte evangelisches Leben festen Fuß.

Das hatte, ähnlich wie in den anderen Gebieten der Stephanskrone, einen politischen Hintergrund. Dem Siegeslauf der Türken (Mohács 1526) wurde 1529 vor Wien halt geboten. Die Kroaten widerstanden sogar bis 1566. Sie verdienten das Lob, ein Mauerwall der Christenheit *(antemurale Christianitatis)* zu sein. Erst beim dritten Feldzug *Suleimans II.* gegen die Trutzburg Sziget gewann der Sultan sie – als einen Trümmerhaufen. Und den Angreifer wie den Verteidiger kostete der historische Tag (8. September 1566) das Leben.

Mit des gewaltigen Sultans Tod war die Sturmkraft der Osmanen gebrochen. Ein Durchstoß zur Adria und zur Landfront gegen Venedig gelang ihnen nicht. Das ganze Slovenenland und die Westecke Kroatiens blieb in Habsburgs Hand.

Der Hauptteil Kroatiens aber samt Slavonien nebst dem Anhängsel Syrmien hatte dasselbe durchzumachen, was dem Leben in Ungarn – die 150 Jahre der »türkischen Gefangenschaft« hindurch – das Kennzeichen gab. Das war, wie oben geschildert wurde, kaum erträglich schwer. Aber der politischen und wirtschaftlichen Knechtung hielt ein Glück die Waage: das Glück einer weitgehenden kulturellen und auch religiösen Freiheit. Selbst Kerker und Ketten sind zu ertragen, wenn die Gedanken und Gewissen ungebunden bleiben. Die Gnadenbotschaft des biblischen Evangeliums machte die Herzen fest. Bis zur Jahrhundertwende kam es dahin, daß der ganze Süden des alten Ungarn von einem Netz evangelischer Gemeinden überzogen war. Wenn das nicht aus spontaner Bekehrung der Volksmassen geschah, sondern dadurch, daß die führenden Schichten, die geistlichen wie die weltlichen, die örtlichen Christengemeinschaften reformierten, so war es doch dank der Druckerpresse von Urach und der sie speisenden Schriftsteller jetzt möglich, auch den lernwilligen Bauern, Hirten und Fischern das Lesen beizubringen und eine Kenntnis der Bibel mit ihrer Heilslehre und sittlichen Wegweisung zu vermitteln. Nicht viel anders war es bis etwa 1600 auch in dem zum habsburgischen Reststaat gehörigen kroatischen Streifen. Hier standen sogar die politischen Spitzen der Verwaltung zur evangelischen Sache. Ebenso wie der

Banus *Nikolaus Zrinyi*, der sagenumwobene Held von Sziget, setzte sich der an seine Stelle tretende Graf *Peter Erdödy*, ein Schwager *Ungnads*, für die Reformation ein. Dieser Führung folgten die Gutsherren und Stadträte. Der Sieg der evangelischen Sache schien vollständig zu sein und eine blühende Zukunft für Volk und Staat zu verbürgen. Wir werden sehen, daß und warum es anders kam.

Zunächst aber muß etwas berichtet werden, das sich besonders günstig für die Entfaltung evangelischen Lebens in Kroatien auswirkte. Von 1538 an begannen die habsburgischen Herrscher an der Grenze gegen die türkische Besatzungszone einen Militärkordon zu errichten, der zunächst mit christlichen Flüchtlingen aus Bosnien besetzt wurde. Man siedelte sie in geschlossenen Dörfern mit ihren Familien an, gab ihnen Waffen und stellte sie unter österreichisches Kommando. Bis 1686 hatte sich diese Bauernmiliz so bewährt, daß die Einrichtung auf die nun – nach der Befreiung Ungarns – längs der Una und Save bis Belgrad verlaufende Grenze ausgedehnt wurde; dann setzte man sie nach Wiedergewinnung des Banats 1739 an der Donau entlang bis Orsova und Siebenbürgen fort. Von dort ab genügten dann die sächsischen Kirchenburgen zum Schutz gegen die Walachei.

Schließlich gehörte fast die Hälfte ganz Kroatiens zur »Militärgrenze«, die als österreichisches Gouvernement unmittelbar von Wien verwaltet wurde. Zur Ansiedlung wurden waffentüchtige Männer herangezogen. Bewährte Feldwebel wurden die Bürgermeister der Dörfer, Leutnants leiteten die Kreise, Obersten die Bezirke, ein General die Provinz. Die Großfamilien der Bauernsoldaten lebten in »Hauskommunionen« mit patriarchalischer Wirtschaftsordnung zusammen und genossen neben manchen anderen Vorteilen die Vergünstigung religiöser Freiheit. Sie kam vor allem den zahlreichen Serben zugute, die mit angesetzt wurden und denen das Militär sogar pravoslavische (orthodoxe) Kirchen baute. Im Unteroffizierskorps und bei den Offizieren gab es nicht wenige Protestanten, deutsche, magyarische, kroatische. Zeitweilig wurden für ihre gottesdienstliche Versorgung eigene Feldgeistliche im Offiziersrang eingestellt. Daß es bei diesem Menschengemisch nicht ohne Reibungen abging, läßt sich denken. Aber die militärische Disziplin und soldatische Kameradschaft band wenigstens die Männer unter verständnisvollem Kommando zusammen, geradeso wie es später in der österreichisch-ungarischen (k.u.k.) Armee und Marine der Fall war. Die von österreichischen Katholiken, sogar von Historikern, auch heute noch wiederholte Behauptung, die gegenreformatorische Härte des habsburgischen Regimes sei um der Staatsraison willen notwendig gewesen, wird durch die Tatsache der vorjosephinischen Grenzer-Toleranz widerlegt.

Es soll jedoch nicht übersehen werden, daß diese Toleranz zeitweilig durchlöchert wurde. Um 1600 herum – unter Kaiser *Rudolf* – wehte von Wien bis Agram und Varasdin ein römischer Wind. Evangelische Offiziere wurden nicht befördert, Feldprediger entlassen, Jesuiten und Franziskaner zum Bekehrungsfeldzug angesetzt. Nachkommen der einstigen Vorkämpfer, auch *Zriny*, *Erdödyi* u. a. wurden katholisch.

Die militärpolitische Bedeutung der »Grenze« war aber so einleuchtend, daß sogar *Maria Theresia* ihren Konvertierungseifer zügelte, wenn es galt, den Bestand durch zuverlässige Kompagnien zu stärken. Sie erlaubte 1770 einem slovakischen Lehrer, in seiner oberungarischen Heimat lutherische Glaubensgenossen für die »Grenze« anzuwerben. So entstand im Regimentsbereich von Mitrovica das lutherische Slovakendorf Alt-Pazua. Es besteht noch heute mit etwa 5000 Seelen und ist Mittelpunkt einer seit 1919 von den übrigen Lutheranern Jugoslaviens sich national absondernden Kirche mit über 50000 Seelen in 23 Gemeinden unter einem eigenen Bischofsamt. Bald darauf folgte dann – gleichfalls in Syrmien – schon unter dem Zeichen *Josephs II.* die Gründung einer großen lutherischen Schwabengemeinde, die den Namen Neu-Pazua erhielt und Mutter einer stattlichen Schar von Tochtergemeinden wurde.

Denn die nördlich der »Grenze« in Slavonien sitzenden feudalen Grundherren folgten dem soldatischen Vorbild, steckten Teile ihrer Güter für Dorfgründungen ab und lockten Kolonisten aus Süddeutschland herbei. In die Städte, besonders nach Pozega und Essek, zogen Handwerker und Kaufleute; überall entstanden kleine Gemeinden von Lutheranern und Reformierten, Magyaren, Slovaken und Deutschen. Selbst nach Kroatien schlugen die Wellen.

Hier sei nun ein späteres Geschehen vorweggenommen. Als Bosnien auf Anordnung des Berliner Kongresses 1878 zur Befriedung der das Land dauernd störenden Unruhen von österreichisch-ungarischen Divisionen okkupiert wurde, geschah etwas Ähnliches. Neben privaten Ansiedlungen – besonders im fruchtgesegneten Vrbastal nördlich von Banjaluka, wo ein deutsches Trappistenkloster den Anfang machte – entstanden »ärarische Kolonien« aller Art. Es waren großenteils Tochtersiedlungen der inzwischen übervölkerten Dörfer in Slavonien und der Batschka. Aber auch Enkel der Besiedler Galiziens und sogar Wolhyniens waren dabei. Sie wurden auf Staatskosten, nach Sprache und Glauben getrennt, zu günstigen Bedingungen auf herrenlosen Ländereien angesetzt. Für Schule und Kirche leistete die in Sarajevo sitzende Landesregierung wichtige Hilfe. So entstand in Bosnien eine kleine, aber sehr lebendige evangelische Diasporakirche mitten unter Kroaten, Serben und Türken, von deren tragischem Ende unten ein Bericht zu finden ist.

Noch einmal zurück zur Militärgrenze, deren reformationsgeschichtliche Bedeutung eine eingehendere Würdigung verdient, als sie hier möglich ist. Ihre lebendigste lutherische Gemeinde war die von Neu-Pazua, deren Schwaben die heimatliche Tradition der Gemeinschaftspflege bis weit ins 20. Jahrhundert hinein festhielten. Sie waren stolz darauf und deuteten es symbolisch, daß ihre Kirche aus den Ziegeln des alten Festungswerks von Banovce erbaut worden war. Der Generalgrenzdirektor Erzherzog *Ludwig*, ein Bruder des Kaisers *Franz I.*, hatte dazu 1811 die Erlaubnis gegeben, als das Aufhören der früheren »reichsunmittelbaren« Bedeutung der Grenze das Schleifen der Bastionen veranlaßte. In Pazua wirkte 54 Jahre hindurch seit 1827 der aus der Schar der damaligen Pastoren weit herausragende »Grenzerpfarrer« *Andreas Weber*.

Dieser Sohn eines Dorfarztes wird vom Bruder seiner Mutter, einem Nachbarpfarrer, vorbereitet, bezieht die soeben (1821) gegründete Wiener Fakultät, kommt als Hauslehrer einer vornehmen Familie nach Dresden, Leipzig und Jena, überragt an Bildung und Manieren die Umwelt und wird auch mit den Militärs fertig, die sich in die Kirchensachen mischen. Er droht ihnen, »vor die Stufen des Throns zu treten«, und verbietet sich vom General unhöfliche Behandlung, so daß dieser sich entschuldigen muß. Er hält seine Gemeinde zusammen, auch als manche Evangelische, der prekären Lage überdrüssig, sich von der russischen Kaiserin zur Auswanderung in die Ukraine verlocken lassen. Während der Revolution 1848 stellt er sich – zum Verdruß der magyarischen kirchlichen Oberen – auf die Seite der Kroaten, die zu den Kaiserlichen halten. 1860 reist er nach Ulm zur Tagung des Gustav-Adolf-Vereins und schafft, heimgekehrt, einen solchen für die Batschka und Syrmien. Sein begeisterter Bericht über das von ökumenischer Weite getragene Diasporawerk war der Anstoß zur noch im gleichen Jahre gegründeten Ungarländischen Hilfsanstalt, von der noch ausführlich die Rede sein wird.

Dem »Ausgleich« zwischen Österreich und Ungarn (1867) war ein gleicher zwischen Ungarn und Kroatien gefolgt, diesem alsdann die Aufhebung der »Militärgrenze« (1873). Dalmatien war schon 1814 nach dem Ende des kurzlebigen Königreichs Illyrien von *Napoleons* Gnaden (mit Istrien und dem »Küstenland«) dem »Kaiserreich Österreich« (so hieß es seit 1804) als Kronland einverleibt worden. Jetzt wurde die Frage der staatskirchenrechtlichen Einordnung der evangelischen Gemeinden brennend. Die Reformierten hatten es als selbstverständlich empfunden, daß sie sich der Mutterkirche in Ungarn eingliedern müßten. Die rechts der Donau liegenden Gemeinden kamen zum Donaudistrikt mit der Zentrale Budapest, die anderen zu dem »jenseits der Theiß« genannten mit dem Hauptort Debrecen.

Bei den Lutheranern überwog der Wunsch, der politischen Sonderlage Kroatiens dadurch Rechnung zu tragen, daß ein eigener kroatisch-slavonischer Distrikt geschaffen würde mit einer gewissen, namentlich sprachlichen Autonomie.

Um den Streit zu verstehen, der hierüber entstand, muß hier der beiden

weiteren Pfarrgemeinden gedacht werden, die nach Alt- und Neu-Pazua entstanden. Um 1820 hatte sich der Bevölkerung in den pfälzischen Ländern ein Auswanderungsfieber bemächtigt. Zahlreich sammelten sich unternehmungslustige, zum Teil abenteuerliche Elemente in Ulm, um von dort auf den landesüblichen »Schachteln« die Donau abwärts bis vor Belgrad zu fahren. Um einen dieser Transporte für die »Grenze« zu gewinnen, hatte der evangelische Oberst des Grenzkommandos Brod (an der Save) in der Nähe des Städtchens Vinkovci einen Wald schlagen und Hütten bauen lassen. Hier bekamen die Siedler stattliche Grundstücke auf fruchtbarem Boden in grenzerische Erbpacht. So entstand die rein lutherische Großgemeinde Neudorf (Novoselo), die in wenigen Jahrzehnten zum Mittelpunkt einer ganzen Anzahl kleinerer Diasporagruppen wurde. Städtisches Zentrum dieser Kolonie wurde die lebhafte Handelsstätte Essek an der Drau.
Auch bei der andern Gemeindegründung von Bedeutung war ein evangelischer Soldat hohen Ranges beteiligt. Ein preußischer General hatte sich auf einem Gut in der Nähe von Agram (Zagreb) zur Ruhe gesetzt, als das ungarische Protestantenpatent von 1859 die bisher verbotene Ansiedlung von Evangelischen in Kroatien auch außerhalb der »Grenze« erlaubte. Er sammelte die jetzt aus Slavonien herüberströmenden Glaubensgenossen zu einer sehr weitläufigen Gemeinde, aus der 1865 eine stattliche Pfarrei in der Landeshauptstadt wurde. Sie war von Anfang an polyglott in Bestand und Dienst. Unter deutscher lutherischer Führung wurde in viersprachigem Dienst sowohl Kroaten und Slovaken wie Magyaren beider Konfessionen volles Recht und Kultusform gewährt. Agram war die einzige protestantische Stadt im Bereich der Stephanskrone, die eine Gemeinde »Augsburgischen und Helvetischen Bekenntnisses« (A. u. H. B.) besaß, wie das im österreichischen Teil der Monarchie mehrfach der Fall war (siehe S. 266).
Daraus ergaben sich bald ernsthafte kirchenpolitische Schwierigkeiten. Die Gemeinde zählte viele Glieder von Bildung und Opfersinn. Sie konnte sich die Berufung hervorragender Pfarrer aus Österreich leisten, auch eine eigene Schule errichten, in der deutsche Pädagogik auch nichtdeutschen Schülern ohne Schmälerung ihrer nationalen Substanz zugute kam.
Es war verständlich, daß der Versuch gemacht wurde, den ganzen Bereich evangelischen Lebens in Kroatien und Slavonien unter Leitung der blühenden Hauptstadtgemeinde zusammenzufassen, zumal dem »Ausgleich« zwischen Österreich und Ungarn von 1867 ein gleicher zwischen Ungarn und Kroatien gefolgt war, der die seit langem bestehende Kulturautonomie der nach Ungarn eingewanderten Serben auch den Kroaten gewährte.
Der Versuch stieß auf entschiedenen Widerstand. Zwar die – nicht zahlreichen – magyarischen Reformierten waren mit der ihnen gebotenen Bedienung durch die mehrsprachigen deutschen Pfarrer einverstanden. Aber die Lutheraner, die slovakischen wie die deutschen, fühlten sich mehr zur

Nachbarschaft in Ungarn hingezogen als zu der fernen Hauptstadt. Sie hatten sich nach Aufhebung der »Militärgrenze« als Seniorat zusammengeschlossen, und zwar auf Grund des Patents von 1859 (siehe S. 342ff.). Das trug ihnen von den ungarischen Nachbargemeinden heftige Vorwürfe ein. Sie wurden als »Patentisten« beschimpft, dazu als Panslaven (Alt-Pazua und Anhängsel) oder Pangermanen (Neu-Pazua und Neudorf nebst Filialen); es gab Jahre hindurch häßliche Streitigkeiten. Sie fanden erst 1897 ein Ende. Unter dem damals überwiegend gewordenen Einfluß Budapests auf Agram beschloß der kroatische Landtag ein Staatskirchengesetz, das sämtliche evangelische Gemeinden des Königreichs Kroatien und Slavonien den beiden ungarländischen Kirchen integrierte. Es half den Gemeinden nichts, daß sie gegen die Oktroyierung dieser Neuordnung protestierten. Was den Magyaren vor 40 Jahren Erfolg brachte, war in Kroatien vergeblich. Man fügte sich murrend, ließ es sich sogar gefallen, daß die lutherischen Gemeinden Slavoniens zu einem anderen ungarischen Bischofsdistrikt geschlagen wurden als Agram und seine Filialen.

Aber im stillen wuchs das Verlangen nach voller Loslösung von der ungarländischen Kirche oder mindestens nach Errichtung eines eigenen Distrikts für Kroatien-Slavonien. In dieser würde man die inzwischen in Bosnien entstandenen Gemeinden einbezogen haben und auch die bereits 1854 gegründete Gemeinde in Belgrad, die einzige im ganzen Fürstentum Serbien. Die Haupttriebfeder dieser Bewegung war die eigenartige Persönlichkeit des vielsprachigen Seniors *Abaffy*, der, obwohl magyarisch-slovakischer Abstammung, der trefflichste Seelsorger der deutschen Großgemeinde Neudorf wurde. Er ließ sich in den kroatischen Landtag wählen und wurde dort Mitglied der panslavischen Jugoslavenpartei, die ihr politisches Ziel, ein Großkroatien mit slovenischen und serbischen Anhängsel, nicht erreichte. Die Einmischung der Zarenpolitik ermutigte die Serben, den ersten Anstoß zur Aufrollung des Donaureiches zu unternehmen. Der von Belgrad angestiftete Mord von Sarajevo – am Vido dan (Tag des heiligen Vitus, 28. 6.) 1914 – begann die Serie der Welterschütterungen in Weltkriegen, auf deren Ende durch einen Weltfrieden die aufgerüttelte Menschheit sehnsüchtig wartet.

Die südslavischen Völker erreichten ihr Ziel, den jugoslavischen Staat – wenn auch ohne Bulgarien – zunächst in einem Königreich voller »Irrungen und Wirrungen« mit kriegspolitischem Einschlag und neuerdings in einer föderalistisch aufgebauten Republik eigenständigen, kommunistischen Gepräges mit betont antikatholischer Spitze.

Abaffy hat die Enttäuschung nicht mehr erlebt, die seinen Anhängern nach 1919 die kirchenpolitische Entwicklung bereitete. Als im neuen Staat eine Neuordnung der protestantischen Gemeinden in Angriff genommen wurde, waren es gerade die *Abaffy* nahestehenden Slovaken, die dem widerstanden,

was die übrigen Lutheraner erstrebten. Sie beharrten auf Gründung einer national abgesonderten Kirche mit eigenem Bischof. Die anderen einigten sich, ob Slovenen, ob Kroaten, ob Magyaren, unter Führung der deutschen Mehrheit zu einem Kirchengebilde, das den Agramer Pfarrer *Philipp Popp* zu seinem Bischof wählte. Selbst die Reformierten zeigten mehr ökumenische Gesinnung. Sie bildeten mit einer kleinen Zahl von deutschsprachigen Pfälzergemeinden in der Batschka eine eigene magyarisch-sprachige Kirche, die eine über das ganze weite Gebiet hin verstreute Diaspora zusammenzuhalten bemüht war.
Alle drei Gemeindegruppen aber waren in den auf ihre Gründung folgenden 25 Jahren durch die den jungen Staat unaufhörlich erschütternden inneren Krisen und äußeren Bedrängungen, aber nicht nur durch diese, sondern auch durch den Mangel an geschlossenem Zusammenhalt daran gehindert, irgendwie jene evangelistische Sendung in die Balkanwelt hinein anzugreifen. Sie mußten alle Kraft daran wenden, sich selbst und ihre wachsende, immer mehr Kraft fordernde Diaspora zu erhalten, bis die Katastrophe von 1945 eine ganz andere Lage schuf.

13. Die drei protestantischen Denominationen

a) Magyarisches Kirchentum: Bis zum Tode *Luthers* beherrschte seine Lehre den ungarischen Protestantismus. Später aber wurde der Einfluß *Calvins* immer stärker, und als im Gespräch von Csepreg im Jahre 1551 sich die Vertreter der beiden Richtungen nicht auf eine verbindliche Grundlage einigen konnten, wurde die Trennung und das Nebeneinanderbestehen zweier reformatorischer Kirchen in Ungarn immer deutlicher.
Diese Entwicklung hat die Kräfte zersplittert und manchen Streit für die Folgezeit heraufbeschworen. In ähnlicher Form wie in Deutschland kam es zwischen den protestantischen Bekenntnissen zu Auseinandersetzungen um die rechte Lehre, nur daß sie hier nicht mit der landesherrlichen Unterstützung ausgetragen wurde. Zu dem Kampf und der Rivalität zwischen Lutheranern gesellte sich bald noch die Auseinandersetzung beider mit der unitarischen Richtung, die zu neuen Absplitterungen führte und die Protestanten, die sich ohnehin gegen Habsburg und Türken durchzusetzen hatten, noch mehr schwächte. Diese gegenseitigen Anfeindungen, oft von einem hartnäckigen Dogmatismus geschürt, haben sich erst dann gelegt, als sich zeigte, daß der gegenreformatorische Eifer weder vor Lutheranern, Kalvinisten noch Unitariern haltmachte.
Die Abspaltung und Abgrenzung der Kalvinisten von den Lutheranern zog sich durch die ganze zweite Hälfte des 16. Jahrhunderts hin, einzelne Gebiete bekannten sich spontan zu der helvetischen Sache, in anderen wieder wurde lange um eine endgültige Klärung gerungen, bis schließlich gegen

Ende des Jahrhunderts auch in Ungarn zwei konfessionell getrennte Kirchen bestanden.

Die Frage, weshalb sich in Ungarn der Kalvinismus so stark durchsetzen konnte, nachdem lange Zeit *Luther* und seine Entscheidung maßgebliches Vorbild gewesen, kann nicht sicher beantwortet werden. Es mag sein, daß der Volkscharakter der Magyaren von der nüchternen, verstandesmäßig ordnenden Art der Genfer angezogen wurde, daß die Prädestinationslehre dem Volke, das den Türken ausgeliefert war, mehr entsprach als die wärmere Lehre *Luthers*. Auch hat die demokratische Presbyterialverfassung der kalvinistischen Kirche sicher der Lage jener Ungarn besser entsprochen, die im türkischen Gebiet wohnten. Denn da die Türken wohl den gemeindlichen Zusammenschluß erlaubten, eine größere, das ganze Land umfassende feste und zentrale Kirchenorganisation jedoch nicht, war die größere Selbständigkeit der Gemeinden, wie sie das helvetische Bekenntnis gewährt, der Lage wohl angemessener. Dazu mag noch die Begünstigung durch die türkische Herrschaft gekommen sein; fehlte doch ein anderer kalvinistischer Staat, der nahe genug gewesen wäre, um bei Auseinandersetzungen den bedrängten Glaubensbrüdern Hilfe zu bringen. Die Lutherischen hätten eher Unterstützung finden können – von den Katholiken ganz zu schweigen. Für die Kirchen, denen eine weltliche Unterstützung fehlte, war die organisatorische Unabhängigkeit der helvetischen Gemeinden jedenfalls günstig.

Debrecen und Großwardein waren die Vororte der helvetischen Bewegung, wenn sie auch anfangs für wenige Jahre wieder auf die nicht verfolgte lutherische Richtung auswichen. Als König *Ferdinand* starb (1556), setzte sich der Kalvinismus unter den Magyaren dieses Gebietes endgültig durch. Und nun suchte man, die Lehre auch in den anderen Teilen Ungarns, in Siebenbürgen und Oberungarn heimisch zu machen. Nicht geringe Bedeutung kommt dabei der Druckerei zu, die ein Flüchtling aus Oberungarn mitbrachte. Sie verbreitete noch vor 1570 die Heilige Schrift, das Glaubensbekenntnis und ein Gesangbuch mit Kirchen- und Gemeindeordnung, alle drei in der Volkssprache gehalten. Diese Schriften haben der Festigung des Bekenntnisses unter der Bevölkerung sehr gefördert, und sie haben auch in Siebenbürgen, wo sich die Deutschen zum Luthertum hielten, den reformierten Magyaren gedient.

Welche Wege die Einführung des helvetischen Bekenntnisses im türkischen Teil genommen hat, ist im Einzelnen nicht sicher, doch finden sich hier für die Zeit um 1575/76 Synodalbeschlüsse, die bereits eine reformierte Kirche zeigen. Auch in Westungarn bildete sich, wenngleich in weitaus geringerem Maße, eine reformierte Kirche, die aber die heftigsten Angriffe der katholischen Magnaten hervorrief und nie zu jener Kraft und Geschlossenheit gelangen konnte, die notwendig gewesen wäre, um wie in Oberungarn und Siebenbürgen gegen den Ansturm der Gegenreformation zu bestehen. Ähnlich wie in Deutschland richtete sich während des 16. Jahrhunderts die größere Schärfe der Angriffe gegen die Reformierten; ja unter *Maximilian II.* wurde das Luthertum teilweise offen begünstigt.

Diese Hinwendung Ungarns zum Kalvinismus hat tiefe Spuren in der Geschichte des Landes hinterlassen. War bis dahin Deutschland das Land gewesen, das den entscheidenden Einfluß ausübte, nach dem man sich orientierte, dessen Hochschulen die geistige Elite des Landes besuchte, so wurden es jetzt die Länder, die dem gleichen Bekenntnis anhingen, vornehmlich die Schweiz und die Niederlande. Der nichthabsburgische Teil Ungarns geriet seit dem Ausgang des 16. Jahrhunderts in immer engere Verbindung zu jenen westeuropäischen Ländern. Durch deren Vermittlung strömte auch zunehmend englisches und französisches Geistesgut in jenen Raum, von dem später die Erneuerung des »Magyarentums« in schroffem Gegensatz zu der beherrschenden habsburgisch-deutschen Macht ihren Ausgang nahm.

Die Kirchenorganisation der protestantischen Bekenntnisse in Ungarn war sich anfangs sehr ähnlich, so groß auch der Gegensatz auf dogmatischem Gebiet blieb. Allerdings konnte die reformierte Gemeinde jedes Jahr abstimmen, ob der Pfarrer weiter sein Amt versehen oder ob ein anderer seine Stelle einnehmen solle. Für den türkischen Teil war besonders jene Bestimmung wichtig, wonach die Gemeinde, in der kein Pfarrer vorhanden war, einen Laien wählen und als Pfarrer mit allen Rechten und Pflichten einsetzen durfte, wenn er sich seiner Aufgabe mächtig erwies. Wenn es später möglich war, sollte er sich aber noch rechtens ordinieren lassen. Durch diese Bestimmung war Vorsorge getroffen, daß in diesem unter fremder Herrschaft stehenden und von vielerlei Wechselfällen heimgesuchten Landesteil die Gemeinden nicht ohne geistliche Versorgung blieben.

Das Lehramt lag in den Gemeinden, die über einen Pfarrer verfügten, ganz in dessen Hand. Er allein hatte auch für die Kirchenzucht und für die materiellen Mittel zu sorgen, denn es gab keine bestallten Presbyter, wenngleich Laien ihm zur Hand gingen. Es findet sich hier also, wohl unter lutherischem Einfluß, eine außerordentlich starke Stellung des Pfarrers. Die Pfarrer mehrerer Gemeinden wählten dann den Senior, und über den Senioraten wurde ein Distrikt gebildet, der unter Leitung eines Superintendenten (Bischof) stand. Superintendent und Senior waren jeweils den Geistlichen, die sie gewählt hatten, zur Rechenschaft verpflichtet. Das Fehlen eines Landesherren, der die Bischöfe wie in Deutschland ernannte, schloß jedoch die weltliche Beeinflussung der Wahlen nicht aus. Die großen Magnaten, die zugleich Kirchenpatrone waren, wußten ihren Wünschen Nachdruck zu verleihen; die Streitigkeiten und Machtkämpfe der großen Grundherren wurden oftmals in den Bereich der Kirche hineingetragen und beeinträchtigten ihre Unabhängigkeit.

Sehr gefördert wurde der Kalvinismus im Gebiet des Fürstentums Siebenbürgen durch den Fürsten *Gábor Bethlen.* Zwar hat er die Verfassung des Landes geachtet und die Anhänger anderer Bekenntnisse, Lutheraner, Katholiken und Orthodoxe gewähren lassen, allein seine Fürsorge galt den Kalvinisten. Die Schulen dieser Kirche hat er mit reichen Mitteln ausgestattet, besonders die Lateinschule von Weißenburg, die er zu einer Hochschule von westeuropäischer Geltung auszubauen bestrebt war. Auch das Schrifttum und seine Verbreitung hat er eifrig unterstützt, diente es doch der Festigung seines Bekenntnisses. Reformierte Gemeinden empfingen von ihm reiche Spenden und Unterstützung mnacherlei Art. So gab er Geld zu Kirchenbauten, schenkte den Gemeinden Glocken und Bücher und ließ Drucksachen auch in das habsburgische und türkische Gebiet senden. Auch *Georg Rákóczi I.*, sein Nachfolger, dem allerdings die Toleranz *Bethlens* fehlte, hat sich in gleicher Weise der reformierten Kirche angenommen, so daß sie um die Mitte des 17. Jahrhunderts ein blühendes und reiches Gemeinwesen bildete.

In dieser Zeit aber bildete sich in Ostungarn bereits die Auffassung heraus, daß das helvetische Bekenntnis die »Ungarische Religion« sei. Ihre starke Förderung durch die siebenbürgischen Fürsten, verbunden mit den politischen Erfolgen gegen die Wiener Regierung, die diese »magyarischen« Fürsten errungen hatten, ergab in diesem Raum schon damals die Gleichsetzung von Nationalität und Bekenntnis, wie sie zu dieser Zeit in Europa selten war und sich erst später herausbildete. Magyare war gleichbedeutend mit kalvinisch, Rumäne mit orthodox, Schwabe (Siebenbürger Deutscher) mit lutherisch. Zwar fehlt dieser Zeit noch die Härte des späteren Nationalitätenkampfes, doch treten hier im Gewand des rechten Glaubens bereits nationale Tendenzen auf. Die Forderung nach religiöser Freiheit schließt die – zumindest kulturelle – Freiheit des Volkstums ein. Bereits damals kam es dazu, daß beim Übertritt zu einer anderen Konfession auch das Volkstum, also Sprache und Name, gewechselt wurden.

In der ersten Hälfte des Jahrhunderts konnte der Fürst von Siebenbürgen auch den unter habsburgischer Herrschaft lebenden Protestanten einen gewissen Schutz verleihen, doch später, unter *Leopold I.*, reichte die Kraft Siebenbürgens gegen das erstarkte Habsburg nicht mehr aus. Die Verfolgungen erstreckten sich auf beide protestantische Bekenntnisse, und nach der Vertreibung der Türken wurde die Rekatholisierung mit immer schärferen Maßnahmen betrieben. Auch auf das Gebiet, das durch die Türkenfeldzüge zurückerobert wurde, dehnte Wien die Rekatholisierung aus. Eine Ausnahme bildete lediglich das Territorium des Fürstentums Siebenbürgen, das, obwohl es von Wien durch einen Statthalter seit 1690 regiert wurde, das Recht der freien Religionsausübung behielt.

In dieser Zeit der Verfolgung wandelte sich die reformierte Kirche Ungarns. Der Anstoß kam von England, wo ungarische Studenten mit dem Puritanismus bekannt und vertraut geworden waren. Die heftigsten Angriffe richteten sich dabei gegen das Bischofsamt als eine »römische« Einrichtung, und um eine strengere Kirchenzucht zu erreichen und die Gebote des Glaubens auch im Alltag wirken zu lassen, das Leben ganz nach christlicher Weise zu führen, wurde die Einführung von Laienpresbyterien gefordert. Dies erweckte, besonders unter den Geistlichen, heftige Ablehnung, in Siebenbürgen wurde das Laienelement sogar erst ab 1862 an der obersten Kirchenleitung beteiligt. Es wurde ein Oberkuratorium geschaffen, das paritätisch besetzt und dem Landtag verantwortlich war. Die Bedeutung der Synode ging ihm gegenüber immer mehr zurück, bis es schließlich ab 1713 als Oberkonsistorium auch die Rechte eines solchen ausübte. Auch außerhalb Siebenbürgens bildeten sich teilweise Presbyterien, doch kann hier von einer einheitlichen Entwicklung schon wegen der landes- und grundherrlichen Gewalt nicht die Rede sein. Lediglich im transdanubischen Distrikt war es zu einer modifizierten Presbyterialverfassung gekommen, die Bestand hatte. Dabei erwies sich nach dem Wegfall der schützenden Hand des reformierten siebenbürgischen Fürsten und nach dem Übertritt eines Teiles des Adels zum Katholizismus die Zusammenarbeit zwischen Laien und Geistlichen als überaus fruchtbar, ruhte doch damals noch ein großer Teil der später in weltliche Hände übergehenden Aufgaben, z. B. die Überwachung der Sitten, in den Händen der Pfarrer. Die langen Jahre der vom Staat unterstützten Gegenreformation, die mit den verschiedensten Mitteln vorangetrieben wurde, nahmen erst unter *Joseph II.* ein Ende. Das Toleranzpatent des Jahres 1781 gestand die freie Religionsausübung zu, und Reformierte und Lutheraner atmeten gleicherweise auf. Doch führten die weiteren Maßnahmen *Josephs* bald zu starkem Widerstand, besonders unter dem ungarischen Adel. Eine heftige Auseinandersetzung rief die Neuordnung des Schulwesens hervor. In ihr sah man die Gefahr der »Germanisierung«, sollte sie doch die konfessionellen Schulen abschaffen und an deren Stelle staatliche setzen. Besonders der reformierte ungarische Adel lief dagegen Sturm, doch stieß *Joseph* mit seinen Reformen schließlich im ganzen Reich auf Ablehnung, so daß er endlich resignierte. Allein den Protestanten blieb eine, wenn auch nicht vollkommene Freiheit der Ausübung ihres Bekenntnisses. In der Zeit der Restauration, unter dem Eindruck der französischen Revolution, wurde zwar auf mancherlei Weise versucht, die Lage der Protestanten zu erschweren, doch ließ sich das Rad der Geschichte nicht zurückdrehen. Auf den Reformlandtagen zwischen 1825 und 1848 setzte sich dann unter dem Einfluß der liberalen Idee die völlige Gleichberechtigung der Bekenntnisse durch, und dies um so mehr, als sich allmählich die Beteiligung der Laien am Kirchenregiment immer mehr festigte.

Diese synodal-presbyteriale Verfassung war im Zeichen unionistischer Tendenzen auf den Synoden zu Buda (Reformierte) und Pest (Lutheraner) schon im Jahre 1791 ausgearbeitet worden, die das Ziel verfolgten, beiden protestantischen Kirchen eine gleiche Verfassung zu geben. Zwar scheiterte ihre Einführung an dem Widerspruch konservativer reformierter Geistlicher und des (katholischen) Fürstbischofs, doch gingen die ungarischen Gemeinden zu einem beträchtlichen Teil daran, sie dennoch zu verwirklichen. Endgültig wurde sie für das ganze Land 1822 verbindlich. Offen blieb lediglich noch die Frage der für das ganze Land vertretenden Generalsynode und eines obersten Kirchenamtes.

Die neu gewonnene Freiheit brachte nach der erzwungenen Dürre des vergangenen Jahrhunderts eine neue Fülle von theologischer Literatur hervor, und auf dem Gebiet des Schulwesens wurden bedeutende Fortschritte erzielt. Neue Schulen entstanden, Lehrerseminare, selbst eine landwirtschaftliche Schule, und eine ganze Zahl von Pfarrerbildungsanstalten. Der Versuch, in Pest eine gemeinsame lutherisch-reformierte Hochschule zu gründen, mußte allerdings aufgegeben werden, ebenso wie die Unionsbestrebungen, die von den slovakischen Lutheranern heftig angegriffen wurden, denn diese fürchteten, auf diese Weise »magyarisiert« zu werden. So wirkte hier die neue Idee des Nationalismus ebenso hinderlich, wie dreihundert Jahre früher der Streit um das Dogma.

Als das Habsburgische Reich in dem verlorenen Krieg des Jahres 1866 gegen den norddeutschen Rivalen Preußen seine jahrhundertealte Stellung in Deutschland einbüßte, mußte die Wiener Regierung die Selbständigkeit Ungarns wiederum zugestehen, die nach 1848 aufgehoben war. Der ungarische Reichstag bestimmte nur die Innenpolitik der Länder der Stephanskrone, und bei der Durchführung der notwendig gewordenen Reformen, die das Land den veränderten Gegebenheiten anpassen sollte, war den Kirchen eine wichtige Rolle, besonders auf dem Gebiet des Schulwesens zugedacht. So wurde die Frage einer einheitlichen Kirchenleitung immer dringender, war doch eine einheitliche Schulaufsicht und Unterrichtsausrichtung notwendig. Auch die Diasporafrage und die Betreuung der Auswanderer drängte dazu. Doch dauerte es noch bis 1881, ehe in Debrecen eine Synode zusammentrat, die die Grundlinien der Kirchenverfassung ausarbeitete, die dann von späteren Synoden ausgebaut wurden und auch heute noch gelten. Majoritätsprinzip, korporative Verwaltung und paritätische Zusammensetzung der Gremien sind ihre Grundpfeiler. Einem geistlichen tritt jeweils ein weltlicher Vorstand zur Seite, ein Kurator; von der untersten Stufe, der Gemeinde, bis hinauf zur Generalsynode wird dieses Prinzip durchgeführt. Auch die Zusammensetzung der kirchlichen Körperschaften ist paritätisch aus Laien und Geistlichen zusammengesetzt, ihre Mitglieder werden von den Presbyterien gewählt. Eine Ausnahme bildet der Generalkonvent, der von den Distriktsversammlungen gewählt wird.

Damit war eine einheitliche reformierte Landeskirche geschaffen, und das presbyterial-synodale Prinzip für alle Stufen der kirchlichen Organisation durchgeführt. Mit Hilfe dieser großen, alle reformatorischen Kräfte des Landes zusammenfassenden Organisation war es dann in den folgenden Jahren möglich, die vielfältigen Aufgaben, die sich ergaben, geschlossen und einheitlich in Angriff zu nehmen.

b) Die Unitarier: Neben dem helvetischen Bekenntnis faßte noch eine andere protestantische Richtung unter den Magyaren Fuß. Es war dies der sogenannte Unitarismus oder Antitrinitarismus, der besonders in Oberitalien zeitweilig starke Ausbreitung fand. Der religiöse Aufbruch, der die Reformation auszeichnete und dessen Höhepunkt und Lösung sie war, führte im Zusammenhang mit der Textkritik der humanistischen Gelehrtenschule dazu, daß trotz der eindringlichen Mahnung Luthers von einzelnen Reformatoren das Dogma der Trinität abgelehnt, der Inhalt der Glaubensaussage freigegeben und so zuletzt dem »gesunden Menschenverstand« des Kritikers die Entscheidung überlassen wurde. Entsprechend vielfältig war die Auslegung der Heiligen Schrift. Während aber im Westen, in der Schweiz, den Niederlanden und Oberitalien die Unitarier bald wieder verschwanden, bilden sie in Ungarn, ebenso wie in den USA, noch heute eine, wenn auch kleine, Gruppe. Die dynastischen Beziehungen des polnischen und siebenbürgischen Herrscherhauses zu Italien führten dazu, daß ein Teil der Unitarier aus Italien vor den Verfolgungen durch die Kirche nach Polen und Siebenbürgen zog. Der Arzt *Georg Blandrata* ist es gewesen, der die unitarische Lehre in Siebenbürgen, gestützt auf den Schutz des Fürsten, verbreitete. Er fand bald an dem reformierten Bischof Siebenbürgens *Franz David*, der sich der unitarischen Richtung anschloß, eifrige Unterstützung.

Die unitarische Lehre breitete sich etwa in den sechziger Jahren des 16. Jahrhunderts in Siebenbürgen aus. Zwar leisteten die Lutheraner und Reformierten erbitterten Widerstand, aber es gelang der unermüdlichen Tätigkeit und Beredsamkeit *Blandratas* und seiner Anhänger doch, einen Teil der Pastoren zum Anschluß an den Unitarismus zu bewegen. Als die Reformierten schließlich beim Fürsten eine öffentliche Disputation zu Weißenburg durchsetzen, mußten die Unitarier einige ihrer Behauptungen zurücknehmen. Doch blieb dies ohne dauernde Wirkungen. Schon bald danach agitierten sie wieder in der alten Weise gegen Trinität und Kindertaufe. Da der siebenbürgische Fürst selbst *Blandrata* begünstigte und förderte, mangelte allen Gegenmaßnahmen der beiden protestantischen Bekenntnisse die nötige Kraft. Es kam soweit, daß unter den Reformierten des Fürstentums die antitrinitarische Lehre zur vorherrschenden wurde, ja, sie griff darüber hinaus noch in das habsburgische und türkische Gebiet über. Lediglich die lutherischen Siebenbürger hielten sich fern (siehe S. 375).

Als im Jahre 1568 der siebenbürgische Landtag jeglicher Art von Evangeliumsverkündung volle Freiheit gewährte, führte das zu einer immer stärkeren Aufsplitterung des Unitarismus. Der Wegfall einer allgemeinverbindlichen Grundlage öffnete der subjektiven Auslegung Tür und Tor. Als dann drei Jahre später der Katholik *Stephan Báthory* Fürst von Siebenbürgen wurde, verlor die Bewegung die Unterstützung des Herrschers. *Franz David* wurde vom Amt des Hofpredigers abgelöst, und in der Folge schwand der Einfluß und die Anhängerschaft der Unitarier mehr und mehr, hatten doch ihre Streitigkeiten vielen Geistlichen und Laien die innere Unsicherheit und Fragwürdigkeit dieser Richtung gezeigt. Zwar konnte der gemäßigte Hauptteil der Unitarier, der von *Blandrata* bestimmt war, sich als eins der vier Bekenntnisse des Fürstentums behaupten, doch *Franz David*, der besonders wegen seiner Ablehnung der Kindertaufe angegriffen wurde, geriet in Gegensatz zum König und starb schließlich im Kerker. Seine Anhänger haben sich in Siebenbürgen nicht mehr lange behaupten können. Sie wanderten in das türkische Gebiet aus, wo sie vor Nachstellungen sicher waren. Dort haben sie noch bis in die zweite Hälfte des 17. Jahrhunderts hinein gewirkt, wurden aber zum Teil schon von anderen Bekenntnissen aufgesogen und verschwanden dann nach der Rückeroberung des Landes durch die Habsburger fast vollständig. Die gemäßigten Unitarier in Siebenbürgen haben ein ähnliches Schicksal wie die anderen protestantischen Kirchen dieses Raumes gehabt. Es ist eine im Vergleich zu den beiden anderen kleine Gruppe geblieben, die über den siebenbürgischen Raum hinaus in Europa kaum Verbreitung besaß.

c) Deutsch-magyarisches Luthertum: Die Gedanken *Luthers* fanden in Ungarn sehr schnell Eingang, Reisende und Studenten, die aus Deutschland zurückkehrten, trugen die Kunde von der neuen Lehre ins Land, und für ein Vierteljahrhundert war es Luthers Autorität, die die Erneuerung des geistigen Lebens auch in Ungarn bestimmte und an der sie sich ausrichtete. Die Besonderheit der geschichtlichen Lage des Landes, seine Aufteilung unter türkische, siebenbürgische und habsburgische Herrschaft und die mit dem Ende des einst so mächtigen Reiches verbundene Erschütterung waren für die weitere Entwicklung von ausschlaggebender Bedeutung.

Die Katastrophe des Reiches hatte zu einer Suche nach den Gründen für diesen jähen Sturz geführt. In einer Zeit, deren Denken der Säkularisierung späterer Jahrhunderte noch fern stand, brachte dies eine Besinnung auf die religiösen Quellen des Lebens mit sich und bereitete so der Wittenberger Lehre den Boden. Die besondere Situation zwang die Herrscher in Wien und Siebenbürgen zu Rücksichtnahme. Beide mußten fürchten, daß eine Politik der Intoleranz ihre Anhänger in das Lager des Gegners treiben könnte. Auch die mangelnde Sicherheit innerhalb der katholischen Kirche über das Verhalten gegenüber den Protestanten, die erst das Tridentinum beseitigte, trug zu der unentschiedenen Haltung der Landes- und Grundherren bei. So hat sich die lutherische Lehre in Ungarn rasch und weit ausbreiten können, auch im türkischen Gebiet, wo der Sultan auf die innerkirchlichen Fragen seiner Untertanen keinen Einfluß nahm.

Da der König in Wien sich weiterhin zur römischen Kirche bekannte, andererseits aber wegen politischer Rücksichtnahme nicht mit Nachdruck in die kirchliche Entwicklung Ungarns eingreifen konnte, fiel es den Grundherren zu, den Schutz der Kirchen in ihrem Gebiet zu übernehmen. Damit ist gleichzeitig eine Abwandlung des Grundsatzes »Cuius regio, eius religio« verbunden: In vielen Fällen war die religiöse Entscheidung des adligen Grundherren entscheidend für die der Bevölkerung seines Gebietes. Ihm oblag es, wenn er sich zum Protestantismus bekannte, die Geistlichen in sein Amt einzusetzen. Die Ordination selbst blieb allerdings auch weiterhin in den Händen von Geistlichen. Lediglich in den königlichen Freistädten wie Ödenburg oder den Bergstädten entschieden die Bürger selbst – durch ihr Stadtregiment, und zwar gemäß den Privilegien, die sie bereits seit dem Mittelalter besaßen.

Die Hinwendung eines großen Teils der Magyaren zum Kalvinismus, der in der zweiten Hälfte des Jahrhunderts erfolgte, nahm der lutherischen Lehre weit über die Hälfte ihrer Bekenner. Vornehmlich die deutschen Kolonisten und Bürger und die Slovaken verblieben bei der Wittenberger Richtung. Bei den Deutschen gab neben Volkstum und Sprache besonders der Schutz, den die Confessio Augustana – wenn auch nicht in ausreichendem Maße – ihnen bot, den Ausschlag. Sie bildeten eine Minderheit im magyarischen Gebiet, die durch ihre Privilegien ohnehin einer gewissen Spannung zur magyarischen Mehrheit ausgesetzt war, und ihr – verhältnismäßiger – Reichtum erhöhte die Sympathien der ärmeren magyarischen Landbevölkerung nicht. Aber auch bei den Slovaken bildete der Schutz, den das Luthertum genoß, ein wichtiges Moment bei ihrer Entscheidung, daran festzuhalten. Zwar sind bei beiden Volksgruppen auch lange und heftige konfessionelle Auseinandersetzungen ausgetragen worden, doch hat sich schließlich die augsburgische Richtung durchgesetzt.

Zu einer das ganze Land umfassenden Kirchenorganisation ist es nach der Reformation weder bei Lutheranern noch bei Kalvinisten gekommen. Im türkischen Gebiet verhinderte dies der Staat. Siebenbürgen nahm eine eigene Entwicklung. Im habsburgischen Gebiete aber setzte nach dem Trienter Konzil die Gegenreformation ein, und was vorher an innerkirchlichen Streitigkeiten gescheitert war, nämlich eine lutherische Kirchenorganisation, wurde nun durch die staatlichen Maßnahmen verhindert. Es kam lediglich zu landschaftlich begrenzten Kirchenorganisationen, z. B. in der Zips. Die Geistlichen schlossen sich in einzelnen »Fraternitäten«, Senioraten, zusammen, denen ein Dekan vorstand, und die Seniorate wiederum bildeten Distrikte unter einem Bischof oder Superintendenten.

Die vielfachen Gefährdungen, denen der Protestantismus in Ungarn und, bedingt durch die völkische Minderheitensituation, besonders das Luthertum ausgesetzt gewesen ist, haben dazu geführt, daß der lutherische Gedanke des allgemeinen Priestertums hier viel wirksamer wurde als in Deutschland, wodurch die Verbindung zwischen Landesherrn und Kirche auch in das religiöse Leben das »obrigkeitliche Regiment« hineingetragen wurde. Dieses allgemeine Priestertum, dieser persönliche Bezug des einzelnen zu Gott ohne die Notwendigkeit einer priesterlichen Vermittlung war in den Zeiten der schlimmen Verfolgungen wohl oftmals die einzige Möglichkeit, den Glauben zu bewahren und das geistige Leben aufrechtzuerhalten.

Ähnlich wie in der reformierten Kirche, mit der die lutherische das Schicksal weitgehend teilte, und von der sie sich hauptsächlich in dogmatischen Fragen unterschied, war der Aufbau der sich meist an die mittelalterliche Diözesaneinteilung anschließenden einzelnen Kirchendistrikte. Die Geistlichen wählten ihren Dekan oder Senior, und sie wählten auch den Superintendenten oder Bischof. So führte der Mangel eines lutherischen Landesherren zum Aufbau einer landschaftlichen Kirchenorganisation von unten her und trug einen stark demokratischen Zug in sie hinein. Das aber bewirkte eine enge Verbindung zwischen Kirchenleitung und Gemeinden. Während der tödlichen Bedrohung durch die Gegenreformation hat die lutherische Kirche ebenso sehr gelitten wie die reformierte. Auch die sanfteren Regierungsmethoden Kaiser *Karls VI.* haben nur einen äußeren Wandel geschaffen, die Bedrohung blieb. Doch kam dem Luthertum eine unerwartete Hilfe, und zwar durch die Ansiedlungspolitik der Wiener Regierung. In den nach 1683 von den Türken zurückgewonnenen Gebieten mangelte es an Menschen, weite Landstriche waren verlassen. Die Umsiedlung aus anderen Teilen des Habsburger Reiches konnte die Lücken nicht ausfüllen, es blieb ein Vakuum hinter der Grenze. Wirtschaftliche und besonders militärische Erfordernisse erheischten dringend eine stärkere Besiedlung. Im Kriegsfalle hätte das menschenleere Land die Armee nicht genügend mit Nahrungsmitteln versorgen können, also mußten Siedler herbeigezogen werden.

Nachdem schon nach 1712 einzelne adlige Grundherren für ihre Ländereien Siedler aus Süddeutschland herbeigerufen hatten, besonders aus Württemberg, wandte sich schließlich auch der Kaiser selbst an die süddeutschen Landesherren mit der Bitte, ihm Kolonisten zu schicken. Lutheranern und Kalvinisten wurde dabei freie Religionsausübung versprochen, auch mannigfache sonstige Vergünstigungen. So machte sich, besonders in den Jahren 1723/24, eine beträchtliche Zahl lutherischer Siedler nach Ungarn auf.

Sie fanden bereits eine im Ansatz vorhandene Kirchenorganisation vor, die nach der Ansiedlung von deutschen Lutheranern auf dem Lande von Großgrundbesitzern gebildet worden war. Fünf Pfarrer hatten sich zu einem Seniorat zusammengeschlossen, und für diese kleine lutherische Gruppe bedeutete der Zuzug eine beträchtliche Stärkung, wenn er auch zahlenmäßig nicht so groß erscheinen mag. Die *Carolina Resolutio*, die 1731 erlassen wurde, unterwarf auch das Luthertum in den neubesiedelten Gebieten der Macht des Kaisers. Sie hat an der Lage der Siedler indes wenig geändert, denn *Karl VI.* war es mit seinem Versprechen ernst. Er hat sogar Übergriffe von übereifrigen katholischen Bischöfen abgewehrt, wenn er freilich auch nicht alles verhindern konnte, was an Unrecht geschah. An seinem guten Willen ist jedoch nicht zu zweifeln.

Maria Theresia hat die weitere Einwanderung protestantischer Siedler vorübergehend zwar unterbrechen können, doch im letzten Viertel des Jahrhunderts ist dann nochmals eine starke Welle lutherischer Kolonisten ins Land gezogen. Es entwickelte sich nun ein Kirchenwesen, das sich trotz der Übergriffe von katholischen Geistlichen und Beamten mehr und mehr kräftigte und schließlich durchsetzte. Die Schwierigkeiten, die sich aus dem Nebeneinander und Miteinander verschiedener Volksgruppen ergaben, beseitigte man durch die Einführung des Konseniorates, das von einem Vertreter der sprachlichen Minderheit besetzt wurde. Diese Regelung, die bereits zur Reformationszeit in Gebieten mit gemischtsprachiger Bevölkerung angewandt wurde, hat zu einer gedeihlichen Zusammenarbeit geführt und blieb bis zum österreichisch-ungarischen Ausgleich 1867 erhalten. Danach schaffte man, unter Berufung auf das Gleichheitsprinzip, dieses Amt ab. Die Folge war, daß sich der ohnehin scharfe Nationalitätengegensatz noch mehr verschärfte und auf das kirchliche Leben übergriff.

War im 16. Jahrhundert die Verkündigung des Evangeliums, später dann die Auseinandersetzung mit der helvetischen Richtung über die rechte Auffassung und Auslegung Hauptanliegen der Lutheraner gewesen, das den Predigten und Schriften seinen Stempel aufgedrückt hatte, so trat im folgenden Jahrhundert eine Erstarrung ein.

Hinzu trat noch, daß in der Leopoldinischen Zeit die Zensur nur das Allernötigste zugestand, theologische Werke und polemische Schriften verfielen der Beschlagnahmung. Damit aber – neben anderen Gründen – erlahmte eine fruchtbare Auseinandersetzung über kirchliche und religiöse Angelegenheiten, und erst die von Halle ausgehende religiöse Erneuerung des Pietismus, die über den intellektuell-dogmatischen Streit hinweg eine erneute christliche Durchdringung des ganzen Lebens anstrebte, schuf Wandel. Besonders im wiederbesiedelten Gebiet, dessen Obersenior dem Pietismus zuneigte, hat er tiefe Spuren hinterlassen, waren hier doch die Bedingungen, auf die er traf, seiner Einwirkung besonders günstig. Denn die Nöte, denen die Siedler ausgesetzt waren, machten sie für das tiefinnerliche Glaubensverständnis empfänglich. Es ist zwischen den Orthodoxen und den Pietisten zu heftigen Kämpfen gekommen, eine neuerliche Fülle von Traktaten, Streitschriften und anderer Literatur erschien, und die Auswirkungen dieser von Halle ausgehenden Bewegung haben sich bis zu Slovaken, Magyaren und Rumänen hin erstreckt. Auch auf dem Gebiet des Schulwesens hat das Hallesche Vorbild in Ungarn seine Auswirkung gefunden, selbst bei den Reformierten, die sonst kaum davon beeinflußt wurden.

Als das Toleranzpatent des Jahres 1781 erlassen wurde, schien sich das Schicksal des Protestantismus zum Guten zu wenden, doch die Auswirkungen der Französischen Revolution und die Restaurationszeit mit ihren »Demagogenverfolgungen« brachte auch für die Lutheraner neuerliche Beschwernisse. Vertrat doch Kaiser Franz die Meinung, in der Reformation seien die Wurzeln der Französischen Revolution zu suchen. Die Rechte der Kirche wurden eingeschränkt, in Zensur und Mischehenfrage nahm der Staat die Interessen des Katholizismus einseitig wahr. Auch der Besuch deutscher Universitäten wurde verboten, galten sie doch seit dem Wartburgfest als revolutionär. Während dieser Zeit wuchs noch eine weitere Bedrohung der lutherischen Kirche heran. Ausgehend von Frankreich faßte auch in Ungarn der nationalstaatliche Gedanke unter den Magyaren Fuß, und unter den Lutheranern schlossen sich ihm führende Vertreter an. *Karl* Graf *Zay* wurde zu einem der eifrigsten Verfechter des ungarischen Nationalstaates. Er wünschte zur Erreichung dieses Zieles eine Union der beiden protestantischen Konfessionen, um die das Volk durchziehende Trennung aufzuheben und dadurch eine größere Geschlossenheit zu erzielen, die auch im Hinblick auf die staatliche Kirchenpolitik erforderlich schien. Zu diesem Zwecke ließ er den ungarischen Sprachunterricht in den höheren Schulen für obligatorisch erklären, auch mußten die Pfarrmatrikel in ungarischer Sprache geführt werden.

Diese Gedanken haben unter den Deutschen Ungarns, denen die Bindung an das Deutsche Reich verlorengegangen war, viel Anklang gefunden. Sie hatten in ihrem Kampf für die Erhaltung ihres Glaubens bei den Magyaren Unterstützung gefunden, und der Feind war für sie Wien gewesen – eine deutsche Stadt. Dazu kam, daß die *Metternich*'sche Politik die Erhaltung des alten Ständestaates zum Ziel hatte – während die nationalstaatliche Idee mit dem Gedanken der Volkssouveränität und der Gleichheit aller Menschen verbunden war.

Der Widerstand gegen die Unionspläne kam zunächst von einer Seite, von der man es am wenigstens erwartet hätte: von den Slovaken.

Die eigentliche Entscheidung aber brachte der Aufstand des Jahres 1848/49. Viele deutsche Lutheraner kämpften zusammen mit den Magyaren gegen die kaiserlichen Heere, und als der Aufstand niedergeworfen war, übernahmen sogenannte »Administratoren«, die von Wien ernannt wurden, überall dort das Kirchenregiment, wo die bisherigen Amtsträger im Zusammenhang mit dem Aufstand gestanden hatten. Kirchenverwaltung und Schulen wurden dem Staat unterstellt, Maßnahmen, die erneut zum Argwohn führten, denn die lange Zeit der staatlichen Bedrückung war noch gut in Erinnerung. So sah man unter den deutschen Lutheranern vor allem die Bedrohung der Autonomie, doch wurden auch schon Stimmen laut, die auf die Gefahr für das Deutschtum hinwiesen, welche die Unionspläne bargen. In den Auseinandersetzungen um die Annahme des kaiserlichen Patentes von 1859, das von den Magyaren abgelehnt wurde, hat dieser Gesichtspunkt sich dann ausgewirkt. Während in den Städten das deutsche Bürgertum sich dem magyarischen Standpunkt anschloß, haben sich auf dem Lande die Gemeinden zum Großteil für das Deutschtum entschieden.

Der ungarische Ausgleich des Jahres 1867 aber hob die Magyaren in die Rolle eines Staatsvolkes. Da seit dem Jahre 1791, der ersten lutherischen Gesamtsynode, die Sonderstellung der Stadtgemeinden aufgehoben war und außerdem nun die lutherische Kirche Rechtsgleichheit genoß, wurde sie vom magyarisch-ungarischen Staat als eine Kirche unter anderen betrachtet und ebenso wie die anderen für die staatlichen Interessen herangezogen. Das vorwiegende Interesse aber war der magyarische Nationalstaat, und über die von den Kirchen unterhaltenen Schulen suchte man nun die Magyarisierung auch der deutschen Lutheraner vorwärtszutreiben. Gesetze schrieben vor – zuerst an höheren, dann auch an Volksschulen –, daß ungarisch zur Unterrichtssprache gemacht werde. Auch mit anderen Mitteln suchte man die Magyarisierung zu fördern. Um den Widerstand der Slovaken zu brechen, wurde eine neue Distrikteinteilung vorgenommen, die Gemeinden erhielten magyarische Namen – kurz, die Freiheit, die die Magyaren Wien gegenüber gefordert hatten, waren sie nicht gewillt, anderen auch nur in geringerem Umfange zuzugestehen.

Von diesen Bestrebungen war auch die lutherische Generalsynode nicht frei, die in Budapest 1891–93 endlich eine Landeskirche schuf, fast 350 Jahre nach Luthers Tod. Als oberstes Verwaltungsorgan der neuen lutherischen Kirchenorganisation wurde die Generalversammlung eingesetzt, im übrigen baute man den synodal-presbyterialen Grundzug der Kirche, der sich parallel zur reformierten Kirche entwickelt hatte und seinen Grund in der historischen Bedeutung der Latifundienbesitzer für die Kirche besaß, noch weiter aus. Auch über den sogenannten Lastenausgleichsfonds einigte man sich. Diese, später »Gustav-Adolf-Hilfsverein« genannte Einrichtung diente der Unterstützung der Diasporagemeinden und arbeitete eng mit dem Gustav-Adolf-Werk zusammen. Auch eine Landeskirchliche Pensionsanstalt wurde ins Leben gerufen.

So hatte sich in Ungarn endlich eine lutherische Landeskirche mit Unterstützung der eingewanderten deutschen Lutheraner konstituiert. Es hatte aber just dieser Zusammenschluß zur Folge, daß in ihm und durch ihn dem Staat ein Mittel erwuchs, mit dem er die Assimilation der Deutschen noch straffer zu betreiben versuchte. Die Kräfte, die sich dagegen wehrten, waren schwach, und durch die Verluste, die der ungarische Staat durch den Vertrag von

Trianon 1919 erlitt, büßten sie noch einen beträchtlichen Teil ihrer Kraft ein. Von den unter ungarischer Herrschaft Verbliebenen ist zwischen 1928 und 1940 ein beträchtlicher Teil assimiliert worden und verstärkt heute, nach der Aussiedlung fast aller Deutschen, die kleine, zäh um ihren Bestand und ihren Glauben ringende ungarische lutherische Kirche .

14. Die Kirche Gottes sächsischer Nation

Eng mit dem ungarischen Raum verbunden und doch eigenständig, verläuft die Kirchengeschichte der Siebenbürger Sachsen. Ihre erste Eigenart besteht gleich darin, daß dieser evangelische Volksstamm die Anfänge seiner Kirche wie selbstverständlich in das 12. Jahrhundert verlegt, in dem seine Vorfahren als treue Glieder der mittelalterlichen Papstkirche nach Siebenbürgen einwanderten. Die in der Hauptsache wohl flämischen und rheinischen Siedler hatte der ungarische König *Geza II.* (1141–62) »zum Schutz der Krone« in sein Land »jenseits der Wälder« – Transsylvanien – gerufen, damit sie dort im Zuge einer Umstellung der Landesverteidigung die königseigenen Grenzödländer wirtschaftlich erschließen, und dennoch zur Verteidigung tüchtig erhalten sollten. Vor allem aber sollten sie die Königsmacht auch gegenüber dem eigenwilligen Adel stärken helfen. Der »goldene Freibrief«, in dem König *Andreas II.* ihnen 1224 die alten Rechte für alle Zukunft verbürgte, läßt vermuten, daß sie diese Aufgabe auch ein Jahr später erfüllen mußten, als der König 1225 den recht selbstherrlich gewordenen Deutschen Ritterorden vertrieb, dem 1211 mit der Missionierung der Kumanen auch die Besiedlung der siebenbürgischen Südostecke, des Burzenlandes, übertragen worden war. Der Ritterorden verlegte damals seine Wirksamkeit nach Preußen, wo die Marienburg an der Nogat auch das Andenken der verlassenen Burzenländer Marienburg am Alt wachhielt.

Das Gemeinwesen der Siedler aber erfuhr weitere Förderung der Könige, überstand den Mongolensturm von 1241 und entwickelte sich bald zur dritten Kraft im Lande, die später neben dem magyarischen Komitats-Adel und dem bäuerlichen Grenzvolk der magyarisch sprechenden Szekler als dritte der ständischen »Nationen« in den siebenbürgischen Landtag einzog. Die ungarische Hofkanzlei nannte die früheren »Flandrenses« und »Theutones« bald »Saxones«, wie alle Niederdeutschen; als »Siebenbürger Sachsen« sind sie auch in die Geschichte eingegangen. Als einzige »Nation« Siebenbürgens wurden sie von gewählten Bürgern vertreten und durchbrachen damit die Sonderstellung des Adels in einer Zeit, als dieser – nicht nur im pannonischen Raum – beanspruchte, Rechte und politisches Geschehen allein zu bestimmen. Ihre »Nations-Universität« ordnete seit dem 15. Jahrhundert als höchste gewählte Körperschaft die Angelegenheiten im sächsischen Selbstverwaltungsgebiet, dem sogenannten Königsboden. Höchster Beamter war der erst vom König ernannte, später von der Nation gewählte »Sachsengraf«. Wichtiger sind für uns die kirchlichen Eigenheiten, die es möglich machen, die »Geschichte der evangelischen Kirche AB in Siebenbürgen« im 12. Jahrhundert beginnen zu lassen. Die Einwanderer brachten damals eine im germanischen Westen langsam vergehende Form der Kirchenorganisation mit und waren offenbar, wie jener andreanische Freibrief zeigt, entschlossen, diese Sonderform auch gegen den Zeitgeist durchzuhalten: die »Genossenschaftskirche«. Die Gemeinde verstand sich hier als Hoheitsträgerin ihrer Kirche, sie wählte, wie ihre Richter, so auch ihre Pfarrer von Anfang an selbst und entrichtete ihnen den Zehnten, nicht dem Bischof. Die Pfarrer schlossen sich ihrerseits zu Kapiteln zusammen und wählten – auf Zeit – ihre Dechanten, die in Hermannstadt und Kronstadt, den wichtigsten Mittelpunkten der Sachsen, auch »quasiepiscopale« Rechte ausübten. Ja, sie bildeten seit dem 15. Jahrhundert eine »geistliche Universität exemter Kapitel«, d. h. einen kirchenrechtlich einmaligen Sonderzusammenschluß über Erzbistumsgrenzen hinweg; denn nur ein Teil der »sächsischen« Ansiedlungen gehörte zum siebenbürgischen Bistum des Erzbistums Kalocsa, der andere – nämlich die eben genannten Dekanate von Hermannstadt und Kronstadt – stand direkt unter dem weit entfernten Erzbischof von Gran. Diese eigenartige Sondergemeinschaft ließ sich seit spätestens 1500 schon durch einen, ebenfalls frei gewählten »General-Dechanten« vertreten, und es fällt auf, daß alle diese Sondereinrichtungen, die vom römischen Kirchenrecht des *Codex Gratiani* nicht gedeckt wurden, von den bischöflichen Oberen – willig oder unwillig – respektiert wurden. Selbst das auch in Siebenbürgen reiche mittelalterliche Klosterwesen bekam die Kraft des stark entwickelten Gemeindebewußtseins zu spüren: Schon vor der Reformation gingen, umgekehrt als es sonst üblich war, Klöster in den Gemeinden auf.

Diese Gemeinden entfalteten denn auch ein intensives Leben in Nachbarschaften und Bruderschaften, in reich gegliederten Formen genossenschaftlichen Zusammenlebens, die ohne Bruch in das spätere reformatorische Kirchenwesen übergingen und bis in die Gegenwart den Alltag und den Festtag prägten. Es hat im letzten Jahrhundert vielen Besuchern westlicher Breiten ein Stauenen über soviel Fortdauer abgenötigt. »Ein Bild deutschen Mittelalters« rief *Adolf von Harnack* 1899 aus, und *Charles Boner*, der englische Reiseschriftsteller, erblickte in den sächsischen Männern, die in ihrer Kirchentracht zum Gottesdienst schritten, das Bild von *Cromwells* strengen Glaubenskämpfern. Die Befestigung, die fast jede Kirche in Siebenbürgen noch heute umgibt und zur »Kirchenburg« macht, mag zu diesem Eindruck beigetragen haben. Es war jedenfalls nicht Zufall, daß vor einigen Jahren »die Geschichte des Gottesdienstes der Siebenbürger Sachsen« geschrieben wurde – nicht nur die des Gottesdienstes der evangelischen Kirche in Siebenbürgen, wie man zunächst annehmen sollte; der Verfasser hatte durch seinen Titel, ganz un-

absichtlich, dem durchgehenden Kirchenverständnis der rund 250 sächsischen evangelischen Gemeinden Ausdruck verliehen.
Was veranlaßte diese Menschen, geschlossen zur Reformation überzugehen? Man wird die »ganz besondere Befähigung zum selfgovernment«, von der *Boner* berichtet, nicht zuletzt nennen dürfen. Dies bis 1540 nur mühsam erhaltene Recht ihrer Gemeinden ein für allemal durchgesetzt zu sehen, dazu den Zusammenschluß der Graner und der Kalocsa-Kapitel zur rechtlich unanfechtbaren Grundlage des »einen Körpers« zu machen, in dem man sich verbunden fühlte (so formulierte es 1545 die Synode), wirkte mächtig mit. Zudem war hier, wie in ganz Ungarn, der Humanismus ein Wegbereiter der Reformation gewesen. So wurde ein Humanist auch der Reformator: *Johannes Honterus*, ein Kronstädter, der in Wien Magister geworden war, in Krakau als Grammatiker und Kosmograph, in Basel als Kartenschnitzer hervortrat, verhalf der lang schon um sich greifenden evangelischen Predigt zum geordneten Durchbruch (1543). Und schließlich hatten die Türkenkriege, deren Hauptlast die Sachsen spürten, das Land seit 1520 erschüttert und innerlich für das vollmächtig verkündete Gotteswort reif gemacht. So begegnen uns die Sachsen seit 1550 durch Beschluß ihrer Nations-Universität als ein lutherischer Block, der von den starken kalvinischen, antitrinitarischen, später auch pietistischen und herrnhutischen Bewegungen nur wenig angerührt wurde. Die geschlossene Einheit der sächsischen Kirche und »die Disziplin des Verstandes« bildeten gegen solche Unruhequellen stets das wichtigste Gegenargument. Dafür fanden konservative Geistesströmungen wie die lutherische Orthodoxie und der deutsche Idealismus einen bereiteten Boden, und auch der Rationalismus konnte leicht Fuß fassen.
Anfangs war das evangelische Kirchenwesen ganz Siebenbürgens lutherisch geprägt, doch wählten die einzelnen Sprachgemeinschaften von vornherein eigene Superintendenten. Das war kein feindseliger Akt; es entsprach der Gliederung und dem Selbstverständnis des Landes, dem die Eintracht in der Vielfalt Lebensgesetz war. Die drei Superintendenten des »Untern Pannonien« (Teile des östlichen Ungarn hatten sich auf Zeit mit Siebenbürgen verbunden), der »sächsischen Nation« und der »ungarischen Nation in Siebenbürgen« unterzeichneten 1557 in Klausenburg gemeinsam den lutherischen »Consensus doctrinae de sacramentis«. Als sich jedoch bald darauf der größere Teil der »ungarischen Nation« *Kalvin* zuwandte und teilweise, unter Führung des sächsischen Feuergeistes *Franz Davidis* († 1579) gar unitarisch wurde, hielten *Matthias Hebler* († 1571) und *Lucas Ungleich* († 1600) ihre Sachsen geschlossen beim Luthertum. Lediglich in Klausenburg folgten die Sachsen ihrem Landsmann *Davidis* und splitterten mit ihrem Glaubenswechsel auch von der Nation ab, zu der sie stets ein lockereres Verhältnis hatten als die rein sächsischen Städte Hermannstadt, Kronstadt, Bistritz, Schäßburg, Mediasch und Mühlbach mit ihrem bäuerlichen Hinterland. So wurde,

ohne daß Glaubenskriege ausgebrochen wären, die Konfession bald auch zum Zubehör der nationalen Gruppe. Ein orientalischer Christ wurde selbstverständlich der rumänischen, ein siebenbürgischer Kalviner, Unitarier oder Katholik selbstverständlich der magyarischen Sprachgemeinschaft zugezählt, und das Luthertum galt – mit einer volkstümlichen Wendung der Rumänen ausgedrückt – als »sächsisches Lebensgesetz« *(legea saseasca)*. Auf dieser Grundlage entstand ab 1557 der erste Toleranzstaat Europas, an den sich selbst der Blutrichter *Caraffa* nicht heranwagte, da er bald merkte, daß Siebenbürgen die Religionsfreiheit »vor seinen Augapfel hält«, »denn in diesem Stücke sind selbst die (dem Hause Österreich sonst wohlgeneigten) Sachsen, in welchem die Stärke Siebenbürgens ganz allein besteht, so eifrig, daß sie, um ihre Religion zu vindizieren, alles aufs Spiel setzen, dabei auch so argwöhnisch und durch das, was in diesem Passu ihren Nachbarn in Ungarn geschehen und noch geschieht so abgeschreckt von Ihro Kaiserlicher Majestät, daß sie keiner Versicherung, die man auch mit tausend Eiden bekräftigt, glauben, sondern jeden Schritt, von dem sie vermuten, daß er dem Religionswesen zu nahe treten möchte, vor verdächtig halten und sich darüber allarmieren tun«. Schon 100 Jahre vor ihm, 1585, hatte der italienische Jesuit *Ardolpho* jenen Siebenbürgern, »die als Germano-Sachsen« galten, bescheinigt, daß sie »härter als Stein und unbeweglicher als Felsen« an ihrem Glauben festhielten.

Mit dem erwähnten *Lucas Ungleich* begann 1571 die lange Reihe der sächsischen Bischöfe, die (bis 1867) in der mächtigen Kirchenburg des Marktfleckens Birthälm residierten. *Sedes Episcopalis Ecclesiae Dei Nationis Saxonicae* (»Bischofsitz der Kirche Gottes sächsischer Nation«) stand am Eingangstor des dörflichen Pfarrhauses zu lesen. Der Bischof wurde bis 1867 von der Synode gewählt, die Synode, vom Generaldechanten einberufen, wurde von den Kapiteln beschickt. In den Dekanaten und ihren Kapiteln lag, wie vor der Reformation so auch jetzt, das Schwergewicht des kirchlichen Lebens. Kronstadt und Hermannstadt hielten bis etwa 1870 eifersüchtig auf ihre Vorrechte aus der alten Zeit ihrer Zugehörigkeit zu Gran; dafür trugen sie auch ein Drittel der gesamten Lasten, während die anderen 19 Kapitel und Surrogatien zwei Drittel übernahmen. (Und diese Lasten waren in den unaufhörlichen Kriegsläuften ein schmerzliches Hauptthema der synodalen Verhandlungen!). Auch das Recht der Visitation und der Ordination wollten sie ebensowenig dem Bischof abtreten wie das Oberehegericht und das Kandidationsrecht für die Pfarrbewerber. Dies letzte stand bis tief ins 19. Jahrhundert auch allen anderen Dekanaten zu und verursachte eine unnötige Zersplitterung. Es förderte auch den Nepotismus und gehört zu jenen Zügen kleinerer Gemeinschaften, die man anderwärts gern als »Kantönli-Geist« bezeichnet. Man darf dabei nur nicht übersehen, daß vieles, was von außen nach »Kantönli-Geist« aussieht, die Lebenskraft der Zellen schützt, von deren

Lebendigkeit das größere Ganze zehrt. Hätte die habsburgische Gegenreformation die Spitze eines zentral organisierten Kirchenwesens treffen können, so wären auch der sächsischen Kirche schwere Einbußen nicht erspart geblieben. So aber zersplitterte die Angriffswelle schon an der Vielfältigkeit ihres Zieles. – Natürlich gilt das nur, weil die Gemeinden in Eigenverantwortlichkeit geübt, im Geiste wach gehalten und auf Zusammenhalt bedacht waren.

Drei große Krisenperioden hatte die Kirche zu bestehen, wenn wir von der vorreformatorischen Zeit absehen. Die erste beginnt mit der »Selbständigkeit« des Fürstentums Siebenbürgen nach 1526 (das Land war der Hohen Pforte tributpflichtig) und reichte bis zum Ende der Türkenzeit (1691). Sie ist erfüllt von der äußeren Unsicherheit, in der ein pausenloses Kämpfen und Scharmützeln die siebenbürgischen Gemeinden bis zur Erschöpfung ausblutete. Einfälle der Türken und ihrer rumänischen Vasallen, Willkür der eigenen Fürsten und ihrer Hilfstruppen, und in deren Gefolge Seuchen und Verwilderung bedrohten die Existenz des Landes und seiner Bewohner. Es ist sicher einmalig, daß in einer Reformationsordnung, wie hier 1543, der Frühgottesdienst der dörflichen Gemeinden wegen der umherstreifenden Horden auf die Zeit nach Sonnenaufgang verlegt wird; es sei zu gefährlich, die Kirchenburgen in der Dunkelheit zu öffnen. Fünfzigmal soll allein die östlichste Gemeinde des Burzenlandes, Tartlau, zerstört worden sein. Die stärkste Kirchenburg Siebenbürgens bot hier den Bewohnern Zuflucht. Vor den Burgtoren aber wurde das Leben gefangener Mitbürger um einen Spottpreis feilgeboten und bei Zahlungsunfähigkeit der Eingeschlossenen verstümmelt oder ermordet. Viele Gemeinden sind damals entvölkert oder durch Menschen anderen Rechts, anderer Sprache und anderen Glaubens notdürftig aufgefüllt worden, damit der weiter bestehenden Steuerpflicht Genüge getan werden konnte. Diese – meist rumänischen, orthodoxen – Randsiedler sächsischer Gemeinden hatten nicht vollen Anteil an den bürgerlichen Rechten, da ihre Ansiedlung nicht als eine endgültige gedacht war. In einzelnen Dörfern erhielt sich bis in die jüngste Zeit der Brauch, das Haus des von der Gemeinde angestellten Hirten im Herbst stets wieder zu verbrennen, um jedes Besitzrecht auszuschließen. Doch dachte in Wirklichkeit niemand mehr an eine Wiederaussiedlung der Zugezogenen. Die starke Vermehrung dieses wirtschaftlich genügsamen Bevölkerungsteils brachte ihn im 19. Jahrhundert sogar die Mehrheit im Lande und hat nach 1918 dem Schicksal Siebenbürgens eine neue Wendung gegeben.

Der Aderlaß des Landes führte auch zu einem Niedergang von Sitte und Recht. Die bürgerlich-bäuerlichen Sachsen hatten Mühe, sich dem Adel gegenüber als gleichberechtigter Stand zu behaupten. Anmaßung und Willkür suchte sich immer stärker durchzusetzen. Auch die innerkirchlichen Zustände waren teilweise unglaublich verroht. Dennoch waren es diese wirren

Jahrzehnte, in denen sich mit dem Ruhm Siebenbürgens – seiner freiheitlichen Religionsgesetzgebung – das Selbstbewußtsein des Landes entwickelte. Die Neuordnung des gesicherten Friedens, nach dem gegen Ende des 17. Jahrhunderts alles dürstete, sollte darum auch unerwünschte Begleiterscheinungen bringen!

1691 unterzeichnete Kaiser *Leopold I.* den nach ihm benannten Staatsgrundvertrag, der den freien Anschluß Siebenbürgens an das Haus Habsburg regelte. Das Fürstentum – *Maria Theresia* erhob es zum Großfürstentum – wurde unter Beibehaltung seiner Verfassung und seines Landtags selbständiges Kronland Österreichs, dessen Herrscher zugleich »Fürst (bzw. Großfürst) von Siebenbürgen« hieß. Viele Sachsen empfanden diesen Übergang als ihre Errettung. Nur wenige, wie die Kronstädter Schusterzunft, erklärten dem Kaiser den Krieg. Ihre Anführer verloren dafür den Kopf, ihre freiwillig übergebene Stadt wurde vollständig eingeäschert (1689). Doch auch die anderen Sachsen sollten bald merken, daß mit Zunahme äußerer Sicherheit die Abnahme der Freiheit bürgerlicher Selbstverwaltung verbunden war. Eine neue Krisenperiode, die zweite nach unserer Zählung, zog herauf. Sie gefährdete die Kirche von innen bald mehr als es die äußere Gewalttätigkeit vergangener Jahrhunderte vermocht hatte.

Leopold und sein Nachfolger beschworen im »Leopoldinischen Diplom« von 1691 gleich im ersten Paragraphen die Religionsgesetze des Landes. Aber die katholischen Majestäten Wiens waren nicht gewöhnt, nach anderen Maßen zu regieren als den ihren. Der ehemals des Landes verwiesene Jesuiten-Orden zog wieder ein, das erloschene siebenbürgische Bistum wurde in Weißenburg von *Karl VI.* neu begründet – und heißt seitdem Karlsburg –, die österreichischen Garnisonen beschlagnahmten Kirchen in den rein evangelischen Städten für den katholischen Kultus, nicht endende Fiskalprozesse nagten an den kirchlichen Gerechtsamen der Sachsen, die Konversion wurde, mit wenig Erfolg zwar, aber mit um so höherer Belohnung durch Adelsprädikat, Ämter und Ehrenstellen gefördert. Bald hatten die evangelischen Sachsen auch katholische Sachsengrafen und Beamte; und wenn sich über deren Unfähigkeit Beschwerden erhoben, so bestätigte Wien sie doch in ihrer Stellung, etwa mit jenem berüchtigten Bescheid: *Et si cornua haberet* (selbst wenn er Hörner hätte)!

Dennoch blieb die Substanz der siebenbürgischen Kirche im ganzen unangetastet. Der notwendig gewordene Widerstand belebte eher das Glaubensbewußtsein. Stadtpfarrer *Markus Fronius* († 1713), Sachsenkomes *Andreas Teutsch* († 1730) und andere nahmen Anstöße des Pietismus in das ungebrochen orthodoxe Denken ihrer Kirche auf. Aus dem Salzburger »Landl« kamen nach 1734 evangelische »Transimigranten«, um ihres Glaubens willen grausam vertrieben, nach Siebenbürgen. Sie wurden bereitwillig, ja mit großer innerer Bewegung in die sächsische Kirche aufgenommen und befruchteten sichtlich das evangelische Leben ihrer Umgebung. Bis heute sind sie in ihren Gemeinden, trotz vielfacher »sächsischer« Familienverbindungen, nach Sprache, Tracht und Bewußtsein als »Landler« zu erkennen. Schwerer wogen die indirekten Einflüsse des habsburgischen Militär- und Beamtenstaates auf das Gefüge der Kirchengemeinschaft. Das neue Beamtentum begann sich dem Volke zu entfremden und eine Kaste für sich zu bilden, die dem Wiener Kanzleidenken oft näherstand als den siebenbürgischen Belangen. Solche Beamten saßen auch in der Nationsuniversität. Die neue Kirchenverfassung, die der hervorragende spätere Bischof *Georg Jeremias Haner* 1753 durchsetzte, sorgte dafür, daß die unerträglichsten Einflüsse dieser Entwicklung abgewehrt wurden. Er bahnte so etwas wie eine erste Unterscheidung von evangelischer Christengemeinde und Bürgergemeinde im Kirchenrecht der Sachsen an, indem er katholische Oberbeamte der Nation von Kirchenfragen ausschloß. Dadurch wurde die Verteidigungsbereitschaft wesentlich gestärkt und manches künftige Unheil vorbeugend verhindert.

Doch kamen mit Aufklärung und Nationalismus neue Elemente ins Spiel. Sie hatten innere und äußere Erschütterungen zur Folge. Das Toleranzedikt *Josephs II.* (1781) brachte den siebenbürgischen Völkern weniger, als sie längst besaßen. Die uniforme Rücksichtslosigkeit aber, mit der sich der aufgeklärte Menschenbeglücker über geschichtlich Gewordenes hinwegsetzte, entfachte neuen Widerstand. Als die Reformen *Josephs*, die Siebenbürgens Staatsaufbau umwerfen sollten, 1790 widerrufen wurden, brach mit einem Male die Leidenschaft der verletzten nationalen Gefühle zur mächtigen Gegenbewegung auf. Die »für verloschen erklärte sächsische Nation« hatte das Gefühl, mit ihrem »Wiederaufleben« noch einmal davongekommen zu sein. Ihr kluges und umsichtiges Taktieren im Kampf um die politische Selbstbehauptung und ihre vom Glauben gehaltene »geistige Disziplin« wich unruhiger Ausschau nach Sicherungen, die eine Wiederholung des Erlebten ausschließen würden. Während die Beamten in den »stillen Jahren« bis 1848 mit den Schikanen der Wiener Kanzleien in zermürbendem Kleinkrieg lagen, wendete sich Geistigkeit und Geistlichkeit den großen westeuropäischen Bewegungen zu, die zuerst als aufgeklärter Rationalismus, dann, nach *Napoleon*, zunehmend als idealistischer Wartburg-Nationalismus in der Welt hohe Wellen schlugen.

Die gleichen Bewegungen ergriffen auch Rumänen und Magyaren. Diese verbanden mit ihnen die Idee eines einheitlichen magyarisch sprechenden und denkenden Staates; sie hatten von der Französischen Revolution und von *Joseph II.* das ihre gelernt. Jene wollten als zahlreichste Sprachgruppe Siebenbürgens gute Rechte erwerben. Als die Spannung sich 1848 im Aufstand der Ungarn entlud, entschied sich die sächsische Nation, die nur zwischen zwei Übeln zu wählen hatte, nach einigem Schwanken für die Seite Österreichs. Zuerst wurde sie dafür vom siegreichen Revolutionsheer heimgesucht; der sächsische Pfarrer und Volkserzieher *Stephan Ludwig Roth* fiel als reines Symbol des besten sächsischen Friedens- und Aufbauwillens unter den Kugeln eines ungarischen Standgerichts. Als der junge Kaiser *Franz Joseph* dann durch russische Hilfe noch einmal die Oberhand behielt, blieb den Sachsen Lohn und Verstehen versagt. Ein zweites Mal wurde der sächsische »Königsboden« aufgelöst. Zwar wurde er auch wiederhergestellt; doch nicht mehr das sächsische Vertrauen zum Bestand des Rechtes! Als die neue Generation der Schüler *Fichtes*, der Brüder *Grimm*, *Rankes* und *St. L. Roths* die Zügel in die Hand nahm, schmiedete sie 1861 eine neue Kirchenverfassung, in die das ganze Volksleben sich ergießen konnte, als die dritte und endgültige »Zertrümmerung des Königsbodens«, 1876, die letzte große Krisenperiode augenfällig werden ließ.

Diese dritte Krisenperiode ist die des nationalen Absolutismus. Ihr Werden haben wir skizziert. Sie wurde lebensbedrohend, als Ungarns verständlicher Wille zur Eigenstaatlichkeit erst durch die Erhitzung leidenschaftlicher Kämpfe hindurch – einseitig – zum Ziele gelangte. Die siebenbürgischen Magyaren hatten sich im Widerstand gegen Habsburg in diesem Willen völlig mit ihren Brüdern aus Ungarn vereinigt. Der »österreich-ungarische Ausgleich« bestätigte die Union Siebenbürgens mit Ungarns nun auch staatsrechtlich. Die liberale Gesetzgebung, mit der sich Ungarn der Welt empfahl, mißachtete geschichtliche Rechte mit der gleichen Entschiedenheit, mit der die Magyaren ihr eigenes historisches Recht gegenüber Wien durchgesetzt hatten. Die Verwaltung Siebenbürgens, die Ortsnamen, Familien- und Vornamen, der Unterricht – alles wurde weitgehend »unifiziert«, d. h. einheitlich auf die Durchsetzung des magyarischen Elements angelegt, welches zahlenmäßig ja in der Minderheit war.

So groß der Erfolg dieses leidenschaftlichen Programms im ganzen auch war – es hat in Siebenbürgen zum Gegenteil des Erfolges geführt. Die Sachsen verschanzten sich in ihrer neuen presbyterial-synodalen Kirchenverfassung, die in freier Weise eigenständige Tradition und Elemente der westfälischen Kirchenverfassung von 1835 verband, und hielten durch ihre traditionsreichen Kirchenschulen jeden zersetzenden Einfluß fern. Die großen Schäßburger Bischöfe dieser Jahrzehnte, *Georg Daniel Teutsch* († 1893), *Friedrich Müller d. Ä.* († 1915) und *Friedrich Teutsch* († 1933), die seit 1867 in Hermannstadt residierten, waren das Herz und das Symbol einer neu belebten Gemeinsamkeit, welche in großen demonstrativen Gemeinschaftsfesten, wie sie kaum anderswo vorstellbar sind, ihren Ausdruck fand. Man muß etwa die General-Kirchenvisitationsberichte *G. D. Teutschs* lesen, jene Bilder in sich aufnehmen, in denen der Bischof von mehreren 100 bäuerlichen Reitern in schwerer Kirchentracht Ort bei Ort empfangen und weitergeleitet wird, um die Hochstimmung zu erspüren, die das ganze Kirchenvolk der damals

etwa 200 000 – 1940 waren es etwa 245 000 – Sachsen durch ständige Rückschläge hindurchtrug. Lehrertage, die alten herkömmlichen Schulfeste, Gustav-Adolf-Feste und Vereinstage, in denen alles zusammenkam, was Herz und Geist vereinte, Hochschulwochen, die wissenschaftlichen Institutionen des Landeskunde-Vereins – alles hatte sich in den Dienst der »evangelisch-sächsischen« Gemeinschaft gestellt. Rund 260 Volksschulen, 20 höhere Schulen, davon 6 Vollgymnasien und zwei Lehrerbildungsanstalten und zahlreiche Fachschulen, mit zusammen nicht ganz 900 Lehrern, mußten unter schweren Opfern erhalten werden. Die freiwilligen Kirchenumlagen betrugen zuletzt oft ein Mehrfaches der Staatssteuer. Dafür sorgten die Schulen für eine weithin anerkannte, ja gerühmte Ausbildung, die auch von Nicht-Evangelischen und Andersnationalen gern gesucht wurde. Das organisierte Schulwesen der Siebenbürger Sachsen gilt als das älteste Europas, und seine Träger wußten, was sie dieser bewährten Tradition verdankten. Manches, wie die reformatorischen »Coeten« der Gymnasien, die erst 1941 aufgelöst wurden und die ein sonst nicht übliches Maß an »Schülerselbstverwaltung« verwirklichten, harren noch der Entdeckung durch die moderne Wissenschaft.
Aber auch ins wirtschaftliche Gebiet griff die Kirche ein. Kaum ein Pfarrer, der nicht auch dem örtlichen Raiffeisen-Verein vorstand. Fürsorge und Sozialhilfe im Rahmen der Nachbarschaft waren seit jeher kirchliche Aufgaben gewesen. Nun aber übernahmen neben den Pfarrern besonders die landeskirchlichen Lehrer auch den Kampf gegen den Rebenschädling Peronospora, der den siebenbürgischen Weinbau – und mit ihm die Lebensgrundlage vieler evangelischer Gemeinden – zu vernichten drohte. Zu den Waisenhäusern und Internaten kamen noch Krankenhäuser, aber auch Mühlen, ja Badeanstalten der Gemeinden, denn das ganze sächsische Gemeinschaftsleben drängte in den Schutz der Kirche, die sich als die stärkste Burg gegen den Staatsnationalismus erwies.
Die siebenbürgischen Rumänen hatten ebenfalls aus der neuen Lage ihre Folgerungen gezogen. Als der großungarische Chauvinismus ihre eben erst zum Bewußtsein erwachte Gemeinschaft gefährdete, taten sie, was am nächsten lag: sie suchten ihren Rückhalt an der jungen aufstrebenden Staatlichkeit der rumänischen Donaufürstentümer, die 1877 unabhängig geworden waren. Der Ausgang des ersten Weltkrieges erfüllte ihre Träume. Am 1. Dezember 1918 proklamierten sie in den denkwürdigen Karlsburger Beschlüssen den Anschluß Siebenbürgens an Rumänien und garantierten »volle nationale Freiheit für alle mitwohnenden Völker« im Rahmen des neuen Gesamtstaates. Die Früchte leidvoller Erfahrung schienen zu reifen. Auch die Sachsen gaben daraufhin am 8. Januar 1919 die »Mediascher Anschlußerklärung« für Großrumänien ab; zweifelnden Herzens zwar, aber: »Die Weltereignisse haben« auch für Siebenbürgen »neue Tatsachen geschaffen« – wie es in der Präambel dieser Erklärung hieß.

Leider sollten die Zweifler recht behalten. Denn nicht der gute Wille der siebenbürger Rumänen, sondern der politische Stil von Bukarest gab dem neuen Staat das Gepräge. Dieser Stil aber bestand aus einer Mischung von Paris und Istambul. Das Pariser Konzept bedeutete von neuem Zentralismus und Uniformität am gänzlich untauglichen – weil höchst multiformen – Objekt. Landesteile ganz verschiedener Herkunft und Bevölkerung sollten als einheitlicher Nationalstaat regiert werden. Die Staatsnation, etwa 70% der Bewohner des Landes, war in politischen Führungsaufgaben am wenigsten geübt. Dilettantismus, Nepotismus und Korruption bestimmten weithin das Geschehen. Die Agrarreform, als soziale Maßnahme den kampfmüden rumänischen Truppen 1917 versprochen, wurde in den alten ungarischen Landesteilen zu einer Angelegenheit mit nationalistischen Zielen; die Minderheiten waren schwer getroffen, am meisten das evangelische Schulwesen der Sachsen. Das alles verstärkte das Unbehagen am neuen Vaterland erheblich.

Die Kirchen der Minderheiten mußten wieder die Spannung der neuen Lage wirtschaftlich und geistig zu bewältigen suchen. Die sächsische Kirche tat letzteres durch eine bewußte Wendung nach »innen«. Aus der geistlichen Mitte sollte die Gefährdung überwunden werden, die von allen Seiten auf die Gemeinschaft eindrang. Neben *Friedrich Teutsch* bezeichnen Namen wie *Franz Herfurth* († 1922), *Adolf Schullerus* († 1929), Bischof *Viktor Glondys* († 1949), Bischof *Friedrich Müller* d. j. und *Konrad Möckel* das Streben nach evangelischer Erneuerung. Doch konnten Kurzschlußreaktionen nicht mehr verhindert werden. Nachdem die Ungarn und Rumänen Siebenbürgens das historische Selbstbewußtsein des Landes zugunsten einer von außen kommenden machtpolitischen Majorisierung preisgegeben hatten, suchten auch die politischen Kräfte der Sachsen den moralischen Rückhalt beim größten Staat deutscher Zunge. Die verweigerte Möglichkeit voller und freier Beheimatung im neuen Staatsgebilde suchte in Träumen deutscher Fernsehnsucht ihren Ersatz.

Der zweite Weltkrieg hat diesen beklemmenden, schiefen Alternativen ein jähes Ende bereitet. Die evangelische Kirche der Sachsen hat zahlenmäßig, besitzmäßig und menschlich schweres Leid erdulden müssen. Ihre waffenfähigen männlichen Glieder wurden noch während des Krieges durch Staatsvertrag größtenteils außer Landes gedrängt; der arbeitsfähige Rest – männlich und weiblich – wanderte 1945 für mehrere Jahre in Rußlands Kohlengruben. Die Schulen, die Gebäude und der Grund der Kirche wurden ebenfalls verstaatlicht. Religionsunterricht und Kirchenbesuch unterliegen – wohl nicht gesetzlich, aber doch praktisch – ernsten Behinderungen. Viele Menschen haben daher an der Zukunft »der Kirche Gottes sächsischer Nation« gezweifelt. Andere aber erleben diesen Schritt völligen Zusammenbruchs alter äußerer Existenzgrundlagen als den Ruf Gottes, ein Neues zu pflügen. Ein Neues, in dem die alten inneren Grundlagen dieser Kirche, die noch nicht zerstört sind, ihre Früchte tragen.

15. Nach 1945

Der Ausgang des zweiten Weltkrieges brachte für Ungarn den Verlust all der in den beiden Wiener Schiedssprüchen (vom 2. November 1938 und 30. August 1940) erhaltenen Gebiete, darüber hinaus verlor es noch einen Landstrich im Osten, den die Sowjetunion annektierte. So zurückgeworfen und belastet mit den Schäden des Krieges, begann das Land eine mühsame Aufbauarbeit, die durch den Verlust der traditionellen Bindungen an das industrielle West- und Mitteleuropa noch erschwert wurde.

Eine der ersten Maßnahmen der neuen Regierung, die von den Sowjets abhängig war, bildete die Durchführung der Bodenreform. Auch die kirchlichen Besitzungen über 100 Katastraljoch (1 Joch = 0,57 Hektar) wurden beschlagnahmt. In dem vorwiegend agrarischen Land büßte damit die Kirche einen nicht unbeträchtlichen Teil ihres Vermögens ein, wenngleich die Stiftungen davon nicht betroffen wurden, die erst durch die Verordnung Nr. 2 des Jahres 1949 erfaßt wurden und damit praktisch erloschen, eine Maßnahme, die die charitative Tätigkeit der Kirchen zum Erliegen bringen sollte und ihr tatsächlich auch schweren Schaden zufügte.

In den ersten Jahren der »Volksdemokratie«, in der die »Gleichschaltung« der »bürgerlichen« Kräfte (oder ihre Liquidierung) vordringlichste Aufgabe der kommunistischen Staats- und Parteiführung waren, blieben die Kirchen verhältnismäßig noch unbehelligt. Sie konnten den Wiederaufbau der kirchlichen Verwaltung fortsetzen, die Neuerrichtung von zerstörten Gebäuden oder ihre Wiederherstellung in Angriff nehmen, soweit dazu Mittel vorhanden waren. Auch Religionsunterricht konnte in den Schulen erteilt werden, die Laienarbeit wurde intensiver, allgemein machte sich eine starke geistliche Erneuerung bemerkbar.

Doch bereits in dieser Zeit zeichnete sich der Konflikt mit dem Staat, der zum Instrument einer totalitären Weltanschauungspartei geworden war, in seinen ersten Anfängen ab. Nachdem zunächst die kirchlichen Schulen aufgelöst und vom Staat übernommen worden waren, legte die Verfassung des Jahres 1949 die Trennung von Staat und Kirche fest (Kapitel 8, § 54, 2), ein Schritt, der einen mehr oder weniger bestehenden Zustand legalisierte. Aufgrund dieser verfassungsmäßigen Trennung erfolgte dann die Abschaffung des obligatorischen Religionsunterrichts. Verboten wurde er nicht – schließlich garantierte die Verfassung die Freiheit der Religionsausübung. Religionsunterricht war nunmehr freiwillig und sollte im Anschluß an den allgemeinen Unterricht erteilt werden. Doch alle Kinder, die daran teilnehmen wollten, mußten sich dafür einschreiben lassen, so daß die Teilnehmer stets namentlich bekannt waren und auf ihre Eltern Druck ausgeübt werden konnte, die Kinder nicht zum Religionsunterricht zu schicken. Die Furcht vor Repressalien, besonders vor Schwierigkeiten bei der Zulassung zum Universitätsbesuch, der ja ein bestimmtes »gesellschaftliches Bewußtsein« als Voraussetzung fordert, mag ebenfalls manche Eltern abgehalten haben, ihre Kinder für den Religionsunterricht registrieren zu lassen. Auch den Religionslehrern wurden mancherlei Hindernisse bereitet. Zwar übernahm der Staat ihre Besoldung, sicherte sich damit aber den entscheidenden Einfluß auf die Gestaltung des Unterrichtsplanes, der vom Unterrichtsministerium ausgearbeitet und dessen Einhaltung streng überwacht wurde. Für den einzelnen Lehrer war es oftmals schwierig, die vorgeschriebene Unterrichtung der Kinder mit seinem Gewissen als Christ zu vereinbaren. Dazu traten noch andere Schwierigkeiten, wie Mängel an Schulraum, das Fehlen jeglicher Disziplinargewalt und anderes mehr.

Auch sonst zeigte sich, daß zwischen den Bestimmungen der Verfassung, die von der Regierung, soweit sie die Kirchen betrafen, als »freie Kirche im freien Staat« apostrophiert wurde, und der staatlichen Praxis ein beträchtlicher Unterschied bestand. Nicht nur wurde von staatlicher Seite in den Religions- und Konfirmandenunterricht eingegriffen, sondern auch die Arbeit der Kirche selbst wurde behindert und eingeschränkt. Der Versuch, die innere Missionstätigkeit zu verstärken, stieß auf staatlichen Widerstand und Verbote. Das Vorgehen und die Stellungnahme gegen Atheismus und Indifferentismus wurde als Überschreitung der gesetzlichen Grenzen ausgelegt, die Kirche sollte sich nur auf die Gläubigen beschränken, die atheistischen Angriffe aber, die nach der Verstaatlichung der Kirchenarchive besonders stark wurden, hatte sie widerspruchslos hinzunehmen. Auch die Laienarbeit wurde unter fadenscheinigen Begründungen mehr und mehr eingeschränkt, Beschwerden gegen die staatlichen Übergriffe wurden nicht beachtet. Pfarrer, die sich aufgrund der Verfassung dagegen zur Wehr setzten, wurden verhaftet und verurteilt.

Von besonderer Bedeutung wurde die Verordnung Nr. 4288 vom 22. Oktober 1949. Sie verpflichtete die Pfarrer und alle kirchlichen Angestellten, einen Eid auf die »Ungarische Volksrepublik, deren Volk und deren Verfassung« abzulegen, wobei der den Eid Leistende schwört, in seinem »Dienstbereich die Interessen des Volkes« zu vertreten und mit all seinem »Streben die Festigung und das Gedeihen der Ungarischen Volksrepublik« zu fördern. Diese Eidesleistung führte viele Pfarrer in einen Konflikt. Konnten sie es mit ihrem christlichen Gewissen vereinbaren, einem Staat die Treue zu schwören, der die Errichtung einer atheistischen Gesellschaft anstrebte?

Um dem Widerstand zu begegnen, den Gläubige und Pfarrer dem Regime und seinen Zielen entgegenbrachten, entfernte dieses alle Männer aus der

Kirchenleitung, die seine Absichten nicht genügend unterstützten. Auch die erste Garnitur der Bischöfe fiel dieser »Säuberung« zum Opfer.
In beiden protestantischen Kirchen fand die Regierung Männer, die bereit waren, mit ihr zusammenzuarbeiten, nicht immer zum Wohle der ihnen anvertrauten Gläubigen, wenngleich die Gründe, die sie dazu veranlaßten, durchaus ehrenwert gewesen sein mögen. Es kam zu Übergriffen seitens der Bischöfe, die unter Pfarrern und Gemeindegliedern Unzufriedenheit erregten. So wurden häufig vakante Pfarrstellen – gegen die Kirchenverfassung – durch die Bischöfe mit Männern besetzt, die ihnen genehm waren und von denen sie bei der Durchführung ihrer regimefreundlichen Politik keine Schwierigkeiten zu befürchten hatten. Auch wurde angeordnet, daß Pfarrdienste, die außerhalb der Gemeinde geleistet werden sollten, einer bischöflichen Genehmigung bedürften – die meist verspätet, häufig auch gar nicht erteilt wurde. Mißliebige Pfarrer wurden – in Zusammenarbeit mit den staatlichen Stellen – vorzeitig pensioniert oder zwangsweise versetzt, um die Opposition gegen die Kirchenpolitik der Bischöfe zu schwächen. Etwa 63 Pfarrer – die Zahl kann nur geschätzt werden – wurden von diesem Vorgehen betroffen. Die Zusammenarbeit zwischen den Kirchenleitungen und der Staatsbehörde für kirchliche Angelegenheiten, die durch Gesetz vom 19. Mai 1951 geschaffen worden war, wurde von staatlicher Seite als gut bezeichnet, d. h., die Kirchenleitungen fügten sich dem Verlangen des Staates.
Gegen diese Politik der Kirchenleitung machte sich unter den Pfarrern und den Gemeindegliedern ein immer stärkerer Widerstand breit, der besonders in der Zeit nach *Stalins* Tod in heftigen Vorwürfen gegen die Kirchenleitung Ausdruck fand. Neben dem Verzicht auf eine geistige Auseinandersetzung mit dem Materialismus wurden die Cliquenwirtschaft, der Verzicht auf die innere Mission und der materielle Mißbrauch der kirchlichen Ämter angegriffen. Dies führte dazu, daß nach 1954 der »General-Konvent«, der der deutschen Synode entspricht, nicht mehr zusammentreten konnte.
Im August 1956 tagte dann das Zentralkomitee des Weltkirchenrates unter Leitung von Generalsekretär *Visser t' Hooft* in Galyatetö. Dabei kam es zu Verhandlungen mit den staatlichen Stellen über eine Verbesserung der kirchlichen Arbeit. Die Regierungsstellen versprachen auch, den amtsenthobenen Bischof *Ordass* zu rehabilitieren, doch wurde *Ordass* nicht in sein Bischofsamt wiedereingesetzt, sondern erhielt eine Professur.
Als wenig später eine Pfarrerkonferenz stattfand, war aber die Opposition schon so stark geworden, daß es, begünstigt durch die allgemeine Unsicherheit der Machthaber, die damals aufgrund der Vorgänge in der Sowjetunion im Ostblock herrschte, zu heftiger Kritik an der Kirchenleitung kommen konnte. Die sonst nur zuhörenden Pfarrer wurden nun zu echten Diskussionsteilnehmern und verschwiegen ihre Meinung nicht.

Getreu ihren kommunistischen Vorbildern übte die Kirchenleitung »Selbstkritik«, d. h., sie gestand zu, daß Fehler gemacht worden seien, und versprach Abhilfe. Rückkehr zur Verfassungsmäßigkeit, Rehabilitierung ungerecht behandelter Pfarrer und Wiederaufnahme der Missionstätigkeit wurden versprochen. Ebenso sollte das Recht der Gemeinden auf freie Pfarrerwahl wiederhergestellt werden, die außergemeindlichen Pfarrdienste nicht mehr der bischöflichen Genehmigung bedürfen. Auch versprach man, bei der Regierung vorstellig zu werden, um die Abschaffung der Behinderungen im Religionsunterricht zu fordern.
Die Regierung schien auch dem Verlangen der Kirchenleitung entgegenzukommen und setzte 4 (!) Pfarrer wieder in ihre Ämter ein, ein wahrhaft großzügiges Entgegenkommen.
Auch in der Reformierten Kirche wurde Kritik laut, besonders in den Zuschriften an die Kirchenzeitungen und -zeitschriften, doch griffen hier die Gemeinden zum Teil zur Selbsthilfe. Auch diese Kirchenleitung versprach, die Beschwerden zu berücksichtigen. Besonders die Besetzung des (vakanten) 4. Kirchendistriktes wurde verlangt und auch in Aussicht gestellt.
Es muß offenbleiben, ob seitens der Kirchenleitungen diese Versprechen ehrlich gemeint waren. Die Ereignisse des Oktober und November brachten eine grundlegende Veränderung in Ungarn, wenn auch nur für kurze Zeit, die auch an den Kirchen nicht vorüberging.
Der Aufstand, der das ganze Land erfaßte, veranlaßte die beiden lutherischen Bischöfe *Dezséry* und *Vetö* abzudanken. Damit war Bischof *Ordass* der einzige legitime Leiter der Kirche. Er übernahm am 31. Oktober 1956 wieder sein Amt. Angesichts der im Aufstand hervorbrechenden Leidenschaften mühte er sich um Milderung und versuchte, die Not zu lindern, wo dies nur möglich war, er rettete unter anderem persönlich das Leben der Familie des Leiters der Staatsbehörde für kirchliche Angelegenheiten, und dies mag mit dazu beigetragen haben, daß die lutherische Kirche in der ersten Zeit nach der Restauration des kommunistischen Regimes gewisse Erleichterungen erhielt.
Die Reformierte Kirche hingegen besaß keinen Mann, der durch die *Rákosi*-Regierung verfolgt und damit zur Übernahme der Kirchenleitung geeignet gewesen wäre, denn Bischof *Ravasz* war bereits 1948 zurückgetreten. Doch gelang es, die beiden Bischöfe, die die Kirche den staatlichen Interessen zum Nachteile ihrer Berufung untergeordnet hatten, zum Rücktritt zu bewegen, und Bischof *Ravasz* trat wieder an die Spitze.
Allein die rasche Niederwerfung des Aufstandes durch die sowjetischen Truppen brachte mit der Regierung *Kádár* wiederum eine, wenn auch vorerst gemäßigte, kommunistische Regierung. Diese löste die neue Kirchenleitung als ungesetzlich auf und suchte die alte Ordnung wiederherzustellen. Die Kirchendistrikte wurden einstweilen interimistisch von den amtsältesten Senioren geleitet, wie es die Kirchenverfassung vorsah.

Das Jahr 1957, ein Jahr sehr behutsamer kommunistischer Politik in Ungarn, zeichnete sich anfangs durch ein gemäßigtes und versöhnlicheres Verhältnis zwischen Kirche und Staat aus. Auch in der kommunistischen Presse wurde eine ruhigere Sprache geführt, die Regierung hielt ihre in die kirchlichen Ämter eingeschleusten Vertrauensleute zurück, auch der Kirchenminister ließ die neue freiere Richtung in der Kirche gewähren. Dadurch gelang es der lutherischen Kirche, sich von der staatlichen »Friedensbewegung« zu distanzieren und eine davon unabhängige Richtung einzuschlagen, wodurch sie in den Augen der Gläubigen viel Vertrauen gewann.

Die Regierung machte auch kleinere Zugeständnisse; so wurde der Ostermontag wieder Feiertag, ein Generalkonvent konnte zusammentreten, auch konnte der Pfarrer *Imre Veöreös* wieder die Leitung der Theologenerziehung übernehmen, von der ihn die frühere Kirchenleitung entfernt hatte.

In der Reformierten Kirche hingegen hatten sich inzwischen die alten, von der Revolution vertriebenen Kräfte wieder gesammelt. Dies äußerte sich auch in den sogenannten »Friedensausschüssen«, in denen beide Kirchen zusammenarbeiteten. Hier sorgte die Majorität der Reformierten dafür, daß die Tendenzen verwirklicht wurden, die die Regierung wünschte. Ähnlich gestaltete sich die Situation im ungarischen Ökumenischen Rat, den Bischof *Berecky* und Bischof *Vetö* leiteten. Doch wurde der Generalsekretär der lutherischen Kirche Sekretär des Rates und konnte für eine gewisse Milderung sorgen.

Inzwischen aber bahnte sich ein neuer Konflikt der lutherischen Kirche mit dem Staat an. Bischof *Ordass* führte im Herbst 1957 Verhandlungen mit der Staatsbehörde für kirchliche Angelegenheiten über Personalfragen. Durch eine gesetzkräftige Verordnung (Nr. 22) des Jahres 1957 war bestimmt worden, daß nicht nur die Bischöfe und Superintendenten, sondern auch die Pfarrer der Kreisorte und Städte zu ihrer Amtseinführung einer staatlichen Zustimmung bedurften. Von dieser Verordnung, gegen die die Kirchenleitung Bedenken hatte, ging die Regierung nicht ab. Bischof *Ordass* hatte andererseits Vorbehalte gegen die vom Staat verlangte Loyalitätserklärung der Kirche. Es kam zu keiner Einigung, und im November 1957 wurden die Verhandlungen abgebrochen. Der Vorsitzende der Staatsbehörde für kirchliche Angelegenheiten ging nun direkt gegen *Ordass* vor, in dem er das Haupthindernis einer Verständigung (im Sinne der Regierung) erblickte. Er ordnete eine Überprüfung der früheren Abdankungen im Hinblick auf ihre Rechtmäßigkeit an. Daraufhin wurde festgesetzt, der Rücktritt des früheren Bischofs sei unter Druck geschehen und demgemäß ungültig. Dieser trat sein Amt also wieder an, und da er der älteste amtierende Bischof der lutherischen Kirche in Ungarn war, fiel ihm die Leitung der Kirche zu, die bisher *Ordass* innegehabt hatte. Als Bischof *Ordass* zwei führende Laien, die zeitweise

Mitglieder der KPU gewesen waren, nicht zu Beratungen einlud und sich auf das Notrecht des *status confessionis* berief, konnte die Rechtsgültigkeit aller gefaßten Beschlüsse angezweifelt werden. Ein Staatskommissar wurde eingesetzt, der sie überprüfen sollte. Das Presbyterium des südlichen Distriktes, dessen Bischof *Ordass* war, wurde einberufen, um zu entscheiden, wer rechtens Bischof sei, Ordass oder sein 1956 abgedankter Vorgänger. Die Regierung übte auf das Presbyterium massiven Druck aus und verlangte, daß die »fortschrittlichen Kräfte« gestärkt würden. Schließlich entschied das Generalpresbyterium am 24. Juni 1958, daß die Abdankung ungültig sei.

Damit war *Ordass* beseitigt. Was der Staat nun von der Kirche erwartete, drücken am besten die Worte des Leiters des Amtes für Kirchliche Angelegenheiten aus, der in dieser Zeit zur Stellung der Kirche sagte: »Ich glaube, in einem Land, wo das Eigentum an Produktionsmitteln und die Wirtschaftsordnung sozialistisch sind, wo ein bedeutender Teil der Kräfte in der Hand des Staates zentralisiert sind, ist es unverantwortlich, eine solche politische Konzeption [»Freie Kirche im freien Staat«] zu beanspruchen«.

Diese Einstellung der Regierung charakterisiert auch die weitere Entwicklung. In den folgenden Jahren stieg der Druck auf diejenigen Pfarrer, die im Sinne des Regimes nicht »fortschrittlich« waren. In der Kirchenleitung tauchten neue Männer auf; wer sich auf die auf der Verfassung beruhende Formel »Freie Kirche im freien Staat« berief, mußte mit Repressalien rechnen. Immer mehr wurde die Kirche in die politische Sphäre einbezogen und im Sinne des Regimes beansprucht. Diese Politisierung geht soweit, daß selbst die Themen der schriftlichen Examensarbeiten der Studenten davon betroffen sind. Mehr und mehr wird auch die lutherische Kirche Ungarns zu einem der vielen Instrumente, mittels deren das Regime seine Ziele durchzusetzen sucht.

Weniger Schwierigkeiten ergaben sich für die Regierung bei der »Gleichschaltung« der reformierten Kirche. Hier hatte sich niemand gefunden, der in gleichem Maße wie Bischof *Ordass* den Gedanken der Unabhängigkeit der Kirche von staatlichen Zielsetzungen vertreten hätte. Der im November 1957 von der Synode wiedergewählte frühere Bischof trat zwar 1959 zurück, doch ist sein Nachfolger ebensowenig wie irgend einer der Bischöfe in der Lage, sich den Anforderungen der Regierung zu versagen. Als besonderes Kriterium für das Verhältnis der Kirche zum Staat wird – wie in den anderen Ostblockstaaten – die Beteiligung an der sogenannten »Friedensarbeit« bezeichnet, auf die die Staatsbehörde für kirchliche Angelegenheiten (so wieder seit Juni 1959) großen Nachdruck legt. Doch ist die Opposition gegen die staatliche Reglementierung unter Pfarrern und Gemeindemitgliedern noch immer nicht geschwunden, was sich u. a. in den gerügten »unpolitischen« Predigten zeigt.

Obwohl der Staat für den finanziellen Unterhalt der Kirche aufkommt, ist sie doch im großen Ausmaß auf die Opferfreudigkeit ihrer Glieder angewiesen. Die Aufwendungen für die kirchliche Arbeit, besonders für die verstärkte Laienarbeit, aber auch für die Erhaltung und Erneuerung der kirchlichen Gebäude erfordern beträchtliche Summen, die nicht immer durch die reichlich fließenden Spenden gedeckt werden können. So mußten 25 Gemeinden mit anderen zusammengelegt werden, weil sie sich nicht allein erhalten konnten.

All diesen Nöten zum Trotz ist es um den Nachwuchs der protestantischen Kirchen gut bestellt. Während vor dem Jahre 1956 die Zahl der lutherischen Theologiestudenten zu Sorgen Anlaß gegeben hatte, ist jetzt (1961) keine Pfarrstelle vakant. 1959 besuchten 46 Studenten die Theologische Akademie in Budapest (gegenüber 33 im Jahre 1955/56), in den Gemeinden verrichteten 40 Vikare ihren Dienst; die Theologischen Akademien der reformierten Kirche in Budapest und Debrecen hatten 126 Hörer.

Die Reformierte Kirche Ungarns hatte 1960 etwa 20000 Gemeinden mit rund 2000000 Seelen und war in 4 bischöfliche Distrikte gegliedert, die lutherische Kirche mit etwa 500 Pfarreien in zwei bischöflichen Distrikten umfaßte etwa 450000 Seelen. Daneben bestanden noch zwei weitere größere protestantische Gruppen, die beide gegen 50000 Glieder zählten, die Baptisten und die Methodisten.

VI. IM ZARENREICH

1. Anfänge evangelischer Gemeinden

Wendet sich die dem Protestantismus in Osteuropa gewidmete Geschichtsschreibung dem Großreich der russischen Zaren zu, um zunächst die Frage zu beantworten, was hier über die ersten Anfänge evangelischen Gemeindelebens zu berichten ist, so muß sie mit der lapidaren Feststellung beginnen: Die Völker, die dieses Reich im 15. Jahrhundert umfaßte, wurden von der das übrige Europa damals aufwühlenden reformatorischen Kirchenerneuerung nicht betroffen.

Wenn trotzdem der Staat der Zaren später, zur Zeit seiner größten Ausdehnung um 1900, bei einer Volkszählung mehr als 6,5 Millionen Protestanten unter einer Gesamtbevölkerung von über 110 Millionen Menschen zu seinen Untertanen zählte, so war doch unter ihnen kein einziger stammesechter Russe, der von sich sagen konnte, er habe seinen evangelischen Glauben von den Vorfahren aus der Reformationszeit geerbt.

Bei anderen Völkern Osteuropas gab es das durchaus. Finnen, Esten, Letten trugen geschlossen ihre lutherische Kirche als Erbe ihrer Ahnen durch den bunten Wechsel ihrer politischen Geschichte. Bei Slovaken und Magyaren konnten das große Teile tun, bei Litauern, Polen, Tschechen und Slovenen wenigstens Gruppen von Zehntausenden. Dagegen war das, was von evangelischem Kirchenleben ostslavischen Gepräges in unserem Jahrhundert zu berichten ist, sehr jungen Datums und von schmalem Umfang. Woher aber stammten nun jene Millionen von Protestanten im Zarenreich?

Der eine Teil stammte aus der von *Peter dem Großen* bis zum Wiener Kongreß andauernden Angliederung von Ländern mit geschlossenen lutherischen Landeskirchen; der andere Teil war das Ergebnis von Einwanderungen aus fast allen westeuropäischen Ländern.

Die ersten Protestanten, die man in Rußland zu sehen bekam, waren schon sehr früh die Besatzungen von Handelsschiffen aus Holland und England sowie Kaufleute aus den Hansestädten. Niemand störte die wunderlichen Fremdlinge, wenn sie sich, vielleicht unter Leitung mitgebrachter Prediger, im Kaufhaus auf der Varvoska in Moskau versammelten und in ihrer heimischen Weise beteten, sangen, kommunizierten. Ernster wurde die Duldungsfrage, als sich Zuwanderer aus dem Westen in Rußland auf Dauer seßhaft machten. Doch waren es ja die Zaren selbst, die solchen Zustrom wünschten und heranlockten. Um ihren Heeren für die unaufhörlichen Feldzüge eine überlegene Ausbildung und Ausrüstung zu geben, beriefen schon *Vasilij III.*

(1505–33) und *Ivan IV.* (1533–84) Militärs aller Grade und Waffenschmiede aller Art in ihre Dienste. Die hatten natürlich einen ganzen Troß im Gefolge, brachten auch Geistliche und Lehrer mit, sogar Schreiber, Setzer und Drucker. Es waren in überwiegender Mehrheit Deutsche.
Für die Unterbringung der Neulinge waren in Moskau Häuser geräumt, andere gebaut worden. Weitere Zuzügler bauten sich selbst sehr rasch Wohnungen aus dem reichlich vorhandenen Holz; sie bauten sich auch 1575 ein bescheidenes Bethaus, wo ungestört täglich, sonntags mehrmals, »Deutsche Messe« gehalten wurde, an der die kleineren anderssprachigen Gruppen sich beteiligten. Im Volksmund hieß das Gebäude bald »die Offizierskirche«, auch »die Sachsenkirche«.
Einen großen Vorteil brachte diese Gründung für eine Schar armer Menschen, die das traurige Dasein von Kriegsgefangenen, Sklaven oder Verschleppten führten. In den Kriegen mit dem Ordensstaat waren Deutsche, Esten, Letten zu Staatssklaven gemacht worden, die ihr Gebieter zu gut gebrauchen konnte, als daß er sie gegen noch so hohes Lösegeld freigab. Nicht viel besser war es den zwangsweise umgesiedelten Bürgern von Dorpat gegangen, die nach Eroberung ihrer Stadt 1565 bei Moskau angesetzt wurden. Für sie alle begann jetzt ein milderes Los und auch der Trost evangelischer Seelsorge. *Ivan IV.*, dem die Übersetzung seines Beinamens *Groznyj* mit »der Schreckliche« kein Unrecht tut, vereinte in sich mit unerbittlicher Schrecklichkeit eine naive Gutmütigkeit, die den brauchbaren Fremdlingen das Los erleichterte. Es war wohl weniger echte Toleranz, Verständnis, Geduld, Respekt als Gleichgültigkeit, verächtliche Geringschätzung, spöttisches Überlegenheitsgefühl der Zaren, Bojaren, Bischöfe und Popen, was dem evangelischen Leben Duldung verschaffte. Der englischen Königin, die besorgt war, wie es ihren Untertanen in Rußland gehe, ließ Ivans Nachfolger, *Boris Godunov* (1598–1605), antworten, der Zar pflege sich nicht um den Glauben der Fremden im Lande zu kümmern; nur Propaganda dürften sie nicht machen. Als der Bruder des Dänenkönigs *Christian IV.* 1602 eine Zarentochter heiratete und das Fürstentum Tveŕ anvertraut bekam, wurden ihm weitreichende Privilegien für seine Religionsübung feierlich zugesagt. Wenn er sich von 1606 ab mit seinem Gefolge im Kreml aufhielt, ließ er unangefochten sogar an dieser nationalkirchlichen Weihestätte – hier residierte neben dem Zaren auch der Patriarch – evangelischen Predigtgottesdienst veranstalten, allerdings nur in seinen Gemächern und nicht für die Öffentlichkeit. Später kam es zu Beeinträchtigungen in der Besorgnis, es könne die Geschlossenheit der Staatskirche durch die Fremden gefährdet werden. Waren doch inzwischen außer den erwähnten, nur lose zusammengefügten Gemeinden in Moskau auch anderwärts solche entstanden, z. B. in Novgorod (1580), dann in Archangelsk (1660), Astrachań (1709), Vologda, Voronež. Wir wissen nicht viel von ihnen, nur daß es überall an geschulten Pastoren mangelte. Die bibli-

sche Anweisung zum »allgemeinen Priestertum« der Christusgläubigen half darüber hinweg.
Der Besorgnis der Staatskirche glaubte die Staatsregierung durch zwei Maßnahmen entgegenkommen zu müssen. Zunächst wurde 1649 bei Neufassung der bisher nicht kodifizierten Rechtsordnung ein Satz eingefügt, der jede »Lästerung« der Mutter des Heilands, »unserer allerreinsten Gebieterin«, oder der »heiligen Lieblinge Gottes« mit dem Scheiterhaufen bedrohte. Wir haben (siehe S. 306ff.) davon gehört, wie der sehr dehnbare Begriff der Gotteslästerung in Ungarn zu schlimmsten Bedrückungen führte. In Rußland kam es seltener zu Prozessen dieser Beschuldigung, da die Sprachen der Fremdgemeinden den Volksmassen unverständlich waren.
Die andere Freiheitseinschränkung kam aus der Besorgnis, das Zusammenwohnen der »Ungläubigen« mit den Einheimischen könnte eine Glaubensgefahr für diese ergeben. 1652 ließ der Zar außerhalb der die Altstadt umgebenden »Weißen Mauer« einen Villen-Vorort errichten, eine Art Ghetto, wie man es anderwärts für die Juden schuf. Inzwischen waren in der Innenstadt aus dem ersten Bethaus vier Kapellen geworden. Sie – auch ein Steinbau war unter ihnen – wurden abgerissen. In der »Deutschenstadt« – so wurde sie vom Volk genannt, weil die Deutschen die Mehrheit der Bewohner stellten – wurde alles neu gebaut, solid gemauert, bequemer, geräumiger, reizvoller als zuvor. Es war keine Kränkung beabsichtigt, wie schon der russische Name *Sloboda*, d. h. Freistadt bezeugt. Wenn jemand von Abwertung oder Geringschätzung sprach, so spottete man: sie tut uns so weh wie dem Krebs es tut, wenn er zur Strafe ins Wasser geworfen wird. Man war doch jetzt unter sich und dem Mißtrauen wie der Mißgunst der Nachbarn enthoben. Eine Einschränkung mußte man nun aber dabei in Kauf nehmen. Der Zar *Aleksej Michajlovič* (1645–76) verbot den Insassen der Sloboda, russische Dienstboten zu beschäftigen; es müsse verhütet werden, »daß den Christenseelen Verunreinigung widerfahre«. Auch das war erträglich; es fanden sich moslimische Tataren und buddhistische Mongolen als Ersatz. Auch konnte man erhöhte Kosten für aus der Heimat herangeholtes Personal dem Staat auf die Rechnung setzen, und der Gemeinde kam der Zuwachs zugute.
An einem Nachteil, den die Absonderung mit sich brachte, dürfen wir nicht vorübergehen. Die schöne Einigkeit, in der die über ganz Moskau verstreuten Protestanten sich zu den jetzt viermal in jeder Woche stattfindenden Gottesdiensten zusammenfanden, ging in die Brüche, als man nun im nach außen abgegrenzten Raum beieinander hauste. Waren früher alle durch den steten Gegensatz zur Umwelt auf das Gemeinsame hingewiesen, so machte sich jetzt die protestantische Neigung zum Alleingang breit.
Dabei waren es weder nationale Differenzen in diesem gemischtsprachigen Ghetto, die zum Zank führten, noch die Verschiedenheit der Kircheneigen-

arten (Denominationen). Es waren die gesellschaftlichen Gegensätze, die jetzt innerhalb der Gemeinden auftauchten.
Da war z. B. der beim Zaren hoch angesehene General *Baumann*, der es sich leisten konnte, auf dem der lutherischen Gemeinde zugewiesenen Baugrund in der Sloboda auf seine Kosten eine hölzerne Kirche zu erbauen. Dort wollte er nun aber auch nach seinem Wunsch seelsorgerisch bedient werden. Er konnte es sich auch leisten, aus seiner sächsischen Heimat den gelehrten Magister der Theologie *Gregorii* zu berufen und zu besolden. Das mußte wohl zum Streit mit dem angestellten Gemeindepfarrer führen. Dieser rief die russische Aufsichtsinstanz, eine Art Fremdenpolizei, zur Entscheidung an und bekam Recht. Was aber tat der General? Er ließ seine Kirche auf dem Gemeindeplatz abreißen und in seinen Garten versetzen, wo nun sein Pastor eine eigene Militärgemeinde sammelte. Erst als der ältere Geistliche starb, fand der Zwiespalt ein Ende.
Gregorii gewann in doppelter Weise einen Ehrenplatz in Rußlands Kulturgeschichte. Er gründete die erste der später zahlreichen evangelischen Kirchenschulen und öffnete den Zutritt zu ihnen sogar russischen Kindern, ohne Schulgeld zu verlangen. Damit überforderte er allerdings die Finanzkraft des Generals; als gar die Führung der Staatskirche gegen die Großzügigkeit des Pastors um des Seelenheils der Kinder willen Einspruch erhob, fand das gut gemeinte Werk ein Ende. Dafür fand der geschickte Magister einen großartigen Ersatz. Im Kreml verbreitete sich die aus der Sloboda kommende Nachricht von seiner Fähigkeit, biblische Stoffe dramatisch zu bearbeiten und aufführen zu lassen. Nach mehrfacher Erprobung dieser in Rußland bisher nicht geübten Kunst durch Aufführungen in der Sloboda, an denen der ganze Hof teilnahm, machte ihn der Zar *Aleksej* zum Theaterdirektor und überwies ihm 26 russische Knaben zur Schulung im Theaterspielen in Anlehnung an die vielseitige Übung dieser Kunst an den europäischen Höfen und in den Lateinschulen der Barockzeit.
An ähnlichen anekdotenhaften Zügen ist die Geschichte der ersten innerrussischen evangelischen Gemeinden reich. Sie enden nicht immer gut. Die reichen und stolzen Glieder der Gemeindevorstände ließen ihre Pastoren z. T. nicht einmal an ihren Beratungen teilnehmen und verübelten es ihnen, wenn sie mutig gegen Unrecht und schlechte Sitten predigten. Es dauerte recht lange, bis der Independentismus der Gemeinden überwunden wurde und die über weite Flächen zerstreuten Einzelgruppen sich zu einer Kirchengemeinschaft mit geordneter Aufsicht und Führung zusammenfanden.
In Ordnungsbeziehungen zur heimatlichen Mutterkirche zu treten, war für die wenigen reformierten Kreise leichter als für die lutherischen Gemeinden in ihrer Vielzahl und ihrer Mannigfaltigkeit der Herkunft. Die kalvinischen Holländer, die presbyterianischen Schottländer waren von Anfang an mit ihrer Heimatkirche in festem Verband geblieben. Sie waren als aus dem

Elternhaus entlassene geliebte Töchter dem wohlgeordneten Organismus der Heimatkirche eingefügt, so wie das bei den vom Vaterland noch viel weiter räumlich getrennten reformierten Gemeinschaften in den weltweiten Kolonien dieser seefahrenden Nationen der Fall war.
Wo aber sollten sich die Lutheraner anschließen? Schweden lag dauernd mit dem Zaren im Krieg. In Polen war von dem einst blühenden Luthertum nicht viel übrig geblieben. Von den deutschen Ländern kam Brandenburg nicht in Betracht. Sein »Großer Kurfürst« war Kalvinist. Nur zwei Stellen gab es im Reich, wo man ein offenes Ohr für das Verlangen der Moskauer Glaubensgenossen, wo man Rat für ihre Fragen, Hilfe für ihre Nöte hatte. Das war der Herzog von Sachsen-Coburg-Gotha, *Ernst der Fromme*, und das Geistliche Ministerium der Freien Stadt Hamburg.
Es darf gewiß nicht übersehen werden, wieviel Unfertiges und Ungutes, wieviel Menschlich-Allzumenschliches dem jungen Leben dieser damals einzigen evangelischen Diaspora im Bereich der Ostkirche sich beigemischt hatte. Aber es war doch auch ein froher Frühling der Besinnung auf die Gottesgabe evangelischer Erkenntnis und des Mutes zu stolzem Bekenntnis der Gnadenkraft Christi, die allein selig macht, wenn sich dort in Moskau und anderwärts, hoch im Norden, tief im Süden die zerstreuten Kinder Gottes aus allerlei Volk und Kirche, Reformierte und Lutheraner, Holländer, Schweizer, Engländer, Franzosen, Deutsche an nicht weniger als zehn gottesdienstlichen Stätten, je nach Konfession und Sprache gesondert, regelmäßig um ihre Geistlichen sammelten.
In den folgenden Jahrzehnten dehnte sich die Moskauer Sloboda auf über tausend Haushaltungen aus, und in der üppig aufblühenden Hauptstadt St. Petersburg wuchs während und nach der Regierung *Katharinas* die Zahl der Protestanten auf mehr als 100 000 an. 14 Kirchspiele bildeten sie, deren Gotteshäuser zum Teil monumentale Prachtbauten waren und neben großen Schulhäusern standen, auch neben stattlichen Gebäuden diakonischen Dienstes der Gemeinden.
Auch den Katholiken wurde jetzt Zuzug und Duldung gewährt. Sie kamen vor allem aus Österreich und Deutschland, aber auch aus Polen, Litauen und Italien und bildeten in den größeren Städten eigene Gemeinden. Von ihnen sind besonders die Priester *Goßner* und *Lindl* zu nennen, die Väter des Stundismus. Im Zuge der Kolonisation kam es sogar zu geschlossener Ansiedlung von katholischen, zumeist deutschen Siedlern in Kolonistendörfern.
Bevor dieser, die Anfänge des Protestantismus im Zarenreich schildernde Abschnitt schließt, möge der Blick noch einmal auf den an seinem Anfang stehenden Satz gerichtet sein, der da sagt, daß die reformatorische Bewegung die Christenheit des slavischen Ostens nicht berührt hat.
Es drängt sich doch die Frage auf, ob nicht wenigstens Randerscheinungen der reformatorischen Flut in der russischen Kirchengeschichte zu registrieren

sind. Denn es ist ja bekannt, wie weit die Verbindungen reichten: *Melanchton* bemühte sich, mit Byzanz ins Gespräch zu kommen, Tübinger Professoren sandten dem ökumenischen Patriarchen eine griechische Übersetzung der Augustana, die abenteuerliche Gestalt *Kyrills* im Phanar und ihr tragisches Ende zeugt davon, und im polnisch-litauischen Reich brachte der ukrainische Fürst *Ostrożkyj*, dessen Töchter mit polnischen Protestanten verheiratet waren, in seinem Palast zu Wilna 1599 jene Konföderation zustande, die ein Zusammenwirken orthodoxer und evangelischer Edelleute bei Übergriffen der Katholischen herbeiführte.

Der Weg von Wittenberg nach Moskau war jedoch mit größeren Hindernissen gepflastert als der nach Konstantinopel. Erst mußte auf die spottlustige *Katharina II.* der fromme *Alexander I.* folgen, um am Zarenhofe und in den »erweckten« Kreisen der Intelligenz, später auch im Bauernvolk der biblischen Botschaft Ohren und Herzen zu öffnen.

Fragt man nach den Anregungen, die die Kirche der Ostslaven vielleicht in der vorpetrinischen Zeit aus den Reformationserlebnissen des Westens bei und in sich aufgenommen hat, so darf etwa folgendes geantwortet werden: Als die Wirren des Interregnums und des falschen *Demetrius* nach dem Aussterben der Rurikiden durch das Aufsteigen der Romanov-Dynastie sich entwirrt hatten, gab es ein eigenartiges Zusammenwirken von Staat und Kirche, in dem sich die alte byzantinische Staatslehre von der *Symphonia*, dem Zusammenwirken von Staat und Kirche als den obersten Gewalten der Christenheit spiegelten. Der erste Romanov, *Michail*, lebte mit seinem Vater, dem Patriarchen *Filaret*, in Regierungsgemeinschaft, und Zar *Aleksej*, von dessen Aufgeschlossenheit oben berichtet wurde, war mit seinem Patriarchen *Nikon* eng befreundet. Schon *Filaret* hatte Reformen der Kirche angeregt; *Nikon* nahm sie energisch in die Hand.

Er begann damit, den bisher nur liturgisch verlaufenden Gottesdienst vor der *Ikonostas* (Bilderwand) durch Predigten zu beleben und fand einen Kreis von Anhängern, die seinem Beispiel folgten. Es ist wahrscheinlich, daß hierfür die Reformationskirchen das Vorbild abgaben. Dann wandte sich der Patriarch den offensichtlichen Mängeln der russischen Liturgie zu. Die bisher benutzten Formulare waren lange Zeit nur durch Abschriften voneinander vervielfältigt worden, wobei sich zahlreiche Fehler eingeschlichen hatten. Jetzt, da auch in Rußland die Druckerkunst als Gottesgeschenk gewürdigt wurde – der erste Drucker war hundert Jahre vorher als Teufelszauberer verjagt worden –, sollten die alten Formulare durch amtlich legitimierte, einheitliche Druckexemplare ersetzt werden. Zu diesem Zweck galt es, dem Humanistenruf »zu den Quellen« folgend, auf die ursprünglichen Texte zurückzugreifen. Konstantinopel und Griechenland lagen weit, Kiev war näher. Zwar gehörte es noch, wie ein großer Teil der Ukraine, zu Polen, hatte aber in seinem orthodoxen Kirchenleben, vor allem in seiner Theologie, die Fühlung mit den Griechen bewahrt, die das barbarische Moskau nicht schätzte, das auch auf kirchlichem Gebiet seine Eigenständigkeit zu betonen suchte. Die von *Nikon* zur Hilfeleistung herbeigerufenen Ukrainer, denen sich später auch einige wenige Griechen zugesellten, stießen mit ihren Reformen auf einen Widerstand, der sich schnell zuspitzte und ausbreitete. Aus ihm erwuchs das Schisma der großrussischen Orthodoxie, der *Raskol*. Weder durch Belehrung noch durch härteste vom Staat verhängte Strafen – Verbannung nach Sibirien, langjähriger Kerker, sogar Feuertod – waren die *Raskol'niki* (Altgläubige) von ihrem Eigensinn abzubringen. Schließlich duldete man sie stillschweigend wie auch andere, sich später noch abzweigende Gruppen und Sekten, z. B. die Molokanen (Milchtrinker = Abstinenten, auch Vegetarier), Duchobaren (Pfingstler), dann die Tolstojaner und schließlich die Stundistenbewegung. Die Zahl der Altgläubigen (Starovery) betrug 1917 immer noch mehrere Millionen. Eine Diaspora ihrer Anhänger lebt noch heute in einigen Ländern Asiens und Südamerikas, wahrscheinlich auch in der Sowjetunion. Sie haben keine festen Priester oder Prediger, bei vielen Gruppen gibt es nicht einmal Bibellesungen oder die Verkündigung des Heils. Die uralten Gebete, die z. T. verstümmelt sind, werden in dem nicht mehr verstandenen Kirchenslavisch heruntergebetet, mit vielen demütigen Gesten vor den Ikonen; die Substanz des Christenglaubens ist versunken. Man könnte daher allenfalls *Nikon* mit den Reformatoren vergleichen, aber keinesfalls seinen erbitterten Gegner *Avvakum* mit *Ignatius von Loyola* oder dem Bischof *Hosius*. Wohl aber darf man sagen, nach allem, was aus dem betont atheistischen Staat der Sowjetunion an Nachrichten zu uns dringt, daß dort eine russische Kirche, mit ihren unkontrollierbaren Glaubensgehalten und Kultusformen in den Katakomben versteckt, der heutigen offiziellen Patriarchatskirche, die der Staat nicht nur duldet, sondern zum Teil sogar fördert, soweit es seinem Ansehen im Ausland nützlich scheint, etwa so gegenübersteht, wie der *Raskol* der zarischen Staatskirche von der Zeit *Nikons* bis zur Revolution von 1917 gegenüberstand.

2. *Von Peter bis Katharina*

Schon einmal begegnete uns diese Überschrift bei einem Kapitelabschnitt. Das war beim Bericht über die Kirchengeschichte des Baltikums (siehe S. 54ff.). Das Thema erscheint hier wieder; die mit den beiden Zarennamen gekennzeichnete Geschichtsperiode war für den Protestantismus in Inner-Rußland nicht weniger bedeutsam als für Liv- und Estland; denn in ihr entstand nun eine weitere lutherische Landeskirche, die sich ebenbürtig neben die alten in den Ostseeprovinzen stellte.

Als *Peter I.* die baltischen Länder seinem Staat einfügte und mit den Provin-

zen zwei altgegründete, geschlossene Provinzialkirchen, stark an Seelenzahl, reich an Bauten und Gütern, in festen Rechtsformen und bewährtem Verwaltungsstil, gab es im Inneren seines Reiches nur knapp ein Dutzend evangelischer Gemeinden, die voneinander kaum etwas wußten, eine über riesige Flächen weit verstreute, hoffnungslos vereinsamte Diaspora.
Die Änderung der politischen Lage brachte für die baltischen Landeskirchen die Verschiebung der Kirchenhoheit auf eine glaubensfremde Staatsregierung, ohne daß – zunächst wenigstens – die altbewährte, innere Kirchenautonomie angetastet wurde. Die Gemeinden im alten Rußland besaßen als Fremdenkolonien unter Ausnahmerecht eine besondere Autonomie und umfassende Privilegien, für die sie dankbar sein mußten. War ihnen auch jede Betätigung evangelischer Mission mit harter Strafandrohung untersagt, so wußten sie von der Verheißung ihres Meisters: es kann die Stadt, die auf dem Berge liegt, nicht verborgen bleiben.
Der Knabe *Peter* hatte auf eine derartige erstaunliche Stadt seine Blicke richten können, als er, von seiner eifersüchtigen Stiefschwester, der Regentin *Sophie*, auf ein Dorf unweit Moskaus verbannt, mit seinen Spielkameraden herumstreifte und die oben erwähnte Sloboda entdeckte. Das fremdartige Leben dort fesselte ihn, er schloß Freundschaften und gewann die für sein Leben entscheidenden Eindrücke von der überlegenen Zivilisation der sich hier bekundenden abendländischen Welt. Er hat hier auch davon Kenntnis erhalten, daß es ein Christsein voll Gottesglauben und Nächstenliebe gebe, das vom Kultus und Ethos der aus dem griechischen Erbe stammenden Kirchenreform der Russen stark abweicht und doch Achtung verdient. Später hat der junge Zar auf seinen beiden etwas abenteuerlichen Reisen, die ihn nach Holland und England, Deutschland und Österreich führten, mehr davon gesehen. Auch im benachbarten Polen gab es damals noch einen ziffernmäßig starken und wohlgeordneten Protestantismus, und zwar sogar in slavischer Sprache und Eigenart.
Peter mag dabei wohl gedacht haben, sein eigenes Volk, diese analphabetische Masse versklavter Bauern, die rohe und rauhe Schar der Grundherren, Krieger und Hofschranzen bis zum Adel der Bojaren, die sich Fürstenrechte anmaßten, sie alle seien für eine so freie Geistigkeit, wie er sie in der Sloboda erlebte, nicht reif; für sie sei die angestammte, slavisch gefärbte Orthodoxie das Richtige, mit ihrer Beimischung magischer Urelemente des Jenseitsdenkens und mit der straffen Zügelung der Plebs durch eine wohlgegliederte Hierarchie, an deren Spitze er sich dann stellen werde.
Daß er selbst sich von dem primitiven Treiben seiner Kirche emanzipierte, bisweilen sich sogar anstößig distanzierte (so beim Begräbnis seiner Mutter, das er in einem üblen Gelage in der Sloboda enden ließ), nahm er, der »allrussische Selbstherrscher«, als gutes Recht in Anspruch. Dem 1700 verstorbenen letzten Patriarchen – seit 1589 gab es in Moskau einen solchen, als

der Phanar in Istanbul sich dies Zugeständnis durch viel Geld abkaufen ließ – ließ *Peter* keinen Nachfolger geben; 1721 im berühmten »Geistlichen Reglement« machte er die pravoslavische Kirche zu einer Staatsanstalt: ihr »Allerheiligster dirigierender Synod«, dessen 12 Glieder er selbst ernannte, war im Grunde nur ein Beratungskörper für den staatlichen »Prokuror«, der im Namen des Kaisers als des Oberhaupts der Kirche ihre dogmatischen, liturgischen und rechtlichen Anliegen zu ordnen hatte. Neuerdings hat man gemeint, der Cäsaropapismus *Peters* habe seinen Ursprung in den Erlebnissen und Gesprächen auf seinen Reisen in protestantischen Ländern und aus den Nachrichten, die er dann weiterhin über den bei ihnen geübten Summepiskopat der Landesherren gewinnen mußte. Es darf aber doch nicht übersehen werden, daß zwischen dem, was der Zar in seiner Kirche machte und dem, was in evangelischen Ländern kirchenpolitisch geschah, ein Unterschied im Ausgangspunkt besteht. Dieser war in unseren Reihen der biblische Satz vom »allgemeinen Priestertum« derer, die Christus ihren Herrn nennen; der evangelische Landesfürst war das *praecipuum membrum ecclesiae*, davon war in Rußland keine Rede. Die Maßnahmen *Peters* und seiner Erben folgten ausschließlich aus der »Staatsraison« *(ragione del statu) Machiavellis*, auch ohne daß ihnen das ausdrücklich zum Bewußtsein kam.
Peter hat es miterlebt, daß der nächste Schutzherr des Luthertums im Heiligen Römischen Reich, der Kurfürst *August der Starke* von Sachsen, der *summus episcopus* seiner evangelischen Staatskirche, katholisch wurde, weil ihm Warschau »eine Messe wert« war. Er hörte auch, welche Konsequenz der neue Polenkönig aus seinem Schritt folgen lassen mußte: der landesherrliche Summepiskopat wurde seitdem dort von einem Ministerkollegium ausgeübt, das »in evangelicis« Vollmacht bekam.
Dem Beispiel Sachsens entsprach das, was *Peter* tat, als seinem Staat große Gruppen von Protestanten zuwuchsen, beginnend mit der Gründung Petersburgs auf finnischem, daher evangelischem Siedlungsboden (siehe S. 56), gipfelnd in der Angliederung Estlands und Livlands. So straff er die Zügel in die Hand nahm, als er aus dem orthodoxen, hierarchisch geordneten Patriarchat eine russische Staatskirche machte, deren Anliegen der Zar autokratisch regelte, so vorsichtig meinte er gegenüber seinen protestantischen Untertanen handeln zu müssen. Den Ostseeprovinzen blieb ihre privilegierte Standesverfassung einschließlich der kirchlichen Autonomie vollständig erhalten; den innerrussischen Fremdengemeinden meinte er einen Dienst zu tun, als er ihre Rechtslage in Ordnung zu bringen versuchte. Einen solchen Schritt zu tun, war nötig geworden, als durch die Errichtung der neuen Zarenresidenz die Zahl der evangelischen Gemeinden Rußlands in kurzer Zeit auf das Doppelte anstieg.
1702 beginnt Peter mit dem Bau einer starken Seefestung im sumpfigen Mündungsgelände der Neva. Sofort entsteht in ihr eine evangelische Haus-

gemeinde. Der aus Holland berufene Admiral *Cornelius Cruys* sammelte seine niederländischen Mitarbeiter regelmäßig zum Gottesdienst, den der mitgebrachte kalvinische Mynheer leitete. *Cruys* bot auch den sich dazu gesellenden Lutheranern Gastfreundschaft zum Beten und Predigen in ihrer Weise und Sprache. Schnell entstand um die Festung herum die Stadt; *Peter* gab ihr den Namen seines Taufpatrons, und sie hieß »Sankt Petersburg« (Sanktpeterburg), bis der Name 1914 in Petrograd säkularisiert und slavisiert wurde. Mit der Stadt wuchs die Zahl ihrer evangelischen Bürger, namentlich als ihr Wirtschaftsbereich sich auf einen Teil Ingermanlands ausbreitete, in dem die finnischen Bauern ihre lutherische Kirche zäh festhielten, die sie aus der Schwedenzeit mitgebracht hatten. Wir werden dem Werden und Wachsen der evangelischen Kirchspiele in Petersburg und Umgebung einen eigenen Abschnitt widmen müssen.
Als mit dem Tode *Elisabeths II.* 1762 das Haus Romanov ausstarb, kam das Zartum in deutschblütige Hände. *Peter III.*, ein holsteinischer Prinz, war ebenso evangelisch erzogen wie seine Gattin, die anhaltinische Fürstentochter, die ihn gleich nach seiner Krönung beerbte und als *Katharina II.* 34 Jahre lang eine so kluge und erfolgreiche, wenn auch nicht fleckenlose Regierung führte, daß ihr der Ehrennahme »die Große« zuteil wurde.
Für sich selbst vollzog sie im Ost-West-Dilemma die klare Entscheidung: sie wurde vollständige Russin, mit allerlei westlichem Flitter behängt – man denke an *Voltaire* und *Diderot* –, und sie erwartete von den Tausenden Deutschen, die sie vom Ostseerand an ihren Hof zog, und von den Abertausenden, die sie mit Wagemut und Zähigkeit an den Wolgaufern ansiedelte, daß sie doch wenigstens allmählich gleich ihr zu Russen würden. Sie setzte sich selbst ein Denkmal damit, daß sie dem stadtartigen deutschen Doppeldorf an der Wolga im Norddistrikt der Wiesenseite, das in 100 Jahren auf eine Seelenzahl von 20 000 heranwuchs, ihren Namen gab: Katharinenstadt. Es bedurfte der Zerstörungskraft zweier Weltkriege, um das dieser deutschstämmigen Russin zu dankende großartige Kulturwerk der deutschen Wolgakolonisation und den dort damit verbundenen Aufbau eines geordneten und gesegneten evangelischen Glaubenslebens bis auf die Wurzel zu zerstören.

3. Große Siedlung

Wenn hier noch einmal eine schon früher (siehe S. 333) verwendete Überschrift erscheint, so wird damit auf Gleichzeitigkeit und Gleichartigkeit bedeutsamen Geschehens im Bereich der Kirchengeschichte Osteuropas hingewiesen. Im vierten Kapitel handelt es sich um die große Siedlung im Süden Ungarns, in dem nach der Türkenvertreibung (seit 1683) menschenleeren Land. Protestantische Siedler kamen dort jedoch erst einige Jahrzehnte nach 1700 zum Einsatz. In Rußland hatte schon *Peter der Große* den

Anfang gemacht, den *Katharina* großartig fortsetzte und *Alexander I.* zum Abschluß brachte.

Peter hatte – wir hörten davon – ganz wesentlich den engen Raum im Auge, auf dem er seine Stadt gründete und auf ingermanländischem Boden mit einer großen Siedlungsprovinz umgab. Die trug schon darum überwiegend evangelisches Leben im Schoß, weil sich hier zahlreiche Finnendörfer vorfanden, die aus der Schwedenzeit her lutherische Gemeinden bildeten. Zusammen mit diesen lebten hier später in 27 Dörfern mehrere Tausend deutsche Bauern und fast ebenso viele in den sich bildenden Städten und Marktflecken der Provinz.

Katharina hatte einen sehr viel größeren Raum, den zu füllen sie sich vornahm. Der mittlere Lauf der Wolga, des mächtigsten Stromes Europas, hat auf der Bergseite – rechtes Ufer, westlich – wie auf der Wiesenseite, die bald in die Kirgisensteppe übergeht, ein breites, fruchtbares Ackerland brach liegen, das nutzbar zu machen die machthungrige und ehrgeizige Fürstin schon lange geplant haben muß. Denn bereits am Tage nach ihrer Thronbesteigung (1762) ließ sie »in allen ausländischen Zeitungen« ein »Manifest« abdrucken, das neben den von allen merkantilistischen Siedlungswerbern der Aufklärungszeit in die Welt getrommelten Zusagen zwei Sätze enthält, die eigenartig sind: Da heißt es einmal: Klöster dürfen nicht gebaut werden; jedermann wird gewarnt, einen russischen Christen »zur Beipflichtung fremden Glaubens« zu verleiten, wohl aber sei erlaubt, »die dem mohammedanischen Glauben zugetanen Nationen des Reichs auf eine anständige Art den christlichen Religionen zuzueignen«. Es scheint, daß *Katharina* der nüchternen Glaubensgestalt ihrer anhaltinischen Jugend eher einen Missionserfolg bei ihren islamischen Untertanen zutraute als dem an Zeremonien und Bildern überreichen Kultus der Pravoslaven.

Von neben der staatlichen Siedlung einherlaufenden privaten Unternehmen, die in Ungarn sehr wirksam waren, wird aus Rußland nichts berichtet; die Kosten schreckten ab; sie waren hier viel höher als dort. Nur ein so tief gefüllter Kassensack wie der der Zarin konnte sich die Millionensumme leisten, die hier erforderlich war.

Alle Länder am Oberrhein waren an erster Stelle beteiligt mit der Entsendung ihrer überzähligen Hände in die »neue Welt«. Aus der Schweiz wurden fünf der ersten Wolgadörfer gefüllt; die Pfälzer, Elsässer und Schwaben stellten das Hauptkontingent, reichlich zwei Drittel Protestanten neben einem Drittel Katholiken. Die Auswanderer mußten auf eigene Kosten den Rhein hinunter schiffen und dann um Holland und Dänemark herum nach Lübeck segeln. Von diesem Sammelplatz holten russische Kähne sie ab, setzten sie an der Nevamündung in Flußboote und schafften sie zum jeweils bestimmten Ort für die Winter-Rast. Sobald im Frühjahr 1767 die Wolga eisfrei wurde, ging es nach Saratov; dort wartete die Regierungskommission. Die ersten

Transporte zählten etwa 25000 Ankömmlinge, die in 24 Dörfern untergebracht wurden; 6000 Häuser empfingen die des Wanderns müde Gewordenen, allerdings sehr schlichte hölzerne Hütten, aber schon mit vermessenen Ländereien für jede Familie, wobei sehr freigiebig verfahren wurde.
Unterwegs waren etwa ebenso viele geblieben wie jetzt ankamen. Viele waren auf den Schiffen erkrankt und gestorben; sie fanden ein feuchtes Grab. Auf den Fußmärschen gab es Verluste, auch bei Überfällen durch Räuberbanden und durch Desertation von Abenteurern, die Landstreicher wurden und in der Wildnis umkamen.
Zentralpunkt der ersten Kolonien wurde eine Doppelgruppe von 300 Häusern; hier sollte ein Musterdorf erwachsen: es erwuchs dort das schönste Denkmal der Zarin: Katharinenstadt.
Drei große Kirchbauplätze waren vorgesehen: für Lutheraner, Kalvinisten und Katholiken; fürs erste genügten hölzerne Kapellen, später entstanden Prachtbauten.
Die Kolonisten wurden zunächst nur auf der Bergseite und im nördlichen Teil der Wiesenseite angesetzt, der von hügeligen Strecken durchsetzt war, sorgfältig geordnet nach Landsmannschaften (Mundarten), nach Konfessionen und nach Fähigkeiten (Ackerbauer, Handwerker, Weingärtner). Die südliche Wiesenseite, die Steppe, war noch gar zu unsicheres Nomadenland. Nach Jahrzehnten, als die nachgeborenen Söhne nach eigener Scholle verlangten, nahm man auch Steppenflächen unter den Pflug; sorgfältig sicherte man sie vor den Stürmen durch Pflanzungen von Bäumen und Sträuchern. Die im Frühling überquellenden Bäche fing man mit Staudämmen ab, um in der Sommerdürre Wasservorrat zu haben.
Wie überall bei solchen Gelegenheiten gab es unter den Einwanderern auch untaugliche Elemente, Abenteurer, Trottel, Gesindel. Manche versuchten zurückzuwandern und kamen dabei um. Die große Masse aber überwand alle Nöte des Anfangs und gelangte zu beträchtlichem Wohlstand. Aus den etwa 50000 der ersten Jahrzehnte waren 1860 über 150000 geworden und 1900 eine halbe Million. Sorgen brachte lange Zeit die Nachbarschaft mit den nur langsam das Nomadenleben aufgebenden Kirgisen. Später kamen diese mit ihren Kamelen friedlich an den Markttagen in die »schwäbischen« Dörfer, von denen sich manche durch Industrie (Mühlen, Landmaschinen, Textilien) zu kleinen Städten aufschwangen. Für das kirchliche Leben sorgte die Regierung so gut wie möglich. Sie half kräftig mit zur Erbauung von Schulen, Bethäusern, später auch Kirchen und Pfarrhäusern. Nur mit der Anstellung von fähigen und willigen Pastoren und Lehrern ging es nicht immer glücklich ab. Die Regierung half auch dazu, daß ein für den Gottesdienst und die Hausandacht passendes Kolonialgesangbuch hergestellt und verbreitet wurde. Die Schulen waren noch sehr primitiv. Der Katechismus wurde eifrig gelernt, aber kaum recht verstanden. Brautleute mußten vor

der Trauung ein »Lehr-Verhör« bestehen, das sich auch auf Lesen, Schreiben, Rechnen bezog. Nur sehr langsam besserten sich die Ergebnisse dieser Prüfungen. Um 1860 wurde noch berichtet, daß »im Durchschnitt« auf jeden Lehrer an der Wolga 200 Schulkinder kamen. In den stadtähnlichen Großdörfern gab es Schulen mit über 1000 Kindern, mit denen ein Schulmeister, von einem »Adjunkten« unterstützt, fertig werden sollte. Als dann gar die Russifizierung aller Schulen einsetzte und Staatslehrer den Dienst übernahmen, wurde das Übel noch vermehrt; denn die Abneigung, sich noch mit einer zweiten Sprache zu belasten, die man bei der völligen Integration der Kolonien nicht brauchte, war groß.

Das war dort anders, wo sich an einigen Nebenflüssen der Wolga auf der Wiesenseite auch russische Kolonisten niederließen, in der Regel so, daß im Straßendorf jede Seite einheitlich besetzt wurde: hier die Russen, dort die Deutschen. Da es sich bei den Russen meist um sektiererische Elemente handelte, teils »Altgläubige« (siehe S. 396), teils Molokanen und Duchoborzen, war das Nebeneinander ungetrübt, man lernte auch sprachlich und geistlich voneinander und unterhielt sich – wenn auch nicht immer ohne Streit – über Bibelsprüche, Gebetssitten und Zuchtordnung. In ähnlicher Sonderung und doch Gemeinschaft haben sich später ausgewanderte Esten ein Dorf gebaut, auf der einen Straßenseite die Lutheraner, auf der andern die in der üblen Zeit der »res graecae« orthodox Gewordenen.

Rührend ist es, in den älteren, meist von Kolonistenpfarrern verfaßten Chroniken den Zug der Anhänglichkeit der Mutterkolonie an ihre Töchter zu begegnen. Nicht selten kam es vor, daß die alten Dörfer ihre Holzkirchen abbrachen und sie den jungen schenkten – Holz war in der Steppe große Mangelware –, weil sie ja jetzt in der Lage waren, sich einen Steinbau zu leisten.

In den Jahrzehnten nach *Katharina* legte sich die Unruhe der Zeit, die vom Revolutionsgeschehen in Frankreich 1789 ihren Ausgang nahm, im Brand von Moskau 1812 ihren Wendepunkt und in der Leipziger Schlacht 1813 ihren Höhepunkt fand. Das Siedlungswerk, das in Rußland ebenso zum Stillstand gekommen war wie in Ungarn, in Österreich und in Preußen (siehe S. 333), setzte nach dem Wiener Kongreß unter *Alexander I.* mit um so größerem Eifer und Erfolg wieder ein. Inzwischen hatte auch hier eine Türkenvertreibung große Länder frei gemacht, die nun dem Kolonialimperialismus der Ostslaven ihre durch Klima und Fruchtbarkeit ausgestatteten Felder zu weiterer Menschen-Anpflanzung darboten: den breiten Bogen um das Schwarze Meer von Bessarabien über die Ukraine bis an und über den Kaukasus reichend.

4. Moskau – Petersburg – Kiev

Als unsere Geschichtsschreibung beim Blick auf den Protestantismus im polnisch-litauischen Raum sich dem Einzelgeschehen in Warschau – Krakau – Danzig – Wilna zuwandte, ergab sich zum Schluß ein Blick auf kümmerliche Ruinen einstiger Bauten von Rang und Würde, Kraft und Größe als Opfer der bestürzenden Umwälzungen, die unsere Jahrzehnte erleben mußten. Wenn uns jetzt die evangelische Kirchengeschichte der drei russischen Großstädte Moskau – Petersburg – Kiev berichtet wird, dann sei gleich an den Anfang der traurige Satz gestellt: Von dem allen ist heute nichts, gar nichts mehr übriggeblieben.

a) Moskau: Bei Schilderung der ersten Anfänge protestantischer Kirchen fanden wir erwähnt, daß einst sogar das imposante Nationalheiligtum des russischen Volkes und seiner Kirche in einem seiner Paläste evangelische Gottesdienste erlebt und geduldet hat. Wir hörten ausführlich von den seltsamen Anfängen in der Bürgerstadt, im Deutschenghetto der Sloboda, von der Privatkirche des Generals *Baumann* und von dem geschickten Magister *Gregorii*, dem »Theaterpastor«. Wir dürfen hier die weiteren Einzelheiten der 200 Jahre überschlagen, in denen alles geistige Leben der alten Hauptstadt vom Glanz der neuen Stadt des größten der Zaren überschattet wurde und uns auf die folgenden summarischen Daten beschränken, die wir dem letzten, 1909 gedruckten großen Quellenwerk des Protestantismus in Rußland entnehmen.

1. Kirchspiel *St. Michaelis*, gegründet 1576, letzter Kirchbau 1764, Turm 1803, 650 Plätze. – Seelenzahl 4600, fast nur Deutsche, zwei Pastoren. Realschule: 350 Zöglinge, 28 Lehrer.

2. Kirchspiel *St. Peter-Pauli*, gegründet 1626. Kirchbau vielmals zerstört, zuletzt 1812 beim Einmarsch *Napoleons*. Neubau 1819 im Stadtzentrum (300000 Rubel Kosten), 1600 Plätze. Ehrenpatronat der Könige Preußens. – Seelenzahl 17000, davon 2000 Letten, 750 Esten und Finnen, die anderen Deutsche. Drei bis vier Pastoren. Seit 1626 Schulen bis zum Gymnasium: 1400 Zöglinge, 78 Lehrer.

3. Kirchspiel *St. Johannis*, gegründet 1888 für die Westhälfte der Stadt. Volksschule mit Betsaal: 140 Seelen; seit 1908 ein Pastor, der einmal monatlich russisch predigt, sonst deutsch.

4. Vikariat für die Diaspora der Umgebung, gegründet 1876 für rd. 1000 Seelen: Fabrikarbeiter (Esten), Invaliden, Gefangene.

Daneben fehlte es in den Moskauer Gemeinden auch nicht an diakonischen Werken: Asylen, Heimen, Pflege-Anstalten und an einer Armenschule. Sie wurden von den vier Gemeinden gemeinsam unterhalten.

b) Petersburg: In der von 1702 ab im Delta der Neva erbauten neuen Hauptstadt war alsbald eine evangelische Gemeinde entstanden. Der dem Zaren unentbehrliche, aus Holland hereingeholte Admiral der frisch entstehenden Flotte *Cornelius Cruys* sammelt in seinem Wohnhaus auf dem Festungsgelände (später, 1718, in einer Gartenkapelle) nicht nur seine kalvinischen Glaubensgenossen und niederländischen Sprachverwandten, sondern auch die Lutheraner jeglicher Zunge um die Predigten seines Hauskaplans, des Magisters *Tolle. Cruys* war norwegischer Abstammung, aber in Holland aufgewachsen; ein frommer und doch weltoffener Mann, der ein Mittelpunkt des Zusammenhalts wurde in dem Wirbel des Werdens auf dem riesigen Baugelände mit seinem Gemisch von Sprachen und Lebensformen. Als aus seiner Hausgemeinde mehrere geordnete und gegliederte Gruppen von Protestanten erwachsen waren, die sich außerhalb der Festung eigene Bethäuser bauten, Pastoren beriefen und Verfassungen gaben, blieb er in der patriarchalischen Stellung als »Protektor und Patronus« aller Gemeinden.
Auf dem ingermanländischen Boden gab es um 1900, zum Teil noch aus der Schwedenzeit stammend, nicht weniger als 14 Kirchspiele mit zusammen über 100000 Seelen, zum allergrößten Teil lutherischen Bekenntnisses und überwiegend deutscher Sprache, aber auch Finnen und Schweden, Esten und Letten, Holländer, Engländer, Franzosen und andere umfassend.
Hier die Ziffern und Daten nach der oben erwähnten kirchenamtlichen Quelle von 1909.

1. Kirchspiel *St. Petri*, gegründet 1704; letzter Kirchbau 1838, erneuert 1898 mit 3000 Plätzen. Letzte Seelenzahl 15000, nur Deutsche, drei Pastoren. 3 Oberschulen: 1179 Schüler, 2 Volksschulen: 394 Schüler; 68 Lehrer. Umfangreicher diakonischer und stadtmissionarischer Dienst.
2. Kirchspiel *St. Annen*, gegründet 1719 unter Protektorat der Kaiserin *Anna* für die Arbeiter im staatlichen »Gießhaus«; letzter Kirchbau 1900 mit 1450 Plätzen. Letzte Seelenzahl 11000, gemischtsprachig; 2 Pastoren. Gymnasium mit Nebenklassen: 1065 Schüler, 66 Lehrer.
3. Kirchspiel *St. Katharinen*, gegründet 1728 in der Innenstadt in nächster Nähe von Senat, Akademie der Wissenschaften, Zollamt und Börse; erst Betsaal; Kirchbau 1771 mit Hilfe der Zarin; umgebaut 1903, letzte Seelenzahl 8000 Deutsche, 2 Pastoren, Gymnasium, Handelsschule, 2 Volksschulen; 654 Schüler, 42 Lehrer. Mannigfaltige Diakonie.
4. Kirchspiel *St. Michaelis*, gegründet 1732, ursprünglich für die 120 deutschen Knaben des Kadettenkorps und ihre Offiziere, später Zivilgemeinde.
5. Kirchspiel *St. Katharinen*, schwedische Gruppe, entstanden aus der einstigen, schwedisch-finnischen Festungsgemeinde Nyenschanz nach 1710; Abtrennung der Finnen 1745. Generalfeldmarschall *Münnich* erbaut 1769 die steinerne Kirche.
6. Kirchspiel *St. Marien*, finnische Gruppe, gegründet 1745 durch Abzwei-

gung von den Schweden, übernahm 1769 deren freigewordene Holzkirche. Neubau 1805.

7. Kirchspiel *St. Johannis*, gegründet 1787 als estnischer Zweig der Kadettengemeinde. Kirchbau 1860 mit Staatsmitteln (vorher Mietlokal).

8. *Jesus*-Kirchspiel, gegründet 1835 bei Anstellung eines lettischen Militärpfarrers für das Gardekorps. Kirchbau 1848.

9. Kirchspiel *St. Georg*, gegründet 1786 bei Errichtung eines zweiten Kadettenkorps.

10–14. Fünf Personalgemeinden mit Hauskapellen, z. B. die des Prinzen *von Oldenburg*, des zweiten Kadettenkorps, des Forstkorps (militärisch geordnete Forst-Akademie), ferner Anstaltsgemeinden (Diakonissenanstalt, Armenhaus, Irrenhaus, Gefängnis).

Im Kranze der um die Hauptstadt gelagerten Städte (z. B. Kronstadt, Oranienbaum) und Vororte (Zarskoe selo, Gačina, Strelna) gab es 1909 noch über 30 Kirchspiele mit etwa 10000 Seelen, davon 11 deutsche und 19 finnische. Die letzteren stammten durchweg schon aus der finnisch-schwedischen Zeit, waren aber aus der finnländischen Landeskirche ausgegliedert und dem Petersburger Konsistorium unterstellt.

c) Kiev: Unter den zahlreichen Großstädten Rußlands, deren evangelische Kirchengeschichte gesonderte Berichterstattung verdient, möge die Gemeindegeschichte der ukrainischen Hauptstadt Kiev, des Ausgangspunktes der ostslavischen Staatswerdung und Kulturentfaltung ausgewählt werden, obwohl sie von anderen an Alter, Größe und Ausstrahlung übertroffen wird, wie etwa Novgorod oder Odessa.

Im Reformationsjahrhundert gehörte Kiev wie fast die ganze Ukraine zum litauisch-polnischen Staat, und so erlebte es das Eindringen reformatorischen Gedankenguts und das Aufblühen protestantischen Lebens dreier Denominationen durchaus unter dem Aspekt der polnischen Szlachta, der sich der litauische Adel zahlreich, der ukrainische teilweise assimilierte. Der sich dissimilierende, an der angestammten Sprache und Konfession festhaltende Teil der Ostslaven des litauischen Großfürstentums zeigte sich dem reformatorischen Sturm und Drang gegenüber nur wenig empfänglich. Die »Los-von-Rom«-Komponente hatte bei den im »Schisma« mit Byzanz verbundenen Pravoslaven keine Zugkraft.

Wenn sich in den weißrussischen und ukrainischen Städten protestantische Ausländer niedergelassen hätten, wie sie das z. B. in Moskau taten, so hätten sie nicht zu besorgen gehabt, daß man sie in ein Ghetto verwiesen und ihrem Glaubensleben Einschränkungen auferlegt hätte. Aber selbst in der petrinischen Zeit, als 1667 durch die »allererste Teilung Polens« (siehe S. 96) die Ukraine schon längst zum Zarenreich gekommen war, gab es in Kiev noch keine Ausländer. Vielleicht, daß in der großen Garnison, die der Zar Feodor

alsbald in der dicht an der Grenze gegen Wolhynien gelegenen Stadt aufstellte, sich schon ausländische Offiziere oder Waffenmeister evangelischen Glaubens befanden. Aber zu einer Gemeindebildung kam es noch nicht; ihr fehlte der bürgerliche Rückhalt. Der stellte sich erst hundert Jahre nach dem politischen Umschwung ein.
Aus dem Jahre 1767 haben wir folgenden Bericht: Der in Kiev seit kurzem ansässige Apotheker *Georg Bunge* hatte sich für seine stattliche Kinderschar einen Hauslehrer aus Sachsen kommen lassen und bildete unter dessen Anleitung mit den Seinen eine lutherische Hausgemeinde, eine einsame Diaspora-Insel, von den Fluten anderen Glaubens in anderer Sprache umspült. Im genannten Jahr landete in Kiev zum Ausruhen auf der Weiterreise eine Schar von deutschen Bauernfamilien, die sich aus Wolhynien hatten herauslocken lassen durch ein Angebot freien Bauernlandes auf der linken Dneprseite im »Schwarzerdegebiet«, der »fruchtbarsten Landschaft Europas«, wie es später hieß. Erschöpft von der Wanderung und verzagt nach schweren Erlebnissen fragten sie in der Apotheke nach einem Pastor, der sie beraten, durch Gottes Wort aufrichten und durch Spendung des Sakraments für den weiten Weg rüsten könne. Der erwähnte Hauslehrer *P. Grahl*, den die Chronik – ob glaubwürdig? – einen »Doktor der Weltweisheit und Magister der schönen Künste« nennt, faßte angesichts dieser Notlage den Mut, sich über den Mangel theologischer Ausbildung und ordentlicher Bestallung hinwegzusetzen, tat jenen trosthungrigen Glaubensgenossen den erbetenen Dienst und tat ihn auch hinfort der Hausgemeinde und anderen, die sich ihr bald zugesellten, ließ sich dann auch in manchen Ort am ganzen Mittellauf des großen Stroms rufen, wo immer sich jetzt Evangelische niederließen, Vorläufer der großen planmäßigen Ansiedlung, die 50 Jahre später zu so großartigen Erfolgen führte.
So entstand die evangelische Gemeinde Kiev, von ihrem Gründer 32 Jahre hindurch mit viel Erfolg geleitet und ihm in dankbarer Treue anhängend, ein in manchen Stücken typisches Bild vom Entstehen junger Glaubensgenossenschaften der Siedlungsdiaspora.
Ob und wie das Fehlen einer Ordination und Amtseinsetzung ausgeglichen wurde, ist der Überlieferung nicht zu entnehmen. Wenn sie erwähnt, die Kaiserin *Katharina*, die eine Vorliebe für Kiev besaß, habe den ganzen Winter hier verbracht und habe für den bisher ohne geregeltes Einkommen tätigen Pastor ein ständiges Jahresgehalt von 300 Rubeln jährlich aus dem Kronschatz ausgesetzt – ein Pfund Rindfleisch kostete damals nur 5 Kopeken und ein Pud Mehl einen halben Rubel –, so darf man wohl annehmen, daß die in ihrem Hofstaat zahlreichen Lutheraner (etwa aus den Ostseeprovinzen) sich zu der Gemeinde hielten und die Formalitäten in Ordnung brachten. Dem eigentlichen Gemeindegründer, dem Apotheker, sei auf sein mit unserem Bericht gesetzten Denkmal noch folgendes geschrieben: Alle seine

12 Kinder heirateten evangelische Ehepartner. Von seinen Söhnen wurden 2 wieder Apotheker, einer Professor der Medizin in Moskau; zwei Enkel wurden Professoren in Dorpat, der eine als Botaniker, der andere als Jurist. Auch unter den Urenkeln gab es einige Professoren und sogar einen Finanzminister.
Die evangelische Gemeinde Kiev aber – sie nahm auch Reformierte, die weit und breit sonst keinen Anschluß hatten, brüderlich bei sich auf – wuchs langsam an äußerer Gestalt und innerer Kraft. Originell sind die Berichte über ihre wirtschaftliche Kräftigung, z. B. durch das Testament eines ihrer Lehrer, der sich ein Kapital am Munde absparte, damit bessere Schulräume entstanden, oder durch die Vermietung eines Leichenwagens nebst 20 Mänteln und Hüten als Trauerkleidung für Kutscher und Träger.
Die Gemeinde besaß 1812 eine sehr schöne Holzkapelle, die dann später abgerissen wurde und durch eine, dem Wandel des Zeitgeschmacks und des Stilgefühls angepaßte Steinkirche ersetzt wurde (1854), ein Zeichen, daß die Gemeinde und ihre Mitglieder finanziell nicht schlecht gestellt waren.

5. *Verfassung der Kirche*

Die Rechtslage des Protestantismus im Innern Rußlands war zunächst völlig in der Schwebe. Die einzelnen Gemeindeglieder der vorpetrinischen Zeit waren »independent«; eine gewisse Schutzaufsicht über sie wurde von der Stelle ausgeübt, die alle im Lande seßhaft gewordenen Ausländer – ebenso wie das diplomatische Korps – in Obhut hatte. Als einmal der orthodoxe Patriarch den Versuch machte, sich in einen Streit zweier evangelischer Gemeinden einzumischen, griff jene Amtsstelle ein und wehrte den Übergriff ab. Darauf legte man den Streitfall dem Geistlichen Ministerium Hamburgs vor und unterwarf sich dessen Entscheid. Es kam aber wohl auch vor, daß bei einem Kompetenzstreit zweier Pastoren das staatliche Gericht angerufen wurde und schlichtend eingriff.
Da die Gemeindeleitungen wie überall im Zarenreich – noch bis 1917 – für Streitfragen des Familienrechts zuständig waren, entstand bei Vermehrung ihrer Zahl das Bedürfnis, eine Berufungsinstanz zu haben, und der Gedanke erwachte, die einzelnen Gruppen zu einem Kirchenkörper zusammenzuschließen und diesem eine leitende Spitze zu geben. Dieses Bedürfnis wurde – wie das überall bei junger Diaspora zu beobachten ist – von den Laien in den verwaltenden Körperschaften mehr als von den Geistlichen empfunden. In Moskau war es ein Arzt, der die Bahn brach. Es war das der Leibarzt des Zaren *Aleksej* – später auch *Peters des Großen* –, Dr. *Blumentrost*, den der Herzog *Ernst* von Gotha 1667 an den Kaiserhof entsandt hatte. Er gehörte der »Offiziersgemeinde« an und verfaßte für diese 1678 eine Kirchenordnung, die eine Vertretung der Gemeinde nach außen und ihre wirtschaftliche Verwal-

tung in die Hände von 10 »Elterlingen« (Presbyter) legt, von denen die eine Hälfte von den Offizieren, die andere von den Kaufleuten, Handwerkern usw. gestellt wurde, die sich der Gemeinde anschlossen. Offenbar trugen die letzteren die Hauptlast der Kosten und betonten stark den Laiencharakter der Geschäftsführung, so daß der Entwurf den Geistlichen gar nicht mit in den Vorstand aufnimmt, ihn vielmehr nur dann zu den Sitzungen heranziehen will, wenn familienrechtliche Fragen zur Verhandlung stehen. Dafür ist der Pastor in allen innerkirchlichen Sachen ganz auf sich selbst gestellt, ohne an irgendwelche Weisungen über seine Ordinationsverpflichtung hinaus gebunden zu werden.

Vermutlich war der Entwurf als Muster für alle Gemeinden gedacht mit der Aussicht, nach seiner allgemeinen Annahme werde die eigene – Moskauer – Gemeinde, die sich als die älteste betrachtete, die Führung der sich dann zusammenschließenden Diasporakirche zufallen.

Es scheint, daß der Entwurf nicht einmal in Moskau Anklang fand und in Kraft trat. Erst recht dachten die anderen, so viele Meilen von der Hauptstadt entfernten Gemeinden nicht daran, ihre volle Freiheit aufzugeben, und verharrten in ihrer selbstgenügsamen Vereinzelung. Was konnte auch schon eine Gemeinde, etwa in Archangelsk (schon 1606 am Weißen Meer gegründet), die überhaupt nur im Sommer bestand, da sie sich vor dem eisigen Winter über die Handelskontore von Vologda und Jaroslavl' nach Süden rettete, mit den Paragraphen des Dr. *Blumentrost* anfangen?

Es dauerte nicht lange, da war die Zahl der Protestanten in Rußland auf das dreifache (1703), dann auf das Zehnfache (1711), schließlich auf eine die 100 000 erreichende (1721) Ziffer gestiegen, und nun traten Fragen der Kirchenverfassung mit unausweichlicher Nötigung auf und an den Staat heran. Erst war es die Gründung Petersburgs mit dem gewaltigen Zustrom von Ausländern, dann der Blick auf die altansässigen lutherischen Finnengemeinden in dem ingermanländischen Umkreis der Stadt, schließlich die völkerrechtliche Bestätigung der Angliederung Estlands und Livlands, was diese Nötigung brachte.

Es hat den Anschein, als ob die Berater des Zaren, zu denen der Urheber evangelischer Gottesdienste in Petersburg, der Admiral *Cruys* gehörte, nur auf eine günstige Gelegenheit gewartet haben, um die rückständige Ordnung des protestantischen Kirchenwesens einen Schritt vorwärts zu bringen. Sie bot sich 1710 – mitten im Nordischen Krieg –, als der Pastor der erwähnten Offiziersgemeinde in Moskau, ein älterer, aus Hamburg stammender Herr, mit seinen jüngeren Amtsbrüdern in der Sloboda einen liturgisch-dogmatischen Streit hatte und – wohl durch Vermittlung höherer Militärs – an den Zaren herantrat mit Klagen über Mangel an Disziplin bei der Jugend. Er hatte Erfolg; *Peter* ließ sich zu einem ganz ungewöhnlichen Schritt bewegen. Zum 18. Februar 1711 – noch vor dem großen Sieg bei Poltava – ließ er alle evangelischen Geistlichen und Gemeindevorsteher nach Petersburg laden und machte den in der Gesandten-Kanzlei Versammelten durch den Großkanzler auf russisch, durch den Vizekanzler auf deutsch bekannt, er habe den Pastor *Barthold Vagetius* zum Superintendenten aller (!) lutherischen Kirchen in Rußland ernannt »aus erheblichen Ursachen zur Stiftung und Erhaltung des Friedens und guter Ordnung und zur Verhütung aller Disordres und Irrungen«.

Das war – wie man an den Folgen sieht – einer jener impulsiven und nicht ausreichend vorbedachten Schritte, deren sich der Zar nicht selten fähig zeigte.

Was geschah? Alle Gemeinden setzten dem willkürlichen Eingriff des aufgeklärten Absolutismus den passiven Widerstand entgegen, der je und je in der Geschichte die Herrscherlaunen reguliert. In allen Gemeinden überwog das zivile Element mit seinen größeren Beiträgen und seiner Ablehnung der adligen Offiziers- und Beamtenclique, auf die sich *Vagetius* stützte. Bei manchen hatte auch schon das Auftreten der pietistischen Sendboten, die aus Halle seit einiger Zeit das eingerostete Kirchenleben der Lutheraner aufstörte, Bewegung und Erweckung gewirkt, während der *Calov*-Schüler *Vagetius* in streng orthodox-lutherischer Haltung verharrte, für die ihn die Wittenberger Universität promovierte.

Vagetius hatte sich – ohne daß seine Bestallung dazu Vollmacht gab – alsbald daran gemacht, das mißglückte Unternehmen *Blumentrosts* wieder aufzunehmen. Unter Zuhilfenahme dänischer Ratgeber dekretierte er bereits im Mai eine Verfassung, die – nicht ungeschickt – in 13 kurzen Sätzen das Gemeindeleben regeln sollte, in dem die Befugnisse auch der Geistlichen aufgezählt und gegen die der »Elterlinge« deutlich abgegrenzt wurden. Es scheint, daß diese Gemeindeverfassung in der Peter-Paul-Gemeinde zur Einführung gekommen ist. Die andern alle blieben ungestört beim Hergebrachten.

Noch einmal versuchte *Vagetius* sich als Superintendent zur Geltung zu bringen. Er verfaßte eine Gottesdienstordnung und erreichte einen Befehl des Kaisers, daß sie am Ostermontag 1715 von allen Kanzeln verlesen werden solle. Ob das wirklich geschah, ist ungewiß. Gewiß aber ist, daß sie keinerlei Auswirkung hatte. Sie schloß sich eng an das an, was in Hamburg – auf *Bugenhagen* zurückgehend – in Übung stand, verlangte aber wohl von den jungen, unfertigen und buntgemischten Gemeinden zu viel an straffer Einigkeit und verfiel der Nichtachtung. Dem alten Mann brach sein Mißerfolg die Kraft. Seine eigene Gemeinde ließ ihn ebenso im Stich wie der Zar, der vielleicht durch den ihm vertrauten Admiral *Cruys* darüber belehrt wurde, daß seine Maßnahmen keinen Erfolg haben konnten, weil eine Kirche erwachsen muß und nicht auf Befehl entsteht. *Vagetius* mußte es 1717 erleben, daß seine Gemeinde ihn gegen seinen Willen in den Ruhestand versetzte; sein Aufsichtsamt aber erlosch klanglos. Der Zar befand sich auf seiner zweiten großen Reise in den westlichen Ländern und hat wohl erst viel später Kenntnis von dem Ende seines lutherischen Schützlings erhalten.

Es konnte aber nicht bei der Abwendung des Interesses von den Verfassungsfragen der Kirche bleiben. Der Nystader Frieden 1721 machte aus der faktischen Angliederung der beiden einstigen Ordensländer sowie Kareliens mit Wiborg einen völkerrechtlichen Bestand. Damit kamen etwa 300 lutherische Gemeinden in fünf verschiedenen Sprachen, aber mit einer bis zur Reformationszeit zurückreichenden Geschichte unter das Aufsichtsrecht des russischen Staats. Dieses Recht hatte seit Beginn der Schwedenherrschaft (1561 bzw. 1621) im königlichen Hofgericht von Stockholm seine Stätte gehabt, das vor allem für die Gerichtsbarkeit der Kirche im Familienrecht als obere Instanz waltete. Sich selbst aber hatte der König vorbehalten: für Fragen, die »unsere rechte Religion und Lehre, eines Priesters Amt in Lehren, Predigen und Verrichten des Gottesdienstes betreffen, wollen Wir die Sache sofort unter Unsere eigene Revision kommen lassen und hernach desfalls verordnen, was Wir recht befinden«.

An die Stelle des schwedischen Hofgerichts trat in Rußland ein »Justizkollegium der est-, liv- und ingermanländischen Sachen«, das aus seiner Mitte für kirchliche Anliegen eine Sonderkommission einsetzte. Seine Mitglieder waren damals nur Protestanten; die Amtssprache war deutsch. Ein russischer Staatsbeamter hörte den Verhandlungen zu und berichtete über sie dem Minister. Wie aber stand es mit der Jurisdiktion in den Sachen, deren Erledigung der Schwedenkönig sich selbst vorbehalten hatte? Konnte der orthodoxe Zar sich ebenso wie der lutherische König die Befugnisse eines *summus episkopus* herausnehmen?

Daß er in seiner eigenen Kirche diese Position einnahm, konnte er nicht behaupten. Wenn auch die Ernennung der Patriarchen, seit es solche in Moskau gab (1589), gemäß Vereinbarung mit Byzanz zu den Privilegien der Zaren gehörte, die sich auch nicht scheuten, mißliebige Kirchenfürsten abzusetzen und zu strafen, so bleiben diese Akte doch im Rahmen der Kirchenhoheit, des staatlichen Aufsichtsrechts, das man *jus circa sacra* zu nennen pflegt. Die Kirchengewalt, das *jus in sacra* lag uneingeschränkt bei den Bischöfen, Metropoliten, Patriarchen, die sich von Priestersynoden beraten ließen. Der letzte bedeutsame Patriarch des Zarenreiches (*Joakim*, † 1700) hatte sich nach *Peters* Meinung zu stark in die Politik gemischt, als er gegen die Begünstigung des Fremdenzuzugs und der Entstehung »ketzerischer« Gemeinden polemisierte. Das nahm der Zar zum Anlaß, nunmehr seine kirchlichen Rechte auf das innerkirchliche Leben auszudehnen. Er ließ zwei Jahrzehnte hindurch das Patriarchat unbesetzt und seine Geschäfte durch einen ihm hörigen Verweser besorgen. Es ist gewiß kein Zufall, daß er zu Beginn des Jahres, in dem der Nystader Frieden seinem Reiche ein paar Hunderttausend Protestanten einver-

leibte, diesem Provisorium in seiner eigenen Kirche ein Ende machte. Am 25. Januar 1721 erließ er das historische »Geistliche Regiment« *(Duchovnyj reglament)*, mit dem an die Stelle des Patriarchats der »Allerheiligste dirigierende Synod« trat, den er selbst durch einen »Prokuror« kontrollieren und damit leiten würde. So war der sich seit langem anbahnende Caesaropapismus im Ostslavenland als grundsätzliche Verfassung der pravoslavischen Kirche deklariert.
Vermutlich war für die Wahl des Datums der Proklamation der Gedanke bestimmend, mit ihr ein Präjudiz für die Ordnung aller nicht-orthodoxen Glaubensgemeinschaften zu errichten; denn deren bisherige Freiheit – darin hatte *Joakim* recht gehabt – konnte bei ihrem Anwachsen ins Große, dazu in geschlossenen Landeskirchen, Gefahren mit sich bringen, denen die Staatsraison vorzubeugen gebot.
Doch hat *Peter* in den Jahren, die ihm noch verstattet waren, keine weiteren Schritte getan. Er zog sich auf die Position zurück, die dem oben berichteten Schritt *Augusts des Starken* entsprach. Es fehlte später nicht an Gliedern der protestantischen Gemeinden in Petersburg, die für Innerrußland eine Konsistorialverfassung nach dem Muster der baltischen entwarfen und vorschlugen. Doch scheuten sich die drei Frauen auf dem Zarenthron, deren unsicheres Regieren das Bild der nächsten Jahrzehnte bestimmte, in die Kirchenpolitik einzugreifen. Wenn *Anna* dem Justizkollegium 1734 für Ehestreitigkeiten eine ständige Beratungsgruppe von Pastoren beigesellte, so war das sogar Anerkennung der kirchlichen Gerichtsbarkeit auch für die obere Instanz. Wenn *Katharina* ihr Augenmerk kirchlichen Dingen zuwandte, fühlte sie sich in keiner Weise durch ihre Weiblichkeit daran gehindert, als kirchliches Oberhaupt zu fungieren, auch in der Kirche nicht, der sie, lutherisch konfirmiert, einst angehört hatte. Mit ihr begann die Reihe der staatlichen Eingriffe in das Verfassungsleben sowohl des baltischen wie auch des rußländischen Protestantismus.

6. Von Alexander I. bis Nikolaus II.

Seit *Elisabeth II.* hatte in Rußland die französische Kultur Eingang gefunden. Hauslehrer und Gouvernanten aus Frankreich, französische Privatschulen brachten französisches Geistesgut nach Rußland, und damit auch das Gedankengut der Aufklärung, ein Vorgang, der durch die Einstellung *Katharinas* noch gefördert wurde. Eine Rückwirkung auf das religiöse Leben blieb nicht aus. Der Rationalismus drang auch in die Kirche ein, die nach seiner Auffassung nur noch eine Institution zur Wahrung der sittlichen Prinzipien darstellte.
Alexander I., erzogen von dem Schweizer *La Harpe*, zeigte sich zu Beginn seiner Regierungszeit den Ideen der Aufklärungsphilosophie sehr offen. So

fanden der Rationalismus und seine Vertreter Förderung durch den Kaiser. In den Ostseeprovinzen hatten die Änderungen an Gottesdienstordnung und Liturgie einiger rationalistischer Pfarrer Widerspruch der am alten Glauben Hängenden erregt. Auf ihre Beschwerden berief das Justizkollegium in Petersburg, dem die kirchlichen Angelegenheiten unterstanden, eine Kommission, die eine einheitliche Ordnung schaffen sollte. Die »Liturgische Ordnung«, die aus dieser Arbeit hervorging und 1805 von der Regierung bestätigt wurde, ist allerdings in der Praxis nie recht wirksam geworden. Daß sie aber auch für Kurland, Livland und Estland gelten sollte und somit sich über die Autonomie dieser Provinzen hinwegsetzte, zeigt, daß hier zentralistische Kräfte am Wirken waren, wenn sie auch noch nicht im Sinne der späteren Russifizierung wirkten. Auch die Einsetzung eines Generalsuperintendenten für das Petersburger Gouvernement im Jahre 1804 erfolgte durch den Staat. Freilich ist die Kirchenordnung, die von *Rheinbott* und von *Sahlfeldt* in zwei Entwürfen vorgelegt wurde, nie in Kraft getreten. Die politische Entwicklung, in die Rußland durch Napoleon hineingezogen wurde, drängte andere Fragen in den Vordergrund. Als aber nach 1815 der Sturm vorüber war, hatte sich die Einstellung des Monarchen so stark gewandelt, daß dem Rationalismus keine Wirkungsmöglichkeit mehr gegeben war.

Dieser Umschwung zeichnet sich bereits in der Berufung des Fürsten *Alexander Golicyn* zum Leiter der Oberverwaltung für die fremden Bekenntnisse ab, einer Behörde, die im Jahre 1810 geschaffen wurde. *Golicyn* war 1803 zum Oberprokuror des Heiligen Synod ernannt worden und hatte durch diese Tätigkeit zum religiösen Leben zurückgefunden. Er wies auch dem Kaiser den Weg zur Religion, als dieser in der Bedrängnis des Jahres 1812 einer inneren Kraftquelle bedurfte.

Unter diesen verwandelten Umständen gab der Kaiser 1812 die Genehmigung zur Gründung der Bibelgesellschaft in Petersburg, die von *John Paterson*, einem schottischen Missionar und Vertreter der Britischen Bibelgesellschaft, ins Leben gerufen wurde. 1814 übernahm *Golicyn* ihre Leitung und erweiterte sie zur Russischen Bibelgesellschaft. Die Gesellschaft, die zwei Jahre nach dem Sturze *Golicyns* durch *Nikolaus I.* aufgelöst wurde (1826), erhielt starken Zustrom, denn die Religiosität des Kaisers reizte zur Nachahmung. Die mystischen Neigungen des Kaisers, die u. a. durch den Arzt *Heinrich Jung* (bekannt als Jung-Stilling) gefördert wurden, bewirkten freilich, daß Elemente mystischer Schwärmerei in die Bibel-Gesellschaft eindrangen, was denn auch mit zu ihrer Auflösung beitrug.

1818 vereinigte man unter Leitung *Golicyns* die Ämter für Kultus und Unterricht in einer Behörde, die Unterabteilungen für die einzelnen Glaubensrichtungen besaß. Damit war eine einheitliche Verwaltung erreicht.

Aber auch auf anderem Gebiet griff der Kaiser in die kirchlichen Angelegenheiten ein. So entsandte er 1817 den Grafen *Karl von Lieven* als Kurator an die Dorpater Universität. *Lieven* gelang es bald, unterstützt von streng lutherisch Gesinnten, die Universität von den rationalistischen Theologen zu befreien. *Ernst Sartorius*, der 1823 auf den Lehrstuhl für Dogmatik berufen wurde, führte im Verein mit Gleichgesinnten die Universität zum strengen Luthertum zurück. Dies aber wirkte sich auf die ganzen baltischen Lande aus, deren Pfarrer ja in Dorpat ausgebildet wurden. Doch entstand aus dieser strengen Bindung an das Luthertum ein Gegensatz zu den verschiedenen anderen, vor allem zu den pietistischen Strömungen, die besonders in Südrußland vertreten waren, so daß es teilweise zu Konflikten kam. Denn Dorpat war ja die Ausbildungsstätte für protestantische Pastoren des ganzen Reiches.

Im Jahre 1819 erfolgte ein neuer Schritt zur Schaffung einer einheitlichen protestantischen Kirche. Ein Reichskonsistorium unter Graf *Karl von Lieven* als Präsidenten wurde geschaffen und der Bischof von Borga in Finnland, *Zachris Cygnäus*, zum Bischof von Petersburg ernannt. Die Schaffung einer Kirchenordnung scheiterte allerdings auch diesmal.

Doch wurde wenigstens in Südrußland eine Regelung getroffen. Auf einer Reise im Jahre 1818 ordnete *Alexander I.* die Gründung eines Konsistoriums in Odessa an, dessen Superintendent *Karl Böttiger* wurde. Im Oktober 1819 folgte dann die Errichtung des Konsistoriums von Saratov an der Wolga unter *Ignaz Feßler*, der sich mit großer Energie seiner Aufgabe widmete und beträchtliche Erfolge erzielen konnte. Unter seiner Leitung wurden eine große Zahl neuer Kirchspiele eingerichtet und viele Pastoren bestallt.

Damit war den deutschen Kolonisten die dringend notwendige kirchliche Unterstützung zuteil geworden. Doch fehlte es besonders im Odessaer Konsistorialbezirk an Geistlichen. Verschärft wurde die dadurch gekennzeichnete Lage noch durch das Sektenwesen, das im Gefolge der südrussischen Kolonisation in dieses Gebiet eindrang. Eine Erleichterung brachten die Zöglinge der Basler Missionsanstalt, die nach 1820 ihre seelsorgerische Arbeit in diesem Gebiet aufnahmen. Nach dem 1835 erlassenen Verbot, die Missionierung unter den Mohammedanern im Kaukasus weiter zu betreiben, wandten sie sich fast ganz der Aufgabe zu, die ihnen durch den Pfarrermangel in den deutschen Ortschaften erwuchs. 41 Pfarrstellen wurden von ihnen besetzt.

Alexander I. hatte sich in seinen letzten Lebensjahren von der mystischen Schwärmerei abgekehrt, denn sie vertrug sich wenig mit dem Ordnungsgedanken, den *Metternich* in der Heiligen Allianz vertrat und den *Alexander* mehr und mehr zur Grundlage seiner Handlungen machte. Die Abberufung *Golicyns* 1824 darf als deutliches Zeichen dieser Wandlung angesehen werden. Sein Bruder *Nikolaus I.*, der ihm im Dezember 1825 nachfolgte, wurde durch den Dekabristen-Aufstand und noch mehr durch den polnischen Aufstand der Jahre 1830/31 noch stärker zum Vertreter eines strengen Ordnungsprinzips.

Unter ihm wurde erneut die Schaffung einer Kirchenordnung für Rußlands evangelische Kirche in Angriff genommen. *Karl von Lieven*, inzwischen zum Fürsten erhoben, leitete seit 1828 das Volksbildungsministerium. Er berief eine Kommission ein, die in langen und schwierigen Verhandlungen einen Entwurf ausarbeitete. Besonders die alten Privilegien der baltischen Kirchen galt es zu berücksichtigen, eine oft heikle und nur mit großem Geschick zu lösende Aufgabe. Unter Beihilfe des pommerschen Generalsuperintendenten Bischof *Georg Ritschl* und des Dorpater Juristen *Johann Georg Neumann* konnte schließlich die Arbeit abgeschlossen werden. Am 28. Dezember 1832 wurde der von Kaiser und Reichsrat geprüfte Entwurf als Gesetz erlassen. Dieses »Gesetz für die evangelisch-lutherische Kirche Rußlands« legte als Grundlage des Dogmas das Konkordienbuch fest und da es auch für die Reformierten galt, ergaben sich bald Spannungen und Zwistigkeiten. Als weitaus folgenschwerer erwies sich aber der Verzicht der Kirche der baltischen Provinzen auf ihre Sonderstellung. Denn dadurch hatte sie ihr Statut als Landeskirche verloren. Aus der Kirche in den Ostseeprovinzen wurde sie zu einer unter anderen Kirchen in Rußland. Staatskirche aber war und blieb die orthodoxe Kirche. Diese Veränderung brachte für das Baltikum große Nachteile, die sich in ihrer ganzen Schwere freilich erst dreißig und mehr Jahre später zeigten. Die Aussicht, daß der Präsident des neugeschaffenen Generalkonsistoriums meist vom baltischen Adel gestellt würde, bedeutete wenig – denn er war Beamter des russischen Staates.

Dem Präsidenten wurden ein geistlicher Vizepräsident und vier Beisitzer zur Seite gestellt, je zwei weltliche und geistliche. Diese 4 Beisitzer wurden von den baltischen Ständen und den Konsistorien gewählt und vom Kaiser ernannt, der Präsident und sein Stellvertreter hingegen nur vom Kaiser bestallt.

Das Gesetz gliederte das Territorium in die sechs Konsistorialbezirke Estland, Kurland, Livland, Ösel, Petersburg und Moskau sowie die städtischen Konsistorien von Riga und Reval. Das asiatische Gebiet gehörte zu Moskau, die Ukraine hingegen zu Petersburg.

Die Konsistorien erhielten den gleichen Aufbau wie das Generalkonsistorium. Vernachlässigt wurde dagegen die Beteiligung der Gemeinde. In einem autokratischen Staate war für eine Beteiligung der Regierten an der Regierung auch schlecht Platz. Selbst die Verfügung über den Kirchenbesitz war den Gemeinden nicht unbeschränkt gestattet.

Trotzdem hat sich die protestantische Kirche in den folgenden Jahren noch weiter ausgebreitet. Dies war zum Teil die Arbeit einiger tüchtiger Pastoren, zum Teil mußten vom Staat neue Divisionsprediger eingesetzt werden (erstmals 1768), aber auch die Siedlung deutscher Bauern in Wolhynien, die be-

sonders nach dem polnischen Aufstand von 1863 anstieg, führte zur Gründung neuer Gemeinden. Auch die nach der Bauernbefreiung des Jahres 1861 auswandernden Esten und Letten trugen zu einer weiteren Verbreitung des lutherischen Glaubens bei. Wertvolle Hilfe leistete beim Aufbau neuer Gemeinden, bei der Ausbildung von Pfarrern und Lehrern und der Unterhaltung der Schulen die »Unterstützungskasse für evangelisch-lutherische Gemeinden in Rußland«. Sie wurde 1859 von *Karl Christian Ulmann* ins Leben gerufen und ganz von privaten Zuwendungen getragen. Diese Initiative von kirchlicher Seite war nötig geworden, da seit 1847 der Kaiser keine fremdgläubigen Gemeinden mehr unterstützte. Die orthodoxe Staatskirche wurde unter *Nikolaus I.* mehr und mehr begünstigt, seit *Sergej Uvarov* 1832 als die drei (geistigen) Stützen des russischen Reiches Orthodoxie *(pravoslavie)*, Autokratie *(samoderžavie)* und Volksbewußtsein *(narodnost')* herausgestellt hatte. Während *Alexander I.* wenig darauf achtete, welcher Glaubensrichtung der Einzelne angehörte, wenn er nur überhaupt gläubig war, begann unter *Nikolaus* die Bevorzugung der Orthodoxie. Nach der Desillusionierung, die das russische Selbstbewußtsein durch die Niederlage im Krimkriege erlitt, und besonders durch die »Reformperiode« *Alexanders II.*, der 1855 seinem Vater folgte, wurde die staatliche Förderung der Uniformierungstendenzen zwar noch einmal abgeschwächt, aber der Anspruch der »Rechtgläubigkeit« wurde von der orthodoxen Kirche weiterhin aufrechterhalten. Die nationalistischen russischen Kreise unterstützten entsprechend der *Uvarov*'schen Formel diese Bestrebungen der Staatskirche.
Die Kämpfe fanden ihre stärkste Ausprägung in den baltischen Provinzen (siehe S. 66ff.), gegen deren Privilegien sich die Angriffe der Nationalisten besonders richteten. Hier war eine alte, nichtrussische Führungsschicht vorhanden, die sich gegen einen Verlust ihrer Kultur und Tradition zur Wehr setzte. Doch verloren die Ostseeprovinzen allmählich ihre Sonderstellung, als letztes Bollwerk des Deutschtums wurde die Universität Dorpat 1890 russifiziert.
In den Gebieten Südrußlands und an der Wolga erreichte die Auseinandersetzung nicht diese Schärfe. Die Kolonisten waren zumeist Bauern, sie besaßen daher nicht diese Bedeutung für den Staat, auch konnten sie nicht auf eine jahrhundertelange Tradition zurückblicken. Doch verloren im Zuge der angestrebten Gleichschaltung die deutschen Siedler ihre Sonderstellung, 1871 wurde der Status der »ausländischen Kolonisten« beseitigt und damit die steuerlichen Vergünstigungen aufgehoben.
Einschneidender war die Ausdehnung der Wehrpflicht auch auf die deutschen Kolonisten, die zu einer starken Auswanderung der Mennoniten nach Nordamerika führte. Zwar wurde den Mennoniten in diesem Gesetz ein Sonderstatus eingeräumt, doch war der Verlust durch Auswanderung groß. Auch die wirtschaftliche Situation hat – neben der gewandelten politischen –

dazu beigetragen, daß eine beträchtliche Zahl deutscher Siedler das Wolgagebiet verließ.

Besonderem Druck waren die »Stundisten« ausgesetzt, eine Bewegung, die von den »Stunden« der deutschen Gemeinden in Südrußland ihren Ausgang nahm. Diese religiöse Erneuerungsbewegung lehnte bald nicht nur die Heiligenverehrung ab, sondern führte häufig bis zur Erwachsenentaufe. Die Baptisten, die in den Mennonitensiedlungen auftraten, kehrten sich nicht an das Verbot, unter den Orthodoxen zu missionieren, und ihre Missionsarbeit hatte besonders unter den »Stundisten« Erfolg. Bereits 1864 wurden gegen diese beiden Gruppen staatliche Maßnahmen ergriffen, doch konnten die Baptisten 1879 durch die Unterstützung ausländischer Glaubensbrüder ihre staatliche Anerkennung erlangen, was den Stundisten versagt blieb. Aber auch eine verschärfte Bestimmung von 1894, die »wirksamere« Maßnahmen ermöglichte, konnte den Stundismus nicht mehr austilgen. Die Reformen, die die Revolution des Jahres 1905 nach sich zog, brachten auch die Gewährung der Gewissensfreiheit. Danach konnte jeder seine Konfession selbst wählen. Der Übertritt von der orthodoxen zur evangelisch-lutherischen Kirche wurde endlich gestattet, eine Wiederholung der Prozesse gegen lutherische Geistliche, wie sie im Baltikum stattgefunden hatten, war ausgeschaltet.

Freilich blieb die orthodoxe Kirche bevorzugt. »Verleitung« zum Abfall von der Orthodoxie oder »Behinderung« des Übertritts zu ihr wurde bestraft, ebenso wie jegliche öffentliche »Glaubenspropaganda«. Auch mußte der Übertritt von der Orthodoxie in eine andere Konfession vom Provinzgouverneur bestätigt werden – man hatte also Vorsorge getroffen, einen Abfall möglichst zu erschweren. Für Personen, die irgendwo in der Provinz im Dienste des Staates standen, war ein Verlassen der orthodoxen Kirche durch diese »Bestätigung« fast unmöglich, mußten sie doch Repressalien befürchten.

Die so gewonnene Glaubensfreiheit wurde ein knappes Jahrzehnt später durch den Ausbruch des 1. Weltkrieges jäh in Frage gestellt. Das Verbot der deutschen Sprache »in der Öffentlichkeit« bot einem hysterischen Nationalismus manche Möglichkeit, gegen Deutsche vorzugehen. Die Beschuldigung der »Germanophilie« reichte aus, den Betroffenen nach Sibirien zu verbannen. In Südrußland und den baltischen Provinzen wurden viele Pastoren mit Verbannung bestraft. Weitaus stärker aber noch wurden die deutschen Siedlungen in den westlichen Grenzgouvernements betroffen, deren Bewohner zwangsweise ausgesiedelt wurden.

Das Verbot traf auch das deutsche Schulwesen schwer. Nur noch im Religions- und Deutschunterricht durfte deutsch gesprochen werden.

Deutsche Schulen sind schon im 17. Jahrhundert in Moskau bezeugt. Sie wurden von protestantischen Geistlichen geleitet. Die Rückbesinnung

Luthers auf »das Wort« schließt ja ein, daß der Gläubige dieses Wort lesen kann, so daß Protestantismus und Schulwesen aufs engste miteinander verbunden sind. Freilich hat erst der Staat mit seinen Mitteln eingreifen müssen, um den allgemeinen Unterricht zu verwirklichen. (Näher auf diese Frage einzugehen, würde über den Rahmen dieser Darstellung hinausführen).
In Rußland waren es die großen Städte, in denen – meist von Geistlichen geleitet oder beaufsichtigt – seit der zweiten Hälfte des 18. Jahrhunderts das deutsche Schulwesen aufblühte. In den Landgemeinden fehlte es häufig an den nötigen Geldmitteln, besonders in den ersten Jahren nach der Niederlassung der Kolonisten. Staatliche Unterstützung der Schulpläne blieb häufig aus, die russische Regierung unter *Nikolaus I.* legte keinen Wert auf eine Hebung des Schulwesens, denn sie fürchtete, daß dadurch nur der »Geist der Unbotmäßigkeit« verbreitet werde. Daß die Forderung nach allgemeinem Unterricht von den Aufklärern erhoben worden war, stellte in den Augen des reaktionären Systems *Nikolaus' I.* eine schwere Belastung für das Schulwesen dar. Erst unter *Alexander II.* wurde auch auf diesem Gebiet Wandel geschaffen. Freilich blieb auch jetzt noch mancher Wunsch der Kolonisten offen, doch wurde mit der Errichtung von Lehrerausbildungsschulen wenigstens dem dringendsten Übelstand, dem Lehrermangel, abgeholfen. Die Russifizierungsbestrebungen schufen teilweise neue Schwierigkeiten, und die Hoffnungen, die das Jahr 1905 geweckt hatte, erstickte der ausbrechende Krieg.
Im Jahre 1914 umfaßte die evangelische Kirche in Rußland fünf Konsistorialbezirke, nachdem 1890 Reval dem estländischen, Riga und Ösel dem livländischen Bezirk angeschlossen worden waren. Dem Petersburger Bezirk unterstanden 117 Kirchspiele, dem Moskauer 17, dem livländischen 149 (davon 14 auf Ösel), dem kurländischen insgesamt 125 und dem estländischen 56. Dazu kamen weitere 67 Kirchspiele in Polen. Im eigentlichen Rußland gab es 1904 etwa 1 100 000 Protestanten (d. h. in den Konsistorialbezirken Petersburg und Moskau).
Schwer in seinem Bestande bedroht wurde der Protestantismus durch das Enteignungsgesetz (Ukaz vom 15. Februar 1915), das die rechtliche Grundlage für die Zwangsaussiedlung der deutschen Kolonisten bildete. Ihr Besitz fiel an die Bauernagrarbank. Eine Entschädigung dafür wurde für die Nachkriegszeit in Aussicht gestellt, doch wurden die Schätzungen des Wertes so niedrig wie möglich gehalten. Aus den westlichen Gouvernements siedelte man etwa 120 000 Deutsche aus, in den übrigen Provinzen des Reiches, auf die diese Gesetze ausgedehnt wurden, verhinderte der Gang der Ereignisse die Durchführung. Im Februar 1917 brach die Revolution aus, und die Provisorische Regierung in der Hauptstadt, die seit Kriegsausbruch Petrograd hieß, hob die Durchführung der Gesetze auf, für deren Erlaß keine Notwendigkeit bestanden hatte. Denn die deutschen Siedler und die

Baltendeutschen erfüllten ihre Wehrpflicht einwandfrei. Rund eine Viertelmillion diente während des Krieges in der russischen Armee. Die Militärseelsorge litt allerdings unter der antideutschen Einstellung; es konnten fast nur die lettischen und estnischen Truppen betreut werden.
Da die Provisorische Regierung den Krieg mit den Mittelmächten weiterführte, wurde die nationalistische Propaganda gegen Deutschland und die Deutschen beibehalten, ja noch verstärkt. Besonders die »Konstitutionellen Demokraten« trugen das ihre dazu bei. Auch im Bereich der »weißen« Armeen bestand die antideutsche Einstellung nach der Oktoberrevolution weiter, der Friedensschluß von Brest-Litowsk (3. März 1918) zwischen den Mittelmächten und der »Provisorischen Arbeiter- und Bauernregierung« in Petrograd führte dazu, daß man die Deutschen der Unterstützung des Bolschewismus bezichtigte. So zog auch der Bürgerkrieg die evangelische deutsche Bevölkerung in seinen Strudel und fügte ihr großen Schaden zu.

7. *Der Protestantismus unter dem Bolschewismus*

(Diese Darstellung folgt weitgehend der Arbeit von *H. Maurer*.)

Bereits die Provisorische Regierung hatte das Kirchengesetz aus dem Jahre 1832 aufgehoben, die Kirche war von den Fesseln des Staates befreit. Der Generalsuperintendent Bischof *Konrad Freifeldt* nutzte die sich bietende Möglichkeit und rief zu einer Konferenz in Petrograd auf, an der die Vertreter der Konsistorien und der nichtdeutschen evangelischen Gemeinden teilnahmen. Eine neue Kirchenordnung sollte beraten werden. Doch noch war man zu keinem Ergebnis gelangt, als durch die Oktoberrevolution sich die Verhältnisse abermals grundlegend wandelten. Die neue Petrograder Regierung unter Führung *Lenins* hob am 15. November 1917 die Vorrechte aller Kirchen und am 24. Dezember des gleichen Jahres den Religionsunterricht an den Schulen auf. Weitaus schwerer aber war der Schaden, den das Gesetz über die Trennung von Staat und Kirche vom 23. Januar 1918 der Kirche zufügte. Daß die Konsistoriumsmitglieder ihre Stellung als Staatsbeamte verloren, bot neben aller materiellen Unsicherheit ihrer Stellung nun aber den Vorteil, daß sie nicht mehr, wie bisher, an diesen Staat gebunden waren und die kirchlichen Interessen – so besagte das Gesetz – ungehindert vertreten konnten. Der gesamte Grundbesitz der Kirche, auch die Kirchen selbst, gingen in den Besitz des Staates über, der damit schalten und walten konnte, wie es ihm beliebte. Freilich bestand die Möglichkeit, daß auf Antrag von 20 Gläubigen die Kirchen, allerdings gegen eine sehr hohe Miete, wieder für den Gottesdienst benutzt werden konnten, doch unter dem radikalen »Kriegsbolschewismus« blieb dies häufig eine papierne Verordnung und in der Praxis ohne Wirkung.

Auch die Pfarrer wurden schwer getroffen. Der Verlust des Grundbesitzes und die Geldentwertung, die Krieg und Bürgerkrieg nach sich zogen, raubten den Gemeinden ihre wirtschaftliche Grundlage. Die staatlichen Zahlungen an die Kirchen waren eingestellt, die Pastoren waren aus den Pfarrhäusern vertrieben worden. Sie erhielten keine Lebensmittelkarten und durften sich auch nicht in Amtstracht in der Öffentlichkeit zeigen. So waren sie ganz auf die Hilfe ihrer Pfarrkinder angewiesen, denen es in den größeren Städten oft selbst am Nötigsten mangelte.
All diesen Nöten zum Trotz aber ging das kirchliche Leben weiter, freilich unter unsagbaren Schwierigkeiten.
Anfang des Jahres 1920, zu einem Zeitpunkt also, da die »Weißen« bereits geschlagen waren und die Petrograder Regierung sich durchgesetzt hatte, berieten in Moskau die Vertreter der evangelischen Gemeinden über eine Ordnung der kirchlichen Angelegenheiten. Ihr Ergebnis waren die »Temporären Bestimmungen über die Selbstverwaltung der evangelisch-lutherischen Gemeinden in Rußland« (Text in: Evangelische Diaspora 5 (1923) S. 31–35). Darin wurde die Selbständigkeit der einzelnen Gemeinden in der Regelung ihrer Angelegenheiten festgelegt, die Errichtung eines Oberkirchenrates mit dem Sitz in Moskau, das jetzt wieder Hauptstadt war, beschlossen. Er wurde auch unverzüglich gewählt. Sein Präsident wurde, da der bisherige Generalsuperintendent *Paul von Willigerode* 1919 aus dem Leben geschieden war, der Pastor *Theophil Meyer* aus Moskau.
Im Juni des gleichen Jahres trafen Bischof *Freifeldt*, Generalsuperintendent *Malmgren* und Pastor *Irbe*, der als Generalsuperintendent die lettischen Gemeinden vertrat, aus Petrograd in Moskau ein. Die »Temporären Bestimmungen« wurden, nachdem sie von diesen Männern noch einmal überarbeitet worden waren, nun auch von den Gemeinden des Petrograder Bezirks angenommen und ein deutscher und lettischer Oberkirchenrat gewählt. Das oberste Organ der evangelischen Kirche in der Sowjetunion bildete nun den Bischofsrat, der aus den Vertretern der drei (der beiden deutschen und des lettischen) Oberkirchenräte bestand. Am 23. November 1920 trat dieser Rat zum ersten Mal zusammen, Bischof *Konrad Freifeldt* aus Leningrad hatte den Vorsitz. Es wurde beschlossen, neben dem lettischen Oberkirchenrat, dem Generalsuperintendent *Grünberg* vorstand, auch für die finnischen Lutheraner (unter dem Superintendenten *Felix Relander*) und die estnischen (unter Pastor *Oskar Palsa*, seit 1921 als Bischof) eigene Oberkirchenräte zu errichten. Damit wurde eine Aufspaltung der Gesamtkirche in einzelne Nationalkirchen vermieden. Im Frühjahr 1921 empfahl dann der Bischofsrat allen Gemeinden, die »Temporären Bestimmungen« anzunehmen. Auch in den folgenden Jahren schritt der Ausbau der kirchlichen Organisation fort: 1922 wurde im Wolgagebiet ein Oberkirchenrat gebildet, auch in der Ukraine und im Kaukasusgebiet dachte man an die Errichtung solcher Ämter.

Inzwischen hatte sich das Gebiet der evangelisch-lutherischen Kirche in Rußland beträchtlich verkleinert. Estland mit Narva (im Vertrag von Dorpat am 2. Februar 1920), Litauen (im Friedensvertrag von Moskau am 12. Juli 1920) und Lettland (im Friedensvertrag von Riga am 11. August 1920) waren von der Sowjetregierung als unabhängige Staaten anerkannt worden. Außerdem annektierte Polen einen beträchtlichen Teil Weißrußlands, und Rumänien nahm Bessarabien in Besitz.

Von der Hungersnot der Jahre 1921/22 wurde besonders das Wolgagebiet sehr schwer getroffen. Die Verwüstungen des Bürgerkrieges wirkten sich katastrophal aus. Die Verkehrswege waren bereits im Krieg nicht ordentlich unterhalten worden, und der Bürgerkrieg hatte ihnen schwere Schäden zugefügt. Besonders schwer war das rollende Material der Eisenbahnen betroffen. Während sonst, teilweise sogar durch Importe, Hungersnöte gemildert werden konnten, fehlte es jetzt an allem. Man schätzt, daß etwa 5 Millionen Menschen den Hungerjahren 1920–22 in der Sowjetunion zum Opfer gefallen sind. Zwar unterstützte die Nansen-Hilfe und eine Hilfsaktion des amerikanischen National Lutheran Council die Glaubensbrüder mit Nahrungsmitteln und Geld, doch konnte nur die äußerste Not gelindert werden, so groß waren das Elend und die Schwierigkeiten, die sich den Helfern entgegenstellten. Die Neue Ökonomische Politik (NĖP), die *Lenin* auf dem 10. Parteitag der KPdSU im März 1921 verkündet hatte, erleichterte auch die Arbeit der evangelischen Kirche. Die Schwierigkeiten, vor die sich die Regierung der Sowjetunion gestellt sah, zwang sie, die »Diktatur des Proletariats« zu lockern. Generalsuperintendent *Meyer* konnte am 1. lutherischen Weltkongreß teilnehmen, der im August 1923 in Eisenach abgehalten wurde. Auch die Einberufung einer Generalsynode für die Vertreter der lutherischen Gemeinden der ganzen Sowjetunion wurde mit der Genehmigung der Regierung möglich. Sie wurde von den Generalsuperintendenten *Malmgren* und *Meyer* vorbereitet und versammelte sich vom 21. – 26. Juni 1924 in Moskau. 56 Männer aus dem ganzen Land kamen hier zusammen. Nach einer Dankadresse und einer Loyalitätserklärung an die Regierung, in der die Erwartung ausgesprochen wurde, daß die Regierung die unteren Verwaltungsorgane zur Einhaltung der Glaubensfreiheit anhalten werde, begannen die Beratungen. Der Aufbau der Kirche gliederte sich nach den Beschlüssen nunmehr in die Gemeinden mit ihren Kirchenräten, die Propsteien mit Bezirkssynoden und die Generalsynode mit dem Oberkirchenrat, der in Moskau amtierte. Ihm gehörten die Generalsuperintendenten *Malmgren* und *Meyer* an, die mit dem Bischofstitel geehrt wurden, sowie Bischof *Palsa*, der die nichtdeutschen Kirchenbezirke vertrat, daneben noch zwei Laien.

Außer der Kirchenverfassung wurde auch noch über die Ausbildung von Pastoren beraten. Die Universität Dorpat befand sich jetzt im Ausland, und an eine Entsendung von Nachwuchskräften dorthin war nicht zu denken.

Das vergangene Jahrzehnt hatte aber die Zahl der Pastoren zusammenschmelzen lassen, und so war die Nachwuchsfrage außerordentlich dringend. Bischof *Meyer* beantragte daher die Errichtung eines eigenen Predigerseminars, die auch von der Synode beschlossen wurde. Die Eröffnung fand am 15. September 1925 in Leningrad unter Leitung von Bischof *Malmgren* statt. Dem Mangel an Lehrmitteln halfen die Spenden des Deutschen Evangelischen Kirchenausschusses und des Gustav-Adolf-Vereins in Leipzig ab. Von den 18 Schülern, die 1925 aufgenommen wurden, konnten 1928 15 nach bestandener Prüfung in den seelsorgerischen Dienst entlassen werden.
Im gleichen Jahr führte Bischof *Meyer* eine Visitationsreise durch seinen Sprengel. In Sibirien richtete er zwei neue Synodalbezirke ein, die durch zwei Pastoren versorgt wurden. Da der Pastorenmangel sehr groß war, wurden 1926 Reiseprediger nach Sibirien entsandt. Auch der estnische Bischof *Palsa* nahm an diesem Unternehmen teil, doch erlag er nach seiner Rückkehr den Anstrengungen.
1928 fand eine neue Generalsynode in Moskau statt, auf der sich die Gemeinden Transkaukasiens dem Oberkirchenrat unterstellten. Als Nachfolger von Bischof *Palsa* fungierte hier *Alexander Jürgensson*. Mit diesem Anschluß der transkaukasischen Gemeinden war der Höhepunkt des kirchlichen Lebens aber bereits erreicht. Zwar konnte noch im selben Jahr Bischof *Malmgren* nach Leipzig reisen, um die ihm und Bischof *Meyer* im Vorjahr verliehene Ehrendoktorwürde der Universität Leipzig in Empfang zu nehmen, doch bereits gegen Ende des Jahres wurde die Zeitschrift »Unsere Kirche« wieder verboten, nachdem bereits im Januar die Michaeliskirche in Moskau geschlossen worden war.
Nachdem sich *Stalin* im Kampfe um die Macht, der nach dem Tode Lenins mit aller Schärfe einsetzte, gegen seine Mitbewerber durchgesetzt hatte, wurde der Kampf gegen die Kirche erneut vom Staat offen unterstützt. Der Anspruch des Bolschewismus, eine »wissenschaftliche« Erklärung der Welt zu besitzen, und zwar die allein und einzig wahre, setzt ja voraus, daß alle anderen »Weltanschauungen« und natürlich auch die Religion unwahr sind. *Marx* erklärt in der Einleitung seines Werkes »Zur Kritik der Hegelschen Rechtsphilosophie« 1844: »Die Aufhebung der Religion als des illusorischen Glückes des Volkes ist die Forderung seines wirklichen Glückes.« Der erste Schritt zur Errichtung der idealen klassenlosen Gesellschaft und zur Befreiung des Menschen von allen seinen Nöten besteht danach darin, daß dem Menschen über seine wirkliche Lage die Augen geöffnet werden. Dann, so meint *Marx*, wird der Mensch daran gehen, jenen Zustand zu beseitigen, »der der Illusion bedarf«. Auch *Lenin* – und vor ihm *Engels* – hat immer wieder den Gegensatz zwischen Marxismus und Religion betont, so z. B. in seinem Artikel »Über das Verhältnis der Arbeiterpartei zur Religion« (1909): »Der Marxist muß Materialist sein, das heißt ein Feind der Religion ...« Und

Stalin erklärte in der Unterredung mit der amerikanischen Arbeiterabordnung, die 1927 die Sowjetunion besuchte: »Die Partei kann der Religion nicht neutral gegenüberstehen, und sie entfaltet eine antireligiöse Propaganda gegen alle und jegliche religiösen Vorurteile, weil sie für die Wissenschaft ist, die religiöse Vorurteile aber gegen die Wissenschaft gerichtet sind, denn jede Religion steht im Gegensatz zur Wissenschaft...«
Dementsprechend hatte die bolschewistische Regierung die atheistische Propaganda stets unterstützt. Die enge Zusammenarbeit zwischen der orthodoxen Kirche und der zarischen Autokratie hatte dazu geführt, daß diese Kirche in den Augen der Bolschewisten mit dem Regierungssystem gleichgesetzt wurde, sicher oft zu Recht. Doch in der NÈP-Periode und im Kampf um die Nachfolge wurde den Kirchen eine gewisse Freiheit eingeräumt, der orthodoxen freilich erst, nachdem der Patriarch *Tichon* sich dem Regime unterworfen hatte (mit seiner Erklärung vor dem Obersten Gericht vom 16. Juni 1923).
Der Kampf gegen die Kirchen und gegen die Religion überhaupt strebte einem neuen Höhepunkt zu, als 1925 der »Bund kämpferischer Gottloser« von der Kommunistischen Partei organisiert wurde. Der Staat hielt sich im Hintergrund, denn man fürchtete die Auswirkungen auf das Ausland, besonders England, dessen wirtschaftlicher Hilfe man dringend bedurfte. Doch die internationalen Beziehungen der Sowjetunion verschlechterten sich wieder. Der Konflikt mit England 1927 und die Mißerfolge im Fernen Osten (Scheitern des Kantoner Aufstandes) drängten zu einem innenpolitischen Kurswechsel. 1928 trat der erste Fünfjahresplan in Kraft, die These vom »Sozialismus in einem Land« sollte verwirklicht werden. Dazu war die Zusammenfassung aller Kräfte und ihre Ausrichtung auf das eine Ziel notwendig. Es ist verständlich, daß ein überzeugter Bolschewist die Entbehrungen eher auf sich nahm – denn sie dienten ja der Verwirklichung des angestrebten Zieles – als ein Mensch, der diese Überzeugung nicht teilte. Auch besaß die Kirche gerade unter der bäuerlichen Bevölkerung die meisten Anhänger, und der »Kampf gegen das Kulakentum«, wie die Kollektivierung der Landwirtschaft umschrieben wurde, ließ sich leichter durchführen, wenn die Bauern des geistlichen Beistandes in ihrer Not beraubt waren. Die deutschen Bauern, die zumeist dank ihrer Arbeitskraft und ihrem Fleiß zu dem wirtschaftlich besser gestellten Teil des Bauerntums gehörten, wurden durch die Kollektivierung besonders schwer getroffen. Sie wurden überwiegend als »Kulaken« betrachtet und als solche nicht nur enteignet, sondern in die Verbannung geschickt, deren Strapazen viele von ihnen nicht überlebten.
Aber auch gegen die Pastoren und das kirchliche Leben ging der Staat vor. Eine Verordnung vom 8. April 1929 brachte das Verbot, mehr als drei Konfirmanden gleichzeitig zu unterrichten. Auch finanziell wurden die Gemeinden außerordentlich belastet, die Besteuerung der Pastoren wurde so hoch,

daß die Gemeinden diese Kosten meist nicht mehr tragen konnten. Auch die Miete für die Benutzung der Kirchen wurde erhöht. Das Predigerseminar in Leningrad mußte 1929 seine Räume verlassen, und die Verfolgung der Pastoren begann sich zu verschärfen. Ende des Jahres wurden alle Leningrader Pastoren, auch der bereits siebzigjährige Bischof *Malmgren*, nach Solovki, dem Mittelpunkt der Straflagerkolonie auf den Soloveckij-Inseln im Weißen Meer, zur Zwangsarbeit verbannt. Andere Pastoren wurden wegen Verstoßes gegen die Bestimmungen über den Konfirmanden-Unterricht verurteilt. Auch die Abhaltung von Bibelstunden in Privatwohnungen, einer Notlösung, zu der sich viele Gemeinden gezwungen sahen, die keinen Pastor mehr unterhalten konnten, war bedroht und führte zu Verbannung und Verurteilung. Von den 90 Pastoren, die 1929 noch in der Sowjetunion im Amt waren, lebten nachweislich 30 in den Jahren 1930–33 in Verbannung, zum Teil bei Waldarbeit in Sibirien, die viele nicht überlebten. Ein weiterer Teil befand sich in den Gefängnissen.

Die Zahl der Gemeindemitglieder erlitt durch die große Hungersnot der Jahre 1932/33 einen beträchtlichen Rückgang. In der Krim soll die Einwohnerzahl in den deutschen Dörfern auf die Hälfte gesunken sein, im Nordkaukasusgebiet um ein Fünftel. Das Wolgagebiet war diesmal nicht so schwer getroffen. Die Hilfe, die das Deutsche Rote Kreuz ins Leben rief und in dem ein besonderer evangelischer Ausschuß arbeitete, wurde durch die »Machtergreifung« *Hitlers* erschwert, denn alles, was von Deutschland kam, war politisch belastet und in den Augen der sowjetischen Regierung und der Partei verdächtig.

Einen weiteren Verlust erlitt in diesen Jahren die evangelisch-lutherische Kirche durch die Auflösung der Propstbezirke im finnischen Ingermanland. Der Sturz des Vorsitzenden des Rates der Volkskommissare der autonomen karelo-finnischen Republik Dr. *Gülling* zog nicht nur die Aussiedlung der karelischen Finnen nach sich, sondern auch die der ingermanländischen. Sie wurden in anderen Gebieten der Sowjetunion angesiedelt, und die geistliche Betreuung dieser so entstandenen weitverstreuten Diaspora war fast unmöglich.

Indes konnte im Herbst 1933 noch einmal eine Generalsynode sich versammeln. Bischof *Meyer* leitete sie. Er konnte noch sieben Absolventen des Predigerseminars ordinieren; obwohl das Verbot der Einfuhr von Büchern (1929) es in seiner Arbeit außerordentlich störte, bestand es doch bis 1935 noch, dann erlosch es. Die antikirchliche Politik der Regierung machte es unmöglich, das Seminar weiterzuführen, obwohl der Gustav-Adolf-Verein sich bemühte, es zu unterstützen.

Der Tod Bischof *Meyers* am 28. April 1934 in Moskau ließ den Konsistorialbezirk verwaisen. Eine Neuwahl wurde nicht gestattet. Bischof *Malmgren* befand sich in der Verbannung, nur der estnische Bischof *Jürgensson* amtierte

noch, mit ihm (im Frühjahr 1934) noch 41 Pastoren. Es gelang dem Gustav-Adolf-Verein, einigen alten und kranken Pfarrern die Ausreise zu ermöglichen, so auch dem aus der Verbannung zurückgekehrten, schwer kranken Bischof *Malmgren*, der 1936 das Land verlassen durfte.
Damals waren fast alle Kirchen bereits geschlossen, eine kirchliche Organisation bestand praktisch nicht mehr. Während zu Beginn des Jahres 1935 noch 24 Pfarrer ihren Dienst versahen, waren es im Oktober nur noch 14, und zu Beginn des Jahres 1936 gab es noch acht Pfarrer in dem riesigen Land. Vier davon waren Deutsche, drei Finnen und einer Lette. Die letzten Seminaristen waren verhaftet worden, die dreißig in den letzten Jahren ordinierten jungen Pfarrer in die Verbannung geschickt. Ein Gleiches widerfuhr dem Pfarrer von Vladivostok 1936, und der letzte evangelische Pastor in Moskau wurde 1937 verhaftet.
Eine bedeutende Verschiebung der protestantischen Bevölkerung in Osteuropa stellte die Umsiedlung der Deutschen aus den baltischen Staaten, Bessarabien und dem Gebiet östlich der deutsch-sowjetischen Demarkationslinie des Jahres 1939 dar, die gemäß dem deutsch-sowjetischen Abkommen durchgeführt wurde. Der Ausbruch des deutsch-sowjetischen Krieges führte dann zu Zwangsumsiedlungen der Deutschen innerhalb der Sowjetunion selbst, es sei hier nur auf das Schicksal der Wolgadeutschen verwiesen. Doch gerieten durch den schnellen deutschen Vormarsch besonders im südlichen Rußland (Schwarzmeergebiet) viele deutsche Siedler unter deutsche Herrschaft, und beim Rückzug des deutschen Heeres wurden sie ausgesiedelt und nach Deutschland verschickt. 1945 wurde jedoch aus den unter Kontrolle der Roten Armee stehenden Gebieten ein großer Teil wieder zwangsweise in die Sowjetunion zurückgeführt. So läßt sich die Zahl der Deutschen in Rußland heute kaum mit Sicherheit angeben, zumal auch unbekannt ist, wie viele von den insgesamt 650 000 Deutschen, die aus Wolga- und Kaukasusgebiet als politisch unzuverlässig in frontferne Gebiete von den Sowjets umgesiedelt wurden, die Strapazen überlebt haben. Ein religiöses Leben war von diesen Vertriebenen kaum aufrechtzuerhalten.
Erst die Amnestie, die unter *Chruščev* 1957 erlassen wurde, verbesserte die Lage dieser Deutschen. Rückkehr in ihre alte russische Heimat war teilweise möglich, sogar Glaubensgemeinschaften durften sich wieder anmelden. Die evangelisch-lutherische Gemeinde in Akmolinsk nutzte diese Möglichkeit auch aus. Sie wird von Pastor *Eugen Bachmann* betreut und erhielt vom Gustav-Adolf-Verein Altarbild, Kruzifix und Harmonium. Auch aus Alma Ata wird von der Errichtung einer evangelisch-lutherischen Gemeinde berichtet.
Neben diesen wenigen Zeugnissen kirchlichen Lebens innerhalb der Grenzen der Sowjetunion von 1939 finden wir eine rege kirchliche Tätigkeit in jenen Gebieten, die durch den Ausgang des Krieges zur Sowjetunion kamen. So

leben in den baltischen Sowjetrepubliken etwa 1 500000 Protestanten. Sowohl die lutherische wie die reformierte Kirche ist in diesen Republiken zugelassen, sie verfügen etwa über 200 Pfarrer. Seit 1944 ist auch der Baptistenbund in der Sowjetunion wieder genehmigt (er wurde 1929 aufgelöst). Viele einzelne Gruppen, von denen die der Mennoniten wohl die stärkste war, sind in diesen Bund aufgegangen. Dieser »Allunionsverband der Evangeliumschristen und Baptisten« gibt für 1959 die Zahl seiner Mitglieder mit 545 000 an. Er wird von einem Präsidenten, Židkov, geleitet und umfaßt 5 520 Gemeinden. Insgesamt sind 70 Superintendenten, 5000 Pastoren und 25 000 Laienprediger seelsorgerisch tätig. Es darf angenommen werden, daß sich ein Teil der in der Sowjetunion lebenden Lutheraner diesem Bunde angeschlossen hat. Auch eine eigene Zeitschrift wird herausgegeben.
Die starke Zunahme des religiösen Lebens in den letzten Jahren hat andererseits wieder zu einer Verstärkung der atheistischen Propaganda geführt. Die Veröffentlichungen, die sich aus marxistischer Sicht mit der Religion und Kirche auseinandersetzen, haben stark zugenommen. Auch in Zeitungen und Zeitschriften finden sich häufiger Angriffe auf Kirche und Religion. Doch greift der Staat hier nicht selbst ein. Derartiges wird den »gesellschaftlichen Organisationen« überlassen, besonders dem Komsomol, dem kommunistischen Jugendverband.
Bei der im Jahre 1961 erfolgten Verurteilung von drei Ehepaaren, die Mitglieder einer Adventistengemeinde waren und ihre Kinder nicht im staatlich gewünschten Sinne erzogen (also wohl im christlichen), weshalb ihnen das Sorgerecht entzogen wurde (in: Sovetskaja Kirgizija vom 23. 11. 1961), scheint es sich um einen Einzelfall zu handeln, ähnlich wie bei anderen Nachrichten über staatliche Verfolgung.
Grundsätzlich aber darf gesagt werden, daß die Kirche in einem kommunistischen Staate bestenfalls nur geduldet sein wird. Dem überzeugten Kommunisten, der von dem absoluten Wahrheitsanspruch seiner Weltanschauung durchdrungen ist, wird die Kirche stets ein mehr oder minder ärgerliches Relikt einer Vergangenheit sein, die – im Interesse der Menschheit – noch zu überwinden oder zum Teil schon überwunden sein wird. Da die Tendenz dahin geht, alle Menschen von der kommunistischen Wahrheit, also dem dialektischen und historischen Materialismus zu überzeugen, wird er in der Kirche, und zwar in jeder Kirche, immer einen Gegner sehen. Daß dabei freilich taktische Erwägungen einen beträchtlichen Einfluß auf das politische Verhalten zur Kirche gewinnen können, zeigt das Übereinkommen, das Stalin im September 1943 mit der orthodoxen Kirche der Sowjetunion schloß. Doch müssen derartige Zugeständnisse des kommunistischen Staates wohl in ihrer gesamtpolitischen Bedingtheit gesehen werden. An der grundsätzlichen Ablehnung der Kirche und der Religion überhaupt durch den Kommunismus ändern sie nichts.

SCHRIFTTUM

Das Verzeichnis gibt nur eine Auswahl aus der reichen Literatur zu den in diesem Werke angeschnittenen Fragen. Auf die Anführung der Zeitschriftenliteratur, die meist Einzelprobleme behandelt, wurde verzichtet. Weiteres Material findet sich besonders in der Zeitschrift des Gustav-Adolf-Vereins »Die evangelische Diaspora«, doch auch in den Publikationsorganen der einzelnen Landeskirchen. Auch die verschiedenen Jahrbücher wurden nicht aufgezeigt, hier ist neben den Landsmannschaftlichen Publikationen vor allem die Reihe »Kirche im Osten« zu erwähnen, deren Bände jeweils eine Übersicht über die Entwicklung des (allgemein-) kirchlichen Lebens in Osteuropa bieten. Daneben sei noch auf die vielfältigen Sammelwerke hingewiesen, z. B. »Religion in Geschichte und Gegenwart«, aber auch auf das »Handwörterbuch des Grenz- und Auslandsdeutschtums«. Weiterhin findet sich für die neueste Zeit Material in den Berichten der Vertriebenen, so in der von Herbert Krimm herausgegebenen Sammlung »Das Antlitz der Vertriebenen«. Zur Information wurden den einzelnen Abschnitten des Schrifttumverzeichnisses, die sich vorwiegend an die Gliederung des Werkes halten, einige wenige informative Werke der Profangeschichte vorangestellt.

Baltikum (Vgl. auch Rußland)

Leonid Arbusow, Grundriß der Geschichte Liv-, Est- und Kurlands. 4. Aufl. Riga 1918.

Alexander von Tobien, Die livländische Ritterschaft in ihrem Verhältnis zum Zarismus und russischen Nationalismus. Band 1–2. Berlin 1925–1930.

Reinhard Wittram, Geschichte der baltischen Deutschen. Grundzüge und Durchblicke. Stuttgart, Berlin 1939.

Ders., Baltische Geschichte. München 1954.

⋆

Leonid Arbusow, Die Einführung der Reformation in Liv-, Est- und Kurland. Band 1–2. Leipzig, Riga 1919–21 = Forschungen zur Reformationsgeschichte 3.

K. Ballerstedt, Die evangelisch-lutherische Kirche in Litauen im Kampf um ihre Freiheit. Leipzig 1928.

Die Bedrückung der Deutschen und die Entrechtung der protestantischen Kirche in den Ostseeprovinzen. Leipzig 1866.

C. A. Berkholtz, Zur Geschichte der Kirchen und Prediger Rigas. Riga 1867.

Ders., Jakob Lange, Generalsuperintendent in Livland. Riga 1884.

Woldemar von Bock, Livländische Beiträge zur Verbreitung gründlicher Kunde von der protestantischen Landeskirche und dem deutschen Landesstaate in den Ostseeprovinzen Rußlands, von ihrem guten Recht und von ihrem Kampfe um Gewissensfreiheit. Band 1. Berlin 1867/1868. Band 2–3. Leipzig 1868–71.

E. von Boetticher, Beiträge zur Entstehung des evangelischen Predigerstandes in Kurland. Libau 1931.

Alexander Buchholtz, Fünfzig Jahre russischer Verwaltung in den baltischen Provinzen. Leipzig 1883.

Ders., Deutsch-protestantische Kämpfe in den baltischen Provinzen Rußlands. Leipzig 1888.

E. A. Bourquin, Der Agitator Ballohd und das Herrnhutertum in Livland. Niesky 1870.
Chronik der deutsch-reformierten Gemeinde in Riga. Hrsg. vom Presbyterium. Göttingen 1933.
Roderich Baron Engelhard, Die deutsche Universität Dorpat. München 1933.
Gesetz für die evangelisch-lutherische Kirche in Rußland vom Jahre 1832. Aus dem Russischen übers. von P. von Colonque. Riga 1898.
Adolf von Harless, Geschichtsbilder aus der lutherischen Kirche Livlands vom Jahre 1845 an. Leipzig 1869.
Theodor Harnack, Die lutherische Kirche Livlands und die Herrnhutische Brüdergemeine. Ein Beitrag zur Kirchengeschichte neuerer und neuester Zeit. Erlangen 1860.
J. Th. Helmsing, Die Reformationsgeschichte Livlands in ihren Grundzügen dargestellt. Riga 1888.
P. Hörschelmann, Andreas Knoppken, der Reformator Rigas. Leipzig 1886.
Wilhelm Kahle, Die Begegnung des baltischen Protestantismus mit der russischen orthodoxen Kirche. Leiden, Köln 1959 = Ökumenische Studien 2.
Theodor Kallmeyer, Die evangelischen Kirchen und Prediger Kurlands. Bearbeitet von G. Otto. 2. Aufl. Riga 1910.
G. Kleeberg, Die polnische Gegenreformation in Livland. Leipzig 1931 = Schriften des Vereins für Reformationsgeschichte 152.
Joseph Lukaszewicz, Geschichte der reformierten Kirchen in Litauen. Band 1–2. Leipzig 1848–50.
Hermann Plitt, Die Brüdergemeine und die lutherische Kirche in Livland. Schutzschrift für das Diaspora-Werk. Eine Erwiderung auf die Schrift von Th. Harnack. Gotha 1861.
Oskar Schabert, Baltisches Märtyrerbuch. Berlin 1929.
Maximalian Stephny, Konversion und Rekonversion in Livland. Leipzig 1931.
C. L. Tetsch, Curländische Kirchengeschichte. Band 1–3. Königsberg, Riga 1767–70.
Heinrich Thimme, Kirche und nationale Frage in Livland während der ersten Hälfte des 19. Jahrhunderts. Königsberg, Berlin 1938 = Schriften der Albertus-Universität. Geisteswissenschaftliche Reihe 19.
K. Christian Ulmann, Das gegenwärtige Verhältnis der evangelischen Brüdergemeinde zur evangelisch-lutherischen Kirche in Liv- und Estland. Berlin 1862.
Piers Walter, Bischof Dr. Ferdinand Walter, weil. Generalsuperintendent von Livland. Seine Landtagspredigten und sein Lebenslauf. Leipzig 1891.
Reinhard Wittram (Hrsg.), Baltische Kirchengeschichte. Beiträge zur Geschichte der Missionierung und der Reformation, der evangelisch-lutherischen Landeskirchen und des Volkskirchentums in den baltischen Ländern. Göttingen 1956.
L. von Wurstemberger, Die Gewissensfreiheit in den Ostseeprovinzen Rußlands. Leipzig 1872.

Polen

The Cambridge History of Poland. Vol. 1–2. Cambridge 1950–51.
Helmut Carl, Kleine Geschichte Polens. Frankfurt 1960.
Oskar Halecki, Grenzraum des Abendlandes. Eine Geschichte Ostmitteleuropas. Salzburg 1956.
Harald Laeuen, Polnische Tragödie. Stuttgart 1955.
William J. Rose, Poland old and new. London 1948.
Theodor Schiemann, Rußland, Polen und Livland bis ins 17. Jahrhundert. Band 1–2. Berlin 1866–87.

*

Album historischer Altertümer des Protestantismus in Wilna. Wilna 1929.
Peter Bachmann, Mennoniten in Kleinpolen. Einschließlich Stammbäume. Lemberg 1934.
Wilhelm Bickerich, Evangelisches Leben unter dem weißen Adler. Posen 1935.
Max Brunau, Die evangelische Kirche in Oberschlesien und die Schreckenstage in Anhalt. Leipzig 1921.
E. H. Busch, Beiträge zur Geschichte und Statistik des Kirchen- und Schulwesens der Evangelisch-Augsburgischen Gemeinden im Königreich Polen. St. Petersburg, Leipzig 1867.
H. Frhr. von Cornberg, Die Kirchenbücher der evangelischen Kirche der Provinz Grenzmark Posen-Westpreußen. Schönlanke 1934.
Danziger Staats- und Völkerrecht. Band 1–2. Danzig 1927–35.
Eugenjusz Falkowski, Rechtsverfassung der Wilnaer Evangelisch-Reformierten Kirche. Wilna 1936.
Emil Grafl, Die Begründung der evangelischen Gemeinde in Lemberg und ihre Anstalten 1778–1808. Lemberg 1878.
K. Hämmerle, Danzig und die deutsche Nation. Berlin 1931 = Schriften der Deutschen Akademie 6.
E. Holtz, Der Krieg und die evangelisch-lutherische Kirche in Polen. Lodz 1916.
Pawel Hulka-Laskowski, Die polnische Evangelisch-Reformierte Kirche zu Wilna. Wilna 1936.
Alfred Karasek-Langer, *Kurt Lück*, Die deutschen Siedlungen in Wolhynien. Geschichte, Volkskunde, Lebensfragen. Plauen i. V. 1931.
Rudolf Kesselring, Die Einigungsbestrebungen der evangelischen Kirche in Polen. Lemberg 1926.
Ders., Die evangelische Kirchengemeinde Lemberg von ihren Anfängen bis zur Gegenwart. 1778–1928. Lemberg 1929.
Die evangelische Kirche Oberschlesiens. Breslau 1920.
Kirche, Volk und Staat in Polen. Ein Bericht über die Lage der Evangelisch-Augsburgischen Kirche in Polen. Amsterdam 1937.
Georg Klawum, Die Rechtslage der Unierten Evangelischen Kirche in Oberschlesien. Posen 1937.
Eduard Kneifel, Die evangelisch-augsburgischen Gemeinden der Kalischen Diözese. Plauen i. V. 1937.
J. A. Kolatschek, Geschichte der evangelischen Gemeinde zu Biala. Teschen 1860.
O. Koniecki, Geschichte der Reformation in Polen. 3. Aufl. Lissa 1904.
Valerian Krasiński, Geschichte des Ursprungs, Fortschritts und Verfalls der Reformation in Polen. Deutsch. v. Lindau. Leipzig 1841.
A. Krawczyk, Grundriß der Kirchengeschichte Polens. Hrsg. v. deutschen Schulverein Kattowitz. Kattowitz 1930.
Eduard Kupsch, Geschichte der Baptisten in Polen. 1832–1932. Lodz 1932.
Ludolf Müller, Die Unierte Evangelische Kirche in Posen. Leipzig 1925.
Paul Otto (Hrsg.), Die Geschichte der Christlichen Gemeinschaft in Polen innerhalb der lutherischen Landeskirche (Kongreßpolen und Wolhynien) und ihre Grundsätze 1906–31. Lodz 1931.
Arthur Rhode, Geschichte der evangelischen Kirche der Provinz Posen. 1955.
Ilse Rhode, *Richard Kammel*, Für Volk und Kirche. Ein geschichtlicher Rückblick auf die Arbeiten der Inneren Mission im Posener Lande. Zum 50jährigen Bestehen des früheren »Posener Provinzialvereins für Innere Mission«, des jetzigen »Landesverbandes für Innere Mission Polen«. Posen 1928.

Arthur Schmidt (Hrsg.), Deutsches Schicksal in Polen. Ein Rückblick auf das kirchliche, völkische und wirtschaftliche Schaffen der Deutschen aus Mittel- und Ostpolen. Hrsg. im Auftrag des Hilfskomitees der evangelisch-lutherischen Deutschen aus Polen in Gemeinschaft eines Mitarbeiterkreises. Hannover 1953.
Ludwig Schneider, Die evangelische Kirchengemeinde in Lemberg. Lemberg 1935.
Rudolf Schneider, Gedenkbuch der Evangelischen Kirche in Polnisch-Oberschlesien. Posen 1936.
Johannes Stämmler, Der Protestantismus in Polen. Posen 1925.
H. Steinberg, Die Brüder in Polen. Eine Geschichte der Herrnhuter Gemeinschaftsarbeit in Kongreßpolen. Gnadau 1924.
Karl Völker, Kirchengeschichte Polens. Berlin 1930.
Ders., Der Protestantismus in Polen auf Grund der einheimischen Geschichtsschreibung dargestellt. Leipzig 1910.
August Wiegand, 40 Jahre Liebesarbeit im Karpatenlande. Stuttgart 1937.
Theodor Wotschke, Geschichte der Reformation in Polen. Leipzig 1911 = Studien zur Kultur und Geschichte der Reformation 1.
Ders., Der Pietismus im alten Polen. Leipzig 1929.
Lillie Zöckler, Gott hört Gebet. Das Leben Theodor Zöcklers. Stuttgart 1951.

Böhmen, Mähren und Slovakei (siehe auch »Ungarn«)

B. Bretholz, Neuere Geschichte Böhmens. Gotha 1920.
B. Dudik, Mährens allgemeine Geschichte. Band 1–12. Brünn 1860–88.
A. Fischel, Das tschechische Volk. Band 1–2. Breslau 1928.
O. Peterka, Rechtsgeschichte der böhmischen Länder. Band 1–2. Reichenberg 1928–33.
R. W. Seton-Watson, A History of the Czechs and Slovaks. London 1943.

*

Friedrich von Bezold, Zur Geschichte des Hussitentums. München 1874.
G. Biermann, Geschichte des Protestantismus in Österreichisch-Schlesien. Prag 1897.
Bernhard Czerwenka, Geschichte der evangelischen Kirche in Böhmen. Band 1–2. Bielefeld, Leipzig 1870.
Karl Eckardt, Geschichte der vereinigten evangelischen Gemeinden A. B. und H. B. in Prag. Prag 1871.
Erich Fausel, Das Zipser Deutschtum. Geschichte und Geschicke einer deutschen Sprachinsel im Zeitalter des Nationalismus. 1927.
Geschichte der evangelischen Kirche in den königlichen Städten Mährens, besonders Brünn. Brünn 1864.
Hugo Grothe, Siebenhundert Jahre deutschen Lebens in der Zips. Leipzig 1927.
Georg Loesche, Geschichte des Protestantismus im vormaligen und im neuen Österreich. Wien 1930.
Heinrich Meyer, Evangelisches Grenzland. Leipzig 1930.
Urkundliche Mitteilungen über die jetzige Böhmische Evang. Kirchengemeinde A. K. Prag 1850.
Amedeo Molnar, Der tschechoslowakische Protestantismus der Gegenwart. Vorwort von J. L. Hromadka. Prag 1954.
Joseph Müller, Geschichte der Böhmischen Brüder. Band 1–3. Herrnhut 1922–31.
Franz Palacky, Die Geschichte des Hussitentums. Prag 1868.
Karl Eugen Schmidt, Die lutherische Kirche der Slowakei und der Kampf der Kirchengemeinde Preßburg. Preßburg 1922.

Joseph Schrödl, Johannes Pfeiffer, Geschichte der evangelischen Gemeinde A. B. Preßburg. Zur 300jährigen Jubelfeier. Teil 1–2. Preßburg 1906.
Edmund Schweinitz, The History of the Unitas Fratrum. Bethlehem 1885.
Friedrich Selle, Schicksalsbuch der evangelischen Kirche in Österreich. Ein Lesebuch ihrer wichtigsten Urkunden und Zeugnisse. Berlin 1928.
Reinhard Steffler, Die neue Nationalkirche der Tschechoslowakei. Leipzig 1931.
Gustav Trautenberger, Aus der evangelischen Kirchengemeinde Brünn. Brünn 1866.
Eduard Winter, Die Deutschen in der Slowakei. Münster 1926.
Ders., Tausend Jahre Geisteskampf im Sudetenraum. Das religiöse Ringen zweier Völker. Salzburg, Leipzig 1938.
Ders., Der Josephinismus und seine Geschichte. Beiträge zur Geistesgeschichte Österreichs. Brünn 1943. = Prager Studien und Dokumente zur Geistes- und Gesinnungsgeschichte Ostmitteleuropas 1.

Ungarn und der Südosten

Alexander Domanovszky, Die Geschichte Ungarns. München, Leipzig 1923.
Julius von Farkas (Hrsg.), Ungarns Geschichte und Kultur in Dokumenten. Wiesbaden 1955.
Raimund F. Kaindl, Geschichte der Deutschen in den Karpatenländern. Band 1–3. Gotha 1906–11.
Gilbert in der Maur, Die Jugoslaven einst und jetzt. Band 1–3. Leipzig 1936–38.
Franz Salamon, Ungarn im Zeitalter der Türkenherrschaft. Leipzig 1887.
Georg Stadtmüller, Geschichte Südosteuropas. München 1950.

*

Matthias Annabring, Volksgeschichte der Deutschen in Ungarn. Stuttgart 1954.
M. Ballagi, Die Protestantenfrage in Ungarn und die Politik Österreichs. Hamburg 1860.
G. Bauhofer, Geschichte der evangelischen Kirche in Ungarn. Berlin 1854.
Jan Borbis, Die evangelisch-lutherische Kirche Ungarns in ihrer geschichtlichen Entwicklung. Nördlingen 1861.
Mihaly Bucsay, Geschichte des Protestantismus in Ungarn. Stuttgart 1960.
G. A. Dörnhöfer, Die evangelische Kirche im Burgenland. Ödenburg 1924.
E. Doumergue, La Hongrie Calviniste. Basel 1912.
Andreas Fabo, Skizzen aus der Geschichte des ungarischen Protestantismus. Pest 1869.
T. Fliedner, Die evangelischen Märtyrer Ungarns und Siebenbürgens. Kaiserswerth 1858.
Gedenkbuch anläßlich der 400jährigen Jahreswende der Confession Augustana. Leipzig 1930.
Gerhard Gesemann, Das Deutschtum in Südslavien. München 1921 = Das Grenz- und Auslandsdeutschtum 3.
Handbuch für die evangelische Landeskirche A. B. im Großfürstentum Siebenbürgen. Eine Sammlung von Gesetzen und Aktenstücken. Wien 1857.
Heinrich Heimler, Friedrich Spiegel-Schmidt, Deutsches Luthertum in Ungarn. Düsseldorf 1955.
Hans Herrschaft, Das Banat. Ein deutsches Siedlungsgebiet in Südosteuropa. Berlin 1942.
V. Hornyánszky, Beiträge zur Geschichte evangelischer Gemeinden in Ungarn. Budapest 1867.

Pál Hunfalvy, Ethnographie von Ungarn. Deutsch von J. H. Schwicker. Budapest 1873.
Imre Kádár, Die Kirche im Sturm der Zeiten. Die reformierte Kirche in Ungarn zur Zeit der beiden Weltkriege, der Revolutionen und Konterrevolutionen. Budapest 1958.
Johann S. Klein, Nachrichten von den Lebensumständen und Schriften evangelischer Prediger in allen Gemeinden des Königreichs Ungarn. Budapest 1789.
Stephan Linberger, Geschichte des Evangeliums in Ungarn und Siebenbürgen. 1880.
H. Meyer, Die Diaspora der deutschen evangelischen Kirchen in Rumänien, Serbien und Bulgarien. Potsdam 1901.
Ludwig Nékám, Die kulturellen Bestrebungen Ungarns von 896 bis 1935. Budapest 1935.
Béla Obál, Die Religionspolitik in Ungarn nach dem westfälischen Frieden. Halle/S. 1910.
Hans Petri, Evangelische Diasporapfarrer in Rumänien im 19. Jahrhundert. Berlin 1930 = Studien zur Geschichte des evangelischen Pfarrerstandes 5.
G. Baron Prónay, Das k.k. Patent vom 1. September 1859 als Mystifikation des Protestantismus in Ungarn. Hamburg 1860.
Emeric Révész, Hungarian Protestantism. Budapest 1927.
Josef S. Szabo, Der Protestantismus in Ungarn. Berlin 1927.
Friedrich Teutsch, Geschichte der evangelischen Kirche in Siebenbürgen (1150–1917). Band 1–2. Hermannstadt 1921–1922.
Georg Daniel Teutsch, Die Reformation im Siebenbürger Sachsenland. Hermannstadt 1863.
Ders., Urkundenbuch der evangelischen Landeskirche A. B. in Siebenbürgen. Hermannstadt 1862.
Fritz Valjavec, Geschichte der deutschen Kulturbeziehungen zu Südosteuropa. Band 1–3. München 1953–1958 = Südosteuropäische Arbeiten 41–43.
St. Vereß, Einfluß der kalvinistischen Grundsätze auf das Kirchen- und Staatswesen in Ungarn. Tübingen 1910.
Lajos Vetoe, Vom Aufbau der Kirche in Ungarn. Hamburg 1955.
Eduard Winter, Die Pflege der west- und südslavischen Sprachen in Halle. Beiträge zur Geschichte des bürgerlichen Nationwerdens der west- und südslavischen Völker. Berlin 1954.

Rußland

Valentin Giterman, Geschichte Rußlands. Band 1–3. Hamburg 1949.
Erdman Hanisch, Geschichte Rußlands. Band 1–2. Freiburg 1943.
Ders., Geschichte Sowjetrußlands. 1917–41. Freiburg 1951.
Georg von Rauch, Geschichte des bolschewistischen Rußlands. Wiesbaden 1955.
Karl Stählin, Geschichte Rußlands von den Anfängen bis zur Gegenwart. Band 1–4. Stuttgart 1923–39.
Günther Stöckl, Russische Geschichte von den Anfängen bis zur Gegenwart. Stuttgart 1962.

★

Erich Amburger, Geschichte des Protestantismus in Rußland. Stuttgart 1961.
Nathanael Bonwetsch, Kirchengeschichte Rußlands. Leipzig 1924.
E. Briem, Kommunismus und Religion in der Sowjetunion. Basel 1948.
E. H. Busch, Materialien zur Geschichte und Statistik des Kirchen- und Schulwesens der ev.-luth. Gemeinden in Rußland. Sankt Petersburg 1862.

Hermann Dalton, Beiträge zur Geschichte der evangelischen Kirche in Rußland. Band 1–2. Gotha 1887–89. Band 3–4. Berlin 1898–1905.
Ders., Geschichte der reformierten Kirche in Rußland. Gotha 1865.
Ders., Die evangelische Kirche in Rußland. Drei Vorträge. Leipzig 1890.
W. Delius, Der Protestantismus und die russisch-orthodoxe Kirche. Berlin 1950.
Adolf Ehrt, Das Mennonitentum in Rußland von der Einwanderung bis zur Gegenwart. Langensalza 1932.
August Wilhelm Fechner, Chronik der evangelischen Gemeinden in Moskau. Band 1–2. Moskau 1876.
Bruno Geißler, Otto Bruhns, Vom Deutschtum in Rußland. Leipzig 1934 = Deutsche Diaspora 1.
Axel von Gernet, Geschichte der Allerh. bestätigten Unterstützungskasse in Rußland. Sankt Petersburg 1909.
Alexander Glitsch, Geschichte der Brüdergemeinde Sarepta. Niesky 1865.
Waldemar Gutsche, Westliche Quellen des russischen Stundismus. Anfänge der evangelischen Bewegung in Rußland. Kassel 1956.
Ders., Religion und Evangelium in Sowjetrußland, Kassel 1959.
Herwig Hafa, Die Brüdergemeinde Sarepta. Breslau 1936.
Frommhold Hunnius, Die evangelisch-lutherische Kirche in Rußland. Leipzig 1877.
Wilhelm Kahle, Die Begegnung des baltischen Protestantismus mit der russisch-orthodoxen Kirche. Leyden 1959 = Ökumenische Studien 2.
Karl Keller, Die deutschen Kolonien in Südrußland. Band 1–2. Odessa 1914.
Ernst Koch, Die deutschen Kolonien Nordrußlands. Gera 1931.
Hans Koch, Die russische Orthodoxie im petrinischen Zeitalter. Breslau 1929.
Georg Leibbrand, Die deutschen Siedlungen in Cherson und Bessarabien. Berichte der Gemeindeämter über Entstehung und Entwicklung der lutherischen Kolonien in der ersten Hälfte des 19. Jahrhunderts. Stuttgart 1926.
S. Fürstin Lieven, Eine Saat, die reiche Frucht brachte. Die Erweckungsbewegung in Rußland. Basel 1952.
A. W. Lechner (Hrsg.), Chronik der evangelischen Gemeinden in Moskau. Moskau 1876.
Hermann Maurer, Die evangelisch-lutherische Kirche in der Sowjetunion 1917–1937, in: Kirche im Osten 2 (1959), S. 69–79.
Theophil Meyer, Nach Sibirien im Dienst der evangelisch-lutherischen Kirche. Dresden 1927.
Ludolf Müller, Die Kritik des Protestantismus in der russischen Theologie vom 16. bis zum 18. Jahrhundert. Mainz 1951 = Abhandlungen der Akad. Mainz. Geistes- und sozialwissenschaftliche Klasse 1.
Ders., Russischer Geist und evangelisches Christentum. Witten/Ruhr 1951.
Nicolaus Neese, Geschichte der evangelisch-lutherischen Kirche und Gemeinde in Kiew. Kiew 1882.
F. de Rougemont, La Russie orthodoxe et protestante. Genève 1863.
Johannes Schleuning, Aus tiefer Not. Schicksal der deutschen Kolonisten in Rußland. Berlin 1922.
Ders., In Kampf und Todesnot. Die Tragödie der Rußlanddeutschen. Berlin 1930.
Ders., Die Stummen reden. 400 Jahre evangelisch-lutherische Kirche in Rußland. Erlangen, Rothenburg 1952.
Jakob Stach, Das Deutschtum in Sibirien, Mittelasien und dem Fernen Osten. Stuttgart 1938.
Johannes Stenzel, Wolgadeutsche Predigten und Lebenserinnerungen sowie Lebensbilder von der Wolga. Berlin 1923.

Robert Stupperich, Staatsgedanke und Religionspolitik Peters des Großen. Königsberg, Berlin 1936.
Eduard Winter, Halle als Ausgangspunkt der deutschen Rußlandkunde im 18. Jahrhundert. Berlin 1953.
A. W. Ziegler, Die russische Gottlosenbewegung. München (1932).
M. Zurakovskyj, Reformierte Ukraine. Wernigerode 1937.

NAMENS- UND ORTSVERZEICHNIS

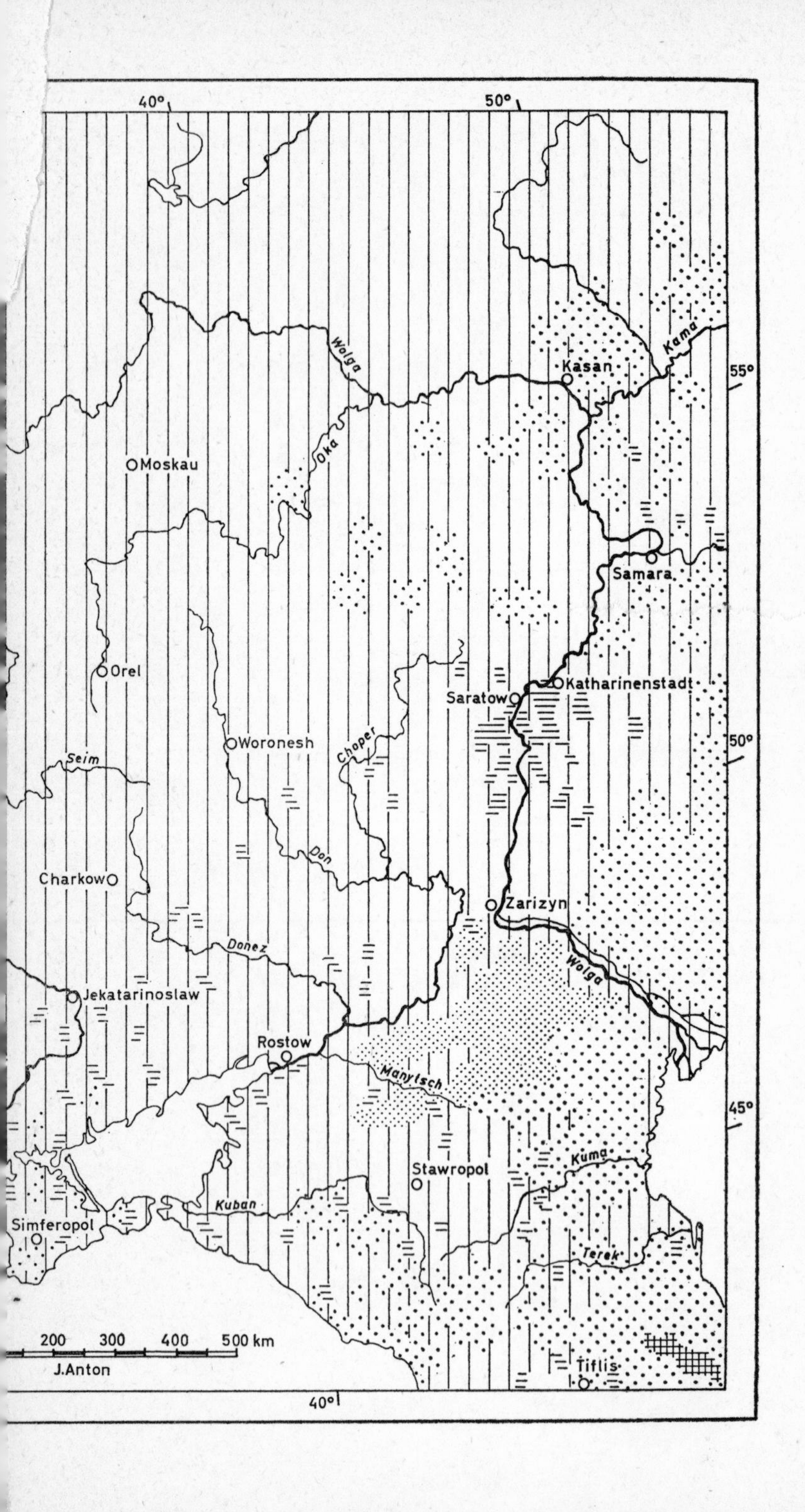

40°
50°
55°
50°
45°
40°
Wolga
Kama
Kasan
Oka
Moskau
Samara
Orel
Katharinenstadt
Saratow
Woronesh
Choper
Seim
Don
Charkow
Zarizyn
Donez
Wolga
Jekatarinoslaw
Rostow
Manytsch
Stawropol
Kuma
Kuban
Terek
Simferopol
200
300
400
500 km
J.Anton
Tiflis

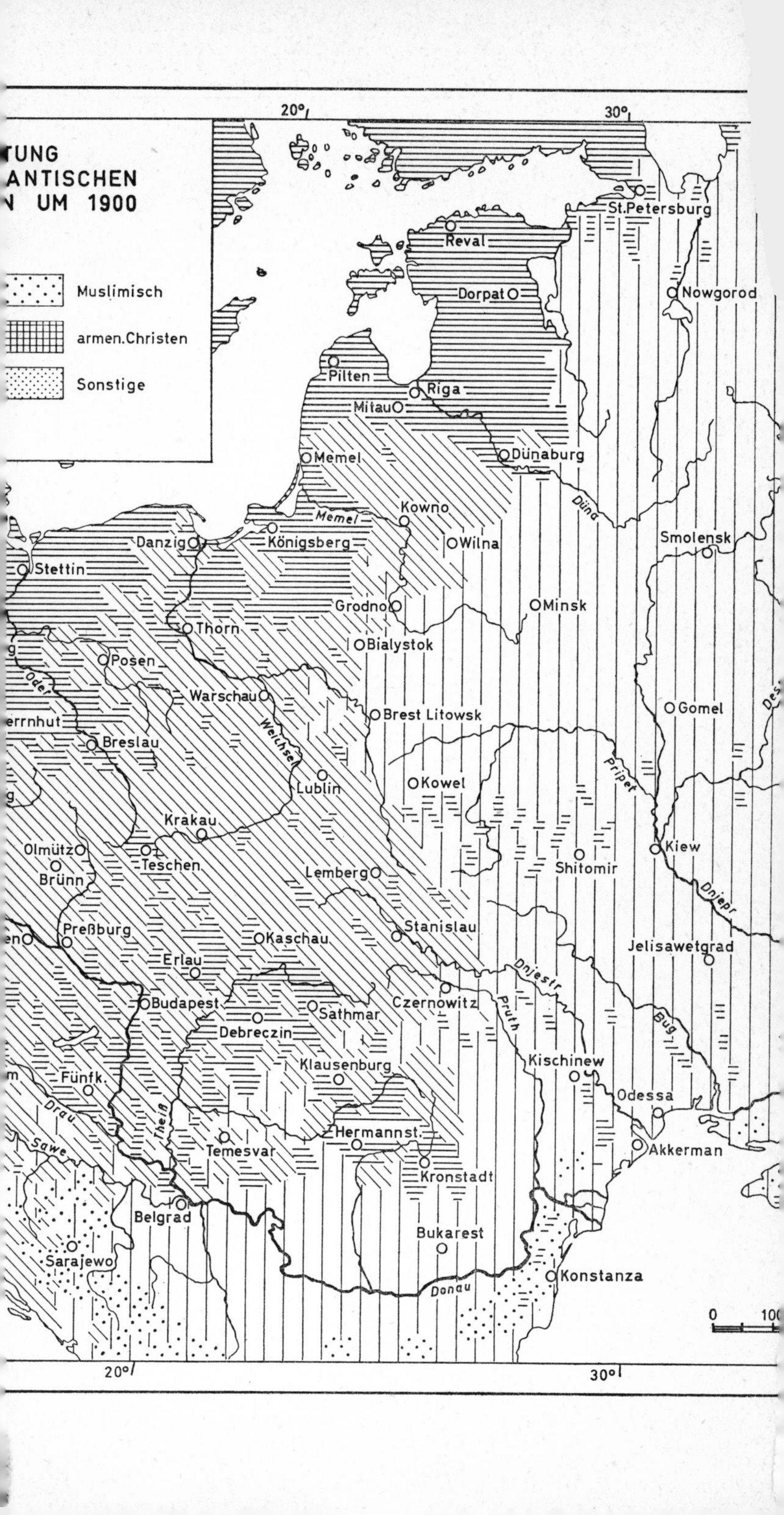

TUNG
ANTISCHEN
N UM 1900
Muslimisch
armen.Christen
Sonstige
20°
30°
St.Petersburg
Reval
Dorpat
Nowgorod
Pilten
Riga
Mitau
Memel
Dünaburg
Düna
Memel
Kowno
Smolensk
Danzig
Königsberg
Wilna
Stettin
Grodno
Minsk
Thorn
Bialystok
Posen
Oder
Warschau
Brest Litowsk
Gomel
errnhut
Weichsel
Breslau
Pripet
Lublin
Kowel
Krakau
Olmütz
Teschen
Kiew
Brünn
Lemberg
Shitomir
Dnjepr
Preßburg
Stanislau
Kaschau
Jelisawetgrad
Erlau
Dnjestr
Budapest
Sathmar
Czernowitz
Debreczin
Pruth
Bug
Klausenburg
Kischinew
Fünfk.
Odessa
Drau
Theiß
Hermannst.
Sawe
Akkerman
Temesvar
Kronstadt
Belgrad
Bukarest
Sarajewo
Konstanza
Donau
0
100

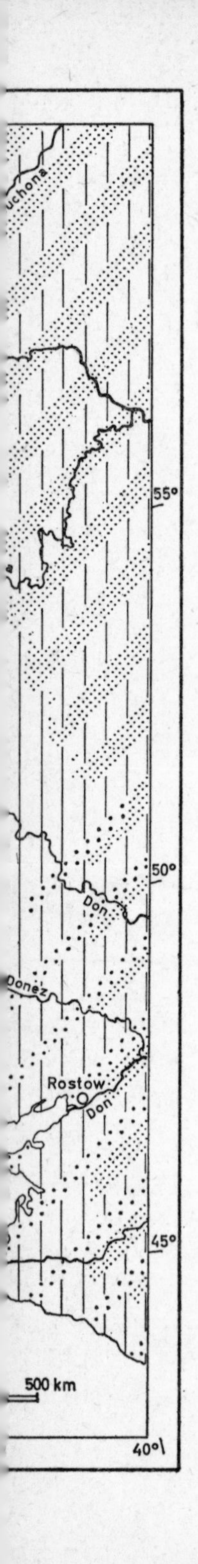

uchona
55°
50°
Don
Donez
Rostow
Don
45°
500 km
40°

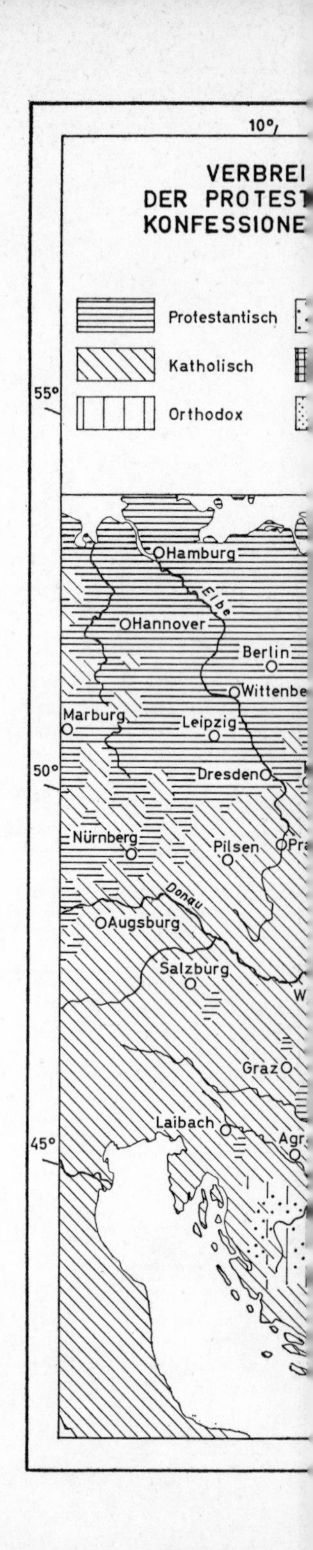

10°
VERBREI
DER PROTEST
KONFESSIONE
Protestantisch
Katholisch
Orthodox
55°
Hamburg
Elbe
Hannover
Berlin
Wittenbe
Marburg
Leipzig
50°
Dresden
Nürnberg
Pilsen
Pra
Donau
Augsburg
Salzburg
W
Graz
Laibach
Agr
45°

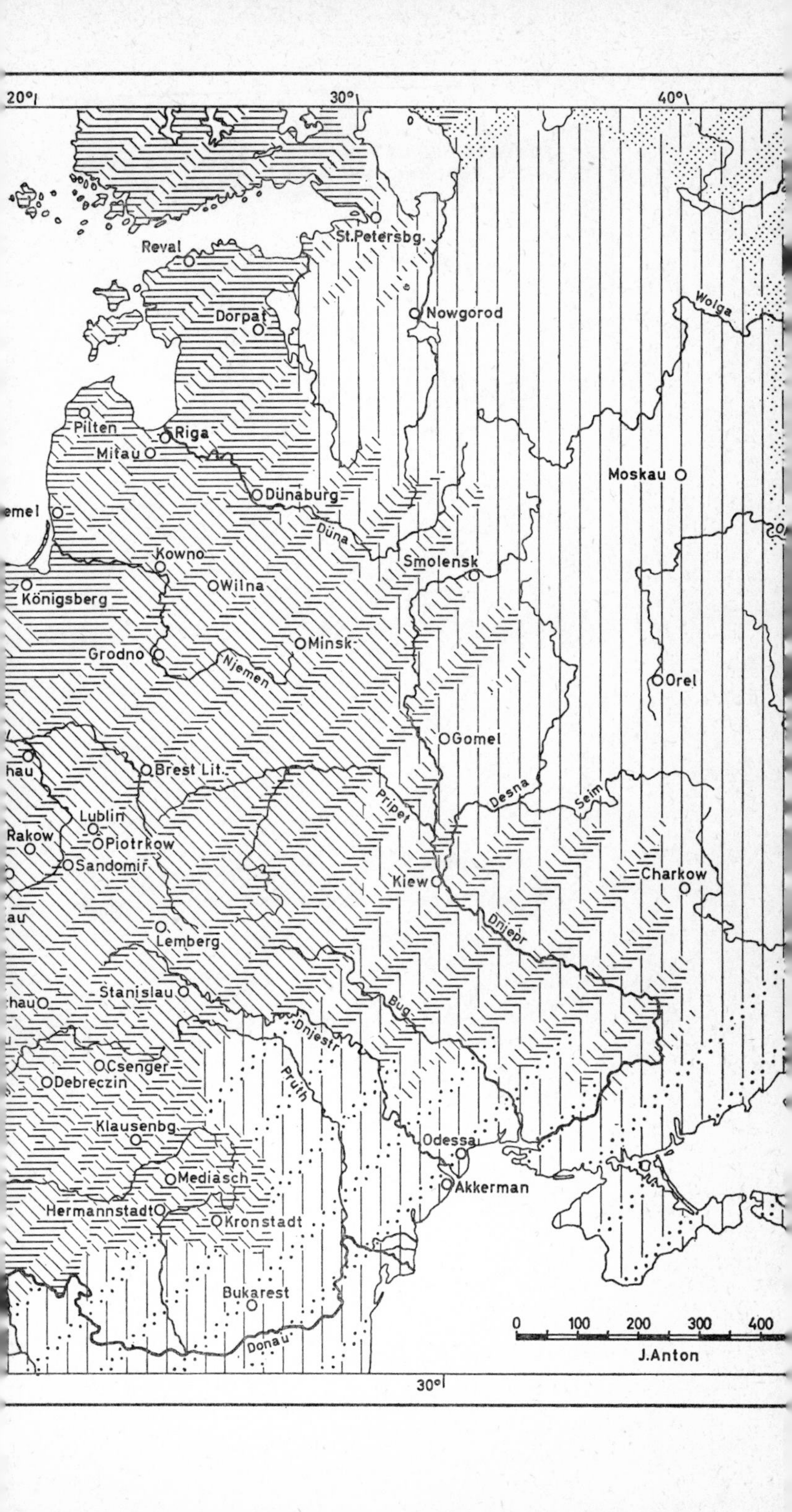
20°
30°
40°
St.Petersbg.
Reval
Dorpat
Nowgorod
Wolga
Pilten
Riga
Mitau
Moskau
Dünaburg
emel
Düna
Kowno
Smolensk
Wilna
Königsberg
Minsk
Grodno
Njemen
Orel
Gomel
hau
Brest Lit.
Desna
Seim
Pripet
Lublin
Rakow
Piotrkow
Sandomir
Kiew
Charkow
Dnjepr
Lemberg
Stanislau
Bug
Dnjestr
Pruth
Csenger
Debreczin
Klausenbg.
Odessa
Mediasch
Akkerman
Hermannstadt
Kronstadt
Bukarest
Donau
0
100
200
300
400
J.Anton
30°

VERBREITUNG DER KONFESSIONEN VOR DER REFORMATION
Katholisch
Orthodox
Muslimisch
Sonstige
10°
20°
55°
50°
45°
40°
Abo
Upsala
Reva
Pilten
Riga
Lund
Miedniki
Hamburg
Bremen
Elbe
Kammin
Königsberg
Heilsberg
Marienwerder
Grodno
Kulm
Magdeburg
Gnesen
Weichsel
Warschau
Oder
Breslau
Cholm
Prag
Krakau
Regensburg
Olmütz
Lemberg
Wien
Salzburg
Gran
Großwardein
Aquileja-Grado
Kalocsa
Venedig
Bacs
Karsburg
Sawe
Ravenna
Belgrad
Zara
Spalato
Ragusa
Ipek
Sofia
Rom
Antivari
Durazzo
Ochrida
Tarent
Saloniki